핵심은 압축! 청량감은 그대로!

사이다 Light

이지수, 구영모 공저

사이다 면접을 Light하게! 합격도 Light하게!

STEP 01
마인드 셋

STEP 02
면접 예상 주제 47가지

STEP 03
실전 면접 전략

마인드 셋

마인드 셋

① 시험장 준비물

사이다 Check List

- ☐ 수험표
- ☐ 신분증
- ☐ 《사이다 면접》 or 《사이다 Light》
- ☐ 손목시계
- ☐ 색깔 볼펜, 형광펜
- ☐ 간단한 요깃거리(점심)
- ☐ 초콜릿 등 군것질
- ☐ 편의점 커피 및 음료
- ☐ 생수
- ☐ 치약, 칫솔
- ☐ 휴지, 물티슈
- ☐ 핫팩
- ☐ 왁스 등 머리 고정 용품
- ☐ 편히 신을 신발
- ☐ 여분 마스크
- ☐ 비상약(소화제, 진통제 등)
- ☐ 자신감과 여유
- ☐ 기타(   )

② 평가위원을 통해 본 면접 방향성

평가위원은 경기도교육청 ① 현직 교원이거나 ② 교원 출신 관리자이며 ③ 각종 면접시험 유경험자이다.

- ✈ 공교육과 현장 교사들에 대한 긍정적 관점을 드러내야 한다.
- ✈ 정책이나 사례를 단순 나열하는 것이 아닌 현실적이고 실천적인 방안을 제시해야 한다.
- ✈ 진솔하고 정중하면서도 자신감 있는 면접 태도를 견지해야 한다.

이 3가지의 기본 원칙을 가슴에 새기며, 심층면접에 임하자!

면접 예상 주제 47가지

경기형 교직관 및 교사 전문성

THEME	Input
1. 경기형 교직관 수립	p.73
2. 교사 전문성 및 미래교육 역량 강화	p.89

1 경기형 교직관 수립

❶ **경기교육의 3대 기조: 자율, 균형, 미래**
  ① **자율**: 상호존중과 협력의 문화 조성, 학생과 사회의 요구 사항을 반영한 교육과정 제공
  ② **균형**: 인지·사회·정서·신체 영역에서 조화로운 발달이 이루어지도록 균형 잡힌 교육과정 제공
  ③ **미래**: 모든 학생이 잠재력을 발휘할 수 있도록 유연한 교육과정 설계, 에듀테크 등을 활용한 학생 맞춤형 교육으로 문제해결력과 창의력을 키우는 교육과정 제공

❷ **경기도 교육과정의 방향**
  학생을 "기본 인성과 기초 역량을 갖춘 자기주도적인 사람"으로 성장시키는 것

❸ **경기도 교육과정 중점 역량**

자기관리 역량, 지식정보처리 역량, 창의적 사고 역량, 심미적 감성 역량, 협력적 소통 역량, 공동체 역량, 문제 해결 역량
① 가장 공감 가는 역량과 그 이유: _____
② 역량 함양을 위한 학급 운영 방안: _____
③ 역량 함양을 위한 교과 지도 방안(성취기준 및 단원명): _____

_____

❹ **경기도 교육과정의 특성** `기출`
① 인성교육으로 공동체성을 함양하는 교육과정: 인성교육 강화, 디지털 시민성 교육
② 기초소양의 토대 위에 역량을 함양하는 교육과정: 실생활을 살아가는 데 필요한 역량을 중심으로 한 교육과정
③ 전문성과 자율성에 기반한 유연한 교육과정: 학생 삶의 맥락과 연결되는 학습, 학습 선택권을 확대하는 학생 맞춤형 교육
④ 지역과 협력해 교육생태계를 확장하는 교육과정: 지역과 협력, 삶과 연계한 학습
⑤ 지속 가능한 미래로의 전환을 추구하는 교육과정: 에듀테크 등 다양한 교수·학습 방법을 활용한 개별 맞춤형 교육

❺ **새로운 경기 교수학습 방향: 사유하는 학생, 깊이 있는 수업**
➡ 학생과 교사 주도성의 조화, 질문 탐구 수업, 삶의 맥락 문제 해결

❻ 나의 교직관 정리

① 교직관 형성과 성장 배경

- 교사를 결심하게 된 경험:
- 학창 시절 가장 힘들었던 경험:
- 기억에 남는 선생님과의 일화:
- 전공을 선택한 이유:
- 교생실습이나 교육봉사 시절 기억에 남는 일화:

- 실패한 경험과 극복한 방법:

② 교직관 및 교직 철학

- 교직관:
- 학생관:
- 학부모관:
- 지역사회 교육 연계 방안:

③ 공동체적 경험 및 교사 역량

- 교사에게 필요한 역량과 그 이유:
- 공동체 경험과 교육 적용 방안:
- 자신이 자라온 환경과 경기 지역사회 자원 활용 계획:

- 자신의 강점 및 교직 적용 계획:

2. 교사 전문성 및 미래교육 역량 강화

❶ 교사 핵심 역량과 역량 요소

역할	핵심 역량
교육과정 전문가	교육과정 역량, 수업 운영 및 평가 역량
생활교육 전문가	생활교육 역량, 진로교육 역량
학교 공동체 운영자	학교·학급 운영 역량, 소통 및 협력 역량, 교육생태계 활용 역량
자기개발자	변화대응 역량, 교직 전문성 개발 역량, 자기관리 역량

❷ 생애단계별 중점 역량 기출

신규·저경력·중경력·고경력 교사로 이어지는 중점 역량 제시

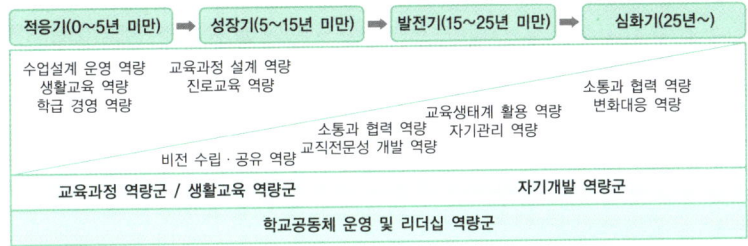

출처: 경기도교육청, 2024 교육 핵심역량

❸ 전문성 및 역량 강화 노력 기출

① 다양한 지역 자원 활용

② 개인: 자기장학 및 자율장학, 대학원 진학

③ 공동체: 전문적 학습공동체, 교사 네트워크, 교육연구회 참여

④ 학생과의 상호 피드백으로 교사로서 갖추어야 할 역량을 고민·성찰

❹ 미래 교사 역할 기출

① 미래교육에서 교사의 역할 재개념화 기출
- 학생 주도 학습을 위한 수업 설계자
- 학생 삶의 역량을 기르는 교육과정 개발자
- 가르치는 사람에서 학습 코치로의 역할 전환
- 포스트 코로나 시대를 살아갈 학생들의 상담자이자 멘토

② 미래 사회 변화와 대응 포인트

미래 사회의 모습	교사의 대응 포인트
학습 흥미 저하	학습 동기 부여, 갈등 해결, 상담 등 학생 지도
인구 감소 및 고령화 시대	개별화 교육, 평생교육 지도
세계화·다문화 가속화	다양성 존중
스마트 시대 도래	인공지능(AI) 및 학습 테크놀로지 활용
지역사회로 확장하는 교육	지역사회의 다양한 기관 및 인사와 네트워킹을 만들고 유지

2026 교육 이슈

THEME	Input
3. 경기미래교육	p.99
4. 경기교육의 3가지 섹터(학교·공유학교·온라인학교)	p.106
5. 기본·기초학력 보장 교육	p.113
6. '깊이 있는 수업' 전문성 강화	p.120
7. 평가의 변화	p.132
8. AI·에듀테크 활용 교육	p.142
9. 디지털 시민교육·개인정보 보호	p.152
10. 경기형 토론교육	p.165
11. 고교학점제	p.170
12. IB 교육과정	p.178
13. 학교폭력 예방 교육	p.183
14. 학교 구성원의 권리와 책임	p.194
15. 환경교육·탄소중립교육	p.199
16. 진로·진학교육	p.204

3 경기미래교육

❶ 경기미래교육의 인재상
① 배움으로 삶을 만들어가는 학습인: 기초학력을 기반으로 삶을 주도적으로 설계하고 새로운 가치 창출
② 공감하며 실천하는 포용인: 공감과 포용으로 존중, 배려, 협력, 책임을 실천
③ 함께 미래를 열어가는 세계인: 사회 변화에 능동적으로 참여하고 세계시민으로의 역할 수행
④ 환경과 공존하는 건강한 생태인: 지구 환경과의 공존을 위해 개인과 사회적 차원에서 성찰하고 실천

❷ 유네스코와 경기교육: 교육에 관한 관점이 비슷해 협력을 모색함
① 교육: 협력, 협업을 통한 교육
② 교육과정: 학생이 자기주도성을 가지고, 자신을 둘러싸고 있는 사회, 문화, 환경 등에 대해서 탐구할 수 있는 융·복합적인 교육과정 지향
③ 교사: 전문성을 지닌 교육 변화의 주체
④ 학교: 주체적이고 활동적인 교육 활동이 이뤄지는 장

❸ 경기미래교육을 위해 계속할 것, 중단할 것, 새롭게 만들어 갈 것
① 계속해야 할 것: 기초 역량·기본 인성교육, 자율성·주도성, 협력성, 개방적·포용적 자세를 기르는 교육
② 중단해야 할 것: 문제 푸는 기술에 집중, 편향적인 교육
③ 새롭게 만들어야 할 것: 협력, 디지털 소통 능력, 고령화 사회를 위한 체력 향상

❹ 경기형 공간 재구조화
  ① 도입 배경: 미래 사회 변화에 따른 학생 중심의 다양하고 유연한 미래형 학교 공간 구축의 필요성 대두
  ② 경기형 공간 재구조화 특화 사업 내용 기출: 스마트 환경 구축, 융·복합 다목적 공간 구현, 자연 친화적 생태 공간 조성, 공사 기간 안전 및 학습권 확보, 학교시설 내진 보강 및 안전 진단 강화

4 경기교육의 3가지 섹터(학교·공유학교·온라인학교)

❶ 경기교육의 3가지 섹터
  ① 교육 1섹터: 학교 ➡ 안전한 교육환경 조성, 학교 자율 운영, 공동의 학교 문화 조성
  ② 교육 2섹터: 공유학교 ➡ 학교 밖 교육 자원 활용, 지역 기반 교육과정 제공, 지역협력교육 운영
  ③ 교육 3섹터: 경기온라인학교 ➡ 인공지능 기반 교수·학습 플랫폼 운영, 학습안전망 구축, 학습인정 시스템 도입

❷ 경기교육 3가지 섹터 활성화를 위한 교사의 역할
  ① 교육 자원 제공
  ② 지역과 학교 상황을 고려한 프로그램 제안
  ③ 학생의 개별성을 고려한 프로그램 추천
  ④ 홍보 및 참여 안내

5   기본·기초학력 보장 교육

❶ **기초학력 부진 학생**

보통 또는 그 이상의 지능을 가지고 있음에도 기본적인 학습 능력에 어려움이 있는 학생

❷ **기초학력 보장 교육 필요성**

개인의 삶과 사회 발전을 위한 기초학력 중요성 부각, 기초학력 미달 학생의 지속적 증가, 코로나19로 인한 기초학력 저하 및 학습 결손 누적

❸ **교사의 역할**

① 가정 연계 및 에듀테크를 활용해 개별 학생의 정확한 원인 파악
② 개별 상담 후 맞춤형 대면 지도 및 학급 멘토링 프로그램 실시
③ 관련 프로그램 및 지역사회 자원과 연계: 베이스캠프, 두드림학교, 경기학습종합클리닉센터, 더(THE) 자람 프로젝트 등

6   '깊이 있는 수업' 전문성 강화

❶ **2022 개정 교육과정 총론 교수·학습 방향 4가지**

깊이 있는 학습 강조, 학생 참여형 수업 강조, 학생 맞춤형 수업 강조, 다양한 수업 환경 조성

❷ **새로운 경기 교수·학습 방향 설정: '사유하는 학생, 깊이 있는 수업' 실천**

① 학생과 교사의 주도성이 조화를 이루는 수업
② 개념 이해를 바탕으로 하는 심층 탐구 수업
③ 삶의 문제를 해결하는 역량을 기르는 수업

❸ 깊이 있는 수업을 위한 교사의 역할

① 질문 역량 강화 및 질문이 가능한 교실 문화 조성

② 질문 및 탐구 기반 수업 설계 능력

③ 과정중심평가 및 피드백 역량

④ 성찰 기회 제공 및 학습 격차 해소 노력

❹ 기대효과

자기주도성 성장, 문제 해결과 비판적 사고 함양, 창의적 사고 활성화, 문화와 가치관 이해, 배려와 협력 성장

❺ 사유하는 학생, 깊이 있는 수업을 위한 교과 지도 방안(성취기준 및 단원명)

① 단원명: _____

② 성취기준: _____

③ 활동 내용: _____

❻ 수업 오리엔테이션 구상 `기출`

자기소개, 수업 안내 사항[평가 계획, 수업 약속, 교과를 통해 기를 수 있는 역량(동기 부여) 포함], _____

❼ 수업 무기 고민

학생중심활동 기획 능력, 피드백 능력, 동기 부여 능력, _____

❽ 학생에게 길러주고 싶은 역량과 그 방법 구상

- ☐ 자기관리 역량
- ☐ 창의적 사고 역량
- ☐ 협력적 소통 역량
- ☐ 문제 해결 역량
- ☐ 지식정보처리 역량
- ☐ 심미적 감성 역량
- ☐ 공동체 역량
- ☐ 기타(   )

방안: _____

❾ **삶의 맥락과 연관 짓는 수업 설계**

경기도교육청 8대 삶의 맥락
- ☐ 개인과 사회의 공동 행복
- ☐ 정체성과 자기주도성
- ☐ 보편적 사회복지
- ☐ 포용력과 이해력
- ☐ 공감과 상호협력
- ☐ 생태 전환과 기후 변화
- ☐ 디지털 전환과 AI
- ☐ 책임 있는 민주시민

① 선택한 맥락 및 그 이유:
② 수업 설계가 가능한 단원 및 성취기준:
③ 활동 내용:

❿ **교과 특색 활동** `기출`

① 교과 축제 기획:
② 교과 특별실 운영 계획:
③ 전환기 교육 방안:

⓫ **범교과 7대 요소(+ 청렴) 연계 방안** `기출`

- ☐ 생활안전교육
- ☐ 재난안전교육
- ☐ 직업안전교육
- ☐ 교통안전교육
- ☐ 약물·사이버중독 예방 교육
- ☐ 폭력 및 신변보호 교육
- ☐ 응급처치교육
- ☐ 청렴교육

① 관련 단원:
② 성취기준:
③ 방안:

7　평가의 변화

❶ **경기도교육청 평가 방향: 성장이 있는 교실, 학습으로의 평가**
  ① 학생의 역량과 주도성을 기르는 학생평가 강화: 논술형 평가 강화, 과정중심평가 확대(프로젝트, 포트폴리오, 조사, 전시 등)
  ② 에듀테크 활용 학생 맞춤형 평가 운영
    • 장점: 개개인의 성장 이력을 쉽게 관리할 수 있음, 누적된 데이터로 개별 맞춤 피드백을 제공해 지속적 성장을 지원할 수 있음
    • 유의 사항: 인터넷 접속 환경 점검 및 스마트 기기 활용 교육, 개인정보 활용 동의 및 보안대책 마련
  ③ 학생 맞춤형 피드백을 통한 학습 지원
    • 성공적인 피드백 조건: 서로 신뢰할 수 있는 관계 형성, 학습 과정과 피드백의 가치에 대한 공감대 형성, 서로 질문하고 피드백하는 과정이 학생의 약점을 드러내는 것이 아니라 성장을 위한 과정임을 인식하는 분위기 조성
    • 피드백 형식: 학생을 존중하고 지원하는 어조 사용, 2인칭 대신 1인칭 또는 3인칭으로 시작, 2~3가지의 잘된 점과 1가지의 개선점 제안, 구체적이고 명확한 내용의 피드백 제공
    • 유의 사항: 개인에 따라 차별화된 피드백 제시, 학생들이 이해할 수 있는 쉬운 표현으로 설명, 자기 관리·자아 효능감에 긍정적 영향이 되도록 피드백 제공, 일회성으로 그치는 것이 아닌 피드백 활용 기회 제공

❷ **학생 성장중심평가(과정중심평가)**
  ① 정의: 학습 과정과 결과에 대한 피드백을 통해 학생의 성장과 발달을 돕는 평가로 학생의 배움과 교사의 가르침을 지속적으로 성찰하고 개선해 모두의 성장을 지원하는 평가
  ② 특징: 학습 과정과 결과에 대한 피드백을 제공하는 평가, 학생의 발달을 돕는 평가, 실생활과 연계된 평가, 협력을 지향하는 평가

❸ **서·논술형 평가**
  ① 정의: 학생들이 학습한 내용을 바탕으로 주어진 문제에 대해 자신의 생각을 논리적으로 구성하는 평가
  ② 필요성: 학생들은 주어진 답을 선택하는 것이 아닌, 답을 스스로 구성하는 과정에서 학습한 지식을 분석하거나 활용하는 수준, 종합하고 적용하는 수준, 새로운 것을 만들어내는 수준 등 보다 고차원적인 사고를 경험할 수 있음

❹ **수행평가**
  ① 정의: 학생이 실제적 과제 수행을 통해 지식·기능·태도를 종합적으로 보여주는 평가 방식으로 단순 정답 확인이 아니라 과정과 결과 모두를 평가
  ② 문제의식: 특정 시기에 몰려있는 문제, 한 과목당 2~3개의 수행평가 시행에 따른 부담감, 평가기준의 불명확성, 실질적 피드백 부족 문제 등
  ③ 개선 방안: 시기 조정, 적정 과제량 설계, 명확한 기준 제시, 피드백 중심 운영, AI 활용 등

8 AI·에듀테크 활용 교육

❶ AI·에듀테크 활용 교육 기출

AI 기반 코스웨어 및 교수학습 플랫폼(AI튜터) 활용 등 최신 기술을 활용해 미래형 교수·학습을 구현하는 모든 교육 활동

① 하이러닝: 미래교육을 지향하고 교사의 수업 설계와 학생 맞춤형 교육을 지원하는 경기도교육청 AI 기반 교수·학습 플랫폼

② 하이테크 교육: 인공지능, 빅데이터 등과 같은 고도화된 기술인 하이테크의 특징과 장점을 살려 교육 현장에 활용함으로써 교육적 효과를 높이는 것

❷ 1인 1스마트 기기를 활용한 교과 지도 방안

① 특성: 동시성, 즉시성, 주도성, 적기성, 누적성

② 교과 지도 방안(성취기준 및 단원명): ⎯⎯⎯⎯⎯⎯⎯⎯⎯

❸ 인공지능 활용 교육

인공지능의 혜택을 누리기 위해 필요한 지식과 기능, 인공지능과 함께 살아가기 위해 필요한 가치와 삶의 방식을 배우는 교육

예 AI 이해 교육, AI 활용 교육, AI 윤리 교육 등

① 교육 방안: 맞춤형·개별화 교육, 진로교육, 기초학력 보장, 윤리교육

② 교과 지도 방안(성취기준 및 단원명): ⎯⎯⎯⎯⎯⎯⎯⎯⎯

❹ 챗GPT(생성형 AI) 활용 교육

① 수업 활용 방안: 정보 탐색(아이디어 탐색, 자료 조사), 원고 초안 작성, 외국어 자료 번역, 엑셀, 코딩

➡ 교과 지도 방안(성취기준 및 단원명): ⎯⎯⎯⎯⎯⎯⎯⎯⎯

② 수업 활용 시 장점: 학생 맞춤형 학습 및 완전 학습 가능, 학생주도형 수업 가능, 질문 역량 강화
③ 유의 사항: 학생의 이용 역량 강화, 비판적 수용 및 검토 방법 교육, 답변 유도 역량 강화, 자존감 정립 후 사용하도록 사전 교육 필수
④ 문제점(한계): 저작권·개인정보 문제, 답변의 신뢰성·윤리성·편향성 문제, 무비판적 수용 우려

❺ **시사점: 하이터치·하이테크 수업 지향**
① 하이터치 교육: 인간을 존중하고 공감을 이끌어낼 수 있는 감성적 작용인 하이터치와 교육을 결합한 따뜻하고 인간적인 교육을 의미
② 방법: 교사와 학생의 정서적 교류 촉진, 학생 간 협업 촉진, 긍정적 인간관계 형성을 위한 교육, 학습에 대한 자기주도성과 학생들의 다양성을 보장하는 교육

9 디지털 시민교육·개인정보 보호

❶ **디지털 역량**
자율·균형·미래의 경기교육 원칙을 반영하고 기존 디지털 시민성과 디지털 리터러시를 포괄한 개념으로, 시민 역량과 창의 역량으로 구분

❷ **교육 내용**
디지털 기술 활용 교육, 참여와 가치 및 윤리에 대한 교육 시행, 비판적 정보 수용 능력 등

❸ **지도 방안**
① 교과 지도 방안(성취기준 및 단원명): _____
② 학급 운영 방안: _____

❹ **미디어 리터러시 교육**

　① 정의: 다양한 맥락 안에서 미디어에 접근하고, 비판적으로 이해하며 창의적으로 창조할 수 있는 능력으로 미디어를 통한 참여와 실천을 포괄하는 개념

　② 지향점: 삶의 경험을 중심으로 한 교육, 성찰 중심의 교육, 교사와 학생이 함께 성장하는 교육

　③ 교육의 핵심 내용
- 적절한 정보를 찾고, 믿을 수 있는 정보를 선택하는 능력 함양
- 미디어의 정보가 올바른 것인지 판단하는 감식안 교육
- 저작권과 초상권, 개인정보 보호에 대한 교육 병행
- 디지털 환경에서 어린이·청소년의 '권리' 교육

　④ 지도 방안
- 교과 지도 방안(성취기준 및 단원명): _____
- 학급 운영 방안: _____

❺ **인터넷·스마트폰 과의존 예방 교육**

　① 스마트폰 과의존 현상: 과도한 스마트폰 이용으로 스마트폰에 대한 현저성이 증가하고 이용 조절력이 감소해 문제적 결과를 경험하는 상태

　② 학생 주도 예방 교육 활동: 이용 자율 실천 규칙 제정, 올바른 사용 캠페인

　③ 이용 습관 진단조사 및 위험 사용자군 관리

　④ 지역사회 및 가정 연계 교육

　⑤ 지도 방안
- 교과 지도 방안(성취기준 및 단원명): _____
- 학급 운영 방안: _____

❻ 개인정보 처리 유의 사항

최소 정보 수집, 사전 동의, 이메일 발송 시 유의, 제3자 제공 개인정보 보호법 준수

10 경기형 토론교육

❶ 필요성

사회적 쟁점을 다루는 토론 모형을 통해 다양한 관점을 이해하며 자기 주도적인 미래 인재로 성장하도록 도울 수 있음

❷ 주요 원칙

① 첫째, 강압적인 교화와 주입식 교육을 지양하고 학생의 자율적 판단을 중시한다.
② 둘째, 논쟁적 주제는 수업 중에도 다양한 입장과 논쟁이 그대로 드러나게 한다.
③ 셋째, 사회 현안에 대해 자신의 삶과 연계하여 실천하도록 한다.

❸ 경기토론교육 모형

다름을 마주하기		다름을 이해하기			다름과 공존하기
문제인식 [마주하기] - 질문 활동		문제 탐구 [학생 주도 찬반토론]			문제 해결 - 사회 참여형
논제 선정하기	쟁점 탐구하기	입론하기	질의 및 반론하기	공존을 향한 주장하기	정책 제안하기
여러 가지 방법으로 논제 만나기	찬반 양측의 쟁점 분석하기 (찾기)	입론	반론	합의점 모색	공존을 향한 해결책 제안·실천하기

❹ 모형 활용 시 유의 사항
  ① 공존 경험 강조: 서로 다른 견해를 인정·존중하는 단계임을 학생들이 이해하고 참여하도록 지도
  ② 사전 학습 필요: 단계별 핵심 사항을 미리 익히게 해 체계적으로 진행
  ③ 절차 준수: 단계별 시간·순서·역할을 지키며 진행
  ④ 쟁점 중심 진행: 핵심 쟁점을 중심으로 토론 전개
  ⑤ 경청 태도: 상대 발언을 존중하고 메모하는 습관 지도
  ⑥ 기록 활용: 클로바노트 등으로 과정을 기록해 사후 활동에 활용
  ⑦ 자율적 판단 존중: 결론 강요·합의 강제·주관적 평가 지양
  ⑧ 유연한 운영: 학교급·학생 규모에 따라 인원·시간 조정

❺ 교사의 역할
  ① 균형적 자세 유지: 교사의 주관이 강요나 압박으로 작용하지 않도록 중립적 태도로 수업 운영
  ② 촉진자 역할 수행: 학생이 다루지 못한 쟁점을 제시하거나 발언이 어려운 학생 참여 유도
  ③ 학생의 주체적 판단 형성 안내: 다양한 시각을 접하고 차이를 분석하며, 존중받는 환경 속에서 학생 스스로 사고하고 결론을 내리도록 안내
  ④ 안전한 토론 환경 조성: 자유롭고 편안한 분위기 보장, 즉각적 판단·비난 지양
  ⑤ 존중과 응원의 조력자: 학생의 사회적 관심과 공동체 참여 경험 지원, 성숙한 시민으로 성장할 수 있도록 존중·격려
  ⑥ 질문 존중과 피드백 이행: 모든 질문과 의견을 존중하고, 단발적 호기심이 확장되도록 적절한 피드백을 제공해 사고 확장 지원

11 고교학점제

❶ 경기 고교학점제 기출

학생이 기초소양과 기본학력을 바탕으로 진로·적성에 따라 과목을 선택하고 이수 기준에 도달한 과목에 대해 학점을 취득·누적해 졸업하는 제도

❷ 목적

① 학생의 학습 선택권 반영 및 확대: 수요 조사 및 미개설 과목은 공동교육과정, 이음온학교로 확대
② 진로·학업 설계 지도
③ 최소 성취수준 보장: 책임 교육 지향

❸ 기대효과 기출

① 입시·경쟁 중심에서 진로·성장 중심으로 교육 혁신 초래
② 학생 과목 선택권 확대 및 학습 및 학업 관리 지원으로 공교육에 대한 신뢰 제고
③ 진로와 적성 및 수준에 따른 학생 맞춤형 학업 설계와 학생 주도적 학습 지원을 통해 모든 학생들의 잠재력 개발

❹ 원활한 고교학점제 운영을 위한 학교와 교사의 역할 기출

① 공동교육과정 활성화 및 수업 환경 정비: 소인수 과목 수강 기회 제공(인근 고교와 시간표 공유, '온라인 공동교육과정' 운영), 수업 환경 정비(온라인 쌍방향 수업을 위한 스튜디오 구축, 교과 교실제)
② 교사의 역량 강화: 교사 수업 나눔 동아리 운영, 선택과목 확대에 따른 교수·학습 및 평가 개선 노력, 교과별 미도달 예상 학생에 대한 맞춤형 학습 지도 실시, 미도달 학생에 대한 학업 보충 기회 제공

③ 학생 진로 지도 강화: 예비 신입생과 학부모 대상으로 맞춤형 진로 코칭 제공, 3년간 진로 탐색활동 누적 기록
④ 고교학점제와 연계한 교과 교실제 운영: 학생 선택권 보장으로 고교학점제에 대비한 교과 교실제 운영, 수업 중심 학교 문화 조성

12 IB 교육과정

❶ IB(국제 바칼로레아·International Baccalaureate) 프로그램
탐구-실행-성찰 학습을 통한 학습자의 자기주도적 성장을 추구하는 교육 체제

❷ 목표
서로 다른 문화를 이해하고 존중하며 더 나은 세상을 실현하는 데 기여할 수 있는 지식이 풍부하고 탐구심과 배려심이 많은 청소년을 기르는 것

❸ 학습자상
① 탐구하는 사람(Inquirers)
② 지식을 갖춘 사람(Knowledgeable)
③ 생각하는 사람(Thinkers)
④ 의사소통을 잘하는 사람(Communicators)
⑤ 원칙을 지키는 사람(Principled)
⑥ 마음이 열린 사람(Opened-minded)
⑦ 배려하는 사람(Caring)
⑧ 위험을 감수하는 사람(Risk-takers)
⑨ 균형 잡힌 사람(Balanced)
⑩ 성찰하는 사람(Reflective)

❹ IB와 기존 수업, 평가 간 유사점과 차이점
　① 유사점: 학생 중심 수업과 과정 중심 논·서술형 평가 지향
　② 차이점
　　• 기존 교육: 초·중학교에 주로 적용. 논술형 평가 채점의 공정성에 대한 부담으로 고등학교로의 확산 한계
　　• IB 프로그램: IB 본부가 양성한 채점관이 고등학교의 내부·외부 평가를 교차 채점하고 학교별 점수를 조정함으로써 공정한 평가 시스템 운영 가능

13　학교폭력 예방 교육

❶ 학교폭력

학교 내외에서 학생을 대상으로 발생한 상해, 폭행, 감금, 협박, 약취·유인, 명예훼손·모욕, 공갈, 강요·강제적인 심부름 및 성폭력, 따돌림, 사이버 따돌림, 정보통신망을 이용한 음란·폭력 정보 등에 의해 신체·정신 또는 재산상의 피해를 수반하는 행위

　👍 개념에서 제시하는 유형은 예시적으로 열거한 것으로, 신체·정신·재산상의 피해를 수반하는 모든 행위는 학교폭력에 해당함

❷ 사이버폭력

정보통신망과 기기를 이용해 글, 이미지, 음성 등 언어적·비언어적 형태로 괴롭히는 모든 행위

　📗 사이버 언어폭력, 사이버 명예훼손, 사이버 갈취, 사이버 스토킹, 사이버 따돌림, 사이버 영상 유포

❸ 성폭력

① 정의: 상대방의 의사에 반해 성을 매개로 가해지는 모든 폭력(신체적, 심리적, 언어적, 사회적) 행위로 성추행, 성폭행뿐만 아니라 개인의 '성적 자기결정권'을 침해하는 행위를 포함

② 성폭력 사안 발생 시 대처 요령
- 성폭력 사안 발생 인지 후 즉시 신고
- 성폭력 피해학생 응급조치 및 전문상담기관과의 연계
- 성폭력 사건 피해학생에 대한 보호 조치
- 피해학생 보호 관련 학부모와 협의
- 피해학생의 등교 거부 시 조치 및 성적 처리에서의 불이익 금지

③ 유의할 점
- 피해학생 보호 및 진술오염 방지를 위해 초기 진술 녹음
- 피해자 동의 여부와 상관없이 수사기관에 반드시 신고
- 성폭력 사건을 숨기거나 학교 내에서 임의로 해결하려고 하지 않음
- 다른 교직원이나 학생들에게 비밀이 누설되지 않도록 유의하고 침착하게 대응

④ 성폭력 피해학생 상담 방안
- 피해로 인한 고통에 대해 충분한 공감과 신뢰를 바탕으로 대화 진행
- 신고하고 도움을 요청한 피해학생의 용기에 충분한 지지를 보냄
- 평상시 태도를 지적하거나 학생에게 원인이 있다고 학생 탓을 하는 등 사건과 무관하거나 불필요한 발언을 하지 않고, 가해자를 대변하거나 두둔하는 발언을 하지 않도록 주의해야 함
- 겉으로 보이는 것이 전부가 아닐 수 있음을 인지하고 지속적 관심으로 충분한 회복지원을 도움

❹ 교사의 관찰 및 조사 요령

① **피해학생 관찰**: 신체적으로 혹은 심리·정서적으로 어려움을 겪고 있는지 확인하고 관계 회복 등 피해학생의 구체적인 욕구를 파악함

② **가해학생 관찰**: 특정 학생을 괴롭히는지 혹은 다수의 학생들을 괴롭히는지, 가해학생이 반 내에서 다른 학생들과 어떤 관계를 형성하고 있는지 등을 파악함

③ **주변학생 관찰**: 학교폭력과 관련된 학생들은 더 없는지, 학교폭력 사안에 어떻게 연루돼 있는지, 목격학생 및 주변학생들의 심리상태(불안감 등)는 어떠한지 등을 살펴봄

④ **학교폭력 조사 요령**
- 교사가 학교폭력 사안을 인지하고 있다는 것에 대해 말하지 않고, 학교생활이나 교우관계 등을 물어보고 다양한 방식으로 관찰해야 함
- 다수 또는 다른 학생이 보는 앞에서 피·가해 사실을 조사하지 않고 관련 학생을 개별로 조사해야 함
- 학생들의 진술이 일치하지 않더라도 사실관계를 추궁하거나 대답을 강요하는 행위는 지양하고 객관적 증거를 확인해야 함

❺ **사전 예방 활동(학교폭력예방법)** 기출

학생·학부모·교직원 대상 예방 교육(제15조), 학교폭력 실태조사(제11조), 인권 친화적인 학급 분위기 형성, 책임 규약 규정, 사이버폭력 예방 애플리케이션 활용

❻ 학교폭력 사안 처리 시 유의 사항 기출

① 공정하고 객관적인 자세를 견지
② 불필요한 분쟁이 추가적으로 발생하지 않도록 노력
③ 사안 조사 시에는 가해 관련 학생과 피해 관련 학생을 분리해 조사하고, 축소·은폐하거나 성급하게 화해를 종용하지 않도록 함
④ 학교폭력대책자치위원회 결정 전까지는 가해학생, 피해학생으로 단정짓지 말고 '관련 학생'이라는 용어를 사용해야 함
⑤ 비밀을 엄수하도록 하고, 개인정보 보호에 유의해야 함
⑥ 학교폭력 사안 조사는 가능한 한 수업 시간 이외의 시간을 활용하고, 부득이하게 수업 시간에 할 경우에는 별도의 학습 기회를 제공해야 함

❼ 가해학생과 피해학생 분리 시 유의 사항

① 학교 내에 별도 공간을 마련하고 분리 기간 동안 관련 학생의 학습권 보장을 위해 교육자료 제공, 원격 수업 등의 방안을 마련해야 함
② 학급, 학년이 다를 경우에도 분리 의사를 확인하고, 분리를 원하는 경우 수업은 각자 소속 학급에서 수강하되, 수업 시간을 제외한 시간에 대한 동선 분리 및 생활지도 계획을 수립해 피해학생 보호를 위해 노력해야 함
③ 피해학생 1명이 학급, 학년 전체를 신고한 경우, 피해학생을 분리해 보호 가능함
④ '가해자와 피해학생 분리'는 가해학생에 대한 징계성 조치가 아님을 안내해야 함

❽ 상담 시 유의 사항
  ① 피해학생 상담
    - 초기 상담 시 판단이나 충고 없이 적극적으로 경청하고, 적절한 위로와 지지를 해줌
    - 신체적, 심리·정서적으로 어떤 어려움을 겪고 있으며, 필요한 도움은 무엇인지 상황과 욕구를 파악함
    - 가해학생으로부터 보복을 당하지 않도록 학교에서 책임감을 가지고 지도·관리할 것을 알려줌
    - 사안처리 절차 및 내용, 진행과정, 보호조치 등을 설명해 학생이 안심하고 학교생활을 해나갈 수 있도록 도와줌
  ② 가해학생 상담
    - 초기 상담 과정에서 학생을 낙인찍지 않고, 판단이나 충고 없이 경청함. 경우에 따라서는 쌍방 피해로 결론이 나거나 피해학생과 가해학생이 뒤바뀌는 상황이 전개될 수 있음을 고려함
    - 폭력을 사용하게 된 상황(가정적 요인 포함)에 대해 충분히 탐색함
    - 폭력은 용인되지 않으며 가해학생이 저지른 행동은 잘못된 것이라는 사실을 알려주고 피해학생이 당한 충격과 상처를 이해시킴
    - 피해학생에게 사과할 의사가 있을 경우, 먼저 피해학생이 사과를 받아들일 마음이 있고 준비된 상황에서 진심어린 사과를 해야 함을 안내함
  ③ 피해학생 보호자 상담
    - 감정이 격앙됨을 이해하고 수용하는 것이 중요함
    - 말하는 상황이 해당 사안과 직접적으로 관련한 사실이 아닐지라도 처음에는 온전히 들어주는 것이 필요함

- 심리·정서적으로 어떤 어려움을 겪고 있으며, 필요한 도움은 무엇인지 상황과 욕구를 파악함
- 교사의 개인적 의견을 묻는 경우, 공정한 업무 처리를 위해 개인적 의견을 언급할 수 없음을 정중하게 전달함
- 피해학생이 학교에서 상담을 받는 것을 불편해할 경우 외부 전문기관에 연계해 상담을 받을 수 있음을 안내함

④ 가해학생 보호자 상담
- 자녀가 다른 학생에게 폭력을 휘둘렀다는 사실에 당황스러움과 혼란스러움, 의심, 미래에 대한 불안감 등을 경험하게 됨을 이해함
- 학생의 가해행위를 부정하는 경우, 논쟁하기보다는 접수하는 태도로 반응함
- 피해학생 및 학부모에게 사과할 의사가 있을 경우, 먼저 피해 측에서 사과를 받아들일 마음이 있고 준비된 상황인지 알아보고, 진심어린 사과를 해야 함을 안내함
- 학교에서는 가해학생 역시 걱정하고 있고, 교육적으로 적절하게 지도할 것임을 안내함

❾ 관계회복
① 개념: 관련 대상자들이 발생 상황에 대해 이해, 소통, 대화 등을 통해 원래 상태 또는 일상생활로 돌아갈 수 있도록 함께 노력하는 것
② 관계회복 진행 시 유의 사항
- 양측 학생이 동의한 경우에만 진행 가능
- 한 명이 중단하고 싶으면 중단 가능
- 관계회복 프로그램을 진행했다고 해서 갑자기 사이가 좋아지거나 관계가 개선되는 것은 아니라는 점을 이해

- 피해학생에 대해 모든 단계 시작 시 현재 마음과 생각, 2차 피해(재발 및 보복 등), 참여 의사 등을 확인함으로써 강제적인 것이 아닌 피해학생 의사를 우선으로 고려

14 학교 구성원의 권리와 책임

❶ 상호존중의 필요성

건강한 교육 환경 조성, 학생의 성장과 발달에 긍정적 영향, 교사의 업무 만족도와 정신적 건강 향상, 갈등의 예방과 해결

❷ 학교 구성원의 상호존중 방안

① 학교 전체의 권리와 책임 문화 확립: 상호존중 학교 문화 조성 협의체 개최, 존중과 배려의 생활공동체 구축, 상호존중과 회복적 관점에서의 갈등 해결 방안 모색을 위한 서약식 진행

② 교사: 가정과의 연대로 원활한 의사소통의 창구 마련, 건강한 사제 관계 형성, 교사 자존감을 바탕으로 상처를 방치하지 않고 회복하고자 노력

③ 학생: 교사를 존중하며 공동의 학교 문화를 만들기 위한 주체적이고 책임감 있는 자세 정립, 타인의 학습권 존중

④ 학부모: 교사를 인정하고 협력하는 마음 갖기, 정기적인 학부모 회의나 학교 행사에 참여해 학교의 비전과 목표를 공유하고 존중하는 자세 정립

15　환경교육·탄소중립교육

❶ 경기형 탄소중립교육

인간, 비인간 자연 모두의 공존과 상생을 위해 탄소 문명에서 생태 문명으로의 전환을 추구하는 교육으로, 교육공동체의 지역 기반 탄소중립교육 활동의 주체적 실천을 의미

❷ 목표

환경 문제 인식, 환경 감수성 함양, 지속 가능한 생활 방식 학습, 비판적 사고·문제 해결, 책임감 있는 글로벌 시민으로 성장

❸ 2025 경기도교육청 추진 방향

① 탄소중립을 위한 단계적 지원: 학교 차원 ➡ 사회 차원 ➡ 탄소 상쇄권 제공

② 경기 탄소중립학교 프로젝트의 특징
- 탄소발자국 지우기 노력은 쉽고, 재미가 있어야 한다(Easiness & Fun).
- 완전한 탄소중립 성과를 내야 한다(Complete performance).
- 충분한 보상으로 활동이 지속되게 해야 한다(Reward & Sustainability).

❹ 환경교육 방안

① 학급 운영 방안: _____

② 교과 지도 방안(성취기준 및 단원명): _____

16 진로·진학교육

❶ 방향성

학생 중심, 체험 중심, 안전 강조, 다양한 자원 활용(온·오프라인), 개별 맞춤형 교육

❷ 개별 맞춤형 진로교육의 필요성 기출

급변하는 사회·산업 변화 대응, 다양한 진로 선택 가능, 개성이 강한 학생 특성 고려, 평생학습 시대에 자기주도적 진로 설계 역량 필요

❸ 교사 역할 기출

진로 조사 결과 및 학생의 흥미를 기초로 한 1:1 상담, 성장 단계별 진로 연계 교육, K-MOOC 활용, 지역사회 자원과 연계 등

CHAPTER 03

교육 정책 이해 및 적용

THEME	Input
17. 학교자율과제·학교자율시간·성장이음과정	p.209
18. 자유학기제	p.215
19. 건강하고 안전한 학교	p.219
20. 교육복지	p.226

17 학교자율과제·학교자율시간·성장이음과정

❶ 학교자율과정

학생이 주체적으로 삶의 역량을 기를 수 있도록 학생의 학습 선택권을 확대하고 학습 경험의 질과 폭을 심화하기 위해 교육공동체가 함께 개발해 운영하는 교육과정

❷ 학교자율과제

경기미래교육 실현을 위해 학교자율 역량을 바탕으로 학교 현안을 진단하고 숙의를 거쳐 도출한 과제

❸ 학교자율시간

지역과 학교의 여건 및 학생의 필요에 따라 교과 및 창의적 체험활동의 일부 시수를 확보해 국가교육과정에 제시된 교과 외 새로운 과목이나 활동을 개설·운영하는 시간으로 학교는 반드시 학교자율시간을 편성·운영해야 함

❹ 성장이음과정

초등학교 1~2학년 통합교과를 중심으로 교과 및 창의적 체험활동을 활용해 기초학력과 기본 생활습관을 형성할 수 있도록 유-초, 학년 간 연계를 고려한 교육과정 설계 모형

18 자유학기제

❶ 정의

자기주도적 학습 능력과 잠재력을 기르기 위해 중학교 과정 중, 한 학기 동안 지식·경쟁 중심에서 벗어나 학생 참여형 수업을 실시하고 학생의 소질과 적성을 키울 수 있는 다양한 진로체험 활동을 중심으로 교육과정을 운영하는 제도

❷ 학교 및 교사의 역할
① 학생 선택권 보장
② 학생 주도성 기반의 수업 활성화
③ 과정중심평가 및 맞춤형 피드백 강화
④ 기초학력 보장 지원을 위한 자유학기 활동 편성·운영
⑤ 지역 연계 교육 활동으로 학교 밖 학습경험 다양화

❸ 장점 기출
① 학생: 시험 부담에서 벗어나 꿈과 진로를 찾고 진학 설계 가능, 내적 동기 형성으로 내실 있는 학습 가능, 숨겨진 역량과 가능성 발견
② 학부모: 학생들이 다양한 경험을 하면서 성장하는 모습을 볼 수 있음
③ 교사: 주제 학습을 구성하는 과정에서 전문성 강화, 공교육의 신뢰 회복

19 건강하고 안전한 학교

❶ 물리적 안전: 폭력·감염병으로부터 안전한 학교
① 학교폭력 예방 교육: '학교문화 책임규약' 제정, 학부모 대상 학교폭력 인식 개선 연수 실시, 학교폭력 예방 캠페인 운영, 학교폭력 제로센터 운영
② 화해중재단 운영: 화해중재단원이 학교 내 갈등 사안에 대해 양측의 동의하에 화해를 유도해 학교폭력을 교육적으로 해결하는 정책
③ 학교 감염병 예방 및 대응 강화: 예방접종 관리, 감염병 예방 교육(간단하고 주기적인 교육), 감염병 환자 또는 의심환자 낙인효과 예방 교육 병행 등

❷ 심리·정서적 안전: 상담·돌봄 체계 강화
① 아동학대 예방 교육 및 홍보 강화
② 학생상담안전망 지원 강화: Wee 클래스 확대 구축

❸ 환경적 안전: 보건·체육·급식 기반 안전
① 보건교육: 예방 중심 보건교육 및 건강서비스 지원
② 체육교육 활성화: 학생들의 저하된 기초체력·정서 및 관계 회복을 위한 신체활동 추진
③ 영양·식생활교육 강화: 자율선택급식 식단, 교육과정 연계 영양·식생활교육 운영, 쾌적하고 안전한 급식 환경, 학생건강 중심 맞춤형 교육급식 운영, 자율선택 급식 확대 운영

20 교육복지

❶ 정의

① 학습권 보장: 생애 초기부터 누구나 양질의 교육을 받을 수 있도록 보장

② 기초학력 획득: 여러 학습에 포괄적으로 필요한 일반적 학습 능력을 갖추도록 지원

❷ 사례

사회통합 전형, 농어촌 학생·저소득층 학생·장애인 및 북한 이탈주민 등 교육급여 제공, 교육복지 우선지원사업, 교육복지안전망, 대안교육, 대안학교, 학교 내 대안교실

CHAPTER 04

교과 지도(전공 연계) 방안

THEME	Input
21. 세계시민(학교민주시민)교육	p.231
22. 독서인문교육	p.236
23. 초등 놀이 활성화	p.242
24. 문해력 향상 교육	p.245
25. 통일교육·탈북학생교육	p.251
26. 독도교육	p.255

21 세계시민(학교민주시민)교육

❶ 정의
국가·경제 간 상호 연결성을 인식하고 세계적 사안에 대한 적극적인 역할을 실천하는 것을 목표로 하는 포괄적인 개념

❷ 필요성
전 지구적 차원의 문제 해결과 공생 방식을 모색하기 위한 세계시민교육의 필요성 대두

❸ 2025 경기도교육청 추진 방향
① 교육과정 연계 시민·세계시민교육 운영
- 학급 운영 방안: _____
- 교과 지도 방안(성취기준 및 단원명): _____

② 실천적 문화 조성을 통한 시민·세계시민의식 함양: 학생 참여 중심 시민·세계시민교육 실천, 다양한 가족형태에 대한 사회적 인식 개선 교육
③ 지역사회 협력 시민·세계시민교육 운영: 지역 중심 교육, 유관기관 협업

❹ **교사의 역할**

교육과정 재구성 역량, 학생 주도 활동 지원, 포용적 가치관 형성, 전문성 개발, 지역 및 기관 연계 능력

22 독서인문교육

❶ **필요성**

미디어 및 영상 중심의 사회에서 읽고 쓰는 능력이 감소, 학생 스스로 자기 삶을 지적·정서적으로 풍요롭게 영위할 수 있도록 올바른 독서 문화와 환경 조성 필요

❷ **원리**

자발성, 독자 수준 고려, 환경 조성, 통합의 원리

❸ **2025 경기도교육청 추진 방향**

① 교육과정 연계 독서인문교육 내실화
- 학급 운영 방안: _____
- 교과 지도 방안(성취기준 및 단원명): _____
- 디지털 기반 독서교육 방안: _____

② 지역 맞춤 독서교육: 지역 자원 활용, 경기공유학교 연계, 책 쓰기 프로젝트, 책 축제

③ 학교 도서관 운영 활성화

23 초등 놀이 활성화

❶ 놀 권리

어린이가 놀이와 휴식, 여가를 자유롭게 즐기며 학습하고, 행복한 삶을 누릴 수 있는 권리(경기도조례 제6852호, 제2조)

❷ 목적

① 놀이라는 즐거운 문제해결 과정을 경험하며 자연스럽게 상상력, 창의성, 사회성, 집중력, 의사소통 능력 등이 신장될 수 있음
② 학생들의 학습 부담을 줄이고, 놀이 자체를 즐기며 행복한 삶을 누릴 수 있는 환경을 조성할 수 있음

❸ 교육 방향

① 학교교육과정 계획 수립 시 놀이 활동 활성화 내용 포함
② 학교 자율성을 바탕으로 놀이 관련 교육과정 재구성 및 인성교육 기반 수업 설계
③ 탄력적 교육과정 운영으로 학생의 쉼이 있는 놀이 시간 운영
④ 학생주도의 놀이 활동 활성화
⑤ 학교 놀이 공간 조성

❹ 놀이 활성화 방안

① 학급 운영 방안: _____
② 교과 지도 방안(성취기준 및 단원명): _____

24 문해력 향상 교육

❶ 문해력 정의
  ① 현대 사회에서 일상생활을 해나가는 데 필요한 글을 읽고 이해하는 최소한의 능력
  ② 다양한 내용에 대한 글과 출판물을 사용해 정의, 이해, 창작, 해석, 의사소통, 계산 등을 할 수 있는 능력
  ③ 읽은 글을 바탕으로 새로운 것을 창조하고, 이미 존재하는 다른 것과 연결하고 중요한 정보와 그렇지 않은 것을 골라낼 수 있는 능력

❷ 필요성
  ① 영상 콘텐츠에 노출, 콘텐츠의 시각화, 화려함 등에 의해 문자와 멀어지고 줄글이나 교과서 해독에 어려움이 생김
  ② 낮은 디지털 문해력은 인터넷에 넘쳐나는 가짜 뉴스를 접하거나 피싱문자 등을 받았을 때 사실을 검증하고 적절하게 대처하는 능력을 떨어트림

❸ 교육 방안
  ① 학급 운영 방안:
  ② 교과 지도 방안(성취기준 및 단원명):

25 통일교육·탈북학생교육

❶ 2025 경기도교육청 통일교육·탈북학생교육 방향

① 통일교육은 교과와 창체 속에서 자연스럽게 녹여야 함
② 학생 성장 중심 활동 강조
③ 지역·기관 연계 중요
④ 교사의 통일교육 역량 필요
⑤ 탈북학생 지원: 동정이 아닌 존중과 맞춤형 지원 필요, 심리·이중언어·적응 프로그램 지원, 맞춤형 진로·직업교육 프로그램 확대

❷ 통일교육

자유민주주의에 대한 신념과 민족 공동체 의식 및 건전한 안보관을 바탕으로 통일을 이룩하는 데 필요한 가치관과 태도를 기르도록 하기 위한 교육(통일교육 지원법 제2조)
➡ 소통과 토론 중심의 학생 활동을 통한 융합 통일교육 프로그램 운영, 지역별 특색 있는 통일교육 활성화 기반 조성

26 독도교육

❶ 2025 경기도교육청 독도교육 방향

① 2022 개정 교육과정을 반영하고, 교과와 창의적 체험활동 등 교육과정과 통합해 10시간 이상 운영 권장, 독도동아리 지원 강화 및 독도지킴이학교 운영
② 독도교육주간 운영: 지역 및 학교 상황을 고려해 연중 한 주를 독도교육주간으로 자율 선정해 운영

③ 독도 학습 콘텐츠 보급: 학생이 자기주도적으로 활용할 수 있는 교수·학습 콘텐츠 안내·보급 예) 동북아역사재단, 한국해양과학기술원, 반크 등

❷ **교사의 독도교육 관련 역량 강화 방안**

① 체험관 방문: 최근 신축·개선한 독도체험관과 우수 전시·박물관 견학·체험

② 독도교육 역량 강화: 독도에 대한 기본 이해, 독도교육 정책 등 연수 이수

③ 체험관 프로그램 개발: 체험 시나리오, 학생 학습지 등 프로그램 공동 개발·활용

④ 체험 콘텐츠 개발·보급: 인터랙티브 미디어 등 체험 콘텐츠 공동 개발 및 보급

⑤ 유관 기관 협력: 동북아역사재단, 한국해양과학기술원, 반크 등 독도교육 자료를 개발·지원하는 공공·연구기관 및 민간단체와 협력해 독도교육 자료 안내

❸ **독도교육 방안**

① 학급 운영 방안: _____

② 교과 지도 방안(성취기준 및 단원명): _____

학급 운영 방안

THEME	Input
27. 학급 운영	p.259
28. 자기주도학습	p.267
29. 초등 저학년 학교생활 적응 방안(유·초 이음학기, 성장배려학년제)	p.272
30. 학생 문화 이해	p.276
31. 인성교육	p.282
32. 마약·도박·디지털 성범죄 예방 교육	p.289
33. 다문화교육	p.293
34. 특수교육·장애이해교육·통합교육	p.298
35. 문화예술교육	p.304

27 학급 운영

❶ 새 학년 집중 준비 기간 계획 기출

교실 정비, 가정통신문 작성, 오리엔테이션 준비, 전 학년 담임교사와 소통해 학급 학생 이해 등

❷ 학급 운영 원칙: 학급자치

학급생활규약 제정, 학급자치회 선거, 1인 1역 선정, 상시적 학급회의 등

❸ 유의미한 조회 활동

부서별 조회 진행, 음악 감상, 독서 낭독, 학급 규칙 체크리스트 및 스터디 플래너 점검, 나침반 안전교육 등

❹ **학급 특색 활동**

인권 친화적 학급 문화 만들기, 색깔 있는 교실 만들기, 학생주도 체험 학습 등

❺ **학급 학생 문제 상황 해결**

① 친구 관계에 어려움이 있는 학생

- 유형별 개입
  - **위축형**: 관계 기술을 가르치고 친구관계에서 연습의 기회를 많이 주며, 잘하는 행동이나 활동을 포착해 그 순간에 칭찬함. 단기간의 변화를 강요하지 않음
  - **미숙형**: 관계의 기술을 가르침
  - **문제행동형**: 친구들과 재미있게 놀고 싶어 하는 욕구를 인정하되, 현재의 행동 방식으로 인해 고립되고 힘들어지므로 스스로 변화의 필요성을 느낄 수 있도록 도움, 문제행동 시 상대방의 느낌을 유추해 볼 수 있도록 하고 바람직한 방식을 구체적으로 알려줌
  - **상호무관심형**: 무리하게 관계 형성을 촉구하는 것보다 학생의 강점을 발휘하도록 함
- 유의 사항
  - 시간이 걸리더라도 학생이 관계 기술을 습득하고 연습할 수 있도록 돕고 칭찬과 격려로 지지해 근본적인 성장이 이루어져야 함
  - 관계 기술이 서툴거나 소심한 학생에게 교사가 억지로 친구를 만들어주면 얼마 지나지 않아 관계가 틀어지기 쉽고, 이 경우 또다시 실패했다고 여겨 자신감을 잃을 수 있음

② 학교에 오기 힘들어하는 학생 지도 방안
- **학생 마음 이해**: 너무 심각하게 받아들이거나 야단치기보다는 학교에 오기 싫은 이유에 대해 마음을 열고 들어줌
- **학생의 긍정적 행동과 변화에 대한 관심과 칭찬**: 학생들이 많은 곳에서 비난하거나 부정적 평가 등을 하는 것보다는 학생이 잘하고 있는 행동에 먼저 관심을 줌
- **긍정적 표현을 사용한 해결 방안 제시**: '~하지마'보다는 '~을 멈추고, ~했으면 좋겠다'라는 긍정적인 표현을 사용하며 해결 방안을 함께 제시
- **학생의 현재 상황 파악 및 목표 수준 탐색**: 자신과 타인, 문제 상황과 목표수준 및 본인의 노력에 대해 구체적인 탐색을 통해 객관적으로 살펴보도록 함

28 자기주도학습

❶ 정의
학습자가 주체가 돼 학습 과정을 스스로 이끌어나가는 학습 활동 ➡ 학습의욕(동기), 학습전략(인지), 학습실천력(행동)으로 구성

❷ 교사의 역할
내적 동기 부여, 교과에 적합한 공부 전략 소개, 주의집중을 위한 수업 원리 활용(자극 제시, 호기심 유발, 다양한 수업 방식 제공, 경험 및 선행 학습과의 관련성 제시)

❸ 수업 방법
협동 학습, 프로젝트 중심 학습, 토론

29 초등 저학년 학교생활 적응 방안

❶ 유·초 이음학기
① 정의: 유치원과 초등학교의 교육을 연계하여 초등학교 1학년 입학 초기 학생들의 적응 활동을 집중 지원하는 제도
② 필요성
- 유아: 초등 입학 전 기초 역량 함양, 전인적 성장 지원, 유치원과 초등학교의 일관성 있는 교육 경험으로 교육의 효율성 향상 가능
- 초등학교 1학년 학생: 유치원 동생들과 소통하며 의사소통·협력·공감 능력 및 창의적 문제 해결 경험 제공
- 보호자: 연계 교육에 대한 신뢰와 만족도 강화, 조기 사교육비 경감 효과
- 교사: 유아 발달·정서 정보 공유로 학생 적응 지원, 교육 일관성 확보, 교사 전문성 향상

❷ 초등 성장배려학년제
① 정의: 초등 1~2학년 학생들의 안정적인 학교생활 적응을 위해 관계 형성-놀이 활동-기초학습 등을 집중 지원하는 교육과정
② 교사의 역할
- 초등 성장배려학년제의 의미와 필요성 공유
- 1~2학년 학생들의 발달 단계와 개별 학생들의 특성 파악
- 효과적인 1~2학년 담임 배정(연임제, 중임제 등)
- 1~2학년 교사학습공동체 운영, 평가 및 환류를 통해 교육과정 개선
- 학부모와 상시로 소통하며 협력적 관계 형성

30 학생 문화 이해

❶ 학생 지도의 주안점

우선 이해하고 존중하기, 스스로 깨닫게 하기, 가정과 연대하기

❷ 인터넷·스마트폰

매체 활용 교육(등장인물의 가상 SNS 만들기), 조·종례 시간을 활용한 짧고 반복적인 교육, 피해를 보았을 경우 대처 방안 안내, 초상권 및 정보 노출로 인한 위험성도 있음을 함께 강조

❸ 대중문화 기출
① **교육 필요성**: 또래 사이에 소속감 형성, 수준 높은 소비자·생산자 역할 가능, 대중문화 인재 양성을 위한 노력 방안의 일환
② **대중문화 비평 교육**: 언어 순화해 다시 대본 작성, 프로그램에서 볼 수 있는 사회 문제 토론
③ **대중문화를 활용한 교과 수업**: 랩으로 왕조 암기하기, 가요에서 비유법 찾기, 8분 미만의 유튜브용 짧은 드라마 대본 써보기, 뮤지컬·연극으로 모의재판 진행하기, 이모티콘 개발하기, '휴먼○○체'와 같이 자기 이름을 딴 글꼴 만들기 등

❹ 유튜브 기출
① **교육 필요성**: 학생들의 유튜브 영상 신뢰와 무분별한 영상 노출 속에서 건전한 가치관 형성 필요, '유튜브 크리에이터'를 희망하는 학생 증가
② **교육 방안**: 미디어 리터러시 교육, 학급 채널을 만들어 직접 운영하며 역량 함양 등

❺ 게임
  ① **교육 필요성**: 청소년에게 게임은 관계 형성 수단이자 문화, 게임시간 선택제 도입
  ② **교육 방안**: 학생의 재능 인정하기, 학생의 특성 이해하기, 게임으로 인해 초래될 수 있는 문제 언급하기, 스스로 깨닫고 통제 계획 세우게 하기

31 인성교육

❶ **정의**
내면을 바르고 건전하게 가꾸며 타인, 공동체, 자연과 더불어 사는 데 필요한 인간다운 성품과 역량을 기르는 것을 목적으로 하는 교육

❷ **목표**
  ① **유치원**: 자신을 존중하고 다른 사람과 더불어 생활하는 능력과 태도를 기른다.
  ② **초등학교**: 학생의 일상생활과 학습에 필요한 기본 습관 및 기초 능력을 기르고 바른 인성을 함양하는 데 중점을 둔다.
  ③ **중학교**: 학생의 일상생활과 학습에 필요한 기본 능력을 기르고 바른 인성 및 민주시민의 자질을 함양하는 데 중점을 둔다.
  ④ **고등학교**: 학생의 적성과 소질에 맞게 진로를 개척하며 세계와 소통하는 민주시민으로서의 자질을 함양하는 데 중점을 둔다.

❸ **경기도교육청 추진 과제**
  ① 인성 친화적 학교 문화 조성

② 교육과정 연계 상시적 인성교육

③ 가정 및 지역사회 연계 인성교육

❹ 교육 방안 기출

① 인성 친화적 학급 운영 방안: ─────────────────

② 교과 지도 방안(성취기준 및 단원명): ─────────────

③ 가정 및 지역사회 연계 방안: ───────────────────

32 마약·도박·디지털 성범죄 예방 교육

❶ 마약 예방 교육

① 가정과 연계: 가정통신문, 학부모 연수 등으로 청소년 마약 범죄의 심각성을 공유하고 공동의 연대를 통한 예방 교육

② 학교에서 주기적인 예방 교육
- 창의적 체험활동과 같은 교육과정 연계 학습: 실태를 보여주는 동영상 시청 후 토론 활동으로 마약 중독의 심각성과 문제점 각인
- 학생 주도 활동: 마약 예방 포스터 공모전, 마약 금지 캠페인 활동 등 학생이 주도적이고 능동적으로 문제를 해결할 수 있도록 행사 개최

③ 인터넷 사용 습관 점검: 온라인을 통해 접근한다는 사실에 기초해, 디지털 리터러시 및 디지털 시민성 교육 시행

④ 현장과 지역사회와 합심한 협력 체계 구축: 전문가의 찾아가는 강연, 경찰청 및 한국마약퇴치운동본부 등 유관 기관과의 협의체 구성

⑤ 약 바르게 알기 안전교육: 약물 남용을 예방하기 위해 안전한 의약품 사용 습관을 형성할 수 있도록 강의 청취 후 토론 활동

❷ **도박 예방 교육**

① 인식 제고 및 예방 단계
- 학생 도박 문제 예방 교육 강화: 강연, 영화 감상 후 소감문 작성, 카드뉴스 제작 등
- 가정 및 교원 연계 교육: 도박 문제에 관한 관심 제고 및 대처 방법 등의 안내를 위해 연 2회(학기당 1회) 가정통신문 발송
- 학교 단위 도박 문제 예방 캠페인 운영: 도박 문제 예방 홍보 포스터 및 리플릿 교내 배치, 등하굣길 피켓 캠페인, 예방 홍보영상 상영 등

② 대응 및 지원체계 구축 단계: 전문기관 협력체계 구축, 한국도박문제예방치유원 상담 및 치유 지원

❸ **디지털 성범죄 예방 교육**

① 디지털 성범죄 유형: 지인 능욕, 몸캠피싱, 온라인 그루밍, 불법 촬영, 비동의 유포, 유포 협박

② 예방 교육 방안
- 피해 유형에 대해 인지시켜 디지털 성범죄에 대한 경각심 유도
- 디지털 콘텐츠 제작 프로젝트: 소그룹으로 나누어 각 그룹이 해당 주제와 관련된 창의적인 콘텐츠를 기획하고 제작한 후, 학교나 지역사회에 게시
- 토론 및 문제 해결 중심 과제: 디지털 성범죄와 관련된 실제 사례(뉴스나 드라마에서의 사건)를 제시하고, 학생들이 그룹별로 해당 문제를 분석하며, 그에 따른 예방책과 대응 방안 도출

33 다문화교육

❶ 다문화 감수성 교육

① 정의: 공동체의 구성원이 모두 다양한 문화적 배경을 가지고 있음을 수용하고 서로 다른 문화를 상호존중하고 이해하는 태도를 기르는 교육

② 교사의 역할
- 교과 융합으로 학생 중심·과정 중심 활동을 통해 학생 스스로 질문을 생성하고 타인의 의견을 경청하며 협력하는 태도 마련
- **교사 스스로 다문화 감수성 함양**: 인종에 대한 편견 성찰·타파, 타 문화에 대한 열린 태도
- 다문화가정 학생에 대한 올바른 이해와 관심
- 대학생 다문화 멘토링 등 다양한 다문화 감수성 교육 프로그램 적극적 활용

❷ 다문화가정 학생 지도 방안

이주 배경에 대한 정보 수집하기, 개별적인 특성 파악하기, 심리적 지지자가 되기, 올바른 자아정체성 확립 지원하기, 학급 내 친구관계 형성 돕기, 한국어 이해 및 기초학력을 위해 지원하기, 이중언어교육 장려하기, 다국어로 정보 제공하기

❸ 다문화교육을 위해 필요한 교사의 역량

다문화 수용성, 다문화교육에 대한 지식, 수업 구성 및 운영 역량, 다문화 관련 기관에 관한 정보력, 현장 실천 역량, 다문화 수용성 증진 교육 실천 역량

❹ **교사의 역량 강화 방안**

교원 대상 다문화·세계시민교육 연수 참여, 전문적 학습공동체

❺ **물리적 환경 조성**

다문화 세계시민교육 도서 공간 구성, 다문화 세계시민교육 테마형 교실 및 교구 마련, 복도·학급 게시판에 다문화·세계시민 내용 전시

❻ **지역사회와 연계**

도서관, 박물관 다문화 프로그램과 연계

❼ **지도 시 유의점**

① 국내 출신, 중도 입국, 외국 출신, 탈북 학생 등으로 세분화해 접근
② 지역 특성에 맞는 맞춤 교육 필요

34 특수교육·장애이해교육·통합교육

❶ **특수교육대상자**

특수교육을 받는 학생으로 모두가 장애인인 것은 아님

❷ **장애이해교육**

① 장애를 보는 시각
- 장애(인)가 불쌍하고 도움이 필요한 존재라는 인식을 강화하지 말아야 함 ➡ 단지 장애가 있는 평범한 사람으로 보는 시각 필요
- 무조건 칭찬하는 것도 편견일 수 있으므로 정당하고 합리적인 시각으로 봐야 함

- 무조건적 도움보다 필요한 부분을 지원하며, "어떻게 해주면 되니?"라고 먼저 물어봄

② 장애이해교육의 필요성
- 모든 학생이 인권 감수성을 갖추고 서로의 차이를 존중하는 태도를 기르기 위함
- 통합교육 환경에서 비장애학생의 긍정적 인식과 협력적 태도가 장애학생의 학교생활 적응에 직접적으로 영향을 미침
- 학교폭력 예방, 또래 관계 증진, 공동체적 가치 함양과 연결됨

③ 교육 내용
- 장애 유형과 특성에 대한 기초적 이해: 시각·청각·지체·지적·자폐성 장애 등 각 유형의 특성과 학생들이 일상에서 겪는 어려움을 이해하도록 안내함
- 장애학생 학습·생활 지원 체계 이해: 점자 교재, 확대 교재, 보조공학 기기(스크린리더, 특수 키보드, 휠체어 접근 경사로 등)와 같은 보조도구의 필요성과 활용 방법을 배우게 함
- 장애인 인권과 **차별 금지**에 대한 교육: 장애인은 동등한 권리를 가진 시민임을 강조하고, 차별과 편견을 없애는 태도를 기르도록 함
- 긍정적 모델 제시: 장애를 극복하거나 자신의 강점을 살려 성취한 사례를 통해 자존감 및 상호존중 태도 함양
- 학급 운영 방안: ⎯⎯⎯⎯⎯⎯⎯⎯⎯⎯⎯⎯⎯⎯⎯⎯⎯⎯⎯⎯⎯⎯⎯⎯

❸ **통합교육**

특수교육대상자가 일반 학교에서 장애 유형·장애 정도에 따라 차별을 받지 아니하고 또래와 함께 개개인의 교육적 요구에 적합한 교육을 받는 것

④ 통합교육 방안

① 학급 아이들이 장애를 모든 사람이 지니고 있는 특성 중 하나로 받아들이도록 지도
② 몸이 불편하다고 체험학습, 체육대회 등에서 제외하는 것이 아니라 함께 활동
③ 자립심을 잃지 않도록 지나친 도움 삼가

35 문화예술교육

❶ 필요성

오늘날 학생들은 지식 학습에 치중하면서 감성과 정서적 안정, 창의성을 발휘할 기회가 상대적으로 부족함 ➡ 문화예술교육은 학생들이 정서적 균형을 이루고 인성을 함양하는 중요한 장치임

❷ 운영 방안 기출

① 교육과정 연계(성취기준 및 단원명): ------------------------------------
② 학교 안 문화예술 프로그램: 1인 1예술 동아리, 예술공감터 조성
③ 학교 밖·온라인 프로그램: 경기 학교예술창작소, 온라인 갤러리, 디지털 전시 운영 등

현장 문제 해결 방안

THEME	Input
학생 문제	
36. 문제행동 학생	p.309
37. 위기 학생	p.314
38. ADHD 학생	p.327
39. Wee 프로젝트	p.330
수업 문제	
40. 교육 약자	p.332
41. 수업 문제 상황	p.335
관계 문제	
42. 갈등 문제	p.339
43. 회복적 생활교육	p.344
44. 학부모와의 소통 및 연대	p.348
문화 문제	
45. 청렴 문화	p.353
46. 갑질 및 직장 내 괴롭힘 대응	p.357
47. 양성평등 및 성인지 감수성	p.360

36 문제행동 학생 ★★★

❶ 주안점 기출

① 학생생활교육위원회(선도) 등 규정이나 절차를 도입하기 전에 학생의 마음과 감정을 들어보고 원인 파악 노력
② 학생의 습관이 개선될 때까지 꽤 시간이 걸릴 수 있음을 이해, 작은 관심을 보이거나 감정을 궁금해하고, 짧아도 주기적인 개인상담 병행
③ 자존감이 낮을 때 문제행동을 일으키는 경우가 많으므로 관심 있게 지켜보고 작은 일에도 크게 칭찬하며 자존감 형성 도움
④ 교사 혼자만의 책임과 해결이 아닌 동료 교사, 학부모, 지역사회와 연대
⑤ 문제행동 학생뿐 아니라 다른 학생의 학습권, 교사의 교권 또한 소중한 권리임을 서로 인지하며 접근

❷ 해결 방향 기출

원인 파악 ➡ 학생 이야기 경청 ➡ 교사 입장 전달 ➡ 약속, 학급 담임 및 학부모와 연대 ➡ 공동의 노력으로 해결

37 위기 학생 ★★★

❶ 위기 청소년

가정 문제가 있거나 학업 수행 또는 사회 적응에 어려움을 겪는 등 조화롭고 건강한 성장과 생활에 필요한 여건을 갖추지 못한 청소년

　예) 우울증, 불안장애 학생, 자해 및 자살 시도 경험 학생, 아동학대 의심 학생, 학업중단 위기 학생 등

❷ 우울증이 있는 학생
  ① 학생을 이해하기 위한 노력과 관심, 돕고 싶은 마음을 전달함
  ② 학급 내에 모둠 활동, 소그룹 동아리 활동을 장려해 자연스럽게 친구들과 어울릴 수 있는 기회를 만들어 주고, 학생들 사이에서도 서로 관심을 갖고 인사를 나누는 분위기를 만들어 줌
  ③ 교내 위(Wee) 클래스를 포함해 위(Wee) 센터, 청소년상담복지센터, 정신보건복지센터 등에서 심층적인 상담을 받을 수 있음을 안내하고 도움을 받을 수 있도록 함

❸ 불안장애가 있는 학생
  ① 지도 방안: 호흡과 이완으로 몸을 편하게 만들고 평소 좋아하는 이미지를 만들어 놓고 불안할 때 자주 떠올리게 함, 비합리적인 사고에 대처하게 함, 자기를 존중하기 위한 조건을 달지 않게 함, 남들을 있는 그대로 바라보게 함, 주변에서 벌어지는 사건에 흔들리지 않게 함
  ② 잘못된 지도 방법
    • 무조건 학생을 안심시킴(결과적으로 학생을 더 의존하고 매달리게 할 수 있음)
    • 지나치게 지시하거나 개입함
    • 불안해하는 상황을 회피하도록 허용함

❹ 자해 행동을 보이는 학생
  ① 지도 방안
    • 자해 행동이나 스트레스 상황에 대해 비판하지 않는 태도로 이야기를 들어줌
    • 구체적인 상황을 대답하게 하는 개방형 질문을 던짐
    • 학생과 스트레스에 대한 대처 방안을 탐색함

- 학생이 가진 장점이나 잘한 행동에 대해서 지지하고 격려함
- 협력체계를 구축함

② 유의할 점
- 자해는 쉽게 주변 학생들에게 확산될 수 있으므로 공개적으로 거론하지 않는 것이 좋음
- 자해 행동 자체의 심각성에 압도되지 말고 자해하는 학생의 심리적 원인에 주목할 것 ➡ 자해 행동 자체에만 관심을 두고 접근하면 부정적인 행동으로 주위의 관심을 얻으려는 의식적·무의식적 행동이 증가할 수 있음
- 학생이 비밀 유지를 요청하더라도 절대적인 비밀 유지를 약속해서는 안 되고, 필요시 외부에 이를 알리고 도움을 받아야 한다는 사실을 미리 안내하고 설득해야 함

❺ 자살 징후를 보이는 학생
① 체계적 개입 방안: 경청하고 이해하기, 전문가의 도움받기, 또래 상담사 이용하기, 보호자에게 알리기
② 지도 시 유의 사항
- 학생이 말하지 않은 감정까지 확대해서 판단하거나 별일 아니라는 듯이 대하지 말기 예 비참했겠구나. 무시당했구나. 누구나 그 정도는 힘들어
- 교사 혼자만의 책임이 아닌 공동체와의 연대를 통해 효과적으로 해결하기
- 자살에 대해 **직접적으로 질문하기**: 자살위험징후를 알아차렸을 때 직접적으로 자살에 대해 질문해 현재 상황 확인 ➡ 자살위험 수준을 알아보기 위해 자살 생각, 자살 동기, 자살 계획, 자살 시도 경험 순으로 질문을 하고 자해 여부 확인

❻ 아동학대 의심 학생

① 아동학대 신고 시 유의 사항
- 보호자에게 신고 내용을 알리는 등 아동학대 증거가 은폐되지 않도록 주의하기
- 가능한 한 증거 사진을 확보하고 아동학대 조사에 적극적으로 협조하기
- 아동이 불안에 빠지지 않도록 큰일이 난 것처럼 행동하지 않고 일상적으로 대하기
- 성학대의 경우 증거 확보를 위해 씻기거나 옷을 갈아입히지 않기
- 성학대의 경우 아동 진술 오염 방지를 위해 상담하지 말고 바로 112 신고하기
- 진술의 오염이 발생할 수 있으므로, 학대에 대해서 캐묻거나 유도 질문을 하지 않기

② 신고 후 아동을 대하는 태도
- 신고 전과 동일한 태도로 아동을 대하기
- 아동의 욕구에 민감하게 반응하기
- 존중과 이해로 대하도록 노력하기
- 아동의 분위기 변화 파악하기
- 아동의 말 경청하기, 비언어적인 대화에도 반응하기
- 학대받은 것이 아동의 잘못이 아님을 확인시켜 주기

❼ 학업중단위기 학생

① 학업중단을 고민하는 학생과 상담하기: 학업중단 의사를 밝힌 학생이 있다면 원인을 탐색하고, 학생의 심정에 대해 공감해 줌

② 학업유지와 학업중단에 대해 같이 고민해 보기
- 학업을 유지했을 때와 중단했을 때의 장단점, 고민하는 문제의 해결 정도를 함께 정리해 본 후 이야기 나눔
- 학교와 학교 밖에서의 직간접적인 교육 활동을 통해 학생이 진로에 대해 신중히 선택하고, 성장해 나갈 수 있도록 지도함

③ 학업중단숙려제 안내하기
- 단순히 제도적 방안에 그치지 않도록 교사의 관심과 애정, 가정과의 연대 필요
- 숙려 기간 중 학생 소재(출결 등) 및 안전 상태를 정기적으로 확인
- 학업중단숙려제 종료 후 학업 복귀 및 학교생활 적응 향상 지원

38 ADHD 학생

❶ 교사의 마음가짐

① 학생의 문제행동이 신체적 질병으로 인한 것임을 받아들이고, 일부러 반항하려고 하는 것이 아니라는 사실을 이해해야 함

② 기질적 어려움으로 인해 자기조절 능력과 책임감 개발이 어렵다는 점을 명심해야 함

❷ 교사의 역할

심리·사회적 치료 접근이 가능하고 친구들과 긍정적 상호작용을 도울 수 있음

❸ 지도 방안 기출

학부모와의 협력, 칭찬으로 격려, 규칙 부여, 짧게 여러 번 수행할 수 있는 과제 제시, 소집단 학습으로 대인관계 기회 제공, 움직임의 기회 제공

39 Wee 프로젝트

❶ 정의
① Wee: We(우리들) + education(교육) + emotion(감성)
② 의미: 위기 학생을 예방하고 종합적 지원체제를 갖춘 학교 안전망 구축 사업

❷ 도입 배경
① 인터넷 중독, 학교폭력, 가출 등으로 학교에 적응하지 못하는 학생이 증가
② 중복 위기에 노출된 학생에 대해 기존 학교 차원의 선도·치유만으로는 한계 존재

❸ 종류
Wee 클래스(학교), Wee 센터(교육지원청), Wee 스쿨(기숙형 장기위탁 교육기관), 가정형 Wee 센터, 병원형 Wee 센터

❹ 기대효과
① 학생 개개인의 특성과 상황을 정확히 파악해 맞춤형 지원 가능
② 위기 학생의 정서적 안정을 돕고, 학교로부터 멀어지지 않도록 보호
③ 담임교사·전문상담교사의 상시 협력 ➡ 조기 발견 및 적절한 개입 실현

40 교육 약자

❶ 정의

도움을 받지 않으면 제대로 학습하기 어려운 상황에 처한 학생

❷ 교사의 역할

조기 발견, 가정과의 연대, 교사 및 지역 교대·사대생 멘토링, 또래 배움 동행 추진, 관련 제도 연계(스마트 기기 지원, 베이스캠프 활용 등)

41 수업 문제 상황 ★★★

❶ 교사의 몫 기출

학생과 원만한 관계 형성, 수업 성찰, 수업 나눔, 수업 공개, 구성원과의 토의를 통해 수업 규칙 마련

❷ 학생에 대한 관심 기출

원인 파악, 라포르 형성, 동기 부여, 자기주도학습 능력 함양, 책임감 부여

❸ 무임승차 해결 방안 기출

모둠 학습 취지 설명, 효과적 모둠 구성, 역할 분담제 실시, 토킹스틱 안내, 다양한 형식 허용, 중간 피드백, 순회 지도 시행

42 갈등 문제

❶ 교사의 의사소통 방법과 태도
감정 이입, 피드백, 경청, 권력과 지위에 의한 전달 지양, 일대일 의사소통, 자신과 타인을 신뢰하며 소통

❷ 나-전달법의 이해
나를 주어로 사용해 나의 느낌이나 감정을 진솔하게 표현하는 방법

❸ 갈등 해결의 주안점 기출
교사 자존감 정립, 판단 금지의 원칙, 소통과 상호존중의 원칙, 나-전달법, 교육공동체 공동의 노력, 과제 분리, 너-나-우리 화법

43 회복적 생활교육

❶ 사례 기출
① 공감적인 의사소통: 비폭력 대화 ➡ 관찰, 느낌, 욕구, 부탁으로 의식하고 말하는 것
② 공동체의 평화적 갈등 해결: 회복적 서클(사전 서클 ➡ 본 서클 ➡ 사후 서클을 통해 공감을 이루고 탐구하는 대화 모임, 갈등 당사자들의 모임)
③ 학생들의 갈등 해결 능력 개발: 또래 조정 프로그램
④ 학급구조의 변화
  • 서클 프로세스를 활용한 학급 운영: 서로 동등하게 말하고 듣는 방식 훈련, 공유된 목적과 약속 정립

- 정기적인 학급회의 개최
- 체크인·체크아웃 서클 운영: 하루를 시작하고 마감할 때 서로의 감정을 나눔

❷ 원칙

'갈등' 소재, 관계 중심, 상호존중, 공동체의 참여, 지배 체제가 아닌 파트너십 체제, 내면의 힘 부여, 합의를 통한 의사결정

44 학부모와의 소통 및 연대

❶ 교사와 학부모 간 상호존중 방안 기출

① 교사의 전문성과 신뢰 보여주기: 학기 초 자신의 교직관, 학급 운영 방안을 담은 가정통신문을 발송해 학부모와 교사가 함께 학생의 성장을 위한 공동의 목표 설정

② 교칙에 관한 이야기는 사전에 안내하기: 사후에 문제가 생기기 전에 미리 안내

③ 상시적인 상담 창구 마련하기: 상담을 통해 학생의 성적이나 생활에서 일어나는 중요한 일을 투명하게 공유하면 신뢰 형성 가능

④ 긍정적 피드백과 칭찬하기: 교사의 관찰을 통해 알게 된 학생의 긍정적인 면이나 성장 정도를 학부모에게 알리면, 관계를 강화하는 데 도움

⑤ 학부모 참여 기회 제공하기: 학교 행사, 수업 참관 또는 학급 활동에 학부모가 참여할 수 있는 기회를 제공해 교사와 학부모가 더 깊이 연결될 수 있도록 함

⑥ 학부모 자체에 대한 관심과 존중 표현하기: 학부모님의 이야기를 경청하고 학부모님의 노고와 삶을 존중하는 표현을 전달, 섣부른 충고나 설교를 하지 않음

❷ **학부모 상담의 핵심**
① 학부모 상담의 목적은 학생의 문제행동을 지적하는 것이 아닌, 학부모와 협력해 학생을 돕는 것이라는 점을 명심할 것
② 학부모의 마음에 대한 공감과 주의 깊은 경청이 필요함
③ 학생이 학교생활에서 보이는 장점으로 이야기를 시작하는 것이 편안하게 대화하는 데 도움이 됨

❸ **학부모가 방어적이거나 공격적인 경우**
① 교사와 학부모가 학생의 성장이라는 공동 목표를 가지고 있음을 상기하고, 상담의 목적이 학생이나 학부모를 비난하기 위함이 아니라는 점을 설명하며 협력적인 태도를 끌어냄
② 교사의 감정적인 대응은 문제 해결을 방해하고 장기적인 관점에서 교사에게도 도움이 되지 않으므로 학부모의 반응을 교사에 대한 거부나 공격으로 해석하지 않고 침착함을 유지함
③ 한 번의 상담으로 문제를 해결할 수 있는 것은 아니므로, 학부모와의 대화가 해결의 방향으로 가지 않거나 학부모가 무리한 요구를 하는 경우에는 성급히 결론을 내리기보다 더 좋은 방법을 고민해 볼 것을 제안하고 다음 상담으로 연결함

45 청렴 문화

❶ 부정 청탁 금지

5만 원 식사, 선물, 경조사비는 의례적 허용

❷ 금품 수수 금지

직무 관련성이 있는 100만 원 이하의 금품 수수 시 과태료, 100만 원 이상일 경우 직무 관련성과 관계없이 징역 및 3천만 원 이하 벌금

❸ 외부강의 수수료 제한

공직자 상한액 40만 원 일원화, 학교 교직원 및 언론사 임원은 시간당 100만 원

46 갑질 및 직장 내 괴롭힘 대응

❶ 갑질 정의

사회·경제적 관계에서 우월적 지위에 있는 사람이 권한을 남용하거나 우월적 지위에서 비롯된 사실상의 영향력을 행사해 상대방에게 행하는 부당한 요구나 처우

❷ 갑질 유형

법령 위반, 사적 이익 요구, 부당한 인사, 비인격적 대우, 업무 불이익, 부당한 민원 응대 등

❸ 갑질 판단 기준

갑질 여부는 관련 법규, 당시 상황(공개된 장소 여부, 근무시간 여부, 당

사자와의 관계 등), 공사의 구분, 인권 존중의 원칙과 공동체 의식 등을 종합적으로 고려해 판단해야 함

❹ 갑질 예방 및 상호존중 문화 조성
① 갑질 예방 실태조사: 연 1회 갑질 실태조사, 연 1회 갑질 예방 교육 의무화, 행동강령 책임관 및 관리자 연수
② 상호존중 문화 조성: 월 1회 상호존중의 날 운영, 상호존중 캠페인 참여

47 양성평등 및 성인지 감수성

❶ 양성평등교육에서 교사의 역할 기출
① 성찰: 일상에서 여성이나 남성으로 살면서 경험해 온 것들을 성찰해 보며, 양성평등을 위해 어떤 노력이 필요한지 배우고 실천
② 학급 운영
- 여성, 남성이 아닌 학생으로서 개인의 개성, 성격 존중
- '아이들', '모두', '학급'과 같이 성별과 관계없는 집합적인 다른 명사 사용
- 줄을 세우거나 조를 만들 때 남녀가 아닌 다른 범주 활용
- 특정 성에만 적용되는 규칙(예 화장 금지)이나 외모중심주의, 성적 대상화를 조장하는 급훈 지양
③ 환경: 학교 환경이 성별 중립적인지 체크하고 수정
④ 보호자와 관계: 습관적으로 학생의 어머니에게 전화하는 것이 아닌 기초조사서에 가장 먼저 연락할 보호자를 선택하도록 조치

❷ 학교 문화 형성 방안 기출

① 성별이 아닌 교사의 관심사나 전문성을 바탕으로 평가하고 업무 분장
② 형식적인 연수가 아니라 성인지 감수성을 높일 수 있는 연수 진행
③ 당연한 삶의 과정이 있다고 생각하지 않고 관심 분야나 취미 등을 질문해 그 교사만의 자기다움 존중

실전 면접 전략

실전 면접 전략

① 기출 주제 유형 분석

❶ 경기형 교직관 및 교사 전문성

'교직관이 형성된 경험 ➡ 교직관 ➡ 실천 방안(전문성 함양 방안)'이 한 세트로 함께 움직인다. 교직관을 묻는 문제가 나온다면, 제시하지 않았어도 관련 경험을 짧게 언급하고 앞으로의 포부까지 첨부하자.

❷ 교육 정책 이해 및 적용 방안

교육 정책은 현장 적용 방안, 현장에 적용됐을 때의 효과·영향 등을 물으니, 이 내용을 정리해 두자.

❸ 학급 운영 및 교과 지도 방안(성취기준 및 단원명)

교육 정책과 연계해 실천 방안을 묻는 식으로 출제되고 있다. 자기의 교직관을 토대로 하되 공동체성 강화, 교육공동체와 연대, 학생 중심·체험 중심, 촉진자로서의 교사의 역할이 드러나게끔 답변하면 옳은 방향이라고 할 수 있다. 미래교육에 중점을 두고 있으므로 에듀테크 활용, 온·오프 연계 수업, 생성형 AI(챗GPT) 활용, 지역사회 연계 방안 등을 언급한다면 현장성이 높은 교사임을 드러낼 수 있다.

❹ 현장 문제 해결

문제 상황은 ① 학생 문제, ② 수업 문제, ③ 관계 문제, ④ 문화 문제가 반복 출제된다. 문제 상황을 해결하는 방법에도 몇 가지 공식이 존재한다. 교육공동체와 연대, 협동, 상대의 입장·이야기 경청·공감, '나 전달법'으로 나의 감정 전달 등을 포함하면 대부분 옳은 방향이다.

② 문제 유형별 접근법

❶ 일반형
최근 기출문제로 올수록 일반형 문제의 출제 비중이 낮아지고 있다. 풀이 시에는 키워드를 잘 체크해야 한다.

❷ 제시문 분석형
주어진 구상 시간을 모두 활용해 낱낱이 해체하는 것부터 시작하면 된다. 제시문에 허투루 사용된 문장 및 단어는 단 1가지도 없으므로 이것을 커닝해 주어진 문장 속 키워드를 다 언급하자.

❸ (입장) 선택형
① 선택형 문제는, 조건에 없어도 선택 이유를 제시하자. 그래야만 설득력을 줄 수 있다.
② 입장 선택형 문제는 대립하는 입장인지, 조화 가능한 입장인지 파악하는 것이 관건이다.

❸-1 대립하는 입장
A, B가 상반된 태도를 보이고 있는 경우(예 과정중심평가 vs 결과중심평가) 둘 중 하나가 정답이다. 경기교육과 같은 방향성을 갖춘 교사와 그렇지 않은 교사를 보여줄 테니 경기형 교사의 입장을 선택해야 한다.

❸-2 조화 가능한 입장

대립하는 관점으로 보일 수 있으나 상반된 입장이 아니고 조화 가능한 입장은 먼저 한 입장을 선택하되, 2가지를 버무리는 형태로 답변하면 좋다. 예 학생은 스스로 성장할 수 있다 + 교사의 조력이 필요하다

❹ 이유 제시형

경기 방향성에 맞는 근거를 들자.

❺ 관련 경험 제시형

교사로서 수험생의 성장 과정을 파악하기 위한 유형으로, 이때 단순 경험만 나열해선 안 되고, 경험 속에서 깨달은 교육적 가치를 언급해야 한다. 또한 현장 교사로서 이 경험 속 깨달음을 실천하겠다는 의지를 드러내야 한다. 최악의 경우는 경험이 없다고 말하는 것이다.

❻ 빈칸 채우기형

문제의 키워드를 정확하게 찾아내어 재정의한 후 풀이하면 된다.

❼ 위반 여부 판단형

답을 모르는 위반 여부 판단형 문제가 나왔을 때는 내가 알고 있는 최소한의 정보를 근거로 삼아 대답하자.

⚐ MMI(Multiple Mini Interview) 평가 방식

사람은 초두효과로 인해 어쩔 수 없이 첫인상으로 그 사람의 전체를 평가하게 된다. 이러한 심리적 문제점을 해결하기 위해 도입한 방식이 평가실을 옮겨 시험을 치르는 MMI 평가 방식이다.

③ 개별면접 전략

❶ 기본 전략
① 교직관을 드러내자.
② 현실적인 운영 방안을 말하자.
③ 경기형 답변을 하자.
④ 나만의 스토리를 넣자.

❷ 구상 전략
① 철저히 제시문 문구에 입각하자.
② 현장성 있는 답변을 하자.
③ 교사로서 할 수 있는 것부터 제시한 후 제도를 언급하자.

❸ 서론을 넣으면 좋은 문제
① 경기 정책 문제
② 출제 의도가 눈에 보이는 문제

❹ 구조적 말하기 방식 D-E-C-E

- **D** 문제에 대한 간단한 정의(Definition)나 핵심 주장을 두괄식으로 말한다.
- **E** 이를 보충할 수 있는 현장 사례(Example)나 관련 경험을 말하며 신뢰도를 높인다.
- **C** 이와 관련된 나만의 학급운영전략(Classroom management strategies)을 제시한다.
- **E** 기대효과(Effect)를 언급해 주장을 강화한다.

사이다 Light

초판인쇄	2025. 11. 3.	**초판발행**	2025. 11. 7.	

공저자 | 이지수, 구영모
발행인 | 박 용 **발행처** | (주)박문각출판
등록 | 2015년 4월 29일 제2019-000137호
주소 | 06654 서울특별시 서초구 효령로 283 서경빌딩
교재문의 | (02)6466-7202

저자와의
협의하에
인지생략

이 책의 무단 전재 또는 복제 행위는 저작권법 제136조에 의거, 5년 이하의 징역 또는 5,000만 원 이하의 벌금에 처하거나 이를 병과할 수 있습니다.

2026
경기도 임용 2차 면접 대비

답답하고 막막한 임용면접엔

사이다 면접

Input

이지수, 구영모 공저

- 기출 유형 및 빈출주제 분석
- 자기성장소개서 및 개별면접 전략
- 면접 예상 주제 47가지

머리말

　《사이다 면접》은 경기도교육청 임용 2차 심층 면접을 준비하는 예비 교사들을 위한 수험서입니다. 교육의 변화는 곧 교사의 역할 변화를 뜻하며, 면접 역시 이러한 흐름에 따라 진화하고 있습니다. 2026학년도 개정판은 '단순한 암기'가 아닌 '깊이 있는 이해'와 '유연한 사고력'을 중심에 두고, 미래 교육의 본질에 가까이 다가갈 수 있도록 재구성하였습니다. 이번 개정에서 주목한 교육계의 흐름은 다음과 같습니다.

첫째, 평가 방식의 전환입니다.

　2025학년도부터 논·서술형 평가 강화, 수행평가 구조 개선 등 평가 방식 개선에 교육계의 이목이 쏠리고 있습니다. 이는 교사의 평가 전문성을 전제로 하며, 평가의 변화는 곧 수업의 변화로 이어집니다. 2026학년도부터 임용시험에 수업 나눔을 폐지하고 수업 설계 역량을 도입한 이유도, 평가와 수업의 혁신을 위한 전문성을 갖추었는지 확인하기 위해서입니다. 교사로서 우리가 지향할 수업과 평가에 대한 철학을 정립해 두는 일이 무엇보다 중요합니다.

둘째, 디지털 교육의 확장과 성찰입니다.

　AI와 디지털 도구의 교육적 활용은 이제 기본이며, 이를 넘어 디지털 시민성, 윤리적 판단, 교육 격차 해소에 대한 실천이 강조되고 있습니다. 기술을 어떻게 적용할 것인가를 넘어, 학생의 삶과 연결된 교육적 통찰을 갖춘 교사의 모습이 면접에서도 요구되고 있습니다.

셋째, 정책과 수업의 연결입니다.

　경기도교육청의 정책 방향은 '학생의 삶에 중심을 둔 교육'과 '학교의 자율성과 전문성 보장'을 축으로 더욱 분명해지고 있습니다. 이러한 정책은 수업과 교육 활동으로 구체화해야 하며, 이를 실현해 나갈 주체는 교사입니다. 교사는 정책을 수동적으로 해석하는 존재가 아니라, 이를 실천하는 중심이 되어야 합니다. 따라서 정책의 방향성과 실현 방안을 고민하는 일은 면접에서 교사로서 자질을 보여주는 핵심이기도 합니다.

《사이다 면접》은 이와 같은 변화의 흐름을 반영하여 다음과 같이 개정하였습니다.

《사이다 면접 Input》은 2025년 핵심 교육 이슈와 경기도교육청의 주요 정책을 체계적으로 정리하였습니다. 경기도교육청의 교육 방향이 명확해진 만큼, 정확하게 현장과 정책의 내용을 이해해야 합니다.
《사이다 면접 Output》은 면접 문제 유형이 뚜렷해지고 있다는 점을 고려하여, 기존의 주제별 문제 은행뿐 아니라 유형별 분류를 강화하여, 어떤 질문이 나와도 답할 수 있도록 전략을 다듬었습니다. 또한, 실전 감각을 높이기 위한 모의 면접 5회분을 수록하였습니다.

임용 면접은 답을 외우는 시험이 아니라, '교사로서의 방향'을 고민하게 하는 성장의 과정입니다. 임용 면접이 막막하고 답답할 때, 사이다로 시원하게 갈증을 해소하시길 바라며 현직에서 기다리고 있겠습니다.

저자를 대표하여

이지수

《2026 사이다 면접》 최적화 학습법

1차 합격자 발표 전과 후의 공부 방법은 달라야 한다. 아직 배경지식과 면접에 대한 이해도가 쌓이지 않은 상태에서 무턱대고 시간을 재며 모의 면접을 진행하는 것은 오히려 실전 감각을 떨어뜨리고, 교육 철학과 성찰의 기회를 놓치게 된다. 지금 필요한 것은 시기별 전략에 맞는 구조화된 학습이다. 수많은 합격자가 검증한 이 학습 흐름을 따라 제한된 시간 안에 가장 효율적으로 준비해 보자.

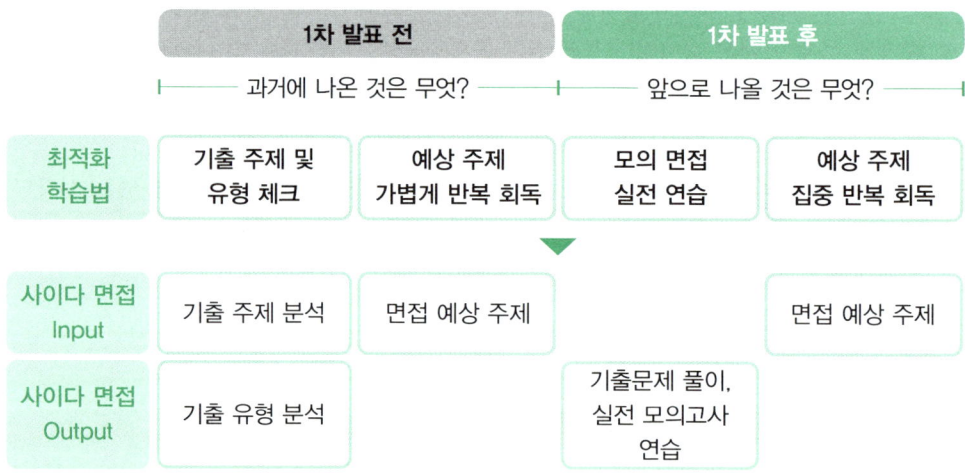

《사이다 면접 Input》 활용법

면접 준비에 시간이 부족하다고 《사이다 면접 Output》의 문제 풀이만 반복한다면, 반쪽짜리 준비에 그치고 만다. 경기도 임용 면접 베스트셀러이자 스테디셀러인 《사이다 면접》의 핵심 노하우는 바로 《Input》 전체에 담겨 있다. 그 '정수'를 놓치지 않고 완전히 흡수하는 것, 그것이 곧 면접 합격을 앞당기는 가장 빠른 길이다.

1차 합격자 발표 전 – '준비 운동'을 건너뛰지 않는다.

PART 1 경기형 임용 면접 이해하기

임용 면접이 어떤 시험인지, 왜 그런 질문이 반복해서 등장하는지를 모른 채 바로 실전 연습을 시작하는 것은 몸풀기 없이 마라톤을 시작하는 것과 같다. 시간을 재며 답변 연습을 반복하다 보면 방향을 잡지 못한 채 불안감만 커지게 된다. 면접 준비의 첫 단추는 기출 주제 분석이다. PART 1을 통해 면접의 구조를 파악하고, 반복 등장하는 핵심 개념과 흐름을 익혀야 한다. 이는 실전 대비를 위한 가장 기본적이고 중요한 준비이다.

PART 2 기본계획, 밑줄 그으며 외우지 않기

경기 기본계획을 읽는 것이 면접 공부의 전부라고 생각하는 수험생이 많다. 그러나 그 이유가 '스터디원이 보니까' 혹은 '읽어야 할 것 같아서'라면 방향을 다시 잡아야 한다. 기본계획 원문만으로는 정책의 본질, 방향, 철학을 파악하기 어렵다. '왜 이 정책이 필요한가?', '이 정책은 교사에게 무엇을 요구하는가?'와 같은 질문에 답하려면 PART 2의 분석과 해설을 반드시 참고해야 한다. 1차 합격자 발표 전, 최소 3회 반복 학습을 통해 경기교육 정책과 현장의 흐름을 구조적으로 이해하는 것이 중요하다.

1차 합격자 발표 후 – 나만의 리듬과 속도를 갖춘다.

이 시기에는 PART 2를 다회독하며 정책 내용을 자신의 언어로 정리해야 한다. 정책을 실행하는 사람은 교사이므로, 단순한 이해를 넘어 자신만의 실천 방안을 고민하고 말할 수 있어야 한다. 이때는 경기 기본계획 원문을 가볍게 읽고, 핵심 내용을 《사이다 Light》에 단권화하여 정리하면 학습 효율이 높아진다. 준비한 내용을 기반으로 《사이다 면접 Output》의 실전 모의 면접을 병행하며 스터디원과 피드백을 주고받는 과정도 꼭 필요하다. 정책을 얼마나 정확히 이해했는지, 실현 방안은 구체적이며 현실적인지 점검하며 부족한 부분은 반복 학습으로 보완해야 한다. 반복 속에서 약점은 분명해지고, 강점은 강화된다.

경기도 시책을 보기 전에, 사이다 테마를 정독하자!   합격자의 달달한 조언!

'시책을 공부한다'라는 말은 교육 정책이 왜 만들어졌고 어떻게 시행되고 있는지, 장단점은 무엇이고 교과에서의 실천 방안은 어떠한지 알아야 한다는 이야기입니다. 경기도교육청 기본계획을 다운받아 제대로 이해도 하지 못한 채 정책만 달달 외우는 것은 잘못된 공부 방법이며, 면접에 유용하지 않습니다. 기본계획을 보기 전 먼저 사이다 테마별로 공부하는 것을 추천해 드려요!! 각 테마 이름이 주요 정책이고 왜 만들어졌는지, 장단점은 무엇이며 현장에서 어떻게 활용하고 있는지 우리가 찾고 싶은 정보가 쉽게 설명되어 있습니다.

2021학년도 합격자 주진아 선생님

| PART 1 | 경기도교육청 임용 면접 이해하기 |

Chapter 01 경기도형 임용 면접이란 무엇인가?

  1. 자기성장소개서 · 12
  2. 개별면접 · 13
  3. 집단토의 · 16

Chapter 02 임용 면접 전략 수립

  1. 자기성장소개서 전략 · 17
  2. 개별면접 전략 · 28

| PART 2 | 47 사이다(2026 면접 예상 주제 47가지) |

기출 주제 분석 · 62

Chapter 01 경기형 교직관 및 교사 전문성 · 72

Chapter 02 2026 교육 이슈 · 98

Chapter 03 교육 정책 이해 및 적용 · 208

Chapter 04 교과 지도(전공 연계) 방안 · 230

Chapter 05 학급 운영 방안 · 258

Chapter 06 현장 문제 해결 방안 · 308

사이다 면접

PART 1

경기도교육청 임용 면접 이해하기

Chapter 01
경기도형 임용 면접이란 무엇인가?

Chapter 02
임용 면접 전략 수립

01

경기도형 임용 면접이란 무엇인가?

❝ 면접: 직접 만나서 인품이나 언행 따위를 평가하는 시험 ❞

면접이라고 하면 흔히 '교육청 정책을 외우는 시험', '문제 상황에 대한 해결책을 말하는 자리'를 떠올리기 쉽다. 하지만 면접의 본질은 교사의 성품과 태도, 언행을 확인하는 것이다. 1차 필기시험만으로는 파악할 수 없는 사람 됨됨이와 실전 대응력, 이것이 바로 면접의 핵심 평가 영역이다.

경기도교육청 임용 면접은 이러한 역량을 확인하기 위해 다음과 같은 방식으로 진행된다.

- **자기성장소개서**: 1차 합격자 발표 후 공개되는 문항을 보고, 자신의 교육관과 경험을 담은 글을 작성해 제출한다.
- **개별면접**: 구상형 3문제에 대해 사전 구상 시간을 갖고 답변한 뒤, 현장에서 즉답형 2문제를 보고 즉시 답변한다. (비교수 교과는 즉답형 4문제를 보고 답변한다.)
- **집단토의**: 2020학년도 이후 코로나19의 영향으로 중단되었으나, 아직 공식적으로 폐지되지는 않았다. 면접 일정을 오전, 오후로 나눠 오전 시간에 5~6인이 한 조가 되어 40분 동안 토의를 진행했으며, 오후에는 개별면접을 진행해 왔다.

이제 항목별로 면접 구조 안에서 어떤 의미를 지니는지, 어떻게 준비해야 하는지 차례대로 살펴보자.

① 자기성장소개서

자기성장소개서는 2016학년도 임용 시험 개편과 함께 도입되었다. 코로나19로 인해 2021학년도부터 집단토의가 중단되면서 자기성장소개서도 함께 미시행되었다가, 2023학년도부터 다시 도입되었다. 과거에는 4문항을 작성해야 했지만, 최근에는 1문항만 충실히 작성하면 된다.

면접 방식도 바뀌었다. 이전에는 면접 당일, 평가위원이 수험생의 자기성장소개서를 읽고 개별면접 마지막에 즉답형 3번 질문으로 궁금한 것을 묻는 방식이었다. 하지만 최근에는 자기성장소개서 내용이 즉답형 문항으로 직접 출제되거나, 별도로 활용되지 않는 경우도 있다. 그런데도, 경기도교육청은 면접 유의 사항에 다음과 같이 명시하고 있다.

자기성장소개서에 기술된 사항에 대한 사실 확인은 면접 평가 시 이루어집니다.

이는 단순한 서류가 아니라 평가 대상 자료로서의 효력이 있다는 의미이다. 따라서 자기성장소개서 작성을 소홀히 해서는 안 되며, 특히 대필 등 부정행위는 절대 금물이다.

2025학년도 유치원 · 초등학교 · 특수학교(유치원 · 초등)교사 자기성장소개서

경기교육은 역량 중심 맞춤형 교육을 통해 학생의 역량을 키워가는 정책을 추진하고 있습니다. 이를 위해 필요한 교사의 역량은 무엇이고, 역량 강화를 위해 어떤 준비를 하고 있는지 제시해 보세요.

(1쪽, 1000자 이내)

② 개별면접

개별면접은 크게 구상형, 즉답형, 자기성장소개서 기반 추가 질문으로 구성되어 있었다. 그러나 코로나19로 자기성장소개서 제출이 일시 중단되었다가 재개되면서, 현재는 구상형과 즉답형 위주로만 실시하고 있으며, 그에 따라 문항 수가 확대되었다.

유형	유치원 · 초등	중등 교과	비교수 교과
구상형	3문항(구상 시간 15분)		3문항(구상 시간 10분)
즉답형	2문항		4문항

(1) 구상형

구상형은 구상실에서 제시문을 읽고 미리 답을 정리한 후, 면접실로 이동해 평가위원 앞에서 발표하는 방식이다. 제시문에는 시, 통계자료, 조건, 문제 상황 등이 포함되며, 자료 해석력과 사고의 구조화 능력을 함께 평가한다. 비교수 교과의 경우 제시문 난도가 높아 수험생이 당황하는 경우가 많다.

> **2023학년도 비교수 교과 구상형 3번**
>
> 다음은 부서별 업무 계획에 따른 환경 분석 결과이다. 아래의 환경 분석 결과를 바탕으로 자신의 전공(보건, 사서, 영양, 전문상담)과 연계한 교육 방안을 기획하시오.
>
> | 업무 계획 ||
> |---|---|
> | • 인문예술 교육 실시
• 마을교육공동체와 함께하는 교육 실시 ||
> | 환경 분석 결과 ||
> | 강점 | 약점 |
> | • 교사가 교육에 대한 열정 높음
• 학부모의 교육열 높음 | • 학생의 자존감 낮음
• 학부모의 참여도 낮음 |
> | 기회 | 위기 |
> | • 지역 내 문화예술 전문가 많음
• 혁신학교 예산 지원 많음 | • 지역 내 주민 문화시설 부족
• 지역 주민 문화예술 경험 기회 부족 |

(2) 즉답형

즉답형은 면접실에서 제시문을 확인한 뒤, 별도의 구상 시간 없이 바로 답변하는 방식이다. 초등과 중등 교과는 구상형 답변이 끝난 후, 평가위원 앞에서 파일을 열고 즉답형 문제에 응답하며, 비교수 교과는 즉답형 전용 답변실로 자리를 옮겨 개별로 답변하는 MMI 방식으로 진행된다. 기존에는 한두 문장으로 간단히 답하는 질문이 대부분이었지만, 최근에는 구상형에 가까운 제시문이나 상황 설명이 포함되는 사례도 증가하고 있다.

> **2025학년도 중등 즉답형 2번**
>
> **제시문을 바탕으로 문제 상황이 발생한 원인을 분석하고, 담임교사와 교과교사의 관점에서 각각 실천 가능한 해결 방안을 제시하시오.**
>
> 담임교사가 2학년 학생들에게 가정통신문을 배부하였으나, 일부 학생들이 '사흘', '상비약', '구조' 등의 단어를 정확히 이해하지 못해 내용을 반복적으로 질문하는 상황이 발생하였다.

> **면접 아티클**

MMI 평가 방식의 이해

비교수 교과에서는 2022학년도부터 MMI(Multiple Mini Interview, 다중 미니 면접) 방식을 도입해 운영 중이다. MMI는 구상형 평가실, 즉답형 평가실 총 2개의 고사실에서 각기 다른 평가 항목을 중심으로 2~3인의 면접관이 짧고 집중된 질문을 던지며 수험생을 다각도로 평가하는 구조이다.

이 방식은 '의사소통 능력과 라포르 형성 능력을 갖춘 인재를 선발하겠다'라는 취지를 밝히며 서울대학교 의과대학에서 처음 도입되었다. 암기력보다 인성과 적성을 객관적으로 검증하기 위한 면접 형태인 셈이다.

문항 수가 많은 비교수 교과의 기존 면접은 초두효과로 인해 1~2문항에 대한 평가가 첫인상에 의해 평가 전체가 좌우되는 한계가 있었다. MMI는 이러한 편향을 줄이고 평가의 타당성과 신뢰도를 높이기 위한 시스템으로 평가받고 있다.

"아, 나를 더 철저히 검증하려는구나? 해볼 테면 해보라지. 난 진짜 좋은 교사가 될 거고, 그걸 보여주겠어." 이 마음으로 진솔하고 자신감 있게 고사실마다 평가위원의 마음을 사로잡고 나오자.

③ 집단토의

집단토의는 5~6명의 수험생이 한 조를 이루어 40분간 주어진 제시문을 바탕으로 문제 상황을 해결하거나, 정책 적용 방안을 함께 논의하는 형태의 평가 방식이다. 임용 시험이 개편된 이후 도입된 이 방식은 수험생 간 협업과 의사소통 능력을 종합적으로 평가할 수 있어 면접 전형에서 높은 변별력을 가지는 평가로 운영됐다. 특히 한 문제를 여러 수험생이 함께 논의하기 때문에 개인의 논리력, 경청 태도, 협업 역량 등 필기시험이나 개별면접만으로는 파악하기 어려운 실제 교사로서의 태도와 자질을 확인할 수 있다는 점에서 지원자에 따라 기회가 되기도, 부담이 되기도 했다. 2021학년도부터는 코로나19 방역 조치로 인해 일시 중단되었으나, 아직 공식적으로 폐지되지는 않은 상태이다.

2019학년도 초등 집단토의

다음은 2학년 담임 A의 교단 일지이다. A 교사가 겪고 있는 문제를 공동의 문제로 인식하고 함께 해결하고자 한다. 교사를 지원할 수 있는 다양한 협력 체제와 그 역할에 대해 논하시오.

A 교사의 교단 일지
- ○월 ○일: 우리 반에는 하늘이라는 ADHD 학생이 있다. 하늘이는 의자에 올라가거나 밖으로 뛰쳐나가는 등 돌발행동을 보인다.
- ○월 ○일: 다른 반은 이러지 않는데 우리 반만 이러는 것 같다.
- ○월 ○일: 하늘이의 학부모님은 상담할 때 1학년 때 선생님과 비교하시며 나의 전문성을 의심했다. 내가 교사 생활을 계속할 수 있을지 걱정이 된다.
- ○월 ○일: 우리 반 도영이가 책상에 침을 뱉는 등 하늘이의 행동을 따라 한다.

02 임용 면접 전략 수립

> 66 **모범 답안은 없어도, 통하는 방향은 존재한다.** 99

　면접에는 정답이 없다. 그렇다고 해서 채점 기준이 없다는 것은 아니다. 면접관은 단순히 말을 잘하는 사람이 아니라, 현장에 어울리는 교사, 함께 일하고 싶은 교사, 학생에게 신뢰받을 교사를 찾고 있다. 그렇기에 수험생은 나만의 이야기하되, '누가 들어도 공감할 수 있는 방향'으로 답변을 설계해야 한다. 이는 개성을 없애라는 뜻이 아니라, 교사라는 직업이 요구하는 전문성과 책임감이 담긴 답변 구조를 갖추어야 한다는 의미이다.

　《사이다 면접》은 수많은 합격자의 답변과 실전 데이터를 바탕으로 답변을 구성할 때 놓치지 말아야 할 핵심 가치를 정리해 왔다. 이를 바탕으로 면접 만점을 위한 전략을 제시하고자 한다.

① 자기성장소개서 전략

　자기성장소개서는 단순한 사전 제출 서류가 아니다. 면접관이 수험생을 마주하기 전, 가장 먼저 접하게 되는 기록이자 '이 사람은 어떤 교사인가'를 짐작하게 만드는 인상 형성의 시작점이다.

(1) 도입 배경

　2016학년도부터 도입된 자기성장소개서는 단순한 스펙이나 암기형 지식을 넘어서 교사로서의 자질과 태도, 가치관을 확인하기 위한 목적으로 마련되었다. 개인의 이야기가 담긴 기록이다 보니, 개별화된 심층면접을 가능하게 하고 수험생의 성찰을 유도하기 위한 장치가 되기도 한다. 단순히 자신의 경험을 나열하기보다, 교직관이 드러나는 경험을 중심으로 학생 중심 사고, 교육 공동체와의 연대, 실천 의지를 함께 담으면 좋다.

(2) 문제 유형

자기성장소개서가 중단되기 전까지 4가지 문제 유형이 존재했다. 2020학년도 사례를 통해 자기성장소개서의 4가지 유형을 살펴보자.

[교직관] (600자 이내)	1쪽
1. 문제 생략	
[경기혁신교육] (600자 이내)	1쪽
2. 문제 생략	
[실천경험] (600자 이내)	2쪽
3. 문제 생략	
[교직적성] (600자 이내)	2쪽
4. 문제 생략	

문제를 읽을 때 반드시 이와 같은 유형을 먼저 확인한 후 전략적으로 접근하자. 교직관을 묻는 문제면 교직관에 초점을 맞추어, 경기 정책에 관한 문제면 이 부분을 강조해 글을 작성해야만 흐름을 잘 잡을 수 있다.

2023학년도에 자기성장소개서를 재도입한 이후에는 한 문항을 깊이 있게 서술하는 방식으로 진행되고 있다. 한 문항에 대한 자기 생각을 구체적으로 기술하는 과정에서 수험생의 역량, 교직관 등이 더 철저히 드러난다. 합격자 발표 전부터 교육 이슈와 교사상에 대한 자신의 생각을 정리해 둔다면, 자기성장소개서 작성을 빨리 끝내고, 면접 준비에 전념할 수 있을 것이다.

(3) 자기성장소개서 작성 전략 및 실전 연습

문제 유형에 대해서 알아보았으니, 본격적으로 글을 작성하는 방법을 살펴보자.

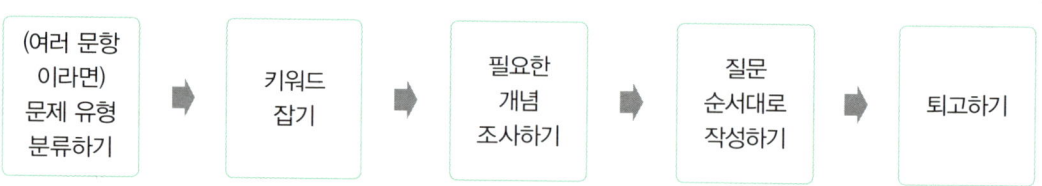

① **문제 유형 분류하기**: 코로나19 전과 같이 여러 문항이 출제될 경우 공고문을 열람해, 유형 먼저 확인하자. 한 문항만 출제된다면, 키워드를 잡는 것부터 시작하자.

② **키워드 잡기**: 분량 제한이 있으므로 문항의 키워드를 정확히 잡아 핵심만 서술한다.

③ **필요한 개념 조사하기**: 정책과 관련한 문항이라면 개념을 먼저 정확하게 이해한 후 작성해야 한다. 간혹 잘못된 개념을 바탕으로 글을 작성해, 추가 질문으로 이를 정말 알고 있는지 검증 질문을 받은 수험생도 있었다.

④ **질문 순서대로 작성하기**: 주장을 두괄식으로 제시하고 문항 순서에 맞게 논리적으로 전개하면 가독성이 높아진다.

⑤ **퇴고하기**: 작성 후 국립국어원이나 네이버 맞춤법 검사기를 활용하여 비문과 오탈자를 점검하고, 다시 읽으며 표현과 흐름을 다듬는다.

마지막으로, 자기성장소개서는 '자기의 성장을 소개'하는 글이다. 자신의 이야기, 관점, 성찰, 교직관 등이 반드시 포함돼야 한다. 포부를 넣으란 말은 없지만 끝에 한두 줄 정도는 현직에서 어떻게 전문성을 발휘할 것인지 밝힌다면 열정과 전문성을 보여줄 수 있다.

실전 연습 2025학년도 유치원·초등학교·특수학교(유치원·초등)교사 자기성장소개서

경기교육은 역량 중심 맞춤형 교육을 통해 학생의 역량을 키워가는 정책을 추진하고 있습니다. 이를 위해 필요한 교사의 역량은 무엇이고, 역량 강화를 위해 어떤 준비를 하고 있는지 제시해 보세요.

(1쪽, 1000자 이내)

1. 문제 유형 분류	한 문항이라 유형 없음. PASS!
2. 키워드 잡기	역량 중심 맞춤형 교육, 교사의 역량, 역량 강화 노력
3. 필요한 개념 조사	역량 중심 맞춤형 교육의 취지 및 실제 내용
4. 질문 순서대로 작성	• 경기교육의 역량 중심 맞춤형 교육이란? • 이를 위해 교사에게 필요한 역량은? • 역량 강화를 위한 준비 내용은?
5. 퇴고	프로그램을 활용해 비문과 오류 교정

작성 예시

경기교육이 지향하는 역량 중심 맞춤형 교육은 학생 개개인의 성장과 배움을 중심에 둔 교육을 의미합니다. 이를 실현하기 위해 교사는 학생을 깊이 이해하고, 교육과정을 유연하게 재구성하며, 공동체와 협력하는 역량을 갖추어야 한다고 생각합니다. 교육과정을 획일적으로 적용하는 것이 아니라 학생의 다양성과 발달 특성을 고려해 맞춤형으로 접근해야 하며, 학교 구성원과 지역사회와의 협력은 교사 혼자서 할 수 없는 교육적 효과를 만들어낼 수 있기 때문입니다.

이러한 역량을 기르기 위해 먼저, 교육봉사와 교육실습 과정에서 학생과 상담하며 학생 중심 사고를 길러왔습니다. 학습뿐만 아니라 취미, 감정, 교우관계 등 삶 전반에 관한 질문과 대화를 통해 학생을 입체적으로 이해하고자 했고, 이는 수업 중 사례 제시나 피드백에서도 학생의 맥락에 맞는 접근을 가능하게 했습니다.

또한, 교생실습 중에는 학생의 특성과 학습 속도를 관찰하고, 이를 바탕으로 교육과정을 재구성하는 훈련을 했습니다. SNS 계정을 활용해 하루 3줄 수업일지를 기록하며 '무엇이 학생의 몰입을 이끌었는가'를 되돌아보았고, 다음 수업에 반영하며 수업 설계 역량을 키워갔습니다.

마지막으로, 공동체 협력을 위해 교육봉사 동아리에 꾸준히 참여하고 있습니다. 이 과정에서 지역 인사, 학부모 등 다양한 구성원과 소통하며 교육이라는 공동 목표를 위해 함께 협력하는 경험을 쌓았습니다. 이는 경기교육이 강조하는 지역협력 교육의 실현과도 맞닿아 있다고 느꼈습니다.

앞으로도 학생의 역량을 키우는 교사로 성장하기 위해 끊임없이 실천하고 성찰하겠습니다.

(4) 자기성장소개서에 포함할 내용

자기성장소개서는 수험생의 철학·역량·정체성을 보여줘야 하는 고밀도 글쓰기이다. 다음의 V·I·P·S 전략은 자기소개서의 질을 높이는 실천적 가이드이니 어떤 내용을 써야 할지 고민이라면 정독해 보자.

① VIEWPOINT: 나의 관점을 담아내자!

답변에는 반드시 '나의 교육 관점'이 드러나야 한다. 단순한 경험 나열이 아니라, 경험 ➡ 교직 철학 ➡ 실천 계획의 구조로 전개한다면 진정성과 전문성을 모두 전달할 수 있다. 또한 글 전체에 공교육에 대한 신뢰, 교육공동체에 대한 존중의 태도가 자연스럽게 배어 있어야 한다. 평가위원은 대부분 현직 교사이거나 교직을 경험한 분들이다. 따라서 현장과 제도를 비판하거나, 다른 교사의 실수를 지적하는 것은 피해야 한다.

사례) 수험생의 WORST 답변 (2019학년도 유치원·초등·중등 교과·비교수 교과)

Q 자신의 학창 시절 또는 교사양성과정 시절(대학, 대학원 교육과정이나 실습 등)에 느꼈던 학교의 바람직하지 못한 관행을 2가지 이상 제시하고, 교사가 된다면 이러한 관행을 바로잡기 위해서 어떻게 실천하고 싶습니까?

A 첫째, 교생실습 시절 권위적인 교장·교감 선생님들에 대해 거부감이 많이 들었습니다. 저희의 복장, 태도 등을 감시하고 지적하는 모습을 보고 소통이 되지 않는다고 생각했습니다. 둘째, 학창 시절에 지나치게 방어적인 수업을 하시는 선생님이 다수 계셨습니다. 제 친구들은 엉뚱한 질문을 곧잘 했는데, 많은 선생님이 그에 적절한 대답을 하지 못하셨습니다.

👍 관리자분들의 조언과 일부 선생님들의 부정적 수업 모습을 '바람직하지 못한 관행'으로 비판하고 있다. 이러한 발언은 학교 현장에 계신 분들이라면 누구나 불편함을 느낄 수밖에 없다. 공교육에 대한 긍정적인 시각, 신뢰를 표현해 함께 일하고 싶은 사람이 되어보자!

② INTELLIGENT: 논점을 명확히, 전략적으로 쓰자!

자기성장소개서는 단순한 에세이가 아니다. 출제 의도를 정확히 간파하고, 핵심만 명확하게 쓰는 것이 전략적 글쓰기의 시작이다. 이를 위해 다음과 같은 전략을 추천한다.

첫째, 정확한 논점 짚기

자기성장소개서를 한 번이라도 작성해 보았다면, 문항의 논점을 제대로 짚지 못해 흐름을 놓치거나 분량이 초과하는 문제 때문에 고민한 적이 있을 것이다. 앞서 제시한 작성 방법을 숙지해 키워드에 초점을 맞추어 글 쓰는 연습으로 이런 문제를 탈피하자.

> **사례** 수험생의 WORST 답변 (2019학년도 유치원·초등·중등 교과·비교수 교과)
>
> **Q** 자신의 학창 시절 또는 교사양성과정 시절(대학, 대학원 교육과정이나 실습 등)에 느꼈던 학교의 바람직하지 못한 관행을 2가지 이상 제시하고, 교사가 된다면 이러한 관행을 바로잡기 위해서 어떻게 실천하고 싶습니까?
>
> **A** 실습 시절에 느꼈던 부적절한 관행은 교원임용과 관련된 것입니다. 현재 사범대에서 배우는 학문의 내용과 임용 시험 문항들은, 학교 현장에서 가르치는 것과 괴리가 있는 것이 사실입니다. 이에 초임 교사들은 처음 현장에 나가서 당혹감을 느낍니다. (생략)

👍 학교의 바람직하지 못한 관행을 물었는데, 교원임용제도를 답했다. 교원임용제도는 학교의 바람직하지 못한 관행과는 관련이 없는 문제이므로 문제 해결 능력이 없는 수험생이라고 인식될 수 있다.

둘째, 단점을 물을 땐, 강점이 될 수 있는 단점이나 보완 계획을 이야기하기

교사로서 단점을 물을 때는 단점인 듯 단점 아닌 단점 같은 자랑을 해야 한다. 예를 들어 '눈물이 많다'고 이야기하며 교사의 공감 능력을 어필하는 식으로 말이다. 또한, 단점을 드러내는 척하면서 자신의 장점을 어필하는 방식도 좋다. 2019년 방영된 〈신입사원 탄생기-굿피플〉이란 프로그램은 지원자들의 로펌 인턴 생활을 보여준 후 최종 신입사원을 선발하는 예능 프로그램이다. 이 프로에서 한 지원자가 이를 잘 드러내어 주목을 받았다.

> 당연한 이야기이지만, 저는 처음부터 잘하지 못하는 것이 저의 단점이라고 생각합니다.
> 그게 성적으로 드러나서 1학년 때에는 성적이 다소 좋지 않았습니다.
> 하지만 계속 성적이 올라 결국 수석 졸업을 했습니다.
> 뭔가를 시작할 때 저는 굉장히 주눅 들 때가 많은데
> 그런데도 제가 부족한 점이 뭔지를 알고 그것을 해결해 나가고
> 남들보다 보이지 않는 곳에서 두 배, 세 배 노력해서 그것을 채워나가는 점이
> 저는 저의 단점을 보완할 수 있었던 부분이라고 생각합니다.

어떠한가? 단점이 보이기보단, 단점을 극복할 수 있는 노력이라는 장점이 더 두드러진다.

단점을 보완할 수 있게끔 서술하는 방법도 있다. '내성적인 성격'이라는 단점을 이용해 봉사활동 때 '내성적인 학생들에 대한 교류'를 이끌어냈다는 이야기를 하거나 '하나에 집중하지 못하는 성격'으로 인해 다양한 취미 생활을 했고, 그것이 '다양한 융합 수업·동아리 활동' 등으로 이어질 수 있다고 서술하는 식으로 말이다.

사례 수험생의 WORST 답변 (2016학년도 중등 교과·비교수 교과)

Q 교사로서 자신의 강점과 약점을 키워드로 제시하고, 자신의 강점을 발휘해 학생을 지도하는 방안과 약점을 어떻게 보완할지 말하시오.

A (강점 생략) 교사로서 저의 약점은 내성적이며 가끔 욱하는 성격이라는 점입니다. 내성적이어서 학생들에게 먼저 말을 건네지 못할까 봐 걱정되고, 욱하는 성격으로 사춘기 청소년들에게 상처를 줄까 봐 이것을 고쳐야겠다고 생각했습니다. 이를 보완하기 위해 먼저 저는 관심을 가지고 학생들에게 다가갈 것입니다. 또한 요가 등으로 명상을 해 심신을 다스릴 것입니다.

👍 교사가 되면 안 될 이유를 정성스럽게 쓴 느낌이다. 내성적이며 욱하는 성격의 교사를 누가 선호할 것인가? 가끔은 너무 솔직한 것이 문제가 될 수 있다. 전략적으로 영리하게! 본인을 잘 포장하는 센스를 키워나가자.

셋째, 경기 정책의 부작용 및 현장 문제점을 물을 땐 보편적 사례로 답하기

현장의 문제점, 공교육 불신 현상에 관해 묻는다면 사석에서나 이야기할 법한 잘못된 관행들의 극단적 사례를 잠시 접어두고 누구나 공감할 만한 적절한 수준을 끌고 와야 한다. 또한, 정책에 대한 문제의식을 느끼고 어떻게 보완할 것인지 구체적인 계획과 자신의 포부를 드러내야 한다.

사례 수험생의 WORST 답변 (2017학년도 중등 교과·비교수 교과)

Q "요즘 젊은 교사들은 모범생이고, 공부만 잘하다 보니 현장의 아이들을 이해하는 데 한계가 있어. 소명감은 없고, 직업 안정성 하나 바라보고, 방학 때 해외여행 다니는 것만 기다리는 교사들이 많아!"라며 면전에서 교사를 비판하는 시골 어르신에게 어떤 대답을 하시겠습니까?

A 공무원은 안정성이 높은 직업입니다. 또한 교직 사회는 방학 기간 내 자율 활동이 어느 정도 보장돼 해외여행을 가시는 분들이 많은 것 같습니다. 제가 생각할 때도 이러한 비판은 타당한 것 같습니다. …(중략)… 사회에서는 이러한 교사들의 활동에 대해 색안경을 끼고 보시는 분들이 많은 것 같습니다. 저는 그러한 소리를 듣지 않도록 매사 열심히 소명을 갖고 활동하고 싶습니다.

👍 방학에 해외여행을 다니는 교사도 있지만 자기장학과 연수에 집중하는 교사도 많다. '이러한 비판은 타당하다.'라고 말해 현장에서 열심히 일하는 교사들을 함께 비난하는 꼴이 되어 버렸다. 또한, '저는 그런 소리를 듣지 않겠습니다.'라고 이야기해, 교직 사회를 이분법적으로 바라보는 사람이라는 인상도 주고 있다.

그릇된 사례들을 잘 숙지해 같은 실수를 하지 않아야 한다. 전략적으로 영리하게! 꼭 기억해 주시길 바란다.

③ POLICY: 정책을 이해하고 운영 방안을 조사하며 경기교육의 고민을 해결하자!

경기 정책에 관한 문제일 경우에는 크게 경기 정책 이해, 운영 방안, 경기교육에 대한 고민 해결에 대해 묻게 될 것이다.

첫째, 경기 정책 이해 문제

경기 정책에 관한 개념이 들어가 있다면, 그것부터 완벽히 이해하고 본론을 서술해야 한다. 경기도교육청에서 강조하는 교육 정책이 문제에 포함될 경우 그 이해도에 따라 글의 수준이 결정된다.

> **사례) 수험생의 WORST 답변 (2019학년도 유치원·초등·중등 교과·비교수 교과)**
>
> **Q** 경기도교육청이 추구하는 4·16 교육체제의 가치와 방향에 비추어 볼 때, 그 정신을 구현할 수 있는 교사로서의 실천 계획을 2가지 이상 제시해 보세요.
>
> **A** 첫째, 학생들의 균등한 교육 기회와 과정, 결과를 보장해 주어야 합니다. 이것을 위해 학생들이 안전한 환경에서 학습 활동을 할 수 있는 교육 여건을 마련해야 합니다. 그래서 학생들이 학습 활동에 있어 안전한 학습 분위기를 조성하도록 하겠습니다. 둘째, 학생들의 안전한 생활을 보장하는 것입니다. 학생들이 실질적인 삶에 있어 건강한 삶을 살도록 하는 것입니다. (생략)
>
> 👍 4·16 교육체제란 세월호 참사를 교훈 삼아 경기도교육청에서 마련한 새로운 교육 패러다임이다(이재정 전 교육감 시절). 위 수험생은 '안전'만 반복적으로 나열하고 있는데, 이 경우 경기도교육청에서 강조하고 있는 4·16 교육체제에 대한 이해가 부족하다고 판단될 수 있다.

둘째, 운영 방안 질문

운영 방안에 관해 물었다면 현장에서는 어떻게 운영되고 있는지 반드시 확인해야 한다. 예를 들어 문항에서 고교학점제가 나왔다면, 현재 고교학점제를 운영하며 교사들은 어떤 수업을 하고 있는지, 나의 경험 중에서 이런 부분을 드러낼 수 있을 만한 점이 있는지를 찾아 간결하게 표현해야 한다.

셋째, 경기교육의 고민 해결

경기도교육청의 교육 현실 및 고민을 명확히 파악해야 한다. 경기 정책의 방향성에 관해 묻는 경우는 교육청이 직접적으로 고민하는 부분이다. 현재 문항과 관련해 경기도교육청이 겪는 어려움은 어떤 것이 있는지, 이를 해결하기 위해 어떤 방향으로 교육하는지 등을 경기도교육청 블로그나 사례 등을 통해서 확인해 녹여낸다면 도움이 된다.

④ SIMPLE: 쉬운 글을 만들자!

평가위원들은 자기성장소개서를 읽는 데 3분 이상을 쓰지 않는다. 앞 수험생이 퇴실한 후 대기 시간을 이용해 빠르게 읽어내기 때문에 많은 시간을 투자하기 어렵기 때문이다. 여러 번의 퇴고 과정을 통해 쉬운 글, 짧은 글로 바꾸어 평가위원이 읽기 편한 글로 그분들의 마음을 사로잡자. 쉬운 글을 만들기 위해 두괄식으로 작성하는 것이 좋다.

(5) 자기성장소개서 스터디 전략

스터디를 할 때는 자기성장소개서를 펼쳐놓고 의문이 가는 부분을 전부 질문으로 만들어 보자. 자기성장소개서에 기반한 추가 질문은 적혀 있는 내용에 관해 물어보는 것이므로 거짓으로 작성해서도, 무슨 내용을 썼는지 잊어서도 안 된다. 예를 들어 《열여덟 너의 존재감》이라는 책을 감명 깊게 읽고 교직관을 정립했다고 써놓고, 정작 그 책의 내용을 물어볼 때 제대로 답하지 못한다면 교사로서 '신뢰감'을 주는 데 실패할 것이다.

자기성장소개서 사례	나올 수 있는 문제 리스트
Q 자신의 성장이 언제 많이 일어났다고 생각하나요? 교육적 성장이 있었던 경험에 대해 말하고, 그 경험이 앞으로 교직생활에 어떤 영향을 미칠 것인지 말해보시오.	
A 저는 교생실습 당시 학급 아이들과 개별 상담을 하며 교육적으로 많이 성장했습니다. 제가 교사를 꿈꾸게 된 이유는 어려운 가정 형편을 원망하며 학교생활을 제대로 하지 못했을 때 ① 저를 끝까지 포기하지 않으셨던 선생님의 사랑에 보답하고 싶어서였습니다. 그러나 대학생이 되자 교과 지식을 쌓는 데에만 충실했고 교생실습을 앞두고도 '어떻게 하면 잘 가르칠 수 있을까?'라는 고민만 했습니다. ② 하지만 제가 간 학교는 저마다의 사정과 아픔을 가진 학생들이 많은 곳이었고, 담당 선생님께서는 아이들과의 상담을 추천해 주셨습니다. 제가 마음의 문을 두드리니 아이들은 자신을 보여주었습니다. 아이들은 그 후에도 저에게 진로나 학교생활에 대한 이야기를 자주 털어놓았고 저와의 약속을 지킨다며 좋지 않은 습관들을 고치려고 노력했습니다. 수업도 더 활기 넘쳤습니다. 저는 새삼 깨달았습니다. 교사는 교과 전문성을 갖고 수업을 체계적으로 설계하는 능력을 갖추어야 하지만 학생 개개인을 진심으로 이해하는 것이 선행돼야 한다는 것을 말입니다. 저의 선생님이 그러하셨듯이 ③ 단 한 명의 아이도 포기하지 않고 사랑으로 안아주는 선생님이 되리라 다짐했습니다.	① 학교생활을 제대로 하지 못했다고 했는데, 선생님이 어떤 식으로 도움을 주셨고 이 경험이 내 교직생활에 어떠한 영향을 미칠지 이야기해 보세요. ② 상담 중에 기억에 남는 일화가 있다면 이야기해 주고, 그것이 교사로서 어떤 영향을 주었는지 이야기해 보세요. ③ 학업을 거부하는 학생이 있다면 어떻게 학생을 지도할지 그 방안을 이야기해 보세요.

> **합격자의 달달한 조언!** 달달함+1
>
> **문제를 뽑아내기 위해 효과적인 스터디 방법**
>
> 자성소 제출 기한이 지난 후에 파일로 준비합니다. 발표하듯이 화면에 띄워 한 사람씩 자신의 자성소를 공개합니다. 스터디원들은 1번부터 읽으며 질문할 수 있는 모든 내용을 던집니다. 그리고 질문에 대한 답을 같이 고민해 보도록 합니다. 최소한 스터디에서 나왔던 질문에 대한 답변은 꼭 스스로 정리해 두어야 합니다. 같이 이야기했던 질문이 실제로 나올 확률이 높습니다. 이때 질문은 중복돼도 상관없으며, 브레인스토밍의 원리대로 많은 양이 나올수록 좋습니다.
>
> 2020학년도 합격자 김진연 선생님

(6) 자기성장소개서 관련 주요 Q & A

Q 자기성장소개서도 스터디를 해야 하나요?

A 자기성장소개서 작성 전에 타 교과 스터디원들과 아이디어를 공유하거나 첨삭 스터디를 하면, 내가 보지 못했던 새로운 관점을 얻을 수 있습니다. 같은 전공끼리는 매우 위험하겠죠. 같은 곳에서 시험을 봐야 하니까요.

다만, 제출 후에 어떤 문항이 나올지 예측하는 스터디를 해보세요. 제3자의 시선에서 자기성장소개서를 읽고 궁금한 점, 의문이 드는 점, 보충 설명을 했으면 하는 점을 정리해 예상 문제를 만들어 놓는다면 예상 범위 내에서 거의 비슷한 문제가 출제되기 때문에 추가 질문을 답변하는 데 도움이 됩니다.

Q 자기성장소개서에서 묻지 않은 경우에도 키워드의 개념 및 정의를 서술하는 것이 좋은가요?

A 제한된 분량이 있는 자기성장소개서에서는 묻는 말에 초점을 맞춰서 작성하는 것이 가장 좋습니다.

> 경기도교육청은 2022년까지 고교학점제를 도입하려 준비 중입니다. 최근 일고 있는 고교학점제 도입과 관련해 현재 본인이 준비한 어떠한 역량이 이 학점제의 방향과 맥을 같이하는지 설명하고, 이를 동료 교사와 어떤 전략으로 현장에 안착시킬 수 있을지 제시해 보시오.

위 2020학년도 기출문제에서, 고교학점제를 한 줄 정도 설명하는 것은 좋지만 분량을 초과한다면 문항에서 요구하는 내용인 고교학점제의 방향과 자기 역량의 연계성, 동료 교사와 협업 방안 등에 초점을 맞춰 서술해야 합니다. 혹시 자기성장소개서를 읽다 고교학점제에 대한 정의를 잘 모르는 것 같다고 판단이 될 때는 추가 질문으로 물어볼 수 있습니다. 그때 조리 있게 답변하면 됩니다. 우선 묻는 내용에 집중하시길 바랍니다.

Q 자기성장소개서를 이미 제출했는데, 엉뚱한 이야기를 썼으면 어떻게 하나요?

A 2020학년도 시험을 대비해 모의 면접을 피드백하는 자리에서 '고교학점제'에 관해 전혀 다른 개념을 기술해 제출한 수험생을 만난 적이 있었습니다. 평가위원의 관점에서 그 자기성장소개서를 본 순간 바로 "고교학점제가 무엇인가요?"라는 질문을 던졌고, 그 수험생은 예상대로 옳지 않은 대답을 했습니다.

사실 평가위원은 짧은 시간 내에 글을 읽어내므로 오답 또는 정답만 파악할 뿐 디테일하게 '어느 부분을 모르고 있군.' 하고 생각할 여력은 없습니다. 다만 오답이라고 판단될 경우 질문을 하게 되고, 이때 올바로 대답하면 만회가 됩니다. 자기성장소개서에 모르는 내용을 아는 것처럼 쓰지 않는 게 제일 바람직하지만 엉뚱한 이야기를 쓴 경우에는 이를 알아차리고 제대로 된 답변을 준비해 실제 면접에서 잘 답변한다면, 충분히 만회할 수 있습니다!

참고로, 위 수험생은 실제 시험에서도 고교학점제를 알고 있느냐는 질문을 받았고 제대로 답변해 지금은 현직에서 근무하고 있습니다.

Q 자기성장소개서와 상관없는 질문이 나왔을 때, 자기성장소개서로 답변을 해야 하나요? 아니면 자기성장소개서와 상관없이 질문에 적합한 답변을 할까요?

A 개별면접에서 자기성장소개서를 활용한 추가 질문은 크게 2가지 유형으로 구분된다고 말씀드렸습니다. 이 경우에는 '자기성장소개서와 상관없이 일괄적으로 물어본 질문'이 되겠군요. 이 경우 평가위원이 묻는 문제에 적합한 답변을 하시면 됩니다.

자기성장소개서와 연관이 있는 내용이라면 사실 여부를 묻기 위한 질문이기에 자기성장소개서에 쓴 내용과 일치해야 하지만, 문제와 상관없는 질문이 나왔을 경우 긴장하지 마시고 그 부분에 초점을 맞추어 대답해 주세요!

② **개별면접 전략**

면접은 말을 잘하는 사람이 아닌, '학교에서 함께할 수 있는 사람'을 찾는 과정이다. 말의 유창함보다 중요한 것은 답변의 '방향'과 '전달하는 힘'이다. 여기에서는 적임자라는 인상을 남기기 위한 개별면접 전략에 관한 이야기를 하고자 한다.

1. 경기형 개별면접 이해

(1) 면접의 본질 및 평가위원 이해

① 면접의 본질

경기형 면접은 정책을 달달 외운다거나 여러 수험서의 내용을 한 권에 모은 것에 만족하며 눈으로 읽고 밑줄 치며 공부해선 안 된다. 면접의 본질은 교사로서 자신의 철학과 현장에서 얼마나 교사다운 모습으로 생활할 수 있는지 보여주는 것이다. 따라서 다음과 같은 준비를 해두어야 한다.

첫째, 교직관 정립하기

면접에서 출제되는 문항은 대개 다음 5가지 범주로 반복된다.

> 경기형 교직관 및 교사 전문성, 교육 정책 이해 및 적용, 수업 설계 방안, 학급 운영 방안, 현장 문제 해결 방안

이 문항들의 공통 기반은 '교직관'이다. 교직관이 바로 서야 각 해결 방안마다 일관적인 지도 방안이 나오게 된다. 따라서 반드시 교직관을 최우선으로 수립해 놓아야 한다.

둘째, 현실적인 운영 방안 고민하기

수험생이 아닌 현장 교사의 관점에서 실행 가능한 방안을 고민해야 한다. 이를 위해 정책과 교직관에 대한 이해가 충분해야 한다. 《사이다 면접》을 따라 나만의 방안 만들기에 집중해 보자. 이후 스터디를 통해 이 방안이 현실성이 있는지를 함께 점검하면 좋다.

셋째, 정책 이해는 '핵심 요약 + 활용 방안' 중심으로 정리하기

우리는 정책 연구가가 아니라 교사라는 점을 잊지 말자. 정책의 명칭, 목적, 핵심 내용은 간략히 정리하고, '현장에서 어떻게 활용할 수 있을까?'에 초점을 맞춰 답변을 구상해야 한다. 간혹 암기한 내용을 장황하게 풀어놓는 경우가 있는데, 이는 오히려 독이 된다.

압축된 문장으로 정책을 이해하고, 자신의 교직관과 연결 지어 실천 방안을 제시하는 것, 그것이 바로 '경기형 답변'이다.

마지막으로, 시험은 연애처럼!

간혹 연애를 책으로 배우는 사람을 보았을 것이다. 매력이 없다. 연애서를 달달 외워서 사랑 표현을 한다면, 상대에게 진정성을 줄 수 없듯이 책을 보고 암기하듯 누구나 말할 수 있는 뻔한 내용으로는 절대 평가위원의 가슴을 울릴 수 없다. 내 가슴과 머리에서 고민한 내용을 전달해야 한다.

'선생님으로부터 받은 영향', '교생실습, 교육봉사, 기간제 활동 중 느낀 교육 가치' 등은 단순한 에피소드가 아니라 합격을 끌어당기는 스토리가 된다. 사람은 자신만이 겪은 이야기를 할 때 가장 차별화되고, 창의적이기 마련이다. 나의 이야기를 들려주면 다른 어떤 이야기보다 확실하게 평가위원의 관심을 끌게 될 것이며, 평가위원은 수험생에게 인간적 매력을 느낄 것이다.

> **사례) 수험생의 WORST 답변 (2017학년도 중등 교과·비교수 교과)**
>
> **Q** 학업중단위기에 빠진 학생들을 어떻게 지도할 것인가?
>
> **A** **수험생Ⓐ** 학업중단위기에 빠진 학생들을 위해 학업중단 숙려기간을 추천하고 싶습니다. 학업중단 숙려기간을 통해 학생들이 자신에 대해 충분한 고민을 하게끔 하겠습니다. 그 이후에 다시 학생과 함께 학교에 적응할 수 있는 방안을 생각해 보겠습니다.
>
> **수험생Ⓑ** 경기도에서는 학업중단 숙려기간을 두고 있습니다. 학업중단숙려제는 학업중단 의사를 밝힌 학생에게 2~3주간의 숙려 기회를 부여하는 제도입니다. 학생에게 제도적으로는 이러한 방안을 추천해, 시간적 여유를 주는 것이 필요합니다. 하지만 무엇보다 중요한 것은 교사의 관심과 사랑이라고 생각합니다. 저는 학창 시절에 학업중단위기에 빠졌던 경험이 있습니다. 가정형편을 탓하며 등교를 거부한 채 방 안에서 나오지 않았습니다. 그렇게 며칠간 등교를 거부하자 담임선생님이 가정 방문하셔서 저의 환경을 둘러보시고 닫힌 제 방문 앞에서 우시면서 저를 위로하는 이야기를 하고 가셨습니다. 이상하게 그날부터 마음이 흔들렸고, 선생님의 정성 때문에 저는 다시 학교로 돌아가야겠다는 용기가 생겼습니다. 저 역시 학업중단위기에 빠진 학생이 있다면, 담임 선생님께서 저에게 해주셨던 것과 같이 가정 방문이나 메시지를 통해 관심과 사랑을 먼저 표현하도록 하겠습니다. 그렇다면, 저처럼 도움이 필요한 학생들이 다시 학교로 돌아올 수 있고 저마다의 아픔을 이겨내고 건강한 사회인으로 성장할 수 있을 것입니다. 이상입니다.

어떤 사람이 평가위원의 가슴에 더 오랫동안 기억될까? 어떤 사람이 현직에 나가야 위기의 학생을 더 잘 돌볼 수 있을까? 지금 여러분 가슴에 꽂힌 사람, 바로 그 사람이다.

② 평가위원 이해

심층 면접 평가는 단순히 채점 기준을 통해 객관성과 공정성만을 확보하는 방향으로 진행되지 않는다. 학생, 학부모, 동료 교사와 대면해 업무를 수행해야 하는 교사라는 직업 특성상, 사람의 감정을 움직일 줄 아는 사람이 적격하기에 평가위원은 이를 확인해야 한다. 촘촘한 채점 기준이 있다 하더라도 면접 평가를 좌우하는 것은 결국 평가위원이라는 이야기이다. 따라서 면접에서 좋은 평가를 받기 위해서는 내 생각을 잘 표현하는 것도 중요하지만 평가위원 그 자체를 이해하는 일도 중요하다. 평가위원을 잘 분석한다면, 이분들을 사로잡아 원하는 결과를 보다 쉽게 얻을 수 있을 것이다.

평가위원, 그분들은 누구일까?

- 교직 경력 7년 이상인 경기도교육청 현직 교원
- 교육 현장의 문제나 갈등 상황 및 경기교육에 대한 이해가 높고 집단토의·개별면접에 전문성을 갖춘 경기도교육청 소속 현직 교사(장학관·장학사 및 교장·교감 포함)로 선정
- 각종 면접시험 유경험자 등 우선 선정

이 정보를 통해 우리는 다음과 같은 팁을 얻을 수 있다.

첫째, 공교육과 현장 교사들에 대한 긍정적 관점을 드러내야 한다.

평가위원은 현직 교사이거나 교사 출신 교육 전문직 및 관리자이다. 공교육에 대한 불편함과 불신, 과거의 개인적 경험을 일반화시켜 현장 교사들을 비난하는 발언은 삼가야 한다.

> **사례** 수험생의 WORST 답변 (2022학년도 중등 교과·비교수 교과 자기성장소개서)
>
> **Q** 공교육과 교사 불신 현상의 사례를 말해보시오.
>
> **A** 공교육 교사들은 사교육 교사들에 비해 수능시험에 대한 전문성이 낮고 수업을 잘하지 못합니다.

특히, 공교육 및 현장의 문제점을 묻고 개선 방향을 찾아보라는 질문에서 이러한 생각이 자연스레 드러나는데, 공교육에 대한 부정적인 관점을 지닌 사람은 결코 함께 일하고 싶은 후배 교사라는 인식이 들지 않을 것이다. 마음에 현장 교사들에 대한 존경심과 그들과의 협동의 중요성을 새기도록 하자.

둘째, 정책이나 사례를 단순 나열하는 것이 아닌 현실적이고 실천적인 방안을 제시해야 한다.

평가위원은 교육 현장 문제나 갈등 상황, 경기교육의 전문가이다. 이때 단순 이론이나 현장 사례를 암기하듯 줄줄 읊어내는 것은 번데기 앞에서 주름잡는 격! 그리고 문제 핀트에서도 많이 빗나가는 행동이다. 명확한 문제의식, 개념 파악을 바탕으로 현장에서 어떻게 실천해 나갈지 현실성 있는 실현 방안과 포부 등이 담겨야 한다. 신규 교사로서 준비성과 열정 등이 매력 포인트임을 절대 잊어서는 안 된다.

사례) 수험생의 WORST 답변 (2019학년도 중등 구상형)

Q 수능 이후나 학년말 전환기 교육 방안을 말해보시오.

A 경기도 현장에서는 교육협동조합, 독서교육, 시민교육 등 여러 교육 방안을 시행하고 있습니다. (구체적 사례를 계속 이야기함) 이런 것들을 저도 하고 싶습니다.

위 사례는 언뜻 보면 '왜 감점이 많이 됐지?'라고 생각할 수도 있지만, 문제에서 요구하는 '나만의 교육 방안'이 아니라 '현장 사례'만 쭈욱 열거했다는 점이 감점 요인이 되었다. 사례를 '알고 있다'가 아닌, 나만의 방법을 '생각하고 고민했다'에 초점을 맞추어야 한다.

셋째, 진솔하고 정중하면서도 자신감 있는 면접 태도를 견지해야 한다.

면접시험을 많이 경험해 본 분들을 우선 선정하고 있는 만큼, 평가위원은 다양한 면접을 통해 수험생들의 특성 및 감정을 파악하는 데 누구보다 전문가일 것이다. 지나치게 과시하거나 떨지 말고 진솔하게 나 자신을 보여주는 것이 매우 중요하다. 촘촘한 채점 기준이 있다 하더라도 사람이다 보니 그것을 정확하게 적용하긴 어려운 일이다. 그 사람이 주는 인상과 분위기가 전체를 결정짓는다는 사실을 잊지 말자!

평가위원을 사로잡는 심리학 기술

면접은 참 재미있는 시험이다. 촘촘한 채점 기준이 있다고 하더라도 이것을 적용하는 것은 '사람'이기 때문에 주관적인 평가를 피할 수 없다는 점에서 그렇다. 이를 영리하게 이용해 면접에 심리학 기술을 활용해 보자. 어떤 기술을 활용할까? 《생각의 틀을 바꾸는 수의 힘: 숫자의 법칙(노구치 데츠노리 저)》에서 개별면접에 관한 유의미한 연구 결과 2가지를 발견했다.

1. 첫인상 3·3·3 법칙

3·3·3 법칙이란?
3초 안에 외모를 통해 첫인상을 결정하고,
30초 안에 목소리나 대화 방식에 따라 두 번째 인상을 결정하며,
3분 안에 종합적인 인상을 통해 사람을 판단한다는 법칙이다.

이 이론을 우리 시험에 적용한다면?

첫째, 시험실 문을 열고 들어가 평가위원 앞에 앉을 때까지의 3초
둘째, 인사 후 수험번호와 구상형 1번 도입부를 말하는 30초
마지막, 구상형 1번에 대한 답변 3분

이것에 신경 써야 한다. 답변 내용에만 치중해 소홀히 할 수 있는 나의 비언어적인 요소가 첫 이미지를 만들고, 그것이 초두효과로 인해 면접 전반에 큰 영향을 미친다는 것을 유념해야 한다. 면접 연습 전반을 녹화해 걸음, 목소리, 자세 등도 꼼꼼히 점검하자.

2. 메라비언의 법칙

미국 심리학자 앨버트 메라비언(Albert Mehrabian)은 말의 내용보다 태도와 인상이 중요하다는 내용의 메라비언의 법칙을 발표했다.

의사 표현 시 중요 순위를 매긴 메라비언의 법칙!

- 1순위: 시각(55%) 예 몸가짐, 표정, 동작, 자세, 옷차림, 시선, 손동작
- 2순위: 청각(38%) 예 목소리 크기, 어조, 말투, 속도, 억양
- 3순위: 말투(7%) 예 인사, 높임말, 내용, 말의 조합, 스토리, 전문 용어의 정확성

이 이론을 우리 시험에 적용한다면?

면접의 내용 요소뿐 아니라 전달 방식, 인상 요소까지 신경 써야 한다. 내게 잘 어울리는 옷, 밝게 웃는 연습, 당당하지만 겸손한 걸음걸이, 크고 전문적인 목소리까지 연출해야 한다. 단순히 내용을 암기하고 방안을 고민하는 것을 넘어 비언어적인 요소들에 대한 대비도 철저하게 해두자. 그렇다면, 사이다를 읽지 않은 다른 수험생과는 확실히 무언가 다른 한 끗 차이를 뽐낼 수 있을 것이다.

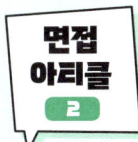

또 하나의 핵심 무기, 옷차림

당신은 평가위원에게 어떻게 보이고 싶은가? 조금 더 본질적으로 다가가 보자. 당신은 어떤 교사가 되고 싶은가? 똑 부러지는 교사? 온화한 교사? 세련된 교사? 활발한 교사?

그런데 왜! 그렇게 보이기 위해 노력하진 않는 거지?

앞서 살펴본 메라비언의 법칙 1순위를 기억하는가? 의사소통에서 가장 중요한 것은 시각으로 표정, 동작, 자세, 옷차림 등이다. 그런데 왜 우리는 늘 검은색 상의에 검은색 하의, 하얀색 셔츠를 정석처럼 입는 것일까?

옷차림은 내가 생각한 이미지를 나타낼 수 있는 효과적인 수단!

차림새는 자신에 대해 많은 것을 보여준다. 옷차림으로 '내가 교사로서 적당한 인물'이라는 것을 전달하는 것도 하나의 전략이다. 옷차림이란 '내가 나를 어떻게 생각하느냐?' 그뿐 아니라, '내가 되고 싶은 나'를 알리는 수단이기 때문이다.

첫인상 3·3·3 법칙을 기억하는가? 시험실에 들어가는 3초에 나라는 사람의 개성을 잘 드러내는 것이 무엇보다 중요하다. 검은색이 가장 단정한 색으로 알려졌지만, 굳이 어두운색이 어울리지 않는데 면접이란 이유로 그것을 고집할 필요가 없다. 지인 및 모의 면접을 진행하며 만나게 된 수험생들에게 이 점을 피드백하고 맞는 색을 매치했는데 모두 좋은 결과가 있었으니 나를 표현할 수 있는 색의 정장을 입자.

또한 헤어스타일도 자유롭게 연출할 수 있다. 다만, 여자 선생님들의 경우 머리를 길게 푼다면, 인사를 할 때 머리가 앞으로 쏠려 이를 정리하기 위해 계속 손이 머리에 갈 수 있고 이 경우 산만하다는 인상을 줄 수 있으니 깔끔하게 묶는 것이 좋다. 단발머리는 C컬로 드라이해서 귀 뒤로 넘긴다면, 아나운서 느낌이 나서 전문성을 줄 수 있으니 굳이 실핀을 꽂고 머리망을 하지 않아도 된다. 머리망을 한 올림머리는 어리숙해 보이고 교사보다는 학생 느낌이 나기에 추천하지 않는다. 안경을 쓴다면 트렌디한 안경만으로도 소위 범생이 같은 답답한 느낌에서 탈피할 수 있으니 조금은 외모에 신경을 써보자.

각자의 매력이 담긴, 깔끔하고 전문적인 모습으로 스타일링을 해 좋은 이미지로 점수를 먹고 들어가 보자.

(2) 경기형 답변 이해

연애 예능 프로그램에서 출연자들이 대화하는 상황이라고 가정해 보자.

> 여자 A: 어떤 여자를 좋아하세요?
> 남자 B: 그냥 여자면 되죠, 뭐.
> 남자 C: 음, 저는 단정하고 깨끗한 이미지를 가진, A 씨 같은 분이 좋아요!

여자 A라면 어떤 사람에게 마음이 갈까?

경기도교육청의 색깔을 포함하지 않은 답변은 남자 B와 같은 대답이다.

굳이 콕! 집어 지원할 지역을 선정하는 것이 우리 시험의 룰인 만큼, 나의 답변에 왜 경기도교육청이어야만 하는지와 경기 지역을 사랑하는 마음을 듬뿍 담은 경기형 대답이 반드시 포함돼야 한다. 자연스럽게 '너여야만 하는 이유'를 포함하기 위해 반드시 언급해야 할 것은 다음과 같다.

① 경기 정책명

경기교육에서 핵심적으로 추진하는 정책명을 언급하면, 경기도교육청에 지원하기 위해 많은 공부를 한 열정적인 교사라는 느낌을 줄 수 있다. 성장배려학년제, 고교학점제, 학업중단숙려제 등 경기도교육청의 교육 정책을 숙지하고 이를 답변에 녹여내자.

2021학년도 초등 개별면접 즉답형 2번

Q 1학년 학생들이 겪는 어려움은 무엇일지 말하고 교사로서 해결 방안을 말하시오.

A 초등학교 1학년 학생들이 겪는 어려움은 다음과 같을 수 있습니다. 첫째, 새로운 환경에 대한 두려움이 있을 것입니다. 둘째, 시간표에 따라 수업을 진행하는 과정에서 학습에 대한 부담과 어려움을 느낄 수 있습니다. 저는 이러한 1학년 학생들의 어려움을 해결하기 위해 다음과 같은 방안을 생각해 보았습니다. 첫째, <u>경기도교육청에서 시행하고 있는 '성장배려학년제'의 취지를 적극 이해하고, 이에 따라 '놀이 중심의 교육 방안'을 구상하겠습니다.</u> 예를 들어 (생략)

실제 이 문제는 '성장배려학년제'의 도입을 앞두고, 이 정책을 알고 있는지 확인할 목적에서 출제된 문제이다. '1학년 학생들이 겪는 어려움'을 해결하기 위한 자신만의 방안을 제시하는 것도 좋지만, 이 문제를 해결하기 위해 경기도교육청에서 만든 '성장배려학년제'를 언급해야만 만점을 받을 수 있었다.

② 경기 지역 특색 및 문화, 기관명

경기도는 넓은 지역 범위만큼 그 지역 고유의 역사와 환경에 따라 다양한 이색 행사 및 유적, 기관들이 많다. 수원 화성 하면 '사도세자와 정조', 이천 하면 '쌀', '도자기', 파주 하면 '출판단지', '통일교육'처럼 딱 떠오르는 지역 사례를 답변에 녹여내면 경기 지역을 잘 이해하고 있다는 인상을 줄 수 있다. 또한 경기공유학교, 온라인 공동교육과정, 늘품 화해중재단 등 실제 존재하는 기관 및 제도 등을 답변에 잘 녹여내면 '난 꼭 경기도 교사가 될 거야. 경기도만을 위해 이만큼이나 준비했어.'라는 느낌을 줄 수 있다.

2025학년도 중등 개별면접 구상형 1번

Q 경기미래교육을 위한 교사의 역량은 무엇인지 말하고, 이를 바탕으로 영화감독이 되고 싶으나 학교에 관련 과목이 개설되지 않아 고민인 학생을 지도하기 위한 교사의 역할을 제시하시오. (제시문 생략)

A 경기미래교육에서 교사의 역량은 학생의 개별화 특성에 맞는 교육을 연계할 수 있는 능력이라고 생각합니다. (중략) A 학생은 학교에서 자신이 원하는 배움을 하지 못하는 상황입니다. 교사는 이럴 경우 경기공유학교를 연계해 줄 수 있습니다. 경기공유학교는 (생략)

주의할 점은 단순히 알고 있는 사례나 키워드를 나열만 해선 안 된다는 점이다. 사례보다 중요한 것은 사례를 응용한 교사로서 자신만의 활용 방안이다.

2. 문제 유형별 접근 전략

(1) 구상형 문제 전략

개별면접 구상 시간을 최대한 활용해야 좋은 결과를 기대할 수 있다. 다음 흐름도를 펼쳐놓고 익숙해질 때까지 연습해 긴장되는 제한 시간 안에 완벽하게 구상해 보자.

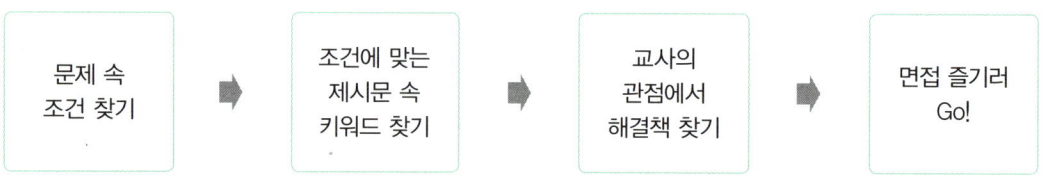

① 문제 속 조건 찾기

구상할 때 가장 기본은 문제를 꼼꼼히 읽는 것이다. 문제에는 조건이 숨겨 있기 때문이다. 문제 속 조건을 찾아 형광펜으로 굵직하게 표시하는 것부터 시작하자.

② 조건에 맞는 제시문 속 키워드 찾기

문제를 읽었다면, 제시문으로 넘어가자. 제시문을 읽을 때는 조건을 충족시키기 위한 키워드를 찾는 것에 집중해야 한다.

③ 교사의 관점에서 해결책 찾기

해결책을 제시할 때는 교사로서 내가 할 수 있는 일에 초점을 맞춰 현실적인 답변을 구상해야 한다. 여기에 자기 경험을 추가한다면 더 진솔한 답변이 될 수 있다.

④ 면접 즐기러 Go!

이런 흐름으로 연습한 당신이라면 분명 시원한 청량감을 뽐내는 사이다 수험생이 될 수 있으리라 확신한다!

구상실에서 사용할 꿀팁!

구상실에서는 자신의 필기도구 사용이 허락되니 형광펜을 꼭 챙겨가세요. 문제의 조건, 키워드를 형광펜으로 표시하면 긴장되는 상황 속에서도 확실히 눈에 띄어서 조건을 모두 챙겨가실 수 있을 것입니다.

2021학년도 합격자 김예은 선생님

사이다 면접

기출 사례로 **적용해보기** | 2025학년도 비교수 교과 구상형 3번

전공과 연계한 새 학년 새 학기 프로그램을 1가지 제시하고, 제시문의 평가 결과를 토대로 해당 프로그램을 활성화할 구체적 방안 2가지를 제시하시오.

> **학교 평가 결과**
> - 학생들은 학교 행사에 자기 의견이 반영되어 만족도가 높았다.
> - 학부모들은 학교 교육활동에 참여하고 싶어 한다.
> - 생활교육에 있어 모든 선생님이 참여하고 있지만, 가끔 어떤 프로그램을 하는지 모를 때가 있다.

1. 문제 속 조건 찾기

이 문제에서 파악할 수 있는 조건은 총 3가지이다.
① 새 학년 새 학기 프로그램(1가지), ② 평가 결과 토대(3가지), ③ 프로그램 활성화 방안(2가지)

☺ 새 학년 새 학기에 맞는 전공 연계 방안을 언급하는 것이 아닌 학교 평가 결과와 관련한 답변을 해야 한다.

2. 조건에 맞는 제시문 속 키워드 찾기

① 새 학년 새 학기 준비에 필요한 전공 연계 방안을 고민해 본다.
② 학교 평가 결과를 참고하라고 했으므로 키워드를 정리한다: 학생들의 의견 반영, 학부모 참여, 교사들과의 철학 공유

☺ 새 학년 새 학기 취지에 맞는 전공 연계 교육을 고민하되 3가지 내용을 교육 방안에 녹여내도록 해야 한다.

3. 교사의 관점에서 방안 짜기

자신의 방안을 수립할 때는 단순히 정책을 제시하거나 현장 사례를 열거해서는 안 된다. 교사로서 자신이 할 수 있는 일에 초점을 맞추어야 한다.

☺ 상담교사로 '나를 소개합니다'라는 자기 이해 프로그램을 도입하겠음. 새 학년 새 학기 공동체 생활에 앞서, 자신을 이해하고 타인을 이해하는 시간이 필요하기 때문임. 구체적인 방법은 다음과 같음. 첫째, 학교 평가 결과를 고려하여 MBTI, 교우관계, 성격 등 자기 탐색 활동지 중 자기가 원하는 내용을 학생들이 고르게 하여, 소개하고 싶은 내용이 무엇인지 의견을 반영하도록 하겠음. 누구나 말하기 싫은 부분이 있을 수 있기 때문에, 학생들이 자신을 소개하고 싶은 내용을 중점적으로 자세히 소개하게끔 하겠음. 둘째, 담임교사 및 교과교사와 함께 새 학년 새 학기에 자기소개하는 시간이 필요한 이유와 학생에게 선택권을 부여하고자 하는 이유를 공유하는 시간을 갖도록 하겠음. 비전을 공유해야만 더욱 효과적으로 프로그램을 운영할 수 있음. 이후 담임교사와 협력하여 학부모에게 간단한 자녀 성격 해설지 및 성향 파악 자료를 보내고 가정에서 답장을 받아, 가정과 학교 연계 상담을 유도하겠음. 이렇게 한다면 새 학년 새 학기에 걸맞은 상담 프로그램이 될 수 있을 것임

4. 면접 즐기러 Go!

여러 방안을 말하는 경우 평가위원을 고려해 첫째, 둘째 등 가짓수를 안내하면 좋다.

구상형을 망치는 99%의 원인

2022~2025학년도 최종 불합격자들의 답변 복기본을 검토한 결과, 놀라운 사실을 발견했다. 바로 구상형 답변을 망친 요인이 99% 일치한다는 점이다. 실력 문제일까? 아니면 준비가 덜 돼서? 긴장해서? 아니었다. **"제대로 읽지 않아서"** 그게 전부였다. 조금 더 풀어서 이야기해 보자.

① 제시문을 제대로 분석하지 않고
② 그저 준비해 온 답변을 어떻게든 말하려고 해서

이것이 구상형에서 감점이 된 주된 요인이었다.
그럼, 결론부터 말해보자. 어떻게 방향을 수정해야 할까?

① 철저히 제시문 문구에 따라
② 찐 교사의 관점에서 '나라면 당장 몇 개월 뒤에 현장에 나가서 어떻게 할까?' 실질적으로 고민한 후 답변하기

실제 사례로 적용해 보자.

2022학년도 중등 구상형 1번

코로나19로 학생들의 사회성이 많이 떨어졌다. 다음 3가지 활동 중 하나를 선택하여 해결 방안을 말하시오.

1. 또래 활동
2. 창의적 체험활동
3. 주제 중심 체험활동

이 문제는 제시문에 따랐다면, 난도 최하인 아주 쉬운 문제였다. 주요 키워드는 '코로나19 상황'과 '사회성'이다. 이 2가지 단어가 들어가게 답변하면 된다.

⚠️ **최종 불합격자 공통 답변 내용**

> 또래 활동 프로그램을 선택하겠습니다. 또래 활동 중 예술 활동을 진행하겠습니다. 경기도교육청에서는 예술공감터를 진행하고 있습니다. 예술공감터를 활용해 학생끼리 뮤지컬 활동을 준비하는 과정에서 협동과 협력을 배울 수 있고 공동체 의식 등을 기를 수 있을 것입니다. 이상입니다.

언뜻 보면 감점 포인트가 보이지 않을 수 있다. 하지만 잘 분석해 보자. 이 문제에서 요구하는 것은 코로나19로 인한 사회성 부족을 해결하는 방안인데 답변에는 거시적인 정책명인 "예술공감터"와 어디에든 쓸 수 있는 "뮤지컬" 등 본인이 외워 온 대로 말해야겠다는 생각이 더 강하게 드러난다. 물론 이 답변이 오답이라고 말할 순 없지만, 교사의 소양, 자질 등이 먼저 보이기보다 면접을 위해 외우고 공부했다는 생각이 드는 답변이라는 것은 부정할 수 없다. 우리가 현장의 교사라면 코로나19로 인한 사회성 부족 문제를 해결하기 위해 또래 활동으로 예술공감터라는 장소를 활용할 것인가? 뮤지컬부터 시도할 것인가? 아니다!

찐 교사는 무얼 하는데?

사회성이 부족할 경우, 또래 활동으로 할 수 있는 가장 가까운 것부터 고민해야 한다. 그래야만 면접을 위해 암기하고 공부했다는 느낌에서 탈피하고 '실제 현장 교사로서 고민을 많이 했구나.'라는 느낌을 줄 수 있다.

- 긴 온라인 수업으로 기초학력 부족 현상이 심각해졌습니다. 이러한 현상과 사회성 회복을 동시에 해결하기 위해 방역 수칙을 지키며 멘토-멘티 프로그램을 운영하는 방안을 생각해 보았습니다. (이후 설명)
- 운동, 학업, 인문·예술 등 공동의 관심사를 가진 친구끼리 소모둠을 만들어 22일간의 습관 만들기 챌린지를 하고 싶습니다. (이후 설명)

최종 불합격자의 답변 내용은 '코로나19로 부족해진 사회성 회복'에 국한한 내용이 아니라 어디에서든 말할 수 있는 내용이므로 최우수 척도를 받지 못했을 것이 분명하다.

그렇다면, 답변을 합격과 가깝게 수정해 보자.

첫째, 뮤지컬과 예술공감터를 꼭 활용하고 싶다면 보다 제시문에 초점을 맞춰 '코로나19, 사회성'이란 문제의 주요 키워드와 그것을 잘 버무려야 한다.

둘째, 코로나19 상황이라는 키워드를 파악해, 온·오프 연계 방안을 말했다면 출제 의도를 정확히 간파했다고 할 수 있다. 실제로 만점자들은 모두 온·오프 연계 방안을 이야기했다.

셋째, 예술공감터 같은 거시적 정책은 마지막에 언급하고 교사가 할 수 있는 일부터 언급한다.

전략을 포함한 모범 답변

또래 활동 프로그램을 선택하겠습니다. 왜냐하면 사회성을 상실한 만큼 가장 가까운 또래 활동을 통해 이 능력을 길러주는 것이 제일 효과적이기 때문입니다(이유 제시). 저는 그중 예술 활동을 통한 뮤지컬 교육을 하고 싶습니다. 뮤지컬은 춤과 노래, 공연이 어우러진 공연이므로 이를 준비하는 과정에서 협동, 협력을 배울 수 있기 때문입니다(근거 제시).

코로나19 상황을 염두에 두어, ZOOM 등 온라인 플랫폼에 모여 소모둠으로 회의를 진행한 후 전체 회의를 진행하는 방식으로 기획하고 싶습니다. 회의하며 의사소통 능력을 기를 수 있고, 사람과의 만남이 단절된 상황에서 새로운 소통의 창구를 만들 수 있을 것입니다. 한편 만약 코로나19가 심해서 등교가 어려운 상황이라면 공연팀은 마스크를 착용하고 학교에서 공연하고, 온라인 플랫폼으로 관람하는 방식을 통해 온·오프 병행으로 소통을 진행하겠습니다. 이렇게 한다면, 코로나19라는 제한적인 상황 속에서도 사회성을 기르는 데 도움이 될 수 있을 것입니다(제시문 언급). 이상입니다.

즉답형 문제이지만 1가지 사례를 더 살펴보자.

> 2022학년도 비교수 교과 즉답형 4번
>
> 보건교사로서 학급에서 갈등, 분쟁 상황이 발생하였을 경우 담임교사와 어떻게 협력할 것인지 구체적인 방안을 말하시오.

⚠ 최종 불합격자 공통 답변 내용

> 경기형 관계 회복 프로그램 워크북을 활용해서 해결 방안을 모색하겠습니다. 또한 ADHD 학생들 때문에 그런 것이라면 그 학생들을 있는 그대로 바라볼 수 있도록 증상에 관해 설명하겠습니다. 문제 해결 서클을 만들어 학생들이 스스로 생활 규칙을 만들어 보고 문제를 해결할 수 있도록 돕겠습니다. 교사가 생활 규칙을 정해서 알려주는 것보다 학생들이 스스로 자신들의 문제점을 찾아보고 생활 규칙을 만들어 가는 과정을 통해 보다 책임감을 느끼고 규칙을 지킬 수 있기 때문입니다.

이 답변 역시 제시문 그 자체를 해석한 것이 아니라 'ADHD 학생 지도 방안, 워크북, 서클'이라는 미리 준비해 온 키워드를 어떻게든 말해야겠다는 생각이 담겨 있다.

제시문에 몰입해, 순서만 바꿔보자!

찐 교사라면, 갈등이 생겼을 때 당장 워크북부터 제시할 것인가? 왜 문제 상황이 발생했는지 교육공동체의 의견을 들어보는 것부터 시작하지 않을까? 그것부터 언급한 후 워크북 등의 방안을 언급해야만 진짜 교사로서 고민했다는 것을 보여줄 수 있을 것이다.

> " 제시문의 상황에 따라
> 정말 교사로서 할 수 있는 것을 가장 먼저 언급할 것 "

이것이 사이다를 보지 않은 분들과 비교되는 섬세한 한 끗 차이이며 만점자들은 모두 사용하고 있는 방법이니, 꼭 명심하자.

(2) 즉답형 문제 전략

구상형 문항은 조용한 공간에서 비교적 충분한 구상 시간이 주어지므로 앞서 제시한 구상 방안을 참고해 주어진 조건과 문항을 꼼꼼히 읽어만 낸다면, 조리 있게 답변할 수 있다. 하지만 즉답형은 수험생 앞에 놓인 파일을 열어 문항을 본 즉시 답변해야 하므로 역량 차이가 드러나기 때문에 더 꼼꼼히 준비해야 한다. 순발력이 필요한 즉답형을 대비할 수 있는 몇 가지 방법을 소개하도록 하겠다.

가장 기본적인 것은 모의 실연을 할 때 구상형과 즉답형에 시간을 똑같이 배분해서는 안 된다는 것이다. 즉답형은 문제를 읽고, 생각하고 정리해서 말할 시간이 필요하므로 즉답형에 시간을 조금 더 할애해야 한다. 연습 초반부에는 시간이 초과하더라도 끝까지 말하는 연습을 하는 것이 좋다. 그래야 내가 생각한 내용을 한 번이라도 더 내뱉어 내 것으로 만들 수 있기 때문이다. 시간 초과가 됐다면, 반드시 혼자서라도 복습 시간을 통해 제시간에 끝낼 수 있도록 연습하자. 어느 정도 연습이 된 후에는 시간이 초과하면 바로 말을 끊는 것이 좋다. 시간을 넘겨도 계속 발언하게 된다면, 거기에 안주할 수 있기 때문이다.

다음은 《사이다 면접》을 통해 합격한 선배 교사들의 노하우이다. 이를 통해 즉답형에 순발력 있게 대처할 수 있는 역량을 길러보자!

합격자의 달달한 조언!

즉답형 1번은 당황스러운 문제로 연습하기

2020학년도 시험에서 예상하지 못한 면접 질문이 나와서 매우 당황스러웠습니다. 또한 즉답형 2번의 경우, 상대적으로 대답하기 편한 문제였음에도 즉답형 1번 때문에 연쇄적으로 대답하기가 어려웠습니다. 즉답형 2번을 먼저 풀었다면, 오히려 시간 내에 잘 갖춰서 말했을 텐데, 긴장된 상황 속에서 중심을 잃었습니다. 스터디에서 연습할 때, 즉답형에서 첫 문항을 조금 더 어렵고 긴 문항으로 준비하는 것을 추천해드립니다. 즉답형의 경우 정말 변수가 많습니다. 이런 식으로 연습하다 보면, 1번 문항에서 예상 밖의 문제가 나오더라도 시간을 조정하고, 조리 있게 답변하는 데에 큰 도움이 되리라 생각합니다.

2020학년도 합격자 정소은 선생님

구상형도 즉답형처럼 연습하기

심층 면접을 준비할 때 가장 어려웠던 것은 즉답형 문제였습니다. 문제를 읽고 잠시 고민한 뒤 바로 답변해야 하므로 구상형에 비해 부담스러웠습니다. 즉답형에 대비하기 위해 구상형 문제도 즉답형처럼 연습했습니다. 구상형 문제 역시 구상 시간이 한정적이기 때문에 즉답형처럼 빠른 시간에 떠올리는 연습을 하는 것이 도움이 됐습니다.

2019학년도 합격자 이아린 선생님

포스트잇으로 즉답형 연습하기

즉답형은 큰 변수이기 때문에 연습을 많이 해보시는 것이 좋습니다. 제가 추천하는 것은 포스트잇입니다. 번거롭더라도 큰 판에 질문이 쓰여 있는 포스트잇을 여러 개 붙이고, 무작위로 하나씩 떼어 질문에 답을 해보세요. 이렇게 즉답형 연습을 하면 실제 시험 현장에서도 긴장하지 않고 차분히 대답할 수 있을 것입니다.

2019학년도 합격자 어성우 선생님

마지막으로, 효과적인 면접 말하기를 위해 당연하지만 다른 사람들이 잘 신경 쓰지 않는 중요한 3가지 포인트를 안내하겠다.

첫째, 나의 발언과 행동에 대한 안내를 하자.

- 구상형 질문에 대한 답변드리겠습니다. (답변 종료 후) 이상입니다.
- 즉답형 문제 먼저 읽고 말씀드리겠습니다. (읽는 시간) 답변드리겠습니다.
- 3가지 방안을 말씀드리겠습니다. 첫째, (생략), 둘째, (생략), 셋째, (생략) 이상입니다.

위와 같이 문제를 읽는 시간, 문제를 끝낸 지점 등을 안내하는 것은 상대를 배려하는 말하기 태도이다.

수험생 응시 유의 사항 中
- 질문에 대한 답을 하고 답변 끝에 "이상입니다!"라고 종료 표시
- 즉답형 파일을 열고 한 문항씩 대답함. "이상입니다!"로 종료 표시
- 추가 질문에 대한 답을 하고 답변 끝에 "이상입니다!"라고 종료 표시

수험생 응시 유의 사항에는 위와 같은 문구가 있다. 나의 발언에 대한 안내를 한다면 보다 정돈된 답변을 하는 것은 물론 평가위원도 무작정 기다리지 않고 마음의 준비를 한 후 편안하게 평가에 임할 수 있을 것이다.

또한 발언의 가짓수를 서두에 꼭 언급하자. 이것 역시 듣는 사람을 배려하는 말하기 방식으로 더 집중해서 들을 수 있는 효과가 생긴다.

> **합격자의 달달한 조언!** 달답함+1
>
> **방법 3가지를 언급하기!**
>
> 저는 문제에서 방법을 물었을 때 몇 가지를 말하라는 조건이 없을 경우 주로 3가지 방안을 첫째, 둘째, 셋째로 구조화해 대답했습니다. 1가지만 답변해서 전체가 어긋나는 것보다 3가지 답변을 하고 그중 일부만 핀트가 어긋나는 것이 낫기 때문입니다. 물론 너무 생각이 안 나면 억지로 3가지를 맞추지 않아도 되지만 깔끔하고 풍성한 답변을 위해서는 최대한 나누는 것을 추천합니다. 2021학년도 합격자 주진아 선생님

둘째, 인사, 자리 정돈, 미소 등으로 기본 예의를 갖추자.

우리는 사소한 것으로도 사람을 평가한다. 마주쳤는데 간단한 목례조차 하지 않는 사람, 자신이 사용한 의자를 안으로 넣지 않고 나가버리는 사람, 퉁한 표정으로 대화하는 사람은 쉽게 호감이 가지 않는다. 면접 시간 10여 분은 사소한 행동으로 전체적 인상을 평가할 수 있는 어쩌면 긴 시간일지도 모른다. 3인의 평가위원이 있는 만큼 3가지 관점, 6개의 눈이 나를 살핀다는 것을 명심하자.

> **개별면접 공고문 中**
> - 수험생 입실 인사와 함께 '관리번호 ○○번입니다.' 하고 교탁 옆 대기석에 착석
> - 평가 종료시간 전에 모든 답변 종료 후 조기 퇴실 가능함. 인사 후 구상 문제지 제출 후 퇴실

개별면접 공고문에는 위와 같은 문구가 기재돼 있다. 입실 인사와 인사 후 퇴실을 유의 사항에 적어둔 만큼 수험장으로 가서 문을 열기 전 노크를 하고, 입실하기 전에 평가위원을 향해 정중하게 인사하는 예의는 기본 중의 기본이다. 면접 중에는 긴장이 되더라도 평가위원과 눈을 마주치며 밝게 웃기 위해 노력하자. 또한 면접을 마치고 나서 앉았던 의자를 넣고 인사를 한 후 퇴실해야 한다. 앞서 말한 첫인상 3·3·3 법칙을 잊지 말자! 정중하게 시험실에 들어오는 그 3초가 나의 첫인상을 결정할 것이다.

셋째, 남은 시간을 모두 활용하자.

혹시나 시간이 남을 경우에 대비해 1분 미만의 짧은 멘트를 준비해 두자. 2차 시험은 '누가 더 절실한가'의 싸움이다. 하지만 반드시 기억해야 할 점! 나를 각인시켜보겠다고 시험이 끝난 후 평가위원을 향해 손으로 하트 모양을 그리며 윙크를 하는 등 본분과 자리를 잊고 가벼운 행동을 하는 것은 절대 금지이다(놀랍게도 2019학년도 시험에서 있었던 일이다). 교사가 될 수 있는 마지막 단계에서 정중하고 가슴에 꽂히는 마지막 1분으로 교사로서의 나를 보여주고 나오자.

끝날 때까지 끝난 것이 아니다

면접이 끝났는데 시간이 조금 남았어요. 그래서 저는 평가실에서 그냥 나오지 않고 미리 짧게 준비해 둔 포부를 밝히고 나왔습니다. 제가 자리에서 일어나 나가려고 할 때까지 펜을 놓지 않으시고 무언가 체크하는 모습을 보았습니다. "정말 교사가 되고 싶습니다. 학생을 위하고 동료 교사와 협력하는 교사가 되겠습니다!"라고 폴더 인사를 하고 나왔습니다. 그것이 점수에 영향을 미쳤을지는 모르겠지만 세 분 모두 소리 내어 웃어주셨습니다.

2019학년도 합격자 김선규 선생님

평가위원의 표정, 태도에 흔들리지 말자!

저 포함 주변의 이야기를 들어보면 평가위원들이 갸우뚱하거나 무언가를 체크하는 모습, 찡그리는 표정에 따라 많이 흔들립니다. 시험 점수를 받아보면, 부정적 비언어 표현을 하신 것과는 달리 좋은 점수가 나온답니다. 그러니 평가를 위해 키워드 체크를 하고 경청하다 나오는 자연스러운 반응이라고 생각하세요! 너무 떨리다 보면 면접 도중이나 끝나고도 평가위원님의 표정과 반응에 대해 많은 의미를 부여하게 됩니다. 최대한 자연스럽게 나의 말을 경청하고 있어 그런 것이라고 마인드 컨트롤 하셔야 흔들리지 않습니다.

2021학년도 합격자 주진아 선생님

> **면접 아티클**

합격자, 불합격자 답변의 결정적 차이점

합격자와 불합격자의 답변을 비교해 보았을 때 두 그룹의 결정적인 차이점을 크게 2가지로 분석할 수 있었다. 사례와 함께 자세히 살펴보자.

1. '교사가 할 수 있는 구체적 방안'이 드러나는가?

'교사가 할 수 있는 구체적 방안' 유무는 거의 당락을 확정 짓는 결정적인 요소이다.

> **2022학년도 중등 구상형 1번**
>
> 다음 A 학생의 상황을 고려하여 구체적인 진로 지도 방안을 말하시오.
>
> **A 학생의 상황**
> A 학생은 구체적인 진로를 결정하지 못하였다. 고등학교 2학년 때 선택과목을 무엇으로 고를지 고민 중이다. 학교에 A 학생이 흥미 있는 과목은 개설되지 않았다.

만점자 답변의 패턴을 보면, 모두 '상담'이란 키워드가 포함되었다. '다중지능검사 후 상담을 통해 함께 진로 탐색을 돕겠다.', '적성검사를 한 후 상담의 기초 자료로 사용하겠다.' 등 실제 교사가 할 수 있는 가장 기초적인 '상담'이라는 주요 키워드부터 언급했다. 여기에서 확인할 수 있다. <u>거창한 정책, 기관부터 접근해서는 안 된다는 것을.</u> 찐 교사의 관점에서 먼저 생각해야 한다. 이런 학생이 나를 찾아 왔다면 뭐부터 할 것인가? 당연히 상담일 것이다. 단순히 거창한 방향을 제시한 불합격자와 다르게 별거 없지만 되게 기초적이고 중요한 '상담'을 언급하면 만점을 받을 수 있었다.

한편 불합격자는? 거시적인 관점부터 접근하였다. '학급 진로맵 경진 대회를 추진하겠습니다.', '꿈의대학, 꿈길, 꿈의학교 등 경기 정책을 적극적으로 사용하겠습니다.' 등 <u>교사가 당장 할 수 있는 것을 먼저 제시하는 것이 아니라 거창한 무언가를 먼저 말하거나 정책을 제시할 때도 그것을 활용하는 방향이 아닌 단순한 사례를 나열만 했다.</u>

면접을 '공부다' 혹은 '어렵다'고만 생각하지 말고, 실제 교사가 되어서 저런 학생을 만났다고 생각하고 접근해야 한다. 그렇다면 가장 먼저 학생의 말에 귀 기울이고, 학생의 흥미와 적성을 찾아주는 개별 활동에 신경을 쓸 것이다. 그다음에 여러 프로그램을 적용하는 것이다.

👍 꿈길 사이트, 꿈의학교는 이재정 전 교육감 시절의 정책이나, 《사이다 면접》에서는 이를 소급하지 않고 그 당시에 맞는 해설을 유지했다.

2. 교직관이 '경기형'인가?

앞선 기출문항의 답변을 다시 한번 살펴보자. 만점자 답변에는 경기형 교직관이 담겨있었다. '꿈길 사이트를 활용해 학생 체험형 진로교육을 시행하겠습니다.', '지역사회와 연계한 온라인 공동교육과정이나 적성에 맞을 법한 꿈의학교를 추천하겠습니다.' 등 경기 정책을 제시하되, 정책만 말하는 것이 아니고 이것을 활용한 교사의 역할을 정확히 제시해 경기도의 지향점과 같은 방향을 바라보고 있는 교사라는 것을 어필했다.

다른 사례를 살펴보자.

> **2022학년도 중등 즉답형 1번**
>
> 다음 상황을 보고, 담임교사의 입장에서 교과교사 A와의 갈등을 해결하기 위한 방안을 이야기하시오.
>
> 교과교사 A가 수업이 끝날 때마다 학급 아이들을 데려와 생활지도를 하라고 한다. 학생들의 담임교사이기에 처음에는 알겠다고 했지만 이런 경우가 지속되다 보니 점점 힘들다.

만점 답변	첫째, 동료 교사의 어려움을 공감적 경청의 자세로 듣겠습니다. (보충 설명 생략) 둘째, 제가 겪고 있는 어려움 역시 말씀드리되 동료 교사를 탓하는 너 전달법이 아닌 제 감정을 전달하는 나 전달법으로 대화하겠습니다. (보충 설명 생략) 마지막으로 이 문제를 해결하기 위해 동료 교사와 진솔한 이야기를 나누며 해결책을 찾고, 학생들과 토의 활동으로 문제 상황을 공유하며 수업 규약을 제정하는 등 공동의 노력을 모색하겠습니다.
최종 불합격 답변	동료 교사가 저희 반 아이들 때문에 속상하겠지만 학생들은 아직 미성숙한 존재이니 조금 더 이해할 것을 요청할 것입니다. 그리고 제가 후배이기 때문에 선배 교사가 하자는 방법을 열심히 배우겠습니다.

최종 불합격자는 해당 문항에서 크게 감점이 됐을 것이다. '학생은 미성숙한 존재', '나는 신규이므로 선배가 하자는 대로 할 것'이라는 생각은 경기형 교육관과 전혀 다른 방향이다. 학생은 미성숙한 존재가 아닌 성장 가능성이 큰 존재, 선배는 무조건적 따라야 할 사람이 아닌 같이 협력해 좋은 방향을 모색하는 존재이기 때문이다.

반면 만점자는 경기도가 좋아하는 단어를 많이 사용했다. 공감, 소통, 토의, 협력 등 경기도가 좋아하는 단어로 구체적인 해결 방안을 채웠다. 경기도교육청은 공동체 역량을 매우 중요시한다. 그래서 무리한 부탁을 하는 상황을 설정하고 해결 방안을 묻는 문항이 종종 출제되는데, 상대의 무리한 요구를 전부 들어주겠다고 답변하는 것은 현명하지 못하다. 소위 호구 잡히는 것이기도 하고 해결 능력이 없는 수험생으로 비치기 때문이다.

이러한 문제를 해결하기 위해 자기 경험을 바탕으로 한 교직관을 세우되, 경기형으로 다듬는 작업을 추가해야 한다. 경기형 교직관을 파악하기 위해서는 《사이다 면접 Output》을 통해 기출문제를 꼼꼼하게 분석하고 《사이다 면접 Input》을 다회독해야 한다. 보편적으로 적용되는 다른 교육청에서 시행한 정책이나 관점에 도움을 받기보다 철저히 경기형 자료에 입각하자.

경기도교육청에서 좋아하는 몇 가지 단어들이 있다. 이건 어디에서든 통하는 길과 같은 것인데, 여러분에게만 살짝 알려드릴 테니 지금부터 집중, 또 집중!

교육공동체에 대한 생각

① 학생: 능동적 존재, 성장 가능성이 큰 존재
② 교사: 지시하거나 일방적 결정을 내리는 것이 아닌 촉진자, 조력자
③ 관계: 학생-학생, 학생-교사, 교사-교사, 교육공동체 모두의 협력, 공동의 협조 중시

> **좋은 답변의 예**
> - 선배 교사에게 조언을 구한다. (단, 무턱대고 아무 노력 없이 일단 조언부터 구한다는 느낌이 아닌 존중의 의미를 담아 어려움을 공유한다는 취지여야 한다.)
> - 교육공동체와 함께 해결 방안을 도출한다.
> - 학생의 입장에서 생각해 본다.
> - 감정을 '나 전달법'으로 표현하며 갈등을 최소화한다.

수업 및 평가에 대한 생각

① 수업: 학생의 활동 중심 수업, 교사와 학생, 학생과 학생이 함께 상호작용할 수 있는 수업, 교과서 속 텍스트를 학습하는 것이 아닌 우리의 삶과 연계한 수업, 지역사회와 함께하는 수업
② 평가: 5지 선다식 찍기 평가가 아닌 맞춤형 학습 및 평가(AI 활용), 학생의 사고를 확인할 수 있는 논술형 평가, 평가 결과에 대한 교사의 피드백 및 맞춤형 과제 제공
③ 미래교육 감수성: AI, 디지털, 환경 문제 등 미래 사회 이슈를 수업에 반영

합격자의 달달한 조언!

답변에 꼭 포함해야 할 공동의 가치!

면접에서 특히 평가위원의 호의적인 표정과 반응을 확인했던 답변 지점이 있습니다. 바로, '먼저 충분히 고민하고 검토해 본 후 선배 교사분께 도움을 요청하겠다.'라는 답변입니다. 요즘 2030세대는 이전 세대보다 대체로 자신의 의견을 상사에게 편하게 이야기하고, 직장과 업무보다는 개인의 일과 만족을 중시하기도 합니다. 이런 특성으로 교직 사회 내 세대 간 문화 차이가 충분히 존재할 수밖에 없습니다. 이런 상황에서 응시자가 경험이 많은 선배 교사에게 도움과 조언을 요청하겠다고 답변하는 것은 장차 학교 현장에서 선배로 마주할 평가위원께 깊은 인상을 남길 수 있을 것입니다. 다만, 지나치게 질문하고, 도움을 요청하겠다고 하면 일을 회피하려는 모습처럼 보일 수 있겠죠? 스스로 최대한 고민해 보고 내용을 충분히 숙지한 후에 도움을 요청한다고 말씀드린다면, 교육 전문가로서 자기 일에 대한 책임감을 느끼면서도, 선배 교사를 존중하고 배울 의지도 있는 신규 교사라는 이미지를 남길 수 있을 것입니다!

2021학년도 합격자 박정우 선생님

3. 구조적 말하기의 맹점

개별면접 전략에 대한 소개를 마무리하며 구조적 말하기에 대해 여러분과 의견을 나누고자 한다. 면접에서 전달하는 힘이 중요하다고 말씀드렸는데, 우리는 이를 위해 말하는 틀을 정해두고 연습하곤 한다. 가장 흔한 방식이 서론-본론-결론 구조인데, 이 구조가 꼭 필요한 순간과 그렇지 않은 순간이 있다. 서론이 유효한 순간과 불필요한 순간을 구분하는 것이야말로 전략적 말하기의 핵심이다. 이 이야기를 함께 나눠본 후, 서론이 꼭 필요한 순간에 사용하면 좋은 DECE 모형에 대해 논해보고자 한다.

(1) 서론에 대한 전략적 사고

2020~2021학년도 즈음부터 수험생들의 답변에 형식적으로 '서론'을 넣는 현상이 빈번했다. 안타까운 점은 서론을 말하는 것에 집중해 본론을 놓치거나 조건을 누락하는 경우가 많다는 것이다. '서론을 말해서 만점이 나왔다'는 합격자 수기가 마치 정설처럼 굳혀져 모든 수험생이 모든 문항에 서론을 과도하게 넣는 현상이 생긴 것이다. 서론을 예쁘게 다듬고, 듣기 좋은 말로 시작하는 데 집중하다 보면 본론에 할당할 시간이 줄어들고, 그에 따라 구조가 무너진다.

과거에는 한두 줄짜리 짧은 질문이 많았기에 서론을 통해 답변의 방향을 풍부하게 설계하는 방식이 유효했다. 하지만 최근 시험은 제시문이 길어지고 조건도 복잡해지는 추세이다. 서론을 쓰기보다는 조건에 맞춰 본론 중심의 응답을 빠르게 구성하는 것이 훨씬 중요해졌다.

물론 서론이 전략적으로 필요한 순간도 있다. 대표적으로 다음 2가지 경우이다.

첫째, 경기 정책이 핵심 키워드로 제시된 문제

경기 정책 연계 문제가 나온 것은 그 정책이 경기교육에서 매우 핵심적으로 추진되고 있기 때문이다. 따라서 서론으로 정책의 정의를 한 줄 정도 언급한다면, 정책 이슈를 정확하게 파악하고 있음을 어필할 수 있다.

> **2018학년도 중등 구상형 1번**
> 고교학점제를 도입할 경우 학교, 학생 측면에서의 효과를 말하시오.

- 서론: 고교학점제란 학생이 기초소양과 기본학력을 바탕으로 진로·적성에 따라 과목을 선택하고, 이수 기준에 도달한 과목에 대해 학점을 취득·누적해 졸업하는 제도입니다. 이를 도입할 경우 학교, 학생 측면에서의 효과를 말씀드리겠습니다.

> **2019학년도 비교수 교과 즉답형 2번**
> 전문적 학습공동체 활동을 한다고 할 때 전공과 관련한 연구 주제를 정하고 구체적 계획을 세워 보시오.

- 서론: 전문적 학습공동체란 교원이 학교 교육의 발전 방향을 모색하기 위해 공동 연구, 공동 실천하기 위해 모인 학습공동체입니다. 저는 이러한 전문적 학습공동체를 교과 관련해서 정한다면, 다음과 같은 주제를 정하겠습니다.

둘째, 출제 의도가 비교적 명확한 문제

정책 관련 문제가 아니더라도 '이 문제를 왜 출제했는지 의도가 눈에 보일 때' 그 의도를 알아챘다는 듯이 서론에 언급했다면 순발력 있는 수험생의 모습을 어필할 수 있다.

> **2020학년도 비교수 교과 즉답형 2번**
> 신체적 폭력보다 정신적 폭력이 증가하고 있다. 정신적 폭력을 줄일 방안을 제시하시오.

- 서론: 학생들의 온라인 사용 시간이 늘어나면서 사이버폭력 문제가 심각해지는 등, 물리적인 폭력뿐 아니라 다양한 유형의 정신적 폭력이 증가하며 사회 문제가 되고 있습니다.

서론은 '필수'가 아니다. 전략적으로 사용될 때는 수험생의 의도 파악력, 정책 인식 능력, 맥락 통찰력을 드러내는 강력한 무기가 된다. 그러나 이를 모든 문항에 기계적으로 적용한다면, 오히려 핵심을 놓치고 답변의 밀도를 떨어뜨리는 원인이 된다. 문제를 먼저 읽고 판단한 뒤, 그 구조가 도움이 되는지 아닌지를 결정해야 한다.

(2) 구조적 말하기 모형 D-E-C-E

서론이 꼭 필요한 경우는 '정의'를 내릴 때이다. 정책의 의미를 명확히 하거나 문제의 본질과 중요성에 대해 짚고 넘어가야 할 때, 서론을 도입하면 메시지를 훨씬 더 설득력 있게 전달할 수 있다. 이처럼 말의 구조를 의도적으로 설계하는 전략적 말하기가 바로 D-E-C-E 구조이다.

D-E-C-E는 Definition, Example, Classroom strategy, Effect의 약자로, 면접에서 자주 등장하는 가치 판단형 질문, 교육철학형 질문, 상황 제시형 질문 모두에 효과적으로 적용할 수 있는 구조이다. 이제 D-E-C-E 전략으로 서론과 본론, 결론을 포함한 구조적인 말하기를 훈련해 보자.

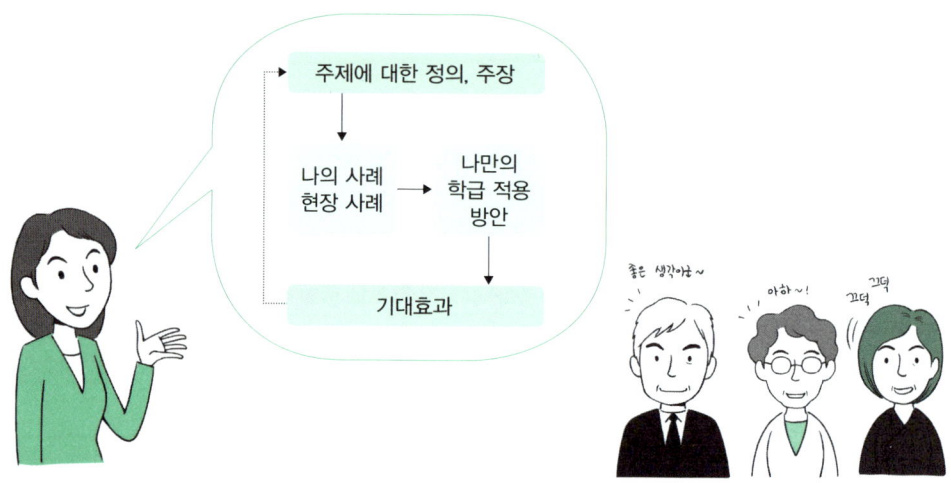

- **D** 문제에 대한 간단한 정의(Definition)나 핵심 주장을 두괄식으로 말한다.
- **E** 이를 보충할 수 있는 현장 사례(Example)나 관련 경험을 말하며 신뢰도를 높인다.
- **C** 이와 관련된 나만의 학급 운영 전략(Classroom management strategies)을 제시한다.
  - 👍 이때 '나만의 용어'로 표현하면 좋다. '인성교육을 위해 매달 감사의 날을 정하겠습니다.'가 아닌 '한 달에 한 번 고맙day, 사과day를 만들겠습니다.' 이런 식으로 말이다. '교사의 입장에서 이 문제를 생각해 보았구나.'라는 느낌을 줄 수 있기 때문이다. 단, 이때 한번에 이해하기 어려운 거창한 네이밍은 절대 금물! 직관적인 네이밍이 핵심이다.
- **E** 기대효과(Effect)를 언급해 주장을 강화한다.

기출 사례로 D-E-C-E 말하기를 적용해 보자.

> **2018학년도 중등 즉답형 1번**
>
> **Q** 교육과정-수업-평가 일체화를 위한 노력 방안을 말해보시오.
>
> **A** 즉답형 문항 답변드리겠습니다.
> **D** 교육과정-수업-평가 일체화는 교사가 교육과정을 재구성하고 이에 맞는 수업을 하며, 수업한 내용을 평가하는 것입니다.
> **E** 실제 현장에서는 수업한 내용과 평가 내용이 불일치하는 문제가 빈번했습니다. 예를 들어 농구 경기를 하며 팀워크의 중요성에 대해 배웠는데 평가는 자유투 횟수로 등급을 매겨 수업과 평가가 분리된 것입니다. 이런 문제를 바꿔보고자 교-수-평 일체화의 개념이 도입됐습니다.
> **C** 저는 교-수-평 일체화를 위해 다음과 같은 노력을 하겠습니다. 첫째, 연수, 전문적 학습공동체, 서적 등 전문성 함양을 위한 다양한 방법을 통해 교육적 문해력을 키우고 창의적으로 교육과정을 재구성하겠습니다. 둘째, 동 교과 교사와의 협업으로 학생의 배움을 유발할 수 있는 배움중심수업을 구성하겠습니다. 학생의 활동 중심의 수업을 구성할 것입니다. 마지막으로 그 과정을 성장 중심으로 평가해 내실 있는 기록으로 성장 발달에 기여하겠습니다. 이후 그 내용을 피드백하겠습니다.
> **E** 이렇게 한다면 아이들의 성장에 기여하며 공교육의 신뢰에 일조할 수 있을 것입니다. 이상입니다.

먼저 교-수-평 일체화의 정의를 이야기하고(**D**) 이것이 도입됐던 현장의 사례를 제시했다(**E**). 그 후 자신만의 해결 방안(**C**)을 제시한 후 기대효과(**E**)를 언급해 안정감 있는 구조로 말했다.

이렇게 구조적인 말하기를 한다면 평가위원은 수험생이 하고자 하는 말을 훨씬 더 명확하게 파악할 수 있을 것이다. 그뿐만 아니라 이 구조적 말하기에는 주요 채점 요소가 다 포함돼 있다. ① 구체적 실천 방안, ② 경기교육을 위한 실천 계획, ③ 경험에 의한 성찰, ④ 문제해결 능력을 녹여내었기에 채점 기준을 모두 달성할 수 있을 것이다.

영어 및 외국어 교과 면접 전략

외국어 구상형 문제의 특징을 알고, 예상하며 준비하세요.

영어 교과의 경우 구상형 문제는 영어로, 즉답형 문제는 한국어로 대답하면 됩니다. 영어로 된 구상형 문제는 시중에 문제가 많지 않아서 직접 만드는 경우가 많습니다. 그런데 시험을 보고, 구상형 문제에서는 전문적인 시책이나 용어는 출제되기 어렵겠다는 생각이 들었습니다. 외국어로 구상형 답변을 해야 하는데, 전문적인 시책이나 용어는 면접관들 또한 이해하기 어려울 수 있겠다는 생각이 들었기 때문입니다. 이를 고려해서 구상형 문제를 대비해 보는 것을 추천합니다.

• 아티클 작성자: 이수진 선생님(2021학년도 합격자)

외국어 구상형 답변의 핵심은? 쉬운 용어, 동사형으로 말하는 것입니다.

제2외국어 교과 수험생이 가장 고려해야 할 점은 '쉬운 용어로' 말하는 것이라고 생각합니다. 1차 시험에서 간결한 용어로 답안을 작성하기 위해 노력하는 것처럼, 면접에서도 간결하고 쉬운 언어로 말하는 연습을 해야 합니다. 그러기 위해서는 명사형 표현보다는 동사형 표현을 사용하는 것이 더 좋습니다. 한국어로 진행되는 즉답형 문제에서는 명사형 표현을 사용하는 것이 훨씬 좋지만, 외국어로 진행되는 구상형 문제에서 명사형 표현을 사용하다 보면 문장이 어려워지거나, 그 의도가 분명하게 드러나지 않는 경우가 생기기 때문입니다. 예를 들어, 저는 개인적으로 "We should provide students learning safety net"이라는 표현보다는 "We should provide safe environment for students when they learn something"이라는 표현이 훨씬 좋다고 생각했습니다. "learning safety net"이라는 표현은 경기도 시책의 "학습안전망"을 영어로 번역한 것인데, 이렇게 한국어를 그대로 영어로 번역하다 보면 의도한 바가 잘 드러나지 않는 경우가 많기 때문입니다. 시책을 영어로 번역할 때 1:1로 번역하려 하지 마시고, 동사형 표현을 사용해 문장으로 번역하는 연습을 하신다면 답변이 더 쉽고 간결하게 전달될 수 있다고 생각합니다.

• 아티클 작성자: 이수진 선생님(2021학년도 합격자)

교육청 홈페이지를 영문으로 바꿔놓으세요.

영어 면접을 준비할 때 어려운 점 중 하나는 시책을 영어로 답변하는 것입니다. '경기 꿈의학교', '고교학점제' 등을 어떻게 번역해야 할지 어려울 때가 많습니다. 이럴 때 해결책은, 교육청 홈페이지를 영문으로 바꿔 보는 것입니다! 경기도교육청 메인 화면 오른쪽 위에 'ENGLISH'를 클릭하면 교육청 홈페이지가 영어로 바뀌고 핵심 정책들을 영어로 번역해 놓은 것을 볼 수 있습니다.

이와 더불어 번역에 어려움을 겪는 것이 바로 핵심 역량입니다. 공동체 역량, 의사소통 역량 등 2015 교육과정의 6가지 핵심 역량을 어떻게 표현하는 것이 가장 정확한 표현인지 스터디원들끼리도 고민했었는데요. 이 역시 교육과정 문서의 영어 버전을 확인하면 모두 나와 있습니다. 국가교육과정 정보센터 홈페이지에 접속해 마찬가지로 'ENGLISH'를 클릭하시면 영어로 번역된 2015 개정 교육과정 문서를 보실 수 있습니다.

• 아티클 작성자: 김양현 선생님(2020학년도 합격자)

홈페이지에서 영어로 된 시책을 찾지 못했을 땐, 이렇게 해보세요.

영어 교과에서는 시책을 영어로 번역해야 하는 부담이 있습니다. 저 역시 《사이다 면접》을 읽고 경기도교육청 및 국가교육과정 정보센터 홈페이지를 ENGLISH로 바꾸는 팁을 얻어 많은 도움을 받았습니다. 하지만 그런데도 몇몇 시책과 용어는 홈페이지에 나와 있지 않아 한계가 있었습니다. 이때 제가 활용한 것은 '네이버 학술정보'라는 사이트입니다. 이곳에는 경기도 교육 시책과 관련된 여러 논문이 게재돼 있고, 그 논문의 영어 제목이 있습니다. 해당 시책이 학술적으로 어떤 영어 이름으로 불리는지 쉽게 찾으실 수 있습니다. 공식 사이트에서 찾기 어려운 정책이 있다면 '학술정보' 사이트를 적극적으로 활용하시는 것을 추천합니다.

• 아티클 작성자: 박유진 선생님(2021학년도 합격자)

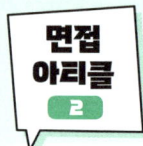

잘하는 스터디원의 3가지 비결

왜 그런지는 모르겠지만 그냥 듣기만 해도 너무 잘하는 게 느껴져서 주눅까지 들게 하는 스터디원을 한 번쯤은 만나 봤을 것이다. 딱히 이유는 잘 모르겠지만, 하는 말마다 신뢰가 가고 고개를 절로 끄덕이게 되는 그저 부러움의 대상인 그 스터디원, 비결이 대체 뭘까?

주변에서 '좀 한다'는 소리를 듣는 수험생들을 분석해 보니. 대개 3가지의 공통적인 강점이 있었다.

> 첫째, 낮은 목소리
> 둘째, 자연스러운 어조
> 셋째, 내재화

1. 낮은 목소리

높고 쩌렁쩌렁한 목소리는 신규 교사의 열정과 패기를 보여줄 순 있으나 시종일관 그렇게 말해서는 결코 전문성을 드러낼 수 없다. 높은 목소리로는 절대 상대에게 신뢰감을 줄 수 없다는 사실을 명심하자. 지적이고 전문적인 이미지를 강조하고 싶은가? 그러면 목소리를 의도적으로 낮추고 묵직하게 말하는 연습을 해야 한다.

나에게 어울리는 중저음의 목소리를 찾기 위한 팁!

아무 말도 하지 않은 상태에서 나의 성대 위치를 점검해 보자. 그리고 그 부분을 꾹 눌러보자. 내 본연의 톤보다 높게 말할 때 성대가 위로 올라가고, 낮게 말할 때 성대가 아래로 내려간다. 높지도 낮지도 않은 딱 본연의 성대 위치에서 말할 때의 음높이가 상대가 듣기에 가장 안정적인 음이라고 한다. 한동안은 성대를 누르고 그 위치에 집중해 말하는 연습을 해보자. 의식적으로 높은 목소리는 삼가고 첫인사, 끝인사 때 활기참을 강조할 목적에서만 활용하자.

2. 자연스러운 어조

2022년을 강타한 연예인이 있다. 바로 '주현영'. 주현영은 '주 기자'를 통해 어리숙한 인턴 특유의 패기, 어눌함, 긴장감을 아주 잘 그려냈다. 우리가 조심할 부분이 바로 주 기자 같은 말투이다. 신규 티, 어린 티 등이 묻어나는 주 기자 톤은 절대 신뢰를 줄 수 없다. 신규 특유의 풋풋함을 강조한답시고 주 기자 투를 쓰는 수험생들이 있는데, 내 순번 앞뒤로 자연스럽고 전문적인 목소리를 가진 사람들이 배치된다면, 당신은 쉽게 잊히거나 너무 어리숙하다는 인상을 줄 것이다. 그것은 잘못된 전략임을 명심하자.

3. 내재화

앞에서 시험도 연애처럼 하자고 말씀드렸다. 연애서를 달달 외워서 사랑 표현을 한다면, 진정성이 드러나지 않듯이 외운 내용을 내뱉는 것으론 나의 간절함과 진정성을 표현할 수 없다. "나는 좋은 교사가 될 자신이 있고, 여기에서 내가 제일 경기도에 어울리는 교사야!"라는 자기 암시를 한 후에 머리에 있는 내용이 아닌 가슴에 있는 내용을 진솔하게 전달하자.

이러한 포인트들을 염두에 두고 스터디원을 바라보자. 그에게는 이 3가지가 다 녹아있을 것이다. 잘하는 스터디원의 비결을 알아냈으니 이제 그것을 내 것으로 취하기만 하면 된다.

(3) 개별면접 관련 주요 Q & A

Q 과거 경력을 어느 범위까지 말해야 하나요?

A 개인의 성장 스토리, 개인적 일화는 개별면접이 아주 사랑하는 요소입니다. 또한 경기도교육청에서는 자신의 경험을 진솔하게 이야기하는 것을 선호합니다. 하지만 "세브란스 병원에서 근무하며 ~", "저의 모교인 평촌의 모 중학교 기간제 교사로 근무하며"와 같이 자기 출신지나 과거 근무지를 유추할 수 있는 지역명을 구체적으로 언급하는 것은 삼가야 합니다. '과거 기간제 교사로 근무하며~', '임용 시험을 준비하기 전, 간호사로 근무하며~', '소방관으로 활동하며 학생들의 안전을 중시했던 저는~'과 같이 과거 경력을 위주로 드러내는 것은 자기 전문성을 어필하기에 좋은 전략입니다.

Q 저는 경기 정책에 공감하지 않습니다. 제 솔직한 생각을 말해도 될까요?

A 안 됩니다! 자기 생각을 경기 정책으로 가다듬어야 합니다. 왜냐하면 우리는 '경기도교육청 교사'가 될 것이기 때문입니다. "네가 내 스타일은 아닌데, 사귈 사람이 없고 외롭긴 해서 그냥 한번 만나보는 거야." 이런 말을 듣는다고 생각해 보세요. 어떤 기분이 드시나요? 충분히 경기 정책에 공감하고, 이와 발맞춰 나가고 싶어 경기도교육청에 지원했다고 느끼게 하셔야 합니다. 그래야 '적임자다!'라는 인상을 줄 수 있겠지요. 경기 정책의 실현성에 의문이 든다거나, 정책에 크게 공감하지 않더라도 적어도 수험생의 위치에서는 그 정책을 비판하거나 반대하기보다 충분히 이해하고, 혹시 우려되는 부분이 있다면 보완점이나 대안책을 교사의 관점에서 고민해 두는 정도에 그쳐야 합니다. 어쨌든 합격하고 현직 교사가 돼야만 우리에게 발언권이라는 것도 생기기 때문입니다.

사이다 면접

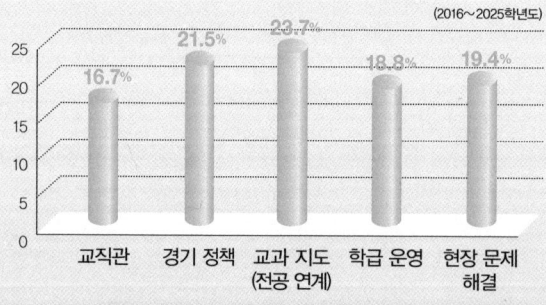

(2016~2025학년도)

각급별 기출 빈도

- **초등**: 교직관 → 학급 운영 → 경기 정책 → 현장 문제 해결 → 교과 지도
- **중등**: 학급 운영 → 현장 문제 해결 → 경기 정책 = 교과 지도 → 교직관
- **비교과**: 전공 연계 → 경기 정책 → 현장 문제 해결 → 교직관 → 학급 운영

PART 2

47 사이다
(2026 면접 예상 주제 47가지)

Chapter 01
경기형 교직관 및 교사 전문성

Chapter 02
2026 교육 이슈

Chapter 03
교육 정책 이해 및 적용

Chapter 04
교과 지도(전공 연계) 방안

Chapter 05
학급 운영 방안

Chapter 06
현장 문제 해결 방안

기출 주제 분석

> " 교육은 기계적인 반복 행위가 아니라, 본질을 되새기는 일이다. "

면접 기출문제를 보다 보면, 왜 비슷한 유형이 해마다 반복되는지 의문이 들 수 있다. 많은 수험생이 이를 단순히 출제자의 편의 때문이라고 여기거나, 매년 '핫한 주제'를 반영한 결과로 오해하기도 한다. 하지만 반복되는 주제 속에는 단순한 트렌드가 아닌, 교사로서 반드시 갖추어야 할 핵심 자질을 확인하려는 교육적 맥락이 분명히 존재한다. 질문은 달라도, 그 안에서 확인하고자 하는 본질은 같다. 반복되는 주제의 구조를 분석하며, 그 안에 담긴 교육적 의미와 평가 의도를 하나씩 짚어보자. 면접을 바라보는 눈이 달라지고, 답변의 방향이 명확해질 것이다.

임용 면접이 공식적으로 개편된 2016학년도 이후부터 2025학년도까지의 기출문제를 분석해 보면, 매년 사례는 조금씩 달라지지만, 결국 반복해서 다루어지는 주제는 일정하다는 것을 알 수 있다. 《사이다 면접》에서는 그동안 출제된 문항을 분석해, 크게 5가지 유형으로 핵심 주제를 정리하였다.

❶ 경기형 교직관 및 교사 전문성
❷ 교육 정책 이해 및 적용 방안
❸ 교과 지도(전공 연계) 방안
❹ 학급 운영 방안
❺ 현장 문제 해결 방안

① **경기형 교직관 및 교사 전문성**: 교사로서의 철학과 가치관, 이를 형성하게 했던 경험, 교육에 대한 태도와 자기 성찰을 확인하는 문항
② **교육 정책 이해 및 적용 방안**: 경기도교육청의 주요 정책을 이해하고, 현장에서 어떻게 구현할 수 있는지를 묻는 문항
③ **교과 지도(전공 연계) 방안**: 교수·학습 방법, 교과 특성을 담은 수업 방안을 구성하거나 실천 방안을 제시하는 문항
④ **학급 운영 방안**: 학생 생활지도, 관계 형성, 공동체 문화 조성을 위한 교사의 실천 전략을 제시하는 문항
⑤ **현장 문제 해결 방안**: 수업, 관계, 학생 지원, 갈등 상황 등 실제 학교 현장에서 발생할 수 있는 문제에 대한 대응을 묻는 문항

☑ 2016~2025학년도 초등, 중등, 비교수 교과 기출 주제 유형 분류

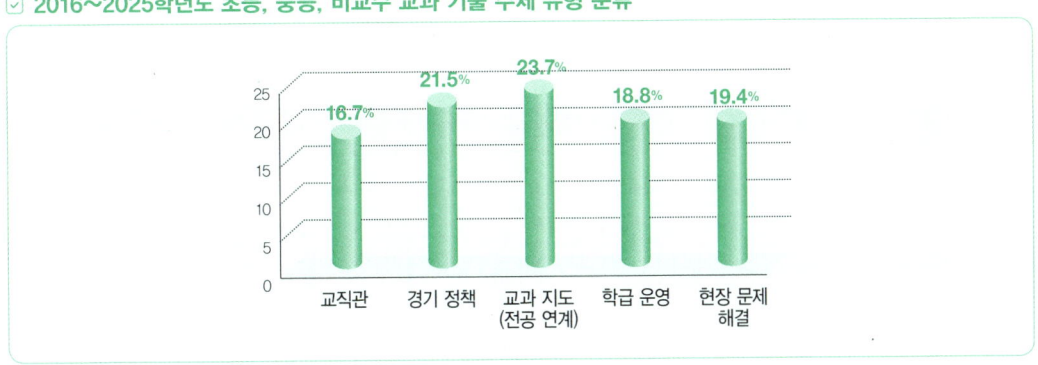

이 5가지 유형의 주제는 거의 비슷한 비중으로 출제되고 있지만, 각급마다 강조하는 부분이 조금씩 다르다.

☑ 초등 주제 유형별 기출 비율

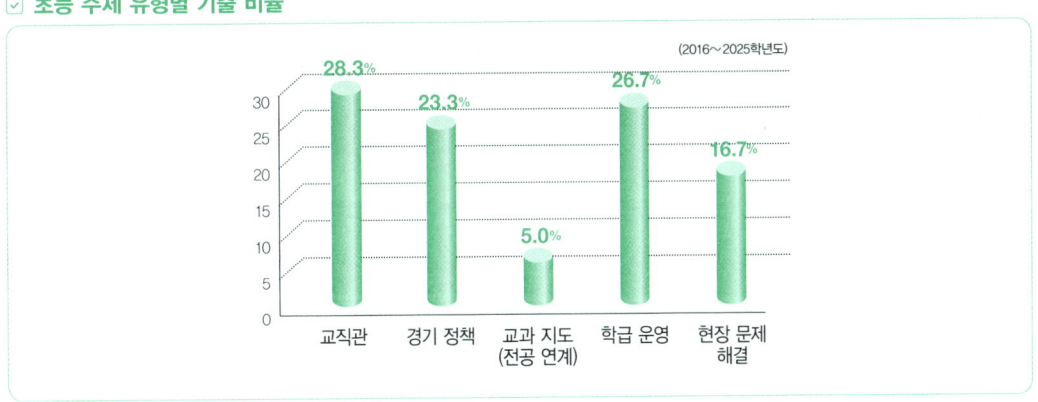

초등 임용 수험생에게는 교직관 수립이 가장 중요하다. 자기만의 교직관을 토대로 경기 정책을 연계한 학급 운영 방안, 문제 해결 방안을 물어보는 문제가 많이 출제됐다.

☑ **중등 교과 주제 유형별 기출 비율**

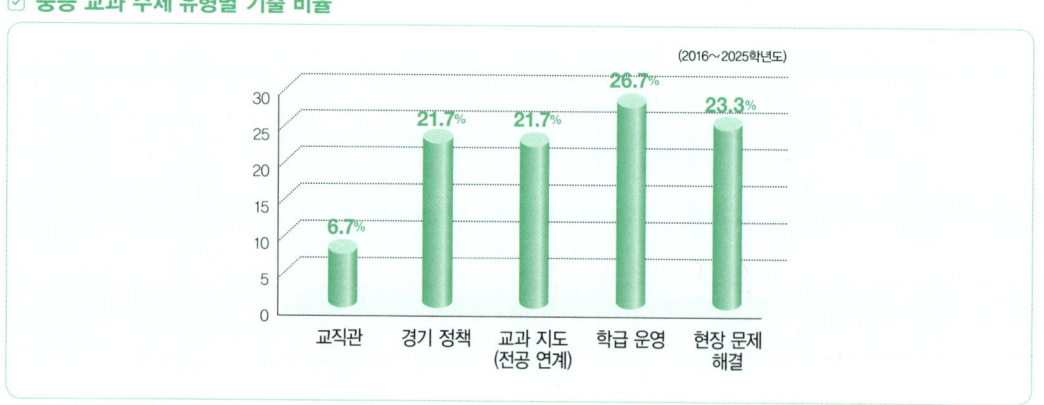

중등 면접은 경기 정책 이해를 바탕으로 학급 운영 방안을 묻는 문제가 가장 많이 출제되었으며, 갈수록 현장 문제 해결 능력을 중요하게 파악하고자 한다.

☑ **비교수 교과 주제 유형별 기출 비율**

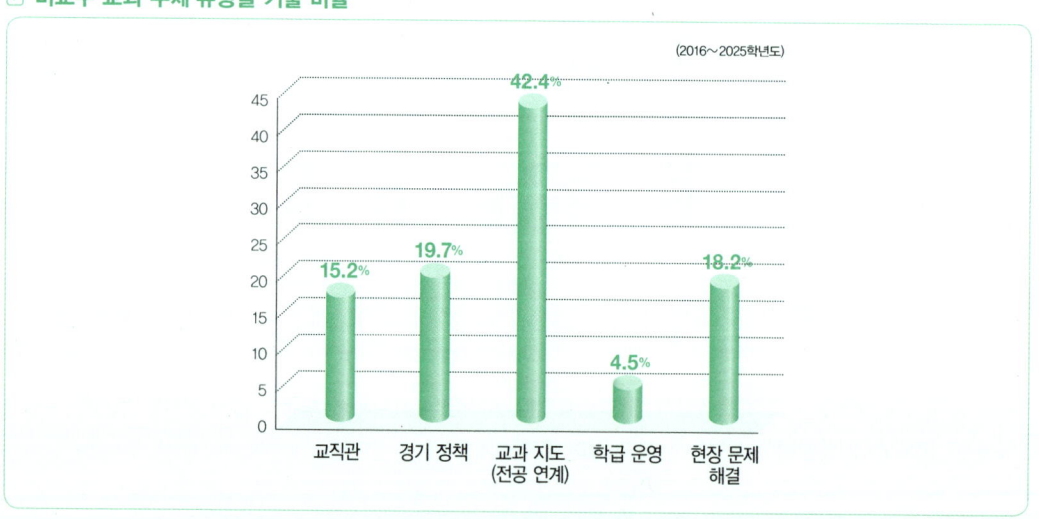

비교수 교과 문제는 전공 연계 방안이 가장 많이 출제됐다. 이때 단순히 전공 내용을 나열하는 것이 아니라, 주어진 주제 안에서 '자신이 고안한 전공 교육 방안이 이 문제에 어떻게 이바지할 수 있는가?'를 보여주는 것이 중요하다.

> **합격자의 달달한 조언!**
>
> **예상 답안을 자신의 교과와 연계하기!**
>
> 2021년 비교수 교과 심층 면접은 거의 전공과 연계하라는 문제였습니다. 따라서 《사이다 면접》에서 제시한 모든 테마에 최소 1가지 이상 전공 연계 방안을 생각해야 합니다. 문제에서 요구하지 않았더라도 예시에 자신의 전공을 연계한 답변을 한다면, 훨씬 전문성이 드러나겠죠?
> - 비대면 독서교육 방안 ➡ 함께하는 독서: 건강 관련 책을 학생과 함께 선정해~
> - 세계시민교육 방안 ➡ 보건 수업 시 세계의 건강 습관을 토의해~
>
> 2021학년도 합격자 주진아 선생님

나아가 모든 급의 기출문제를 풀어보는 것이 필요하다. 기출은 초등·중등·비교수 교과의 구분 없이 재출제된다. 실제로 한 급에서 출제된 문제가 다음 해 다른 급 면접에서 그대로 등장한 사례도 반복되었다. 따라서 기출 문항을 급별로 나누어 학습하기보다, 범주별로 통합 정리하고 학습하는 전략이 효과적이다.

☑ 대표 사례

2018학년도 중등 구상형 2번	2016학년도 비교수 교과 구상형 2번	2016학년도 비교수 교과 즉답형 1번
담임교사로서 사이버폭력 대처 방안 및 존중과 배려가 있는 학급을 위한 운영 전략을 말하시오.	자기 직무와 관련해 학교 부적응 위기 청소년을 어떻게 발견하고 도울 것인지 말하시오.	삶에서 겪은 공동체 경험과 이를 통해 배운 것을 말하고, 교직에서 어떻게 실현할 것인지 말하시오.

2020학년도 비교수 교과 즉답형 2번	2018학년도 중등 즉답형 2번	2017학년도 초등 즉답형 2번
정신적 폭력을 줄일 방안을 제시하시오.	담임교사로서 학업중단위기의 학생을 어떻게 지도할 것인지 말하시오.	성장 과정에서 겪은 어려움을 협업으로 해결한 경험을 말하시오.

다음으로, 각 주제 유형 안에 녹아있는 공식을 살펴보자. 일정한 공식이 있다는 것을 인지하고 면접을 대비한다면 아이템 몇 개를 획득해 게임을 하는 것과 같은 효과를 낼 수 있다.

경기형 교직관 및 교사 전문성

'교직관이 형성된 경험, 교직관, 현장 실천 방안(전문성 함양 방안)' 3가지가 한 세트로 함께 움직인다. 교직관 문제가 나온다면, 관련 경험을 짧게 언급하고 앞으로의 포부까지 함께 이야기하자.

교육 정책 이해 및 적용

경기교육 정책은 이론이 단독으로 출제되지 않는다. 정책을 정확히 이해하되, 정책을 현장에서 어떻게 적용할지 실천 방안을 묻거나, 현장에 적용됐을 때의 효과나 영향 등을 묻는다. 그러기에 정책의 개념 위주로 공부해선 안 된다. 최소한의 정확한 개념을 숙지한 후 적용 방안과 교사로서의 역할에 초점을 맞춰 고민하자.

예외적으로, 자기성장소개서에 기반한 추가 질문에서는 정책 그 자체를 물어보기도 했다. 왜 그런 것일까? 이것은 수험생이 제출한 자기성장소개서에서 교육 정책에 대한 이해도가 충분히 드러나지 않거나 틀린 내용을 기술한 경우, 정말 이 정책을 알고 있는지 확인해 볼 목적에서 묻는 것이다. 또한 교육청에서 그해에 정말 중요하게 강조하고 있는 정책일 경우 그것을 확실하게 이해했는지 확인하고자 질문할 수 있다. 정확히 알아야만 현장에서 정책의 방향에 맞게 제대로 움직일 수 있기 때문이다.

교과 지도 및 학급 운영 방안

교육 정책과 연계해 실천 방안을 묻는 식으로 출제되고 있다. 자신의 교직관을 토대로 하되 교육공동체와 연대, 학생 중심·체험 중심, 촉진자로서의 교사의 역할이 드러나게끔 답변하면 옳은 방향이라고 할 수 있다. 미래교육에 중점을 두고 있으므로 에듀테크 활용 방안, 지역사회 자원 활용 방안을 언급하거나 생성형 AI 활용과 같은 이슈를 이해하고 이를 활용하는 방향을 언급한다면 현장성이 높은 교사임을 드러낼 수 있다.

현장 문제 해결

문제 상황은 ① 학생 문제, ② 수업 문제, ③ 관계 문제, ④ 문화 문제가 반복 출제된다. 공식에 따라 PART 2도 이렇게 분류했으니 4가지 문제 상황에 대한 해결 방안을 스스로 고민해 보자. 문제 상황을 해결하는 방법에도 몇 가지 공식이 존재한다. 교육공동체와 연대, 협동, 상대의 입장·이야기 경청 및 공감, '나 전달법'으로 나의 감정 전달 등을 포함하면 대부분 옳은 방향이다. 《사이다 면접》 곳곳에 관련 내용을 잘 기술했으니 해당 페이지를 참고하길 바란다.

면접 만점을 위한 유의 사항

"지식을 넣지 말고 생각을 꺼내자"

면접은 여러분의 암기 능력을 확인하고자 하는 것이 아닙니다. 교사로서 선생님의 "생각"을 묻는 시험이지요.

기출문제를 제대로 분석하면 쉽게 알 수 있듯이 정책의 이해 정도를 테스트하는 것이 아닌, 정책을 알고 그것을 현장에 어떻게 적용할 것인지 선생님의 생각을 궁금해한답니다.

그러니 꼭 생각을 꺼내야 해요.
1차 시험을 치듯 암기하는 것이 아닌, 핵심 테마에 대해 고민하고 스터디원과 의견을 공유하는 시간을 가져보세요. 이 과정을 거치느냐 마느냐가 합격 여부를 가를 것입니다.

또한 상향식 공부를 하셔야 해요.

상향식·연계적 공부 ⇔ 하향식·분절적 공부

지도 방안	교육 방안		협력 방안	
↑	↑		↑	
학생	나의 전공	학교	학부모	지역사회
교직관				

교직관은 빈출 주제이기에 중요한 것도 있지만 교사가 되기 위해서도 반드시 짚고 넘어가야 할 부분이랍니다. 교직관이 탄탄한 교사는 어떠한 위기 상황에서도 흔들리지 않고, 자기의 소신으로 교직 생활을 건강하게 헤쳐 나갈 수 있거든요. 지도 방안, 교과 연계 방안, 학급 운영 방안 등을 분절적으로 생각한다거나 다른 교사의 것을 모방한 후 교직관을 고민해 보는 하향식이 아닌, 탄탄하고 일관적인 교직관을 토대로 학생, 전공, 교육공동체(학교-학부모-지역사회)에 대해 고민하고 방안을 떠올려야 해요. 그래야 자기만의 색깔이 뚜렷한 매력 있는 교사로서 자신을 어필할 수 있답니다.

마지막으로, 방안을 경기형으로 다듬는 것이 필수랍니다!
자신이 만든 방안이 경기도의 정책과 같은 방향을 보고 있는지 스터디원과 꼭 검토해 보세요.

자, PART 2를 공부할 준비가 되셨나요? 그럼 좋은 교사가 되기 위해 떠나봐요!

47 사이다 목차

개념 이해/ 나만의 방안 제작/ 연계 문제 **자기 평가 척도**

- ★★★★ 모두 답변 완료 ・ ★★★☆ 2개 완성 ・ ★★☆☆ 1개 완성 ・ ★☆☆☆ 반복 학습 필요

Chapter 01. 경기형 교직관 및 교사 전문성(THEME 1~2)

THEME	페이지	자기 평가	회독 수
1. 경기형 교직관 수립	73	☆☆☆☆	☐☐☐
2. 교사 전문성 및 미래교육 역량 강화	89	☆☆☆☆	☐☐☐

Chapter 02. 2026 교육 이슈(THEME 3~16)

THEME	페이지	자기 평가	회독 수
3. 경기미래교육	99	☆☆☆☆	☐☐☐
4. 경기교육의 3가지 섹터(학교·공유학교·온라인학교)	106	☆☆☆☆	☐☐☐
5. 기본·기초학력 보장 교육	113	☆☆☆☆	☐☐☐
6. '깊이 있는 수업' 전문성 강화	120	☆☆☆☆	☐☐☐
7. 평가의 변화	132	☆☆☆☆	☐☐☐
8. AI·에듀테크 활용 교육	142	☆☆☆☆	☐☐☐
9. 디지털 시민교육·개인정보 보호	152	☆☆☆☆	☐☐☐
10. 경기형 토론교육	165	☆☆☆☆	☐☐☐
11. 고교학점제	170	☆☆☆☆	☐☐☐
12. IB 교육과정	178	☆☆☆☆	☐☐☐
13. 학교폭력 예방 교육	183	☆☆☆☆	☐☐☐
14. 학교 구성원의 권리와 책임	194	☆☆☆☆	☐☐☐
15. 환경교육·탄소중립교육	199	☆☆☆☆	☐☐☐
16. 진로·진학교육	204	☆☆☆☆	☐☐☐

Chapter 03. 교육 정책 이해 및 적용(THEME 17~20)

THEME	페이지	자기 평가	회독 수
17. 학교자율과제 · 학교자율시간 · 성장이음과정	209	☆☆☆☆	☐☐☐
18. 자유학기제	215	☆☆☆☆	☐☐☐
19. 건강하고 안전한 학교	219	☆☆☆☆	☐☐☐
20. 교육복지	226	☆☆☆☆	☐☐☐

Chapter 04. 교과 지도(전공 연계) 방안(THEME 21~26)

THEME	페이지	자기 평가	회독 수
21. 세계시민(학교민주시민)교육	231	☆☆☆☆	☐☐☐
22. 독서인문교육	236	☆☆☆☆	☐☐☐
23. 초등 놀이 활성화	242	☆☆☆☆	☐☐☐
24. 문해력 향상 교육	245	☆☆☆☆	☐☐☐
25. 통일교육 · 탈북학생교육	251	☆☆☆☆	☐☐☐
26. 독도교육	255	☆☆☆☆	☐☐☐

Chapter 05. 학급 운영 방안(THEME 27~35)

THEME	페이지	자기 평가	회독 수
27. 학급 운영	259	☆☆☆☆	☐☐☐
28. 자기주도학습	267	☆☆☆☆	☐☐☐
29. 초등 저학년 학교생활 적응 방안(유·초 이음학기, 성장배려학년제)	272	☆☆☆☆	☐☐☐
30. 학생 문화 이해	276	☆☆☆☆	☐☐☐
31. 인성교육	282	☆☆☆☆	☐☐☐
32. 마약 · 도박 · 디지털 성범죄 예방 교육	289	☆☆☆☆	☐☐☐
33. 다문화교육	293	☆☆☆☆	☐☐☐
34. 특수교육 · 장애이해교육 · 통합교육	298	☆☆☆☆	☐☐☐
35. 문화예술교육	304	☆☆☆☆	☐☐☐

Chapter 06. 현장 문제 해결 방안(THEME 36~47)

THEME	페이지	자기 평가	회독 수
학생 문제			
36. 문제행동 학생	309	☆☆☆☆	☐☐☐
37. 위기 학생	314	☆☆☆☆	☐☐☐
38. ADHD 학생	327	☆☆☆☆	☐☐☐
39. Wee 프로젝트	330	☆☆☆☆	☐☐☐
수업 문제			
40. 교육 약자	332	☆☆☆☆	☐☐☐
41. 수업 문제 상황	335	☆☆☆☆	☐☐☐
관계 문제			
42. 갈등 문제	339	☆☆☆☆	☐☐☐
43. 회복적 생활교육	344	☆☆☆☆	☐☐☐
44. 학부모와의 소통 및 연대	348	☆☆☆☆	☐☐☐
문화 문제			
45. 청렴 문화	353	☆☆☆☆	☐☐☐
46. 갑질 및 직장 내 괴롭힘 대응	357	☆☆☆☆	☐☐☐
47. 양성평등 및 성인지 감수성	360	☆☆☆☆	☐☐☐

47 사이다 스케줄 예시

◯ 사이다 진도표

공부를 시작한 날:　　　년　　　월　　　일

공부 목표:　　　년　　　월　　　일까지 책 1회독 끝내기

◯ 차근차근 21일 프로젝트

1일차	THEME 1~2	월/ 일	12일차	THEME 24~26	월/ 일
2일차	THEME 3~4	월/ 일	13일차	교과 지도(전공 연계) 방안 복습	월/ 일
3일차	THEME 5~7	월/ 일	14일차	THEME 27~29	월/ 일
4일차	THEME 8~10	월/ 일	15일차	THEME 30~32	월/ 일
5일차	THEME 11~13	월/ 일	16일차	THEME 33~35	월/ 일
6일차	THEME 14~16	월/ 일	17일차	학급 운영 방안 복습	월/ 일
7일차	교직관 · 교육 이슈 복습	월/ 일	18일차	THEME 36~39	월/ 일
8일차	THEME 17~18	월/ 일	19일차	THEME 40~44	월/ 일
9일차	THEME 19~20	월/ 일	20일차	THEME 45~47	월/ 일
10일차	교육 정책 이해 및 적용 복습	월/ 일	21일차	현장 문제 해결 방안 복습	월/ 일
11일차	THEME 21~23	월/ 일			

◯ 스피드 14일 프로젝트

1일차	THEME 1~2	월/ 일	8일차	THEME 24~26	월/ 일
2일차	THEME 3~5	월/ 일	9일차	THEME 27~30	월/ 일
3일차	THEME 6~9	월/ 일	10일차	THEME 31~35	월/ 일
4일차	THEME 10~12	월/ 일	11일차	THEME 36~39	월/ 일
5일차	THEME 13~16	월/ 일	12일차	THEME 40~41	월/ 일
6일차	THEME 17~20	월/ 일	13일차	THEME 42~44	월/ 일
7일차	THEME 21~23	월/ 일	14일차	THEME 45~47	월/ 일

◯ 스파르타 7일 프로젝트

1일차	THEME 1~9	월/ 일	5일차	THEME 27~35	월/ 일
2일차	THEME 10~16	월/ 일	6일차	THEME 36~41	월/ 일
3일차	THEME 17~20	월/ 일	7일차	THEME 42~47	월/ 일
4일차	THEME 21~26	월/ 일			

THEME 1~2
경기형 교직관 및 교사 전문성

★★★ 빈출 주제

• THEME 1. 경기형 교직관 수립   • THEME 2. 교사 전문성 및 미래교육 역량 강화

2016~2025학년도 출제 주제 빈도
- 교직관: 16.7%
- 경기 정책: 21.5%
- 교과 지도(전공 연계): 23.7%
- 학급 운영: 18.8%
- 현장 문제 해결: 19.4%

빈출 주제 BEST 3
① 경험 연계 교직관
② 미래 교사 역량
③ 교사 전문성 신장 방안

★ 교직관은 자기성장소개서와 개별면접의 빈출 주제입니다. 교직관 그 자체를 물어보기도 하지만 교육 실천 방안, 정책 적용 방안을 물으며 그 기저에 있는 교직관을 파악하려는 문제도 많이 출제됐습니다.

★ 교직관을 정비하지 않은 채 다른 사람들이 사용하는 현장 적용 방안 중 좋아 보이는 것을 읊는다면, '외웠다'라는 느낌이 들 뿐 교사로서의 진정성을 전달하는 데 실패할 것입니다. 탄탄한 교직관이 있어야 나만의 일관된 현장 적용 방안이 나올 수 있답니다.

만점 대비 공부법!

해당 주제는 워크북 형식입니다. 반드시 모든 질문에 관해 깊이 고민해 보며, 자기 생각을 꺼내야 합니다. 모의 면접 형태의 스터디를 잠시 멈추고 스터디원과 교직관에 관해서만 이야기를 나눠보세요. '경기형 교직관'이 맞는지 확인해 보고 '타인이 듣기에 가슴을 울리는 인상 깊은 지점'은 어디인지 찾는 과정이 필요합니다. 자기만의 스토리와 교직관이 있느냐, 없느냐는 당락을 가르는 중요한 포인트라는 것을 절대 잊지 마세요.

1 경기형 교직관 수립 ⓒ

현장 이야기로 사이다 열기

교육철학이 있는 교사와 그렇지 않은 교사는 깊이에서 차이가 납니다. 같은 상황, 같은 문제를 마주해도 다른 생각, 다른 해결책을 내놓곤 하지요. 교사가 된 이유가 분명하고, 어떤 교사가 되고 싶은지 성찰한 교사는 큰 파도에 쉽게 흔들리지 않고, 그 상황 속에서 자신만의 항해를 해 나갑니다. 따라서 교직관은 건강한 교직 생활을 위해서 반드시 갖춰야 할 자세입니다.

교직관이 중요한 또 다른 이유도 있습니다. 2026학년도의 경기교육은 AI, 기후 위기, 지역 격차, 수업 및 평가의 변혁 등 굵직한 과제 앞에 놓여 있습니다. 이 과제를 추진하고, 변화를 현실로 만드는 주체는 바로, 우리 교사입니다. 무분별하게 변화를 좇지 않고 철학에 따라 필요한 교육을 떠올리고 추진할 수 있는 능력을 지니려면 철학을 정비하는 것이 필수입니다. 그래서 첫 번째 주제는 '경기형 교직관'에 대한 이야기를 나누고자 합니다.

중요한 것은 단순히 교사상을 말하는 것에 그쳐서는 안 된다는 것입니다. 다른 교육청이 아닌 경기도교육청이 원하는 교사임을 보여주는 것이 중요합니다. 우리가 경기 지역을 선택했기 때문입니다.

이번 테마는 워크북 형식으로 되어 있으니, 스터디원들과 함께 이야기를 나누며 자신만의 차별화된 교직관을 만들어 나가길 바랍니다.

#경기형_교직관

☑ All 기출 문장 및 빈도 체크

연도	자기성장소개서 ⓢ			집단토의 ⓣ			개별면접 ⓘ		
	초	중	비	초	중	비	초	중	비
2016	✓	✓	✓				✓	✓	✓
2017	✓	✓	✓				✓	✓	✓
2018	✓	✓	✓				✓	✓	✓
2019	✓	✓							
2020		✓	✓				✓		✓
2021				미시행			✓		✓
2022							✓		
2023									
2024							✓		✓
2025							✓		✓

*공통 ⓒ

경험 연계

- [25'초뎐] 자신의 교육철학에 따라 공동체적 인성 가치 중 하나를 선택하여 학급 인성 브랜드를 설정하고, 이를 바탕으로 학부모와 학생이 참여할 수 있는 인성교육 방안 3가지를 말하시오.
- [24'비] 갈등 상황에서 소통과 협력으로 해결해 나갔던 경험과 이를 교직 현장에서 교사 관계에 적용할 방안을 전공과 연계해서 답변하시오.
- [24'초] 교육 실습생 시절 가장 어려움을 느꼈던 경험을 말하고, 이를 해결하기 위한 역량과 역량을 갖출 수 있는 노력 방안에 대해 각각 2가지 말하시오.
- [24'초뎐] "너는 봄날의 햇살 최수연이야."와 같이 따뜻한 말로 위로를 받거나 감동했던 경험을 말하고, 그에 따른 자신의 교직관을 말하시오. 또한 학급 담임으로서 이를 실현할 방안을 2가지 제시하시오.
- [21'초뎐] 코로나19 상황에서 공동체성을 발휘한 경험과 이를 교육 활동에 적용할 방안을 말하시오.
- [20'초뎐] '온 마을이 학교다.'라는 말을 자기 경험에 빗대어 논하고 교실에서 실현할 방안을 말하시오.
- [20'중비성] 자신이 자라온 환경과 비교하여 농어촌 지역 발령 후 적응 계획을 제시하시오.
- [20'초뎐] 교사의 존재 의미를 정의하고, 자신의 경험에 빗대어 설명하시오.
- [19'중성] 자신의 경험을 토대로 진로를 고민하는 학생에게 상담 메시지를 쓰시오.
- [18'공뎐] 자신의 성장이 언제 많이 일어났는지 말하고, 이 경험이 교직에 어떠한 영향을 미칠지 말하시오.
- [18'공뎐] 학창 시절 힘들었던 경험과 교사가 되어 똑같은 일을 겪은 학생에게 하고 싶은 말을 쓰시오.
- [18'초뎐] 자신의 경험에 비추어 학생에게 공정성을 가르칠 때 기준이 되는 것이 무엇인지 말하시오.
- [18'공뎐] 소통, 협업 등 집단지성을 발휘하여 무언가를 성취했던 경험을 말하고 그 의미를 설명하시오.
- [17'중뎐] 교사가 되고 싶은 제자를 어떻게 지도할 것인지 자신의 경험과 연계하여 말하시오.
- [17'초뎐] 성장 과정에서 겪은 어려움을 협업으로 해결한 경험을 말하시오.
- [16'중뎐] 인생에서 슬프거나 실패한 경험과 이를 통한 깨달음이 교직 생활에 어떤 도움을 줄지 말하시오.
- [16'비] 공동체 경험과 이를 통해 배운 것, 교직 적용 방안을 말하시오.
- [16'공뎐] 교육 봉사, 실천 경험을 말하고 깨달은 점을 제시하시오.

교직관·교사상

- [22'뎐] 신년사를 읽고 학생들을 미래 인재로 양성하기 위해 교직관을 바탕으로 교사가 지녀야 할 역량과 노력할 점을 말하시오.
- [22'초뎐] 제시문의 입장(학생은 스스로 성장 vs 어른의 도움 필요)을 선택하여 본인의 생각을 말하시오.
- [21'비] 교직을 선택하게 된 동기를 포함하여 교사로서 필요한 소양에 대해 말하시오.
- [20'중비성] 자신의 교육철학이 드러날 수 있는 교육 거버넌스 구축 계획을 설계하시오.
- [18'초뎐] 교사 존경도가 낮은 원인을 통계 자료를 통해 분석하고 그 해결 방안을 자신의 교사상과 연결하여 말하시오.
- [17'공뎐] 본인의 교사상은 무엇이며, 이에 영향을 준 책의 한 구절을 인용하고 이유를 설명하시오.
- [17'초뎐] 제시된 시(교사의 영향력)를 교직관과 관련지어 말하고, 교직 실천 방안을 말하시오.
- [17'비성] 교직을 비판하는 어르신에게 답변하시오.
- [16'초뎐] 본인의 교육철학과 현장에서 실천할 방안을 말하시오.

현장 실천 계획·방안

- [25'비뎐] 자신의 강점 1가지를 말하고, 이를 활용하여 교육공동체와 상호존중을 실천할 수 있는 방안을 제시하시오.
- [20'초뎐] 제시문 속 학교 교육의 본질에 대한 질문의 의미는 무엇이며, 교직에서 하고 싶은 활동은 무엇인지 말하시오.
- [20'초뎐] 교사로서 강점과 약점을 말하고 강점 극대화 방안과 약점 극복 방안을 말하시오.
- [20'비뎐] 교과와 관련하여 신입생 안내 책자에 수록할 내용 3가지를 제시하시오.
- [18'비뎐] 본인의 전공도 흥미 분야도 아닌 주제에 대해 동아리 담당 교사를 해달라고 하는 학생들을 어떻게 할 것인지 말하시오.

[17′비교] 왜 간호사(영양사/상담사)가 아닌 보건교사(영양교사/전문상담교사)가 되려고 하는가? 현장의 문제 상황을 해결하기 위해 어떤 노력을 할 것인지 말하시오.
[17′비교] 제시문을 읽고 교사에게 부족한 자질 2가지(협동, 의사소통, 소명 의식)와 이를 보완할 수 있는 계획을 말하시오.
[16′종교] 직무수행에서 본인의 강·약점과, 강점을 극대화하고 약점을 극복하기 위한 방안을 쓰시오.
[16′공교] 노력을 했지만 성적이 좋지 못한 우리 반 학생에게 용기를 북돋울 수 있는 편지를 쓰시오.

1 경기형 교육관의 이해

경기도교육청 임용 면접 교직관 문제의 패턴은

① 본인의 교직관을 바탕으로
② 제시된 경기교육 자료를 분석해
③ 구체적인 현장 실천 방안을 묻는 식으로 출제된다.

따라서 경기도 교육과정의 전반적인 특징을 이해해 교직관을 경기형으로 다듬고, 이를 현장에 적용할 구체적인 실천 방안을 고민해야 한다.

또한
④ 교직관이 형성된 경험을 묻고,
⑤ 현장 실천 계획이나 포부를 묻는 문제도 다수 출제됐다.

보다 효율적인 준비를 위해 기출문제에 초점을 맞춰 교직관을 정비해 보자. 우선 교직관을 경기형으로 다듬기 위해 경기교육에 대한 이해부터 시작해야 한다.

(1) 경기교육의 비전: 자율, 균형, 미래

① **자율**: 다양성과 창의성을 보장하는 경기교육의 원동력
  - 의미: 교육공동체가 신뢰와 협력을 바탕으로 스스로 결정하고 책임 있게 실천하는 것
  - 실천 방안: 상호존중과 협력의 문화 조성, 학생과 사회의 요구 사항을 반영한 교육과정 제공

② **균형**: 교육의 본질에 집중하겠다는 경기교육의 다짐
  - 의미: 교육공동체가 서로 다름을 인정하고 존중하며 조화로운 성장을 지원하는 것
  - 실천 방안: 인지·사회·정서·신체 영역에서 조화로운 발달이 이루어지도록 균형 잡힌 교육과정 제공

③ **미래**: 경기교육이 열어가는 새로운 길
- **의미**: 학생이 스스로 꿈을 펼치고 함께 만들어 미래를 향해 나아갈 수 있도록 지원하는 것
- **실천 방안**: 모든 학생이 잠재력을 발휘할 수 있도록 유연한 교육과정 설계, 에듀테크 등을 활용한 학생 맞춤형 교육으로 문제 해결력과 창의력을 키우는 교육과정 제공

사이다 톡 talk! 자율, 균형, 미래 기조에 맞는 교육 방안을 고민해야 해요. 학생과 사회의 요구를 반영할 것, 전인적 성장을 도모할 것, 유연한 교육과정을 설계하고 에듀테크를 활용할 것! 잊지 마세요.

(2) 경기도 교육과정의 방향

학생을 "기본 인성과 기초 역량을 갖춘 자기주도적인 사람"으로 성장시키는 것

① **기본 인성**
- **의미**: 인공지능 시대에도 대체 불가능한 인간다움 강화, 공동체 의식과 책임감을 토대로 기본 윤리의식 함양, 포용성과 개방성을 바탕으로 한 인류애 실천
- **교육 초점**: 디지털 환경일수록 관계 속에서 인간다움을 잃지 않는 교육

② **기초 역량**
- **의미**: 지식·이해, 과정·기능, 가치·태도가 통합적으로 작동(총체성), 사람마다 발달 속도가 다르며 수행으로 발현, 수행은 단순 활동이 아닌 문제 해결 및 창의적·비판적 사고와 같은 고차원의 사고작용 포함
- **교육 초점**: 전인적 발달

③ **경기 교육과정의 추진 방향**
- 모든 학생의 잠재력 발휘와 미래 사회에 요구되는 능력(통합적 사고, 창의적 문제 해결력)을 갖출 수 있도록 한다.
- 균형 잡힌 교육과정으로 기본 인성과 사회·정서 학습을 강화한다.
- 교육공동체가 자율성과 주도성을 발휘할 수 있는 교육과정과 교육환경을 마련한다.
- 상호존중과 협력을 바탕으로 교육공동체가 함께 성장하는 학교·학습 문화를 만들어 갈 수 있도록 지원한다.

사이다 톡 talk! 기본 인성, 기초 역량의 중요성을 이해하고, 학급 운영 방안 및 교육 방안을 짤 때 경기 교육과정의 방향과 결이 맞는 방안을 수립해야 합니다. 기본 인성은 학급 운영 및 수업 규칙 등 관계와 공동체성 속에서, 기초 역량은

프로젝트·에듀테크 등 수업 경험 속에서 구체화됩니다. 공부할 때는 개념만 외우지 말고, "내가 학급을 운영할 때, 수업을 설계할 때 어떻게 드러날까?"를 연결해 정리하는 습관을 들여야 합니다.

(3) 경기도 교육과정 중점 역량

자기관리 역량	자아정체성과 자신감을 가지고 자신의 삶과 진로를 스스로 설계하며 이에 필요한 기초 능력과 자질을 갖추어 자기주도적으로 살아갈 수 있는 역량
지식정보처리 역량	문제를 합리적으로 해결하기 위해 다양한 영역의 지식과 정보를 깊이 있게 이해하고 비판적으로 탐구하며 활용할 수 있는 역량
창의적 사고 역량	폭넓은 기초 지식을 바탕으로 다양한 전문 분야의 지식, 기술, 경험을 융합적으로 활용해 새로운 것을 창출하는 역량
심미적 감성 역량	인간에 대한 공감적 이해와 문화적 감수성을 바탕으로 삶의 의미와 가치를 성찰하고 향유하는 역량
협력적 소통 역량	다른 사람의 관점을 존중하고 경청하는 가운데 자신의 생각과 감정을 효과적으로 표현하며 상호협력적인 관계에서 공동의 목적을 구현하는 역량
공동체 역량	지역·국가·세계 공동체의 구성원에게 요구되는 개방적·포용적 가치와 태도로 지속 가능한 인류 공동체 발전에 적극적이고 책임감 있게 참여하는 역량
문제 해결 역량	학습이나 삶에서 발견한 문제를 협력하여 합리적으로 해결할 수 있는 역량

사이다 talk! 2022 개정 교육과정에서 밝힌 핵심 역량도 경기도 교육과정 중점 역량과 똑같아요. 문제 해결 역량을 제외하고 모두 같습니다. 그러니 이러한 역량의 중요성을 알고 학생들에게 이러한 역량을 길러주기 위한 방안에 대해 고민해 두셔야 합니다. 학급 운영과 교육과정 연계 방안(교과 지도, 창의적 체험학습 연계 등) 측면에서 두루 생각해 주세요!

(4) 경기도 교육과정의 특성 기출

① 인성교육으로 공동체성을 함양하는 교육과정
- 학생이 인간으로서 존엄과 가치, 바른 인성을 갖추도록 하는 인성교육
- 디지털 전환 시대에 필요한 디지털 시민 교육

② 기초소양의 토대 위에 역량을 함양하는 교육과정: 지식 중심 교육이 아닌 실생활을 살아가는 데 필요한 역량 중심의 교육과정

③ 전문성과 자율성에 기반한 유연한 교육과정
- 학생의 성장을 위해 학생 삶의 맥락과 연결되는 의미 있는 학습 경험 제공
- 학생들의 다양한 학습 요구를 반영해 학습 선택권을 확대하는 학생 맞춤형 교육과정

④ 지역과 협력하여 교육생태계를 확장하는 교육과정: 교육을 중심에 두고 지역과 협력하여 학습의 시공간을 확장하고 삶과 연계한 학습 경험 제공

⑤ 지속 가능한 미래로의 전환을 추구하는 교육과정: 학생들이 주도성을 발휘할 수 있도록 에듀테크 등 다양한 교수·학습 방법을 활용해 개별 학생들에게 최적화된 맞춤형 교육으로 깊이 있는 학습 도모

> **사이다 톡 talk!** 교육과정을 이해했으면, 수업 설계 방향도 그 속에서 이뤄져야겠죠. 수업 실연에서도 마찬가지예요. 교육과정의 특성을 고려하고, 이러한 것을 녹여내는 수업관, 수업 실연이 돼야 합니다.

(5) 경기 교수학습 방향: 사유하는 학생, 깊이 있는 수업

① **사유하는 학생**: 개인의 경험, 지식, 문화, 사회적 맥락에 따라 구성된 가치와 신념을 탐색하고, 이에 대해 비판적으로 생각하며 스스로 자신의 믿음과 가치에 대해 깊이 성찰하는 학생

② **깊이 있는 수업**
- 학생이 개념 이해를 바탕으로 삶의 맥락을 반영한 문제를 해결하는 학습을 강조하는 수업
- 학생의 사유와 질문으로 학생과 교사 주도성이 조화를 이루어 비판적 사고 및 문제 해결 역량 등 미래 역량을 향상시키는 데 중점을 두는 수업

③ **사유하는 학생, 깊이 있는 수업을 위한 방향**
- 학생과 교사 주도성의 조화
- 질문 탐구 수업
- 삶의 맥락 문제 해결

> **사이다 톡 talk!** '사유하는 학생, 깊이 있는 수업'은 경기도교육청의 새 정책으로, 주요 정책 중 하나입니다. 학생은 지식의 단순한 수용을 넘어서 스스로 탐구하고, 성찰하는 등 사유의 과정을 거칩니다. 그러기 위해서는 교사가 이러한 과정이 드러나도록 수업 설계를 해야겠죠. 그게 바로 깊이 있는 수업입니다. 삶의 문제를 해결할 수 있는 수업, 교사와 학생 모두 주도적으로 참여할 수 있는 수업, 비판적 사고력과 문제 해결력을 기르기 위한 수업! 우리의 수업관과 수업 실연 역시 이러한 방향이 담겨야 합니다. 꼭 기억해 주세요! 별표 다섯 개입니다!

② 교육철학 성찰

(1) 교육철학

① 교육을, 교사의 직무를 어떻게 이해하고 있는지에 대한 관점

② 교육 활동에 대해 '왜?'라는 질문을 던지고 그에 대한 답변을 고민하는 것

- **교육관**: 교육이란 무엇인가?
- **교사관**: 교사는 어떤 존재인가?
- **학생관**: 학생은 어떤 존재인가?
- **수업관**: 수업이란 무엇인가?

이 물음에 답할 수 있어야 함

사이다 톡talk! 앞서 경기형 교육관에 대해 이해하는 과정을 거쳤습니다. 교직관과 교육철학은 이 방향과 일치해야 합니다. 경기도교육청 맞춤형 교사가 되기 위해 교직관을 경기형으로 꼭 다듬어 봅시다!

(2) 중요성

대상 ➡ 철학 ➡ 행동

① 교육 활동은 모든 것을 가르치는 것이 아니라 의도된 가치·철학에 따라 선택해 행함
   ➡ 교육생태계와 어떻게 연계해 무슨 활동을 할 것인지에 대한 기준이 됨

② 기준이 바로 선 교사는 어떤 상황에서도 흔들리지 않고 일관된 교육을 실현할 수 있음

(3) 정립 방법: "전·생을 생각하기"

나에게 전공이란?   나에게 교육 생태계란?

① **전공**: 교사로서 나의 전공에 대한 고민 ➡ 전공자에서 교육자로의 관점 변화 ➡ 나는 학문을 선택한 것이 아니라 교육을 선택한 사람이기 때문!

▶ **2018학년도 비교수 교과 면접** 간호사가 아닌 보건교사가 된 이유는 무엇인가?

② **교육생태계(교육공동체)**: 교사로서 교육을 둘러싼 모든 생태계에 대한 고민이 필요함
   ➡ 학생과 학교, 학부모는 물론 지역사회란 어떤 존재이며, 어떤 공간인지 고민해야 함. 경기미래교육은 학교에서만 담당하는 것이 아닌 교육의 3가지 섹터, 즉 학교, 경기공유학교, 온라인학교에서 이루어지기 때문!

③ 교직관 수립을 위한 워크북 활동: 함께 채워 봅시다

교직관 형성과 성장 배경

교사가 되고 싶은 이유를 과거의 경험과 연결하여 말하고, 현장에서 실현하고 싶은 이상적인 교사상을 제시하시오.

교사가 되고 싶은 이유 :

관련 경험 :

이상적인 교사상 :

사이다 톡 talk ! 혹시 '가르치는 게 즐겁다', '잘 가르친다'라는 관점에서 작성하진 않았나요? 그렇다면 다시 고민해 주세요. 가르치는 것은 그 어디에서도 할 수 있잖아요. 왜 하필 그곳이 학교여야만 하는지? 평가위원을 설득할 수 있도록 '공교육 교사의 자부심'이 드러나야 해요. 또한 앞으로의 교육은 지식을 잘 전달하는 티칭 능력이 아닌, 학생들의 성장을 잘 관찰하고 적절하게 피드백할 수 있는 코칭 능력을 중시하기에 앞선 답변은 적절치 못하답니다. '학생의 성장을 관찰하는 기쁨, 다양한 공동체와 협력하는 기쁨이 좋아서'라는 약간은 형식적이지만 진솔한 답변이 경기형 교사로선 적합하답니다. 현장에서 역시 그러한 교사가 되겠다는 일관성을 보여주셔야겠죠?

학창 시절 가장 힘들었던 경험을 이야기하고, 교사가 된 후 같은 상황을 겪는 학생에게 어떻게 조언할 것인지 제시하시오.

힘들었던 경험 :

깨달은 점 :

학생에게 해주고 싶은 조언 :

사이다 톡 talk! 면접에서 교직관을 물을 땐 관련 경험을 묻는 경우가 많아요. 경험을 날 것 그대로 말한다거나 아무런 의미가 없는 것을 선정해서는 안 됩니다. 교육적 성찰이 있는 경험을 말해야 합니다. 나아가 이를 바탕으로 한 교직에서의 실천 계획 3박자가 맞아야 해요. 이 점을 고려하며 채워보세요.

기억에 남는 선생님과의 일화를 말하고, 그 경험이 교사로서 자신의 모습에 어떤 영향을 줄지 설명하시오.

선생님 성함 :

일화 :

교사로서 자신에게 미칠 영향 :

사이다 톡 talk! 이런 문제는 수험생의 교직관을 확인할 수 있는 아주 좋은 문제입니다. 즉답형으로 질문할 경우, '학교에서 겪었던 불편한 교사'의 사례를 열거하고 '나는 절대 이런 교사가 되지 않겠다.'라고 말하는 경우가 생각보다 많거든요. 공교육 교사의 자부심, 공교육에 대한 애정을 보여줘야 하는 면접 자리에서 '부정적 사례'를 굳이 묻지 않았는데도 말하는 것은 추천하지 않습니다! 선생님께 받았던 상처가 있다면, 토닥토닥- 우리끼리 위로하고, 공적인 자리에서는 우리를 위해 노력해 주셨던 존경하는 선생님을 떠올리며 그분들의 배울 점을 말해보아요.

전공을 선택한 이유를 과거 경험과 연결하여 말하고, 교과교사로서의 포부와 이를 위한 역량 강화 방안을 제시하시오.

과목 선택 이유 :

관련 경험 :

포부 :

역량 강화 계획 :

사이다 톡 talk! 전공 선택 이유를 고민해 보세요. 추천하는 방향은 교과를 통해 얻었던 삶의 역량에 가치를 느꼈다거나, 교과 선생님과의 추억, 교과 시간 친구들끼리 함께했던 프로젝트 학습에서 얻은 기쁨과 성취감 덕분이라는 등등 약간의 조미료(?)를 더해 '내 교과를 정말 사랑하는 사람'이라는 느낌을 물씬 주는 거예요. 그리고 이러한 가치를 학생들에게 전달하는 교사가 되겠다고 스토리라인을 만드는 거죠. 역량 강화 방안은 개인적 노력뿐 아니라 '공동체와 협력 방안'을 꼭 넣으셔야 해요. 그래야만 협력 능력을 중시하는 경기형 교사상에 적합하답니다.

교생실습이나 교육봉사활동을 하며 기억에 남는 일화를 설명하고, 그 경험에서 얻은 깨달음과 교직에 미칠 영향을 설명하시오.

기억에 남는 일화 :

느낀 점 :

사이다 면접

나에게 미친 영향 :

사이다 톡 talk! 졸업을 하기 위해서 교생실습과 교육봉사는 필수로 이수해야 하는 일종의 미션입니다. 그 속에서 분명 깨달음이 있을 것이고, 교육청은 그것을 통해 교사로서 우리의 성장을 확인하고 싶을 것입니다. 학생들이 성장하는 것을 지켜보았던 기쁨, 처음엔 어려웠으나 나름의 해결책을 찾아 멋지게 완수했던 일 등등 그냥 경험 말고 교사로서 나의 역량이 드러나는 에피소드를 찾아놓읍시다! 앞서 말했다시피 경험을 물을 땐 경험만 말하는 것이 아닌 그 속에서 깨우친 신념, 가치관 등을 꼭 포함하셔야 경기형 교사로 적합하답니다.

인생에서의 실패 경험과 그것을 극복한 방법을 말하고, 그 경험이 교사로서 생활할 때 어떤 영향을 줄지 설명하시오.

인생에서 실패했던 경험 :

극복 방법 :

영향 :

사이다 톡 talk! '실패를 극복'한다는 키워드가 보여요. '한 번의 지도로 학생이 달라지지 않더라도, 학생을 바꾸려 하지 않고 기다리는 시간을 갖겠다.', '교직 생활에 어려움이 있어도 실패는 성공을 위한 발판이라고 생각하겠다', '자신을 성찰하고 발전하는 동력으로 삼겠다' 등의 발언을 통해 의지가 있는 사람이라는 것을 어필해야 해요. 가끔은 원하는 답이 있는 문제가 있거든요. 바로 이 문제가 그렇답니다.

> 교직관 및 철학 정비

교직관 형성에 영향을 준 책의 제목을 말하고, 기억에 남는 부분이나 구절을 제시한 뒤 그것이 자신에게 미친 영향을 설명하시오.

책 이름 :

상황 혹은 구절 :

나에게 미친 영향 :

사이다 톡talk! 교육 관점을 정립하게 한 책을 묻는 문제가 등장한 적이 있습니다. 갑작스레 책 이름을 묻는다면 창작(?)으론 해결되지 않는 영역이므로 미리 대비해 둬야 합니다. 왜 이 책을 읽게 됐는지, 책 내용은 무엇인지, 깨달음은 무엇인지, 교직에 어떻게 적용할 것인지 두루 고민해 주세요.

'너는 봄날의 햇살 최수연이야'와 같은 따뜻한 말로 위로받은 경험을 말하고, 그 경험이 자신의 교사상에 준 영향을 설명하시오. 또한 앞으로 어떤 교사가 되고 싶은지 교과교사와 담임교사의 측면에서 제시하시오.

위로받은 경험 :

자신의 교사상 :

교사상의 구체적인 모습 :

사이다 면접

사이다 톡 talk! 교사의 중요한 능력 중 하나는 따뜻한 말로 위로할 줄 아는 것입니다. 때론 학생의 문제행동을 따끔하게 지도해야 하는 순간도 있지만, 호통보다 더 큰 힘을 발휘하는 순간은 마음을 읽어줄 때거든요. 단순히 누군가에게 기계처럼 좋은 말을 건네는 것이 아닌 공감하고 적절한 위로를 전할 수 있는 능력은 관계를 바탕으로 하는 교사에게 반드시 필요한 역량입니다. 살면서 나에게 힘을 줬던 한마디가 있는지 돌아보고 그 말에서 닮고 싶은 점을 찾아 정리해 보세요. 그것이 곧 교사로서의 모습에 반영될 수 있을 것입니다.

학생이란 ○○이다. 한 문장으로 정의하고 이유를 설명하시오.

학생이란 :

정의한 이유 :

사이다 톡 talk! 학생을 미숙한 존재, 여리고 약한 존재라고 적진 않으셨죠? 경기도교육청에서는 학생을 스스로 탐구할 수 있는 주도적인 존재, 자율성을 지닌 존재라고 생각하고 있어요. 학생은 무한한 성장 가능성이 있는 존재라는 것을 잊으시면 안 돼요. 또한 경기교육에서는 학생 맞춤형 교육을 중시하고 있어요. 일률적인 교육이 아닌, 학생 개개인의 특성과 발달 단계에 맞는 교육을 해야 한답니다. 그 점을 고려해 학생관을 마련해 주세요.

학교란 ○○이다. 한 문장으로 정의하고 이유를 설명하시오.

학교란 :

정의한 이유 :

사이다 톡 talk! 학교는 더 이상 '지식 전수의 전유물'이 아니랍니다. 언제 어디서든 배울 수 있는 사회가 도래하며 학교의 본질에 대해 고민하고 성찰하는 과정이 중요해졌어요. 배움의 터전이 그 아무리 넓어졌다 한들, 교사와 또래 친구들과 소통으로 동기 부여와 협력을 통한 성취감을 느낄 수 있는 공간! 그게 바로 학교 아닐까요? 다양하게 발생하는 문제 상황에 대한 대응력을 기르고 사회성을 기를 수 있는 공간이기도 하고요. 전통적인 학교가 아닌 미래 사회를 대비하는 학교의 의미에 대해 꼭 고민해 주세요.

학부모란 ○○이다. 한 문장으로 정의하고 이유를 설명하시오.

학부모란 :

정의한 이유 :

사이다 톡 talk! 최근 교권 침해 문제가 사회적으로 크게 주목받으며, 일부 교사들이 학부모나 학생을 신뢰하지 못하는 경우가 생기고 있습니다. 하지만 우리는 교사가 되고 싶어 이 자리에 섰고, 면접을 준비하고 있습니다. 그렇다면 학부모와 학생을 떠올릴 때부터 방어적인 태도를 보이는 것은 경기 교사의 모습과는 어울리지 않겠지요.
물론 현장 사례를 충분히 숙지하고, 다양한 대응 절차를 이해하는 것은 필요합니다. 그러나 그보다 더 중요한 것은 미리 겁먹지 않고 학부모를 교육의 동반자로 바라보는 시각입니다. 학생의 성장을 위해 학부모를 함께할 파트너로 인식한다면, 그것이 바로 훌륭한 교사의 태도라고 할 수 있습니다.

지역사회란 ○○이다. 한 문장으로 정의하고 이유를 설명하시오.

지역사회란 :

정의한 이유 :

사이다 톡 talk! 경기교육은 지역사회의 다양한 자원과 협력하여 학생의 성장을 지원하고 있습니다. 그 대표적인 사례가 바로 경기공유학교입니다. 특히 2025학년도 면접 문제의 모든 급에서 경기교육 3가지 섹터(학교·공유학교·온라인학교)가 출제되었다는 점은, 최근 교육정책이 강조하는 핵심 방향을 보여줍니다. 따라서 면접을 준비하는 예비교사라면, 지역의 다양한 인적·물적 자원을 적극적으로 활용할 수 있는 교육적 관점과 구체적인 실천 계획을 세워두는 것이 중요합니다. 이는 곧 협력적 교육관과 미래 역량을 키우는 교사상으로 연결됩니다.

공동체적 경험과 교사 역량

교사에게 꼭 필요한 역량은 무엇인가? 그 이유와 함께 이야기해 보시오.

역량 :

이유 :

사이다 톡 talk! 교사에게 꼭 필요한 역량을 물으며 '수험생이 가장 중요하게 생각하는 교육 가치'를 알고자 하는 문제입니다. 교직관을 자연스럽게 확인하고자 하는 것이지요. 학부생들과 진로특강 중에 '카리스마', '장악력' 등을 말하는 분도 계셨는데, 물론 현장에서 엄청난 장점이긴 하나 면접용 답변으로 적합하진 않습니다. 경기도교육청이 교사에게 요구하는 모습은 그런 게 아니거든요. 정답이 없는 것 같아도 경기형 지향점에 맞춰 '코칭 능력', '멘토링 역량', '인성교육 역량', '공감 능력', '공동체 역량', '의사소통 역량' 등 모범답안을 말해야 하는 문제입니다!

공동체 경험과 이를 통해 깨달은 점을 이야기해 보시오. 이것이 교사가 되어 학급을 운영할 때 어떤 영향을 미칠지 적어보시오.

공동체 경험 :

깨달은 점 :

영향 :

사이다 톡 talk! 공동체 경험을 묻는 문제는 면접 단골 질문이에요. 경기형 교사로서 꼭 갖춰야 할 소양이 공동체 능력, 소통 능력이기도 하고요. 이때, 한 번에 무언가 잘된 경험보단, 잘 안되고 있었을 때 공동체의 힘으로 해결하며, 공동체의 중요성을 인지했다는 방향으로 서술한다면, 극적으로 보일뿐더러 피상적인 감상이 아닌 실제 깨달음을 보여줄 수 있어서 눈에 띄는 수험생이 될 것입니다! 물론 그 과정에서 자기의 역할이 드러나는 경험을 말하셔야 돋보일 것입니다.

현장 실천 계획

자신이 자라온 환경을 고려하여 경기 지역사회 자원을 활용할 계획을 말하시오.

자신이 자라온 환경 :

지역 자원 활용 계획 :

사이다 talk! 경기도교육청은 공교육에서 '지역사회와의 교육적 협력'을 매우 중시하고 있어요. 자신이 자라온 환경이 도시이든 농촌이든 지역 자원을 교육에 적용한 경험은 누구나 가지고 있을 거예요. 예를 들어 소풍을 갔던 경험, 방학 숙제로 박물관을 다녀왔던 경험도 이에 해당합니다. 중요한 것은 이런 경험을 단순히 나열하는 것이 아니라, 그 속에서 얻은 교육적 가치를 짚어내는 것입니다. 그 경험이 학생 성장에 어떤 의미가 있었는지 성찰하고, 이를 바탕으로 앞으로 수업이나 학급 운영에서 어떻게 지역 자원을 활용할 계획인지 구체적으로 제시하는 것이 핵심 포인트입니다.

자신의 강점을 말하고, 이 강점으로 교육 현장에 어떤 기여를 할 수 있을지 밝히시오.

강점 :

교육 현장에의 기여 방안 :

사이다 talk! 강점을 말할 때는 단순히 성격적 장점이 아닌, 교직 현장에서 실제 필요로 하는 역량을 선택하는 영리함을 드러냅시다. 최근 교육의 주요 이슈는 상호존중 문화, 미래교육 준비, 교육공동체 협력 등이에요. 따라서 소통 능력, 협업 역량, 문제 해결력, 추진력과 같이 이러한 이슈를 해결하는 데 직접 연결될 수 있는 강점을 제시하면 설득력이 커집니다. 또한, 강점은 구체적인 경험과 연결해야 합니다. 예를 들어 "소통 능력"을 강점으로 제시했다면, 학창 시절 프로젝트 활동에서 조율을 맡아 원활히 진행했던 경험이나 교육봉사 시 학부모와 효과적으로 협력했던 경험을 간단히 언급하는 방식으로 신뢰를 줄 수 있습니다. 마지막으로, 강점이 교육 현장에서 어떤 변화를 만들어낼 수 있는지까지 연결해야 합니다. 단순히 "저는 책임감이 강합니다"에서 끝나는 것이 아니라, "책임감을 바탕으로 학생의 성장 과정을 끝까지 지원하고, 학부모와 신뢰를 쌓는 교사가 되겠다"와 같이 교육 현장에의 기여로 확장하는 것이 핵심입니다.

사이다 면접

2 교사 전문성 및 미래교육 역량 강화 ⓒ

현장 이야기로 사이다 열기

2025학년도 초등 임용 면접에서는 교사 전문성 향상 계획을 신규·저경력·고경력 교사별로 구분해 묻고, 중등 자기성장소개서에서는 미래교사 역량을 직접적으로 질문했습니다. 이처럼 교사 전문성 강화와 역량은 시대가 변해도 꾸준히 출제되는 기본 주제입니다. 단지 '빈출 주제'라서 중요한 것은 아닙니다. 교사로 살아가는 데 본질적으로 필요한 주제이기 때문에 우리는 이 주제를 깊이 이해해야 합니다.

목적 없는 교직 생활은 매너리즘에 빠지게 하고, 결국 우리를 지치게 할 것입니다. 따라서 면접 대비를 넘어서, 탄탄하고 안정감 있는 교직 생활을 위해 내가 어떤 분야에서 전문성을 쌓고 싶은지 진지하게 고민해 보는 시간이 필요합니다.

이번 주제를 학습할 때는 단순히 '교사가 갖추어야 할 역량'을 나열하는 데 그치지 말고, 나의 교직 생활을 어떻게 설계할지, 어떤 전문성을 실제로 쌓아가고 싶은지를 중심으로 정리해 보세요. 그렇게 할 때 교직에 대한 확신이 생기고, 답변에도 자연스럽게 진정성이 담길 것입니다.

#전문성_신장_방안

☑ **All 기출 문장 및 빈도 체크**

연도	자기성장소개서 ⓢ			집단토의 ⓓ			개별면접 ⓘ		
	초	중	비	초	중	비	초	중	비
2016	✓	✓	✓					✓	✓
2017						✓			✓
2018	✓	✓	✓		✓				✓
2019		✓	✓				✓		
2020	✓						✓		
2021				미시행					✓
2022							✓	✓	
2023	✓	✓	✓				✓	✓	✓
2024		✓	✓				✓		
2025		✓	✓				✓	✓	

*공통 ⓒ

미래 교사 역량

[25'중토] 경기미래교육을 위한 교사의 역량은 무엇인지 말하고, 이를 바탕으로 영화감독이 되고 싶으나 학교에 관련 과목이 개설되지 않아 고민인 학생, 탄소중립 교육을 다른 나라 학생들과 함께 프로젝트 수업으로 진행해 보고 싶은 학생을 지도하기 위한 교사의 역할을 제시하시오.

[25'초토] 교사의 전문적 성장과 안정적인 교직생활을 위해 신규 교사, 5년 이하 저경력 교사, 15년 이상 경력 교사 측면에서 전문성 향상 계획을 각각 설명하시오.

[24'중비상] 경기교육은 역량 중심 맞춤형 교육을 통해 학생의 역량을 키워가는 정책을 추진하고 있습니다. 이를 위해 필요한 교사의 역량은 무엇이고, 역량 강화를 위해 어떤 준비를 하고 있는지 제시하시오.

[23'중토] 미래교육을 실현하기 위해 지역 중심 교사공동체에서 하고 싶은 연구 주제와 구체적인 활동 방안 2가지를 말하시오.

[23'중비상] 미래 사회 변화에 따른 적합한 교사의 핵심 역량을 제시하고, 그러한 역량을 기르기 위한 구체적인 계획을 서술하시오.

[23'초상] 미래 사회 변화에 따른 인재 육성에 적합한 교사의 역량은 무엇이며, 그러한 역량을 기르기 위해 어떤 준비를 하고 있는지 제시하시오.

[23'비상] 교사에게 필요한 미래교육 역량과 그 이유를 말하시오.

[23'초상] 자기성장소개서에 적힌 미래 인재 육성에 적합한 교사 역량과 관련하여 대학교 과제(수업) 또는 동아리에서 길렀던 경험을 구체적으로 말하시오.

[22'초토] 다음의 신년사를 읽고 학생을 미래 인재로 양성하기 위해 교직관을 바탕으로 교사의 역량과 노력할 점을 말하시오.

[22'중토] 미래 교사 역량 중 하나를 선택하여(공동체/자기관리/교수학습) 함양 방안을 말하시오.

[21'비상] 미래 교사의 모습(학습 촉진자, 프로젝트 관리자, 상담자)을 하나 선택하여 자신의 전공과 연계한 교육 방안을 말하시오.

[20'초상] 교육과정에서 교사의 전문적 역량이 무엇인지 말하고, 역량 강화를 위해 시행한 준비와 노력 방안을 말하시오.

[20'초토] 혁신교육 3.0과 연계하여 미래 교사에게 필요한 역량을 말하시오.

[18'중토] 4차 산업혁명 시대 유망 직업을 고민하는 학생을 위한 교사의 역할을 논의하시오.

[18'공상] 4차 산업혁명 시대 현직 교원들에게 가장 필요하다고 생각하는 역량과 그 이유, 역량 구현 방법을 말하시오.

교사 전문성

[25'중비상] 교사로서 학교 밖 교육 자원을 활용한 교육을 하기 위해 필요한 전문성을 제시하고, 제시한 전문성을 개발하기 위해 어떠한 노력을 할 것인지 기술하시오.

[24'초토] 교육 실습생 시절 가장 어려움을 느꼈던 경험을 말하고, 이를 해결하기 위한 역량과 역량을 갖출 수 있는 노력 방안에 대해 각각 2가지 말하시오.

[19'비상] 전문적 학습공동체에 참여할 때 나의 교과와 관련된 주제를 정하고 구체적 계획을 세우시오.

[19'초토] 사례 분석을 통해 전문적 학습공동체의 부정적 요인을 찾고 개선 방안을 말하시오.

[19'중상] 학교에서 느낀 바람직하지 못한 관행 2가지 이상과 이를 바로잡기 위한 실천 계획을 제시하시오.

[18'비상] 동료 교사와 생활교육 전문성을 신장할 방안을 말하시오.

[17'비상] 교사의 전문성 신장을 위한 방안을 말하시오.

[17'초토] 교사별 평가 방안과 전문성 신장 방안을 논하시오.

[16'비상] 전문적 학습공동체의 필요성과 참여하고 싶은 전문적 학습공동체를 말하시오.

[16'중토] 전문적 학습공동체의 의의를 말하고, 참여하고 싶은 전문적 학습공동체와 얻고 싶은 것, 실천 방안을 말하시오.

[16'공상] 임용 이후 20년차 교사가 될 때까지 5년 단위로 본인의 생애 주기별 성장 목표 목록을 작성하시오.

1 교원 전문성: 업무 기준 분류

(1) 수업 전문성

① **정의**: 교육과정 문해력에 기반하여 학생의 배움을 촉진하는 수업을 설계·운영하고, 관찰·기록·평가·피드백으로 성장을 견인하는 능력

② **핵심 역량**: 창의적 사고 역량, 관찰력, 문장기술력, 교수학습 능력, 공동체 협업력 등

③ **전문성 신장 방안**
- 동료 교사와 일상적인 수업 나눔—성찰 루틴화
- 교육공동체 피드백 수렴—개선
- 교육과정 재구성 연수 및 동 교과 협업
- 심화연구: 대학원 진학, 수업연구회 참여 등

사이다 톡 talk! 학교자율과제, 교사교육과정이 보편화되며, 교사의 교육과정 재구성 역량이 매우 중요해지고 있어요. 단, 교사가 하고 싶은 것을 모두 할 수 있는 것은 아니에요. 성취기준에 근거하고 교육공동체와의 합의 과정도 중요합니다. 교육과정을 혼자 재구성하는 것이 아닌, 동료 교사와 전문적 학습공동체 등을 통해 협력하고 교육공동체의 의견을 반영하겠다는 '협력 의지'를 드러내야 합니다!

(2) 생활지도 전문성

① **정의**: 공직자의 품위를 유지하고, 학생들의 전인적 성장을 목표로 한 상담·학급 운영, 진로·진학 상담 능력

② **핵심 역량**: 자기관리 역량, 심미적 감성 역량, 공감 능력, 타자 이해 능력, 공동체 역량 등

③ **전문성 신장 방안**
- 학생의 특성 분석—맞춤형 지도(관찰 기록, 개별 상담)
- 가정—동 학년 교사—유관 부서와의 협력 체계화
- 생활교육, 상담 관련 연수 참여 및 대학원 진학 등

사이다 톡 talk! 학생 맞춤형 지도! 아주 중요한 키워드랍니다. 학생 한 명, 한 명을 맞춤형으로 지도하려면 관찰 능력이 필요하겠죠. 개인 상담도 해야 하고, 가정과의 연대도 필수적이고요. 최근에는 디지털 기반 데이터를 통해 학생의 학습 상황, 건강 상태를 체계적으로 누적 기록할 수도 있답니다. 이런 내용을 면접 답변에 활용해 주세요.

(3) 행정 업무 전문성

① 정의: 학교 업무를 체계적으로 진행하는 능력

② 핵심 역량: 지식정보처리 역량

③ 전문성 신장 방안

- 전임자가 작성한 문서 및 관련 공문 정독
- 업무 체계화 및 인수인계를 위한 업무 매뉴얼 제작
- 필요시 공동체에 협업 요청 등

사이다 talk! 기술의 도입으로 행정 업무가 점차 간소화될 예정이에요. 그렇다면 교사는 본연의 업무인 학생과의 수업, 생활지도 등에 더 많은 시간을 할애할 수 있겠죠. 이를 하이테크, 하이터치라고 해요. 기술에 맡길 것은 맡기되, 그로 인해 확보된 시간을 학생의 성장을 위해 쓰는 것을 의미하죠. 이러한 비전을 내보이면 미래교육을 위해 준비된 교사라는 것을 드러낼 수 있을 겁니다!

(4) 공동체 생활 능력

① 정의: 학교·가정·지역사회와 협업하며 교육을 공동으로 수행하는 능력

② 핵심 역량: 협업 능력, 의사소통 능력

③ 전문성 신장 방안: 문제 상황 발생 시 혼자 해결하는 것이 아닌 교육공동체와의 협업 생활화

사이다 talk! 공동체와 협력하는 것이 교사의 전문성에 포함되는 이유는 교육이 개인적인 활동을 넘어서 사회적이고 공동체적인 성격을 지니기 때문입니다. 교사는 단순히 지식을 전달하는 역할을 넘어, 학생들의 전인적 성장을 도모하고 학교와 가정, 지역사회 등 여러 이해관계자와 소통하며 학생들이 건강한 사회의 일원으로 성장할 수 있도록 돕는 임무를 수행해야 합니다. 이러한 과정에서 공동체와의 협력 능력은 필수적입니다.

② 교사 핵심 역량

교사가 보유하고 있거나 필요로 하는 여러 역량 중 교직을 수행하고 교원의 전문성을 발달시키기 위해 가장 먼저 갖추어야 할 역량

(1) 교사 핵심 역량과 역량 요소

역량군	핵심 역량	역량 요소
교육과정 역량군	교육과정 역량	교육과정 문해력, 교과 전문성
	수업 운영 및 평가 역량	학생 주도 수업 설계, 평가 설계 및 피드백
생활교육 역량군	생활교육 역량	학생 이해 및 공감, 생활교육 상담 전문성
	진로교육 역량	산업 직업 변화 이해, 학생 맞춤형 진로 설계
학교 공동체 운영 역량군	학교·학급 운영 역량	비전 설정 및 실천, 학교·학급 운영 리더십
	소통 및 협력 역량	참여와 책임의식, 상호존중 의사소통
	교육생태계 활용 역량	네트워크 참여, 교육생태계 연계 및 활용
자기개발 역량군	변화대응 역량	사회 변화 대응, 디지털 활용·윤리, 글로컬 시민의식
	교직 전문성 개발 역량	학습과 연구, 윤리적 리더십 및 성찰
	자기관리 역량	자기개발 및 교양, 건강·감정 관리

출처: 2023 교원 역량강화 정책 추진 기본 계획

(2) 미래 교사의 역할과 역량 기출

① 미래교육에서 교사의 역할 재개념화 기출

- 학생 주도 학습을 위한 수업 설계자
- 학생 삶의 역량을 기르는 교육과정 개발자
- 가르치는 사람에서 학습 코치로의 역할 전환
- 포스트 코로나 시대를 살아갈 학생들의 상담자이자 멘토

② 미래 사회 변화와 대응 포인트

미래 사회의 모습	교사의 대응 포인트
학습 흥미 저하	학습 동기 부여, 갈등 해결, 상담 등 학생 지도
인구 감소 및 고령화 시대	개별화 교육, 평생교육 지도
세계화·다문화 가속화	다양성 존중
스마트 시대 도래	인공지능(AI) 및 학습 테크놀로지 활용
지역사회로 확장하는 교육	지역사회의 다양한 기관 및 인사와 네트워킹을 만들고 유지

사이다 톡! talk! 미래교육을 책임지실 선생님! 교사관은 이러한 방향으로 잡아야 한답니다. 카리스마 있는 강의력을 지닌 교사가 아닌, 학생들이 앎을 통해 삶의 역량을 기를 수 있도록 학생 주도 수업을 기획하는 교사가 돼야 해요. 또한 교사의 역량에 대해서 말할 땐 관련된 경험을 꼭 말해야 해요. 이러한 역량이 중요한 것은 당연하고, 이를 위해 무엇을 했는지! 이것이 경기도교육청에서 가장 궁금해하는 점이랍니다. 만약, 경험이 없다면 스터디원과 회의해 겪었던 일을 살짝 각색해도 좋아요. 경기도교육청은 경험을 통해 성찰하는 교사를 좋아합니다! 면접 당일에 긴장해서 경험이 없다고 말하지 않도록, 미리 생각을 해두어야 해요.

함께 채워 봅시다

주요 역량과 관련한 경험을 적어보시오.

변화 대응 역량 :

학습 동기 부여 역량 :

갈등 해결 역량 :

의사소통 역량 :

학생 상담 역량 :

개별화 교육 역량 :

평생교육 지도 역량 :

다양성 존중 역량 :

인공지능 교육 역량 :

지역사회와 네트워킹 역량 :

창의적 역량 :

수업의 다양성 역량 :

유연성 :

감정 관리 역량 :

사이다 톡! talk! 교사 역량에 관해서는 역량이 강화되었던 경험이나 역량 강화 계획 방안을 묻곤 한답니다. 갑작스레 경험에 대한 질문을 받게 되면 잘 떠오르지 않아 당황할 수 있습니다. 따라서 미리 깊게 고민해 보고 그중에서 어떤 부분을 강조해야 할지 꼭 정리를 해두어야 합니다.

(3) 생애단계별 중점 역량 기출

☑ (교사) 신규 교사, 저경력 교사, 중경력 교사, 고경력 교사로 이어지는 중점 역량 제시

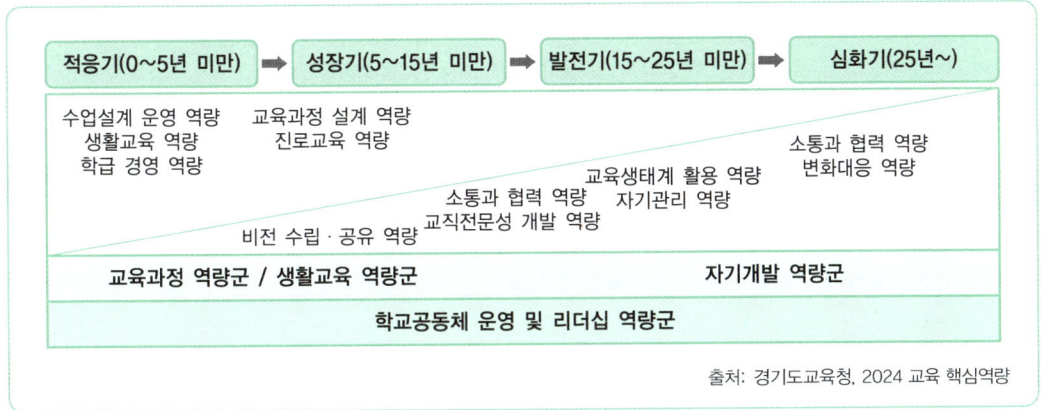

출처: 경기도교육청, 2024 교육 핵심역량

> **사이다 talk!** 경기도교육청에서 제시한 중점 역량을 개발할 방안을 고민해 주세요!

3 전문성 및 역량 강화 노력 기출

(1) 지역 협력

경기도교육청에서 추진하는 지역협력교육을 잘 이해하고, 지역사회와 연대해 다양한 지역 자원을 교육에 활용

(2) 개인 역량 발전

① 자기장학 및 자율장학, 수석교사 컨설팅, 연수, 대학원 진학 등을 통한 개인 역량 발전

② 학생과의 상호 피드백으로 교사로서 갖춰야 할 역량을 고민·성찰

> **사이다 talk!** 경기교육은 디지털 기반의 교실 수업 변화 대응 및 활용을 위한 연수를 강조하고 있어요. AIDT(Artificial Intelligence Digital Textbook) 즉, 인공지능 기반 디지털 교과서 적용 연수 등을 통해 전문성을 발전시키겠다고 이야기하면 교사의 역량을 보여줄 수 있겠죠. 또한 교사는 ▷아동학대 예방, ▷긴급복지 신고 의무교육, ▷장애이해교육, ▷성희롱·성폭력 예방, ▷안전교육, ▷자살 예방 및 위기관리 역량 강화 교육을 필수로 받아야 한답니다. 이를 잘 이해하고, 필수연수를 통해 교사가 꼭 알아야 할 것을 공부해 위기 대응을 위한 전문성을 갖추겠다고 이야기하면 준비된 교사라는 것을 어필할 수 있을 것입니다.

(3) 협업과 공동체 활동

전문적 학습공동체, 탐구수업공동체, 교사 네트워크, 교육연구회 등으로 협업해 역량 성장

사이다 톡talk! 교육연구회는 다양한 영역의 융복합 교육전문성을 갖춘 교원으로서의 성장 기회 제공을 위해 교원의 자율성과 주도성을 기반으로 운영하는 학교 밖 학습공동체를 의미해요. 탐구수업공동체는 '깊이 있는 수업'을 위한 교사공동체를 의미하고요. 깊이 있는 수업은 최근 경기도교육청에서 아주 강조하고 있는 내용이니 꼭 기억해 두세요.

전문적 학습공동체 기출

1. **정의**
   학교 안팎에서 교사들 스스로 공동체를 구성해 전문성을 키우는 모임, 교사 간 집단 성장을 도모하는 활동

2. **방식**: 회의, 투표 등 민주적 방법으로 운영 방식을 결정해야 함
   ① 1교 1주제 전문적 학습공동체: 학교의 모든 구성원들이 하나의 주제를 가지고 관련 전문성을 발전시키는 방법
   ② 주제 중심 전문적 학습공동체: 관심 주제가 같은 구성원이 모여 각 주제에 대해 깊이 있게 학습하는 방법 예) 생활지도 공동체, 배움중심수업 공동체, 자유학기제 공동체
   ③ 학년 중심 전문적 학습공동체: 학년별 담임교사와 교과 전담, 담당 교사 중심으로 배움중심 수업, 생활지도 방식 등의 주제로 성찰과 나눔을 하는 방법
   ④ 교과 중심 전문적 학습공동체: 동 교과끼리 모여 수업 성찰 및 수업 나눔을 하는 방법

3. **기대효과**
   ① 동료 교사와 협력적인 관계 형성 가능
   ② 교사들의 자기 계발 및 전문성 향상 가능
   ③ 수업 및 생활지도의 내실화로 학생들의 배움과 행복 증대

---

(4) 연구와 학습 풍토 조성

연구대회에 참여해 연구·학습 역량 강화로 연구·학습을 일상화하는 교직풍토 조성 및 경기교육 발전에 기여

사이다 톡talk! 전문성 신장 방안을 묻는 문제가 나온다면 여러 대안 중 하나는 꼭! '공동체'와 함께할 수 있는 방법을 넣어야 해요. 그래야만, 이 역량을 중시하는 경기형 교사에 적합하답니다. 또한 임태희 교육감은 '교원의 역량 강화를 위한 석사학위과정 지원'을 주요 추진과제로 삼았답니다. 특히 에듀테크, IB 교육(국제공동 교육프로그램), 디지털 역량 강화를 위한 지원을 아끼지 않겠다고 발표했어요. 뿐만 아니라 교원이 원한다면, 국제교류 프로그램에 참여할 수 있는 길을 열어주겠다고 했으니 이런 것을 언급한다면 준비된 경기 교사의 면모를 보여줄 수 있을 것입니다.

④ 경기도교육청 교원 미래교육 전문성 강화 정책

① **목표**: 연수받는 교원에서, 학습하는 교원을 넘어 연구하는 경기 교원

② **목적**: 수업 전문가로서의 교원 역량 강화, 미래교육을 위한 자율성 기반의 학교 교육력 제고

③ **가치**: 자율성, 전문성, 공동체성, 책무성

④ **추진 내용**: 자율성 기반 학습공동체 및 자율장학 내실화, 맞춤 연수 및 교사 네트워크 활성화, 교원 디지털·AI 역량 강화, 교사 석사 학위 지원 및 수석 교사제·경기교사연구년제 운영

> **경기교사연구년제**
>
> 1. **정의**
>   교육실천가인 교사가 현장 전문성을 기반으로, 교육 전문성 및 학교 교육력 제고를 위해 일정 기간 주체적으로 심화 연구를 수행하도록 지원하는 정책
>
> 2. **목표**
>   교사의 자아 효능감과 전문성 신장 ➡ 학교의 교육력 제고

사이다 톡 talk! 경기도교육청의 교원 전문성 강화 정책을 이해하고, 이 정책에 발맞춰야 합니다.

THEME 3~16
2026 교육 이슈

★★★ 빈출 주제

- THEME 3. 경기미래교육
- THEME 4. 경기교육의 3가지 섹터(학교·공유학교·온라인학교)
- THEME 5. 기본·기초학력 보장 교육
- THEME 6. '깊이 있는 수업' 전문성 강화
- THEME 7. 평가의 변화
- THEME 8. AI·에듀테크 활용 교육
- THEME 9. 디지털 시민교육·개인정보 보호
- THEME 10. 경기형 토론 교육
- THEME 11. 고교학점제
- THEME 12. IB 교육과정
- THEME 13. 학교폭력 예방 교육
- THEME 14. 학교 구성원의 권리와 책임
- THEME 15. 환경교육·탄소중립교육
- THEME 16. 진로·진학교육

2016~2025학년도 출제 주제 빈도
- 교직관: 16.7%
- 경기 정책: 21.5%
- 교과 지도(전공 연계): 23.7%
- 학급 운영: 18.8%
- 현장 문제 해결: 19.4%

빈출 주제 BEST 3(공동)
① 경기교육의 3가지 섹터
② 경기미래교육
② 진로·진학교육
③ '깊이 있는 수업' 전문성 강화
③ AI·에듀테크 활용 교육
③ 학교폭력 예방 교육

 만점 대비 공부법!

교육 이슈는 활성화 배경을 이해하고, 주요 주제들에 대해 교사의 관점에서 바로 실현할 수 있는 현실적인 현장 적용 방안을 세워놓아야 합니다. 핵심 주제인 만큼 꼼꼼히 공부해 주세요.

사이다 면접

3 경기미래교육 ㉠

현장 이야기로 사이다 열기

교육에는 변하지 않는 가치도 존재하지만, 동시에 시대 변화에 맞게 새롭게 반영해야 할 가치도 있습니다. 경기도교육청은 2024년 12월, '유네스코 교육의 미래 국제포럼'을 성공적으로 개최하며 세계 교육 담론과 발을 맞추었습니다. 유네스코가 강조하는 포용성, 지속 가능성, 디지털 전환, 국제협력의 가치가 경기미래교육의 방향성과 일치했기 때문입니다.

이처럼 경기미래교육은 단지 지역 차원의 정책이 아니라, 세계와 함께 미래교육을 만들어가는 플랫폼이자 교사의 역할을 새롭게 규정하는 교육철학입니다. 우리가 경기미래교육을 공부하는 것은 곧, 미래 교사로서 세계적 교육 담론을 이해하고 그것을 현장에서 어떻게 실천할지를 준비하는 과정이 됩니다.

경기미래교육의 지향점을 함께 살펴보며, 교사로서 우리가 맡아야 할 책임과 역할을 구체적으로 고민해 봅시다!

#미래교육_방향성 #교사의_역할

☑ All 기출 문장 및 빈도 체크

연도	자기성장소개서 ㉠			집단토의 ㉡			개별면접 ㉢		
	초	중	비	초	중	비	초	중	비
2016									
2017				✓				✓	
2018									
2019					✓		✓		
2020									✓
2021				미시행					
2022								✓	
2023									
2024								✓	
2025									

*공통 ㉠

[24'㉠] 새로운 경기교육을 실현하기 위해 '균형' 측면에서 학교 현장에서 어떤 학생상이 필요한지 말하고, 그러한 학생을 양성하기 위한 수업 방안과 생활지도 방안을 각각 2가지씩 제시하시오.
[22'㉠] 그린스마트스쿨에서 '광장형' 공간을 활용한 교육 방안을 말하시오.
[20'㉠] 교과 관련 특별실을 학생 중심 교육으로 실현하기 위한 운영 방안을 말하시오.
[19'㉠] 미래 사회 학생들에게 필요한 역량과 경기미래교육 방향에 대한 생각, 학교에서의 구체적인 교육 활동을 논의하시오.
[19'㉠] 미래교육을 위해 학교 공간 중 하나를 골라 창의력과 상상력을 키워줄 방안을 말하되 선정 이유, 구체적 모습, 교육 효과를 포함하시오.
[19'㉠] 미래 사회 학생들에게 필요한 역량과 경기미래교육 방향에 대한 생각, 학교에서의 구체적인 교육 활동을 논의하시오.

[17'초등] 4차 산업혁명을 이끌어 나가기 위한 미래 학교 교육의 변화 모습을 논의하시오.
[17'중등] 제시문의 학생들에게 필요한 미래 핵심 역량(의사소통 역량, 공동체 역량)을 육성할 수 있는 실천 방안을 말하시오.

1 사회 변화와 교육의 시사점 기출

사회·환경 변화	미래 사회 전망	교육에의 시사점
디지털 대전환 시대	산업·사회문화·시스템의 변화	교육 인프라의 디지털 전환
초지능·초연결·초융합 사회	풍부한 정보 습득 가능	지식의 활용과 창출 중심의 역량 신장
저출산·고령화·다문화 사회	인력 부족으로 생산력 부진, 노동 여건의 변화	개인별 맞춤형 기회 제공
기후 위기, 생태환경 변화	인간 생활·건강, 식량 생산, 자원 등 환경 변화	지속 가능성과 세계시민성 지향

사이다 톡talk! 교육에의 시사점을 숙지해 주세요. 미래교육에서 필요한 것이 무엇인지 살펴보고, 이를 위해 교사인 우리가 할 수 있는 일에 대해 고민하고, 자신의 교육 설계 방안에 시사점이 반영되어야 합니다!

2 경기미래교육의 인재상

(1) 경기교육의 비전: 자율, 균형, 미래

① 자율: 교육공동체가 신뢰와 협력을 바탕으로 스스로 결정하고 책임 있게 실천하는 것
② 균형: 교육공동체가 서로 다름을 인정하고 존중하며 조화로운 성장을 지원하는 것
③ 미래: 학생이 스스로 꿈을 펼치고 함께 만들어 미래를 향해 나아갈 수 있도록 지원하는 것

(2) 인재상

예측 불가능한 미래 사회에서 새로운 가치를 창출하고 자신의 삶을 스스로 설계하며 공감과 포용, 공존의 가치를 실천하는 세계시민으로 인성과 역량을 갖춘 사람

① 배움으로 삶을 만들어가는 학습인: 기초학력을 기반으로 삶을 주도적으로 설계하고 새로운 가치를 창출
② 공감하며 실천하는 포용인: 공감과 포용으로 존중, 배려, 협력, 책임을 실천

③ 함께 미래를 열어가는 세계인: 사회 변화에 능동적으로 참여하고 세계시민으로의 역할 수행

④ 환경과 공존하는 건강한 생태인: 지구 환경과의 공존을 위해 개인과 사회적 차원에서 성찰하고 실천

사이다 talk! 경기도교육청에서 밝힌 인재상을 들여다보며, 이런 인재에겐 어떤 역량이 필요하고, 이러한 인재 양성을 위해 어떤 교육을 하면 좋을지 교과 지도(전공 연계), 학급 운영 측면에서 각각 고민해 보세요.

③ 유네스코와 경기교육

사이다 talk! 경기교육과 유네스코는 교육에 관한 방향성이 비슷해 교육적 협력을 모색했습니다. 어떤 부분에 공감하고, 어떠한 교육을 지향하는지 살펴봄으로써 경기미래교육이 나아갈 방향을 고민해 봅시다.

(1) 사회 변화 속 교육이 직면한 상황

① 교육의 불평등

유네스코	경기도교육청
경제 상황, 인종, 성별에 따른 교육 격차	지역 환경으로 인한 교육 격차 발생

② 환경적·사회적·기술적 위기

유네스코	경기도교육청
기후 및 생태 변화, 민주주의 후퇴, 양극화, 디지털 사회	생태 및 환경 변화, 인구 구조 변화, AI·디지털 전환

③ 시사점

유네스코	경기도교육청
지속 가능한 대안 마련의 필요성, 기술과 더불어 살기 위한 학습 강조	단 한 명도 소외되지 않는 교육 환경 조성, 디지털 역량 및 디지털 시민 역량 강조

사이다 talk! 유네스코와 경기도교육청 모두 현재 교육이 직면한 불평등과 다양한 위기 상황을 인식하고 있습니다. 그리고 그 해법으로 포용성과 지속 가능성을 기반으로, 기술을 책임 있게 활용할 수 있는 역량을 학생들에게 길러주는 것을 핵심 과제로 삼고 있습니다. 교사인 우리도 이러한 시사점을 마음에 새기며, 수업과 학급 운영 속에서 미래교육의 방향을 반영하는 활동을 포함해야 합니다.

(2) 교육의 새로운 방향과 혁신적 접근법 제시

① 교육의 방향성

유네스코	경기도교육청
협업, 연대, 공감 기반 교육	공동재로서의 교육, 인성·시민 교육, 학부모 교육

사이다 talk! 교육의 책임을 학교 혼자 짊어지는 것이 아닌 협력, 협업을 통한 교육을 지향하고 있습니다. 여기에서는 경기도교육청에서 언급한 '공동재로서의 교육'을 이해하는 시간을 가져볼게요. 공동재로서의 교육은 기존의 '공공재로서의 교육'과 구분해야 합니다. 공공재로서의 교육은 정부가 관리하고, 모든 학생이 평등하게 교육을 제공받는다는 개념입니다. 예를 들어, 학교 시설이나 수업은 동일하게 제공되지만, 문제가 생겼을 때의 책임 역시 주로 정부에 있습니다. 학생과 학부모는 '받는 사람'에 머물기 쉽습니다. 반면, 공동재로서의 교육은 모두가 참여해 함께 만들어가는 교육을 의미합니다. 교사, 학생, 학부모가 공동체의 일원으로서 각자의 역할을 하고, 교육을 함께 가꾸어 나가는 것이 핵심입니다. 따라서 면접에서 답변할 때 교사로서 공동재 교육의 취지를 이해하고 이런 방향으로 교육 방안을 설계해야 합니다. 모두의 참여! 모두의 책임! 꼭 잊지 마세요.

② 교육과정 설계

유네스코	경기도교육청
• 생태적·상호문화적 학습 • 디지털 문해력, 비판적 사고력 • 민주시민의식 • 복수언어, 수학, 인문학, 과학	• 생태환경 교육 • AI 기반 맞춤형 교육, 디지털 시민교육 • 다문화교육, 세계시민교육 • 외국어교육, IB 프로그램, 과학고 설립 추진

사이다 talk! 학생이 자기주도성을 가지고, 자신을 둘러싸고 있는 사회, 문화, 환경 등에 대해서 탐구할 수 있는 융·복합적인 교육과정이 필요하다고 보고 있습니다. 따라서 교사인 우리는 학생들이 단순히 교과목의 성취에 머무르지 않고, 기후 위기·다문화 공존·디지털 윤리 등 실제 삶의 문제를 스스로 탐구하고 해결할 수 있도록 교육과정을 설계할 수 있는 능력을 갖추고 있어야 합니다.

③ 교사의 역할

유네스코	경기도교육청
• 사회 변혁의 주체(변혁적 역량) • 협업과 자율성을 바탕으로 한 전문성 강화 • 교육 혁신과 연구 참여 • 학습자와 함께 문제 해결 프로젝트 실시 • 연속적 전문성 개발 체계 구축 • 신규 교사 지원	• 콘텐츠 프로슈머, 교사 전문성과 자율성 존중 • 지식 전달자를 넘어 교육 혁신의 주체 • 협력적 연구 및 실천 지원 • 교사와 학생의 상호작용(하이러닝) • 교육 활동 보장

사이다 talk! 교사를 매우 중요한 주체로 바라보는 것도 동일합니다. 두 기관 모두 교사를 '교육 변화의 주체'이자 '전문성을 지속적으로 개발해야 하는 존재'로 보고 있습니다. 따라서 우리는 단순히 수업을 전달하는 역할을 넘어, 연구와 혁신을 주도하고, 학생과 함께 문제를 해결하는 협력자로 자리매김해야 합니다.

사이다 면접

④ 학교와 학습 환경의 재구성

유네스코	경기도교육청
• 개인과 집단의 웰빙 지원 • 녹색학교·탄소중립교육 • 공동체 중심의 환경 • 지역사회와의 협동 교육 • 유연한 교육 장소 • 디지털 기술로 보완 • 평생 학습 준비	• 자율 역량 강화 • 학생 중심의 자율성과 성장 강조, 맞춤형 교육과정 운영 • 건강하고 안전한 교육환경 조성 • 탄소중립교육, 그린미래학교 • 경기교육 3가지 섹터 도입 • 평생학습과 연계된 교육 강조

사이다 톡talk! 유네스코와 경기도교육청 모두 학교를 배움과 성장 중심으로 바라봅니다. 단순히 지식을 주입하는 곳이 아니라, 학생의 웰빙과 지속 가능성을 보장하는 공간, 그리고 지역사회·평생학습과 연결되는 열린 장으로 재구성해야 한다는 점을 강조합니다. 학교를 학생이 주체적으로 배우고, 지역사회와 연결되며, 미래를 준비하는 살아있는 공간으로 만들고 싶다는 의지를 표현한다면, 경기교육에 대한 높은 이해도를 드러낼 수 있을 것입니다.

(3) 새로운 사회계약 촉진

① 연구와 혁신의 역할

유네스코	경기도교육청
• 교육적 도구로의 기술 활용 • 디지털 교육환경 확대 • 데이터 활용 • 데이터 이상의 현실의 복잡성 반영	• 경기교육 3가지 섹터, 경기이음온학교 • 데이터 기반 행정체계 마련 • 하이테크·하이터치

② 세계적 연대와 국제협력

유네스코	경기도교육청
• 글로벌 협력: 공공재이자 공동재로서의 교육 • 소외된 집단의 교육권 보장(난민, 이주민)	• 유네스코와의 협력 • IB 프로그램 • 단 한 명도 소외되지 않는 교육

③ 포용적 거버넌스와 사회적 참여

유네스코	경기도교육청
• 정책에 다양한 이해관계자들의 의견 반영 • 공공성과 형평성 중심: 상업적 논리 배제	• 교육공동체의 의견 반영 • 토론 수업(한국형 보이텔스바흐)

사이다 톡talk! 유네스코와 경기도교육청은 공통적으로 디지털 기술과 온라인을 적극 활용하고, 국제협력을 확대하며, 소외 없는 교육을 지향한다는 점을 강조합니다. 또한 교육공동체의 목소리를 반영하는 참여적 거버넌스를 중시하고 있지요. 이러한 시사점은 우리 교사가 교육 활동을 설계할 때 반드시 염두에 두어야 할 부분입니다. 교직관 속에 포용성과 협력, 지속 가능성을 담아낸다면 미래교육에 더욱 설득력 있는 답변을 만들 수 있을 것입니다!

④ 경기미래교육을 위해 계속할 것, 중단할 것, 새롭게 만들어 갈 것

사이다 talk! 3가지 질문에 대한 경기교육의 대답을 통해 경기미래교육에 대한 그림을 완성해 봅시다.

(1) 무엇을 계속해야 하는가?

학교에서 존중과 배려, 협력과 책임을 통해 인성을 키우고 공동체 속에서 역량을 키우는 일
예 기초역량교육, 기본인성교육, 자율성, 자기주도성, 협력성, 개방적이고 포용적인 자세 함양

사이다 talk! 이런 것들을 길러주기 위해 교사로서 나는 무엇을 할 것인지 고민해야 합니다.

(2) 무엇을 중단해야 하는가?

배우는 주체를 한정하고, 교육의 시간과 공간에 제한을 두었던 기존 교육의 관습과 틀 속에서 그저 관행적으로 이어져 왔던 일 **예** 문제를 푸는 기술에 집중하는 것, 편향적인 교육

사이다 talk! 나의 교직관이 문제를 푸는 기술에 집중하진 않았는지 점검해 보세요. 또한 포용적이고 개방적인 태도, 상대를 인정하기 위한 교육을 위해 나는 어떻게 학급 운영을 할 것인지 고민해 보세요.

(3) 무엇을 새롭게 창조해야 하는가?

연대와 협력의 교육을 실현해 나가는 방법을 새롭게 만들어 가는 일
예 협력, 디지털 소통 능력, 고령화 사회를 위한 체력 향상

사이다 talk! 역시 이런 것들을 길러주기 위해 교사로서 나는 무엇을 할 것인지 고민해야 합니다.

⑤ 경기형 공간 재구조화

(1) 도입 배경

미래 사회 변화에 따른 학생 중심의 다양하고 유연한 미래형 학교 공간 구축의 필요성 대두

(2) 경기형 공간 재구조화 특화 사업 내용 `기출`

① 학교 단위 종합 추진: 모든 학교 공간에서 스마트 기기를 활용해 교육 활동을 할 수 있는 스마트 환경 구축

예 온·오프 연계 프로그램 및 공간 마련, 전자칠판·태블릿PC·로봇·가상현실(VR)·인공지능(AI) 등이 실현되는 인프라, 가변적 공간, 터치스크린, 인터랙티브 월(Interactive Wall) 등

② **스마트 기반 광장형 공간:** 미래형 학교 공간인 스마트 기반 광장을 위한 증축 등 공간 구축, 학생들의 다양한 활동과 민주적 소통을 기를 수 있는 광장형 공간 조성

③ **융·복합 다목적 공간 구현:** 획일적인 학교 공간을 탈피해 융·복합 기능의 다양하고 유연한 공간을 구축해 창의적인 교수·학습과 학생 활동 실현
   - 예 교육과정과 교육 방법 변화에 순응할 수 있도록 소그룹 활동을 지원하는 끼리끼리 공간, 융합 교과 공간, 이름이 없는 (no-brand) 공간, 다용도로 사용할 수 있는 1+1 공간

④ **자연 친화적 생태 공간 조성:** 학생들의 쉼·놀이·학습 활동이 이루어지고, 생태자원을 활용한 교육의 장이 될 수 있도록 추진
   - 예 학교별 특성에 맞는 학교숲(운동장 재구조화 활용), 교실숲, 생태학습정원, 바이오월(벽면녹화), 중정, 생태 텃밭, 옥상 정원 등

⑤ **안전한 미래학교 구축 운영:** 공사 기간 안전 및 학습권 확보, 학교시설 내진 보강 및 안전 진단 강화

사이다 톡talk! 2024학년도부터 '그린스마트스쿨'이란 표현을 잘 사용하지 않고 있어요. 하지만 경기형 공간 재구성의 방향은 이전의 그린스마트스쿨과 같아요. 공간 재구조화가 필요한 이유를 기억해 두시고, 여러분이 생각하는 학교의 모습도 그려주세요. 단, 그 방향이 경기 지향점과 같아야 하고 여러분 개개인의 교직관이 녹아있어야 합니다.

4　경기교육의 3가지 섹터(학교·공유학교·온라인학교) 공

현장 이야기로 사이다 열기

경기교육에서 가장 큰 변화를 꼽아보라고 하면 '공교육의 확장과 교육 패러다임의 전환'을 말하고 싶습니다. 경기교육은 그동안 전통적으로 학교 교육에 국한되었던 공교육을 지역과 온라인 공간으로까지 확장하여, 단 한 명의 아이도 소외받지 않는 교육, 누구나 원하는 교육을 받을 수 있도록 미래교육을 만들어 가고 있습니다. 언제, 어디서나, 누구에게나 공평한 교육을 위해 나아가겠다는 포부를 밝히고 있죠. 이런 경기교육의 방향성과 같이 하는 교사가 될 수 있어야 합니다.

지금부터 매우 중요한 경기교육의 3가지 섹터 체제를 이해하고, 그 속에서 교사는 어떤 역할을 해야 할지 고민해 봅시다.

#학교 #공유학교 #온라인학교

☑ All 기출 문장 및 빈도 체크

연도	자기성장소개서 성			집단토의 토			개별면접 면		
	초	중	비	초	중	비	초	중	비
2016									
2017									
2018					✓				
2019									
2020							✓		
2021				미시행					✓
2022									
2023							✓	✓	✓
2024							✓		
2025	✓	✓	✓				✓	✓	✓

*공통 공

[25' 중 비 성] 교사로서 학교 밖 교육 자원을 활용한 교육을 하기 위해 필요한 전문성을 제시하고, 제시한 전문성을 개발하기 위해 어떠한 노력을 할 것인지 기술하시오.

[25' 초 성] 교사로서 학교 및 지역의 물리적 한계를 뛰어넘어 공평한 교육 기회를 제공할 수 있는 방안 2가지를 제시하시오.

[25' 비] 학생에 대한 책임교육을 확대하고 학생의 성장을 통합적으로 지원하기 위해 자신의 전공과 연계하여 활용할 수 있는 지역 자원을 제시하고, 이를 활용한 구체적인 교육 방안 2가지를 말하시오.

[25' 중 면] 경기미래교육을 위한 교사의 역량은 무엇인지 말하고, 이를 바탕으로 영화감독이 되고 싶으나 학교에 관련 과목이 개설되지 않아 고민인 학생, 탄소중립교육을 다른 나라 학생들과 함께 프로젝트 수업으로 진행해 보고 싶은 학생을 지도하기 위한 교사의 역할을 제시하시오.

[25' 초 면] 공평한 교육 기회를 제공해야 하는 이유 2가지를 말하고, A 학생(다문화 가정 출신, 농촌 지역 거주, 기초학력 부족, 천체 분야 관심)에게 적용할 수 있는 구체적인 교육 방안 2가지를 제시하시오.

[25'초중] 공교육 1~3섹터를 참고하여, 교사가 학생들의 미래 역량 함양을 위해 실천할 수 있는 교육 방안을 교육과정 측면과 학급 운영 측면에서 각각 2가지씩 제시하시오.

[24'초중] 새로운 경기교육을 실현하기 위해 '균형' 측면에서 학교 현장에서 어떤 학생상이 필요한지 말하고, 그러한 학생을 양성하기 위한 수업 방안과 생활지도 방안을 각각 2가지씩 제시하시오.

[23'비] 교육공동체 중 하나를 골라 이들을 대상으로 할 교육 방안을 말하시오.

[23'초중] 제시문을 참고하여(지역교육 협력체제 구축) 기초학력 향상을 위한 교과 교육 방안을 말하시오.

[23'초중] 다음 경기교육의 방향성을 교육적 관점에서 분석하고(지역사회 협력 교육) 이를 실현할 방안을 교육과정 및 학급 운영 측면에서 설명하시오.

[21'비] 청소년 수련관, 미술관, 행정복지센터 중 선택하여 자신의 전공과 관련해 하고 싶은 교육 활동 프로젝트를 제시하시오.

[20'초중] '온 마을이 학교다.'라는 의미를 경험에 비추어 말하고, 교실에서 실현할 수 있는 방안을 말하시오.

[18'초중] 지역 인프라를 활용하여 사교육비 절감을 고민하는 학부모의 고민을 해결할 수 있는 교사의 역할을 논의하시오.

사이다 톡 talk! 임태희 교육감 취임 이전에는 '마을교육공동체', '꿈의 학교' 등으로 추진되던 정책이 있습니다. 이러한 지역사회 협력 교육은 그 취지를 계승하여 경기교육 3가지 섹터에 포함하였습니다. 다만 경기교육 3가지 섹터라는 용어는 2024년부터 사용했음을 숙지해 주세요!

1 취지

① 경기도는 도시·농촌·산촌·어촌이 공존하고, 인구 밀집 지역과 감소 지역이 혼재하는 등 교육을 학교 안에만 한정하기 어려운 지역적 다양성과 한계 존재

② 학교-공유학교(지역 협력 교육)-온라인으로 교육을 확장해 지역·환경 차이와 관계없이 공평한 배움을 보장하고, 단 한 명도 소외됨 없는 교육을 실현하고자 함

2 경기교육 3가지 섹터

1. 교육 1섹터: 학교

(1) 역할

① 경기교육 3가지 섹터의 출발점이자 중심

② 기본 인성과 기초학력·역량을 다지는 공간

③ 학생의 전인적 성장과 세계시민으로의 성장을 지원

(2) 교육 내용

① 인성·생활교육: 자율과 책임이 조화를 이루는 인성교육, 성장단계별 생활교육

② AI·디지털 교육: 학생 1인 1스마트 기기 보급, 전 학교 wifi 구축, AI 기반 '하이러닝' 플랫폼 운영, 디지털 시민교육 강화

③ 세계시민교육·생태전환교육: 다양성과 공존, 환경 보전, 지속 가능한 삶을 실천하는 글로벌 역량 함양

(3) 운영 방식

① 학교 자율 운영: 행정업무 축소·분리, 학교자율과제 운영, 교육공동체 의견 반영

② 교사의 전문성 강화: '하이코칭' 플랫폼 등 AI 기반 교수·학습 지원, 변혁적 역량 함양, 연구·실천 중심 교사상 강조

③ 공동의 학교 문화: 학생·교사·학부모가 비전과 가치를 공유하며 상호존중과 협력의 소통 문화 조성

2. 교육 2섹터: 공유학교 기출

(1) 정의

지역사회와의 협력을 기반으로 학생 맞춤교육과 다양한 학습 기회를 보장하기 위한 학교 밖 학습 플랫폼

(2) 취지

학교만으로는 학생들의 다양한 학습 요구를 모두 충족하기 어렵기에 지역사회의 인적·물적 자원을 활용해 학생 맞춤형 교육을 실현하고자 함

(3) 학습 플랫폼으로서 경기공유학교의 특성

① 학교 교육의 보완재: 학교가 기초학력·기본 인성 교육에 집중할 수 있도록 돕고, 학생의 학습 경험을 보충·심화·확장

② 지역 맞춤형 교육: 경기도 31개 시·군 특성에 맞게 자율 운영. 다문화 지역, 농산어촌, 소규모 학교, 과대·과밀학급 등 다양한 교육 요구 해결

③ 공교육 플랫폼: 교육지원청 주도 운영, 과정·성과를 점검하며 체계적 질 관리 수행

(4) 경기공유학교 프로그램 유형별 운영 사례

① 지역 맞춤형 프로그램: 학생, 학부모, 학교의 수요를 기반으로 지역 교육 자원을 활용해 교육장이 개발하고 교육감이 인정한 8차시 이상의 프로그램

② **경기이룸학교**: 기획워크숍을 통해 학생이 희망하는 주제를 학교 밖 자원과 연결해 학교에서 경험하기 힘든 주제에 대한 학생의 자율적 도전과 주도적 성장을 지원하는 학생주도 프로젝트

사이다 톡 talk! 이룸학교 강의는 기초체력(체육, 댄스 등)·기초학력(글쓰기, 고전 문학, 경제 등)·기초소통 능력(외국어 소통 능력, 언어 등), 기본 인성(스포츠, 미술, 요리, 음악, 영상, 영화, 뮤지컬, 연극 등), 미래 역량(IT, 인공지능, 진로, 생태, 과학, 창업, 로봇 제작 등) 등을 포괄해요. 또한 지역 연계, 즉 발표회에 마을주민을 초청한다거나 음식을 만들어 근처 노인정, 보육원에 나눔을 한다거나 마을 합창단과 연계해 같이 노래를 한다거나 지리적으로 소외된 곳으로 가서 음악 심리 치료를 하는 형식으로 진행하고 있어요.

③ **경기이룸대학**: 중3, 고등학생을 대상으로 대학 및 전문기관과 협력해 학생의 진로 개척과 전문 학습 역량을 지원하기 위한 맞춤 강좌를 개설하고 운영하는 학교 밖 프로그램

경기도 고등학생 및 동일 연령대 학교 밖 청소년	경기도 중학교 3학년 학생 및 동일 연령대 학교 밖 청소년
• 방문형: 학생이 해당 대학 또는 기관을 직접 방문해 수강하는 형태 • 거점형: 지역의 고등학교 또는 지정 시설에서 수강하는 형태 • 온라인형: 전체 강의를 실시간 쌍방향 온라인 수업으로 진행하는 형태	• 방문형: 학생이 해당 대학 또는 기관을 직접 방문해 수강하는 형태 • 온라인형: 전체 강의를 실시간 쌍방향 온라인 수업으로 진행하는 형태

사이다 톡 talk! 지역사회와 연계할 수 있는 방안은 이 외에도 무척이나 많아요. 도서관, 박물관 등 지역자원을 수업에 활용하거나 현장체험학습을 통해 체험중심교육을 하는 방안도 있고요. 예술교육 측면에서 지역사회의 인적 자원을 활용하는 방안도 있습니다. 임태희 교육감은 한 인터뷰에서 '휴먼 라이브러리'를 언급했는데요. '휴먼 라이브러리'는 사람이 한 권의 책이 돼 전문 지식과 생생한 경험을 나누는 지식 공유 플랫폼을 의미해요. 이재정 전 교육감 시절의 '사람책'과 같은 것이라고 보면 된답니다. 지역 직업인 누구든 인적 자원으로서 등록할 수 있고, 필요시 연계 교육하겠다는 방향성을 꼭 기억하고 활용해 주세요.

④ **지역기관 공헌 프로그램**: 지역사회 기관이 지역 학생 맞춤 교육을 위해 학생 요구에 맞는 프로그램을 인증 과정을 거쳐 교육 자원을 기부하거나, 자체 운영하는 학교 밖 프로그램

⑤ **지역위탁형 프로그램**: 심리적, 환경적, 언어적 요인으로 소속 학교에서 학업을 지속하기 어려운 학생의 회복과 적응을 돕는 인성교육 기반의 위탁 프로그램

⑥ **수업위탁형 프로그램**: 소속 학교에서 운영하기 어려운 개별 맞춤 교육 활동을 제공하거나 교육과정 운영상 필요에 의해 정규수업시간에 개설·운영되는 위탁프로그램. 배움이 느린 학습자, 이주배경학생 등 교육소외 학생의 회복과 적응을 돕기 위한 프로그램 개설·운영

⑦ **대학연계형 프로그램**: 대학과 협력하여 학생의 진로 개척 및 전문 학습 역량 신장을 지원. 지역 내 대학이 없거나 이동이 어려운 지역별 여건을 반영하여 대학을 방문하여 참여하는 방문형 이외에도 인근 거점시설을 활용하는 거점형, 실시간 쌍방향 온라인 수업으로 운영되는 온라인형으로 운영

(5) 운영 성과

① **심화 학습 제공**: 학교에서 배우기 어려운 다양한 관심 분야를 8차시 이상 학습하며, 학생들의 95.2%가 진로 연계·전문가 협업에 만족한다고 응답

② **지역교육 역량·공동체성 강화**: 지자체·기관·주민이 참여하는 네트워크로 지역 교육력 제고, 성과 발표회가 지역 축제로 발전, 전문가의 지역 환류 사례 증가 등

③ **교육 격차 해소·약자 지원**: 인구감소 지역·과대과밀 지역·특수교육 대상 학생 등 소외 없는 균등한 학습 기회 제공. 교육지원청이 적극 개입해 프로그램 개설과 공간 공유를 지원

3. 교육 3섹터: 경기온라인학교 기출

(1) 취지

① 학교(1섹터)와 경기공유학교(2섹터)가 충족하기 어려운 교육 수요를 지원하기 위한 새로운 학습안전망 예 인적·물적 자원 부족 지역 학생, 학교 밖 청소년, 다문화·특수학생 등

② 언제·어디서나 접속 가능한 개방형 학습터로 맞춤형 교육 제공, 글로벌 학습 확장을 목표로 설립

(2) 특징

① 인공지능 기반 교수·학습 플랫폼 운영

- 유연한 교육과정 제공
- 온라인 및 온·오프라인 혼합형 학습으로 맞춤형 교육 지원
- 스마트 기기 보급과 디지털 학습환경을 구축해 학습 선택권 확대
- 진로 연계 교육과정 제공

② 학습안전망 구축

- 기초학력을 보장하고 교육 격차 해소
- 맞춤형 학습을 위한 지능형 튜터링 시스템
- 디지털 시민 역량 교육
- 보편적 학습설계를 적용한 디지털 콘텐츠를 보급해 모든 학습자가 공평한 학습 기회를 누릴 수 있도록 지원

③ 학습인정 시스템 도입

- 학생의 다양한 온라인 학습 경험을 수업으로 인정
- 디지털 인증제도와 학생 포트폴리오를 활용해 진로와 취업을 위한 교육을 강화
- 학교 밖 청소년과 외국 학생의 학습도 인정

(3) 유형

① 하이러닝

- 의미: 교사와 학생, 학생과 학생, 교사와 교사를 연결하는 AI 기반 교수·학습 플랫폼. 참여학습(Hi Learning), 성장학습(High Learning), 융합학습(Hybrid Learning)을 지원하며, 맞춤형 학습·협업학습·디지털 시민교육을 실현하는 핵심 도구
- 특징

맞춤형 수업 설계	AI가 학습자의 데이터를 분석해 교사에게 수업 설계 자료 제공, 학생에게는 개별 맞춤형 콘텐츠·피드백 추천
상호작용 강화	교사는 실시간으로 학생 학습과정을 관찰 가능, 학생은 교실 안팎에서 동료와 협력 학습
시간·공간 확장	클래스보드에 모든 수업·자료·필기가 저장되어 학습 결손 방지 및 재학습 지원. 동료 교사와 콘텐츠를 공유·재구성하는 교사 커뮤니티 기능 제공
학습 격차 해소	경기도 학생 대상 80만여 개 콘텐츠 무료 제공 ➡ 교육 기회의 공평성 확보
학습 효과 검증	학생·교사 만족도 높음. 특히 개인 맞춤형 수업 설계와 클래스보드 활용도가 높다고 평가됨
디지털 시민교육	최초 로그인 시 '디지털 서약(Digital Citizenship Pledge)'으로 출발. 단순 학습 공간이 아니라 배움 + 실천이 공존하는 교육의 장. 학생들은 탐색·협력·비판적 수용 과정을 통해 디지털 시민 역량을 기름

② **경기이음온학교**: 소규모 학교의 교육과정 운영 지원을 목적으로 개교한 경기도의 온라인 학교

③ **공동교육과정**: 희망 학생이 적거나 교사 수급 곤란 등으로 단위 학교에서 개설이 어려운 소인수·심화 과목 등을 학교 간 연계·협력을 통해 운영하는 교육과정·운영
- 온라인 공동교육과정: 실시간/쌍방향/온라인 방식으로 원격 수업 운영
- 오프라인 공동교육과정: 거점교, 거점센터 등에서 대면 수업 운영

사이다 톡 talk! 경기도교육청은 지금까지 고등학교에서만 운영했던 공동교육과정을 초·중학교까지 확대해 학생의 학습 선택권을 넓힌다고 하는데요! 이 점도 기억해 주세요.

4. 경기교육 3가지 섹터 활성화를 위한 교사의 역할

① 교육 자원 제공
② 지역과 학교 상황을 고려한 프로그램 제안
③ 학생의 개별성을 고려한 프로그램 추천
④ 홍보 및 참여 안내

사이다 톡 talk! 2025학년도 경기도교육청 임용 면접의 빈출 주제를 꼽으라면 바로 이 3가지 섹터를 들 수 있습니다. 올해 면접 문제에 직접 출제되지 않더라도, 답변의 기대효과나 맺음말에 3가지 섹터를 녹여낸다면 경기교사로서의 전문성과 역량을 드러낼 수 있을 것입니다.
실제 면접 피드백 과정에서 한 수험생이 "현직 선배가 그러는데, 하이러닝을 만들어만 놓고 잘 안 쓴다고 답변에 하이러닝을 말하지 말라는데 어떡할까요?"라는 질문을 했습니다. 이는 경기 임용 면접 준비가 부족했기 때문에 나올 수 있는 발언입니다. 경기교육에서 강조하는 정책은 반드시 기억해야 하며, 현장에서 정착하는 데 시간이 다소 걸리더라도 정책적 방향을 존중하고 적극적으로 활용하려는 태도를 보여야 합니다. "지금은 현장 적응 과정에 있지만, 저는 이를 활용해 학생 맞춤형 교육을 실현하겠습니다."라는 태도가 경기면접에서 원하는 모습이라는 점을 꼭 기억하세요.

5 기본·기초학력 보장 교육 (공)

현장 이야기로 사이다 열기

교직 현장에 있다 보면 기초학력의 중요성을 매일 느낍니다. 수업을 따라가기 어려운 학생은 자존감이 무너지고, 또래와 어울리는 데에도 자신감을 잃곤 합니다. 결국 수업은 잠을 자거나 다른 생각으로 채워지며, 학습의 선순환 고리를 놓치게 되죠.

사회적으로도 기초학력은 반드시 보장되어야 합니다. 학습 격차는 곧 사회적 격차로 이어지기 때문입니다. 기본적인 읽기·쓰기·셈하기 능력을 확보하지 못하면, 성인이 되었을 때 사회 참여와 직업 선택의 폭이 좁아지고, 사회 불평등이 심화될 수 있습니다. 따라서 기초학력 보장은 한 학생의 성장을 넘어 사회의 지속 가능성과 직결된 과제입니다.

이와 관련해 경기도교육청은 2025년부터 기초학력 보장을 위한 학생 맞춤 통합 지원을 강화한다고 밝혔습니다. 어떠한 모습일지 함께 살펴보며, 그 속에서 교사인 우리의 역할을 고민해 봅시다.

#필요성 #방안 #교사의_역할

☑ All 기출 문장 및 빈도 체크

연도	자기성장소개서 (성)			집단토의 (토)			개별면접 (면)		
	초	중	비	초	중	비	초	중	비
2016									
2017									
2018									
2019									
2020									
2021	미시행								
2022									
2023									✓	
2024								✓	
2025							✓		

*공통 (공)

[25'초] 공평한 교육 기회를 제공해야 하는 이유 2가지를 말하고, A 학생(다문화 가정 출신, 농촌 지역 거주, 기초학력 부족, 전체 분야 관심)에게 적용할 수 있는 구체적인 교육 방안 2가지를 제시하시오.

[24'중면] 학교 ERRC를 분석하여 기초·기본학력을 보장하고, AI에 기반한 학생 1:1 맞춤형 교육을 하기 위한 방안을 담임교사와 교과교사 측면에서 각각 2가지 제시하시오.

[23'중면] 제시문을 참고하여(지역교육 협력체제 구축) 기초학력 향상을 위한 교과 교육 방안을 말하시오.

① 기초학력 부진

보통 또는 그 이상의 지능을 가지고 있음에도 기초학습 능력 및 교과학습 능력이 부진한 상태

> **학력이란** 학교 학습의 성과 또는 성공적인 학습 경험의 지표로서, 지식을 구성하고 활용해 스스로 삶의 문제를 해결하는 능력
>
> **기본학력이란** '모든' 학생들이 초등학교 또는 중학교를 졸업할 때, 반드시 알고 할 수 있어야 하는 것으로서 배운 것을 활용해 실제 삶의 맥락에서 문제를 해결할 수 있는 능력

예) 기초학습 3R's(읽기, 쓰기, 셈하기) 부진학생 및 다문화, 탈북학생 등(특수교육 대상 학생 ×) ➡ 정서·신체·환경적으로 다양한 요인에 의해 학습 부진 발생

② 기초학력 미달 실태

☑ 최근 3년간 3R's 기초학력 미달 비율 추이

학년도	기초학력 미달 비율(%)			전체
	초(3~6학년)	중(1~3학년)	고(1학년)	
2022	1.77	1.86	2.13	1.92
2023	1.66	2.48	1.92	2.02
2024	1.65	2.59	1.93	2.06

출처: 경기도교육청, 2025 경기 기초학력 보장 시행 계획

초등학생 기초학력 미달 추이 소폭 감소, 중학생·고등학생 기초학력 미달 증가 추세에 따른 기초학력 보장 정책 추진 강화 필요

③ 기초학력 보장 교육 필요성

(1) 개인의 삶과 사회 발전을 위한 기초학력 중요성 부각

① 기초학력은 개인이 존엄을 지키며 사회적 삶을 유지할 수 있는 필수적 전제 조건, 근래에는 인권으로서의 의미 부각

② 모든 학생이 기초학력을 갖출 수 있도록 지역 간 격차 해소, 지원 사각지대 해소 필요

(2) 기초학력 미달 학생의 지속적 증가

학교의 지속적인 노력에도 기초학력 미달 학생이 증가하는 추이를 보여 사회적 우려 증대

(3) 코로나19로 인한 기초학력 저하 및 학습 결손 누적

장기간 비대면 수업 상황과 제한된 학습 활동의 여파가 학습 결손 및 학습 격차로 이어졌으며, 단기간 회복에 한계가 있음

4 2025학년도 경기도교육청 중점 추진 내용

(1) 진단 의무화 및 정교화
  ① 학교 단위 진단검사 실시 의무화
  ② 진단-보정 시스템 연동 강화, 국가 문해·수리력 진단 도구 제공

(2) 가정책임지도 강화
  ① 학습지원교육 불참 시 가정 확인
  ② 향상도 조사 결과 학부모 통보 및 관리

(3) 3단계 안전망 고도화
  ① 교과보충 집중 프로그램 일몰 ➡ 학교 자율형 운영
  ② 두드림학교 진단-보정 연계 강화, 복합학습 지원 확대
  ③ 지역 기초학습센터 활성화, 위기 학생(ADHD, 경계선 등) 맞춤 지원

(4) 현장 맞춤형 지원 체제 강화
  ① 교원 네트워크 및 전문성 연수 강화
  ② 경기 기초학력지원센터 역할 확대

사이다 톡 talk! 경기도교육청은 2025년부터 진단검사를 학교에 의무화하고, 가정책임지도를 강화한다고 합니다. 이제 단순히 '결과 통보'에 그치지 않고, 향상도 조사와 학부모 소통을 통해 학생 맞춤 지원이 체계적으로 이어지게 되는 것이지요. 또한 두드림학교·지역 기초학습센터 확대로 위기 학생까지 세심히 챙길 수 있도록 안전망을 더욱 고도화했습니다. 결국 핵심은 '학교 안에서만'이 아니라, 학교-가정-지역이 함께하는 기초학력 보장 체제입니다. 현장에서 작은 성취도 놓치지 않고, 학생 한 명 한 명이 기본학력을 보장받을 수 있도록 책임감을 가지고 교육하겠다는 의지를 내비쳐야 합니다.

⑤ 경기도교육청 기초학력 보장 프로그램

(1) 체계적·다층적인 기초학력 진단 실시

출발점 진단 및 향상도·도달도 진단, 정서·심리·특수요인 진단 활동으로 기초학력 진단을 정교화함

① 출발점 진단

진단 영역	교과학습, 3R's(읽기, 쓰기, 셈하기)	
진단 시기	2025년 3월	
진단 내용	교과학습	3R's
	• 초: 국어, 수학 필수 • 중·고: 국어, 수학, 영어 필수	초·중·고: 읽기, 쓰기, 셈하기
진단 대상	초1~고2	

② 향상도 및 도달도 진단

구분	향상도 진단	도달도 진단
진단 영역	교과학습	3R's
진단 시기	2025년 6월, 9월, 12월	2025년 12월
진단 내용	• 초: 국어, 수학 필수 • 중·고: 국어, 수학, 영어 필수	초·중·고: 읽기, 쓰기, 셈하기
진단 대상	초3~고2	

③ 정서·심리·특수요인 진단 활동

(2) 진단 후 학생 맞춤 지원: 학생 맞춤형 기초학력 보장을 위한 통합 지원

☑ 학습지원대상학생 선정 및 보정 활동 흐름도

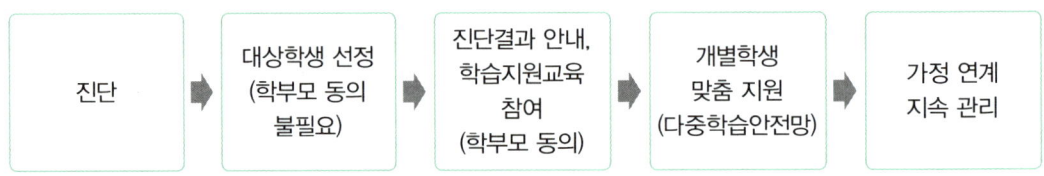

진단 → 대상학생 선정(학부모 동의 불필요) → 진단결과 안내, 학습지원교육 참여(학부모 동의) → 개별학생 맞춤 지원(다중학습안전망) → 가정 연계 지속 관리

학생 맞춤형 교육 선도학교, 두드림학교, 맞춤형 학습관리 튜터링, 교과보충 집중 프로그램 중 단위학교 특성에 맞는 사업을 선택해 운영하도록 함

1단계	수업 내 지원	• 학교맞춤형 교육 선도학교 • 학습지원 튜터
2단계	학교 안 지원	• 두드림학교 • 맞춤형 통합 기초 프로그램 • 학습지원 튜터 • 학습도약 계절학기
3단계	학교 밖 지원	• 지역 기초학습지원센터 • 학습 도약 계절학기 • 경기도교육청 기초학력지원센터

① 수업 안: 정규 교과 수업 내 기초학력 향상 지원 〔2025년 변경사항〕

지원사업	학생 맞춤형 교육 선도학교, 학습지원 튜터 등
목적	정규 수업 시간 안에서 담임(교과)교사와 협력하여 학생에게 맞춤형 학습지원과 피드백 제공
방법	• 교사와 정기적 협의를 통해 개별 지도·협력 수업 진행 • 학생 성장 이력 공유, 수업 준비 및 자료 제작 협업 • '학생 맞춤형 교육 선도학교'를 통한 기초학력 집중 지원

② 학교 안: 학생 맞춤형 통합지원 프로그램 운영

지원사업	두드림학교, 학습지원 튜터, 학습도약 계절학기 등
목적	학습지원대상학생의 특성과 상황에 맞는 맞춤형 상담·코칭·컨설팅·이력관리 제공
방법	• 학교 내 통합지원 시스템 구축·운영 • 특수요인(정서·의료·복지)까지 고려한 다각적 접근 • 기초학력 부진 원인(환경·심리·학습 요인) 통합적 지원

③ 학교 밖: 특수요인 전문 지원 강화

지원사업	지역 기초학습지원센터, 난독증 지원, 경기 기초학력지원센터, 학습도약 계절학기 등
목적	학교에서 해결하기 어려운 복합 요인 학생을 위한 외부 전문기관 연계 지원
방법	• 기초학력 심층 진단 결과 기반 맞춤형 프로그램 연계 • 한글 문해력 지도, 학습 상담, 심리 상담 제공 • ADHD, 경계선 지능, 난독증 등 특수요인 진단 및 컨설팅 지원

(3) 기초학력 보장 다중학습안전망 구축·운영

① 학교맞춤선택제

목적	기초학력 보장 사업 통합 운영으로 단위학교 맞춤형 기초학력 보장 내실화
대상	초·중·고·특수·각종학교 중 신청교
방법	학년 초 진단 ➡ 사업 신청 ➡ 예산 배정 ➡ 결과 보고(간소화)
2025년 사업대상	학생 맞춤형 교육 선도학교, 학습지원 튜터, 두드림학교, 학습도약 계절학기

② 학생 맞춤형 교육 선도학교

목적	교육복지우선지원사업 '연계학교'와 연계, 기초학력 협력강사 운영
대상	초·중·고 200교 예정
협력 교과	초(국어·수학), 중·고(국어·수학·영어)
예산	교당 1,300만 원 내외
방법	수업 내 협력강사 투입, 맞춤형 수업 설계·지도

③ 두드림학교

목적	학교 단위 통합 지원 시스템 기반 기초학력 보장
대상	초·중·고 2,500교 예정
방법	• 두드림팀 운영(학습지원대상학생 지원협의회) • 학습 부진 요인 진단, 상담, 코칭, 교재·바우처 등 활용
운영 프로그램 예시	• 학습코칭·상담 / 정서심리·놀이치료 지원 • 자존감 향상, 독서·생태·인성 프로그램 • 학교 밖 문화체험학습

④ 학습지원 튜터

목적	개별 맞춤형 지도 및 튜터링을 통한 학습결손 관리
대상	초·중·고 1,000교 예정
방법	정규수업·방과 후·방학 중 학습지원 인력(튜터) 배치

⑤ 학습도약 계절학기

목적	학습결손 학생 대상, 수준·희망 고려하여 방학 중 맞춤형 학습 지원
대상	초·중·고·특수·각종학교 1,700교 예정
예산	교당 500만 원 내외
방법	• 책임교육학년(초3, 중1) 포함 • 맞춤형 교과(보충) 지도, 학습컨설팅 • 방학 집중기간 운영

⑥ 배·이·스캠프(기초학력 학습지원 시스템)

특징	온라인 진단 및 자율 학습 가능
콘텐츠	• 읽기·쓰기·셈하기·국어·수학·사회·과학·영어 진단·학습 • 문항 18,600개, 강의 영상 200여 개 제공

사이다 톡 talk! 면접 답변에서 기초학력 보장과 관련해 사례를 죽 나열하는 방식은 옳지 않습니다! 중요한 것은 어떤 제도와 지원 체계가 있는지 알고, 학생을 만났을 때 필요하다면 적절히 연계할 수 있음을 보여주는 태도랍니다. 실제 현장에서는 교사가 모든 걸 혼자 해결할 수 없어요. 학교 안팎의 지원망을 이해하고, 이를 활용해 학생을 돕겠다는 교사의 전문성과 책임의식을 드러내는 것이 면접에서 효과적이랍니다.

6 교사의 역할

① 가정 연계 및 에듀테크를 활용해 개별 학생의 정확한 원인 파악

② 개별 상담 후 맞춤형 대면 지도 및 학급 멘토링 프로그램 실시

③ 관련 프로그램 및 지역사회 자원과 연계

사이다 톡 talk! 교사는 무엇보다 학생의 학습 부진 원인을 정확히 파악하는 것에 집중해야 합니다. 다양한 제도와 프로그램을 무조건 나열하는 것이 중요한 게 아니에요. 먼저 교사가 할 수 있는 역할을 제시하고, 이후 필요에 따라 적절한 지원 제도나 지역사회 자원과 연계해 학생을 다각도로 지원하겠다는 태도를 보여주는 것이 핵심입니다.

6. '깊이 있는 수업' 전문성 강화 ㉧

현장 이야기로 사이다 열기

2026학년도 경기도 임용 2차 시험에 큰 변화가 생겼습니다. 그동안 진행되던 수업 나눔 평가가 사라지고, 수험생이 직접 설계한 수업안을 5분 이내로 발표하는 방식으로 바뀐 것입니다. 단순히 멋지게 설명하는 것이 아니라, 수업 의도와 설계 철학이 드러나야 하는 거죠.

여기서 중요한 포인트가 있습니다. 바로 '깊이 있는 수업'! 경기도교육청에서 강조하는 이 수업 모델을 제대로 이해하지 못하면, 아무리 수업안을 잘 짜도 핵심에서 벗어나 버립니다.

우리가 그려왔던 이상적인 교사의 모습은 학생들의 시선을 장악하고, 카리스마 있는 언변으로 수업을 꽉 채우는 '스타 강사의 화려함'일지 모릅니다. 하지만, 그것은 경기도교육청이 원하는 교사상이 아닙니다.

경기도교육청이 지향하는 수업은 어떤 모습이며, 수업에서 교사의 전문성은 어떻게 드러낼 수 있는지 함께 확인해 봅시다. 또한 수업 전문성을 쌓기 위해 미리 구안해야 할 몇 가지 아이디어도 같이 정리해 보겠습니다.

#깊이_있는_수업 #수업_전문성

☑ All 기출 문장 및 빈도 체크

연도	자기성장소개서 ㉦			집단토의 ㉥			개별면접 ㉠		
	초	중	비	초	중	비	초	중	비
2016									
2017									
2018									✓	
2019									✓	
2020										✓
2021				미시행				✓	✓
2022									
2023									✓	✓
2024									
2025									

*공통 ㉧

[23'㉡㉠] 전환기 학년 중 하나를 선택하여, 이 학생들을 위한 전환기 프로그램을 제시하시오.
[23'㉢㉠] 학생들이 가장 선호하는 선생님은 '우리 요구와 목소리를 들어주는 선생님'이라는 점을 참고해 교과교사와 담임교사로서의 교육 방안을 말하시오.
[21'㉡㉠] 미래 교사의 역할인 '학습 촉진자, 프로젝트 관리자, 상담자' 가운데 하나를 선택하여 자신의 전공과 연계하여 학생들에게 어떤 교육 활동을 실시할 것인지 말하시오.

[21'중반] 수업 시간 종료 직전에 학생 C가 3차시 결과물을 완성은 했으나, USB 외부입력장치 오류로 제출하지 못한 상황에서 인정 여부에 관한 생각을 말하시오.
[21'비공] 역량중심 교육과정과 연계한 자유학년제 내실화, 인성교육, 진로교육 방안을 말하시오.
[20'비공] 학생중심 교육을 실현하기 위해 교과 특별실을 어떻게 운영할 것인지 말하시오.
[20'비공] 자신의 교과와 관련하여 축제 때 어떤 행사를 기획할 것인지 말하시오.
[20'비공] 교과와 관련하여 신입생 안내 책자에 수록할 내용 3가지를 말하시오.
[19'중반] 전환기 교육을 운영하는 방안을 말하시오.
[19'중반] 안전교육 7대 요소 중에 하나를 택하여 교과 연계 방안을 제시하시오. (생활안전교육, 교통안전교육, 폭력예방 및 신변보호교육, 약물 및 사이버 중독 예방 교육, 재난안전교육, 직업안전교육, 응급처치교육)
[18'중반] 교육과정-수업-평가 일체화를 위한 노력 방안을 말하시오.

1 경기 교수학습 방향에 대한 성찰

2015 개정 교육과정과 경기도 교육과정에서 배움중심수업과 과정중심평가를 통해 수업과 평가를 개선하려는 노력이 이루어졌음. 그러나 배움중심수업이 교사 주도 강의식 수업의 반대 개념으로 인식되고, 학생 참여형 수업이 흥미와 체험 중심으로만 운영된 점이 한계로 지적됨. 또한 학생 중심 활동이 학생의 사고 중심 활동으로 이뤄지지 않고 학습 소재나 방법에 집중한 나머지 학생의 기초학습 능력이 저하됐다는 지적이 있었음

사이다 talk! 이러한 문제의식에서 '사유하는 학생, 깊이 있는 학습'이라는 교수·학습 개념이 등장하게 됐습니다. 우리의 수업이나 교육 방안에 학생이 사고하는 과정 없이 맹목적인 학생 주도의 활동이 드러난다면 좋은 결과를 얻을 수 없음을 기억하세요.

2 깊이 있는 수업 이해하기

경기도교육청은 2022 개정 교육과정에 맞춰 경기미래교육 3대 원칙(자율, 균형, 미래)을 바탕으로 교수학습 방향을 설정하고, 학생들이 개념 이해와 융합적 사고를 통해 실생활 문제 해결 능력을 키우도록 하는 것을 목표로 함

(1) 2022 개정 교육과정 총론 교수·학습 방향 4가지

① 깊이 있는 학습 강조: 깊이 있는 학습은 단순 암기 대신 교과의 핵심 아이디어를 중심으로 지식 이해, 과정·기능, 가치·태도 등을 유기적으로 연결해 학생이 스스로 탐구하고 학습할 수 있도록 수업을 설계하는 것. 교과 간 연계성을 고려해 융합적 사고와 창의적 문제 해결을 촉진하며, 실생활과 연관된 경험을 통해 의미 있는 학습 기회를 제공하는 것을 목표로 함

② **학생 참여형 수업 강조**: 학생들이 탐구 질문에 관심과 호기심을 가지고 능동적으로 수업에 참여해 학습 과정에서 즐거움을 체험할 수 있도록 수업을 계획·실행해야 하며, 개별 학습 활동과 협동 학습 활동을 함께 해 문제를 협력적으로 탐구하고 해결하는 경험을 충분히 갖도록 강조함

③ **학생 맞춤형 수업 강조**: 학생의 능력, 적성, 진로와 같은 학습자 특성을 고려해 학생 맞춤형 수업을 활성화하고자 함. 정보통신기술을 활용해 교수·학습 방법을 다양화하고 맞춤형 학습을 위해 지능정보기술 활용을 강조함

④ **다양한 수업 환경 조성**: 교사와 학생 간, 학생과 학생 간 상호 신뢰와 협력이 가능한 유연하고 안전한 교수·학습 환경을 지원하고 디지털 기반 학습이 가능하도록 교수·학습 환경을 조성해야 한다고 봄

(2) 새로운 경기 교수·학습 방향 설정: 사유하는 학생, 깊이 있는 수업

각 교과목은 핵심 아이디어에 기반해 깊이 있는 학습을 강조하고, 교과 내 영역 간, 교과 간 내용 연계성을 고려해 융합적 사고와 창의적 문제 해결 능력을 함양하도록 설계됨. 이를 통해 '사유하는 학생, 깊이 있는 수업'을 실천하며, 실천 방향 3가지를 제시함

> **사유하는 학생**
> - 개인의 경험, 지식, 문화, 사회적 맥락에 따라 구성된 가치와 신념을 탐색하고, 이에 대해 비판적으로 생각하며 스스로 자신의 믿음과 가치에 대해 깊이 성찰하는 학생
> - 그동안의 수업은 학생 참여형 수업을 강조하며 과도한 활동과 과제 중심으로 구성돼 실질적으로 학생의 학습을 방해함. 앞으로 교사는 학생이 사유하는 방법을 익히고 경험할 수 있는 수업을 설계해야 함
>
> **깊이 있는 수업**
> - 학생이 개념 이해를 바탕으로 삶의 맥락을 반영한 문제를 해결하는 학습을 강조
> - 학생의 사유와 질문으로 학생과 교사 주도성이 조화를 이루어 비판적 사고 및 문제 해결 역량 등 미래 역량을 향상시키는 데 중점을 둠

① **질문과 탐구 중심 수업**: 학생의 사유와 질문을 중심으로 교과 고유의 탐구 과정을 경험하고 새로운 의미를 창출하는 수업을 지향함. 단편적 지식 암기를 지양하고 각 교과목의 핵심 아이디어를 중심으로 내용 요소들을 유기적으로 연계하여 학생이 어떻게 지식을 적용하고 문제를 해결하는가를 반영한 수업 설계를 강조함. 이를 통해 학습의 폭과 깊이가 확장되며, 학습한 내용을 새로운 상황에 전이할 수 있는 역량이 길러짐

사이다 talk! 교사가 열린 질문을 통해 학생들의 탐구 동기와 사고력을 자극하는 것도 중요하지만, 학생이 질문을 던지는 것도 매우 중요하답니다. 그간 탐구 수업이나 프로젝트 학습은 보편적으로 많이 해 왔지만, 학생들이 질문을 스스로 만들어 보는 교육은 약간은 생소할 수 있습니다. 이미 상용화된 챗GPT 같은 생성형 AI를 잘 활용하려면, 질문을 잘하는 능력은 필수이죠. 수업에서 학생들이 질문을 만들어 보고 토의하는 활동을 넣어보세요. 미래 역량을 갖춘 교사임을 어필할 수 있을 것입니다. 또한 여기에서 주목할 단어는 '전이'입니다. 지식의 폭발적인 증가와 AI의 비약적 발전·활용에 따라 학교는 학생들이 지식을 암기하고 익히는 것보다 핵심 아이디어를 중심으로 학습한 내용을 다양한 상황과 타 교과에 연결하여 적용할 수 있도록 하는 '전이'가 중요함을 잊지 마세요!

② **학생 주도성과 교사 주도성의 조화**: 학생 주도성은 학생이 주변 친구, 교사 등과 적극적으로 상호작용하고 학습하면서 아이디어를 내고 발전시키도록 하며, 교사 주도성은 학생에 맞추어 다양한 방식으로 학습 전략을 구사할 수 있도록 함

사이다 talk! 이전 배움중심수업을 강조할 때, 학생만이 수업의 주체라고 오해해 맹목적인 활동 위주의 수업을 해서 학생에게 학습이 되지 않았던 문제를 지적하며, 학생뿐 아니라 교사의 주도성도 강조하고 있습니다. 수업 실연을 위한 수업 방안이나 면접을 위한 교육 방안을 구안할 때 협동이 가능한 수업, 교사의 역할이 분명하게 드러나는 방안을 만들어야 경기교육의 지향점과 어울리는 교사임을 어필할 수 있습니다.

③ **삶의 맥락 중심 문제 해결**: 학습 내용을 자신의 삶의 맥락에서 적용하고 활용할 수 있을 때, '의미 있는 학습'으로 인식하고 몰입을 경험함. 이와 관련하여 경기도교육청은 8가지 삶의 맥락을 제시하고 있음

☑ **8대 삶의 맥락**

삶의 맥락	의미, 예시
1. 개인과 사회의 공동 행복	수업이 학생 개인의 성장뿐 아니라 사회적 책임과 협력의 중요성을 이해하도록 돕고 있는가? 예 학생이 지역사회 문제를 탐구하고 이를 해결하기 위한 방안을 모색하는 활동
2. 정체성과 자기주도성	학생들이 스스로 자신의 정체성을 탐구하고 학습을 주도적으로 이끌어가는 환경을 제공하고 있는가? 예 자신의 경험과 관심사를 반영한 프로젝트 활동
3. 보편적 사회복지	학습이 사회적 약자와 공동체의 복지를 증진하는 방향성을 포함하고 있는가? 예 경제 불평등 문제를 탐구하고, 정책 제안을 작성하는 활동
4. 포용력과 이해력	수업이 다양한 관점과 문화를 이해하고 포용할 수 있는 기회를 제공하고 있는가? 예 다문화 사회에서의 갈등 해결 방안을 논의하는 활동
5. 공감과 상호 협력	학생들이 타인의 관점에 공감하고 협력하며 학습할 수 있는 환경을 조성하고 있는가? 혹은 수업 과정에서 타인에 대한 공감과 상호 협력을 이끌어낼 수 있는가? 예 협력적 프로젝트나 모둠 활동을 통해 공동 목표를 달성하는 활동
6. 생태 전환과 기후 변화	수업이 환경 문제와 지속 가능한 발전의 필요성을 인식하도록 돕고 있는가? 예 학교 주변 에너지 절약 방안을 모색하고 실행 계획을 세우는 활동

7. 디지털 전환과 AI	수업이 디지털 기술과 인공지능 활용 능력을 향상시키는 방향으로 설계하고 있는가? 예 AI기술의 사회적 영향력을 탐구하고 윤리적 문제를 토의하는 활동
8. 책임 있는 민주시민	학습자가 민주시민으로서 책임과 의무를 이해하고 실천하도록 돕고 있는가? 예 시민의 권리와 의무를 체험하는 모의 선거 활동

출처: 경기도교육청, 탐구-실행-성찰과정 프레임워크 2.0, 2025.

사이다 talk! 경기도교육청에서 제시한 8대 삶의 맥락을 숙지하고, 공감되는 것 몇 가지를 기억해 두세요. 수업이나 교육 활동을 구안할 때, 이것을 활용하여 실생활의 문제를 탐구하고, 해결하는 활동을 생각해 보세요. 또한 경기도교육청은 지역사회 자원을 활용하는 것을 적극 장려하고 있으니, 지역사회와 함께하는 활동 방안도 꼭 생각해 두세요.

(3) 탐구-실행-성찰 수업 설계

깊이 있는 이해를 위해 질문뿐 아니라 사실과 주제에 대해 학생들이 끊임없이 질문을 만들고 답하면서 문제를 깊게 파고들며 탐구할 수 있도록 설계가 필요함. 이를 위해 탐구-실행-성찰 과정을 담은 깊이 있는 수업을 위한 프레임워크 전략을 적용하고 있음

사례) 탐구-실행-성찰 수업 설계 실천

- 사실 질문 ➡ 개념 질문 ➡ 토론 질문 순으로 깊이 있는 수업 설계
  예 사회 문제를 담고 있는 글, 영상을 접한 후 내용을 확인하는 질문 던지기(사실 질문) ➡ 사회 현상을 추론하거나 비판적 성찰이 담긴 질문 던지기(개념 질문) ➡ 사회 문제에 대해 비판적 토론을 위한 질문 던지기(토론 질문)
- 생성형 AI를 활용해 다양한 질문을 하고, 답변의 정확성을 비판적으로 검증하기 위해 상호 토론하는 수업
- 지역사회의 문제를 해결하기 위해 개인 또는 모둠 프로젝트 제안서를 작성한 후 질문을 기반으로 탐구-실행-성찰 과정을 발표하고 공유함
- 지역 공유학교와 연계해 학교 안팎에서 발견되는 삶의 문제를 발굴하고 해결하는 프로젝트 수업 운영

사이다 talk! 수업을 계획할 때는 탐구-실행-성찰의 과정이 담겨있는지 체크해야 합니다. 뿐만 아니라 앞서 봤던 질문과 탐구 중심 수업인지, 학생 주도성과 교사 주도성의 조화가 있는지, 삶의 맥락 중심 문제 해결이 포함되었는지 체크리스트로 확인해 주세요. 수업 설계에서의 핵심입니다.

(4) 깊이 있는 수업을 위한 교사의 역할

① 질문 역량과 문화 조성

- 열린 질문, 고차원적 질문, 토론 유도 질문을 적절히 활용
- 학생이 스스로 질문할 수 있도록 분위기 조성, 질문 방법 안내, 피드백 제공

② 질문·탐구 기반 수업 설계

- 질문 중심 수업과 프로젝트 학습 설계

- 질문 노트·상자·온라인 플랫폼 등을 활용해 질문을 일상화

③ 자율적 탐구와 학생 활동 지원

- 학생 자치 활동·멘토링 등을 통해 질문으로 문제 해결 경험 제공
- 창체 활동과 학습 자원 지원으로 자기주도 학습 환경 마련

④ 평가와 피드백 강화

- 과정중심평가 실시, 사고 과정과 문제 해결 과정 관찰·기록
- 성취기준에 근거한 평가와 즉각적 피드백 제공

⑤ 성찰과 학습 격차 해소

- 학생이 자신의 학습 전략을 점검하고 개선할 기회 제공(메타인지 지원)
- 학습 결손 예방 및 보충 수업 운영으로 학습 격차 완화

사이다 톡 talk! 수업에서 보여줘야 할 교사의 모습입니다. 깊이 있는 수업은 단순히 교과서를 따라가는 수업이 아니라, 교사가 교사교육과정을 바탕으로 학생의 삶과 교과의 핵심 아이디어를 연결해 설계하는 수업입니다. 교사교육과정이란, 교사가 학생의 삶을 중심에 두고 공동체성과 전문성을 바탕으로, 국가·지역·학교 수준 교육과정을 적극적으로 해석·재구성하여 학생의 성장과 발달을 촉진하는 교육과정을 의미합니다. 쉽게 말해, 교실 속에서 어떤 교육 활동을 설계하고 운영할 것인지를 교사가 주도적으로 만들어 가는 과정이에요. 닫힌 질문('네, 아니오'로 답할 수 있는 질문)이 아닌 열린 질문을 잘할 수 있어야 하며, 학생들의 탐구가 가능한 수업을 설계해야 합니다. 또한 학생들 스스로 질문을 던질 수 있는 시간도 마련해야 하고요. 수업과 연계한 평가와 그에 따른 피드백을 해야 한다는 것도 잊지 마세요!

(5) 기대효과

① 자기주도성 성장

- 학생이 스스로 목표를 설정하고 실행하는 능력 강화
- 다양한 시각에서 문제를 바라보고 학습하도록 지원

② 문제 해결·비판적 사고 함양

- 다양한 해결 방법을 탐구하며 비판적으로 사고
- 학습 과정을 성찰·조정해 변화에 유연하게 대응

③ 창의적 사고 활성화

- 다양한 관점과 토론을 통해 창의성 촉진
- 새로운 아이디어와 해결책을 만들어내는 기반 마련

④ 문화와 가치관 이해
- 다양한 문화·가치관을 접하며 폭넓은 시각 형성
- 공감 능력과 새로운 가치 창출 역량 배양

⑤ 배려와 협력의 성장
- 자신의 생각을 표현하고 타인의 의견을 수용
- 공동체적 배려와 협력의식 강화

사이다 톡talk! 기대효과에서 보이는 키워드에 주목해 보세요. 탐구 수업, 토론 수업, 다양한 문화와 가치관을 접하는 교육 등을 통해 학생이 자기주도성, 창의성, 포용력, 협력 등의 가치를 체득할 수 있게 해야 합니다.

③ 수업 오리엔테이션 구상 기출

첫 오리엔테이션은 학생에게 수업과 교사의 첫인상을 남기는 마치 티저 영상과도 같음. 주로 자기소개, 수업 안내 사항, 교과 특색을 보여줄 수 있는 짧은 활동 등을 함. 단순히 MBTI 같은 개인적인 신상을 소개하는 것보다 '교사의 철학'을 담은 소개를 한다면 학생들에게 신뢰를 얻는 데 효과적임. 또한 깊이 있는 수업의 취지를 담아, 앞으로 수업 방식의 핵심을 소개해도 좋음

① **자기소개**: 교사가 된 이유, 교육철학 등이 담긴 자기소개

② **수업 안내 사항**: 수업 방식과 그 이유, 평가 및 피드백 계획, 수업 약속, 교과를 통해 기를 수 있는 역량(동기 부여) 등

함께 채워 봅시다

수업 오리엔테이션을 구상해 보세요.

형식:

포함하고 싶은 말:

예시

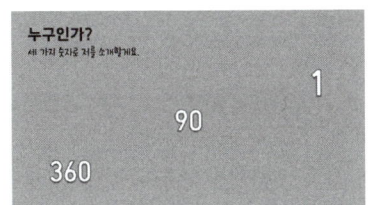

▲ 오리엔테이션 사례

"선생님을 360, 90, 1로 소개해 볼게요. 이 숫자를 보면 무엇이 생각나요?(의견 들어보기) 이 3가지는 선생님이 교사가 된 이유를 말해주는 숫자입니다. 선생님은 전교 360명 중 360등이었어요. 상당히 무기력한 삶을 살았죠. 그런데 중 3때 담임 선생님이 많이 도와주셔서 그 믿음에 보답하고 싶어 공부를 시작했어요. 그 결과 평균 90점을 만들었고 할 수 있다는 자신감을 얻었죠.

하지만 개인 사정은 나아지지 않았고, 고등학교에 올라오게 되면서 선생님을 잡아줄 담임 선생님도 이제 안 계시니 슬럼프가 왔죠. 그때, 선생님의 인생을 바꿔준 역사 선생님을 만나게 됩니다. 그분의 영향으로 역사 교사를 꿈꾸었고 역사를 전공하게 됐어요. 교사란 목표가 생긴 뒤론 항상 열심히 하게 됐고, 결국 대학교를 단과대학 1등으로 수석 졸업해 총장상을 받고 졸업한 뒤 여러분 앞에 이렇게 역사 교사로 인사를 합니다. 선생님의 인생은 이렇듯 의기소침하기도 무기력하기도 했고 열정적이기도 했어요. 그리고 이 모든 순간에 항상 선생님들이 계셨죠. 그랬기에 여러분이 어떤 모습을 가지고 있든 그 자체로 인정하고, 또 선생님의 선생님들이 그랬던 것처럼 1년간 여러분의 장점과 색깔을 찾는 데 적극적으로 조력하는 선생님이 돼줄 것을 약속합니다."

4 나만의 수업 무기 구상

사이다 톡 talk! 대체할 수 없는 나만의 수업 무기를 고민해 보세요. 수업 무기는 다음과 같은 내용을 고민한 후 버무리면 좋답니다.

교사로서 나의 강점:
....
....

전공 영역에서 나의 자부심:
....
....

나의 교과관, 학생관:
....
....

➡ "   " 영역에서 만큼은 자신 있는 수업을 만들 것이다!
....

사이다 톡talk! 경기도교육청에서 지향하는 수업 방향이 뚜렷해졌어요. 앞서 살펴본 '사유하는 학생, 깊이 있는 학습'이 그것이죠. 교사는 여기에서 질문을 통해 학생들의 사고를 자극할 수 있어야 하고, 학생들이 좋은 질문을 할 수 있게끔 도움을 주어야 해요. 학생 중심의 탐구 학습이나 토론 학습을 장려해야 하고요. 따라서 교사로서의 강점에는 이런 것들을 내포할 수 있는 '진짜 강점'이 되는 것을 적어야 해요. 자신이 스스로 생각했던 강점이 이러한 방향이 아니라면, 수업관을 조정할 필요가 있습니다. 전공 영역에서의 강점도 마찬가지예요. 나의 전공에서 학생에게 길러줄 수 있는 삶의 역량을 중심으로 그 역량 강화를 잘할 수 있다는 포부를 드러낸다면, 경기형 교사로서 매력을 아주 잘 보여줄 수 있을 거예요. 마지막으로! 학생관은 학생의 주도성, 잠재력을 믿어주는 관점이 내포돼야겠죠.

⑤ 학생에게 길러주고 싶은 역량과 그 방법 구상

사이다 톡talk! 선생님의 수업을 통해 학생들에게 길러주고 싶은 역량은 무엇이고, 그것을 위해 어떠한 활동을 할 것인지 고민해 보세요.

경기도교육청 역량

☐ 자기관리 역량   ☐ 지식정보처리 역량   ☐ 창의적 사고 역량
☐ 심미적 감성 역량   ☐ 협력적 소통 역량   ☐ 공동체 역량
☐ 문제 해결 역량   ☐ 기타(   )

수업을 통해 길러주고 싶은 역량 선택:
....
....

그 이유:
....
....

필요한 활동과 교사의 역할:
....
....
....

사이다 톡talk! 삶에서 필요한 역량을 중심으로 골라주세요. 선택 이유도 삶과 앎의 연계라는 관점으로 접근해야 합니다. 교사의 역할은 교육과정 재구성자, 조력자, 촉진자의 모습이 돼야 합니다!

사이다 면접

⑥ 삶의 맥락과 연관 짓는 수업 설계

> **경기도교육청 8대 삶의 맥락**
> ☐ 개인과 사회의 공동 행복   ☐ 포용력과 이해력   ☐ 디지털 전환과 AI
> ☐ 정체성과 자기주도성   ☐ 공감과 상호협력   ☐ 책임 있는 민주시민
> ☐ 보편적 사회복지   ☐ 생태 전환과 기후 변화

선택한 맥락 및 그 이유:
_____
_____

수업 설계가 가능한 단원 및 성취기준:
_____
_____

활동 내용:
_____
_____
_____

사이다 톡 talk! 탐구-실행-성찰의 과정이 담겨있는지 체크해 보세요. 탐구 중심 수업은 맞나요? 학생 주도성과 교사 주도성의 조화가 담겼나요? 삶의 맥락 중심 문제 해결이 포함되었나요? 수업을 설계할 때 습관적으로 이 점을 고민해야 합니다.

⑦ 교과 특색 활동

(1) 교과 축제 기획 `기출`

축제 테마:
_____
_____

이유:
_____
_____

교사의 역할:
_____
_____

사이다 톡 talk! 자신의 전공과 관련된 학교 축제를 개설한다고 할 때, 어떤 프로그램을 기획하고 싶은지 고민해 보세요. 그 방안은 무엇이든 상관없지만, 학생의 체험 중심이 돼야 해요. 또한 축제를 지역사회와 함께할 수 있는 방안에 대해 고민해 본다면, 경기도교육청에 적합한 교사의 모습을 어필할 수 있습니다! 교육감이 바뀐 후로 '마을'이란 용어는 잘 사용하지 않는 추세이므로, '마을'보다는 '지역사회'라는 표현을 쓰시길 추천합니다. 마지막으로! 학생이 직접 기획할 수 있는 방안이라면 훌륭합니다. 몇 가지 주제를 주고 학생이 직접 고르는 방식 등 학생의 의견이 반영되도록 고안해 보세요.

(2) 교과 특별실 운영 계획 기출

공간을 통해 길러주고 싶은 역량:

교사의 역할:

사이다 톡talk! 경기도교육청의 추진 방향을 고려해 공간 기획에서 중요한 점은 '구성원 의견 수렴'입니다. 그리고 다양한 활동이 가능하도록 '다양한 공간 활용', '가변적 공간'을 넣는 것도 중요하고요. '어떤 철학'을 가지고 '어떤 역량'을 기르기 위해 '이런 방향성'을 고민했다는 자기 생각을 분명히 전달하되, 독단적으로 구성하는 것이 아닌 교육공동체의 의견 수렴 과정을 거치겠다는 것을 꼭 전달하셔야 해요.

(3) 전환기 교육 방안 기출

학년 선택: ☐ 초1~2 ☐ 초6 ☐ 중3 ☐ 고3

학년 선택 이유:

전환기 교육 방안:

이유:

길러주고 싶은 역량:

사이다 톡talk! 학기, 학년이 전환될 때 학생들이 방치되는 시간이 많죠. 대부분 영화를 관람하며 시간을 보내고요. 이 시간을 더 효과적으로 활용할 수 있는 방안을 고민하되 프로그램을 기획한 이유와 이를 통해 얻을 수 있는 학생들의 역량은 무엇인지 함께 언급해 설득력을 부여해 봐요.

사이다 면접

⑧ 범교과 7대 요소(+ 청렴) 연계 방안 기출

사이다 톡 talk! 교과서를 펼쳐 한 단원을 선정한 후 대략적인 교육 방안을 고민해 보세요.

- ☐ 생활안전교육
- ☐ 교통안전교육
- ☐ 응급처치교육
- ☐ 재난안전교육
- ☐ 약물·사이버중독 예방 교육
- ☐ 청렴교육
- ☐ 직업안전교육
- ☐ 폭력 및 신변보호 교육

8대 요소 중 하나 선택:

관련 단원:

교육 방안:

사이다 톡 talk! 현장에서는 교과 연계 7대 안전교육(+ 청렴교육)을 재구성해 운영 계획을 짜야 한답니다.

7. 평가의 변화 (공)

현장 이야기로 사이다 열기

올해 학교 현장은 그야말로 '평가의 변화'로 들썩였습니다. 수행평가의 공정성 논의부터 개선 방안 도출, 그리고 전국 최초 AI 서·논술형 평가 시스템 도입까지! 평가에 대한 새로운 실험이 시작된 한 해였습니다.

AI 평가 도입으로 채점 시간은 줄고, 교사의 피드백 시간은 많아졌습니다. 교사의 채점 결과와 일치율이 95% 이상으로 나타나 생각보다 신뢰도도 높았고요. 하지만 교사의 부담이 완전히 줄었다고는 말하기 어렵습니다. 오히려 평가 설계 능력이 더 정교하게 요구되었죠.

서·논술형 평가가 확대되면서, 학생의 사고력·비판적 분석력을 어떻게 평가할지 고민이 깊어졌거든요. 막상 문항을 설계해 보니 학생들이 어디서 어려움을 느끼는지, 어떤 사고 과정을 거치는지를 더 명확히 볼 수 있었습니다. 점수보다 학생의 사고 흐름을 읽게 된 거죠.

이제 평가는 단순히 성적을 매기는 절차가 아니라, 학생의 성찰과 성장을 돕는 과정으로 바뀌고 있습니다. 이제부터 경기도교육청의 새로운 평가 방향을 함께 살펴보며, 미래 교사로서의 평가 역량을 길러나가 봅시다.

#지도_방안

☑ All 기출 문장 및 빈도 체크

연도	자기성장소개서			집단토의			개별면접		
	초	중	비	초	중	비	초	중	비
2016									
2017				✓					
2018									
2019							✓		
2020									
2021				미시행					
2022									
2023									
2024									
2025									

*공통 (공)

[19'초개] 성장중심평가를 가정과 연계할 수 있는 방안을 말하시오.
[17'초토] 성장중심평가 방안과 평가 영역에 있어서 교사의 전문성 신장 방안을 말하시오.

1 경기도교육청 평가 방향: 성장이 있는 교실, 학습으로의 평가

(1) 학생의 역량과 주도성을 기르는 학생평가 강화

① 논술형 평가 강화: 탐구 학습, 토의·토론 등 수업과 연계한 논술형 평가 내실화로 학생의 고차적 사고력과 문제 해결력 강화

② 학생의 주도성을 신장하는 과정중심평가 확대
- 프로젝트, 포트폴리오, 조사, 전시 등 학생의 주도적인 학습과 연계한 평가 확대
- 학습을 성찰하고 개선하는 자기성찰평가, 동료상호평가 운영

(2) AI·에듀테크 활용 학생 맞춤형 평가 운영

(3) 학생 맞춤형 피드백을 통한 학습 지원

> **사이다 톡talk!** 평가에 관한 질문이 나온다면, 논술형 평가, 과정중심평가, AI·에듀테크 활용 평가, 맞춤형 피드백에 대한 이야기가 포함돼야 합니다. 꼭 이 키워드들을 기억해 주세요! 특히 경기도교육청은 AI를 활용한 평가를 전국 최초로 도입했기에, 이 부분에 대한 언급이 필요하답니다.

2 깊이 있는 수업에서의 평가

(1) 평가 설계의 선행

① 깊이 있는 수업은 수업보다 평가 먼저 설계: 핵심 아이디어 중심 학습 목표 설정 ➡ 성취기준·성취수준 분석 ➡ 평가 계획 수립 ➡ 학습 경험 조직

② 총괄평가(최종 목표 확인), 형성평가·진단평가(학습 과정 지원)를 함께 계획해야 함

(2) 깊이 있는 이해를 확인하는 평가

단순 지식 암기가 아니라 핵심 아이디어 이해와 전이 가능성 평가 ➡ 학생이 지식을 실제 상황에 적용할 수 있는지, 이해가 얼마나 깊은지 평가할 수 있는 과제가 필요함

(3) 평가 과제 개발 시 유의 사항

① 성취기준·교과서·학교 맥락을 고려하여 실제성과 맥락성이 담긴 과제 개발

② 지식·기능·태도를 통합적으로 사용해야 해결 가능한 평가 과제 개발

③ 정해진 답을 찾기보다 학생 스스로 다양한 시도가 가능하도록 설계

④ 교사의 수업 의도와 학생 활동 과정에 맞춘 과제 제시

⑤ 학문적 이론보다는 교사의 수업 의도 및 수업 주제, 학생의 수행 활동 과정에 집중하여 평가 과제 개발

⑥ 수행 수준은 보통 3~5단계로 설정하며, 질적 측면을 부각해야 함

⑦ 학생이 이해하기 쉬운 용어를 사용하고 모호하거나 부정적인 표현은 지양함

사이다 톡 talk! 교사가 성취기준의 내용 요소를 분석하여 구체적인 평가 기준을 개발하고 인지적 측면과 정의적 측면을 균형 있게 평가하기 위해서는 혼자의 노력이 아닌, 동 교과 교사와의 협업이 반드시 필요해요. 경기도교육청은 교사에게 협업 역량을 갖출 것을 강조한다는 사실을 잊지 마세요!

(4) 피드백과 성찰

① 피드백은 학생에게는 학습 향상, 교사에게는 수업 개선의 자료

② 효과적인 피드백은 목표·현재 수준·전략이 포함되어야 함

③ 즉각적이고 강화적인 피드백은 학습 질 향상에 도움

④ 학습자는 평가를 통해 자신의 전략을 점검·성찰 ➡ 새로운 상황으로의 전이와 일반화 능력 향상

⑤ 교사는 학습 상황과 삶을 연계한 피드백을 지원해야 함

(5) 자기 평가와 동료 평가

① 학생에게 자기 성찰 기회 제공: 학습 과정·결과 직접 평가 ➡ 메타인지 능력 함양

- **자기 평가**: 자신의 학습 적절성·결핍을 돌아보며 학습 주도성 강화
- **동료 평가**: 수행 과정과 결과물을 관찰·평가하며 교사가 제공하지 못한 피드백 보완

② 2가지 모두 학습자의 능동적 참여를 이끌며, 학습 개선 방법을 스스로 발견하도록 함

사이다 톡 talk! 2022 개정 교육과정에서는 학생의 자기 평가와 성찰을 강조하고 있습니다. 교사가 주도하는 기존 평가에서 학생들은 평가의 대상으로서 수동적인 위치에 놓여 있지만 자기 평가와 동료 평가를 통해 직접 평가를 할 수 있는 능동적인 평가자로서 참여한다면, 어떤 점을 잘했고 어떤 점이 부족한지 찾는 과정에서 메타인지가 확장될 수 있으며, 스스로 성찰하고 발전 계획을 수립하는 자기주도성도 함양할 수 있을 것입니다!

③ 학생 성장중심평가(과정중심평가)

(1) 정의

학습 과정과 결과에 대한 피드백을 통해 학생의 성장과 발달을 돕는 평가로 학생의 배움과 교사의 가르침을 지속적으로 성찰하고 개선해 모두의 성장을 지원하는 평가

① **학습으로서의 평가**: 2022 개정 교육과정에서 강조하는 평가의 주된 목적은 성적 산출이나 왜 공부를 열심히 하지 않는지 추궁하려는 목적이 아니라, 학생이 무엇을 잘하고 무엇이 부족한지를 확인하고 보충하려는 목적 ➡ 평가 결과는 반드시 환류(Feedback)되어 수업 개선과 학생 성장을 지원해야 함

② **과정중심평가**: 매시간 시험을 본다는 의미가 아니라, 문제 풀이·사고 과정·학습 과정을 점검해 부족한 점을 보완하는 것 ➡ 학생 특성을 정교하게 진단하고, 수준에 맞는 맞춤형 진단평가 및 처방이 필요함

(2) 특징

① **피드백 중심**: 학습 과정과 결과에 대한 구체적인 피드백을 제공하여 학생이 다음 학습으로 나아갈 수 있도록 함

② **발달 지향**: 모든 학생이 성취기준에 도달할 수 있다는 믿음을 바탕으로, 현재의 부족보다 성장 가능성과 잠재력을 중시함 ➡ 단순 비교·서열화가 아니라, 반복적 도전과 교사의 지원을 통해 학생이 성취에 도달할 수 있도록 함

③ **실생활 연계**: 수업·평가·교육과정을 학생의 삶과 연계해 설계하고, 실제 문제 해결 능력, 정보 분석력, 창의력, 인성 등을 평가함

④ **협력 강조**: 학생들이 협력적으로 문제 해결 경험을 쌓을 수 있도록 함. 발달 속도가 다른 학생들은 친구와의 협력을 통해 학습에 참여하며, 다양한 방식으로 성장을 경험함

④ 서·논술형 평가

(1) 정의

학생들이 학습한 내용을 바탕으로 주어진 문제에 대해 자신의 생각을 논리적으로 구성하는 평가

(2) 필요성

① **고차원적 사고 경험**: 주어진 정답을 선택하는 것이 아니라 답을 스스로 구성하면서 지식을 분석·종합·적용하고 새로운 것을 만들어내는 수준까지 경험

② **사회 변화 대응**: 디지털 전환, AI 발전, 기후 변화, 저출생·고령화 등 사회 변화 속에서 단순 지식 습득이 아닌, 학습자 스스로 사고 방향을 정하는 것과 복합적 문제 해결 능력이 필요함

(3) 고차원적 사고의 중요성

① 새로운 상황에 기존 학습을 적용하여 지식의 전이 가능

② 결과를 반성하고 올바른 의사결정을 내릴 수 있음

③ 열린 문제 해결 역량 ➡ 다양한 해결 방법을 탐색할 수 있는 힘을 기름

(4) 경기형 서·논술형 평가 개발 방향

실제적 맥락에 기반한 평가	• 삶의 맥락과 이어진 고차원적 사고력 신장 • 실제적 상황에 적용하는 문제 해결력 함양 • 다양한 자료 분석·문제 구조 탐색·논리 전개를 통해 평생 학습자 토대 마련
다양한 관점을 여는 평가	• 정답 중심이 아닌 사고의 깊이와 전개 과정 중시 • 루브릭 기준: 사고의 정교함, 논거의 타당성, 관점의 독창성 • 학생 개개인의 다양한 사고와 관점을 평가 과정에 담을 수 있도록 설계
생각에 대한 생각을 키우는 평가	• 메타인지를 통한 학습 평가의 선순환 • 배움을 확장하는 능동적인 학습자로 성장

(5) 평가 계획 수립 시 고려 사항

① 평가 방법, 예상 시간, 성취수준, 평가 요소, 제작 의도, 수업-평가 주안점 작성

② 채점 및 피드백 시 유의점 기재

- 학생이 스스로 관점을 터득할 수 있도록 피드백
- 자료 해석, 개념 적용, 정책 평가 등에서 부족한 점을 명확히 짚어줌
- 개인별 보완 방향 제시(이해도·참여 태도 고려)
- 어휘력보다는 전달력 중심 평가

(6) 문항 개발 시 고려할 역량

① 교과 핵심 개념 추출 및 재구성 능력
② 학생 발달 단계에 맞는 난이도 설정 능력
③ 교육과정-수업-평가 일체화 능력
④ 실생활 맥락 적용 능력

(7) 평가 결과 활용

① 학생 개인별 맞춤 피드백 제공
② 평가 결과를 통한 수업 개선
③ 학생 성장 중심 기록 방법 확립
④ 후속 학습 지도 전략 수립

(8) 교사들이 느끼는 어려움

① 문항 개발
② 채점 기준 설정
③ 객관적 채점 방법
④ 평가 결과 피드백 방법

(9) 서·논술형 평가를 위한 수업 설계

① 교과별 문항 개발 방법 습득
② 채점 기준 설정 및 객관적 채점 방법 마련
③ 수업과 연계된 평가 설계
④ 평가 결과 분석 및 피드백 방법 정립

(10) 효율적 운영을 위해 필요한 지원

① 채점 시간 단축 전략
② 디지털 기기를 활용한 서·논술형 평가 방법
③ 협력적 채점 시스템 구축
④ 서·논술형 평가 비중 확대를 위한 학교 문화 조성

사이다 talk! 서·논술형 평가는 단순히 글을 쓰게 하는 평가가 아니라, 고차원적 사고와 삶과 연결된 문제 해결 능력을 기르는 도구임을 강조해야 합니다. 면접 답변 시, 교사의 역할은 문항 개발 – 채점 공정성 확보 – 피드백 설계 – 수업과 연계라는 일련의 과정을 어떻게 충실히 설계할지, 역량 개발 노력이 드러나야 합니다. 실제 현장에서는 채점 부담·공정성·연계 부족 문제를 인식하고, 디지털·협력적 시스템을 통한 보완 의지를 밝히면 경기도교육청이 나아가야 할 방향에 적합한 교사임을 드러낼 수 있습니다!

⑤ 에듀테크 활용 평가

(1) 에듀테크를 활용한 평가의 장점

① **성장 이력 관리 용이**: 온라인 도구를 통한 과정중심평가는 수행 과정과 결과가 모두 디지털 기록으로 남아 개별 학생의 학습 이력을 체계적으로 관리할 수 있음

② **맞춤형 피드백 제공**: 누적된 데이터를 분석하여 학생의 학습 수준과 패턴 파악 ➡ 개별 맞춤 피드백 가능, 학생의 지속적 성장을 지원할 수 있음

사이다 talk! 2024년 비교수 교과 면접 문제로 "자신의 전공과 관련해서 학생 데이터 수집·분석의 필요성을 말하고 그 데이터를 활용할 방안을 제시하시오."가 출제됐어요. 학생 평가에서 데이터를 수집하고 이를 분석한다면 학생에게 맞춤 피드백을 제공하기 좋겠죠. '데이터'란 용어가 최근에 종종 쓰이고 있으니, 잘 기억해 둬야 해요.

(2) 에듀테크 활용 시 유의 사항

① 환경 점검 및 기기 활용 교육
  - 안정적인 인터넷 접속 환경 확보
  - 학생들이 스마트 기기를 능숙하게 활용할 수 있도록 사전 교육 필수

② 개인정보 보호 및 보안 대책
  - 학생 제출 자료에 개인정보가 포함될 수 있음
  - 학기 초 개인정보 동의서 확보 및 보관
  - 데이터 저장·관리 과정에서 보안 체계 마련

6 수행평가

(1) 정의
① 학생이 실제적 과제 수행을 통해 지식·기능·태도를 종합적으로 보여주는 평가 방식
② 단순 정답 확인이 아니라 과정과 결과 모두를 평가 ➡ 학생 성장 지원

(2) 유형과 방법
① **논술형 평가**: 특정 주제에 대해서 자신의 생각이나 논리를 글로 작성하도록 하여 학생의 아이디어와 표현의 적절성 등을 종합적으로 평가
② **구술·발표 평가**: 특정 주제에 대해서 자신의 의견이나 생각을 구술·발표하도록 하여 학생의 준비도, 이해력, 표현력, 의사소통 능력 등을 평가
③ **포트폴리오 평가**: 학생의 산출물을 체계적으로 누적하여 관리한 작품집 혹은 서류철에서 드러나는 수행 과정과 결과를 평가, 학습 평가뿐 아니라 과정을 통한 자기 성장과 자기 성찰 강조
④ **실험·실습 평가**: 학생들이 실험·실습을 하고 그 과정이나 결과를 보고서로 작성하게 하여 보고서와 교사가 관찰한 과정을 종합적으로 평가
⑤ **토의·토론 평가**: 주어진 주제에 대해 학생들이 논의하거나 토론하는 것을 관찰하여 주장과 근거의 타당성과 논리성 등을 평가

(3) 문제의식
경기도교육청은 수행평가 현장 의견 수렴 토론회를 두 차례 개최하여 모든 과목 수행평가가 특정 시기에 몰려있는 문제, 한 과목당 2~3개의 수행평가 시행에 따른 부담감, 평가 기준의 불명확성, 실질적 피드백 부족 문제 등을 지적하며 미래 역량 강화를 위한 수행평가 개선 방안을 논의함

(4) 개선 방향
① **평가의 과정화**: 과제 제출만이 아니라, 진행 과정에서 피드백 제공 ➡ 성장 이력 기록
② **명확한 기준 제시**: 루브릭, 성취수준 명시 ➡ 학생이 스스로 목표를 확인하고 자기 성찰 가능
③ **적정 과제량 설계**: 교과 성취기준에 맞는 소수 과제 집중 ➡ 학생·교사 모두 부담 완화

④ 피드백 중심 운영: 결과 기록보다 학습 과정에서 맞춤 피드백 제공

⑤ AI·에듀테크 활용: 학생별 성취 기록 관리, 맞춤 피드백 강화

⑥ 공정성 확보
- 동료 교사와의 협업 채점, 공동 루브릭 개발
- AI 1차 채점 + 교사 검토 시스템(서·논술형 평가와 연계) 도입

7 교사의 피드백 방안

(1) 정의

교수·학습 과정 중에 학생에게 학습 목표, 현재 상태, 개선 방향에 대해 지속해서 생각하게 함으로써 현 상태와 목표 사이의 간격을 줄여 성공적 학습에 이르도록 돕는 전략

(2) 성공적인 피드백 조건

① 준비 단계
- 서로 신뢰할 수 있는 관계 형성
- 학습 과정과 피드백의 가치에 대한 공감대 형성
- 서로 질문하고 피드백하는 과정이 학생의 약점을 드러내는 것이 아니라 성장을 위한 과정임을 인식하는 분위기 조성

② 시기의 적절성
- 피드백의 양과 횟수는 학생이 이해하고 활용할 수 있을 정도로 제공
- 학생들이 피드백을 받아들일 상황이 될 때까지 기다린 후 진행

(3) 피드백 내용

① 성취기준을 바탕으로 학업 성장을 알 수 있는 학습의 증거에 초점

② 평가적(판단, 선언, 단정) 피드백 대신 조언적(설명, 기술) 피드백 제공

③ 학생의 학습 수준에 비추어서 노력하면 성취할 수 있는 것부터 피드백 제공

④ 핵심 오류나 오개념에 대해 구체적인 피드백 제공

(4) 피드백 형식

① 학생을 존중하고 지원하는 어조 사용

② 2인칭 대신 1인칭 또는 3인칭으로 시작

> **2인칭** ○○이는 용어의 개념을 올바르게 제시하지 못했구나. (X)
> **1인칭** 선생님은 ○○의 포트폴리오에서 정확한 개념을 확인할 수 없었어. (O)
> **3인칭** 이 포트폴리오에는 용어의 개념이 명확하지 않구나. (O)

③ 2~3가지의 잘된 점과 1가지의 개선점 제안

④ 구체적이고 명확한 내용의 피드백 제공

(5) 유의 사항

① 개인에 따라 차별화된 피드백 제시

② 학생들이 이해할 수 있는 쉬운 표현으로 설명

③ 자기관리, 자아 효능감에 긍정적 영향이 되도록 피드백 제공

④ 일회성으로 그치는 것이 아닌 피드백 활용 기회 제공

사이다 톡 talk! 교과 지도 방안 중 하나는 피드백에 대한 내용을 말하면 좋아요. 교사의 역할이 잘 드러나게끔 학생들의 활동 과정과 결과물을 관찰·분석한 후 학생 성장이 가능한 방향의 피드백을 더하겠다는 내용을 포함한다면, 경기형 교사의 모습이 잘 돋보일 거예요.

8. AI·에듀테크 활용 교육 (공)

현장 이야기로 사이다 열기

미국의 교육학자 하그리브스는 말했습니다. 21세기 교사의 전문성 중 하나는 '자신이 배우지 않았던 방식으로 가르치는 방법을 배우는 것'이라고요. 사회 변화에 따른 교육의 대전환이 요구되고 있습니다. 그중 가장 강력한 요구는 교육에 '에듀테크'를 활용하는 것이지요.

경기도교육청은 인공지능(AI)을 활용한 학생 맞춤형 교육, 1인 1스마트 기기 및 생성형 AI를 활용한 수업 등 에듀테크 활용 교육을 활성화하려고 하고 있답니다. 현장에서도 수업 시수에 반드시 에듀테크 활용 수업을 포함할 것을 권고하고 있어요. 이토록 중요한 에듀테크 활용 수업! 최근에 기출문제로도 계속 출제될 만큼 매우 중요한데요. 지금부터 자세하게 살펴보겠습니다.

#교육_방안 #교사의_역할

☑ All 기출 문장 및 빈도 체크

연도	자기성장소개서 (성)			집단토의 (토)			개별면접 (면)		
	초	중	비	초	중	비	초	중	비
2016									
2017									
2018									
2019									
2020									
2021	미시행								
2022									
2023							✓	✓	✓
2024								✓	✓
2025									

*공통 (공)

[24'비면] 전공과 관련하여 학생 데이터 수집 분석의 필요성을 말하고 데이터를 활용할 방안을 제시하시오.

[24'중면] 교과별 디지털 활용 수업을 증가하고, 교사의 에듀테크 활용 역량을 강화하여 기초학력을 보장하고, AI 기반 1:1 맞춤 수업을 하기 위한 방안을 제시하시오.

[23'비면] 에듀테크를 활용하여, 제시문의 학생(늦은 시간까지 스마트폰, 폭식, 비만, 교우관계 좋지 않음)에게 적용할 전공 연계 방안을 제시하시오.

[23'중면] 제시문을 참고하여(인공지능 등 디지털 테크놀로지 활용) 기초학력 향상을 위한 교과 교육 방안을 말하시오.

[23'초면] 다음 경기교육의 방향성을 교육적 관점에서 분석하고(에듀테크 활용 교육) 이를 실현할 방안을 교육과정 및 학급 운영 측면에서 설명하시오.

1 AI·에듀테크 활용 교육 기출

(1) 정의

AI 기반 코스웨어 및 교수학습 플랫폼(AI 튜터) 활용 등 최신 기술을 활용해 미래형 교수·학습을 구현하는 모든 교육 활동

> **AI 기반 코스웨어란** 학습자 진단 및 수준별 학습 콘텐츠를 제공하는 AI 프로그램 기반의 교육과정 프로그램

(2) 하이러닝

미래교육을 지향하고 교사의 수업 설계와 학생 맞춤형 교육을 지원하는 경기도교육청 AI 기반 교수·학습 플랫폼

① Hi Learning(참여학습): 언제 어디서나 즐겁게 배움에 참여, 공동체적 책임감 함양

② High Learning(성장학습): 개인 맞춤형 교육으로 학습 격차 해소, 교사·학생 동반 성장

③ Hybrid Learning(융합학습): 온·오프라인을 연결해 경험과 기회 확장

(3) 하이테크 교육

인공지능, 빅데이터 등과 같은 고도화된 기술인 하이테크의 특징과 장점을 살려 교육 현장에 활용함으로써 교육적 효과를 높이는 것

(4) 방식

① 학생

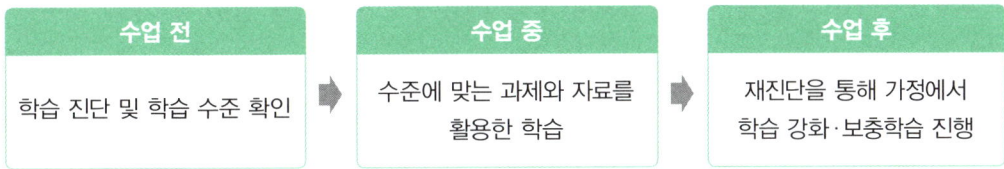

수업 전	수업 중	수업 후
학습 진단 및 학습 수준 확인	수준에 맞는 과제와 자료를 활용한 학습	재진단을 통해 가정에서 학습 강화·보충학습 진행

② 교사
- AI 분석으로 학습 과정·결과를 빠르고 정확하게 파악
- 진단 결과를 토대로 맞춤형 교육과정·평가 설계

- AI가 대신하기 어려운 부분(상담·관계 형성·정서 지원)에 집중
- 학부모와 학습 결과 공유, 다음 수업 설계에 반영

사이다 talk! 교사의 에듀테크 활용 방안을 숙지해 주세요. 에듀테크를 단순히 수업 도구로만 활용하는 것이 아닌, 교수·학습 설계에 전반적인 도구로 활용하고, 이를 참고해 학생·학부모와 상담한다는 내용에 주목해야 합니다.

② 도입 목적

(1) 4차 산업혁명 시대 교육 대전환 요구

① 스마트 기기·디지털 교과서 확산·디지털 기반 교육환경 조성에 따른 새로운 교수·학습 방법 필요

② 디지털 활용 격차, 디지털 사회 문제 등 미래 사회 위험 요인 대응 필요

(2) 학생 개인의 흥미와 적성을 반영한 맞춤형 교육 필요

① 기후환경 변화·학령인구 감소 등 사회 변화에 대응할 수 있는 인재 양성 필요

② 경쟁보다 학생 개별 성장 중심 교육과정 요구 확대

③ AI·디지털 발달로 맞춤형 학습 환경 가능

④ 학생이 자신의 삶과 배움을 주도할 수 있는 교육 강조

(3) 디지털 교과서·에듀테크 활용 확대

① 2022 개정 교육과정 안착 필요

② 2025년 수학·영어·정보 AI 디지털 교과서 도입 예정

③ 코로나19 이후 블렌디드 러닝 확산 및 에듀테크 기반 학습 활동 활성화

③ 1인 1스마트 기기를 활용한 교과 지도 방안

사이다 talk! 1인 1스마트 기기는 단순히 기계를 나눠주는 게 목적이 아니에요. "깊이 있는 학습"을 더 깊고 넓게 만드는 도구라는 점을 꼭 강조해야 합니다. 교과 지도 방안을 설계할 때는 반드시 교육과정 성취기준을 근거로 삼아야 하고, 현장에서 활용 가능한 2~3개의 성취기준을 암기해 두면 답변이 훨씬 전문적으로 들립니다.
또한, 학생들이 기기를 수업 도구로 잘 쓸 수 있도록 사전 안내와 훈련을 하는 것도 교사의 몫이에요. 즉, 에듀테크 활용은 기술 자체보다 교사가 설계하고 학생이 주도적으로 성장할 수 있게 만드는 과정임을 드러내야 합니다.

(1) 특성

① **동시성**: 모든 학생이 동시에 학습에 참여할 기회 제공

② **즉시성**: 학습 수준에 따라 즉각적인 피드백 가능

③ **주도성**: 학습 주제 선택과 과제 수행 과정에서 학생 주도성 강화

④ **적기성**: 학습 결손을 조기에 발견하고 보정할 수 있음

⑤ **누적성**: 학습 이력을 데이터로 축적·관리하여 성장 과정을 지원

(2) 교과 연계 방안

① **국어**: 다양한 지문 조사·발췌, 문학작품 감상문 온라인 공유, 스토리텔링 앱 활용 웹툰·웹소설 제작

② **영어(제2외국어)**: 사이버 원어민 활용, 구글 협업 프로그램 등을 활용한 공동 시나리오 작성, AI 활용 퀴즈 프로그램 도입, 스스로 발음 교정 및 실시간 번역 학습, 메타버스 활용 타국 중학교와 국제교류 활동

③ **수학**: 학습자 수준에 맞는 온라인 과제 제공, 개별 맞춤형 피드백 제공, 스마트 펜을 활용한 문제 풀이, 문제 풀이 상호 공유, 게이미피케이션 앱 활용 학생이 제작하는 방탈출 게임 및 퀴즈 기반 협력적 도전 과제 제공 및 제작

④ **사회·역사·도덕**: VR 기술을 활용한 박물관 관람, 문화재 체험, 가상 현장 답사

⑤ **과학**: 3D 뷰어를 활용한 암석 등 관찰, 생물의 다양성이나 기후 변화 관련 자료 제작

⑥ **기술·가정·정보**: 온라인 건강 식단 구성, 3D 공간 구성, 코딩

⑦ **체육**: 개인 포트폴리오 제작, 선수들의 경기 영상 분석을 통한 전략 수립

⑧ **음악**: 보이는 라디오 제작, 악기 앱을 활용한 합주

⑨ **미술**: 스마트 펜을 활용한 디지털 드로잉 수업, 공유 문서를 활용한 온라인 작품 전시 및 감상

사이다 톡 talk! 이 방안은 〈교사교육과정 구현을 위한 도움자료 즐겨찾기 4호〉에서 발췌했어요. 원문을 직접 보시면 실제 수업 모형도 상세히 나와 있으니 큰 도움을 받으실 거예요. 앞서 말했듯이 교육과정 성취기준에 근거한 방안이어야 해요. 만능으로 적용할 수 있는 성취기준 2~3개를 선정해 암기해 두면, 전문성을 드러내기에 좋아요.

4 인공지능 활용 교육

(1) 정의

① 인공지능: 인간의 사고·학습·자기개발을 컴퓨터가 모방할 수 있도록 연구하는 컴퓨터공학 및 정보기술의 한 분야

② 인공지능 교육: AI 기술을 이해하고 활용하는 역량뿐 아니라, AI 시대에 필요한 가치·윤리·삶의 방식을 배우는 교육 예 AI 이해 교육(기법·기술 이해), AI 활용 교육, AI 윤리 교육 등

(2) 활용 방안

① 맞춤형·개별화 교육
- AI가 학생의 학습 형태와 수준을 분석해 맞춤형 학습 콘텐츠 제공
- 단, AI는 일부 데이터만을 분석하므로 결과를 절대화해서는 안 됨 ➡ 교사의 진단과 개입을 통해 AI가 포착하지 못한 학생의 내면적 변화와 잠재성을 확인·지원해야 함

② 진로교육
- AI가 학생의 성향·특성을 분석해 진로를 추천
- 단, 청소년기의 변화 가능성을 고려하지 않고 과거 데이터에만 의존하면 위험성이 있음 ➡ 보조 도구로 활용

③ 기초학력 보장
- AI 튜터와 빅데이터 분석으로 학습 부진 원인을 진단하고 맞춤형 학습 제공
- 에듀테크 기반 시스템을 통해 학습 격차 해소에 기여

④ 교과 지도 방안
- 체육: AR·VR 등을 활용한 메타버스 스포츠 교실 ➡ 공간 제약 없음
- 국어·영어·제2외국어: 인공지능과 협업해 요약문·발표문 제작, 발음 교정
- 음악: AI 작곡 프로그램으로 창작 체험
- 기술·가정·과학: 로봇청소기, 인공지능 스피커, 스마트 냉장고, 자율주행 등 생활 속 AI 사례 조사 후 발명 아이디어 구안

- 도덕: 자율주행 사고 시 발생할 수 있는 윤리적 딜레마와 사고의 법적 책임 문제에 대한 자신만의 도덕적 기준 수립 후 토의 활동

사이다 톡 talk! 교육과정 성취기준에 근거해 교과 지도 방안을 수립해 보세요.

⑤ 인공지능 윤리 교육

- 딥페이크 체험 후 올바른 활용 태도 토론
- 인공지능 오남용 사례(보이스피싱 등) 분석 후 예방 방안 모색
- 인공지능으로 변화하는 직업 세계 탐구 ➡ 미래 역량과 노력 방향 고민

5 챗GPT(생성형 AI) 활용 교육

(1) 챗GPT(ChatGPT)

OpenAI社의 초거대 언어 모델인 GPT-3.5, GPT-4를 기반으로 동작하는 인공지능 챗봇 서비스로 질문을 구체적으로 하거나 추가 질문을 통해 상세한 답변 유도가 가능함

(2) 수업 활용 방안

사이다 톡 talk! 교사는 학생들에게 다음과 같은 상황에서 챗GPT를 활용할 것을 추천하면 좋아요. 학생들이 능동적으로 수업에 참여할 수 있거든요. 단 이때, 어떤 문제 상황이 생길 수 있는지, 이 경우 교사에게 필요한 역량은 무엇인지 고민하며 읽어주세요. 답은 조금 뒤에 알려드릴게요.

① 정보 탐색

- 아이디어 탐색: 학습, 교육 활동에 필요한 의견이나 아이디어를 수집하고자 하는 경우

  > **질문 예시**
  >
  > 초등학교 안전교육에 대한 캠페인에 참여하려고 해. '전동 킥보드 금지'를 주제로 4컷 만화를 그리고 싶은데, 한 컷 한 컷 어떤 내용을 그리면 좋을지 아이디어를 부탁해.

- 자료 조사: 프로젝트 학습에 필요한 자료, 통계 등을 수집하고 싶은 경우

  > **질문 예시**
  >
  > 공식적 자료를 활용해 애플의 스마트폰 매출액과 삼성전자의 스마트폰 매출액을 2019년 1분기부터 2020년 3분기까지 비교해 줘. 해당 자료의 출처도 말해줘.

② 언어 능력 활용

- 초안 작성

  > **질문 예시**
  >
  > 중학교 국어 수업에서 '인상 깊은 경험 말하기 대회'를 개최한다고 해. 나는 어렸을 때 가족들하고 시골에 놀러 가서 휴대폰을 사용하지 않고 일주일간 자연 체험과 대화만으로 시간을 보냈던 경험이 인상 깊어서 그 이야기를 하고 싶어. 친구들이 집중하기 쉽도록, 이 경험을 중학교 친구들 눈높이에 맞게 작성하고 싶은데 초안을 적어줘.

- 자료 요약

  > **질문 예시**
  >
  > 아래에 첨부한 내용을 3줄 이내로 요약해 줘.

- 번역

  > **질문 예시**
  >
  > 아래에 첨부한 내용을 한국어로 번역해 줘.

③ 컴퓨터 능력 활용: 엑셀, 코딩

  > **질문 예시**
  >
  > 엑셀을 사용할 거야. 셀에서 '수박'이 들어간 단어가 몇 개 있는지 세고 싶은데, 관련 함수를 알려줘.

(3) 수업 활용 시 유의 사항

① 단순히 "표절 위험 ➡ 금지"로 가는 게 아니라, 도구로 활용할 역량을 길러줘야 함

② 답변을 무조건 수용하지 않고, 비판적 검토·성찰 능력을 함께 교육해야 함

③ 원하는 답이 안 나올 때는 재질문·유도하는 질문력을 기를 수 있도록 지도해야 함

④ 어린 학생은 AI 의존성이 높아질 수 있으므로, 자아정체성과 자존감 형성 이후 활용하도록 충분한 사전 교육이 필요함

사이다 talk! 하이테크를 활용한 자기주도적 학습은 단순히 생성형 AI에게 질문하고 답을 찾는 것이 아니랍니다. 어떤 부분에 활용할 것인지 학생 스스로 계획을 수립한 후에 질문 내용을 정하고, AI가 도출한 답변을 성찰하고 검토 능력이 수반되어야 합니다! 이를 위해서 질문을 잘하는 법을 교육해야 합니다. 질문을 잘하는 법은 깊이 있는 학습과도 연관되니 꼭 기억하세요!

(4) 장점

① 개별 맞춤형·완전 학습 가능

② 명령어가 입력되지 않으면 어떤 업무도 수행하지 못한다는 점에서 올바른 질문을 할 수 있는 역량 강화

③ 수동적 필기식 수업 ➡ 학생 주도형·능동적 수업 전환 가능

(5) 문제점(한계)

① 저작권·개인정보 보호 문제: 챗GPT가 저작권자의 사용 허가 없이 인터넷 기사, 웹사이트 게시글 등을 학습용 데이터로 이용하는 경우 저작권 문제 논란이 있을 수 있음

② 답변의 신뢰성·윤리성·편향성 문제: 챗GPT는 비윤리적인 질문에 답변을 거부토록 훈련됐으나, 우회적 질문으로 비윤리적(또는 범죄)으로 활용할 가능성이 있음

> **사이다 톡talk!** 교사는 이러한 문제점에 유의하며 챗GPT와 같은 생성형 AI를 사용해야 하며, 학생들에게도 이 점을 공유하고 학생들이 이것을 비판적으로 사용할 수 있는 역량을 길러줘야 해요.

6 시사점: 하이터치·하이테크 수업 지향

인공지능이 최적화된 학습 경로와 맞춤형 콘텐츠를 훌륭하게 제공하더라도, 학생이 스스로 배우고자 하는 동기가 없다면 의미가 없음. 기술적 지원을 넘어 인간적 유대, 정서 관리, 사회성 함양, 사고력 신장에 초점을 맞추어야 함

(1) 하이터치 교육

인간을 존중하고 공감을 이끌어낼 수 있는 감성적 작용인 하이터치와 교육을 결합한 따뜻하고 인간적인 교육을 의미함

(2) 필요성

AI는 효율적 판단·자동화를 가능하게 하지만, 동시에 윤리 문제·편향 문제를 야기하기 때문에 기술만이 아닌 인간적 맥락을 함께 교육해야 함 ➡ 고도화된 AI 사회일수록 인간 존엄과 가치가 강조됨

(3) 방법

① 정서적 교류 촉진
- 단순 반복적인 행정·채점 업무는 인공지능이 대신할 수 있음 ➡ 교사는 확보된 시간에 학생 지도와 수업 준비를 하는 데 집중
- 교실 상황은 데이터만으로 설명되지 않음 ➡ 교사의 세심한 관찰과 공감이 필요

② 협업 촉진
- AI는 개별 학습에는 강점이 있으나 공동체 학습에는 한계 존재
- 따라서 교사가 협력 학습을 설계·운영해야 하며, 학생들이 함께 과제를 해결하며 소통 능력·사회성·통합적 사고를 기를 수 있도록 지도

③ 긍정적 인간관계 형성
- AI가 제시하는 학습 데이터만으로 성취도에 따라 낙인을 찍거나 편견을 형성하지 않도록 주의
- 교사·학생·학부모 간의 긍정적인 관계를 형성해 학생이 안정적으로 성장할 수 있도록 지원

④ 자기주도성과 다양성 보장
- AI가 진단과 학습 지원에 활용되더라도 학습의 주도권은 학생에게 있어야 함
- 교사는 AI 활용이 학생의 주도성을 억압하지 않도록 지도하며, 다양한 학습 경로와 방법을 보장해야 함
- 학생 개개인의 요구와 필요에 맞춘 다양성 있는 교육을 제공해야 함

사이다 톡 talk! 하이테크! 하이터치! 에듀테크 활용 교육에서 교사에게 무척 강조하고 있는 부분이니, 꼭 기억해 두세요.

7 하이터치·하이테크 교육에서 교사의 역량

(1) AI·디지털 이해 역량

① 기술의 특징·활용법 이해

② 사회에 미치는 긍정적·부정적 영향 및 교육에의 활용 방법 설명

(2) AI·디지털 활용 역량

① 성취기준 기반으로 개별화 수업 설계

② 교육 내용, 교수학습, 평가 등에 적합한 기술·데이터·콘텐츠 선정 및 활용

③ AI 데이터를 분석해 맞춤형 피드백 제공

(3) AI·디지털의 윤리적 활용 역량

① 개인정보 보호, 저작권 준수

② 기술의 영향에 대한 비판적 이해

③ AI 활용 시 윤리적으로 책임감 있는 태도 함양

9 디지털 시민교육·개인정보 보호 ㉾

현장 이야기로 사이다 열기

오늘날 학생들은 오프라인만큼이나 온라인에서 생활합니다. 쇼핑, 정보 탐색, 친구와의 대화까지 대부분 온라인에서 이루어지죠. 이처럼 학생들에게 친숙한 AI·디지털 기술은 분명 교육적 효과를 가져올 수 있지만, 동시에 부작용에 대한 우려도 큽니다. 그렇기에 디지털 공간 속에서의 소양과 예절은 더 이상 선택이 아닌 필수 역량입니다. 경기도교육청은 학생들이 분별력을 갖추고 디지털 플랫폼과 콘텐츠를 안전하게 사용할 수 있도록 디지털 시민교육을 강화하고 있습니다.

학생뿐 아니라 교사도 디지털 사회의 일원으로서 개인정보와 저작권, 초상권을 지켜야 할 책임이 있습니다. 이미지를 무심코 스크랩하거나, 타인의 저작물을 무단 복제하는 행위는 누군가에겐 피해가 될 수 있기에, 교사는 이를 정확히 인식하고 전문성을 갖춰야 합니다.

결국 중요한 것은, 교사의 시민성과 윤리성을 바탕으로 학생들이 온라인 공간에서도 책임 있는 시민으로 성장하도록 조력하는 것입니다. 그 구체적 방안을 함께 살펴봅시다.

#필요한_역량 #교육_방안

☑ All 기출 문장 및 빈도 체크

연도	자기성장소개서 ㉿			집단토의 ㊗			개별면접 ㊚		
	초	중	비	초	중	비	초	중	비
2016									
2017									
2018									
2019									
2020									
2021				미시행					
2022								✓	
2023								✓	✓
2024									
2025									

*공통 ㉾

[23'㊥㊚] SWOT을 분석하고(교육공동체 인성교육 필요, 교과 연계 인성교육 프로그램 미비, 미디어에 무분별하게 노출, 기초생활습관 부족 등) '_를 통한_'의 빈칸을 채워 자율과제의 필요성과 구체적인 교육 방안을 말하시오.
[23'㊙㊚] 제시문과 관련한(학생의 게임 과몰입·기본적 습관이 형성되지 않음, 지역사회 프로그램 부족 등) 전공 연계 방안을 말하시오.
[22'㊥㊚] 각 사례별 개인정보 보호법 위반 여부를 말하시오.

① 디지털 시민교육의 필요성

① 디지털 시대를 주도적으로 살아가기 위한 디지털 역량 함양 요구

② 디지털 전환에 따른 에듀테크 기반의 학교 교육 환경 변화 대응

> 〈2022 개정 교육과정 총론 주요 개정 방향 및 내용〉 중 디지털 관련 부분
> 초·중학교 교육과정의 공통 개정 사항
> (4) 디지털 소양 함양 교육 및 정보 교육의 강화
> 디지털 지식과 기술에 대한 이해와 윤리의식을 바탕으로, 정보를 수집·분석하고 비판적으로 이해·평가하여 새로운 정보와 지식을 생산·활용하는 능력
>
> 〈초등 과학과 주요 개정 방향 및 내용〉 중 디지털 관련 부분
> 삶과 연계하여 미래 역량으로서 과학적 소양을 함양하는 초등 과학
> (2) 미래 역량으로서 과학적 소양 함양 강조
> – 디지털 소양, 민주시민 교양 교육 관련 성취기준 제시 예 ~스마트 기기를 활용하여~

② 디지털 역량

자율·균형·미래의 경기교육 원칙을 반영하고 기존 디지털 시민성과 디지털 리터러시를 포괄한 개념으로, 시민 역량과 창의 역량으로 구분됨

(1) 디지털 시민 역량

디지털 사회에 대한 이해와 윤리의식을 바탕으로 안전하고 책임감 있게 디지털을 이용하고 정보를 분별력 있게 수집, 분석, 이해, 평가하는 역량

(2) 디지털 창의 역량

디지털 기술에 대한 이해를 바탕으로 새로운 정보와 지식을 생산, 활용, 공유해 사회경제적 가치를 창출하는 역량

	영역		요소
기본 소양	디지털 안전	1. 디지털 사회의 이해와 자아정체성 확립	디지털 사회에 대한 이해
			디지털 사회에서의 자아정체성 확립
	디지털 윤리	2. 디지털 기술의 이해와 활용	디지털 기술의 이해
			디지털 기술의 주체적 활용

실천 역량	디지털 책임	3. 정보·콘텐츠의 관리와 활용	정보·콘텐츠에 대한 권리와 책임
			정보·콘텐츠 탐색, 분석 및 평가
			정보·콘텐츠 생산
	디지털 소통	4. 디지털 의사소통과 협력	디지털 정보공유
			디지털 협업
			디지털 관계 형성
	디지털 창작	5. 디지털 창작 및 향유	디지털 문화 향유
			디지털 표현과 창작
			디지털 문화 성찰
	디지털 참여	6. 디지털 시민 참여	디지털 환경의 사회문제 성찰
			디지털 사회 참여

(3) 인성 기반의 디지털 역량

디지털 기술에 대한 이해를 바탕으로 디지털 사회를 주도적으로 살아가기 위한 인성 기반의 기본 소양과 실천 역량

디지털 안전	디지털을 안전하게 활용하기
디지털 윤리	디지털 윤리의식 갖추기
디지털 책임	디지털을 책임감 있게 활용하기
디지털 소통	디지털 세상에서의 올바른 소통과 관계 형성하기

사이다 톡talk! 디지털 역량은 단순한 기술 숙달이 아니라, 책임 있는 시민성과 창의적 문제 해결력을 균형 있게 기르는 것을 목표로 한다는 게 느껴지시죠?

☑ 디지털 시민교육 5분 실천 예시주제

주제	내용	사례
디지털 안전	• 스마트폰 안전하게 사용하기 • 디지털 미디어 식별하기 • 디지털 발자국 관리	• 스마트폰 건강하게 사용하기 • 가짜 뉴스 판별하기 • 바람직한 SNS 사용법
디지털 윤리	• 사이버폭력 • 온라인 학교폭력 • 사이버범죄 • 디지털 성폭력 • 인공지능·메타버스 사용방법	• 사이버폭력 예방교육 • 온라인 계정 도용 • 사이버 스토킹 대응방법 • 메타버스 윤리 / 인공지능 윤리 • 온라인 에티켓

디지털 책임	• 사이버 명예훼손 • 저작권 보호 • 디지털 리터러시	• 사이버 명예훼손 사례 • 초상권 침해 예방 • 저작권 준수
디지털 소통	• 디지털 기기를 활용한 소통 • 디지털 사회 소통 문제 • 디지털 관계 형성	• 디지털 공간에서 협력 소통하기 • 온라인상의 문제 발생 예방하기 • 온라인 미디어에 의견 제시하기 • 디지털 사회에서 관계 형성하기

사이다 talk! 이 사례들에 대한 구체적인 교육 방안을 꼭 생각해 두세요. 성취기준에 근거하여, 교과 지도 방안을 계획해야 한다는 것 잊지 말자구요!

③ 디지털 시민교육 방안

(1) 내용

① 디지털 기술 활용 교육

② 기술적 능력뿐 아니라 참여와 가치 및 윤리에 대한 교육 시행

③ 비판적 정보 수용 능력, 관리와 책임 인식, 의사소통 능력 함양을 통해 사회 참여로 이어질 수 있도록 조력

(2) 스마트폰을 통한 디지털 시민성 향상 방안

① 스마트폰의 기능과 편리한 조작법을 습득하는 기술적 활용 능력 함양

② 스마트폰을 올바르게 사용하는 방법이 무엇인지 인지

③ 유용한 앱과 좋은 콘텐츠를 선별하고 이를 적용해 스마트폰 이용의 긍정적인 결과 도출

사이다 talk! 교육과정과 연계한 디지털 시민교육 운영 방안과 학교자율과제·학교자율시간과 연계한 프로젝트 학습 방안을 꼭 구안해 주세요. 이때, 지역사회 내의 자원을 활용하고 가정과 연대해 함께 교육할 수 있는 방안을 모색한다면 경기도교육청의 교육 방향성과 일치한답니다.

(3) 미디어 리터러시 교육

다양한 맥락 안에서 미디어에 접근하고, 비판적으로 이해하며 창의적으로 창조할 수 있는 능력으로 미디어를 통한 참여와 실천을 포괄하는 개념(이용자이자 생산자로서의 교육)

미디어를 비판적으로 읽기		미디어를 비판적으로 쓰기
미디어를 깊이 읽어 내기		자신만의 콘텐츠를 제대로 만들기

① 도입 배경
- 각종 미디어에서 콘텐츠가 홍수처럼 쏟아져 나오는 요즘, 무분별한 미디어 이용을 지양하고 미디어를 제대로 이해하고 사용하는 능력의 필요성 대두
- 디지털 세대인 아이들 안에서 경험의 차이, 정보에 접근할 수 있는 자원 및 능력 차이 존재 ➡ 미디어 격차를 줄여서 디지털 시민으로서 활동하는 어린이·청소년 지원의 필요성 제기

② 지향점
- **삶의 경험을 중심으로 한 교육**: 어린이·청소년이 자신이 경험하고 있는 미디어에 대해 이야기하고 서로의 미디어 경험 비교 ➡ 미디어가 자신의 삶과 사회에서 의미하는 바가 무엇인지 성찰하고 미디어의 발전 방향에 대해 함께 고민
- **성찰 중심의 교육**: 지식 전달 교육이 아닌, 성찰 중심, 질문 중심의 교육
- **교사와 학생이 함께 성장하는 교육**: 교사가 학습자에게 일방적으로 지식을 전달하는 교육이 아닌, 교육자와 교육 참여자가 서로를 가르치고 함께 배우는 교육 ➡ 교사와 학습자는 서로의 미디어 이용 문화에 대해 더 잘 이해할 수 있고, 미디어에 대해 함께 배울 수 있음

③ 교육의 핵심 내용
- 적절한 정보를 찾고, 믿을 수 있는 정보를 선택하는 능력을 길러주어야 함
- 미디어의 정보가 올바른 것인지 판단하는 눈을 길러주어야 함
- 저작권과 초상권, 개인정보 보호에 대한 교육을 병행해야 함
- 디지털 환경에서 어린이·청소년의 '권리'도 가르쳐야 함

④ 교육 사례

사이다 talk! 교직관을 담아 미디어 리터러시 교육을 하는 방안을 고민해 주세요. 교과 연계 수업 방안도 꼭 생각해 주세요. 교과 연계 수업은 내용 측면에서의 주제를 심도 있게 다룰 수 있는 동시에, 미디어 리터러시 교육을 위해 필요한 기술적, 윤리적 측면 등도 균형 있게 교육할 수 있다는 장점이 있거든요. 또한 주제 중심으로 연결되는 다양한 교과 활동을 통해 학생들의 지식과 경험을 유효하게 확장할 수 있다는 장점도 있으니, 방안 중 하나는 꼭 교과 연계를 생각해 주세요!

- **유튜브를 활용한 미디어 리터러시 교육**: 학생들은 유튜브를 TV보다 많이 시청하며, 유튜브 크리에이터를 장래희망으로 꼽기도 함. 유튜브 제작 활동을 통해 정보의 생산과 소비 방식을 비판적으로 이해할 수 있으며, 디지털 환경에서의 책임 있는 사용법을 익히는 기회가 됨

| 1단계
이해하기 | 학생들이 좋아하는 유튜브를 함께 시청하기 |

| 2단계
분석하며 판단하기 | • 영상을 비판적으로 시청하며, 유해성에 대한 의견을 토론하기
• 콘텐츠 선택 기준 및 영상 시청 규약, 영상 제작 규약 등을 정하기 |

| 3단계
제작하기 | • 규약을 고려하며 영상을 직접 제작하기
• 좋은 영상을 제작하며 생산 능력 함양하기 |

- **정보 검색 수업·팩트 체크 수업**: 디지털 미디어의 다양한 정보에는 진위를 알 수 없거나 편향되고 왜곡된 정보가 다수 포함돼 있으며, 단기간에 확산되므로 적절한 정보를 찾고 그중 신뢰할 수 있는 정보를 선택할 수 있는 능력이 필요함

| 정보 검색에 대한 교육:
각 분야별 신뢰 있는
사이트 안내 | ➡ | 태블릿을 통해 관심 있는
주제에 대해 정보 조사(혹은
기사 및 댓글을 신뢰 있는
사이트를 통해 팩트 검증) | ➡ | 모둠별 토의 과정을 거쳐
결론 도출 |

- **패러디 콘텐츠에 대한 비판적 성찰 교육**: 메시지를 비판적으로 분석하고, 창의적이고 윤리적인 미디어 사용 방식을 익힐 수 있음

| 1단계
패러디 콘텐츠의 이해 | 패러디의 개념과 사례 소개 |

| 2단계
비판적 성찰 활동-
비판적 질문에 대한
모둠 토론 | • 패러디는 어떤 메시지를 전달하는가?
• 패러디는 특정 개인이나 집단에 부정적인 영향을 미치는가?
• 모욕적이거나 혐오스러운 콘텐츠는 패러디로서 용인될 수 있는가? |

| 3단계
패러디 콘텐츠 제작
실습 | • 주제 선택: 학생들이 패러디할 주제를 스스로 선택 예 광고, 드라마, 정치 등
• 콘텐츠 분석: 원작이 전달하려는 메시지 분석, 어떤 부분을 패러디할지, 어떻게 비틀어서 새로운 의미를 전달할지 구상하게 함
• 제작: 소모둠으로 나누어 패러디 영상 제작 |

| 4단계
비평 및 성찰 | 제작한 패러디 콘텐츠 공유, 동료 평가 및 토론, 자기 성찰 |

사이다 talk! 요즘 SNS 인기 콘텐츠의 주제는 '패러디'인 거 같아요. 사회·문화적으로 유명세를 탄 인물들은 곧잘 패러디의 대상이 되더라고요. 당사자도 함께 웃어넘기는 패러디도 있지만, 어딘가 묘하게 불편한 감정이 드는 패러디도 있어요. 인터넷으로 문화를 접하는 우리 학생들에게 패러디 관련 교육이 꼭 필요하다고 생각합니다.

- 디지털 관계 맺기 수업
    - 사이버불링 예방: 사이버폭력과 괴롭힘의 사례를 살펴보고, 예방 방법과 대응 전략 토론 ➡ 사이버불링에 대한 경각심을 갖게 하고, 피해자뿐만 아니라 목격자로서의 책임 강조
    - 가상 시나리오 해결: 부정확한 정보 확산, 사이버 괴롭힘 등 가상 상황 제시 ➡ 대응 방안과 구체적 계획 수립
    - 소통 방식 성찰: 자신의 디지털 소통 습관을 돌아보고 개선점 탐색 ➡ 학급 차원의 실천 규칙 작성 및 윤리적 행동 방침 수립
    - 소셜 미디어와 개인 브랜딩: 긍정적인 온라인 정체성 형성, 유지, 관리 방법 학습

(4) 인터넷·스마트폰 과의존 예방 교육

① 인터넷·스마트폰 과의존 정의: 인터넷·스마트폰을 과도하게 사용하며 인터넷·스마트폰이 없을 때 불편과 불안, 정신적인 긴장감을 보이고 일상생활에 어려움을 느끼는 상태

② 인터넷·스마트폰 과의존 학생에게 나타나는 어려움

- 신체적 문제: 스마트폰 청색광은 호르몬 분비를 교란시켜 수면장애와 성장 저해, 질병 위험 증가를 초래함
- 학습 문제: 숙제를 반복적으로 미루거나 학습에 집중하지 못해 성적이 하락할 수 있음
- 관계 문제: 약속을 미루거나 가족과의 대화가 줄어드는 등 대인관계 손상이 발생함

③ 경기도교육청 교육 방향

- 학생 주도 예방 활동: 학생 스스로 규칙을 제정·운영하며 바른 사용법을 실천하고 또래문화 활동을 통해 과의존 예방
- 스마트폰 바른 사용 캠페인: 포스터·표어·웹툰 공모 등 학생 주도의 창작 활동, 전시 활동을 통해 올바른 사용 의식 확산
- 이용 습관 진단조사: 자가 진단을 통해 중독 위험성을 인식하고 자율적 습관 개선 유도

④ 인터넷·스마트폰 과의존 상담 방안

- **학생 상황 파악**: 학생이 흥미 있는 게임·영상·용어를 대화 주제로 시작해 자연스러운 상담 유도, 사용 시기·시간·용도·불편감·만족감 등을 파악, 사용 일지를 작성하게 하여 직접 확인할 수 있도록 함
- **자기조절 필요성 인식**: 교사가 지시하기보다 학생 스스로 깨닫도록 유도, 걱정과 관심을 표현하며 학생 의견을 물어보는 방식 활용
- **실천 목표 설정 및 달성 지원**: 작은 목표부터 시작해 단계적으로 상향 조정, 목표 달성 여부를 함께 평가하며 수정·보완
- **목표 설정 시 유의 사항**: 무리한 목표는 피하고 실천 가능한 수준으로 조정, 학생이 사이버 공간에서 얻고자 하는 욕구(인정, 소속감 등)를 실제 생활에서 충족할 수 있도록 지도, 여가 시간 대체 활동을 구체적으로 제시하고 경험할 수 있도록 돕기, 작은 변화라도 적극적으로 격려·지지해 동기 강화
- **보조적 방법 안내**: 디지털 기기를 침실에 두지 않기, 사용 종료 알람 설정으로 수면 확보, 스마트폰 관리 앱 활용, 특정 장소에 보관하는 습관 형성, 학업·진로 관련 앱과 사이트 활용을 권장

⑤ 인터넷·스마트폰 과의존 예방 교육 방안

- **학생 주도 활동**

  _ 사용 규약 제정

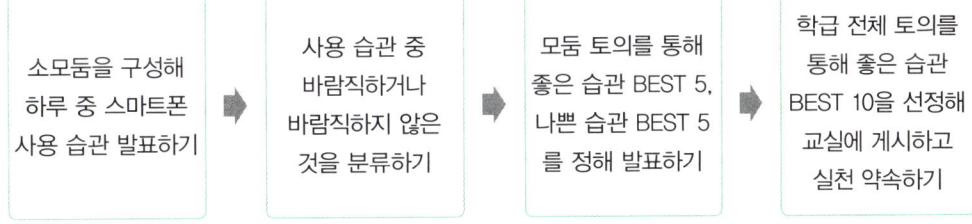

  _ 디지털 디톡스 챌린지: '스마트폰 없는 날' 또는 '디지털 프리 타임'을 정해 독서, 놀이 등 다른 활동으로 채우기

  _ 미디어 사용 일지 작성: 일주일간 스마트폰 사용 시간과 용도를 기록 ➡ 데이터를 분석해 스스로 점검하고 개선 방안을 토의

- **지역사회와 연계**: 용인시 '청소년 인터넷 스마트폰 중독 예방 상담센터' 등 시·도에서 실시하는 프로그램 활용·치유 캠프와 연계

- 가정과의 연대: 학부모와 협력하여 지도
  - 학부모의 어려움에 공감하기: 부모가 지도 과정에서 겪는 어려움을 인정하고 자녀 사용 습관·양육 태도를 함께 점검
  - 실천적 지도 방법 안내: 자녀 활동에 호기심을 표현하며 대화 시작, 가족 여가 활동을 늘리고 작은 변화에도 칭찬·격려, 자녀가 반항할 때에도 공감과 믿음을 지속적으로 표현, 가정 규칙 만들기, 취침 전·식사 시간에는 사용 금지, 무조건 금지보다는 대체 활동 제안, 일주일 중 하루는 '스마트폰 쉬는 날'로 정함
  - 전문기관 안내: 일상생활에 지장이 큰 경우 전문기관 상담 연계

(5) 기대효과

① 학생 스스로 스마트폰 문제의식을 인식하고 자제력 강화
② 학교·가정이 함께 참여해 예방 역량을 높이고 건강한 학교 문화 조성
③ 다양한 예방 활동을 통해 정보통신 윤리 교육을 학교 현장에서 실천
④ 미래 사회의 핵심 역량인 자기관리 능력을 기르고, 책임 있는 디지털 시민으로 성장

4 디지털 교육에 필요한 교사의 노력 방안

① **정책 이해와 전문성 신장**: 국가·교육청의 디지털 시민교육 정책을 이해하고 현장 맥락에 맞게 해석·적용해야 함

② **맞춤형 수업 설계와 실행**: 학생 발달 단계와 특성을 고려해 디지털 시민 역량을 교육과정 속에 녹여내고, 맞춤형 수업과 활동을 통해 역량을 실질적으로 길러줘야 함

③ **순기능 강화·역기능 예방 지도**: 디지털 기술의 긍정적 활용을 적극 지도하고, 동시에 역기능에 대한 사례 중심 교육을 강화하여 학생이 균형 잡힌 디지털 활용 태도를 기르도록 함

5 개인정보 보호

(1) 개인정보 보호법 제1조 기출

다음 목적을 위해 처리하며, 처리하고 있는 개인정보는 목적 이외의 용도로 사용하지 않음

개인정보	목적	근거	항목
학교생활기록부	학생의 학업성취도 평가를 통한 내실화 도모	「초·중등교육법」제25조, 「학교생활기록 작성 및 관리 지침」제5조, 「초·중등교육법 시행령」제106조의3	사진, 인적사항(성명, 성별, 주민등록번호, 주소, 보호자 성명, 보호자 생년월일, 특기사항), 학적사항 등
학생건강기록부	학생건강관리 기록	「학교건강검사규칙」제9조, 「학생건강기록부 전산처리 및 관리지침」제14조	성명, 성별, 주민등록번호, 혈액형, 보호자 성명, 학교, 학년, 반, 번호, 담임 성명, 전염병 예방접종, 키, 몸무게, 신체적 능력, 건강검진 현황
학교운영회명부	학교운영위원회 구성 및 운영 관리	「초·중등교육법」제34조, 「초·중등교육법 시행령」제62조	성명, 주소, 전화번호
스쿨뱅킹 정보	학교에서 고지되는 각종 납부금의 자동 이체	정보 주체 동의	학생 성명, 학년, 반, 번호, 생년월일, 보호자 성명, 보호자 생년월일, 연락처, 계좌번호
발전기금 기탁자 관리	학교발전기금 기탁자 및 내역 관리	「초·중등교육법 시행규칙」제45조, 제52조	성명, 상호, 사업자번호, 주민등록번호, 대표자 성명, 주소, 전화번호

사이다 talk! 기출문제로 출제된 부분이니 주목합시다! 목적에 따라 개인정보를 사용한다는 내용의 법 조항이에요. 즉, 이러한 목적이라면 개인정보를 활용해도 무방합니다. 동의를 받았다면요! 개인정보를 사용했다고 해서 무조건 위반이 아니랍니다. '사용한 목적'은 무엇이고 '동의'를 받았는지 2가지 포인트가 매우 중요해요.

(2) 개인정보 처리 유의 사항

① **최소 정보 수집**: 업무처리 목적에 필요한 최소한의 정보만 수집하고 그 목적에 맞는 용도로만 활용해야 함(개인정보 보호법 제16조)

👍 학사업무와 무관한 학부모의 직업, 학력 등 개인정보를 수집 ➡ 개인정보 최소 수집 위반

② **이메일 발송 유의**: 이메일을 이용해 개인정보가 포함된 파일을 전송할 경우 파일 암호설정 여부 및 파일 수신자(개인·단체)를 반드시 확인해야 함

👍 개인정보 취급자가 개인정보가 포함된 파일을 이메일을 통해 다수의 사용자에게 무분별하게 발송 ➡ 개인정보 유출

③ 홈페이지 게시, 메신저 이용 주의

- 홈페이지에 파일(한글, PDF 등)을 탑재하거나 강당 벽면·교내 게시판에 자료 공지 시 개인정보 포함 여부 확인 ➡ 개인정보 처리자는 정보 주체의 사생활 침해를 최소화하는 방법으로 최소한의 개인정보를 이용해 처리해야 함(개인정보 보호법 제3조)
  - 👍 반 편성 정보를 알리는 과정에서 다수에게 공개되지 않아도 될 성적 등 개인정보가 포함된 자료를 강당 벽면 혹은 온라인 게시판에 게시 ➡ 개인정보 유출

- 상호 실시간 정보 공유가 가능한 기관 메신저 등을 이용해 업무정보를 주고받는 경우 개인정보 탑재를 지양함
  - 👍 메신저를 통해 직원이 다수 학생에게 공지 사항을 안내하며 파일(개인정보 포함) 공유 시 회수 불가 ➡ 개인정보 유출

④ 제3자 제공 개인정보 보호법 준수: 기 수집한 개인정보를 수집한 목적 내로 제3자에게 제공하거나 목적 외로 제3자에게 이용 또는 제공할 경우 「개인정보 보호법」을 준수해야 함

⑤ 개인정보 보호 교육 실시: 교내 업무 처리 시 학생·학부모의 개인정보는 물론 교직원의 개인정보도 「개인정보 보호법」이 적용됨을 인식시켜야 함
  - 👍 졸업앨범 제작 시 교직원(정보 주체)의 개인정보가 포함되는 경우 「개인정보 보호법」 제15조에 따라 정보 주체의 동의를 받고 제작해야 함

교육 아티클

태블릿PC를 활용한 미디어 리터러시 교육

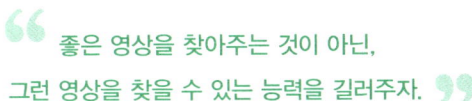

> 좋은 영상을 찾아주는 것이 아닌,
> 그런 영상을 찾을 수 있는 능력을 길러주자.

온라인 콘텐츠 선도학교에서 근무하며 태블릿PC를 사용한 수업 모델을 구안했어요. 기술 사용과 윤리성을 모두 고려했을 때, 가장 먼저 떠오른 것이 미디어 리터러시 교육이었죠. 제가 기획한 다음 내용을 참고하셔서 선생님들의 교육 방안을 고민해 주세요.

수업 의도 및 필요성

수행평가를 검토하다 보면 블로그, 유튜브 등에서 언급하고 있는 무분별한 지식을 사실인 듯 적는 경우가 있어 놀랄 때가 많다. 특히 오랜 시간 디지털 환경에서 살아가는 학생들에게 인터넷 정보의 신뢰성에 대한 자기만의 기준과 유해 콘텐츠를 판단할 수 있는 감식안이 필요하다. 교사는 목적에 맞게끔 수업 영상을 찾아 보조자료로 활용한다. 하지만 이러한 기회를 학생들에게 넘겨준다면 시간은 더디지만, 더욱 질 좋은 수업을 만들 수 있다. 학생들은 스스로 영상을 찾아볼 일이 매우 많고, 다양한 영상을 검색할 수 있는 능력을 갖추고 있다. 질 좋은 영상을 선별하기 위한 교육이 뒷받침된다면 이러한 능력을 더욱 강화할 수 있다. 이를 위해 직접 유튜브에서 수업 주제와 관련된 정보성 영상을 찾아보며, 신뢰가 있는 자료인지 소모둠 토의를 한 후, 영상을 선별하는 감식안을 기르고 올바른 영상물을 선택할 수 있는 능력을 길러주고자 2차시에 거쳐 미디어 리터러시 교육을 기획했다.

도입

신항로 개척에 관한 상기 학습 및 오늘의 활동 내용 소개한다.

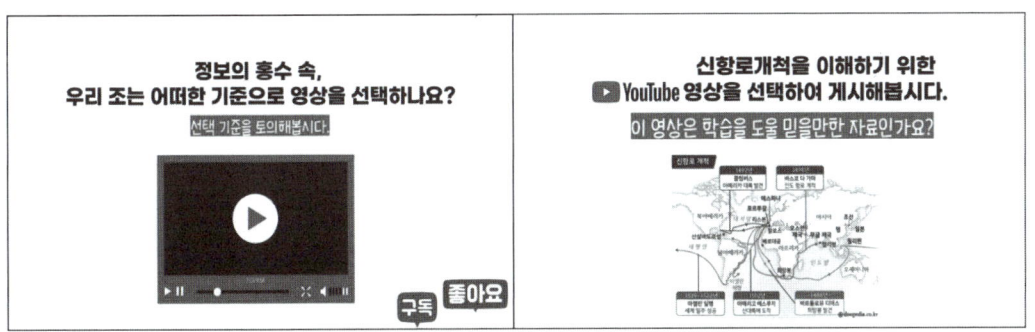

▲ 활동 내용을 소개하는 파워포인트 자료

1차시 활동

태블릿PC 카메라 기능 중 QR코드 읽기 기능을 선택해, 교실 모니터 화면에 보이는 QR코드를 읽어 띵커벨 보드에 입장하도록 지도한다. 소모둠 토의로 우리 조가 영상을 선택하는 기준에 관해 이야기를 나눈다. 그 후 서기가 정리해 띵커벨 보드에 작성한다.

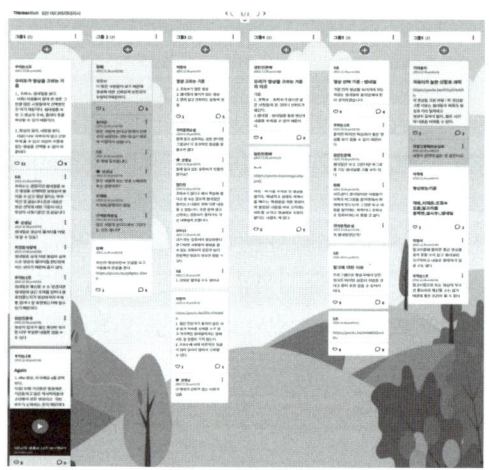

학생들은 영상을 선택할 때 '조회 수', '구독자 수', '댓글의 반응', '썸네일' 등을 통해 신뢰를 얻는다고 답변했다. 미디어 리터러시 교육이 반드시 도입돼야 하는 이유이다. 이때 교사는 '촉진자'로서의 역할에 초점을 맞추며, 학생 스스로 사고할 수 있는 발문을 통해 생각을 자극해 이 척도들이 진짜 신뢰도의 기준이 될 수 있는지 고민하게 한다. 이후 각 조에서 게시한 글을 읽고 댓글, 좋아요 기능으로 상호 피드백하며 올바른 영상 선정 기준을 주제로 토의해 정리하게끔 한다.

2차시 활동

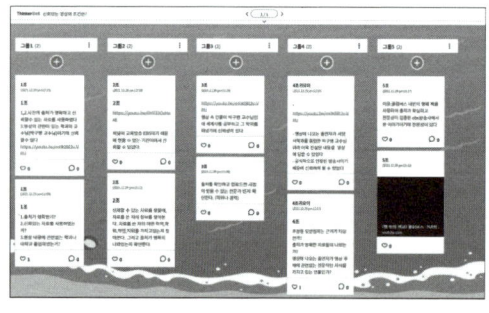

1차시에 활동한 띵커벨 보드를 공유해 전시 학습을 상기한다. 이후 댓글 및 토의를 통해 얻은 비판적 궁금증을 다시 소모둠이 해결하며, 최종적으로 띵커벨 보드를 통해 신뢰 있는 영상이란 무엇인지 고민해 글을 게시하게 한다. 그 후 새롭게 정립한 기준에 근거해 신항로 개척을 설명할 수 있는 신뢰도 있는 영상을 찾아 게시하게 한다. 이 과정을 통해 학생들은 '자료의 출처', '유튜버의 경력 및 학력, 직업' 등을 기준으로 신뢰도를 정립한 후 영상을 선정해야 함을 스스로 깨닫게 됐다.

정리

띵커벨 보드를 활용해 미디어 리터러시 활동 소감을 나누며, 활동 내용을 정리한다. 학생들은 신뢰도 있는 영상 선택의 중요성, 무분별한 영상 선택의 문제점 등을 깨닫게 됐다고 응답했다.

10. 경기형 토론교육

현장 이야기로 사이다 열기

요즘 학생들은 주도성과 주체성이 강해 토론 수업을 무척 즐깁니다. 몇 해 전 담임을 맡았을 때, 한 학생이 이렇게 말한 적이 있습니다.

"선생님, 오늘 토론 시간에 제가 1조 애들을 완전 발라버렸어요."

학생들에게는 목소리를 크게 내고, 상대를 논리로 몰아붙여 꼼짝 못 하게 하는 것이 토론을 잘하는 것이었습니다.

그 순간 저도 스스로 묻게 되었습니다. 토론은 왜 하는 것이며, 진정한 토론은 어떤 모습이어야 할까? 곰곰이 성찰해 보니, 학생들의 이런 인식은 대중매체에서 흔히 접하는 토론 장면과 닮아 있었습니다. TV 속 토론은 격앙된 말투와 날카로운 반박으로 상대를 제압하는 장면이 강조됩니다. 승패 중심의 장면을 보며, 아이들 역시 토론을 '이기는 것'으로 받아들였던 것이죠.

하지만 우리가 학교에서 지향하는 토론은 다릅니다. 올해부터 본격적으로 강조되는 경기형 토론교육은 승패가 아니라 '함께 탐구하고 공존하는 힘'을 기르는 과정입니다.

그렇다면 경기형 토론교육은 무엇이며, 그 속에서 교사의 역할은 무엇일까요? 함께 살펴봅시다.

#소통 #다름 #인정

1 왜 지금 '경기형 토론교육'이 필요한가?

경기토론교육은 자율·균형·미래를 실현하기 위해 필수적인 교육 요소로, 질문과 토론을 통해 학생들이 비판적 사고와 소통 능력을 기르고, 특히 사회적 쟁점을 다루는 토론 모형을 통해 다양한 관점을 이해하며 자기주도적인 미래 인재로 성장하도록 도울 수 있음

비전	다름과 공존하는 자기주도적 미래 인재 육성		
기조	자율	균형	미래
목표	다름과 마주하기	다름을 이해하기	다름과 공존하기
가치	관심, 용기, 책임	안정, 존중, 배려	화합, 협력, 상생

② 보이텔스바흐 원칙의 이해

(1) 보이텔스바흐 원칙

① 역사적 배경
- 2차 세계대전 후 독일은 나치 청산과 민주주의 정착을 위해 정치교육을 강조·실천
- 그러나 동·서독 분단으로 인한 갈등, 이념 갈등이 심화되며 교육 현장도 혼란을 겪음
- 1976년 보이텔스바흐에서 보수·진보 학자들이 모여 정치교육의 원칙을 합의

② 의미와 영향
- 법규·지침은 아니지만, 독일 정치교육의 '헌법'처럼 자리매김
- 20년 이상의 논의를 거쳐 합의, 현장 교사들에 의해 자율적으로 수용
- 동서독 국민 간 화합을 이끌어 내는 계기가 됨

③ 주요 3원칙

첫째, 강압적인 교화와 주입식 교육을 지양하고 학생의 자율적 판단을 중시한다.
- 교사는 특정 가치·입장을 강요하지 않음
- 학생 스스로 사고하고 입장을 형성하도록 지원

둘째, 논쟁적 주제는 수업 중에도 다양한 입장과 논쟁이 그대로 드러나게 한다.
- 사회적으로 논쟁적인 주제는 교실에서도 다양한 관점이 균형 있게 드러나야 함
- 교사는 찬반을 공정하게 제시해 학생들이 비판적으로 논의할 수 있도록 도움

셋째, 사회 현안에 대해 자신의 삶과 연계하여 실천하도록 한다.
- 학생은 사회적 쟁점이 자신의 삶과 관련 있음을 인식
- 단순 지식 습득을 넘어 비판적 사고와 민주 시민성으로 이어짐

사이다 talk! 경기형 토론교육 모델은 보이텔스바흐 원칙을 토대로 만들어졌어요. 보이텔스바흐 토론 3원칙은 경기형 토론교육의 3원칙이기도 하니, 여러분이 토론 수업을 계획할 때 반드시 유의해야 할 사항입니다! 꼭 기억해 두세요.

(2) 보이텔스바흐 원칙에 입각한 토론교육의 중요성

① 자율적 주체로서 비판적 사고력을 기르고, 이를 바탕으로 주도성을 발휘할 수 있음
② 논쟁이 되는 사회적 사안을 학교에서 안전하게 다룸으로써 다양한 입장을 균형 있게 이해할 수 있음

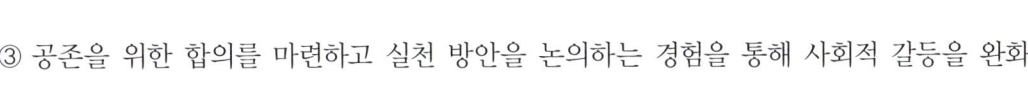

③ 공존을 위한 합의를 마련하고 실천 방안을 논의하는 경험을 통해 사회적 갈등을 완화하는 능력을 기를 수 있음

④ 사회적 쟁점이 개인의 삶과 연결되어 있음을 인식하게 하여, 교실 수업이 학생들의 삶과 이어지도록 함. 이를 통해 학생들은 불확실한 미래 사회를 살아갈 역량을 갖춘 인재로 성장할 수 있음

⑤ 토론 과정에서 존중, 배려, 책임감, 협력, 공존의 가치를 배우며 열린 시민성을 함양할 수 있음

③ 경기토론교육 정책

(1) 경기토론교육의 방향

☑ 경기토론교육 정책 체계도

경기교육 정책의 내용	경기토론교육의 방향
자율 다양성과 창의성을 보장하는 경기교육의 원동력 : 소통과 협력으로 스스로 결정하고 책임감 있게 실천하기 위한 교육과정	• 학생 주도적 탐구 • 자율적 자기 결정 • 책임 있는 의사결정과 실천
균형 교육의 본질에 집중하겠다는 경기교육의 다짐 : 서로 다름 인정, 존중, 조화로운 성장을 위한 모두의 균형 잡힌 교육과정	• 다양한 관점의 경험 • 서로 다른 의견 인정 • 논리적인 근거와 주장
미래 경기교육이 열어 가는 새로운 길 : 저마다 꿈을 스스로 펼치고 문제 해결력과 창의력을 키우는 맞춤형 교육과정	• 공감과 포용 • 지속 가능한 공동체 지향 • 새로운 가능성 모색

① **자율 기반 토론**: 자율에 기초한 소통과 협력을 촉진하는 토론

학생이 스스로 목표를 세우고 책임감 있게 참여하는 주도성을 강조하며, 관심·용기·책임의 가치를 통해 긍정적이고 능동적인 태도를 기르는 것을 목표로 함

② **균형 잡힌 토론**: 균형 잡힌 관점으로 서로의 다름을 인정하고 존중하는 토론

서로의 다름을 존중하며 다양한 관점을 경청하고 논리적으로 주장하는 과정에서 비판적 사고와 문제 해결 능력을 키움. 교사는 균형 잡힌 시각을 유지하며 학생 주도성을 존중하는 동시에 교육적 개입을 적절히 해야 함

사이다 톡 talk! 언제 교사의 교육적 개입이 필요할까요?

③ **미래 지향 토론성**: 성찰, 공감과 포용으로 미래를 만드는 토론

공감과 포용을 바탕으로 사회의 다양한 난제(양극화, 노동 문제, 환경 문제, 디지털 기술의 변화)를 다루며, 학생이 교과 융합적 사고와 창의적 문제 해결을 경험하도록 함. 이를 통해 화합·협력·상생의 가치를 실천하고 성숙한 시민으로 성장하도록 지원함

(2) 다름과 공존하는 경기토론교육 모형

① 경기토론교육 모형

다름을 마주하기		다름을 이해하기			다름과 공존하기
문제인식 [마주하기] – 질문 활동		문제 탐구 [학생 주도 찬반토론]			문제 해결 – 사회 참여형
논제 선정하기	쟁점 탐구하기	입론하기	질의 및 반론하기	공존을 향한 주장하기	정책 제안하기
여러 가지 방법으로 논제 만나기	찬반 양측의 쟁점 분석하기(찾기)	입론	반론	합의점 모색	공존을 향한 해결책 제안·실천하기

② 모형 활용 시 유의 사항

- **공존 경험 강조**: 서로 다른 견해를 인정·존중하는 단계임을 학생들이 이해하고 참여하도록 지도
- **사전 학습 필요**: 단계별 핵심 사항을 미리 익히게 해 체계적으로 진행
- **절차 준수**: 단계별 시간·순서·역할을 지키며 진행
- **쟁점 중심 진행**: 핵심 쟁점을 중심으로 토론 전개
- **경청 태도**: 상대 발언을 존중하고 메모하는 습관 지도
- **기록 활용**: 클로바노트 등으로 과정을 기록해 사후 활동에 활용
- **자율적 판단 존중**: 결론 강요·합의 강제·주관적 평가 지양
- **유연한 운영**: 학교급·학생 규모에 따라 인원·시간 조정

③ 특징

문제 인식	다름과 마주하는 단계	다양한 자료·정보 검증, 분석을 통해 쟁점이 되는 현안에 대한 찬성과 반대의 다양한 견해를 충분히 파악해야 함
문제 탐구	다름을 이해하는 단계	• 찬성 및 반대 입장에서 논리적으로 토론 진행 • 가능한 한 찬성과 반대 두 입장을 모두 경험할 수 있도록 함 • 짝토론, 모둠토론, 전체토론 등 토론의 규모는 주제에 따라 다양하게 적용

사이다 면접

문제 해결	다름과 공존하는 단계	• 토론의 목표는 쟁점에 대한 합의 도출이지만, 형식적 합의가 되어서는 안 됨 • 서로의 의견과 근거 존중, 기본 예의, 존중·경청·대화 실천이 핵심 • 합의에 이르지 못하더라도 이러한 태도를 인정하고 격려해야 함 • 합의가 도출되면 사회 참여 활동과 연계, 학생 주도로 실천할 수 있도록 해야 함

4 교사의 역할

① 균형적 자세 유지: 교사의 주관이 강요나 압박으로 작용하지 않도록 중립적 태도로 수업 운영

② 촉진자 역할 수행: 학생이 다루지 못한 쟁점을 제시하거나 발언이 어려운 학생 참여 유도

③ 학생의 주체적 판단 형성 안내: 다양한 시각을 접하고 차이를 분석하며, 존중받는 환경 속에서 학생 스스로 사고하고 결론을 내리도록 안내

④ 안전한 토론 환경 조성: 자유롭고 편안한 분위기 보장, 즉각적 판단·비난 지양

⑤ 존중과 응원의 조력자: 학생의 사회적 관심과 공동체 참여 경험 지원, 성숙한 시민으로 성장할 수 있도록 존중·격려

⑥ 질문 존중과 피드백 이행: 모든 질문과 의견을 존중하고, 단발적 호기심이 확장되도록 적절한 피드백을 제공하여 사고 확장 지원

사이다 talk! 경기형 토론교육에서 중요한 요소 중 하나는 바로 '학생의 질문'입니다. 그냥 아는 것을 말하는 게 토론이 아니에요. 내가 뭘 모르는지, 그걸 명확히 하는 순간부터 진짜 토론이 시작돼요. 질문은 단순한 '무지의 증거'가 아니라, 새로운 해결책을 찾는 출발점이니까요. 질문이 학생 스스로 만든 거라면, 소유권이 있으니 끝까지 책임지고 탐구하게 되고, 결국 자율성이 자라나요. 토론 속 질문은 다른 사람의 생각을 단순히 반박하는 게 아니라, '왜 다른지', '본질이 뭔지'를 캐묻는 과정이에요. 이런 과정이 쌓이면 비판적 사고, 창의적 사고, 시민성까지 길러지죠. 그러니까 토론은 대답만 잘하는 게 아니라, 좋은 질문을 던지는 게 반이에요. 토론 중 반대 심문·교차 조사 등 질문을 활용하고 토론 후 질문을 통해 느낀 점·변화·실천 의지 정리, 프로젝트·실험 등 다른 학습 방법과 연계한다면 토론이 훨씬 풍성해질 것입니다.

11 고교학점제 공

현장 이야기로 사이다 열기

올해부터 경기도교육청의 모든 고등학교에서 고교학점제가 본격 시행되었습니다.
이 제도는 학생 한 명 한 명이 자신의 진로와 적성, 학습 수준에 따라 과목을 선택하고, 스스로 책임 있게 이수함으로써 다양하고 깊이 있는 배움을 실현하자는 취지를 담고 있습니다. 현장에서는 새로운 변화에 대한 기대가 큰 반면, 여러 현실적 과제도 함께 드러나고 있습니다. 일부 학교에서는 과목 개설과 이수 기준, 출석률 관리 등으로 인해 학생과 교사 모두 부담을 느낀다는 목소리도 나옵니다.

이런 상황에서 예비 교사로서 우리가 해야 할 일은 고교학점제의 핵심 방향성을 정확히 이해하고, 현장에서 이를 안정적으로 실현할 수 있는 교사의 역할과 대응 방안을 고민하는 것입니다.

지금부터 그 핵심을 중심으로, 고교학점제의 철학과 현장 적용 방안을 함께 살펴보겠습니다.

#정의 #기대효과 #교사의_역할

☑ All 기출 문장 및 빈도 체크

연도	자기성장소개서 자			집단토의 토			개별면접 면		
	초	중	비	초	중	비	초	중	비
2016									
2017									
2018								✓	
2019									
2020		✓							
2021				미시행					
2022								✓	
2023									
2024									
2025									

*공통 공

[22' 중 면] 다음과 같은 상황(구체적인 진로가 설정되지 않음, 고등 2학년 때 선택과목 고민 중임, 흥미 있는 과목은 개설 안 됨)을 고려하여 구체적인 진로 지도 방안을 말하시오.
[20' 중 자] 수험생의 역량과 고교학점제의 방향 중 맥을 같이 하는 것을 말하고, 동료 교사와 함께 고교학점제를 현장에 정착시킬 수 있는 전략을 말하시오.
[18' 중 면] 학교·학생 측면에서 고교학점제의 효과를 말하시오.

1 정의 기출

학생이 기초소양과 기본학력을 바탕으로 진로·적성에 따라 과목을 선택하고 ➡ 이수 기준에 도달한 과목에 대해 학점을 취득·누적해 졸업하는 제도

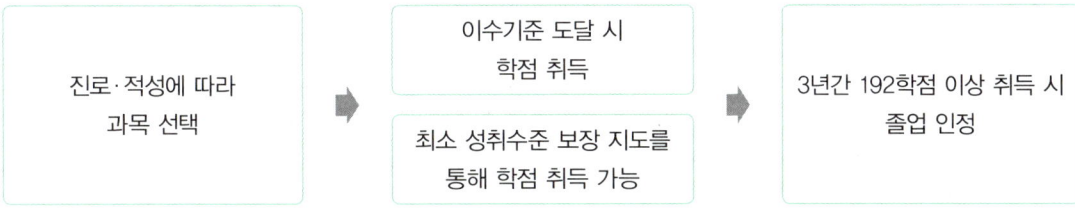

구분	시행 전	시행 후
과목 선택	주어진 교육과정	진로에 따라 원하는 과목 선택
과목 이수	성취 등급에 상관없이 과목 수업이 종료되면 이수 인정	학생이 목표한 성취수준에 충분히 도달했다고 판단했을 때 이수 처리 • 과목 이수 기준: 수업 횟수의 2/3 이상 + 학업 성취율 40% 이상 • 창의적 체험활동 이수 기준: 3개년간 총 수업 횟수의 2/3 이상
졸업	출석 일수의 2/3 이상 출석 시 졸업 가능	누적된 과목 이수 학점이 졸업 기준인 192학점에 이르렀을 때 가능(출석 일수의 2/3 이상 출석 기준 유지)
평가	일부 과목 성취평가제(성취도 A~E와 석차등급 1~9등급 병기)	모든 과목 성취평가제 전면 확대(성취도 A~E와 석차등급 1~5등급 병기)

사이다 talk! 성취평가제란 교과목별 성취기준에 도달한 정도(성취도)로 학생의 성취수준을 평가하는 제도입니다. 상대적 서열에 따라 '누가 더 잘했는지'를 평가하는 것이 아니라 '학생이 무엇을 어느 정도 성취하였는지'를 평가하는 것으로 개인의 성장을 목표로 한다는 것을 알 수 있습니다.

② 목적

① **경쟁이 아닌 협력과 성장 지향**: 학생 개개인의 성장을 목표로, 진로·적성에 따라 원하는 수업을 선택하고 성취도를 평가받음

② **학생 주도적 진로·학업 설계 지원**: 학생이 의미 있는 학습 경험을 토대로 스스로 진로와 학업을 디자인할 수 있도록 지원

③ **에듀테크 기반 미래형 교육 실현**: 대면·비대면, 온·오프라인을 넘나드는 시공간 확장형 교수·학습 체제 구축

④ **학교 교육의 경계 확장**: 학교 간, 지역 간 장벽을 낮추고 지역사회와 함께 교육을 만들어 가는 협력적 교육 체제 구현

③ 운영 방식

(1) 학생의 학습 선택권 반영

① 학생의 고유한 개성과 역량을 키워나갈 수 있도록 학교교육과정 운영

② 선택과목에 대한 수요 조사, 수강신청 절차 운영 등을 통해 학생 개개인의 수요를 반영한 교육과정 구성

> **사이다 talk!** 고교학점제 선택과목은 학교 내 사정에 맞춰 편성됨을 알아주세요. 학생이 수강하고 싶은 모든 과목을 수강할 수 있는 것은 아닙니다. 학교에서 개설이 가능한 과목 중에서 선택해야 해요! 그래서 이 점을 보완하기 위해 공동교육과정, 경기이음온학교, 공유학교 등을 활용하고 있어요. 자세한 내용은 아래 '학습 선택권 확대'에서 확인해 주세요.
> 한편 고교학점제는 학생 참여형 수업과 과정중심평가를 강조하고 있습니다. 지속적으로 학생을 관찰해 학업 설계를 지원하고, 최소 학업성취수준에 도달하지 못하는 학생에게 관리와 피드백을 하고 있어요. 2~3년차 연구학교 결과에 따르면, 교사의 수업 운영 만족도가 지속적으로 높아진다고 해요. 학생 스스로 선택한 과목을 이수하는 과정 자체에 학생은 만족을 느끼고, 스스로 책임감 있게 과목을 이수하기 때문입니다.

(2) 학습 선택권 확대

① **공동교육과정**: 희망 학생이 적거나 교사 수급 곤란 등으로 단위 학교에서 개설이 어려운 소인수·심화 과목 등을 학교 간 연계·협력을 통해 운영하는 교육과정(대면/실시간 쌍방향 온라인 수업)

② **경기이음온학교**: 단위 학교에서 개설이 어려운 과목을 중심으로 실시간 쌍방향 원격 수업을 지원하는 학교

③ 학교 밖 교육 프로그램
- **경기공유학교 학점인정형 프로그램**: 고등학생을 대상으로 학교 내 개설 또는 공동교육과정으로 개설이 어려운 과목의 학교 밖 교육 학점 인정을 위해 지역사회와 연계·협력하여 운영(2025년 항공기 일반, 바이오 분석 기술 등 13 강좌 운영 중)
- **고교–대학 연계 학점 인정**: 교육(지원)청과 대학이 협약하여 대학에서 '고교–대학 학점 인정 과목'을 개설·운영하고, 과목을 이수한 학생의 고교 학점 인정뿐 아니라 학생이 해당 대학 진학 시 대학 학점을 추가 인정

(3) 진로·학업 설계 지도

학생들이 진로와 연계된 학업 계획을 수립하고 책임 있게 이수할 수 있도록 진로·학업 설계 지도 체계화

(4) 최소 성취수준 보장

① **최소 성취수준 보장 지도**: 이수 기준 미도달 예상 학생 중 희망자를 대상으로 하는 예방 지도와 학기 말 성적에 따라 이수 기준 미도달 학생을 대상으로 하는 보충 지도 ➡ 과목별로 학업성취율 40% 미만일 경우 최소 성취수준에 미도달해 해당 과목을 미이수한 것으로 간주

미도달 예방 지도	과목별 최소 성취수준 미도달 학생 보충 지도
• 학기 중에 실시 • 미도달이 예상되는 학생들을 대상으로 교과 수업 시간 지도, 방과 후 지도, 학습 멘토링, 보충 과제 부여 등의 다양한 교수학습 방법을 활용해 미도달이 되지 않게 예방하려는 지도 과정	• 학기 말에 실시 • 최소 성취수준 미도달 학생들을 대상으로 방과 후 지도, 보충 과제 부여, 동기 부여 프로그램, 멘토링 프로그램, 온라인 프로그램 등 다양한 교수학습 방법을 활용해 최소 성취수준에 도달하게 하는 지도 과정

② **필요성**: 학생이 선택하여 이수하는 과목에 대해 최소 학업성취를 돕는 책임교육 지향

③ **최소 성취수준 미도달 예상 학생 파악 시 유의 사항**
- 미도달 예상 학생 파악 후 수준별 우열반 형태 수업 운영 금지 ➡ 집단 간 서열화가 아니라, 개인별 성취 보정·보충 학습을 통해 성장 기회를 제공하는 것이 핵심
- 학생이 과목을 정상적으로 이수할 수 있도록 지도하는 데 목적이 있기 때문에 엄밀한 기준에 따라 대상 학생을 선정하기보다 다소 포괄적으로 선정
- 미도달 예상 학생 파악은 학교와 학생의 특성에 따라 다양한 방법 적용
- 미도달 예상 학생을 파악할 수 있는 각 교사의 경험과 노하우를 함께 나누고 공유

④ 학교와 교사의 역할 기출

(1) 고교학점제 운영을 위한 교사 역량

① 교사 역량

- **다과목 지도 역량 강화**: 다양한 과목 개설을 위해 교과별 다과목 지도
- **진로 지도 역량 강화**: 입학 전 예비 신입생과 학부모를 대상으로 맞춤형 진로 코칭 제공, 3년간 진로 탐색 활동 누적 기록, 진로 수업 시간에 개별 작성 후 상담 시 활용
- **개별 맞춤형 학습 지원 역량**: 성취수준 미도달 학생을 지원할 수 있는 학습 보정 능력, 우열반이 아닌 개별 맞춤 지도(튜터링, 보충학습, 에듀테크 활용 등)
- **교육과정 재구성 역량**: 학점제 운영을 고려해 학교 단위 교육과정을 유연하게 편성·조정하는 능력, 지역사회 자원, 대학·기관과 연계한 교육과정 설계
- **소통과 협력 역량**: 학생·학부모와의 소통 능력(과목 선택·성취 결과 안내 등), 교사 간 협업(공동교육과정 운영, 학교 간 연계 수업 등)

② 역량 강화 방안

- 부전공 심화 학습
- 교사 수업 나눔 동아리 운영
- 선택과목 확대에 따른 교수·학습 및 평가 개선 노력
- 교과별 미도달 예상 학생에 대한 맞춤형 학습 지도 실시, 미도달 학생에 대한 학업 보충 기회 제공

사이다 톡talk! 2년간 온라인 공동교육과정 교사로 활동하며, 다과목 지도 역량을 기를 수 있었어요. 부전공을 살려 '마케팅과 광고' 교사로도 활동했었거든요. 여러분의 주전공 외에도 어떤 역량으로 어떤 과목을 개설할 수 있을지 고민해 보세요. 한편 고교학점제 체제에서는 담임의 역할이 변화합니다! 학생들마다 수강 과목이 다양하고 개인별 시간표가 다르기 때문에, 상대적으로 담임교사보다 교과 담당 교사의 역할이 더욱 중요해져요. 1학년 담임의 경우 학생의 진로에 따른 3개년 과목 이수 경로 및 학업 설계에 대해 상담하고, 2~3학년 담임의 경우 진로·학업 설계를 점검하는 등 교육과정 이수 과정을 관리하는 역할을 담당할 수 있습니다.

(2) 고교학점제 운영을 위한 학교 공간 조성 지원

① **방향**: 고교학점제 운영에 필요한 공간의 이해, 공간의 배치 및 효율적 활용 방안에 대한 맞춤형 지원

② **재구조화**: 학생 선택중심 교육과정 운영에 적합한 교과 교실 기반의 공간 구성과 개방형 공용 공간·홈베이스 등 조성 지원, 교과 교실 마련

③ 증축: 학교의 교육과정 운영 현황, 공간 조성 지원 기준, 관련 법규 등 복합적 검토와 교육부 증축 기준을 토대로 공간 확대를 위한 증축 지원

사이다 톡 talk! 다양한 과목이 개설됨에 따라 학교 공간(교실)은 어떻게 조성될까요? 학생들의 과목 선택이 다양한 만큼 행정 학급 이상의 수업 학급이 편성될 것입니다. 이에 따라 공간이 충분히 확보돼야 하고, 유연한 공간 조성이 뒷받침돼야겠지요! 학생들의 공강 시간을 대비해 휴게 및 자기주도학습 공간도 필요할 것입니다.

❶ 학생 선택 중심의 교육과정을 위한 다양한 형태의 미래형 학습 공간 조성
- 변화하는 교육과정에 대비한 유연하고 가변적인 학습 공간
- 소통 및 정보공유 강화와 다양한 학생 자치 활동 지원을 위한 개방형 공용 공간 및 홈베이스 공간

❷ 교육공동체 주도적 사용자 참여설계 활성화
- 기존 공급자 중심을 탈피한 사용자 중심의 학교 공간 재구조화
- 공간전문가(촉진자)와의 소통과 협력을 통한 교육공동체 주도 학교 공간 조성

❸ 사용자 요구 사항 분석 및 공간 조성 디자인(안) 작성: 사용자 중심의 쉼과 놀이, 배움이 어우러진 민주적인 학교 문화 정착

5 장점 및 기대효과

(1) 장점

① **교사**: 자율성·전문성을 발휘해 수업 재구성 가능 ➡ 수업 개선 의지 제고

② **학생**: 자신이 배우고 싶은 과목을 수강해 참여 동기 고취

③ **학교**: 진로·진학 상담 활성화, 적극적인 과목 개설 노력으로 교육의 질 향상

④ **지역사회**: 지역 교육력을 강화해 지역의 인적 자원을 적극 활용 가능

⑤ **제도**: 학생 중심의 교육 실현 가능

(2) 기대효과 *기출*

① 입시·경쟁 중심에서 진로·성장 중심으로 교육 혁신 초래

② 학생 과목 선택권 확대 및 학습·학업 관리 지원으로 공교육에 대한 신뢰 제고

③ 진로와 적성 및 수준에 따른 학생 맞춤형 학업 설계와 학생 주도적 학습 지원을 통해 모든 학생들의 잠재력 개발

고교학점제를 운영하고 있는 현장 교사 인터뷰!

Q 학생들이 수강하고 싶은 과목은 어떤 식으로 조사하나요?

A 학교 홈페이지에 있는 수강신청 시스템을 활용해서 수요 조사를 실시합니다. 개설 과목은 교내에서 운영 가능한 과목들로 구성돼 있습니다. 이에 대한 설명은 학기 초 교육과정 계획서를 배포하고 대략적인 설명 영상을 제작해 안내하고 있습니다.

수요 조사는 총 3차에 걸쳐서 합니다. 1차 조사는 기본적인 수요 조사로 과목의 폐강 여부를 결정합니다. 적절한 인원을 채우지 못하면 폐강 처리하고, 남은 과목들로 다시 2, 3차 조사를 합니다. 2차 조사는 1차 조사에서 추린 과목을 바탕으로 반 편성을 고려한 수요 조사를 실시하고, 3차에는 선택에 대한 최종 확인을 통해 반 편성을 확정합니다.

☑ **선택과목 수요 조사 가정통신문 일정 안내**

연번	시기	내용
1	6월 16일~6월 23일	학생 과목 선택을 통한 1차 선택
2	7월 12일~7월 16일	결과 분석 후 학생 2차 선택
3	8월 23일~8월 27일	결과 분석, 교과협의회를 통해 개설 가능한 강좌 협의 후 학생 3차 선택
4	8월 30일~9월 3일	• 결과 분석, 교과협의회를 통해 개설 강좌 구성 • 학급 편성, 시간표 작성 가능한 조합 구성 • 학교교육과정운영위원회 개최
5	9월 6일~9월 10일	• 개설 과목 확정 • 소수 인원 선택과목 개설을 위한 주문형 강좌와 온라인 클러스터 교육과정 운영 방안 안내

Q 인원이 부족해 과목이 개설되지 못할 경우 어떻게 보완하나요?

A 온라인 공동교육과정을 활용해 학생들이 원하는 과목을 개인적으로 수강하도록 안내하고 있습니다. 원래는 다른 학교에 직접 가는 것이지만, 최근 겪었던 코로나19 상황과 통학의 어려움도 있기에 온라인으로 수강하고 있습니다. 이는 학생들에게 또 다른 기회를 제공한다는 장점이 있습니다.

Q 고교학점제를 위한 공간 혁신은 어떻게 진행하고 있나요?

A 학생들을 대상으로 공모전 형식으로 혁신 방안을 마련합니다. 공모전의 주요 내용은 학생 친화적 공간 마련입니다. 이를 바탕으로 교사T/F팀과 함께 양질의 아이디어를 추려냅니다. 공모전에서 나온 아이디어와 교사, 학생의 의견들을 바탕으로 실질적으로 실현할 수 있는지 외부 기관에 의뢰하며, 공간의 변화를 계획합니다. 홈베이스, 복도, 건물과 건물을 연결하는 구름다리 그리고 교실 내에서의 공간 혁신에 대한 이야기도 지속해서 논의하고 있습니다. 이 과정에서 무엇보다 구성원의 의견을 수렴하는 것이 중요합니다.

Q 고교학점제 전문성을 키우기 위해 선생님들은 어떠한 노력을 하고 계신가요?

A 기본적으로 고교학점제에 대한 이해가 필수적이기에 개인적으로 관련 연수를 들으며 정책 배경, 내용, 운영 방안, 교사의 역할 등을 공부하고 있습니다. 이를 바탕으로 교직원 연수를 진행하며 현장에 계신 선생님들께 고교학점제를 알리고 있습니다. 고교학점제에 대한 이해를 바탕으로 수업 능력 신장에 대한 고민도 다양하게 하고 계십니다. 현장에서 선생님들께서는 맡은 과목에서 전문가가 되기 위해 상시 수업을 공개하고, 전문적 학습공동체를 운영하며 수업 능력 신장에 몰두합니다.

Q 학부모님들의 반응은 어떤가요? 학부모님께 취지를 설명하기 위해 어떠한 방식으로 협력을 도모하고 홍보하고 계신가요?

A 사실 아직까지는 반신반의하는 분위기로, 다소 조심스러운 의견과 반응이 다수입니다. 따라서 이러한 조심스러움을 덜기 위해 우선 가정통신문과 학업 계획서를 제작해서 가정에 배포하고 있습니다. 또한 과목 선택 시 해당 업무를 담당하는 교육과정부장님, 진로부장님, 혹은 담임 선생님을 배치해 학부모님, 학생과 1:1 상담을 진행하며 학생들이 자신의 진로와 관련해 바람직한 선택을 할 수 있도록 안내하고 있습니다.

• 아티클 작성자: 김승호 선생님(2021학년도 합격자)

12　IB 교육과정 (공)

현장 이야기로 사이다 열기

얼마 전 경기도 안성에서 특별한 소식이 있었습니다. 안성의 한 초등학교, 중학교, 고등학교가 모두 국제 바칼로레아(IB) 월드스쿨 인증을 받으면서, 경기도 최초로 초·중·고 완전 연계 IB 교육 체계가 완성된 것입니다. 인구 19만의 작은 도시가 국제 수준의 교육 모델을 완성했다는 사실, 놀랍지 않나요? 이는 곧 경기도 공교육이 미래교육의 새로운 길을 열었다는 의미이기도 합니다.

그렇다면, IB 교육은 왜 주목받고 있을까요?
AI 시대에는 단순한 지식 암기나 입시 중심 교육만으로는 학생들의 미래를 보장할 수 없습니다. 대신 융합적 사고, 창의성, 비판적 탐구가 핵심 역량으로 떠오르면서, 탐구-실행-성찰 중심의 IB 교육과정이 대안으로 주목받고 있는 것이지요. 올해 하반기부터는 학생들이 IB 교육을 직접 체험할 수 있는 공유학교 시범 운영이 시작되고, 내년부터는 상시 운영이 계획되는 등 교육청 차원에서 IB 확산에 적극 나서고 있습니다.

IB는 단순히 국제 인증을 따는 과정이 아닙니다.
학생들이 스스로 탐구하고, 협력하며, 창의적으로 문제를 해결하는 힘을 기르는 미래교육의 실험장이자 실천 모델입니다. 이제 우리 교사들이 함께 고민해야 할 차례입니다. IB 교육은 구체적으로 어떻게 운영되는지, 그리고 교사에게 필요한 자세는 무엇일지 함께 살펴봅시다.

#지향점

1　IB(국제 바칼로레아·International Baccalaureate) 프로그램

① 스위스 비영리 교육재단인 IB 본부에서 개발·운영하는, 어느 국가에서나 적용 가능한 국제인증 학교 교육 프로그램
② 탐구-실행-성찰 학습을 통한 학습자의 자기주도적 성장을 추구하는 교육 체제
③ 초·중학교 프로그램은 프레임워크(골조)만 제공하고, 우리나라 교육과정 그대로 교육
④ 고등학교 프로그램인 DP(Diploma Programme)는 대입과 연계된 평가 시스템으로 90개국 3,300여 개 대학에서 IB 점수를 입학시험 성적으로 사용 가능
⑤ 운영 절차

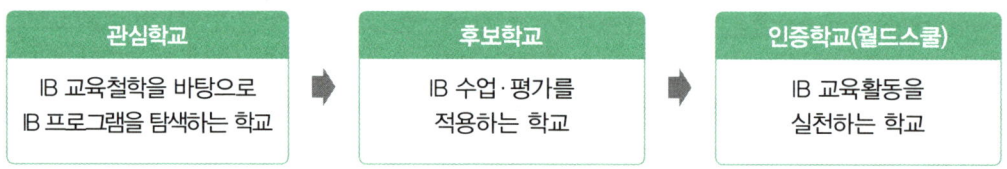

관심학교	후보학교	인증학교(월드스쿨)
IB 교육철학을 바탕으로 IB 프로그램을 탐색하는 학교	IB 수업·평가를 적용하는 학교	IB 교육활동을 실천하는 학교

> **IB 월드스쿨(IB World School)이란** 국제 바칼로레아(IB) 본부(스위스 제네바)로부터 공식 인증을 받아 IB 프로그램(PYP, MYP, DP, CP 등)을 운영하는 학교

② 도입 배경

① 4차 산업혁명 시대에 세계적 동향을 읽어내는 동시에 지역사회에서 자기주도 역량을 갖춘 글로컬 인재 육성에 대한 공감대 형성

② 단편적 지식 암기와 출제자 의도에 맞는 정답을 찾는 교육에서 벗어나, 창의적이고 비판적인 사고력을 키우는 미래형 학습체제로의 전환 필요

③ 미래 사회를 살아가는 데 필요한 사고력과 창의력을 평가하는 미래형 대학 입시체제의 패러다임 변화 요구

③ 교육 목표 및 목적

(1) 목표

① 교사: IB 수업·평가 전문가로 성장

② 학생: 배움을 즐기는 자기주도적 평생학습자로 성장

(2) 목적

① '탐구-실행-성찰' 중심 수업 설계에 대한 교사의 자율성과 평가 전문성 신장으로 수업의 질 제고

② 논·서술형 평가 확대에 따른 타당도와 신뢰도를 갖춘 공정한 평가 시스템 운영으로 공교육의 만족도 제고

③ 창의적·비판적인 역량을 키우는 수업-평가 확산으로 경기형 IB 프로그램 운영 기반 마련

사이다 talk! 교사의 역할·역량을 고민해 주세요. 학생이 탐구하고, 성찰하는 창의적·비판적 수업을 위해 교사는 어떤 능력이 필요할까요? 이것을 갖추기 위해 어떤 노력을 할 것인지 계획 수립도 필요하답니다.

4 학습자상

① 탐구하는 사람(Inquirers)

② 지식을 갖춘 사람(Knowledgeable)

③ 생각하는 사람(Thinkers)

④ 의사소통을 잘하는 사람(Communicators)

⑤ 원칙을 지키는 사람(Principled)

⑥ 마음이 열린 사람(Opened-minded)

⑦ 배려하는 사람(Caring)

⑧ 위험을 감수하는 사람(Risk-takers)

⑨ 균형 잡힌 사람(Balanced)

⑩ 성찰하는 사람(Reflective)

사이다 톡talk! 공감하는 학습자상을 2~3가지 선정하고 이를 실현하기 위한 교육 방안을 고민해 봅시다.

5 IB 프로그램의 교육과정-수업-평가

(1) 교육과정

① 연계: 폭넓고 균형 있으며 학교급별 연결성(초-중-고)을 지닌 프로그램

② 특징: 핵심 개념 탐구 및 학문 간 유기적 통합 추구

③ 원리: 자기주도성 기반 문제 발견력(해결력)을 신장시키는 교수·학습 설계

(2) 수업-평가

① 목표: 사고력, 의사소통 능력, 사회성, 자기관리 능력, 탐구조사 능력 신장

② 수업: 지속적 '탐구-실행-성찰'을 통해 학생의 생각을 꺼내는 수업

③ 평가: 수업 밀착형 평가 및 교사의 피드백을 통한 과정 중심 논·서술형 평가

(3) IB와 기존 수업-평가 간 유사점과 차이점

① 유사점: 학생의 생각을 키우는 학생 중심 수업과 과정 중심 논·서술형 평가 지향

② 차이점

- 기존 교육: 초·중학교에 주로 적용. 논술형 평가 채점의 공정성에 대한 부담으로 고등학교로의 확산 한계
- IB 프로그램: IB 본부가 양성한 채점관이 고등학교의 내부·외부 평가를 교차 채점하고 학교별 점수를 조정함으로써 공정한 평가 시스템 운영 가능

사이다 톡talk! 기존 면접 문제를 보면 특정 제도가 도입됐을 때 '예상되는 반론에 대한 설득'이나 '기대효과' 등을 묻는 문제가 출제되곤 했어요. IB 프로그램에 대해서는 사교육을 조장할 수 있다는 우려가 제기되고 있다고 합니다. 그러나 한국어판 IB의 경우, 초등학교와 중학교는 모든 과목을 한국어로 진행하고, 고등학교의 경우 영어와 연극 수업을 제외한 모든 과목을 한국어로 수업, 평가하므로 영어 사교육 과열은 발생하지 않을 것으로 예상된다고 해요. IB는 탐구, 토론, 발표 중심의 학습자 주도 수업, 교사의 지속적 피드백, 과정 중심의 논·서술형 평가 등 학교 교육으로 이루어져 단기적인 사교육으로 교육성과를 보장받기는 어려워요. 또한 IB가 가장 중요하게 생각하는 것이 '학업 정직성'이므로 남의 생각을 자신의 생각인 것처럼 쓰거나, 보고서에 참고문헌 하나만 인용하지 않더라도 디플로마가 박탈되기에, 학생들 스스로 사고할 수 있는 능력이 강화될 수 있다는 점을 이해해 주세요.

6 IB 프로그램 정착 및 확산을 위한 교사의 역할

(1) 수업 혁신

① 질문 중심 수업: 학생이 스스로 탐구할 수 있는 개방형 질문을 설계하고, 수업에서 주도적으로 활용

② 탐구–실행–성찰 구조 적용: 단순 지식 전달보다 탐구 ➡ 실행 ➡ 성찰의 사이클을 경험하게 함

③ 교과 통합적 접근: 국어·수학·사회·과학 등 교과 간 연계 주제를 찾아 프로젝트 수업으로 확장

(2) 평가 혁신

① 정답 찾기식 평가 탈피: 과정중심평가, 서술형·논술형·발표·포트폴리오 평가 도입

② 성찰적 피드백 제공: 점수만 주는 평가가 아니라 "학생이 배운 점과 개선점"을 기록·공유

③ IB 평가 방식 실험: 지필 중심이 아니라, 실제 상황 기반 과제(performance task) 등을 적용

사이다 톡talk! IB 학교에서 근무하지 않더라도, 교육의 지향점을 이해하여 IB식 강의를 하면 좋아요. 올해부터 IB 월드스쿨을 경험해 보도록 하자는 취지에서 공유학교에서도 IB 프로그램을 적용한다고 합니다. 즉, IB 프로그램을 확장하겠다는 의지에요. IB 학교에서 근무하지 않게 되더라도, 그 취지를 이해하고 수업과 평가의 혁신을 추진하는 교사가 되겠다는 열정을 드러내 봅시다!

(3) 학교 문화 조성

　① 비판적·창의적 대화 권장: 교실에서 다양한 의견을 존중하고 토론 분위기를 생활화

　② 학부모와 공유: IB가 입시 부담을 더하는 게 아니라 '미래 역량을 기르는 과정'임을 학부모에게 설명

(4) 교사 전문성 개발

　① IB 연수 참여: IB 관련 교사 연수, 워크숍, 세미나에 적극 참여

　② 학습공동체 운영: 교내에서 IB 수업사례를 공유하고 협의하는 전문적 학습공동체 구성

　③ 수업 공개·나눔: 실제 수업을 공개하고 다른 교사들과 피드백을 주고받는 문화 확산

(5) 지역·세계와의 연계

　① 공유학교 프로그램 활용: 경기 IB 공유학교, 시범운영 교류에 참여해 학생들이 체험할 기회 확대 ➡ 학생들에게 안내 후 참여 독려

　② 국제적 자원 연결: 온라인 IB 리소스, 국제 교류 활동, 영어 원문 자료 등을 수업에 도입

　③ 지역사회 문제 해결 연계: 지역 문제(환경, 교통, 전통문화 등)를 토대로 학생이 탐구 프로젝트를 진행

13 학교폭력 예방 교육 공

현장 이야기로 사이다 열기

올해 학교폭력 책임교사를 맡게 되었습니다. 교직생활 거의 전부를 생활지도교사로 보내왔기 때문에 이번 자리를 제안받았을 때, 사실 큰 걱정은 없었습니다. 하지만 이 업무는 그동안 경험하지 못한 다른 차원의 문제가 있더군요. 피해 관련 학생과 가해 관련 학생, 그리고 부모님들을 마주하는 일은 단순한 규칙 적용이 아니라 깊은 내공과 마음의 힘이 필요한 일이었습니다. 정신없이 보낸 1학기를 마치며, 방학 동안 스스로 많이 돌아봤습니다. 그리고 분명히 깨달은 점이 있습니다.

무엇보다 중요한 것은 사후 처리보다 '예방'이라는 것, 그리고 학생들이 갈등을 맞이했을 때, 상대를 더 아프게 하지 않고 문제를 풀어갈 수 있는 태도를 길러주는 것이라는 점입니다. 우리는 흔히 갈등이 생기면 자기 방어에 급급해 변명하거나 책임을 돌리지만, 오히려 그것이 상처를 더 키울 때가 많습니다. 갈등은 피할 수 없지만, 커지지 않게 막을 수는 있습니다. 그 과정에서 교사의 역할은 막중하며, 교사 자신도 끊임없이 성찰하고 성숙해져야 한다는 것을 절실히 배웠습니다.

2학기를 보내며 저 역시 교사로서 한층 더 무거운 책임감과 성숙을 갖게 되었습니다. 학교폭력을 예방하기 위해, 그리고 갈등이 생겼을 때 어떻게 대응할지 함께 고민해 봅시다. 교사로서 우리는 어떤 자세를 가져야 할까요?

#교사_의무 #사이버폭력_정의 #지도_방안 #유의_사항

☑ All 기출 문장 및 빈도 체크

연도	자기성장소개서 성			집단토의 토			개별면접 면		
	초	중	비	초	중	비	초	중	비
2016									
2017									
2018								✓	
2019									
2020									✓
2021				미시행					
2022									
2023								✓	
2024									
2025							✓	✓	

*공통 공

[25' 초 면] 사이버폭력 실태조사 결과(언어폭력, 개인정보 유출, 악성 댓글)를 바탕으로, 다양한 교과와 연계하여 학생들의 사회적 참여 활동을 이끌어낼 수 있는 교육 방안을 제시하시오.

[25' 초 면] 학생이 학교생활에서 불안감을 느끼는 주요 요인인 학생 간 괴롭힘(학교폭력·따돌림)을 해결하기 위한 구체적인 실천 방안 3가지를 제시하시오.

[23' 중등] 최근 처벌 중심 사안 처리가 한계로 지적되고 있다. 학교폭력 문제에 대한 다음 상황을 분석하고 담임교사로서 교육적 해결 방안과 처리 시 유의 사항 말하시오.
[20' 비교] 정신적 폭력을 줄일 수 있는 방안을 말하시오.
[18' 중등] 사이버폭력 대처 방안과 존중과 배려가 있는 학급 운영 전략을 말하시오.

1 학교폭력

(1) 정의(학교폭력예방법 제2조)

학교 내외에서 학생을 대상으로 발생한 상해, 폭행, 감금, 협박, 약취·유인, 명예훼손·모욕, 공갈, 강요·강제적인 심부름 및 성폭력, 따돌림, 사이버 따돌림, 정보통신망을 이용한 음란·폭력 정보 등에 의해 신체·정신 또는 재산상의 피해를 수반하는 행위

(2) 유의 사항

① 강제로 일정한 장소로 데려가는 행위만으로도 신체폭력에 해당됨
② 여러 사람 앞에서 상대방의 명예를 훼손하는 구체적인 말(성격, 능력, 배경) 등을 하거나 그러한 내용을 메신저나 SNS 등으로 퍼트리는 행위는 그 내용이 진실이라고 해도 범죄이고, 허위인 경우 형법상 가중 처벌 대상이 됨
③ 돌려줄 생각이 없으면서 돈을 요구하는 행위나, 옷과 문구류 등을 빌리고 돌려주지 않는 행위도 금품갈취에 해당됨

👍 개념에서 제시하는 유형은 예시적으로 열거한 것으로, 신체·정신·재산상의 피해를 수반하는 모든 행위는 학교폭력에 해당한다.
👍 학교폭력은 폭행, 명예훼손·모욕 등에 한정되지 않고 이와 유사하거나 동질한 행위로서 학생의 신체·정신 또는 재산상 피해를 수반하는 모든 행위를 포함한다(서울행정법원 2014구합250 판결).

사이다 톡 talk! 현장에서 많이 듣는 말 중 하나가 "이것도 폭력인가요?", "이 정도도 학교폭력으로 신고가 돼요?"라는 학생들의 반응입니다. 하지만 학생들이 장난처럼 여기는 말과 행동도 피해자에게는 분명한 상처가 되고, 법적으로도 학교폭력에 해당할 수 있습니다. 따라서 교사는 학생들에게 학교폭력의 범위를 분명히 알려주고, 사소해 보이는 괴롭힘도 결코 가볍게 넘어갈 수 없는 문제임을 인식시켜야 합니다.

② 사이버폭력

(1) 정의
정보통신망과 기기를 이용해 글, 이미지, 음성 등 언어적·비언어적 형태로 괴롭히는 모든 행위

(2) 대표 유형
① 사이버 언어폭력: 욕설, 비하, 거짓·비방 글 게시(게시판, 이메일, 메신저 등)
② 사이버 명예훼손: 사실·허위 여부와 관계없이 타인의 명예를 훼손하거나 인격 침해
③ 사이버 갈취: 사이버 머니, 게임머니, 모바일 데이터 등을 강탈
④ 사이버 스토킹: 원치 않는 문자·사진·영상 반복 전송으로 불안·두려움 유발
⑤ 사이버 따돌림: 단체 채팅방 등에서 퇴장 못 하게 한 뒤 놀림·욕설, 대화 배제
⑥ 사이버 영상 유포: 동의 없이 개인 사생활·신체 관련 사진·영상 전송 및 유포

(3) 특징
① 시공간의 제한이 적음
② 은밀하게 발생할 수 있음
③ 기록이 영구적으로 남을 수 있음
④ 가해행동이 집단적으로 이루어질 수 있음

(4) 사이버폭력 관련 주요 Q & A

Q 굴욕사진을 SNS에 올리는 것은 폭력인가요?

A 네, 공개된 사이버 공간에 올리는 글, 사진 등으로 상대가 명예를 잃거나 부정적인 이미지가 생기게 되는 경우 「형법」 제311조에 따라 모욕죄로 처벌될 수 있습니다.

Q 1:1 채팅이나 개인적 쪽지로 욕을 보내는 것도 폭력인가요?

A 네, 1:1 채팅 또는 쪽지로 지속적인 욕설을 보낸다면 「정보통신망 이용촉진 및 정보보호 등에 관한 법률」 제74조 '공포심이나 불안감을 유발하는 부호, 문언 등을 반복적으로 상대방에게 도달하게 한 경우'에 해당해 처벌될 수 있습니다.

③ 성폭력

(1) 정의

상대방의 의사에 반해 성을 매개로 가해지는 모든 폭력(신체적, 심리적, 언어적, 사회적) 행위로 성추행, 성폭행뿐만 아니라 개인의 '성적 자기결정권'을 침해하는 행위를 포함

(2) 성폭력 사안 발생 시 대처 요령

① 성폭력 사안 발생 인지 후 즉시 신고
② 성폭력 피해학생 응급조치 및 전문상담기관과의 연계
③ 성폭력 사건 피해학생에 대한 보호 조치
④ 피해학생 보호 관련 학부모와 협의
⑤ 피해학생의 등교 거부 시 조치 및 성적 처리에서의 불이익 금지

(3) 유의할 점

① 피해학생 보호 및 진술오염 방지를 위해 초기 진술은 녹음하는 것이 좋음
② 성폭력 발생 시 피해자 동의 여부와 상관없이 수사기관에 반드시 신고함
③ 성폭력 사건을 숨기거나 학교 내에서 임의로 해결하려고 하지 않음
④ 다른 교직원이나 학생들에게 비밀이 누설되지 않도록 유의하고 침착하게 대응함

(4) 성폭력 피해학생 상담 방안

① 공감과 신뢰 형성: 피해로 인한 고통에 대해 충분히 공감하며, 신뢰를 바탕으로 대화 진행
② 용기 지지: 신고하고 도움을 요청한 피해학생의 용기를 인정하고 지지
③ 책임 전가 금지: 피해학생의 태도나 원인 제공 여부를 지적하지 않고, 가해자를 두둔하거나 대변하는 발언을 하지 않음
④ 지속적 관심: 피해 후 고통의 정도와 지속 여부는 개인마다 다름을 인식하고, 겉으로 드러난 모습에만 의존하지 않으며 지속적인 관심과 지원 제공

④ 교사의 의무와 책임

(1) 법률에 따른 교원의 의무: 학교폭력 신고 및 감지·인지의 노력

　① 정의
　　　• 감지: 학생들의 행동이나 교실 분위기 등을 보고 학교폭력이라고 느껴 알게 되는 것
　　　• 인지: 학생 또는 학부모의 직접 신고, 목격자 신고, 제3자 신고, 기관 통보, 언론 및 방송 보도, 상담
　② 신고의 의무(학교폭력예방법 제20조 제1항): 학교폭력을 알게 된 자는 누구라도 지체 없이 신고해야 함
　③ 교원의 보고의무(제20조 제4항): 교원이 학교폭력을 감지·인지하게 된 경우 학교의 장에게 보고하고 해당 학부모에게 알려야 함
　④ 신고자 및 고발자에 대한 비밀누설 금지 의무(제21조 제1항): 학교폭력 신고자 및 고발자와 관련된 자료를 누설해서는 안 됨

(2) 교사의 관찰 및 조사 요령

　① 피해학생 관찰: 신체·심리·정서적 어려움 여부 확인, 관계 회복 등 구체적 욕구 파악
　② 가해학생 관찰: 특정 학생 또는 다수를 괴롭히는지, 반 내 관계 형성 양상 확인
　③ 주변학생 관찰: 추가 관련 학생 여부, 사안 연루 정도, 목격·주변학생의 불안 등 심리 상태 확인
　④ 조사 요령
　　　• 교사가 학교폭력 사실을 인지하고 있음을 성급히 언급하지 않음 ➡ 추가 피해 예방
　　　• 다수 앞이 아닌 개별 조사 원칙 준수
　　　• 진술 불일치 시 추궁·강요 지양, 객관적 증거 확인 중심

(3) 사전 예방 활동(학교폭력예방법) 기출

　① 학생, 학부모, 교직원 대상 예방 교육(제15조): 학기별 1회 이상 실시(연 2회 이상), 학급 단위로 실시하는 것이 원칙이며 강의, 토론, 역할 연기 등 다양한 방법을 활용해야 함
　② 학교폭력 실태조사(제11조): 학기별 1회 이상(연 2회 이상)
　③ 인권 친화적인 학급 분위기 형성: 소속감을 느낄 수 있는 공동체 활동, 자유롭게 소통 가능한 온화한 학급 분위기 형성

④ **책임 규약 규정**: 교육 3주체(학생, 교사, 학부모)가 학교폭력 예방 및 책임 준수를 확인하는 규약 규정 후 서명

> **사이다 톡talk!** 학기 초에 '학교폭력 예방 및 책임 준수 규약' 규정을 위한 의견을 수렴합니다. 학생·학부모·교사가 함께 의견을 내고 조율해 규약을 완성한 뒤, 각 학급에서는 선서식을 열고 모두가 서명한 규약을 교실 게시판에 붙여 둡니다. 학부모 총회 주간에는 대표 학부모가 앞에 나와 선서하고 함께 제창하기도 합니다. 단순히 만들어 붙여두는 규약이 아니라, 우리 손으로 만들고 지키겠다고 다짐하는 과정 자체가 작은 행동 변화를 이끌고, 학생들에게 '학교폭력은 모두의 책임'이라는 공동체적 인식을 심어 줍니다.

⑤ **학교폭력 예방 교육 프로그램 운영**

- 학교폭력 대응 예방활동 강화: 학생이 스스로 학교폭력에 대한 문제점을 찾고 해결방안을 모색하는 프로젝트 수업 구성
   - **예** 방관자, 피해자, 가해자 시점을 다룬 학교폭력 예방 영상을 시청한 후, 폭력의 심각성과 예방의 중요성에 대해 학급 토론 실시
- 학교폭력 예방 특별교육 주간 운영: 학교폭력 예방, 사이버폭력 예방, 언어문화 개선 캠페인 추진 **예** 학교폭력 관련 퀴즈, 우정 포토존 활동

⑥ **사이버폭력 예방 방안**

- 학생들의 학교생활과 사이버 활동에 관심을 가지고 주기적으로 모니터링을 함

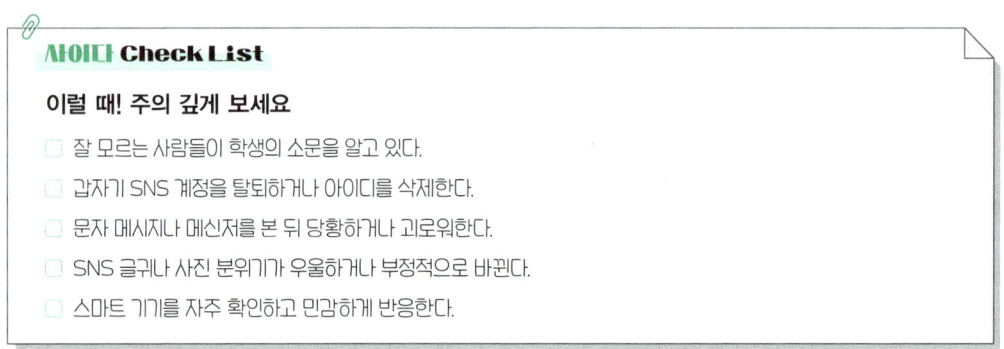

사이다 Check List
이럴 때! 주의 깊게 보세요
- ☐ 잘 모르는 사람들이 학생의 소문을 알고 있다.
- ☐ 갑자기 SNS 계정을 탈퇴하거나 아이디를 삭제한다.
- ☐ 문자 메시지나 메신저를 본 뒤 당황하거나 괴로워한다.
- ☐ SNS 글귀나 사진 분위기가 우울하거나 부정적으로 바뀐다.
- ☐ 스마트 기기를 자주 확인하고 민감하게 반응한다.

- 학생들에게 피해 상담 혹은 신고 시 보복 또는 불이익을 당하지 않는다는 안정감과 확신을 심어줌

> **사이다 톡talk!** 학생들은 자신이 신고했다는 사실을 가해학생과 그 친구들이 알게 되면 보복을 당할 수도 있다는 두려움을 가지고 있기 때문에 교사는 학생들에게 비밀보장에 대해 꼭 알려주어야 해요. 피해학생이나 사안을 인지·목격한 학생이 신고했을 때, 교사들이 반드시 비밀보장을 할 것이며, 최선을 다해서 적절한 대처를 해주겠다는 것을 인식시켜 주어야 한답니다.

- 사이버폭력이 처벌받는 불법행위임을 구체적 사례로 지도함
- 주기적으로 사이버폭력 신고 절차와 신고 방법을 교육함

> **교육에 포함할 내용**
> - 누구라도 사이버폭력에 노출될 수 있음을 알고, 무심코 한 행동이 다른 사람에게 피해를 주는 건 아닌지 항상 신중하게 생각하고 행동할 것
> - 사이버상에서 익명성을 이용하거나 다른 사람인 척 활동하지 않고 정정당당히 활동할 것
> - 나와 다른 사람의 개인정보를 소중하게 여길 것
> - 올바른 사이버 언어습관과 예절을 익힐 것
> - 확신할 수 없는 정보나 음란물을 함부로 게시하지 않을 것
> - 타인의 정보에 대해서는 반드시 동의를 구할 것
> - 낯선 사람과의 오프라인 만남은 피할 것
> - 모르는 상대의 쪽지 또는 대화 신청에 답변하지 않을 것

- 사이버폭력 예방 앱 사용

사이더 톡 talk! 사이버폭력 예방을 위한 앱을 사용하면 좋아요. 직접 피해자가 돼, 사이버 공간 속에서의 고통을 체험해 보는 것이죠. 중요한 것은 이게 응보적, 즉 처벌적 방식으로 '너도 한번 당해봐.'가 돼선 안 된다는 것이에요. 사건 발생 전, 예방 차원에서 사용해야 한다는 것에 주의해 주세요.

5 학교폭력 사안 처리 시 유의 사항 기출

① **공정·객관적 태도**: 사안을 편견 없이 바라보고 적극적으로 처리
② **신뢰 형성**: 학생·학부모의 상황과 심정을 이해·공감하여 불필요한 분쟁 예방
③ **조사 원칙**: 가해·피해 관련 학생 분리 조사, 축소·은폐 금지, 성급한 화해 종용 지양
④ **용어 사용**: 위원회 결정 전까지는 '가해학생·피해학생' 대신 '관련 학생' 사용
⑤ **비밀 유지**: 개인정보 보호에 각별히 유의
⑥ **조사 시기**: 가급적 수업 시간 외 진행, 불가피 시 별도 학습 기회 제공

6 가해학생과 피해학생 분리 시 유의 사항

① **별도 공간 마련**: 학교 내 별도 공간 제공, 학습권 보장을 위해 교육자료·원격수업 지원
② **동선 분리**: 학급·학년이 달라도 분리 의사 확인; 수업 외(쉬는 시간·점심시간·이동 시간 등) 생활지도 계획 수립
③ **피해학생 보호 우선**: 피해학생이 학급·학년 전체를 신고한 경우, 학교 여건·환경·피해학생 의견을 고려해 피해학생 분리 보호 가능
④ **비징계성 안내**: '가해자와 피해학생 분리'는 가해학생에 대한 징계성 조치가 아님을 안내

7 상담 시 유의 사항

(1) 피해학생 상담

① 초기 상담: 판단·충고 없이 적극 경청, 위로와 지지 제공
② 상황·욕구 파악: 신체적·정서적 어려움과 필요한 도움 확인
③ 보호 안내: 보복 방지를 위해 학교가 책임 있게 관리·지도함을 알림
④ 절차 안내: 사안 처리 절차(자체해결·심의위원회), 보호조치 등을 설명해 안심할 수 있도록 지원

(2) 가해학생 상담

① 초기 상담: 낙인찍지 않고 경청, 쌍방 피해 가능성도 고려
② 원인 탐색: 폭력 사용 배경(개인·가정 요인 등) 충분히 탐색
③ 책임 인식: 폭력은 용납되지 않음을 명확히 하고 피해자의 상처 이해시키기
④ 절차 안내: 사안 처리 절차와 보호조치 설명, 잘못 인정·사과 의사 확인
⑤ 사과 지도: 피해학생이 받아들일 준비가 되었을 때 진심 어린 사과가 이루어지도록 안내

(3) 피해학생 보호자 상담

① 격앙된 감정 수용: 보호자의 분노와 불안을 이해하고 보호자가 말하는 상황이 해당 사안과 직접적으로 관련한 사실이 아닐지라도 처음에는 온전히 들어줌
② 상황·욕구 파악: 보호자가 겪는 심리·정서적 어려움과 필요한 지원 확인
③ 공정성 유지: 교사의 개인적 의견을 묻는 경우, 공정한 업무 처리를 위해 개인적 의견을 언급할 수 없음을 정중하게 전달
④ 외부 연계: 피해학생이 학교 상담을 불편해할 경우 전문기관 상담 연계 안내

(4) 가해학생 보호자 상담

① 감정 이해: 자녀의 가해 사실로 인한 혼란·불안을 공감
② 부정 시 태도: 학생의 가해행위를 부정하는 경우, 논쟁하기보다는 접수하는 태도로 반응
③ 사과 지도: 피해 측이 준비되었을 때만 진심 어린 사과가 가능하다고 안내
④ 교육적 지도 강조: 가해학생 역시 걱정하고 있으며 교육적으로 적절하게 지도할 것과 정확한 사실을 확인하고 대응하는 것이 가해학생과 피해학생 모두를 위한 것임을 안내

8 관계회복

(1) 개념
학교폭력 사안 관련 학생들이 발생 상황에 대해 이해·소통·대화를 통해 원래의 일상으로 돌아갈 수 있도록 돕는 과정

(2) 목적
① **피해학생 입장 고려**: 진심 어린 사과와 가해학생의 반성을 통해 관계 개선 도모
② **안정적 복귀 지원**: 피해학생이 심리·정서적으로 안정되고 학교·교우 관계에 적응할 수 있도록 조력

(3) 운영 대상 및 방법
① **대상**: 학교폭력 사안의 피해·가해학생
② **사전 개별면담**: 양측 학생 사전 면담을 통해 욕구, 심리·정서 상태, 해결 방식 탐색
③ **관계회복 프로그램**: 양측 학생이 준비·동의했을 때 직접 대면하여 소통하며 관계 회복을 조력

(4) 유의 사항
① **목적 안내**: 양측 학생이 학교 및 일상생활과 또래와의 관계에 잘 적응할 수 있도록 돕는 것임을 안내
② **피해학생 보호**: 모든 단계에서 피해학생의 의사 및 2차 피해 가능성을 확인하며 진행
③ **피해학생 동의 우선**: 동의한 경우에만 진행, 강제 불가
④ **중단 가능성**: 어느 한쪽이 원하면 즉시 중단 가능
⑤ **관계개선 한계 인식**: 단기간에 갑작스러운 친밀 회복을 기대하지 않음

2026학년도에 나는 교 사이다+   나만의 [학교폭력 예방 교육] 방안 만들기

①

②

③

교육 아티클 — 학교폭력 예방 지원단과 함께한 학교폭력 예방 교육!

올해 저는 학교폭력 책임교사를 맡으며 무엇보다 '예방'에 초점을 맞추고자 했습니다. 단순히 형식적인 캠페인으로는 학생들의 마음을 움직이기 어렵다고 생각해, '학교폭력 예방 지원단'을 직접 구성했습니다. 서류와 면접 평가를 거쳐 선발된 14명의 학생들은 학교폭력 없는 문화를 만들기 위해 적극적으로 활동했고, 그 과정에서 학생들 스스로 변해가는 모습을 확인할 수 있었습니다.

1. 학교폭력 예방 퀴즈 캠페인

그동안 학교에서는 피켓을 들고 간식을 나눠주는 캠페인을 진행했지만, 학생들은 간식에만 관심을 두는 경우가 많았습니다. 올해는 방식을 바꾸어 퀴즈 응모 이벤트를 진행했습니다.

"학교폭력 발생 시 신고 번호는?"
"단톡방에서 친구를 일부러 빼놓는 것도 학교폭력일까요?"
"'너 얼굴이 왜 그렇게 생겼냐'는 어떤 폭력에 해당될까요?"

이처럼 학생 생활과 밀접한 문제를 퀴즈로 제작해 응모함을 설치했더니 참여율이 눈에 띄게 높았습니다. 학생들이 스스로 문제를 풀며 자연스럽게 학교폭력의 범위를 인식하게 되었고, 단순한 캠페인이 학생 주도의 학습 경험으로 바뀌는 순간이었습니다.

 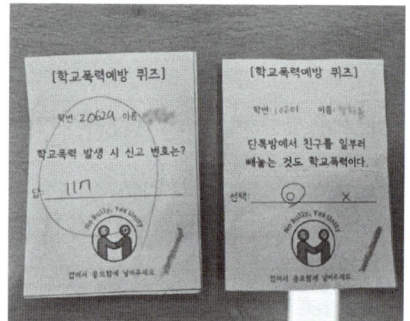 

2. 우리가 만드는 학교폭력 예방 교육

그동안의 예방 교육은 교사나 학교가 기획해 왔습니다. 하지만 올해는 학생들의 의견을 직접 반영했습니다. 등굣길에 듣고 싶은 '우정·배려·사랑' 테마의 플레이리스트를 신청받아 음악을 틀었고, 홈베이스에서는 '다음에 참여하고 싶은 예방 교육' 투표를 진행했습니다. 그 결과 반별 협력 사진 공모전이 가장 많은 지지를 받아 2학기에 개최하기로 했습니다. 단순히 교육을 '받는' 것이 아니라, 학생들이 스스로 기획하고 만들어 가는 교육과정이 된 것입니다.

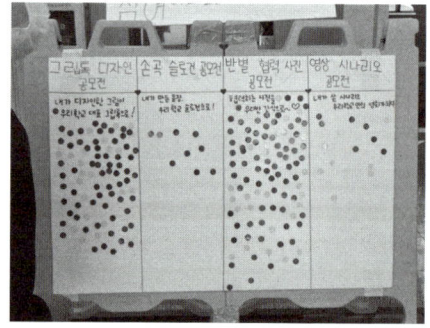

3. 77데이(친한 친구 데이)

5월 27일을 '77데이(친한 친구 데이)'로 정해, 친구 관계를 돈독히 하는 활동을 했습니다. 아침에는 복권을 나누어 같은 단어를 가진 친구끼리 포토존에서 사진을 찍고, 점심시간에는 텔레파시 게임을 진행해 짜장면 vs 짬뽕, 산 vs 바다 등 간단한 질문에 같은 답을 한 친구들이 함께 사진을 찍었습니다. 사소한 이벤트였지만, 운동장 곳곳에서 웃음소리가 터졌고 학생들은 서로의 얼굴과 목소리에 더 귀 기울이게 되었습니다. 작은 활동 하나가 학교 분위기를 따뜻하게 바꾸는 힘이 있다는 것을 확인할 수 있었습니다.

14. 학교 구성원의 권리와 책임

> **현장 이야기로 사이다 열기**
>
> 학교의 모든 구성원은 권리뿐 아니라 책임도 함께 인식하며, 서로를 존중하는 문화 속에서 성장해야 합니다. 경기도교육청은 '학생 인권과 교권의 균형', '교원의 교육활동 보호를 위한 상호존중 학교 문화 조성'을 주요 공약으로 삼고, 이를 제도적으로 뒷받침하기 위해 「경기도교육청 교육공동체의 권리와 책임에 관한 조례」를 2025년 1월 제정했습니다.
>
> 저 역시 올해 학교폭력 책임교사를 맡으면서 교권 침해 상황을 직접 경험했습니다. 쉽지 않은 과정이었지만, 교육활동보호 안심콜 탁(TAC)과 교권보호지원센터의 지원 절차를 거치며 제도적 장치의 필요성을 체감하기도 했습니다.
>
> 무엇보다, 학교가 본연의 교육 역할을 다하기 위해서는 교사·학생·학부모 모두가 권리와 책임을 함께 인식하고 상호존중의 문화를 만들어가야 한다는 점을 절실히 느꼈습니다! 존중받는 교사, 존중하는 교사를 위해 어떤 자세를 갖춰야 할지 함께 살펴보겠습니다.

#상호존중_방안

1 상호존중의 필요성

(1) 건강한 교육 환경 조성

교사·학생·학부모가 서로 존중할 때 협력이 이루어지고, 교육 효과와 만족도가 높아짐

(2) 학생의 성장과 발달에 긍정적 영향

어른들의 존중하는 태도를 모델링하며 학생은 갈등 해결과 협력 방법을 배우고 사회·정서적 역량을 키움

(3) 교사의 업무 만족도와 정신적 건강 향상

존중받는 환경은 교사의 심리적 안정감을 높이고 창의적·효과적 교육으로 이어짐

(4) 갈등의 예방과 해결

존중 문화가 정착되면 불필요한 갈등이 줄고, 갈등이 발생해도 평화적으로 해결 가능

② 학교 구성원의 상호존중 방안

(1) 학교 전체의 권리와 책임 문화 확립

① 상호존중 학교 문화 조성 협의체 개최
② 존중과 배려의 공동체 서약 및 생활규약 제정
③ 회복적 대화·갈등 해결 문화 확산

(2) 교사

① 가정과 연대: 학부모 상담 주간, 공식 온라인 플랫폼 등을 통해 학생 성장을 위한 의사소통 활성화
② 건강한 사제관계 형성: 솔선수범하는 태도를 지니며, 학생 개개인을 존중하고 정서적 지지 제공, 상호존중을 바탕으로 한 규칙 설정 등
③ 교사 자존감을 바탕으로 상처를 방치하지 않고 회복하고자 노력: 상담, 교원 힐링 프로그램 참여

(3) 학생

① 교사를 존중하며 공동의 학교 문화를 만들기 위한 주체적이고 책임감 있는 자세 정립
② 타인의 학습권 존중

(4) 학부모

① 교사를 인정하고 협력하는 마음 갖기
② 정기적인 학부모 회의나 학교 행사에 참여해 학교의 비전과 목표를 공유하고 존중하는 자세 정립

(5) 교육적 실천

① 학생 토론 교실 동아리, 교육공동체 생활규약 협의 등을 통해 교육공동체의 상호존중 방안 토의
② 인간 존엄 교육 실시
③ 교육과정과 연계한 시민교육 실시 및 시민적 인성교육 실천
④ 학부모 교육을 통한 교육공동체 협력의 중요성 강조

사이다 톡talk! 2023년 학생 인권 설문 결과, 학생·보호자의 85% 이상이 "학생 인권 향상이 교권 증진에 도움이 된다"고 응답한 반면 교원은 약 65%만 동의했습니다. 이는 인식의 간극을 보여줍니다. 어느 한쪽만 편한 것은 진정한 상호존중이 아니지요. 결국 중요한 것은 문제가 생긴 후 보호받는 것이 아니라, 애초에 상호존중 문화가 자리 잡아 상처가 생기지 않도록 하는 것입니다. 예방 중심의 대화와 소통 창구 마련이 학교 구성원 모두를 지키는 길입니다.

(6) 교사 보호와 지원 체계 구축

① 교사의 정신적, 심리적 건강을 보호할 수 있는 상담 지원 시스템 구축

② 교사들이 스트레스나 문제 상황에서 도움을 받을 수 있는 안전망 제공

③ 교사 보호를 위한 법적 제도를 강화해, 학부모의 부당한 요구나 민원으로부터 교사를 보호할 수 있는 시스템 마련

사이다 톡talk! 문제가 벌어진 후 시스템이나 법의 보호를 받는 것보다 이러한 일이 발생하지 않도록 상호존중 문화가 마련되는 게 더 중요하죠. 일이 벌어진 후면 이미 상처가 가슴에 남을 테니까요. 우리도 예방 방안에 초점을 맞춰 좋은 방안을 생각해 둡시다.

③ 경기도교육청 교육공동체의 권리와 책임에 관한 조례(2025. 1. 17.) 요약

(1) 제정 배경

① 학교 교육은 자주성·전문성·자율성을 바탕으로 전인적 교육에 매진해야 함

② 그러나 학생·교직원·보호자가 권리만 주장하거나 책임을 다하지 않으면 갈등과 인권침해가 발생함

③ 이에 학생·교직원·보호자 모두에게 권리와 책임을 공통 적용하여 상호존중 문화를 정착시키고 교육력을 높이기 위해 제정됨

(2) 주요 내용

① 목적과 정의(제1조~제2조)
- 학생·교직원·보호자의 권리를 보장하고 상호존중하는 학교 문화 조성 목적
- 교육공동체 = 학생·교직원·보호자
- 교육활동 = 학교 안전사고 법률상 규정된 모든 활동 포함

② 기본원칙(제3조)
- 상호존중·배려·협력으로 학생의 성장 지원

- 교육공동체는 동등한 인간으로서 존엄·가치·행복추구권을 지님
- 권리 행사는 타인의 권리를 침해하지 않는 범위에서 가능

③ 책무(제5조~제6조)
- 교육감: 상호존중 학교 문화 조성, 교육프로그램 개발·지원
- 학교장: 실행계획 수립·시행, 갈등 예방·조정 노력, 의견 수렴 통한 교육활동 운영

④ 권리와 책임(제7조~제8조)
- 교육활동 성실 참여, 학생 생활·인성 지도, 교원 활동 보호, 학습권 존중, 상담·지원, 개인정보 보호 등
- 권리와 책임은 상위법령·학교규칙 범위 안에서 균형 있게 보장·이행
- 상충 시 조정 신청 가능

⑤ 기본계획 및 지원사업(제9조~제10조)
- 교육감은 매년 기본계획 수립·시행, 공청회·토론회로 의견 수렴
- 지원사업: 실태조사, 상호존중 학교 문화 조성, 인성교육·연수, 맞춤형 컨설팅 등
- '상호존중하는 학교 교육공동체의 날' 운영 가능

⑥ 참여 및 소통(제11조)
- 학교규칙 제·개정 시 교육공동체 의견 반영 노력
- 소통 역량 강화 연수, 운영 정보 공개 통한 신뢰 확보

⑦ 권리와 책임 위원회(제12조~제13조)
- 교육공동체 권리·책임 심의 기구 설치(15인 이내)
- 기본계획·지원사업 심의, 권리 침해 조정·제도 개선 권고
- 연 2회 이상 회의, 필요 시 서면 심의 가능

⑧ 권리 구제 및 조사(제14조~제15조)
- 학교생활인성담당관 설치: 권리 침해 상담·구제·조사 담당
- 시정권고권, 자료 요구·현장조사 가능
- 상담·조사 중 알게 된 사항은 비밀 유지

⑨ 학교 내 갈등 조정(제16조)
- 교육청·교육지원청에 갈등 자문기구 운영 가능
- 학교폭력 관련 자문기구와 통합 운영 가능

⑩ 기타(제17조)
- 시행규칙은 교육규칙으로 정함
- 공포일(2025. 1. 17.)부터 시행

(3) 핵심 포인트

① 권리와 책임을 균형 있게 보장 ➡ 상호존중하는 학교 문화 정착

② 교육감·학교장의 책무 강화 ➡ 제도·계획 수립, 행·재정 지원

③ 위원회와 전문인력 배치 ➡ 권리 구제 및 갈등 조정 기능 확보

④ 학생·교직원·보호자 모두의 참여 ➡ 교육공동체 협력 기반 확립

사이다 톡talk! 이 조례는 교사·학생·학부모 모두 권리를 갖지만 동시에 책임도 있다는 걸 강조합니다. 면접에서는 이 취지를 기억하고, 교사는 권리만 요구하는 사람이 아니라 갈등을 조정하고 존중 문화를 만드는 사람이라는 자세를 보여주면 좋습니다. 또, 일이 벌어진 뒤의 대책보다 예방적 학급 운영을 강조하는 게 중요합니다. 정책을 달달 외우는 게 아니라, '조례에 포함된 정신을 내 수업과 학급에서 어떻게 실천할 것인가'를 담아내는 게 합격하는 답변의 포인트입니다.

15 환경교육·탄소중립교육 (공)

현장 이야기로 사이다 열기

몇 해 전 학급에서 '민트초코'라는 이름의 식물을 함께 키운 적이 있습니다. 한 학생이 가져온 작은 화분이었는데, 아이들은 어느새 돌아가며 물을 주고, 볕이 드는 자리에 옮겨두며 정성스럽게 가꾸었습니다. 늘 우당탕탕 시끌벅적했던 반이었는데, 민트초코 덕분에 아이들에게 또 다른 기쁨과 안정이 찾아왔습니다.

현재 제가 근무하는 학교에서도 교장 선생님께서 직접 텃밭을 가꾸시고, 학생들이 교내 식물을 조사하는 활동을 하면서 학교 분위기가 달라지고 있음을 느낍니다. 식물이 다치지 않도록 신체 활동을 더 조심하게 되고, 생명이 자라는 기쁨을 함께 나누며 교실과 학교가 한층 더 따뜻해졌습니다. 이처럼 작은 활동 하나가 학생들의 감수성을 일깨우고, 나아가 지역사회와 지구의 환경을 지키는 시민적 태도로 확장될 수 있답니다!

지금부터 교사인 우리가 학생들이 환경 친화적 삶을 살아가는 시민으로 성장할 수 있도록, 어떤 교육을 설계해야 할지 함께 고민해 봅시다.

#지도_방안

☑ All 기출 문장 및 빈도 체크

연도	자기성장소개서 (생)			집단토의 (토)			개별면접 (면)		
	초	중	비	초	중	비	초	중	비
2016									
2017									
2018									
2019									
2020									
2021					미시행		✓		
2022									
2023										✓
2024								✓	✓
2025									

*공통 (공)

[24'비면] 환경교육을 에듀테크 활용, 지역사회 연계, 학생중심 교육의 방안으로 2가지 제시하시오.
[24'중면] 생태환경교육이 중시되고 있다. 아래를 참고하여(사유하는 학생, 깊이 있는 학습, 질문이 자유로운 수업, 서로 다른 생각을 존중하는 수업) 교과교사로서 생태환경교육을 실현할 수 있는 방안을 2가지 제시하시오.
[23'비면] 전공 연계 에코데이 운영 방안을 말하시오.
[21'초면] 교육과정과 연계하여 기후 변화와 관련해 하고 싶은 교육활동 방안을 말하시오.

1 정의

① **경기형 탄소중립교육**: 인간, 비인간 자연 모두의 공존과 상생을 위해 탄소 문명에서 생태 문명으로의 전환을 추구하는 교육으로, 교육공동체의 지역기반 탄소중립교육 활동의 주체적 실천을 의미
   👍 여기서 '비인간 자연'은 인간중심주의에서 벗어나 지구의 동식물뿐 아니라 물, 공기, 흙 등의 존재를 포함하는 개념이다.

② **환경교육**: 기후변화, 오염, 생태계 파괴 등 환경 문제를 이해하고 지속 가능한 생활 방식을 실천하며, 책임감 있는 행동과 문제 해결 능력을 기르는 교육

2 목표

① **환경 문제 심각성**: 생물 다양성 감소, 자원 고갈 등 위기 인식
② **환경 감수성 함양**: 어릴 때부터 자연에 대한 감수성을 키워 환경 친화적 행동의 기초 마련
③ **미래 대비**: 지속 가능한 삶을 위해 자원·에너지 절약 실천 능력 습득
④ **비판적 사고·문제 해결**: 복잡한 환경 문제 분석 및 대안 탐색 역량 강화
⑤ **책임 있는 글로벌 시민**: 지구적 관점에서 문제 해결에 참여하는 태도 형성

사이다 talk! 이것은 환경교육의 목표이자 필요성으로도 볼수도 있어요. 환경 문제가 심각해지며 환경 감수성이 필요해지고, 미래의 지속 가능한 삶을 위해 지구적 관점에서 문제 해결에 참여하려는 태도를 통해 시민의식을 기르고, 문제 해결력을 도모하기 위해서예요!

3 2025 경기도교육청 탄소중립학교 추진 방향

(1) 탄소중립을 위한 단계적 지원

① **1단계: 학교 차원의 노력**
   학교·학생이 자체적으로 탄소발자국 최소화 시도(현실적으로 3/4 이상 남음)

② **2단계: 사회 차원의 노력**
   지역사회·지자체·기업과 협력해 탄소발자국 줄이기 ➡ 그럼에도 학교의 탄소발자국은 상당 부분 남음

③ **3단계: 탄소 상쇄권 제공**
   사회적·국가적 차원에서 탄소상쇄권(COC)을 제공하여 완전한 탄소중립 달성

사이다 talk! 탄소중립을 위해서는 지역사회, 국가와의 연대가 필요하다는 것을 보여줍니다. 교육 방안을 정립할 때, 학교 차원에서의 노력뿐 아니라 지역사회, 기업 등과의 연대 측면을 언급해 주세요!

(2) 경기 탄소중립학교 프로젝트의 특징

① 탄소발자국 지우기 노력은 쉽고, 재미가 있어야 한다(Easiness & Fun).

② 완전한 탄소중립 성과를 내야 한다(Complete performance).

③ 충분한 보상으로 활동이 지속되게 해야 한다(Reward & Sustainability).

(3) 세부 추진 계획: 앎, 함, 삶이 연결되는 교육과정 운영

① 학생 주도 프로젝트 활성화

- 2022 개정 교육과정 학교자율시간 활용 학교 차원의 프로젝트 운영
  - 예 공공부문 온실가스·에너지 목표 관리 운영 자발적 참여, 경기도 '경기바다 함께海'와 연계한 해양 쓰레기와 블루카본 프로젝트 등
- 교육과정 연계 프로젝트 운영
  - 예 쓰레기 소각장, 하수 처리장, 신재생 에너지 시설, 환경교육센터, 지역농업기술센터 등의 견학 또는 체험활동, 학교 내 에너지 절약 캠페인, 반려 식물 키우기, 텃밭 가꾸기, 농촌진흥원 연계 4H(Head, Heart, Hands, Health) 프로젝트, 지역 특성 활용 한강하구, 서해, 시화호, 생태보전지역 생물다양성 프로젝트 등

② 학생 자치 및 동아리 활동 지원

- 기후 위기와 관련된 주제 및 탄소중립 실천 관련 학생 자치 활동 지원
- 학생 발표회나 학교 간 동아리 연계를 통한 연대 의식 고취

③ 탄소중립을 위한 사회 참여 활성화: 탄소중립에 대한 지식 배움과 이해 및 실천이 학교 안에서만 머물지 않고 사회 참여 활동으로 확산될 수 있도록 지원
  - 예 우리 마을 플로깅, 숲 보호 참여 활동 등

④ 가정과 함께하는 탄소중립교육

- 가정에서 실천할 수 있는 탄소중립 실천 안내 자료 개발 및 배포
- 학부모 대상 탄소중립 이해 증진 및 실천 확산을 위한 프로그램 지원

⑤ 지역사회와 함께하는 탄소중립교육

- 지역 특성 및 지역사회의 사회·문화적, 역사적 특징을 반영한 탄소중립교육 프로그램 개발 및 운영
- 학생들이 지역 환경 현안을 파악해 해결할 수 있는 방법을 모색하는 학습 기회 제공
- 지역 환경단체와 연계하여 생태계 이해 프로그램, 캠페인 등 공동 운영

⑥ 세계와 함께하는 탄소중립교육

- 기후 위기가 초래된 원인과 현상에 대해 비판적으로 인식하고 탄소중립 목표의 중요성에 대한 이해를 바탕으로 세계적 노력에 동참하는 중요한 일임을 인식
- 글로컬 세계시민의 관점에서 세계시민교육과 연계한 탄소중립교육 필요
- 지역에서 행한 탄소중립을 향한 실천이 지구적으로 연결되어 있음을 이해

4 환경교육 및 탄소중립교육 방안

(1) 학생발달 단계에 따른 탄소중립 생태환경교육

'환경의 날(6월 5일)'을 포함한 1주간의 환경교육주간에 시행

유·초	중	고
지구의 아름다움/생태감수성 놀이·체험 중심	과학적 이해/실천 확산 탐구체험 프로젝트 중심	문제 해결 및 제안 주제·진로 중심

(2) 주제 통합 '지구 지킴이 일일 프로젝트' 실시

지구온난화에 대한 이해를 바탕으로 이산화탄소 배출을 줄이기 위한 교육과 실천 활동 ➡ 한 학년 1주제 이상 프로젝트 구성 및 실시

① 국어: 환경 추천 도서 읽고 글쓰기
② 수학: 자동차 탄소 배출량 구하기
③ 음악: 환경 캠페인 노래 만들기
④ 미술: 에너지 절약 관련 표어와 포스터 만들기
⑤ 영양: 지구 환경 지킴이 채식의 날 ➡ 채식 식단으로 급식하기

(3) 교과 수업 방안

① 과학: 미니지구 제작, 빛을 활용한 샌드아트로 환경 보존 표현, 재활용품을 활용한 빛 포착 수업, 지구를 살리는 식물의 광합성 관련 수업, 생식과 유전을 통한 인류의 식량문제 접근
② 음악: 자연의 소리를 표현하는 드럼 수업
③ 미술: 우리 지역 생태도시 로드 스케치(생태도시로의 변화가 필요한 곳을 찾아 스케치), 에코백 제작

④ 체육: 올림픽 마스코트로 알아보는 세계의 동물 탐색

⑤ 기술·가정: 텃밭에서 키운 작물 기부

⑥ 도덕: 환경 보존을 위한 4컷 만화, 환경 친화적 삶을 실천하기 위한 홍보자료 제작

⑦ 사회: 이산화탄소 다이어트를 실천하는 세계 음식문화 조사

⑧ 국어: 생태와 관련된 독서 후 글쓰기

사이다 톡 talk! 이 방안은 〈교사교육과정 구현을 위한 도움자료 즐겨찾기 3호〉에서 발췌했어요. 원문을 직접 보시면 실제 수업 모형도 상세히 나와 있으니 큰 도움을 받으실 거예요. 또한, 교과 지도 방안을 수립하실 땐 성취기준에 근거해야 한다는 것을 잊지 마세요. 어떤 단원에서 어떤 성취기준 달성을 위한 교육을 할지, 꼭 현실성 있게 계획을 수립하셔야 합니다.

(4) 기후행동 1.5℃ 앱 활용

① 기후 일기, 퀴즈, 챌린지, 웹툰·짤툰을 통해 재미있게 기후 실천 유도

② 조회 시간 활용 ➡ 생활 속 실천 교육 강화

사이다 톡 talk! 이 앱은 기후행동 실천 일기, 퀴즈, 챌린지 등을 통해 상품을 받거나 웹툰과 짤툰으로 학생들이 기후에 대해 쉽게 이해할 수 있도록 만들어졌어요. '조회시간에 함께 사용하며 기후환경교육을 해보겠다.'고 언급한다면 실천성 있는 교사임을 어필할 수 있을 거예요!

16 진로·진학교육 공

현장 이야기로 사이다 열기

얼마 전, 한 학생이 저에게 이렇게 물었습니다.
"선생님, 저는 연기자가 되고 싶어요. 연극 무대나 촬영 경험이 더 중요하다고 생각하는데, 꼭 대학에 가야하는 걸까요?"

이 질문은 현장에서 늘 부딪히는 고민을 담고 있습니다. 이제는 획일적인 대학·직업 진학 패러다임에서 벗어나, 학생 개개인의 재능과 적성에 맞춘 맞춤형 진로교육이 절실합니다. 요즘 교실에서는 단순 지식 학습을 넘어 자신의 삶을 설계하고, 역량을 키우며, 체험을 통해 꿈을 구체화하는 진로교육이 강조됩니다. 그 과정에서 교사의 역할도 달라집니다. 학생의 강점을 발견하고, 공감과 경험을 바탕으로 상담하며, 진로 탐색과 체험 기회를 적극적으로 제공하는 안내자가 되어야 합니다.

선생님들은 현장에서 학생들에게 어떤 방식으로 꿈을 찾고 설계하도록 도울 예정인가요? 진로교육의 방향과 구체적인 실천 방안을 함께 살펴보며, 우리의 교직관 속에서 진짜 '학생 맞춤형 진로교육'이란 무엇인지 고민해 봅시다.

#지도_방안

☑ All 기출 문장 및 빈도 체크

연도	자기성장소개서 생			집단토의 토			개별면접 면		
	초	중	비	초	중	비	초	중	비
2016									✓
2017									
2018									✓
2019									
2020		✓	✓			✓			
2021				미시행					✓
2022									
2023							✓		
2024									
2025									

*공통 공

[23'초면] 요즘 급격하게 변화하는 사회 현상 속에서 학생 맞춤형 진로교육이 필요한 이유를 3가지 설명하시오. 또 이에 필요한 교사의 자질을 말하시오.
[21'비면] 역량중심 교육과정을 바탕으로 한 진로 맞춤형 진로 탐색 교육 방안을 말하시오.
[20'비토] 학교 진로교육 방향에 대한 생각, 교과와 연계한 진로교육 실천 방안, 학생 중심의 진로교육 방안에 대해 논의하시오.
[20'중비생] 학생이 진로 상담을 요청했을 때, 자신의 삶의 경험을 바탕으로 상담 메시지를 작성하시오.
[18'비면] 1일 진로 체험 운영 방안을 말하시오.
[16'비면] 교직관, 교과 전문성을 바탕으로 한 진로교육 방안을 말하시오.

① 정의

학생들 개개인의 성향에 적합하게 진로를 설계하는 데 도움을 주는 교육

② 진로교육의 방향

개별 학생 중심, 체험 중심, 체험 시 직업 안전 교육 병행, 다양한 자원 활용(온·오프라인, 지역 자원 등)

👍 2020년 초·중등 진로교육 현황조사(교육부, 한국직업능력개발원)에 따르면 중학생과 고등학생의 진로 정보 획득의 주요 경로로 온라인 매체 활용 비율 증가 ➡ 다양한 자원을 활용한 진로교육의 중요성 강조

③ 개별 맞춤형 진로교육의 필요성 기출

(1) 급변하는 사회·산업 변화 대응

① 필요성: 4차 산업혁명과 AI 확산으로 기존 일자리는 빠르게 변화하고 새로운 직업군이 등장함 ➡ 학생들이 변화에 유연하게 대응하고, 새로운 직업 세계에서 기회를 찾을 수 있도록 미래지향적 진로교육이 필요함

② 교사에게 필요한 역량: 미래 사회·산업 이해 역량 ➡ AI·융합산업 등 최신 변화 파악

(2) 다양한 진로 선택 환경

① 필요성: 오늘날의 진로는 전통적인 기업 취업이나 전문직 종사에 국한되지 않고, 온라인 기반 사업, 창업, 프리랜서, 해외 취업 등 폭넓게 확장됨 ➡ 학생들이 자기 관심과 능력에 맞는 다양한 진로를 탐색하고 체험할 수 있도록 지원하는 교육이 필요함

② 교사에게 필요한 역량: 직업 탐색 역량 ➡ 다양한 직업의 세계를 이해하고, 추천할 수 있어야 함

(3) 학생 개성 존중 필요

① 필요성: SNS와 디지털 환경 속에서 자라난 학생들은 관심, 성향, 능력이 매우 다양하며, 자신을 드러내는 데 익숙함 ➡ 획일적인 진로 지도가 아니라, 개별 학생의 특성과 강점을 존중하는 맞춤형 진로교육이 요구됨

② 교사에게 필요한 역량: 관찰과 공감을 바탕으로 한 학생 이해 역량, 개별화 지도 능력

(4) 자기주도적 진로 설계 역량 강화

① 필요성: 평생학습 사회에서는 1가지 직업만으로 평생을 살아가기 어려움 ➡ 학생 스스로 자기 이해를 바탕으로 끊임없이 재능을 개발하고, 변화하는 환경에 맞춰 새로운 진로를 설계할 수 있는 능력을 길러야 함

② 교사에게 필요한 역량: 자기주도학습 코칭 역량

(5) 진로와 삶의 의미 연결

① 필요성: 진로는 단순히 '생계 수단'이 아니라 개인의 행복, 자아실현과 밀접히 관련됨 ➡ 학생들이 자신이 원하는 삶의 방향과 직업적 선택을 연결할 수 있도록 돕는 교육이 필요함

② 교사에게 필요한 역량: 인문학적 성찰 역량 ➡ 삶의 의미를 직업과 연결해 지도

4 진로교육 사례 기출

(1) 교사의 역할

① 1:1 상담 중심 진로 지도

- 진로적성검사 결과 및 학생 관심사 기반 상담
- 성장단계 맞춤형 진로·진학 상담
  _ 초 ➡ 중 ➡ 고: 학교급 전환기 교육의 연계성을 고려한 상담
  _ 초 ➡ 중: 1학년 적응 상담(진로탐색 시작)
  _ 중 ➡ 고: 3학년 대상 고교학점제 준비 상담

② 성장단계별 진로 연계 교육

- 1학년(탐색기): 자기 이해·자기관리 역량 강화, 진로성숙도검사, 지역 연계 탐색활동
- 2학년(설계 준비기): 맞춤형 선택교과, 교과 연계 진로탐색, 기초 진로 설계
- 3학년(전환·설계기): 고교학점제 이해 주간, 학교 간 연계 체험, 선배 상담, 로드맵 발표

③ 진로 자원 추천 및 활용

- 학생 스스로 탐색할 수 있는 도서·웹·현장 자원 안내
- K-MOOC 활용 ➡ 분야별 전문가 강좌, 토론, 진로 심화 가능

(2) 지역사회와의 연계

① 학교 간 연계: 설명회, 학과 체험, 선배와의 대화, '미리 보는 고교 교육과정' 운영

② 학교–지역사회 연계: 지역 명인 인터뷰, 직업 체험 프로그램 운영

③ 공유학교·공동교육과정: 지역사회 자원을 통한 진로 관련 과목 수강

④ 한국잡월드 체험: 직업 체험·시뮬레이션, 미래 직업 탐색

⑤ 특성화고 연계: 유휴 시설 활용 평생직업교육센터 운영(메이커 스페이스, 직업체험교실 등)

(3) 제도적 노력

① 현장실습 개선: 학생 중심·안전 중심 실습 운영, 노동인권 보호 강화

② 노동인권교육: 초·중·고 교과 내 정규 교육 강화

③ 직업계고 인프라 혁신: Green Lab, VR/AR 기반 실습 환경 구축

④ AI 기반 진로진학 시스템 '꿈it(잇)다': 자기 이해 ➡ 직업 탐색 ➡ 진학·진로 정보 제공, AI 모의면접 지원

사이다 톡 talk! 진로교육에서 무엇보다 중요한 건 교사의 관심과 상담입니다. 면접에서 답변할 때도, 제도적 노력이나 지역사회 연계보다 '교사가 먼저 학생과 상담하는 모습'을 강조해야 진정성이 드러나요. 실제로 우리 반 학생에게 진로 상담을 한다고 상상해 보세요. 가장 먼저 할 일은 관심사를 묻거나, 진로적성검사 결과를 토대로 이야기를 나누는 거겠죠. 그다음에야 관련 기관이나 제도를 연계하는 게 자연스러운 흐름입니다. 또한 교사 스스로 진로교육 전문성 신장을 위한 노력(연수·현장체험·교사학습공동체 참여)을 해야 한답니다. 면접에서 '학생에게 관심을 갖고 상담한다 ➡ 필요시 제도·지역과 연계한다 ➡ 교사 스스로도 전문성을 키운다' 이렇게 3단 흐름을 내포해서 말하면 아주 베스트입니다!

2026학년도에 나는 교 사이다

나만의 [진로·진학교육] 방안 고민하기

학급 운영 방안:

교과 연계 방안:

교육생태계 연계 방안:

온·오프 연계 방안:

연계할 수 있는 경기 정책 및 기관:

03

THEME 17~20
교육 정책 이해 및 적용

★★★ 빈출 주제

- THEME 17. 학교자율과제·학교자율시간·성장이음과정
- THEME 18. 자유학기제
- THEME 19. 건강하고 안전한 학교
- THEME 20. 교육복지

2016~2025학년도 출제 주제 빈도

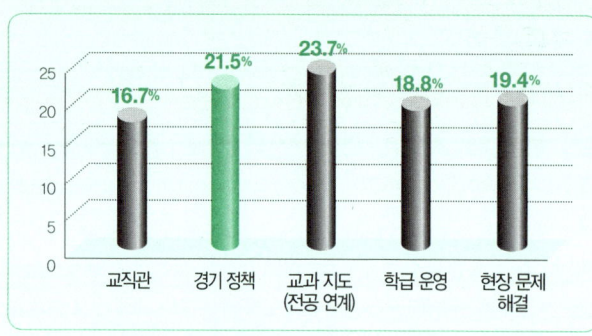

교직관	경기 정책	교과 지도 (전공 연계)	학급 운영	현장 문제 해결
16.7%	21.5%	23.7%	18.8%	19.4%

빈출 주제 BEST 1 (공동)

① 학교자율과제·학교자율시간·성장이음과정
① 자유학기제
① 건강하고 안전한 학교

만점 대비 공부법!

경기 정책을 이해하는 데 필요한 개념을 다룹니다. 경기 지역 특색이 담긴 만큼 꼼꼼하게 공부하고, 역시나 현장 적용 방안에 대해 고민해야 합니다. <u>정책의 맛을 느끼되, 어떻게 교사로서 현장에 적용할지</u> 고민하며 읽어주세요.

17 학교자율과제·학교자율시간·성장이음과정 공

현장 이야기로 사이다 열기

학교자율과정, 학교자율과제, 학교자율시간, 성장이음과정은 단위학교의 다양하고 특색 있는 교육과정, 교과목 운영을 위해 과도한 규제나 간섭을 최소화하고 교육과정의 지역화 및 자율화를 정착시키기 위한 시도입니다.
경기도교육청에서 강조하고 지속적으로 추진해 오고 있는 만큼! 우리도 반드시 숙지해야겠죠?
그 취지와 방향성을 함께 살펴봅시다.

#개념 #교사의_역할_확대 #교사에게_필요한_역량

All 기출 문장 및 빈도 체크

연도	자기성장소개서 성			집단토의 토			개별면접 면		
	초	중	비	초	중	비	초	중	비
2016									
2017									
2018									
2019									
2020									
2021	미시행								
2022									
2023								✓	✓
2024									
2025									

*공통 공

[23'(비)(면)] 조건 3가지(교육 안전망, 미래형 교육과정, 학교자율과정) 중 하나를 선택하여 그 이유를 말하고, 제시문과 관련한(게임 과몰입 학생, 가정교육 부족으로 기본적인 습관이 형성되지 않음, 교사·학생의 학교 참여도·만족도 높음, 지역자치단체 예산 많음, 지역사회 프로그램 부족) 전공 연계 방안을 제시하시오.

[23'(중)(면)] SWOT을 분석하고 '_를 통한_'의 빈칸을 채워 학교자율과제의 필요성과 구체적인 교육 방안을 말하시오.

① **학교자율과정**

(1) 정의

학생이 주체적으로 삶의 역량을 기를 수 있도록 학생의 학습 선택권을 확대하고 학습 경험의 질과 폭을 심화하기 위해 교육공동체가 함께 개발해 운영하는 교육과정

> **사이다 talk!** '학교자율시간', '학교자율과정', '학교자율과제' 이 세 용어의 혼재로 학교에 혼란이 있어 '학교자율과정'이라는 용어는 '학교자율시간'의 단계적 적용 시기에 맞춰 2025년까지만 사용하고 2026년부터는 더 이상 사용하지 않기로 했습니다. 현장에서는 학교자율시간과 학교자율과제 위주로 운영되고 있으니, 이 점을 알고 계세요.

(2) 유형 및 운영 방법

유형	운영 방법
교과 융합 활동형	• 2개 이상 교과 융합 • 유의미한 주제로 수업 재구조화
마을연계형	• 학교 인근 지역 자원 발굴 • 교과 및 창의적 체험활동과 연계 운영
학생 주도 주제별 프로젝트 활동형	• 학생들이 희망하는 주제로 프로젝트 학습 운영 • 활동마다 교사의 피드백을 제공해 학생의 성장 지원
진로 연계 활동형	• 학생의 성장 단계에 맞춘 진로 탐색 및 설계 지원 • 일회성이 아닌 지속성, 연계성 확보 • 학교급 전환기에 상급학교 진학 준비를 위한 교육 활동 집중

☑ **예시 시간표**

기존 수업						학교자율과정 운영 기간					
교시	월	화	수	목	금	교시	월	화	수	목	금
1	통사	영어	국어	통과	통과	1					통과
2	영어	통사	기가	영어	영어	2					영어
3	과탐	통과	음악	체육	국어	3	교과 융합 프로젝트		학생 주도 프로젝트		국어
4	체육	국어	국사	국사	진로	4					진로
5	자율	수학	창체	수학	수학	5					수학
6	국사	음악	창체	통사	기가	6					기가
7	수학	읽기		통과	기가	7					기가

> **사이다 talk!** 제가 근무했던 학교에서는 학교자율과정 주간에 학생 주도 프로젝트 학습을 진행했어요. 저는 사회과, 영어과 선생님들과 함께 기후 위기 대응 프로젝트 학습을 구성했답니다. 기후 위기 현황을 학생들이 직접 조사해 신문을 제작하게 하고, 친환경 비누를 만들어 보며 기후 위기에 대응하기 위한 방안을 학생 스스로 찾게 하는 내용이었죠. 그 방안을 영어로 발표하기도 했고요. 선생님들이 자율과정을 운영한다면, 어떤 교과와 연계해 어떤 프로그램을 하고 싶은가요? 고민해 주세요.

(3) 학교자율과정 편성·운영 시 유의 사항

① 운영 계획을 수립해 운영 목적을 달성할 수 있도록 내실 있게 운영

② 학교 내 협의체를 활용해 교육공동체가 공감하고 지향하는 학교자율과정 운영

③ 학교자율과정을 운영하더라도 교육과정을 재구성해 교과의 성취기준을 누락하지 않도록 유의

④ 교과 시수를 감축하는 경우 학생의 기초학력 보장 교과의 성취기준 달성을 위한 필수 시수는 확보

⑤ 학생이 배움의 주체가 되는 학습 경험 설계 시 학생 주도성 기반의 수업, 성장중심평가 계획 수립

> **사이다 톡talk!** 자율과정 운영 시 프로그램을 구성할 때 '교육과정 성취기준'에 근거해야 해요. 거듭 강조하지만, 성취기준을 자주 들여다보고 이것을 달성하기 위한 교육 방안을 구안해 주세요. 수업 실연에도 도움이 될 거예요.

2 학교자율과제

(1) 정의

① 경기미래교육 실현을 위해 학교자율 역량을 바탕으로 학교의 현안을 진단하고 숙의를 거쳐 도출한 과제

② '학교는 자율적으로 결정하고 실행할 수 있는 힘을 가지고 있다'를 전제로 학교의 자율성과 책무성 강화

③ 학교가 스스로 교육력을 높이고 경기미래교육을 실현하는 작동 기제로서의 역할

> **사이다 톡talk!** 2023학년도 중등 면접에서 제시문에 주어진 학교 상황을 분석해 학교자율과제를 도출하라는 문제가 출제됐어요. 이는 학교 환경을 잘 분석해 학교에 걸맞은 교육을 시행해야 한다는 취지를 담은 것이에요.

(2) 운영 과정

진단	계획	실행	평가
경기미래교육과 학교실태 살피기	학교자율과제 발굴 및 계획	학교자율과제 구현	개선을 위한 평가와 환류
• 학교 실태 진단 및 분석 • 시대적 요구 확인 • 도출된 현안, 학교 비전, 교육목표에 기반한 실천 전략 점검	• 학교자율과제 선정 및 계획 수립: 숙의를 거쳐 실행할 과제 도출 및 구체화 • 학교교육과정에 반영 • 실행기간(1~3년)을 고려한 설계	• 학교교육과정에서 실현: 학교자율과정, 학교자율시간과 연계 운영 • 부서(학년)별 교육과정 운영 및 마무리 • 학교자율과제 중간 점검 및 평가 준비	• 학교평가 연계 학교자율과제 평가 • 성장 방안 도출 및 환류: 성과와 문제점, 개선 사항 도출, 다음 연도 계획 수립에 시사점 반영

(3) 학교자율과제를 활용한 과목 개설 시 고려할 점

① 학교의 여건과 학생의 필요에 따라 한 학기에 여러 과목 개설·운영

② 학생, 교사, 학부모 등 교육공동체의 지속적인 협의 필요
- 과목 개설 조사 시 학생, 교사, 학부모 의견 수렴
- 교육활동 만족도 조사 및 대토론회 결과 등을 반영
- 교사의 교육과정 전문성 신장을 위한 연수 운영 및 협의를 통한 지속적인 역량 강화

③ 구체적인 학교자율과제명 선정
- 진단 결과와 학교 구성원의 숙의를 거쳐 학교가 집중하여 실행할 과제 도출
- 학교자율과제 실현을 위한 목적과 방법에 대한 구체적인 과제명 도출
  - 예 [목적] 학생의 기초·기본 역량을 기르기 위한 [수단] 온라인 콘텐츠 기반 스마트러닝 확산

③ 학교자율시간

지역과 학교의 여건 및 학생의 필요에 따라 교과 및 창의적 체험활동의 일부 시수를 확보해 국가교육과정에 제시된 교과 외 새로운 과목이나 활동을 개설·운영하는 시간으로 학교는 반드시 학교자율시간을 편성·운영해야 함

➡ 학교 자율시간의 과목이나 활동을 개설할 때 교원, 학생, 학부모의 의견을 반영하고 지역 실정과 학교 여건 등을 종합적으로 고려해 학습자에게 적합한 과목이나 활동을 개설해야 함

초등 운영 예시

학년군	2024	2025	2026	비고
1~2학년	성장이음과정 ⇨	성장이음과정 ⇨	성장이음과정 ⇨	학생의 학교 적응 및 기초학습을 다지는 데 주력해 학교 상황에 따라 자율적으로 운영할 수 있음
3~4학년	준비 단계 (학교자율과정)	(학교자율시간) ⇨	(학교자율시간) ⇨	2024학년도의 경우, 학교자율시간의 현장 안착을 위한 디딤돌로서의 학교자율과정을 학교 상황에 따라 자율적으로 운영할 수 있음
5~6학년	준비 단계 (학교자율과정)	준비 단계 (학교자율과정)	(학교자율시간) ⇨	2024~2025학년도의 경우, 학교자율과정 운영을 학교 상황에 따라 자율적으로 운영할 수 있음

4 성장이음과정

(1) 정의

초등학교 1~2학년 통합교과를 중심으로 교과 및 창의적 체험활동을 활용해 기초학력과 기본 생활습관을 형성할 수 있도록 유-초, 학년 간 연계를 고려한 교육과정 설계 모형

성장이음과정 주요 내용

기초소양교육	한글 해득, 기초 수학 습득, 놀이교육 등
유·초 및 학년 연계교육	1학년 입학 초기 학교생활 적응, 3~4학년 연계 교육
학교자율시간 연계교육	학교특색 교육과정 3~6학년 자율시간 연계
인성교육	바른생활, 국어(바른 언어습관 형성), 즐거운 생활(놀이를 통한 공동체 관계 형성), 창의적 체험활동 연계
생태전환교육	생태환경, 자연의 변화, 자연에서 놀이하기 등
신체활동 강화 교육	창의적 체험활동의 동아리 활동 연계, 3~4학년 더(T.H.E) 자람 프로젝트 연계

> **더(T·H·E) 자람 프로젝트란** 장기간의 감염병 대유행 기간에 직접적인 영향을 받은 학년에 대한 학습 공백을 최소화하고 기초학력 보장과 요인별 학생 맞춤 성장을 지원하기 위해 교사 중심의 학습지원(Teaching), 신체 건강(Health), 사회성 및 심리·정서(Emotion)를 집중 지원하는 프로젝트

(2) 근거

2024년 1월 15일 개정 고시된 경기도 초·중등학교 교육과정 총론의 'Ⅲ장 학교 교육과정 편성·운영'의 초등학교 교육과정 편성·운영 기준에서 성장이음과정 운영에 대해 안내함

> **경기도 초·중등학교 교육과정 총론 [경기도교육청 고시 제2024-541호]**
> Ⅲ. 학교 교육과정 편성·운영
> 2. 초등학교
>   나. 교육과정 편성·운영 기준
>   3) 학교는 2022 개정 교육과정 적용 시기에 맞춰 3~6학년별로 지역과 연계하거나 다양하고 특색 있는 교육과정 운영을 위해 학교자율시간을 운영한다.
>   라) 학교자율과정은 2022 개정 교육과정 학년별 적용 시기에 맞춰 학교자율시간으로 운영한다. 학교자율시간을 적용받지 않는 1, 2학년의 경우 다양하고 특색 있는 교육과정 편성·운영을 위해 교과(군)와 창의적 체험활동 시수의 20% 범위 내에서 시수를 증감하여 성장이음과정을 운영할 수 있다.

(3) 유의 사항

① **교육공동체 요구 진단**: 학년 비전·목표, 성장이음과정 설계 수준을 고려해 교육공동체의 요구를 진단하고, 학교 안팎의 교육 자원과 학생 특성을 반영해 성장이음과정 주제 설정

② **학생 삶과 연계된 주제 선정**: 학생의 삶과 밀접하게 연결되고, 학습 요구와 필요에 부합하는 주제 선정

18 자유학기제

현장 이야기로 사이다 열기

제가 처음 교사가 되었을 때, 자유학기제는 '자유학년제'라는 이름이었습니다. 중학교 1년 동안 시험 부담 없이 다양한 활동을 통해 학생들의 꿈과 끼를 발현하는 제도였지요.

제가 지켜본 학생들은 시험이 없다 보니 즐겁게 동아리 활동과 진로 체험을 경험하면서도 한편으론 이렇게 놀아도 되나? 걱정도 했었습니다. 학습 습관이 무너진다는 지적이 지속적으로 제기되면서 1년간 운영되던 자유학년제는 폐지되었고, 현재는 1학기 동안의 자유학기제로 기간을 축소해 취지를 이어가고 있습니다.

이 시행착오 속에서 분명해진 사실이 하나 있습니다. 시험 부담을 덜어준 만큼, 교사가 학생들의 경험을 더 깊게 설계해야 한다는 점입니다. 교과와 자유학기 활동을 긴밀하게 연결하고, 결과보다 과정을 중시하는 평가로 방향을 잡은 것이지요. 그 결과 학생들은 단순히 '무엇을 배웠는가'보다 '어떻게 배우고 성장했는가'에 주목하게 되었고, 자신의 삶을 진지하게 돌아볼 기회를 갖게 되었습니다.

앞으로 현장에 서게 될 여러분은 삶의 길잡이이자 경험의 설계자로서 학생을 만나게 될 것입니다. 자유학기제는 바로 그 역할을 준비할 수 있는 가장 좋은 무대입니다. 이제 자유학기제 속에서 교사가 맡게 될 구체적인 역할들을 하나씩 살펴봅시다.

#정의 #교사의_역할

✅ All 기출 문장 및 빈도 체크

연도	자기성장소개서			집단토의			개별면접		
	초	중	비	초	중	비	초	중	비
2016									
2017								✓	
2018									
2019									
2020									
2021					미시행				✓
2022									
2023									
2024									
2025									

*공통

[21' 비] 역량중심 교육과정과 연계한 자유학년제 내실화 방안을 말하시오.
[17' 중] 자유학년제를 시행하며 학력 저하를 걱정하는 학부모가 앞에 있다고 생각하고 설득해 보시오.

1 정의

자기주도적 학습 능력을 기르기 위해 한 학기(1학년 1학기) 동안 지식경쟁 중심에서 벗어나 학생참여형 수업과 이를 연계한 과정중심평가를 강화하며, 학생의 소질과 적성을 키울 수 있는 다양한 자유학기 활동을 편성·운영하는 교육과정

2 원칙 및 활동 내용

(1) 원칙

① 학생의 꿈과 끼를 키우는 자유학기 활동(주제선택 활동, 진로탐색 활동)을 학기에 102시간 이상 운영
② 학생의 흥미와 관심·학교의 여건 등을 고려하여 학생들의 역량을 길러주고 유의미한 학습 경험을 줄 수 있는 양질의 다양한 프로그램 편성
③ 프로그램 개설 전 사전 수요조사를 통해 학생의 희망을 최대한 반영

(2) 활동 내용

주제선택 활동	진로탐색 활동
• 교과에서 확장된 다양한 주제에 대한 학생의 흥미와 관심을 반영한 체계적·심층적 프로그램을 운영하여 학습 동기를 유발하고 전문적 학습 기회 제공 • 학생의 흥미와 관심사를 반영한 전문적이고 체계적인 학생참여 중심의 탐구 활동 운영	• 학생들이 적성과 소질을 탐색하여 스스로 미래를 설계해 나갈 수 있도록 체계적인 진로 학습 기회 제공 • 단순 일회성 체험이 아닌 교과와 연계한 학습과정으로서 사전-체험-사후 활동이 유기적으로 연계된 유의미한 학습 경험 제공

3 목적

① 지식경쟁 중심 교육에서 벗어나 삶과 연계된 교육과정 운영으로 미래 역량 함양
② 학교 및 교사의 교육과정 자율권 확대로 유연하고 창의적인 교육과정 운영
③ 학생참여형 수업과 과정중심평가를 통한 자기주도적 학습 역량 함양 지원
④ 학생 선택권 보장과 지역 연계 운영 확대로 다양하고 풍부한 학습 경험 제공

4 운영 방식

1년 1학기는 자유학기, 1학년 2학기는 생각의 힘을 키우는 학기, 2학년은 생각의 힘을 나누는 학년, 3학년은 생각의 힘을 펼치는 학년으로 운영

생각의 힘을 키우는 학기	생각의 힘을 나누는 학년	생각의 힘을 펼치는 학년
1학년 2학기	2학년	3학년
자기 생각 기르기의 발판 마련	공동체와 함께 생각을 나누며 성장	생각의 힘으로 삶의 문제를 해결

5 학교 및 교사의 역할

(1) 학생 선택권 보장

신입생 오리엔테이션, 학부모 연수, 가정통신문, 신학년 집중 준비기간 등을 통한 학교구성원 수요 분석 및 의견 수렴 ➡ 개별 학생의 학습 흥미와 학습 수준을 고려한 다양한 주제 선택 프로그램 운영

(2) 학생 주도성 기반의 수업 활성화

① 교사-학생 간, 학생-학생 간 상호작용을 통한 관계 중심 수업 활성화
② 토의·토론, 실험·실습, 협력 수업, 프로젝트 등을 통한 학생의 주도성 함양
③ 과정중심평가와 피드백이 연계된 학생 맞춤형 수업 활성화
④ 학습의 몰입도와 효과성을 높이는 에듀테크를 활용한 다양한 교수학습 설계·적용

(3) 과정중심평가 및 맞춤형 피드백 강화

① 학습으로서의 평가, 학습을 위한 평가로의 관점 전환
② 학생의 수행 결과 및 수행 과정에 대한 평가와 피드백 강화(AI 튜터 활용 강화)
③ 학생의 성장과 발달 등에 관한 사항 기록

(4) 기초학력 보장 지원을 위한 자유학기 활동 편성·운영

① 자기주도적 학습능력 함양을 위한 주제선택 및 진로탐색 활동 편성
② 자기 이해 및 진로 설계, 개별 학생의 학업 설계를 지원하는 진로탐색 활동 강화
③ 교과별 교육목표 도달 지원을 위한 교과수업

(5) 지역 연계 교육활동으로 학교 밖 학습경험 다양화

청소년진로체험지원센터, 징검다리 진로체험 거점교실, 직업계고 학과체험 프로그램, 경기레인보우메이커교육 프로그램, 경기학교예술창작소 프로그램, 학생 주도 예술체험 꿈이음아트 프로젝트 등 활용

6 장점 및 기대효과 기출

(1) 장점

① 학생
- 시험 부담에서 벗어나 꿈과 진로를 찾고 진학 설계 가능
- 내적 동기 형성으로 내실 있는 학습 가능
- 숨겨진 역량과 가능성 발견

② 학부모: 학생들이 다양한 경험을 하면서 성장하는 모습을 볼 수 있음
③ 교사: 주제 학습을 구성하는 과정에서 전문성 강화

(2) 기대효과

① 교육과정 유연화를 통한 삶과 연계된 교육과정 운영으로 미래 역량 함양 지원
② 주도성과 생각의 힘을 키우는 교육과정-수업-평가 운영으로 학생의 배움과 성장 지원
③ 학교 간, 학교 안-밖 협력적 교육생태계 구축으로 유의미한 학습경험 제공

19 건강하고 안전한 학교 ㉣

현장 이야기로 사이다 열기

사회를 크게 흔든 여러 사건을 겪으면서 학교 현장은 학생들의 안전을 무엇보다 우선에 두고 있습니다. 안전의 범위는 매우 넓습니다. 폭력으로부터의 안전, 재해로부터의 안전, 감염병으로부터의 안전뿐 아니라 먹거리의 안전, 신체 건강, 마음 건강까지…

이번 테마는 경기도교육청이 지향하는 방향을 바탕으로, 교사가 현장에서 실천할 수 있는 역할을 중심으로 정리했습니다. 건강하고 안전한 학교를 만드는 일은 거창한 구호가 아니라 교사의 작은 관심과 꾸준한 실천에서 시작됩니다. 학생의 눈빛을 살피고, 수업 공간을 점검하며, 관계의 온도를 세심히 관리하는 것, 바로 그 순간들이 학생들의 안전을 지켜내는 출발점입니다.

교사로서 내가 어떤 노력을 할 수 있을지, 또 학생들이 안심하고 성장할 수 있는 환경을 어떻게 만들어 갈 수 있을지 함께 고민해 봅시다.

#지향점 #교사의_역할

☑ All 기출 문장 및 빈도 체크

연도	자기성장소개서 ㉰			집단토의 ㉵			개별면접 ㉶		
	초	중	비	초	중	비	초	중	비
2016									
2017									
2018									
2019									
2020									
2021				미시행					
2022									
2023									
2024									✓
2025									✓

*공통 ㉣

[25'㉥㉶] OECD 평균보다 학교폭력을 경험한 학생은 적지만 정서적 소외감이나 학업 스트레스로 인해 심리적 불안정을 호소하는 학생이 많은 상황을 고려하여 학교에서 물리적 안전뿐 아니라 학생들의 심리·정서적 안정을 지원할 수 있는 구체적 교육 방안을 제시하시오.

[24'㉥㉶] 학생들이 건강하고 안전하게 학교생활을 하기 위한 캠페인 주제와 구체적인 전공 연계 방안 2가지를 제시하시오.

1 물리적 안전: 폭력·감염병으로부터 안전한 학교

(1) 학교폭력 예방 교육 [THEME 13]

① 모두의 학교를 위한 '학교 문화 책임규약' 제정

② 학부모 대상 학교폭력 인식 개선 연수 실시 및 학교폭력 예방 캠페인 운영

③ 학교폭력 제로센터 운영: 학교폭력 사안 처리, 피해학생 심리상담 및 치료, 피·가해학생 관계 개선, 피해학생 법률서비스 등 지원 체계 일원화

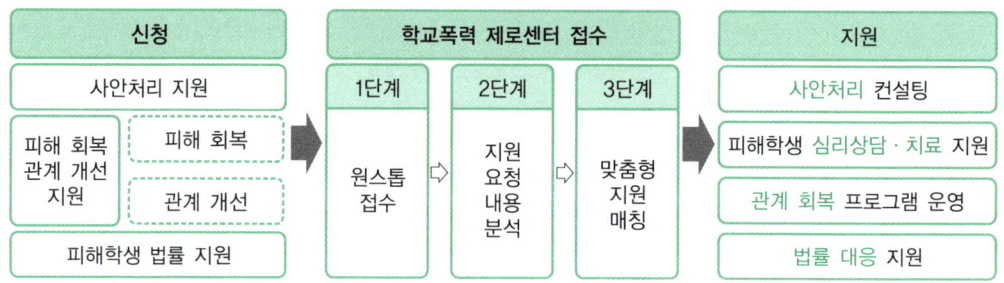

(2) 화해중재단 운영

화해중재단원이 학교 내 갈등 사안(학교폭력, 학생 인권 침해, 교육 활동 침해)에 대해 양측의 동의하에 화해를 유도해 학교폭력을 교육적으로 해결하는 정책

(3) 학교 감염병 예방 및 대응 강화

① 감염병 대응 매뉴얼

- 초·중·고 공통 빈발 감염병: 인플루엔자(독감), 수두, 유행성 이하선염(볼거리), 수족구병
- 감염병 대응을 위한 담임교사의 역할

예방 단계	• 예방접종 관리(담임교사와 보건교사가 담당) • 감염병 예방 교육 • 수동 감시 체계 운영: 학생들을 관찰하거나 보건실 이용 과정을 통해 감염병 환자 또는 의심 환자 발견
대응 제1단계	• 감염병 유증상자를 발견해 의료기관 진료를 통해 감염병(의심) 환자 발생 여부를 확인하는 단계 • 의심 학생 발생 시 보건교사에게 연락 ➡ 일시적 격리, 학부모 연락 및 진료 요청, 교실 환기 ➡ 학생 대상 위생수칙 교육 ➡ 일시적 관찰실 환기 및 소독

대응 제2단계	• 해당 질환 예방 및 관리 교육 실시: 조·종례 시간에 5분 내외로 주기적으로 실시 ➡ 가정통신문으로 학부모에게 학교 내 감염병 발생 사실을 알리고 개인위생 관리 및 외출 등에 대한 생활지도 부탁 • 감염병 환자가 속한 학급: 잠복기 동안 추가 환자 발생 감시, 예방 교육 및 마스크 착용 조치 • 능동 감시 대상 학급 관리: 학급 학생들의 증상 유무 관찰 후 보건교사에게 안내
대응 제3단계	• 감염병(의심) 환자가 2명 이상 있는 경우 • 담임교사는 나이스를 통해 모든 환자 발생을 등록 • 능동 감시 강화: 매일 2교시 전까지 학년 부장에게 추가 의심 환자 발생 여부 보고 • 의심 환자 관리 • 밀접접촉자 파악 및 관리 • 고위험군 파악 및 관리 • 감염병 예방 교육 실시: 조·종례 시간에 주기적 교육, 가정통신문 배부 • 출결 관리 및 수업 결손 대책 마련
복구 단계	• 유행이 종결되고 복구가 일어나는 상황 • 수업 결손 보충, 심리 지원(상담 및 보건교사와 연계) • 유행 종료 선언(학교 홈페이지, 가정통신문 등으로 안내)

사이다 톡 talk! 이 단계를 암기하는 것이 아니에요. 머릿속에 이미지를 떠올리며, 상황을 상상해 보는 정도면 됩니다. 단! 감염병 예방 교육은 예방-대응-복구 단계로 나눠 단계별로 접근해야 함을 이해하고, 특히 예방 교육에 힘써야 한다는 것을 기억해 주세요.

② 감염병 예방 교육

- 목적: 감염병 예방 및 대처 능력의 향상
- 담당: 보건(담당)교사, 담임교사, 교과교사
- 대상: 학생, 교직원 및 학부모
- 교육 내용
  _ 가정과 연대: 시기별로 발생 위험이 높은 감염병 위주로 가정통신문 등을 제작해 전달
  _ 주기적인 교육: 조·종례 시간을 이용해 5분 내외의 간단한 교육을 주기적으로 실시
     ➡ 계절별 주의해야 할 감염병 종류 및 예방·관리 방법, 감염병 일반 예방수칙(손 씻기, 마스크 착용, 기침 예절 등) 안내
  _ 심리적 피해 예방 교육: 감염병 환자 또는 의심 환자의 낙인효과(비난받음, 따돌림 등) 예방 ➡ 감염병에 걸린 것은 자기 잘못이 아니며, 누구나 감염될 수 있다는 것을 안내함

> **사이다 톡 talk!** 감염병 예방 교육은 누구 한 명이 책임지고 담당해야 할 고유의 역할이 아닌 교사 모두가 공유해야 할 교육 방안임을 이해해야 합니다. 또한, 심리적 피해 예방 방안을 언급한다면, 교사의 따뜻한 인성을 드러낼 수 있답니다!

③ 교사의 감염병 대응 역량 강화 방안: 감염병 대응 모의훈련
- 목적: 학교 내에서 발생할 수 있는 다양한 감염병 발생 상황에 대한 대처 능력 강화, 학교 내 감염병 발생 시 각 구성원의 역할 강화와 의사소통 능력 향상
- 훈련 내용 및 방법: 훈련 당일 조별로 특정 학생 감염병 발생의 단계별 시나리오가 기입돼 있는 훈련용 workbook을 제공 ➡ 대응 단계에 따라 구성원들이 서로의 역할을 논의해 대응 방법을 찾는 도상훈련(tabletop exercise) 실시

> **사이다 톡 talk!** 경기도교육청에서는 감염병 대응 역량 강화를 위해 모의훈련을 정례화한다고 하니, 모의훈련에 대해서도 잘 이해하고 있어야 합니다!

④ 교내 환경 구축
- 일시적 관찰실 지정: 1층 마련이 원칙(1층 마련이 어려운 경우 층간 이동을 최소화하고 신속한 귀가가 가능한 장소에 마련) ➡ 문을 닫을 수 있고 환기가 잘 되는 공간에 일시적 관찰실을 마련하고 출입구에 안내문을 부착해 다른 사람들의 접근을 차단
- 방역 활동: 학급 방역 물품 비축, 소독 및 환기 일상화

② 심리·정서적 안전: 상담·돌봄 체계 강화

(1) 아동학대 예방 교육 및 홍보 강화
대상별(학생, 교직원, 학부모) 아동학대 예방 교육 실시 `THEME 37`

(2) 학생상담안전망 지원 강화
위(Wee) 클래스를 확대 구축해 학생 상담 환경 조성 `THEME 39`

③ 환경적 안전: 보건·체육·급식 기반 안전

(1) 보건교육: 예방 중심 보건교육 및 건강서비스 지원

① 학교 보건교육 운영: 의무 실시 ➡ 학년당 17차시, '보건' 과목 선택 운영

② 보건 관련 학교 운영
- **보건교육거점학교 운영**: 학생 중심 보건교육 실천, 학습공동체 연구 ➡ 지역 보건교육 활성화에 기여하는 학교
- **흡연예방실천학교 운영**: 청소년 흡연 진입 차단, 학생 참여형 체험 중심 흡연 예방 교육 ➡ 지역사회와 연계한 학생 주도 활동으로 구성원 전체가 금연을 조기 실천하는 학교

③ 건강 문제 조기 발견: 정기적인 학생 건강 검사 및 조사

④ 학생건강증진센터 운영
- **체험형 건강교육**: 인체 탐험, 질환별 건강관리 체험
- **중독 예방**: 마약·음주·흡연 예방 교육(전문강사, 연극·인형극 활용)
- **취약학생 지원**: 당뇨·희귀질환 등 맞춤형 건강교실 운영

(2) 체육교육 활성화

① 필요성
- **기초체력 저하**: 학생들의 체력, 정서, 관계 회복을 위한 신체활동 요구 증가
- **미래 지향적 체육환경 필요**: 안전하고 지속 가능한 체육교육 환경 조성

② 추진 정책
- **건강드림학교 운영**: 체력 향상을 위한 스포츠(체육)를 기반으로 영양, 보건 영역의 융합적 학생건강 관리 지원 시스템 구축, 지역 건강교육 생태계와 협력해 학생주도성 프로젝트를 운영하는 모델학교
- **중·고등학교 IT체육교실 운영**: 학교 유휴 교실(휴면 공간)에 IT 기반의 융합교육 콘텐츠 및 디지털 장비 설치를 지원하고 아날로그 장비와 혼합해 운영하는 체육활동 공간

> **사이다 톡 talk!** 미래체육교육 환경을 조성해 기후 변화에 영향을 받지 않는 IT기술 기반 스마트 체육교육을 실현한다고 해요. IT체육교실을 설치하고, 운동시간, 심박수, 칼로리 소모량 등 신체활동을 측정하는 핸드디바이스(스마트 밴드)를 활용해 학생이 체육활동에 즐겁게 참여하며 체력을 키울 수 있도록 지원하고자 합니다. 경기도교육청은 체육을 단순한 '운동 시간'이 아니라, 건강·보건·IT 융합을 통한 학생 주도적 건강관리 교육으로 확장하고 있습니다.

(3) 영양·급식 안전 강화

① 영양·식생활교육 강화
- 자율선택급식 식단 운영: 획일적인 식단 제공의 방식에서 벗어나 학생들이 음식 메뉴와 양을 선택할 수 있는 급식 운영 체계 ➡ 학생의 자율권과 선택권 확대, 자기주도적 식생활 관리 가능
- 교육과정 연계 영양·식생활교육 운영
- 학생·학부모 참여 확대: 급식 메뉴 아이디어 공모전, 급식 검수단, 배식 도우미 등
- 안전한 식재료 사용

② 쾌적하고 안전한 급식 환경 제공: 노후 급식시설 현대화 등 급식환경 개선사업 추진

③ 학생건강 중심 맞춤형 교육급식 운영
- 학교 단위 맞춤형 교육급식: 학생들의 건강하고 바른 성장 지원을 위해 학생의 기호, 건강 상태(식이요법, 식품알레르기 관리 등) 등을 고려한 선택·맞춤형 식단 제공
- 목적
  - 다양성과 자율성 존중: 학생의 건강과 기호를 고려한 선택 맞춤형 식단 제공에 의한 학생 건강 증진
  - 건강한 삶의 가치 제공: 맞춤형 교육급식 운영을 통한 학생의 건강한 식생활 배움 지원
- 필요성
  - 획일적인 식단 제공의 학교 급식에서, 학생이 주체가 돼 선택하고 실천하는 학생의 다양성을 존중하는 자율교육급식 운영이 필요함
  - 학생 스스로 계획하고 실천하는 건강한 삶의 가치를 찾는 자기건강 관리 역량 교육의 균형된 교육급식 운영이 필요함
  - 학교-지역, 학생-학부모-교직원이 함께하는 미래의 건강한 삶을 준비하는 교육급식 문화 정착이 필요함

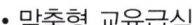

- 맞춤형 교육급식

  예시

  ### 맞춤형 선택 식단 제공
  - 죽 제공: 건강상태에 따라 정상급식이 어려운 대상자에게 소화가 용이한 죽을 제공해 건강회복을 돕는 급식 형태
  - 알레르기 식단: 식품알레르기 유증상 학생에게 알레르기 유발식품을 제거하거나, 대체식품을 제공하는 식단
  - 선택 식단: 2가지 식단을 제공해 학생이 원하는 식단을 선택하는 급식 형태
  - 이벤트 식단: 생일, 절기, 세계음식문화의 날 등 주제를 정해 그 의미를 교육하고 이해하는 식단 제공 방법
  - 생태·환경 식단: 생태(로컬푸드, 저탄소)·환경(음식물쓰레기 줄이기) 교육주제 식단(채식 식단 등)

  👍 2021년부터 추진 중

- 학교의 특색을 반영한 교육 급식 운영(학교의 급식 운영 브랜드화)

  예시

  ### 학교특색 급식 운영
  - 교육 주체(학생·학부모 등)가 참여해 논의하는 학교특색 교육 급식 운영
  - 학교 규모, 학교급(초·중등), 학생 구성, 지역에 특화된 교육 급식 운영
  - 세계음식 급식학교: 다문화 학생이 많은 학교
  - 생태·환경 급식학교: 채식 희망 다수 학교, 음식물쓰레기 주제 교육학교, 샐러드바 운영 학교 등
  - 전통문화 급식학교: 장독대 운영 급식학교 등
  - 나트륨 저감화 급식학교: 나트륨 저감화가 필요한 학교
  - 자율선택 급식학교(선택식단, 자율배식 등): 초·중등 통합학교, 소규모학교 등
    👍 선택식단 급식학교: 주메뉴 선택, 일부 반찬 메뉴 선택, 복수 메뉴 제공 등
    👍 자율배식 급식학교: 일부 또는 전체 음식을 학생이 배식하는 형태
  - 점심시간 자율 급식학교: 점심시간을 충분히 제공하는 급식학교, 소규모학교 등
  - 학교텃밭 급식학교: 텃밭(식재료 생산과정 교육)과 연계한 교육

- 지역 단위 맞춤형 교육 급식: 지역 단위(인근 3~4개교 정도) 학교가 함께 운영하는 맞춤형 교육급식 운영 체제, 공동 식단연구, 식재료 공동구매 및 전일검수, 지역사회 연계 영양교육·상담프로그램 운영 등

- 기대효과
  - 학생 자신이 건강한 삶의 가치를 찾고, 스스로 계획·실천하는 자기건강 관리 능력 향상
  - 지역과 학교 교육공동체가 함께하는 교육급식공동체 문화 조성
  - 미래의 건강한 삶을 준비하는 공존과 상생의 교육급식 문화 조성

20 교육복지 공

현장 이야기로 사이다 열기

교직 경력이 쌓이고 몇 군데의 학교에서 근무하며 느끼는 점은 학생들의 출발선이 모두 다르다는 점입니다. 하물며 똑같은 동네라고 해도, 환경이 모두 다르죠. 가정 환경이나 성장 배경이 달라도, 교실 안에서는 누구나 공평하게 배우고 성장할 수 있어야 합니다. 이것이 교육복지가 지향하는 핵심이자, 교사가 반드시 고민해야 할 지점입니다.

그래서 현장에서는 다양한 정책과 프로그램을 통해 학생들의 학습권을 보장하려 노력합니다. 이 과정에서 교사의 역할은 단순한 수행자에 그치지 않습니다. 학생과 신뢰를 쌓고, 작은 변화를 관찰하며, 학교와 지역사회를 연결할 때, 교육복지가 비로소 힘을 발휘합니다.

결국 교육복지는 단 한 명도 소외되지 않는 배움의 장을 만드는 일입니다. 교사가 먼저 마음을 열고 학생 곁을 지킨다면, 교육복지는 제도가 아니라 살아 있는 실천으로 완성됩니다. 교육복지를 위한 교사의 역할을 함께 고민해 봅시다.

#정의 #사례 #교사의_역할

☑ All 기출 문장 및 빈도 체크

연도	자기성장소개서 성			집단토의 토			개별면접 개		
	초	중	비	초	중	비	초	중	비
2016									
2017									
2018									
2019									
2020									
2021				미시행					
2022									
2023									
2024									
2025							✓		

*공통 공

[25' 초 개] 공평한 교육 기회를 제공해야 하는 이유 2가지를 말하고, A 학생(다문화가정 출신, 농촌 지역 거주, 기초학력 부족, 천체 분야 관심)에게 적용할 수 있는 구체적인 교육 방안 2가지를 제시하시오.

1 정의

① 학습권 보장: 누구나 생애 초기부터 양질의 교육을 받을 권리 보장

② 기초학력 획득: 모든 학생이 기본 학습 능력을 확보하도록 지원

2 도입 배경 및 목표

① 배경: 가정환경에 따라 사회·경제적 지위가 결정되는 양극화 심화

② 목표: 학생 모두의 행복 증진, 교육 성취 제고, 전인적 성장 지원 ➡ 학생의 배경과 성장 환경 차이에 상관없이 공평한 배움의 기회를 보장하는 것

3 대표적 교육복지 정책

(1) 적극적 차별 해소 정책

사회통합전형, 고른 기회전형 등을 통해 농촌·저소득·다문화·탈북 학생 등에게 우선 기회 제공

(2) 교육복지우선지원사업: 교육·복지·문화 프로그램 통합 지원

① 정의: 모든 학생에게 교육·복지·문화 지원 프로그램 등을 통합적으로 제공해 학교생활 적응력 향상과 건강한 교육적 성장을 도모하여 교육 기회 균등 실현

② 대상: 사업 대상을 모든 학생으로 전환(2017) ➡ 교육복지 대상 학생의 낙인감 예방과 자존감 보호 ➡ 그러나 우선지원학생이 우선적으로 참여할 수 있도록 사업 과정에서의 세심한 배려 필요

(3) 교육복지안전망

교육복지사가 없는 학교도 교육지원청을 통해 맞춤형 서비스 제공

(4) 대안교육

① 정의
- 학교 부적응 및 학업중단위기 학생의 학업중단 예방을 통한 공정한 교육 기회 보장
- 학생 적성과 소질에 따른 대안교육 기회 제공으로 학업중단 예방 강화

② **대안학교**: 각종학교의 한 형태로서 학업을 중단하거나 개인적 특성에 맞는 교육을 받으려는 학생을 대상으로 현장 실습 등 체험 위주의 교육, 인성 위주의 교육 또는 개인의 소질·적성 개발 위주의 교육 등 다양한 교육을 하는 학교(총 11교, 학력 인정)

👍 법적 근거는 「초·중등교육법」 제60조의3(대안학교)

③ **학교 내 대안교실**

- **정의**: 학업중단 예방을 위해 학교생활 부적응 학생의 다양한 교육적 요구를 충족시킬 수 있도록 일반학급과 구분하여 정규수업 시간 내에 대안교육 프로그램을 운영하는 별도의 학급을 두는 것
- **방침**: 학교의 여건 및 특성과 학생들의 대안교육 수요를 고려해 교육과정을 자율적으로 편성·운영, 공공기관, 평생교육시설, 문화예술기관 등과 연계해 다양한 프로그램 개발·적용

> **예시**

치유 프로그램
- 전문가 치유 및 상담 치유(집단 및 개인) 등
- 예술 치유: 미술 치유, 음악 치유 등
- 신체활동을 통한 치유: 댄스, 명상, 요가, 숲 치유 등
- 연극 치유: 상황극, 사이코드라마, 단막극 작품 연출, 가족 세우기 등

공동체 체험 중점
- 또래 관계: 또래와 함께 만든 작품 전시 또는 발표회, 또래 멘토링, 뒤뜰 야영 등
- 교사 관계: 사제동행(영화 관람, 등산), 교사-학생 멘토링 등
- 학부모 관계: 부모-자녀 관계증진 프로그램, 부모-자녀 동반 캠프 등

학습·자기계발 중점
- 기초학력 신장: 신문, 카드를 활용한 학습, 독서교육 등
- 수준별 수업: 학생들 수준에 맞는 수업 만들기, 영화감상·게임 등 재미있는 수업 등
- 학습 멘토링: 교사 및 또래 학습 멘토링 등
- 예술 활동: 서예, 미술, 공예, 목공, 악기, 뮤지컬, 연극 등
- 창작 활동: 영상 제작하기, 다큐 만들기 등

사이다 톡 talk! 학교 내 대안교실 학생은 교사가 추천하거나, 학생이 지원해 선발해요. 대상 학생들은 특정 요일, 시간대에 정규수업을 듣지 않고 대안교실로 이동해 해당 프로그램을 이수해요. 때론 방과 후에 학교 밖에서 활동하기도 한답니다.

- 유의 사항
  - 다양한 체험·진로·인성 프로그램을 운영하기 위해 전용 공간 필요: 학생들에게 정서적 안정감을 줄 수 있는 장소 선택
  - 전용 교실이 없을 경우 담당 부서와 협의해 공간 확보
- 기대효과: 학생 개개인의 특성에 맞는 대안교육 지원 강화로 다양한 교육 수요 충족

4 교사의 역할과 유의 사항

① **교사의 자발성과 자율성에 기초**: 교육복지는 단순히 행정적으로 지시받아 수행하는 업무가 아님. 교사가 스스로 학생들의 필요를 발견하고 교육과정을 유연하게 재구성하며 실천할 때 효과가 극대화됨

② **관계 맺기**: 학생의 신뢰를 얻는 것이 우선. 그렇지 않으면 교사의 도움은 간섭으로 느껴질 수 있음

③ **지속적 상호작용**: 학생 이야기에 경청·공감, 생활 전반의 작은 변화까지 관찰해야 함

④ **공동체 협력**: 담임교사뿐 아니라 학년부·전문교사·지역 자원과 연계해 통합적으로 지원해야 함

⑤ **맞춤형 접근**: 학생 특성과 배경을 존중하며 학습·심리·진로 지원을 균형 있게 제공해야 함

사이다 톡 talk! 교육복지의 핵심은 공평한 배움이에요. 학생이 처한 가정 환경과 배경은 다 다르지만, 학교에서만큼은 누구나 배움의 기회를 동등하게 가져야 합니다. 교사가 먼저 학생과 신뢰 관계를 맺고, 작은 변화도 놓치지 않으며, 학교 안팎의 자원을 연결한다면 배움에서 소외되는 학생이 없을 것입니다. 교육복지는 결국, '혼자가 아니라 함께' 학생을 키워가는 일입니다.

THEME 21~26
교과 지도(전공 연계) 방안

★★★ 빈출 주제

- THEME 21. 세계시민(학교민주시민)교육
- THEME 22. 독서인문교육
- THEME 23. 초등 놀이 활성화
- THEME 24. 문해력 향상 교육
- THEME 25. 통일교육·탈북학생교육
- THEME 26. 독도교육

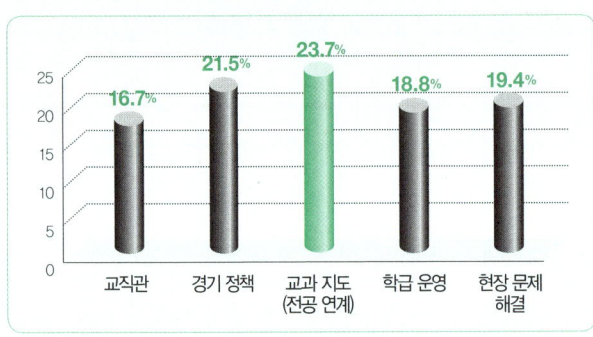

2016~2025학년도 출제 주제 빈도
- 교직관: 16.7%
- 경기 정책: 21.5%
- 교과 지도(전공 연계): 23.7%
- 학급 운영: 18.8%
- 현장 문제 해결: 19.4%

빈출 주제 BEST 3
① 세계시민(학교민주시민)교육
② 독서인문교육
③ 문해력 향상 교육

★ 교과 지도(전공 연계) 방안은 이 챕터뿐 아니라, 다른 주제를 공부하실 때도 꼭 고민해 두셔야 해요.

★ 경기도교육청의 지향점을 정확히 이해하고, 나의 교직관을 반영한 방안을 만드셔야 합니다.

★ 교과 지도 방안은 '교육과정 성취기준'을 찾아, 이에 근거해 방안을 고민해 주세요. 내가 하고 싶은 교육 방안이 교육과정 성취기준에 부합하지 않는다면, 현장에서 활용할 수 없거든요. 만능으로 적용할 수 있는 성취기준 2~3개를 발췌해 미리 암기해 두면 좋아요.

 만점 대비 공부법!

꼭 경기도교육청의 정책을 이해한 후 지도 방안을 고민해야 합니다. '03. 교육 정책 이해 및 적용' 부분을 먼저 공부하신 후 이와 맥락을 같이 하는 방안이되 선생님의 교직관을 잘 반영해서 구체적인 적용 방안을 고민해 주세요.

21　세계시민(학교민주시민)교육 공

현장 이야기로 사이다 열기

경기도교육청은 글로벌 역량을 갖춘 민주시민, 나아가 세계시민을 길러내는 것을 중요한 목표로 삼고 있습니다. 2024년 유네스코와의 교육 협력을 성공적으로 마무리한 뒤에도, 세계 여러 나라와 연대하며 교육의 지평을 넓혀가고 있습니다.

현장에서도 학생들에게 '우리 반, 우리 학교'에 머무르지 않고, 지역과 나라, 더 나아가 세계 속의 시민으로 살아갈 수 있는 시각을 길러주는 것이 점점 더 중요해지고 있습니다. 인권, 평화, 지속 가능성, 다양성 존중 같은 가치들이 바로 세계시민교육의 토대이지요.

이 취지를 잊지 말고, 교실 속에서 학생들에게 어떤 활동과 경험을 통해 세계시민으로서의 자질을 키워줄 수 있을지 함께 고민해 봅시다.

#학생_중심_방안 #교과_연계_방안

☑ All 기출 문장 및 빈도 체크

연도	자기성장소개서			집단토의			개별면접		
	초	중	비	초	중	비	초	중	비
2016									
2017									
2018									
2019									✓	
2020					✓				
2021		미시행							✓
2022									✓
2023									
2024									
2025									

*공통 공

[22'비중] 민주시민으로 성장할 수 있도록 생활중심교육을 어떻게 실현할지 구체적인 방안을 말하시오.
[22'비중] 비대면 상황에서 시민적 역량이 매우 중요하다. 비판적 사고, 책임과 권리, 의사소통 중 1가지를 선택하여 구체적인 교과 연계 방안을 말하시오.
[21'비중] 학교민주시민공동체 문화를 공고히 하고, 체험 중심 민주시민교육을 활성화하여 민주시민교육 역량을 강화할 수 있도록 노력한다는 원칙에 입각하여 교사로서 사회참여 동아리를 어떻게 지원할 것인지 말하시오.
[20'중토] 자신의 교과와 연계한 민주시민교육 방안과 학생 주도 민주시민교육 방안을 논의하시오.
[19'중단] 민주시민교육을 위해 학생과 함께하는 방법을 말하시오.

1 정의

세계시민교육(Global Citizenship Education, GCED)은 국가·경제 간 상호 연결성을 인식하고 세계적 사안에 대한 적극적인 역할을 실천하는 것을 목표로 하는 포괄적인 개념

2 필요성

전 지구적 차원의 문제 해결과 공생 방식을 모색하기 위한 세계시민교육의 필요성 대두

👍 〈지속 가능 발전 목표(Sustainable Development Goals, SDGs)〉(2015. 9. 유엔), 〈교육 2030(Education 2030)〉에서는 세계시민교육(GCED)을 핵심 주제로 포함(2015. 11. 유네스코 총회)

3 목표

(1) 유네스코

더 정의롭고, 평화로우며, 관용적이고, 포용적이며, 안전하고, 지속 가능한 세상을 만드는 데 앞장설 수 있도록 필요한 학습자의 지식과 기술, 가치와 태도를 계발하는 것

· 출처: 유네스코, 「글로벌시민교육: 21세기 새로운 인재 기르기(Global Citizenship Education: Preparing Learners for the Challengers of the 21st Century)」

(2) 경기도교육청

① 유연하고 자율적인 교육과정 연계 및 실천적 문화조성을 통한 학생의 글로벌 역량 신장
② 지역사회 협력을 통한 학생 중심 시민교육 및 세계시민교육 다양화

4 2025 경기도교육청 추진 방향

(1) 교육과정 연계 시민교육 및 세계시민교육 운영

① 목적: 교육과정과 연계하여 세계시민교육을 내실화하고, 경기미래교육 실현에 기여

② 영역
- 인지적: 지역·세계 이슈의 상호 연결성 이해
- 사회·정서적: 다층적 정체성(개인-지역-세계) 형성, 문화 다양성 존중, 지역 특수성을 고려한 보편적 가치 존중

- **행동적**: 일상생활에서 나타나는 글로벌 이슈 발견 및 연대를 통한 글로벌 이슈 해결, 성찰

③ 실천 방안

- 교과 내·범교과 융합형 수업, 창체·자유학기제 연계 운영
- 학생자치회·동아리 활동과 연결하여 학생 주도 활동 활성화
- 하이러닝 등 온라인 플랫폼·교재 개발을 통한 공유·확산

사이다 톡talk! 세계시민교육은 교사의 역량이 뒷받침되어야 합니다. 교사의 역량은 함께할 때 더욱 강화될 수 있습니다. 학교 안에서는 전문적 학습공동체와 협력하고, 지역에서는 연구회에 참여하는 방법이 있습니다. 또한 관련 연수를 통해 전문성을 키울 수도 있겠죠. 면접에서는 "협력, 연구, 연수로 성장하며 학생 주도형 수업을 실천하겠습니다."라고 답하면 경기형 교사로서의 소양을 드러낼 수 있습니다.

(2) 실천적 문화 조성을 통한 시민의식 및 세계시민의식 함양

① 학생 참여 중심 실천 문화 조성

- **목적**: 학생이 주체가 되는 세계시민교육 실천으로 균형 잡힌 시민의식 형성
- **실천 방안**
  _ 학생 참여형 수업: 토의·토론, 사회 참여 프로젝트
  _ 세계시민 동아리, 캠페인, 1교 1인성브랜드 등 기본인성교육과 연계한 학생 주도형 생활규약 제정 등 주도적 활동
  _ 세계시민교육 실천학교 운영(25교) ➡ 교육과정·수업·학생 주도·지역 연계·성과 확산 과제 수행

사이다 톡talk! 세계시민교육 방안 역시 학생 참여 중심, 즉 학생이 주체가 되는 실천 방안을 고민해야 합니다. 자기 교과의 성취기준을 토대로 토의·토론할 수 있는 주제를 발굴해 보세요. 사회 참여 프로젝트를 설계한다면, 수업 단원과 연결된 문제 해결형 프로젝트가 되도록 고민해야 합니다. 또 학급 차원에서는 생활 규약 제정, 캠페인, 동아리 활동을 학생이 직접 기획하고 운영할 수 있도록 기회를 주는 것이 중요합니다. 교사는 조력자 역할에 머물고, 학생이 스스로 주제를 탐구하며 실천 경험을 쌓도록 하는 방안을 기획해야 한다는 것을 잊지 마세요!

② 다양한 가족형태에 대한 사회적 인식 개선 교육

- **목적**: 다양한 가족 형태에 대한 이해를 높여 차별과 편견을 예방
- **내용**: 입양·한부모·재혼·조손가정 등 다양한 가족 형태를 세계시민교육과 연계

(3) 지역사회 협력 기반 시민교육 및 세계시민교육

　① 지역 중심 세계시민교육
　　• 목적: 지역 인프라를 활용하여 세계시민교육을 확산하고 지속 가능한 교육 생태계 구축
　　• 추진 내용: 지역사회 자원 활용 프로젝트·체험활동 추진, 세계시민교육 축제·캠프·토론회·사례 공유회 개최

　② 유관기관 협업
　　• 목적: 교육청·학교·기관 협력으로 세계시민교육의 범위 확장
　　• 내용: 유네스코 아시아태평양 국제이해교육원(UNESCO APCEIU), 유네스코 한국위원회 등과 연계, 민주화운동기념사업회·서울시교육청 등과 협력

5 교사의 역할

① **교육과정 재구성 역량**: 교과·창체 연계 주제를 설계, 세계시민교육을 융합 수업으로 운영
② **학생 주도 활동 지원**: 학생자치회·동아리·프로젝트 활동 촉진, 민주적 학급 문화 조성
③ **포용적 가치관 형성**: 문화 다양성과 다양한 가족 형태에 대한 존중 태도 지도
④ **전문성 개발**: 전문적 학습공동체·연수·연구회 참여를 통해 수업 전문성 강화
⑤ **지역·기관 연계 능력**: 지역 자원·기관과 협업하여 세계시민교육의 실천적 기회 확대

6 세계시민교육 교수학습 방법 개발 및 적용 지향점

(1) 지향점

　① 질문을 통해 비판적 사고력 함양
　② 글로벌 이슈의 복잡성을 이해하고 다양한 시각을 통해 분석
　③ 배움을 실제 세계 문제와 맥락에 적용
　④ 학습자가 현명하고 성찰적인 행동을 취하고 자신의 의견을 밝힐 수 있는 기회 제공

(2) 주의 사항

① 사고와 행동의 방향을 지시하지 않음
② 복잡한 문제에 대해 간단하게 해결책을 제시하지 않음
③ 추상적 내용을 가르치느라 실제 생활에 대한 적용을 소홀히 하지 않음
④ 일회성, 단기성 이벤트로 운영하지 않음

7 기대효과

① 교육과정 연계 지역 기반의 시민교육 및 세계시민교육 활성화
② 학생 참여를 통해 균형과 실천을 강화한 시민교육 및 세계시민교육 내실화
③ 미래 사회에 요구되는 글로벌 역량과 자기주도성을 갖춘 세계시민 육성

2026학년도에 나는 교 사이다 — 나만의 [세계시민교육] 방안 만들기

시민교육 방안:

세계시민교육 방안:

22 독서인문교육 (공)

현장 이야기로 사이다 열기

르네 데카르트는 "좋은 책을 읽는 것은 과거 몇 세기의 가장 훌륭한 사람들과 이야기를 나누는 것과 같다."라고 말했습니다. 책 속에는 현인들의 지혜가 담겨 있을 뿐 아니라, 읽는 과정을 통해 인내와 참을성을 기를 수 있고 정서 안정에도 도움을 주죠. 그뿐인가요? 자기의 취향을 알아가고 상상력과 통찰력도 생기죠.

하지만 책보다 영상물이 더 익숙한 요즘 학생들에게 독서 습관을 길러주는 것은 힘든 일이기도 해요. 그렇기 때문에 4차 산업혁명 시대일수록 인간의 존엄과 가치를 중시하는 인문교육이 더욱 절실합니다. 학생들이 스스로 삶의 주인이 되기 위해서는, 단순히 책을 읽는 수준을 넘어 독서를 통해 생각을 확장하고 토론하며, 세상과 소통할 수 있어야 합니다. 이제는 교사가 일방적으로 이끄는 독서지도가 아니라, 학생이 주체가 되어 참여하고 경험할 수 있는 독서인문교육 방안을 마련해야 합니다.

올바른 독서문화를 만들기 위해 어떤 노력을 할지, 학생들이 성장할 수 있는 환경을 어떻게 조성할지 함께 고민해 봅시다.

#교과_연계_방안 #학생_중심_방안

All 기출 문장 및 빈도 체크

연도	자기성장소개서 (성)			집단토의 (토)			개별면접 (면)		
	초	중	비	초	중	비	초	중	비
2016									
2017									
2018									
2019									✓	
2020									
2021				미시행				✓	
2022									
2023									
2024									
2025									

*공통 (공)

[21' 중 면] 학생이 자신의 경험을 매체로 표현하는 독서교육을 한다고 할 때, 자신의 교과와 연계한 독서교육 방안을 말하시오.
[19' 중 면] 독서교육의 필요성과 교과 연계 독서교육 활성화 방안을 말하시오.

1 독서인문교육의 필요성

① 미디어와 영상 중심 사회 속에서 학생들의 읽기와 쓰기 능력 약화 현상
② 학생들의 지적·정서적 삶의 풍요로움 확보를 위해 올바른 독서 문화 정착과 자기 성장을 이어갈 수 있는 환경 조성 필요

2 경기도교육청 독서인문교육 목적

① 교육과정 연계 독서인문교육 활성화로 일상적 독서 문화 확산 및 역량 강화
② 지역 맞춤 독서인문교육 강화로 특색 있는 지역 독서인문교육 운영 활성화
③ 학교도서관 운영 내실화로 학생 중심의 독서 활동 및 교육과정 지원 확대
④ 디지털(AI) 시대에 부합하는 디지털 활용 독서교육 방안 마련

> **사이다 톡 talk!** 경기교육에서는 '기초 역량 확보'를 위해 독서교육을 중시하고 있어요. 즉, 읽고 생각하는 능력을 기르기 위해 독서교육이 중요하단 것이죠. 또한 '교육과정 연계', '디지털 기반', '학교 도서관 활용', '지역 자원 연계' 독서교육을 중시한다는 것을 잊지 마세요. 나만의 교육 방안에 이 키워드가 들어가야 합니다!

3 독서인문교육의 원리

① **자발성의 원리**: 자발적으로 독서하고 싶게끔 동기유발을 해야 함
   예 필요성 설명, 기대효과 제시, 취향 및 진로와 연계

② **독자 수준의 원리**: 학생의 성장과 발달 정도, 개인차에 맞는 지도를 위해 일정한 책을 일률적으로 정하는 것이 아닌 자기 수준과 흥미에 맞는 책을 스스로 골라 읽도록 함

③ **책 선택의 원리**: 자기 수준에 맞는 책을 선정해 읽도록 지도하며, 가이드라인을 제시하기 위해 학급 게시판에 권장 도서를 붙여놓는 것도 좋은 방법임

④ **환경 조성의 원리**: 독서에 관심을 갖게 하기 위해 생활 주변에 책을 접할 수 있는 환경을 조성해야 함 예 학급문고 비치

⑤ **통합의 원리**: 내용, 교과, 가정과 학교의 통합 등 범교과적이고 범매체적으로 통합할 수 있어야 함

> **사이다 톡 talk!** 독서교육의 원리를 고려해 독서교육 방안을 마련해 보세요.

④ 2025 경기도교육청 중점 정책

(1) 교육과정 연계 독서인문교육 내실화

① 책 읽는 학교 문화 확산

- 학교 특색 반영 독서교육
  - 경기 모든 학교 '책읽는학교' 운영: 독서 문화 조성, 교육과정 재구성, 교육공동체 역량 강화
  - 학교 자율과제로 독서교육 운영, 1교 1특색 독서 프로그램 개발

- 교육공동체가 함께하는 독서 활동
  - '어디나 도서관' 조성으로 학교 어디서나 책 읽는 환경 마련
  - 아침 독서 10분, 틈새 독서 등 학교 특색에 맞는 독서 시간 운영
  - 학생·교사·학부모가 함께하는 독서 프로그램 확대: 사제동행 독서, 가족 책 읽기, 교사·학부모 독서동아리, 교원 학습공동체 등

- 학교급별 단계별 독서 활동
  - 초등 저학년: 놀이 중심 독서, 늘봄학교 연계
  - 초등 고학년: 한 학기 한 권 읽기, 온 책 읽기
  - 중학교: 기초 교양 독서, 진로 탐색 독서
  - 고등학교: 교과 연계 독서, 전공 심화 독서, 고전 읽기

- 다양한 독서 활동 운영
  - 독서마라톤, 독서토론, 프로젝트형 활동, 작가와의 만남, 독서챌린지
  - 학생 주도 독서·토론·인문 동아리 운영(1교 1동아리 권장)
  - 학생 참여형 프로그램: 학생 북CC 공모전 등

사이다 톡 talk! 독서인문교육은 학교 전체가 책 읽는 문화를 만드는 과정으로 이해하면 좋습니다. 현장에서는 '아침 독서 10분'처럼 작은 습관부터, 독서토론·독서동아리처럼 학생이 주도하는 활동까지 다양하게 운영됩니다. 따라서 수업 설계 시 교과 성취기준과 연결하여 어떤 책을, 어떤 방식으로 읽게 할 것인지 고민해 보세요. 또한 학부모와 교사도 함께 참여하는 독서문화가 강조되고 있으니, 면접에서 '학생뿐 아니라 교육공동체 전체가 책 읽는 문화를 공유하는 활동'을 강조하면 현장 친화적인 답변이 됩니다. 특히 학년별 발달 단계에 맞춘 독서 활동 설계 역량을 드러내면 준비된 교사로 좋은 인상을 줄 수 있습니다.

② 교육과정 연계 독서인문교육 내실화

- 교육과정 재구성을 통한 독서·토론·글쓰기 중심 수업 강화
    - 예) 독서·토론·글쓰기 프로젝트형 수업-평가-기록의 일체화, 학교자율시간·자유학기를 활용한 독서인문교육 운영, 철학·사회·문화·환경·과학 등 주제를 아우르는 융합 독서 프로젝트 확대

- 다양한 분야의 인문학 프로그램 운영 활성화
    - 교육과정 연계: 인문학 주간, 독서·토론, 고전 강독
    - 학생·교사·학부모 대상 프로그램: 인문학 특강, 작가 초청 강연, 다문화가정 학생 대상 행사 등

③ 디지털 기반 창의융합 독서교육 강화

- 디지털(AI) 활용 책 쓰기 프로젝트: 학생 책 쓰기 프로젝트 결과물 출간·전시
- 학생 맞춤형 독서 활동 지원 강화: 초등 문해력 지원 '책열매', 종합 독서 활동 시스템 '독서로' 활용 확대
    - 책열매: 학생의 독서 성향 진단, 독서 이력 정보를 바탕으로 인공지능 기반 도서 추천, 어휘 학습을 지원하여 개별화·맞춤형 국어 수업(한 학기 한 권 읽기)의 실현을 돕기 위한 웹사이트
    - 독서로: 정보매체에 익숙한 초·중·고 학생들이 자유롭게 책을 읽고 다양한 독후 활동을 할 수 있도록 구성된 컴퓨터 기반 독서 활동 온라인 지원 프로그램

사이다 톡talk! 디지털 기반 독서교육은 단순한 흐름이 아니라 시대적 요구입니다. 학생들은 이미 영상과 디지털 매체에 익숙하기 때문에, 종이책 중심의 전통적인 독서교육만으로는 흥미를 끌기 어렵습니다. '책열매'와 '독서로' 같은 시스템은 학생 개개인의 성향을 분석하고 맞춤형 독서 경험을 제공함으로써, 디지털 시대에 맞는 개별화 교육을 가능하게 합니다. 교사에게는 이러한 변화 속에서 2가지 자세가 필요합니다. 첫째, 디지털 도구를 단순한 보조 수단이 아니라 수업을 확장하는 자원으로 받아들이는 개방적 태도입니다. 둘째, 학생들이 온라인 독서 활동에 머무르지 않고, 토론·글쓰기·책 쓰기 프로젝트로 이어가도록 연계 설계 능력을 기르는 것입니다. 면접에서 이러한 자세를 드러낸다면 현장 친화적인 모습을 보여줄 수 있을 것입니다!

(2) 지역 맞춤 독서인문교육

① 지역특화 독서인문교육 운영 활성화

- 지역 자원을 활용한 특색 있는 독서인문교육 강화: 가정-학교-지역 연계 프로그램 운영, 학생·학부모·교원 대상 다양한 인문학 프로그램 운영
- 경기공유학교와 연계한 활동 다양화
    - 예) 북스피치&북아트 공유학교(초등학생 대상 독서 활용 인성교육 프로그램), 作作 공유학교(나만의 오디오북 만들기, 독서 문해력 향상 프로그램 등)

- **책 쓰기 프로젝트**: 교육과정 연계 학생 책 쓰기-책 출간(디지털 기반 전자책 포함) 활동 및 교사, 가족, 학부모 등 교육공동체 누구나 작가이자 평생 독자로서의 역량을 함양할 수 있도록 하는 프로젝트
- **지역과 함께하는 책 축제 운영**: 학생·교사·학부모 작품 전시, 사례 나눔, 학교 ➡ 지역 ➡ 경기도 전체로 확산되는 축제 운영

② 지역 독서인문교육 협력 강화
- 지역 인적·물적 자원 발굴 및 유관 기관 협력 강화
- 학교도서관-교육도서관-공공도서관 네트워크 활성화
- 지역 자원을 활용한 맞춤형 독서 특화 프로그램 운영
  - 예) ○○교육도서관과 함께하는 '한 학기 한 권 읽기', ○○교육도서관 주관 '방학 독서 캠프', ○○지역 작가와 함께하는 '작가와의 만남' 등

③ 우수 사례 보급 및 성과 공유 확대
- 학교 내·학교 간·지역 내 독서인문교육 사례 공유 활성화
- 경기 독서교육 웹진 「경기 솔솔~ 독서바람」 연 3~4회 발간
- 실천 사례를 e-book, 경기 교육모아, 도교육청 홈페이지에 탑재하여 확산

사이다 talk! 독서인문교육이 교실 안에서만 머무르는 활동이 아니라, 학교·지역사회·가정이 연결된 확장된 교육임을 이해하는 것이 중요합니다. 현장에서는 도서관, 학부모, 지역 작가 등 다양한 자원과 협력할 기회가 많습니다. 따라서 '교과 수업과 어떻게 연결할 수 있을까?', '지역 자원을 활용해 어떤 독서 프로그램을 만들 수 있을까?'를 구체적으로 고민해 보세요. 특히 책 쓰기 프로젝트나 지역 책 축제는 학생들이 학습자이자 창작자로 성장할 수 있는 기회입니다. 면접에서 독서인문교육 방안을 묻는 문제가 나온다면, 방안 중 1가지는 지역과 연계한 실천적 독서교육 방향을 보여주면 좋습니다.

(3) 학교도서관 운영 활성화

① 학교도서관 운영 지원 강화
- 도서관을 단순한 열람 공간에서 벗어나 토론·프로젝트·융합 활동이 가능한 학습공간으로 변화
- 모든 학교에 사서·사서교사 배치 확대 ➡ 독서교육 기반 강화
- 학교·지역 단위 연구회를 통한 독서·토론·인문학 교육 활성화

② 학교도서관의 교육과정 지원 확대
- '바로북' 서비스와 운영비 편성을 통한 수업 자료 확보 용이

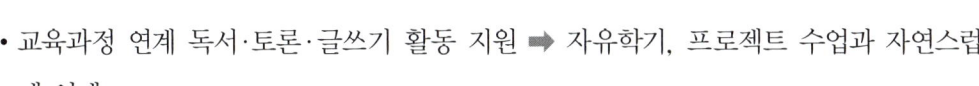

- 교육과정 연계 독서·토론·글쓰기 활동 지원 ➡ 자유학기, 프로젝트 수업과 자연스럽게 연계
- 진로체험, 사서 체험 프로그램 운영으로 진로교육과 연결
- 사서교사와 협력하여 독서토론, 글쓰기 등 협력 수업 가능
- 디지털 기반 시스템(DLS 독서로, BOOK돋움)을 활용해 학생 맞춤형 독서 활동 및 기록 관리 가능

사이다 talk! 도서관을 단순한 책 대여 공간이 아니라, 교육과정 속 학습과 프로젝트 활동을 지원하는 핵심 자원으로 이해해야 합니다. 실제 수업에서 교과 성취기준과 연결해 독서·토론 활동을 설계할 때, 도서관 자료와 시스템(DLS, BOOK돋움)을 어떻게 활용할 수 있을지 고민해 보세요. 또한 현장에 가면 사서교사와의 협력이 매우 중요합니다. 협력수업 경험을 쌓을수록 독서교육이 단순한 독후 활동을 넘어서 학생들의 탐구와 진로로 확장됩니다. 사서 선생님들은 '사서교사 단독' 수업 및 '교과교사와의 협력' 수업을 중시하는 경기도교육청의 방향을 이해하고, 어떤 독서 수업을 하고 싶은지 개별 측면과 특정 교과와의 연계 측면에서 함께 고민해 주세요!

2026학년도에 나는 교사이다+ — 나만의 [독서인문교육] 방안 고민하기

학급 운영 방안:

교육과정 연계 방안:

디지털 기기 활용 방안:

학교 도서관 활용 방안:

지역 자원 연계 방안:

23 초등 놀이 활성화 초

> **현장 이야기로 사이다 열기**
>
> 처음 학교 현장에 '놀이'가 본격적으로 도입된다고 했을 때, 학습 효과에 의문을 품기도 했어요. 그러나 아이들의 발달 과정과 학습 방식을 다시 떠올려 보면, 놀이는 결코 단순한 여가 활동이 아니라 학습의 중요한 출발점이라는 생각이 들더군요!
>
> 놀이를 통해 아이들은 주변 세계를 탐구하며 새로운 개념을 자연스럽게 익히고, 놀이가 주는 즐거움 덕분에 학습을 억지로 강요받는다는 느낌 없이 몰입할 수 있습니다. 나아가 놀이 과정에서 문제를 해결하고 규칙을 만들고 수정하면서 창의적 사고와 문제 해결 능력이 발달하고, 또래와의 협력과 타협, 의사소통 같은 사회적 기술도 함께 자라날 수 있고요.
>
> 이처럼 놀이 중심 교육은 단순한 휴식이나 즐거움에 머무는 것이 아니라, 아이들의 균형 잡힌 성장과 발달을 돕는 핵심 교육 방안입니다. 경기도교육청이 초등 놀이교육 활성화를 추진하는 이유도 여기에 있습니다. 놀이를 수업과 생활 속에 어떻게 녹여낼 수 있을지, 놀이를 통해 어떤 배움과 성장을 이끌어낼 수 있을지 구체적으로 고민해 봅시다.

#지도_방안

1 놀 권리

어린이가 놀이와 휴식, 여가를 자유롭게 즐기며 학습하고, 행복한 삶을 누릴 수 있는 권리 (경기도조례 제6852호, 제2조)

2 목적

① 어린이들에게 주어진 새로운 과제를 놀이라는 즐거운 문제 해결 과정을 경험하며 자연스럽게 상상력, 창의성, 사회성, 집중력, 의사소통 능력 등이 신장될 수 있음

② 학생들의 학습 부담을 줄이고, 놀이 자체를 즐기며 행복한 삶을 누릴 수 있는 환경을 조성할 수 있음

③ 교육 방안

(1) 학교교육과정 계획 수립 시 놀이 활동 활성화 내용 포함

① 놀 시간, 놀 공간, 놀이시설 확보

② 자체 프로그램 운영: 교육과정 재구성, 인성교육 연계, 지역사회 자원 연계 등

> **사이다 톡 talk!** '경기함께놀자', '경기교육모아' 사이트에 가면 학년군별 교육과정을 연계한 다양한 놀이 콘텐츠를 엿볼 수 있습니다. 놀이 영상도 올라가 있으니, 직접 방문하셔서 좋은 아이디어를 얻어 가시길 바랍니다.

(2) 학교 자율성을 바탕으로 놀이 관련 교육과정 재구성 및 인성교육 기반 수업 설계

① 학년별 발달 단계에 맞는 놀이 수업 및 인성교육 적용 방법 개발

② 운동회, 체육대회, 학예회 등 교내 행사 시 놀이 프로그램 운영

③ 인성교육 및 마을 연계 창의·융합형 놀이 프로그램 개발·운영

(3) 탄력적 교육과정 운영으로 학생의 쉼이 있는 놀이 시간 운영

① 학습과 쉼의 조화, 자유놀이 시간 운영을 위한 블록타임 편성

② 1~2교시와 3~4교시 블록타임 편성으로 중간놀이 시간(20~30분) 운영 권장

③ 충분한 점심시간(50분 이상) 확보로 자유놀이 시간 보장

(4) 학생주도의 놀이 활동 활성화

① 성장이음과정 및 학교자율과정과 연계한 학생주도의 놀이 활동 운영

> **성장이음과정**
> - 초등학교 1~2학년 통합교과를 중심으로 교과 및 창의적 체험활동을 활용해 기초학력과 기본생활 습관을 형성할 수 있도록 유-초, 학년 간 연계를 고려한 교육과정 설계 모형
> - 통합교과를 중심으로 학교에 적합한 주제를 새롭게 설정할 수 있으며, 교과와 창의적 체험활동 간 시수 20% 증감을 적극 활용해 학교 맞춤형 편제를 새롭게 설정할 수 있음
>
> **학교자율과정**
> 학생이 주체적으로 삶의 역량을 기를 수 있도록 학생의 학습 선택권을 확대하고 학습 경험의 질과 폭을 심화하기 위해 교육공동체가 함께 개발해 운영하는 교육과정

② 중간놀이 시간, 점심시간 등을 활용한 자유놀이 활동

③ 교내 학교 행사와 연계해 학생주도의 놀이 활동 시간 편성

(5) 학교 놀이 공간 조성

① 학교 실정을 고려해 다양한 놀이 공간 확보

- 운동장을 놀이 중심의 공간으로 재구성
- 교내 유휴 공간을 놀이 공간으로 활용
- 다양한 틈새 놀이 공간 확보(교실, 복도, 건물 바깥 등)

사이다 talk! 운동장, 유휴 공간을 어떻게 놀이 공간으로 조성할 수 있을지 고민해 보세요. 가장 먼저 안전에 우선순위를 둬야 합니다. 바닥에 매트 등을 깔아 재질을 안전하게 재구성하고, 모서리에는 보호 장치를 부착하는 등 초등학생들이 안전하게 놀이 학습을 할 수 있도록 해야 합니다. 또한 운동장과 교실 모두 다양한 놀이 활동을 지원하기 위해 구역을 나누는 것도 좋겠죠. 하나의 활동이 아닌 다양한 활동을 통해 창의력과 상상력을 자극할 수 있으니까요. 자연을 접할 수 있는 요소를 추가하면 더 풍부한 놀이 경험을 제공할 수 있고, 최근 교육 이슈인 생태환경 문제도 같이 해결할 수 있을 것입니다. 예를 들면, 학생들이 미니 정원이나 텃밭을 운영해 자연을 관찰하고 경험하는 기회를 줄 수 있어요. 또한, 공간을 설계할 때 학생들의 의견을 반영하면 더 효과적인 놀이 공간을 만들 수 있습니다. 무엇을 하고 싶은지, 어떤 놀이가 재미있고 흥미로운지를 조사한 후 공간에 반영하면 아이들이 더욱 만족하는 공간이 될 수 있습니다. 마지막으로 테마별 놀이 공간도 기획할 수 있을 것입니다. 예를 들어, 우주를 테마로 교실을 꾸며 별과 행성 모형을 두거나, 해양을 테마로 물과 관련된 놀이 도구를 활용하는 식으로요. 이러한 요소들을 고려하면, 초등학생들이 안전하면서도 다양한 놀이 경험을 즐길 수 있는 공간을 만들 수 있을 것입니다. 이 외에도 좋은 아이디어를 많이 생각해 보세요.

② 학교의 어디에나 놀이 소재 두기

- 교내 유휴 공간에 학생들의 자율적 놀이 활동을 위한 놀이 소재 마련해 두기
- 고정식, 이동식 놀이시설 및 놀이도구 구비 **예** 전래놀이도구, 보드게임, 놀이 매트 등

③ 초등 1~2학년 학생 맞춤형 놀이중심 교육활동을 위한 교실환경 조성

- 놀이를 통한 한글교육, 수 개념 형성을 위한 교재 및 놀이도구 비치
  예 한글 교육 및 수 개념 수업을 위한 보드게임
- 교실 내 유휴 공간 놀이 환경 조성 **예** 놀이를 통한 또래 관계 형성을 위한 게임 도구 비치

④ 학교 실내외 놀이시설에 대한 안전 강화: 놀이 교육과정 운영을 위한 수업 전 놀이시설 안전 점검 및 관리 철저

24 문해력 향상 교육 (공)

현장 이야기로 사이다 열기

경기도교육청이 서·논술형 평가 강화 방안을 발표했을 때, 가장 먼저 떠오른 것은 학생들의 문해력이었습니다. 지필평가나 수행평가에서 문항의 의미를 제대로 해석하지 못하거나, 기본적인 단어의 뜻을 몰라 질문하는 학생들의 모습이 겹쳤기 때문입니다.

이 변화 앞에서 교사가 교과 수업과 학급 운영에서 무엇을 준비해야 할지 고민하게 되었습니다. 우리는 흔히 읽기 능력을 '자연스럽게 습득되는 것'으로 여기지만, 사실 글을 읽고 쓰는 능력은 후천적 학습을 통해 길러집니다. 노력하면 발전할 수 있지만, 돌보지 않으면 쉽게 약화되기도 합니다.

서·논술형 평가 확대가 예고된 지금, 학생들의 사고력과 비판적 이해를 키우기 위해 학교와 교사가 문해력 향상에 어떤 역할을 할 수 있을지 함께 살펴보겠습니다.

#필요성 #지도_방안

☑ All 기출 문장 및 빈도 체크

연도	자기성장소개서 (성)			집단토의 (토)			개별면접 (면)		
	초	중	비	초	중	비	초	중	비
2016									
2017									
2018									
2019									
2020									
2021				미시행					
2022									
2023									
2024								✓	
2025								✓	

*공통 (공)

[25'중면] 중학교 2학년 학생들이 가정통신문에 있는 단어를 정확히 이해하지 못해 반복적으로 질문하는 상황이 발생한 원인을 분석하고, 담임교사와 교과교사의 관점에서 각각 실천 가능한 해결 방안을 제시하시오.

[24'중면] 문해력 저하로 인한 기초학력 부족 문제를 해결하기 위해 담임교사와 교과교사로서의 방안을 제시하시오.

1 문해력 정의

① 현대 사회에서 일상생활을 영위하기 위해 필요한 기본적인 읽기·이해 능력

② 글과 자료를 바탕으로 정의, 이해, 창작, 해석, 의사소통, 계산까지 가능한 능력

③ 단순 읽기에 그치지 않고, 정보를 창조·연결·선별하는 종합적 능력

2 중요성

① 학습 능력을 좌우하는 기초 역량 ➡ 문해력이 부족하면 전 교과 학습 부진으로 이어짐

② 정보 홍수 사회에서 문해력 격차가 사회적 격차로 확대 ➡ 공지문, 계약서 등 실생활 불이익 초래

3 필요성

① 이모티콘·짤에 익숙, 완성된 문장 경험이 부족하여 줄글·교과서 해독에 어려움

② 영상 콘텐츠 과다 노출로 화려한 시각적 자극에 익숙해지면 문자 기반 사고력 저하

③ 디지털 사회 문제인 가짜 뉴스·피싱 등 사실 검증 능력이 결여될 경우 위험 대처 어려움

4 초등학생 교육 방안

(1) 중요성

초기 문해력은 만 8세 이전, 특히 초등 2학년 시기가 결정적 골든타임 ➡ 이 시기를 놓치면 이후 학습 격차로 이어지므로 체계적 지원이 필요함

(2) 교육 방안

① 읽기 흥미 유도와 독서 습관 형성

- 다양한 주제의 책을 접하게 하여 읽기의 즐거움을 경험하게 함
- 일기, 독서록, 짧은 글쓰기 활동으로 생각을 표현하도록 지도

② 놀이 기반 어휘 학습
- 단어 카드, 퍼즐, 퀴즈 등 놀이 요소를 활용하여 어휘를 자연스럽게 습득
- '초등 놀이 활성화 정책'과 연계해 생활 속에서 즐겁게 학습할 수 있도록 설계

③ 시각 자료 활용
- 그림책, 만화책 등 시각적 자료로 이야기 구조와 내용을 쉽게 이해하도록 지원
- 시각 자료는 이해력 부족 학생에게 효과적 보조 수단이 됨

④ 소리 내어 읽기 지도
- 눈으로만 읽는 습관을 보완하기 위해 낭독 교육을 강화
- 소리 내어 읽기를 통해 단어를 꼼꼼하게 읽고, 읽기 정확성을 높임

⑤ 맞춤형 개별화 수업
- 읽기 능력이 부족한 학생에게는 수준별·개별화 지도 실시
- 소규모 보충학습, 읽기 치료 프로그램 등과 연계 가능

5 청소년 교육 방안

(1) 학습도구어(교과서 어휘) 학습
① 중학생의 어휘력은 교과 학습과 직결됨
② 교과서에 등장하는 핵심 용어를 정확히 이해하는 과정 필요
③ 핵심 어휘 사전 만들기: 국어, 사회, 도덕, 역사, 체육 등 과목별 단원에서 어려운 용어를 미리 학습
④ 활용 쓰기 연습: 배운 단어로 한 문장을 직접 작성하며 이해 심화

(2) 요약 및 정리 능력 훈련
① 복잡한 글에서 핵심을 뽑아내는 능력은 학습 효율의 핵심
② 글의 구조를 파악하고 주요 내용을 간결하게 정리하는 훈련을 지속적으로 실시
③ 마인드맵, 핵심 키워드 목록, 도표 등을 활용하면 효과적임

(3) 문학 작품·시사 자료 분석

　① 문학 작품: 문체·상징·주제를 분석하며 비판적·창의적 사고력 향상
　② 시사 자료: 사실과 의견을 구분하는 연습을 통해 비판적 독해력과 사회 이슈 이해도 강화

6 학급 문해력 교육 방안

(1) 문제 출제 활동

　① 학생 선택 독서: 권장 도서가 아닌, 학생이 스스로 읽고 싶은 책을 선택하여 긍정적인 독서 경험 형성
　② 함께 읽기: 친구들과 함께 읽으며 독서의 즐거움 공유
　③ 퀴즈 만들기: 읽은 책 속에서 문제를 직접 출제하도록 함 ➡ 시간이 지날수록 질문 수준이 높아지고, 질문거리 탐색을 위해 책에 더 깊이 몰입하게 됨

(2) 신문·이야기 나누기 게시판 운영

　① 학생들이 읽은 책이나 글을 요약해 온라인·오프라인 게시판에 게시
　② 학급 내에서 다양한 읽기 자료가 공유되며, 서로의 생각을 나누는 과정에서 문해력과 의사소통 능력을 동시에 기를 수 있음

(3) 프로젝트 기반 글쓰기·연구 활동

　① 학급에서 지역사회나 교내 문제를 선정해 조사하고, 해결 방안을 글로 작성하는 프로젝트 학습 진행
　② 과정: 자료 탐색 ➡ 분석 ➡ 글쓰기 ➡ 발표 및 피드백
　③ 결과: 정보 처리 능력, 글쓰기 능력, 비판적 사고, 문해력이 함께 향상됨

> **교육 아티클**

단어를 가르치는 게 아닌, 단어의 의미를 고민하는 과정을 가르치자!

온라인 콘텐츠 선도학교에서 운영을 담당하며, 태블릿PC를 활용한 문해력 교육을 진행해 보았어요. 학생들에게 익숙한 매체를 활용하면서 학습에 도움이 될 수 있는 '학습도구어' 교육인데요. 특히 한자로 된 용어의 뜻을 모른 채 그냥 암기한다거나 그로 인해 틀린 단어를 사용하는 문제를 해결하면서도 사고력을 길러주기 위한 시도였어요. 사진과 함께 살펴보며, 선생님들의 교육 방안 수립에 도움을 얻어 보세요.

도입

소모둠으로 나누어 교과서를 함께 읽으며, 이해가 안 되는 단어를 띵커벨 보드에 공유한다.

전개

학생들은 역할을 나누어 네이버 어학사전 등을 통해 학습도구어를 검색해 띵커벨 보드에 게시한다. 이때, 인터넷에 나온 내용을 그대로 베껴 적는 것이 아닌 모둠원들과의 토의 활동을 통해 중학교 2학년이 이해할 수 있는 쉬운 수준으로 해설해 게시한다.

▲ 태블릿PC를 통해 학습도구어를 검색하고 있는 학생들

개항, 사절단, 최혜국 대우, 영사재판권 등 어려운 학습도구어는 뜻을 그대로 암기하게 하는 것이 아니라 한자 뜻을 찾아보게끔 지도한다. 이를 통해 학생들이 단어의 의미를 이해하는 것과 한자 공부의 중요성을 깨닫고 더욱 몰입할 수 있게 된다. 이후 띵커벨 보드에 있는 학습도구어 사전을 보며 소모둠끼리 교과서를 다시 읽어 보고 키워드를 찾게 한다.

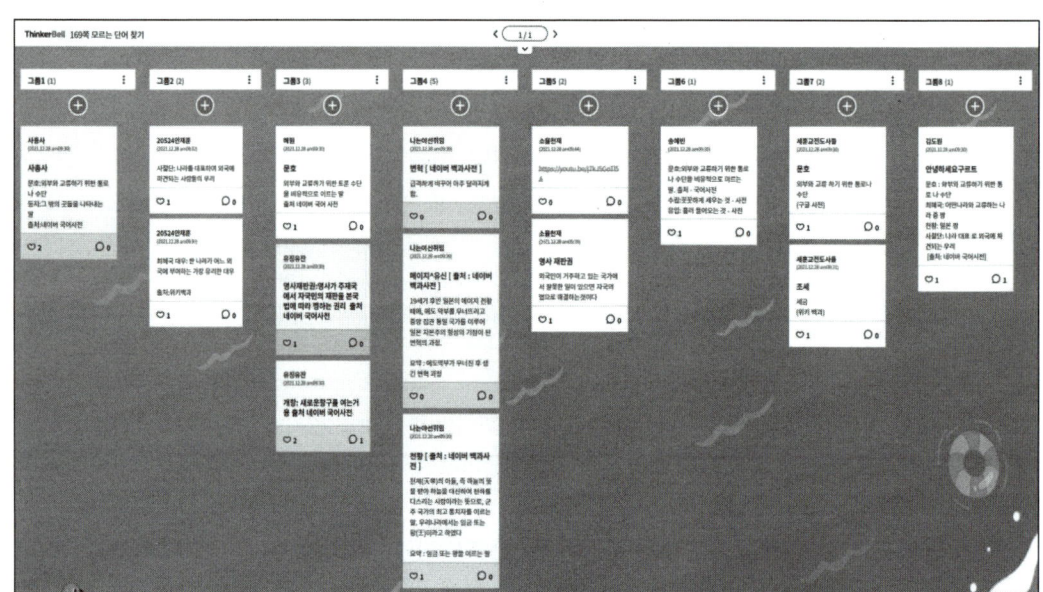

▲ 어려운 단어 게시와 뜻풀이 활동

정리

교사의 강의식 설명을 덧붙여 교과서를 재구성한 후 필기 노트에 내용을 정리한다.

25 통일교육·탈북학생교육

현장 이야기로 사이다 열기

2025년 경기도교육청이 밝힌 통일교육과 탈북학생교육의 목표는 바로 '균형 있는 가치관을 지향하는 통일 미래 세대 육성'입니다. 실제로 2024년 4월 기준, 우리나라 탈북학생의 약 27.5%가 경기도교육청 소속 학교에 다니고 있습니다. 즉, 경기 교실 현장은 이미 '작은 통일 사회'라고 할 수 있죠.

따라서 교사에게 필요한 건 단순한 안보·통일 지식이 아닙니다. 학생들이 통일을 균형 있게 바라보고, 탈북학생이 소외되지 않고 성장할 수 있도록 현장에서의 관심·이해·맞춤형 지원이 무엇보다 중요합니다. 지금부터 구체적인 방향성을 살펴보고, 현장에서 우리가 어떻게 통일교육과 탈북학생 교육을 실천해야 하는지 함께 생각해 봅시다.

#지도_방안

1 2025 경기도교육청 통일교육·탈북학생교육 방향

(1) 기본 방향

① 튼튼한 안보관을 바탕으로 한 학생 체험·참여 중심 학교 통일교육

② 학생과 교원의 자율적 통일 역량 함양

③ 탈북학생 맞춤형 교육지원을 통한 미래 통일 인재 육성

(2) 현장 지도 시 유의 사항

① 통일교육은 교과와 창체 속에서 자연스럽게 녹여야 함

- 도덕·사회·역사 교과는 물론 국어, 영어, 음악, 미술 같은 기능 교과와도 재구성 가능
- 자유학년제, 자율활동, 동아리 활동과 연계 가능

② 학생 성장 중심 활동 강조: 균형 있는 북한 이해, 통일 방안 탐구, 보편적 가치(배려·포용·존중)를 주제로 토론 수업 가능

③ 지역·기관 연계 중요

- 통일교육센터, 경기도청, 국립통일교육원, 국가보훈부 등과 협력체계가 활성화됨
- '통일교육주간(5월 넷째 주)' 적극 활용

④ **교사의 통일교육 역량 필요**: 통일·안보 직무연수, 교원 연구대회, 협의체 참여 ➡ 평생학습 차원에서 지속적인 역량 개발 필수

⑤ **탈북학생 지원**
- 동정이 아닌 존중과 맞춤형 지원 필요
- 심리·이중언어·적응 프로그램 지원 ➡ 학생 개별 상황 고려 필수
- 맞춤형 진로·직업교육 프로그램 확대 ➡ 학생의 미래 설계 지원

> **사이다 톡talk!** 통일교육이라고 하면 '정치적 이슈'처럼 느껴질 수 있습니다. 하지만 경기도교육청이 강조하는 건, 이념 주입이 아니라 학생의 삶과 연결된 체험·토론 중심 교육이에요. 통일을 배우는 건 '통일이 언제 될까?'를 묻는 게 아니라, '서로 다른 배경을 가진 사람들이 어떻게 함께 살아갈 수 있을까?'를 배우는 과정입니다. 그리고 탈북학생 지원은 동정의 시각이 아닌 존중과 맞춤형 배려의 관점에서 접근해야 해요. 심리, 언어, 진로 문제까지 세심하게 바라보고, 그 학생이 교실에서 동등한 배움의 주체로 설 수 있도록 돕는 게 교사의 역할입니다. 면접이나 현장에서 중요한 건 '내가 통일교육을 어떻게 학생의 삶과 연결할지'예요. 토론 주제를 열어주고, 지역사회 자원을 연결하고, 학생이 성장할 수 있도록 돕는 것. 이게 바로 우리가 준비해야 할 교사의 마음가짐입니다.

② 통일교육 방안

(1) 정의

자유민주주의에 대한 신념과 민족 공동체 의식 및 건전한 안보관을 바탕으로 통일을 이룩하는 데 필요한 가치관과 태도를 기르도록 하기 위한 교육(통일교육 지원법 제2조)

(2) 교육 방안

① **소통과 토론 중심의 학생 활동을 통한 융합 통일교육 프로그램 운영**: 통일·안보 주제 융합 소통·토론 수업
- **중학교 도덕**: 균형 있는 북한에 대한 이해 ➡ **중학교 역사**: 통일 방안 탐구
- **고등학교 국어**: 전인적 성장을 위한 보편적 가치(배려·포용·존중 등)에 기반한 통일 미래 토론대회 실시 등

② **지역별 특색 있는 통일교육 활성화 기반 조성**: 지역의 특성에 맞춰 초·중·고교의 통일 현장 체험활동

> **사이다 톡talk!** 경기도교육청에서 제시한 교육 방안을 보면, 학생 주도라는 것을 알 수 있어요. 교사의 강의식 설명이나 영상 시청 중심이 아닌, 학생이 몸소 체득할 수 있는 방안을 고민해 주세요. 또한 교사의 역할은 토론이나 학생 중심 교육이 가능하도록 안전하고 공감·포용적인 환경을 만드는 것이랍니다.

3 탈북학생 지도 방안

(1) 정의

북한 또는 중국 등에서 태어나 한국에 입국한 후 학교에 재학 중인 북한이탈주민의 자녀

☑ **경기도 내 탈북학생 현황(2024년 4월 기준)**

구분	재학 학교 수(교)	학생 수(명)					비율(%)
		초등학교	중학교	고등학교	기타학교	계	
경기	323	226	187	256	60	729	27.5%

출처: 경기도교육청, 2025년 통일교육·탈북학생교육 추진 계획

(2) 특성

모든 탈북학생들에게 적용되는 일관적인 특징은 없지만, 학교생활에 어려움을 겪는 이유는 다음과 같음

① 학교 교육 차이
- 북한: 교과별 범위·내용 엄격, 교사 주도·통제 중심
- 한국: 자기주도 학습 강조 ➡ 학습 방식 차이로 인한 혼란 발생

② 신분 노출 기피
- 따돌림·과도한 관심 우려로 신분을 숨기는 경우 많음
- 수업 이해가 어려워도 질문하지 못하는 상황 발생

③ 부모 지원 한계
- 부모의 한국 사회 정착 어려움, 돌봄·학교 참여 부족
- 북한 문화 특성상 자녀 교육을 전적으로 교사에게 맡겼던 경험이 있어 부모 지원이 미흡할 수 있음

사이다 톡talk! 탈북학생 한 명 한 명을 위한 맞춤형 교육 지원이 필요해요.

(3) 탈북학생 지도 시 교사의 역할

① 학생 필요 중심
- 수업 참여보다 일상에서의 친밀감, 교사의 관심·이해가 큰 의미
- 학생 삶의 맥락을 이해하며 따뜻하게 지도

② 북한 사회·탈북가정 이해: 최근 북한 사회 변화와 탈북민 삶의 여정에 대한 지식 필요

③ 생활지도
- 학기 초 2회 이상 면담 ➡ 적응 상황 점검
- 생활총화(규칙에 위배된 행동을 한 동료들을 상호 비판하거나 자아비판하는 활동) 경험으로 비판적 태도를 보이는 경우, 대안 제시·자기성찰 방식으로 지도

④ 출신 배경 공개
- 신분 공개 여부는 학생 스스로 결정하도록 존중
- 불안감 최소화, 긍정적 자존감 형성 지원
- 공개 시에는 학급 내 우호적 분위기를 조성해 심리적 안정 보장

(4) 탈북학생교육 방안: 단계별 교육
① 입학 초기: 기초학습 지도, 심리적응 치료, 초기적응 교육
② 전환기 교육: 학업 보충, 사회적응 교육
③ 정착기: 한국 학생과 탈북학생의 통합교육, 탈북학생 핵심역량 중심 진로교육

26 독도교육

> **현장 이야기로 사이다 열기**
>
> 독도는 한국의 주권과 자부심을 상징하는 중요한 요소입니다. 하지만 일본 정부는 여전히 초·중·고 교과서와 학습지도요령에 독도를 자국 영토라고 주장하고 있습니다. 국제사회에 잘못된 정보가 퍼지지 않도록, 우리 학생들에게는 깊고 정확한 독도 교육이 반드시 필요합니다.
>
> 독도교육은 단순한 영토 지식 교육이 아닙니다. 학생들이 독도의 가치를 이해하고, 왜 우리가 지켜야 하는지 깨닫는 순간, 국가 정체성과 자부심, 그리고 미래 세대로서의 책임감이 함께 자라납니다. 현장에서 독도교육을 어떻게 내실화할 수 있을지, 또 어떤 방법으로 학생들의 인식과 참여를 이끌어낼 수 있을지 함께 고민해 봅시다.

#지도_방안

1 2025 경기도교육청 독도교육 방향

(1) 학교 독도교육 내실화

① 교육과정 연계 운영: 2022 개정 교육과정을 반영하고, 교과와 창의적 체험활동을 통합하여 연간 10시간 이상 운영 권장

② 학생 맞춤형·학교 여건 중심: 획일적 교육이 아닌 각 학교 특성에 맞는 교육 방안 추진

③ 독도동아리 및 독도지킴이학교 운영 강화

> **초·중등 독도교육 관련 주요 정책**
> - (교육과정) 사회과 교과 성취목표 및 내용체계와 범교과학습주제에 독도교육 명시
> - (시수편성) 교과와 창의적 체험활동 등 교육과정과 통합하여 10시간 이상 운영 권장
> - (독도교육주간) 학교별 여건을 고려하여 연중 한 주를 자율 선정하여 운영 권장

(2) 독도교육주간 운영

지역 및 학교 상황을 고려하여 연중 한 주를 독도교육주간으로 자율 선정하여 운영

(3) 독도 학습 콘텐츠 안내

학생이 자기주도적으로 활용할 수 있는 교수·학습 콘텐츠 안내·보급

예) 동북아역사재단, 한국해양과학기술원, 반크 등

(4) 독도체험관 운영 활성화

① 디지털체험 프로그램 운영

② 시·도교육청 협력체 구성 ➡ 체험관 간 콘텐츠·프로그램 공동 개발·공유

> **예** 동북아역사재단 독도체험관을 중심으로 시·도교육청 독도체험관(16개) 담당자 간 정기·상시 협의회를 통해 체험관 콘텐츠·프로그램 공동 개발·공유

2 학교 현장 독도교육 사례

학교의 여건 및 특성을 반영하여 교육계획 수립 단계에서 교과 연계 및 창의적 체험활동 독도교육 계획 수립 및 추진

사이다 talk! 획일적으로 독도교육을 강요하는 것이 아닌, 학교 여건 및 특성에 맞는 교육 방안을 권장하고 있어요. 교과 수업과 창의적 체험활동 시간에 두루 활용할 수 있는 교육 방안을 고민하되, 지역 및 학교 사정을 고려하겠다는 말을 꼭 포함해 주세요!

① 학교자율과정 운영

> **예시**
>
> **독도를 지키는 목소리(국어+한국사+통합사회 교과 융합 수업)**
> 한국사와 연계해 독도가 한국의 영토임을 역사적 문헌과 자료를 통해 탐구하고, 일본의 주장을 반박할 수 있는 역사적 근거를 태블릿을 통해 정확한 출처를 기반으로 찾아보도록 함
> ➡ 국어 교과와 연계해 독도 뉴스 방송 대본을 작성한 후 발표하게 하거나, 논설문 및 시를 작성해 발표하도록 함
> ➡ 통합사회와 연계해 독도 문제를 다룬 뉴스, 다큐멘터리 등을 통해 국제사회에서 독도가 어떻게 다루어지는지를 탐구하고 왜곡된 정보와 사실을 구분해 봄. 이후 모의 국제회의를 통해 외교적 해법을 모색하도록 함

② 교과 연계 독도교육 수업: 사회과 교과 재구성을 통해 사료 및 최근 이슈 탐구, 일본 친구에게 편지쓰기, 독도 문제 홍보 영상 만들기 등 수행평가 진행

③ 자유학기제 연계 독도교육 활동: 독도 O×퀴즈, 독도 모형 만들기, 독도 강치 열쇠고리 만들기 등 일본의 영유권 침해에 대한 올바른 대응 방법 이해도 제고

④ 독도의 날 주간 이벤트: 독도의 날과 관련 있는 제시어로 'N행시 짓기 이벤트' 개최

⑤ 독도동아리 주관 독도 골든벨 대회 실시: 독도동아리 학생 주도로 동아리가 제작한 독도 영상 시청 후 전교생 대상 독도 골든벨 실시

⑥ 독도 홍보 활동: 독도 손글씨 쓰기, 독도 굿즈를 제작·전시해 독도 홍보 활동 실시

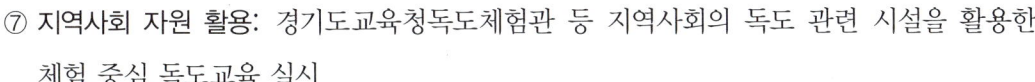

⑦ **지역사회 자원 활용:** 경기도교육청독도체험관 등 지역사회의 독도 관련 시설을 활용한 체험 중심 독도교육 실시

사이다 톡 talk! 학생의 체험 중심, 학생 주도의 교육 방안이 돼야 합니다.

3 교사의 독도교육 관련 역량 강화 방안

① 독도체험관 방문 및 우수 전시·박물관 견학
② 독도교육 정책·기본 이해 관련 교원 연수 참여
③ 체험관 프로그램·콘텐츠 공동 개발·보급
④ 관계기관(동북아역사재단, 한국해양과학기술원, 반크 등)과 협력하여 독도교육 자료 보급

05

THEME 27~35
학급 운영 방안

★★★ 빈출 주제

- THEME 27. 학급 운영
- THEME 28. 자기주도학습
- THEME 29. 초등 저학년 학교생활 적응 방안(유·초 이음학기, 성장배려학년제)
- THEME 30. 학생 문화 이해
- THEME 31. 인성교육
- THEME 32. 마약·도박·디지털 성범죄 예방 교육
- THEME 33. 다문화교육
- THEME 34. 특수교육, 장애이해교육, 통합교육
- THEME 35. 문화예술교육

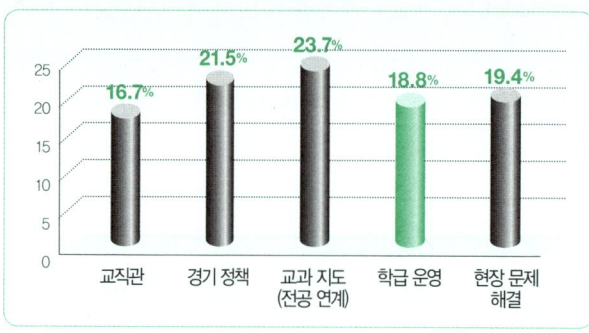

빈출 주제 BEST 2

① 학급 운영
② 인성교육

만점 대비 공부법!

실제 교사가 됐다고 생각하고, 실질적이며 현실적인 방안을 강구해야 합니다. 특히 최근 시험 문제에서 중요하게 묻고 있는 <u>학생 중심 교육 방안</u>을 중점적으로 고민해 주세요. 또한 대안에 교육공동체와 협력하는 방안을 마련해 두셔야 경기도교육청이 지향하는 교사상에 부합한답니다. 교사로서 할 수 있는 실질적 행동을 가장 먼저 언급해야 한다는 걸 잊지 마세요. 그다음에 관련 제도, 기관 등을 언급해야 한답니다.

27 학급 운영 (공)

현장 이야기로 사이다 열기

해마다 학급을 운영하면서, 저는 1가지 결론을 내렸습니다. 바로, 학급 운영의 핵심은 학생의 참여라는 것입니다. 교사가 아무리 훌륭한 철학과 비전을 세워도, 그것이 학생들의 공감을 얻지 못하거나 학생 스스로 필요성을 느끼지 못한다면 결국 형식적인 프로젝트로 끝나기 쉽더라고요.

결국 학급 운영의 힘은 '내가 만든 우리 반'이라는 주인의식을 학생들에게 심어주는 데 있습니다. 학생생활협약 제정, 1인 1역 점검, 학급회의 운영 같은 과정에서 학생 스스로 의견을 내고 반영할 수 있어야 진정한 자치가 실현될 수 있답니다.

여러분이라면 내년에 우리 반을 어떻게 운영하시겠습니까?
정책과 교직관, 그리고 학생들의 요구를 아우르는 실질적이고 지속 가능한 학급 운영을 함께 고민해 봅시다.

#지도_방안

☑ All 기출 문장 및 빈도 체크

연도	자기성장소개서 (성)			집단토의 (토)			개별면접 (면)		
	초	중	비	초	중	비	초	중	비
2016								✓	
2017	✓	✓	✓				✓		
2018								✓	
2019	✓	✓	✓					✓	
2020	✓								
2021				미시행					
2022							✓	✓	
2023								✓	
2024									
2025									✓

*공통 (공)

[25'비] 전공과 연계한 새 학년 새 학기 프로그램을 1가지 제시하고, 제시문의 평가 결과를 토대로 해당 프로그램을 활성화할 구체적 방안 2가지를 제시하시오.

[23'중면] 학생들이 가장 선호하는 선생님은 '우리 요구와 목소리를 들어주는 선생님'이라는 점을 참고해 교과교사와 담임교사로서의 교육 방안을 말하시오.

[22'중면] 학급생활협약 규정에 대한 찬반 논쟁과 작년에 선생님이 정한 규칙과 벌 청소에 대해 부정적인 학생이 있는 상황에서 학급생활협약을 제정할 수 있는 구체적인 방안을 이야기하시오.

[22'초면] '새 학년 집중 준비 기간'에 학급 담임으로서 준비 및 계획할 것을 3가지 말하시오.

[20'초중] 인간 존엄교육을 추구하기 위해 다양한 학생들이 평화롭게 학교생활을 할 수 있는 학급 운영 방안을 제시하시오.
[19'중등] 개별 학습 능력은 좋지만 협동 학습 참여도가 낮은 학급 담임으로서 협동을 활성화할 방안을 3가지 말하시오.
[19'중등] 전환기 교육을 운영할 방안을 제시하시오.
[19'중비상] 자신이 경험한 학교 교육에 비추어 볼 때 학교자치 실현을 위해 교사로서 자신의 역할을 말하시오.
[19'초등] 현장 교사가 된 이후 어떤 방식으로 학교·학급자치를 풀어갈지 자신의 의견을 제시해 보시오.
[18'중등] 담임교사로서 존중과 배려가 있는 학급을 위한 운영 전략을 말하시오.
[17'중등] 학생중심교육·현장중심교육을 실현하기 위한 방법을 수업, 학급 영역에서 1가지 이상 제시하시오.
[17'초등] 아침맞이의 긍정적 효과와 교사로서 어떤 아침맞이를 할 것인지 방안을 말하시오.
[17'중등] 학급을 어떻게 운영할 것인지 인사말과 포부를 담아 가정통신문을 작성하시오.
[16'중등] 경기도 정책인 행복한 학교는 '학생이 자신의 삶의 의미와 가치를 스스로 발견하고 핵심 역량을 체득하는 배움의 학교'를 의미한다. 학급 내 실현 방안을 말하시오.

1 새 학년 집중 준비 기간 계획 기출

(1) 새 학년 집중 준비 기간

학생들이 등교하기 전인 2월 중순~말의 기간

(2) 교사의 업무

① **교실 환경 정비**: 교실 청소, 학급 비품 마련, 학생들 이름표 및 학급 시간표 준비 등

> **사이다 톡talk!** 학생들이 편안한 마음으로 새 학년을 시작할 수 있도록, 안전하고 따뜻한 공간을 미리 준비해야 해요.

② **가정통신문 작성**: 첫인사, 교직관, 학급 운영 계획, 교칙, 학부모님에 대한 신뢰와 존중의 표현, 학사 일정 등

> **사이다 톡talk!** 학기 초 첫 가정통신문에 작성하고 싶은 내용을 고민해 보세요. 꼭이요! 또한 가정통신문은 일회성이 아닌 상시적 소통 매개체로 활용하면 좋아요. 시험 기간, 어버이날 등에 마음을 담아 가정으로 보내는 거죠. 소통하는 교사는 학부모에게 신뢰를 주고 전문성을 입증할 수 있답니다.

③ **오리엔테이션 준비**: 첫날 담임 소개 자료 및 학생 상담지 제작 등

④ **학생 이해**: 신입생이 아니라면 작년 담임 선생님과 소통해 미리 확인할 사항 점검

> **사이다 톡talk!** 새 학년·새 학기에 교사의 역할을 묻는 문제가 나왔다면, 거창한 네이밍으로 프로젝트를 설계하는 것이 아닌 선생님들이 3월 2일 개학을 위해 진짜 준비해 두어야 할 실질적인 것을 고민해야 해요! 단, 문항 자체에 '새 학기 프로그램을 제안하라.'라고 나왔다면 보다 계획적인 교육 방안을 말해야 합니다. 문제를 잘 읽어주세요!

② 학급 운영 원칙: 학급자치

(1) 학급생활규약 제정 기출

① **학급생활규약의 필요성**: 학칙, 교칙이 존재하지만 우리 학급만의 특성을 반영한 규약을 상호 협의하에 제정해야만 스스로 책임감을 가지고 질서 있는 학급을 만들 수 있음

② **규약 제정 방향**

- 학칙, 교칙 등의 원칙과 사례는 교사가 안내하되 학급자치회 중심으로 회의·토론을 통해 학생들 스스로 학급규칙 및 의견을 수렴해야 함
- 일회성에 그치는 것이 아니라 주기적으로 회의를 통해 수정·보완하며 성찰의 과정으로 학급 특색을 반영해야 함
- 민주적 원칙에 입각하되 소수의 의견도 존중하는 분위기를 조성해야 함

(2) 학급자치회 선거

학생들이 모의 선거를 체험하는 과정에서 투표의 중요성을 인지하고 사회 참여 역량을 강화하는 방향으로 진행해야 함

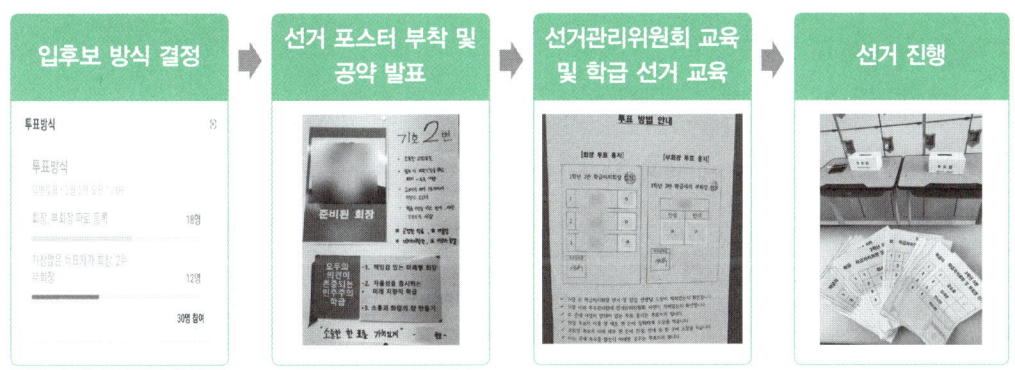

① **입후보 방식 결정**: 사전 투표를 통해 다수결로 회장, 부회장을 결정할지 회장, 부회장을 따로 입후보할지 결정

② **선거 포스터 부착 및 공약 발표**: 공약 중심의 포스터 부착 및 후보자 공약 발표 진행

③ **선거관리위원회 교육 및 학급 선거 교육**: 공정한 선거를 위해 투표함 수거·개표 업무 담당
➡ 선거관리위원회가 학급 선거 교육 진행(비밀투표 원칙의 중요성, 투표 도장 찍는 법, 진행 순서 등 안내)

④ **후보자 토론회**: 공약 이행 세부 계획 발표, 패널 질문, 후보자 간 토론 등

⑤ 선거 진행: 3번의 검토 후 '바를 정'자로 표기, 투표 인원과 투표용지 개수가 일치하는지 확인 후 당선 소감 발표

(3) 1인 1역 선정

책임감, 책무성을 바탕으로 스스로 학급을 운영하기 위해 자신이 잘하는 일을 중심으로 업무 배정

사이다 톡 talk! 학기 초에 정한 1인 1역을 끝까지 가져가는 게 아니라, 학기 말이나 2학기 초에 1인 1역 현황을 함께 점검해 보며 토의를 통해 문제점을 해결할 수 있도록 수정·보완하면 좋아요. 문제점을 분석해 보고 해결책을 찾는 과정에서 학생들은 시민 역량을 기를 수 있고 진정한 자치를 실현할 수 있답니다.

몇 해 전 학급에서 있었던 일을 말씀드릴게요. 저희 반은 1학기 때 매일 하는 업무와 이벤트성 업무가 나뉘다 보니 교실에서 일을 하는 사람만 하게 된다는 문제가 있었어요. 필요해서 만든 자리인데, 막상 잘 하지 않게 되는 업무도 있었고요. 예를 들어 서기 업무는 매번 손이 가는 업무라서 신경 쓸 것이 많지만 행사 알리미, 시험장 설치 같은 경우는 단발성으로 처리되는 것들이라 빈도가 달랐죠. 다들 불만 없이 잘 해주긴 했으나 이 부분에 조정이 필요하다고 생각한 몇몇 친구가 안건을 냈고 회의가 열렸어요. 2학기에는 자발적으로 1학기 때 업무를 덜한 친구들이 주요 업무를 맡기로 했어요. '서기' 업무를 두고 학생들이 약간 주저했으나 업무를 둘로 나누고, 방역 도우미를 1명으로 축소하는 방식으로 부담을 덜었습니다. 공동체 생활을 하다 보면 때론 누군가가 일을 많이 하는 순간도 있고, 누구는 무임승차를 하기도 하죠. 그렇다고 누군가를 비난하거나 혹은 생색을 내는 것이 아니라 고충을 알리고 우리 반의 사정을 고려해 다 같이 해결 방법을 찾아나가려는 아이들을 보니 정말 흐뭇했습니다. 이렇게 1인 1역을 만들어 놓고 끝내기보다 보완·발전하겠다는 의지를 보인다면 현장성 있고 전문성 있는 교사로서의 역량을 잘 드러낼 수 있을 거예요.

(4) 상시적 학급회의 진행

① 학급의 문제 상황, 갈등 상황을 교사가 혼자 판단하고 결론을 내리는 것이 아닌, 구성원들과 공유하며 좋은 방향을 함께 모색해야 함

② 회의에서 학부모 제안, 교사 협의회 의견 등을 공유하면 학급자치 ➡ 학교자치 ➡ 교육공동체 자치로 확장 가능함

③ 유의미한 조회 활동

① **부서별 조회 진행**: 학습부, 정보부, 환경부 등 부서를 조직해 1주씩 돌아가며 부서별 주요 사항을 학생들이 직접 전달 ➡ 자기주도 역량, 의사소통 능력, 시민 역량 강화

② **음악 감상**: 학생들의 인생곡을 접수해 사연과 함께 하루에 한 곡씩 공유 ➡ 인성·감성교육, 공동체 역량 형성

③ **독서 낭독**: 독서 주간을 설정해 각자 고른 책을 읽고, 의미 있는 구절 발표 ➡ 독서교육, 인성교육, 공감대 형성

④ 학급 규칙 체크리스트 및 스터디 플래너 점검: 학급별, 개인별 목표를 정하고 체크리스트로 점검하며 수정하고 다시 계획 수립 ➡ 자기주도 역량 강화

⑤ 나침반 안전교육: 나를 지키고, 침착하게 대처하려면, 반드시 익혀야 하는 5분 교육. 조회 시간을 이용해 5~10분 내외 안전교육 영상 시청 ➡ 짧은 시간 여러 번 반복해 안전의 중요성에 대해 각인 가능

사이다 톡 talk! 조회는 단순 전달 시간이 아니라 교사의 교직관을 드러내는 교육 활동이에요. "저는 ○○한 교직관을 가지고 있어 조회 활동에서 ○○을 강조하겠습니다."라고 답변해 보세요. 왜 이 활동을 택했고, 어떤 역량을 기를 수 있는지도 함께 제시한다면 훨씬 설득력이 있을 거예요. 또한 시간이 갈수록 학교에서 학생 및 학부모 의견을 반영하는 것이 중요해지고 있어요. 학생 참여형 코너(학생 뉴스 브리핑, 학부모 인터뷰 영상 공유 등)를 추가하면 학생·학부모 모두가 참여하는 조회 활동으로 발전할 수 있을 것입니다!

4 학급 특색 활동 사례

(1) 친화적 학급 문화 만들기 기출

① **필요성**: 현대 사회는 소통, 배려, 존중의 가치가 중요해지면서 인성교육의 중요성이 강조됨

② **교사의 역할**: 교사는 학생의 목소리를 경청하고, 의견을 수렴하며, 의사소통의 모범을 보여야 함 ➡ 자치와 존중의 학급 문화가 형성되는 분위기를 이끌어야 함

③ **고맙day 진행**: 친구에 대한 고마움을 편지에 적어 전달하는 과정과 이를 시상하는 과정을 통해 감사함을 생활화하고 친구에게 따뜻한 마음을 전달받아 친화적인 학급 분위기 조성

④ **의견 수렴**: 작은 안건이라도 학급회의를 개최하고 의견 수렴 활성화
　　예 단체 채팅방 익명 투표 기능을 이용해 익명 투표하기, 소통 우체통 만들기

(2) 색깔 있는 교실 만들기

① **방법**: 학생들의 관심사에 따라 체육부, 수학부, 인문·예술부, 과학부, 융합부 등으로 소모둠을 구성하고 자투리 시간을 활용해 관련 활동을 전개함

② **필요성**: 공동성을 기반으로 조회 시간, 쉬는 시간, 점심시간 등 교육 활동 외의 시간을 보다 유의미하게 활용하는 과정에서 협동심과 사회성을 기를 수 있으며, 관심 있는 분야의 역량을 강화할 수 있음

③ 주의 사항: 교사는 소모둠이 교사 중심이 아닌 학생 주도적으로 운영될 수 있도록 돕고, 필요할 때만 중간 피드백·동기 부여를 제공함

사이다 톡talk! 학급 특색 활동 역시 교사 혼자 기획하는 것이 아니라 학교의 가치와 철학을 바탕으로 학생·학부모의 의견을 반영하면 좋습니다. 학생들은 스스로 결정한 일에 더 책임감을 가지고 성실히 참여하거든요! 또한 활동이 교실에만 머무르지 않고 학교 문화로 확산될 수 있도록, 산출물을 전시하거나 학부모와 나누는 기회를 마련해 보세요. 이런 확장적 관점까지 답변에 담는다면, 현장성과 전문성을 동시에 보여줄 수 있습니다.

⑤ 학급 학생 문제 상황 해결

(1) 친구 관계에 어려움이 있는 학생

① 문제 원인 및 유형 파악
- 관찰, 면담, 또래 지명, 학부모 상담 등 다양한 구성원들이 협력해 종합적으로 파악해야 함
- 이를 바탕으로 위축형, 미숙형, 문제행동형, 상호무관심형 등으로 구분해서 접근해야 함

② 개입 및 지도 방법
- **위축형**: 관계 기술을 가르치고 친구관계에서 연습의 기회를 많이 주며, 잘하는 행동이나 활동을 포착해 그 순간에 칭찬함. 단기간의 변화를 강요하지 않음
- **미숙형**: 관계의 기술을 가르침. 친구의 감정 표현에 어떻게 반응해야 하는지 설명하고 공감하기, 위로하기 등을 알려줌
- **문제행동형**: 친구들과 재미있게 놀고 싶어 하는 욕구를 인정하되, 현재의 행동 방식으로 인해 고립되고 힘들어지므로 스스로 변화의 필요성을 느낄 수 있도록 도움. 문제행동 시 상대방의 느낌을 유추해 볼 수 있도록 하고 바람직한 방식을 구체적으로 알려줌
- **상호무관심형**: 일상생활에 지장을 주지 않고 관심 분야에 몰입하고자 한다면 무리하게 관계 형성을 촉구하는 것보다 학생의 강점을 발휘하도록 함

③ 유의 사항
- 관계 형성은 시간이 걸리는 과정임을 인정하고, 학생이 기술을 습득·연습할 수 있도록 지속적인 칭찬과 격려를 통해 지지해야 함
- 특히 소심하거나 관계 기술이 서툰 학생에게 교사가 억지로 친구를 붙여주면 관계가 오래가지 못하고 쉽게 틀어질 수 있음. 이 경우 학생이 다시 실패 경험을 하게 되어 자신감을 잃는 역효과가 날 수 있으므로 주의해야 함

- 따라서 단순히 '친구를 만들어 주는 것'이 목적이 아니라, 학생 스스로 관계 맺는 힘을 기르고 작은 성공 경험을 통해 자신감을 쌓을 수 있도록 지원해야 함

사이다 톡 talk! 교사로 생활하다 보면 많은 학생들이 친구 관계로 어려움을 겪는다는 것을 알게 됩니다. 그런데 우리가 쉽게 하는 말, "먼저 다가가 봐", "노력해 봐"라는 조언은 오히려 학생을 더 위축시키는 경우가 많습니다. 제가 경험해 보니, 친구 관계 문제는 단순히 친구를 붙여주는 것으로 해결되지 않더군요. 중요한 건 학생이 스스로 관계 기술을 연습하고 작은 성공을 경험할 수 있도록 돕는 것입니다. 예를 들어, 소심한 학생이 발표를 하거나 친구에게 작은 도움을 주었을 때 "네가 해줘서 도움이 됐어"라고 바로 칭찬해 주면, 그 순간이 자신감으로 이어집니다. 또 문제행동을 보이는 학생도 사실은 친구들과 잘 지내고 싶다는 욕구가 있는 경우가 많아요. 그 마음을 인정해 주고, 다른 방식으로 어울릴 수 있는 방법을 알려주면 관계가 훨씬 좋아집니다. 결국, 교사는 학생 관계의 중재자가 아니라 성장의 동반자가 되어야 합니다. 단기간의 성과보다, 학생이 관계 맺는 힘을 길러서 언젠가는 혼자서도 친구를 사귈 수 있도록 돕는 것! 그것이 교사의 진짜 역할이라고 생각합니다.

(2) 학교에 오기 힘들어하는 학생

① 원인: 학업 수행, 친구 관계, 우울증, 인터넷·스마트폰 과의존, 학교폭력 경험 등

② 특징
- 두통, 복통, 잦은 소변 등 신체 증상으로 표현
- 학교 가기 싫은 마음을 솔직하게 표현하지 못하고 지각과 조퇴 반복
- 여러 이유를 들어 정당화하려는 태도를 보이기도 함

③ 지도 방안
- 학생의 마음을 이해하기: 야단치기보다 학교에 오기 싫은 이유를 진솔하게 들어주며 심리적 안정을 시킴
- 긍정적 행동과 변화에 대한 관심과 칭찬: 비난이나 부정적 평가 대신 학생이 잘하고 있는 행동에 먼저 관심을 기울여 자신감을 회복할 수 있도록 함
- 긍정적 표현을 사용한 해결 방안 제시: '~하지마'보다는 '~을 멈추고, ~했으면 좋겠다'라는 긍정적인 표현을 사용하며 해결 방안을 함께 제시
- 학생의 현재 상황 파악 및 목표 수준 탐색: 자신과 타인, 문제 상황과 목표수준 및 본인의 노력에 대해 구체적인 탐색을 통해 객관적으로 살펴보도록 함

사이다 톡 talk! 학교에 오기 힘든 학생을 지도하다 보면, 교사도 답답하고 지치기 쉽습니다. 그런데 경험해 보면, "왜 안 오니?"라는 추궁보다 "무슨 마음이니?"라는 질문이 훨씬 더 효과적이었어요. 자신이 이해받는다고 느끼는 순간, 등교 자체가 회복되기 시작하거든요. 또, 작은 행동 변화에도 즉각적으로 칭찬을 건네면 학생은 "선생님이 나를 믿는다"는 신호를 받습니다. 그 믿음이 쌓이면 학생은 스스로 목표를 세우고 한 발 한 발 나아가게 됩니다. 결국 중요한 건 '결석을 줄이는 것'이 아니라 학생이 학교를 안전한 공간으로 다시 받아들이도록 돕는 과정이라고 봅니다.

건강한 습관과 공동체성을 기르는 20일간의 챌린지

2022년에 고등학교 1학년 담임을 맡았어요. 그 친구들은 중학교 1학년 때 자유학년제, 2~3학년 때 코로나19로 온라인 수업을 한 세대입니다. 그러다 보니 자기주도 역량이나 사회성이 부족한 친구들이 꽤 있었고, 학습에 몰입하는 것 자체를 상당히 힘들어했어요. 그래서 그해의 학급 운영 목표는 "건강한 생활·학습 습관을 만들고, 공동체 역량을 기르자."였어요. 특히 기억에 남는 프로젝트가 있는데요. 늘어질 수 있는 방학에 온라인으로 시행한 '20일간의 습관 챌린지'입니다.

어떤 일을 20일간 반복하면 그것이 습관이 된다고 하잖아요. 크게 공부, 운동, 인문·예술 3가지 영역으로 나눠 관심 있는 부분에 참여하며 20일간 꾸준히 카카오톡으로 인증사진을 보내는 방식으로 습관을 기르자는 취지였어요. 공부하고 싶은 사람은 자기의 하루 목표치를 정해 매일 매일 그것을 인증하는 것이고, 누군가는 운동을, 독서를, 그림 습작을 하는 것이죠. 담임인 저는 3가지 그룹에 모두 참여했고, 방학이 시작된 후 카카오톡 단체카톡방을 만들어서 다음 날부터 매일 인증을 했습니다.

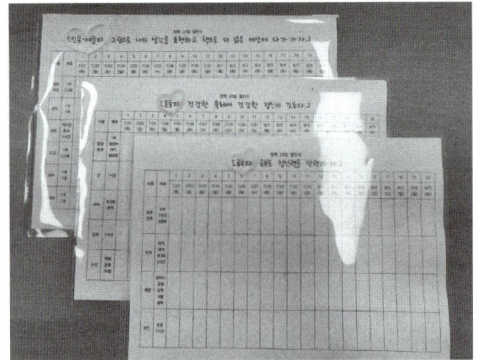
▲20일 습관 챌린지 출석부

▲ 운동부 단체카톡방

효과적으로 운영하기 위해 팀장을 선출했고, 관심 있는 친구들이 자진해 신청해 줬어요. 학생들은 여름휴가를 가서도 바닷가에서 팔굽혀펴기 인증사진을 보내고, 몸이 안 좋은 날에는 아침, 저녁 2번으로 나누어 맨몸운동을 하는 등 이 챌린지에 성공하기 위해 꾸준히 노력했어요. 저 역시 비오는 날에 우산을 쓰고 걸으며 목표로 했던 1만 보 걷기를 매일 인증했고요. 혼자라면 포기했겠지만 친구들이 올리는 사진을 보고 자극을 받고, 동기부여도 하고, 서로 칭찬도 해가면서 20일간의 챌린지를 함께 이어 나갔습니다.

학생들은 이때의 경험이 정말 즐거웠다고 말해주었습니다. 늘어질 수 있는 방학에 무언가 할 것이 있다는 생각으로 덜 나태해졌다고 해요. 그리고 '내가 무언가를 위해 이렇게 꾸준히 할 수 있는 사람이구나.' 생각하며 자존감도 올라가고 학교에서 보지 못한 다른 친구의 끈기, 열정, 부지런함 등 새로운 장점을 발견할 수 있어 즐거웠다고 했습니다. 저 역시 이 챌린지를 통해 무려 3년간 읽어야지, 읽어야지 하고 미뤄뒀던 책을 단 이틀 만에 다 읽기도 했고, 우리 학생들의 또 다른 장점들을 볼 수 있어서 참 행복했어요. 방학이 끝나고 2학기가 시작돼서도 이러한 인증 챌린지 문화는 저희 반만의 하나의 유행이 돼 여기저기에서 소그룹이 자율적으로 만들어졌답니다!

28 자기주도학습 (공)

현장 이야기로 사이다 열기

제가 가르친 학생 중 한 명이 수업 시간 내내 집중을 하지 못했는데, 지필평가에서는 매우 좋은 성적을 받았습니다. 본인은 "혼자 공부해도 성적이 잘 나온다"고 말하더군요. 그렇다면 이 학생을 진정한 자기주도학습자라고 볼 수 있을까요?

좋은 점수를 받는다고 해서 자기주도학습이 완성되는 것은 아닙니다. 자기주도학습은 단순히 성적 향상이 아니라, 스스로 학습을 계획하고 실행하며 성찰하는 과정 전체를 의미하기 때문입니다. 즉, '공부를 잘하는 법'이 아니라, 학생이 평생 학습자로 살아가기 위한 힘을 길러주는 과정인 것이죠.

그래서 교사의 역할이 중요합니다. 학생들에게 자기주도학습의 취지와 중요성을 말하여 서로 공감하는 것부터 시작해야 합니다. 그리고 수업, 학급 운영 영역에서 학생의 주도성을 키우기 위한 교육을 설계해야 합니다. 특히 공교육의 역할은, 가정환경이나 사교육 여부와 관계없이 모든 학생이 자기주도적 학습 습관을 기를 수 있도록 돕는 데 있습니다. 학생이 자기 삶의 주인이 되도록 돕는 것, 이것이 교사와 공교육의 책무이며, 우리가 반드시 함께 고민해야 할 과제입니다.

#중요성 #교육_방안

All 기출 문장 및 빈도 체크

연도	자기성장소개서			집단토의			개별면접		
	초	중	비	초	중	비	초	중	비
2016									
2017									
2018									
2019									
2020									
2021				미시행					
2022									
2023							✓		
2024									
2025									

*공통 (공)

[23' 초 면] 자신의 교직관을 바탕으로 제시문 (가), (나)에서 공통적으로 강조하는 것을 분석하고(자기주도학습 능력), 이를 실현할 방안을 3가지 제시하시오.

1 정의

학습자가 주체가 되어 학습 과정을 스스로 계획·실행·평가하는 학습 활동을 의미함
➡ 핵심 구성 요소: 학습의욕(동기)·학습전략(인지)·학습실천력(행동)

(1) 학습의욕(동기): 학습을 시작하게 하는 내재적인 힘

① 자기 효능감: 스스로 능력에 대한 믿음, 과제를 성공적으로 수행할 수 있다는 자신감
  ➡ 학습동기 유발, 학습과정에서 발생하는 문제를 극복할 수 있는 원동력

② 목표 지향성: 학습을 하는 목적을 어디에 두고 있는지에 대한 방향성
  - 학습목표 지향: 학습이 즐거워 자신의 능력을 신장시키는 것에 목표를 두고 공부하는 것
  - 수행목표 지향: 자신의 능력이 타인에 비해 우월하다는 것을 나타내려는 목적
    ➡ 좋은 성적을 받지 못했을 때 학습동기 상실
  👍 학습목표와 수행목표 지향성이 균형을 이룰 때 학업성취도 극대화

(2) 학습전략(인지): 학생이 자료나 정보를 기억하고 이해하는 데 사용하는 실제적인 전략

① 시연(rehearsal): 학습내용을 소리 내어 읽거나 특별한 단서를 활용해 반복 암기
② 정교화(elaboration): 새로운 지식과 기존 지식 사이의 내적 연결
③ 조직화(organization): 학습내용 간의 관계를 논리적으로 구성 예 노트 필기
④ 학습점검: 학습계획-학습점검-학습평가 예 오답 노트, 계획 점검·조정

(3) 학습실천력(행동)

① 시간 관리: 주어진 시간을 최대한 계획적으로 사용하는 것 예 학습 플래너 작성
② 도움 요청: 공부를 잘하는 학생들은 모르는 내용이 생겼을 때 도움을 잘 구함
  예 스터디 그룹 조직, 교재나 참고서적 활용
③ 학습 전반에 대한 점검과 개선: 시간 관리, 계획, 실천, 평가 활동에 대한 자율권을 학생이 가지고 있을 때 자기주도적인 학습자로 성장 가능

사이다 톡talk! 교사가 자기주도학습의 정의와 구성요소를 아는 것은 단순한 지식 차원이 아니라, 학생에게 구체적이고 실질적인 조언을 하기 위해 꼭 필요한 과정입니다! 예를 들어 '공부 열심히 해라'가 아니라, 자기 효능감을 어떻게 높이고, 어떤 학습 전략(시연·정교화·조직화 등)을 사용하며, 시간 관리와 도움 요청 같은 실천력이 왜 중요한지까지 설명해 줄 수 있어야 하죠. 그래야만 학생이 따라 해볼 수 있는 구체적인 학습 행동으로 연결될 수 있습니다.

② 중요성

① 학생들은 실시간으로 쏟아지는 정보의 홍수 속에 살고 있음 ➡ 제대로 된 정보 습득 능력을 갖고 지식 생산자로 활동하기 위해서는 자기주도학습 능력이 수반돼야 함
② 학생들이 가장 고민하는 공부 문제를 해결하기 위해 스스로 학습할 수 있는 힘을 길러 주어야 함

> Q 우리나라 13~18세 청소년이 가장 고민하는 문제
> A 공부(46.5%) ➡ 외모(12.5%) ➡ 직업(12.2%)
>
> 출처: 통계청·여성가족부, 2021 청소년 통계

③ 자기 스스로 목표를 세우고 공부하는 능력이 있어야 평생학습 시대를 살아갈 수 있음
④ 코로나19로 시작된 온·오프 연계 활동으로 학생들의 자기주도 역량이 더욱 중요해짐

③ 교사의 역할

(1) 내재적 동기 형성

학습 과정에서 학생의 선택 인정, 개방적인 학습 과정 구성, 공부를 해야 하는 이유 설명 ➡ 점진적으로 책임감을 학생에게 이양

(2) 각 교과에 적합한 공부 전략 소개

청킹, 범주화, 두운법, 노트 필기 방법 등

> **효과적인 노트 필기법!**
> - 자기가 이해한 문장으로 적기
> - 복잡한 관계, 시대의 흐름 등은 그림, 도표, 연표 등을 사용하기
> - 자주 나오는 지시나 주의 사항, 용어는 자신만의 기호나 약자로 표시하기

(3) 주의집중을 위한 수업 원리 활용

① 흥미를 유발할 수 있는 자극 선택
   - 예) 특징적이거나 대비적인 속성을 지니고, 학습자의 일상 및 경험, 현상과 관련된 것 등
② 기존에 알고 있던 지식이나 상식으로는 해결되지 않는 문제를 통해 호기심 유발
③ 시각·청각·촉각·운동 감각 등 다양한 수업 방식 활용
④ 경험 및 선행 학습과의 관련성

(4) 성찰 시간 부여

학습이 끝난 후 스스로 평가하고 반성하는 시간을 부여해, 자신의 학습 방법이 효과적이었는지 확인하고, 개선할 점을 찾도록 함

(5) 실패를 통해 배우는 바람직한 학습 행동

교사는 학생들의 실패를 '노력 부족'으로 돌려야 함 ➡ 능력을 탓하면서 학생을 동정하고 위로하면 열등감과 무력감을 느낌

(6) 멘토링 및 상담

학습 과정을 점검하고 어려움을 해결할 수 있는 멘토링 시스템을 마련해 학생들이 어려움에 부딪혔을 때 상시 도움을 받을 수 있도록 함 예) 정기적인 학습 상담, 개인 맞춤형 조언 제공

4 자기주도학습을 유도하는 수업 방법

(1) 협동 학습

직소Ⅱ, STAD(학생팀 성취 분담학습), TAI(팀 보조 개별학습)와 같이 개인의 역할이 분명하고 협력적 과정을 병행하는 학습은 학생의 자기주도학습 능력 함양에 효과적임

(2) 프로젝트 중심 학습

실제 문제 해결을 위한 프로젝트를 수행하는 과정에서 학습자가 학습을 설계·계획하고 자료를 탐색하며 결과물을 완성함. 교사는 기본 가이드라인만 제공하고, 학생은 주도적으로 문제 해결에 참여함. 이를 통해 새로운 지식과 기술 습득이 가능함
   - 예) 환경 보호와 관련된 프로젝트에서 학생들이 자료를 조사하고, 자신만의 해결책 제시

(3) 토론 학습

학생들이 서로 의견을 나누고, 협력해 문제를 해결하는 과정에서 자기주도적인 학습을 유도할 수 있음 ➡ 비판적 사고와 문제 해결 능력을 키우는 데 유익함

(4) 학생 주도 발표 수업

학생들이 수업 시간에 특정 주제를 맡아 직접 발표하거나, 토론을 주도하게 함으로써 학습 내용을 깊이 있게 이해하도록 유도함 ➡ 발표 준비 과정에서 자기주도적으로 학습을 진행하게 됨

(5) 거꾸로 학습(flipped learning)

수업 전, 학생들이 교사의 강의나 학습 자료를 미리 학습하고, 수업 시간에는 이를 바탕으로 토론, 문제 해결, 프로젝트 등을 진행함

> 예 수학 수업에서 이론을 미리 동영상으로 학습하고, 수업 시간에 문제를 풀며 교사와 함께 해결하는 방식

29. 초등 저학년 학교생활 적응 방안(유·초 이음학기, 성장배려학년제) 초

현장 이야기로 사이다 열기

1학년과 6학년은 초등학생이라는 하나의 범주로 보기엔 모든 면에서 큰 차이를 보입니다. 따라서 초등학교 교사라면, 발달 단계에 따른 학년별 교육과정 편성·운영의 중점 사항을 더욱더 다양하게 고려해야 합니다.

특히 초등 1학년 입학 초기 학생들은 안정적인 학교생활 적응을 위해 집중적인 지원이 필요한데요. 정서적, 학습적 측면뿐 아니라 유치원과의 연계 등의 측면에서도 세심한 지도가 필요합니다. 유·초 이음학기와 성장배려학년제는 이와 같은 취지에서 만들어진 제도입니다.

초등 저학년 학생들의 학교 적응과 성장을 위한 교육적 지원 방안에 대해 함께 생각해 봅시다.

#정의 #기대효과 #교사의_역할

☑ All 기출 문장 및 빈도 체크

연도	자기성장소개서 성			집단토의 토			개별면접 면		
	초	중	비	초	중	비	초	중	비
2016									
2017									
2018									
2019									
2020									
2021				미시행			✓		
2022									
2023									
2024									
2025									

*공통 공

[21' 초 면] 1학년 학생들이 겪는 어려움은 무엇일지 말하고 이를 해결할 수 있는 방안을 말하시오.

1 유·초 이음학기

(1) 정의

① 유치원과 초등학교의 교육을 연계하여 초등학교 1학년 입학 초기 학생들의 적응 활동을 집중 지원하는 제도

② 유치원의 이음학기와 이어지는 초등 입학 초기 적응 활동을 통해 일관성 있는 교육 경험 제공

> **사이다 톡 talk!** 이음학기는 유치원과 초등학교가 따로 준비하는 게 아니라, 함께 계획을 세우고 공유하는 것에서 출발합니다. 예를 들어, 유치원과 초등학교 교사들이 만나서 어떤 과제를 함께할지, 교육과정 시간을 어떻게 확보할지 협의하는 거죠. 그런데 현실적으로는 유치원과 학교가 멀리 떨어져 있어서 자주 대면 협의하기가 쉽지 않습니다. 또 학급 수나 아동 수가 달라서 1:1로 매칭하기도 어렵습니다. 그래서 현장에서는 공통 주제를 정하고 각자 학급에서 운영하는 방식을 많이 씁니다. 두 기관이 함께 쓸 수 있는 그림책이나 에듀테크 자료를 매체로 활용하고, 가치 중심의 인성교육 같은 큰 주제를 같이 잡는 거예요. 직접 만나기 힘들 때는 온라인 활동을 통해 서로 연결해 주기도 하고, 유치원 졸업 전에 1~2번 정도는 초등학교에 직접 와서 공간에 익숙해지는 기회를 주기도 합니다. 이런 방식이 바로 이음학기의 실제 운영 모습이에요. 면접에서 답변하실 때, 이음학기는 유치원과 초등이 교육과정을 함께 설계하되, 여건에 따라 비대면 협력이나 병렬적 운영 방식을 병행한다는 점을 기억하시면 현장 친화적인 답변이 될 거예요.

(2) 필요성

① **유아**: 초등 입학 전 기초 역량 함양, 전인적 성장 지원, 유치원과 초등학교의 일관성 있는 교육 경험으로 교육의 효율성 향상 가능

② **초등학교 1학년 학생**: 유치원 동생들과 소통하며 의사소통·협력·공감 능력 및 창의적 문제 해결 경험 제공

③ **보호자**: 연계 교육에 대한 신뢰와 만족도 강화, 조기 사교육비 경감 효과

④ **교사**: 유아 발달·정서 정보 공유로 학생 적응 지원, 교육 일관성 확보, 교사 전문성 향상

(3) 유의 사항

① **상호 교육과정 이해**: 「2019 개정 누리과정」과 「2022 개정 초등교육과정」의 연계성 이해 필요

> **사이다 톡 talk!** 유·초 이음교육을 이야기할 때 꼭 짚어야 할 게 바로 교육과정의 연계성이에요. 누리과정(2019 개정)은 유아가 놀이를 통해 심신을 건강하게 기르고, 인성과 민주 시민의 기초를 다지는 걸 목표로 합니다. 반면 초등학교 2022 개정 교육과정은 이 토대를 이어받아 기본 습관과 기초학습 능력, 바른 인성을 심화시키는 데 중점을 두죠.
> 즉, 유치원에서는 놀이 중심 경험을 통해 전인적 성장을 준비하고, 초등학교에서는 그 경험을 바탕으로 기초학습 습관과 인성 함양으로 발전시키는 구조예요. 면접에서 답변할 때는 "놀이를 통한 성장 경험이 초등학교의 기초학습과 인성교육으로 자연스럽게 이어진다"는 점을 강조하면 현장 친화적이면서도 정책 이해도가 드러납니다.

② **공동교육과정 운영**: 공동교육과정을 적용하는 경우, 프로젝트 주제 선정 후 유·초 협력 수업 설계 및 실행

③ **교사 이음 실천**: 유치원 교사와 초등학교 교사가 함께 전문적 학습공동체·상시 협의체 운영, 발달 정보 공유를 통한 교육과정 재구성

(4) 내용

초등학교 공간, 규칙, 서로의 감정, 더불어 살아가는 방법, 우리나라 문화, 하루 일정 등을 체험활동으로 학습

② 초등 성장배려학년제

(1) 정의

초등 1~2학년 학생들의 안정적인 학교생활 적응을 위해 관계 형성-놀이 활동-기초학습 등을 집중 지원하는 교육과정

(2) 도입 목적

① **교육 형평성 제고**: 취약계층, 위기학생 등 소외집단 지원

② **적응 지원**: 초등 1~2학년은 적응 여부를 좌우하는 결정적 시기

③ **공교육 책무성 확보**: 학교급 전환기에 있는 학생들의 다양한 계층, 지역·문화적 배경, 가정의 양육문화 특성 등 학생 개별 특성에 맞는 맞춤형 교육 제공

(3) 방법 `기출`

① **학교 적응 지원**: 학생의 관심·심리·행동·성장 배경 등 배려, 충분한 점심·놀이 시간 확보, 한글·수학 놀이 자료 활용, 학부모와의 교육적 상호작용 강화

② **기초 학습 강화**: 국어 시수 확대, 기초 수학 교육, 주제별 융합 수업 운영

③ **놀이 중심 교육**: 학생 흥미 반영 놀이 수업, 온·오프라인 놀이 자료 활용

> **사이다 톡talk!** 학생 개개인에 대한 관심, 흥미를 먼저 파악하는 것이 매우 중요합니다!

(4) 교사의 역할

① 초등 성장배려학년제의 의미와 필요성 공유

② 1~2학년 학생들의 발달 단계와 개별 학생들의 특성 파악

③ 효과적인 1~2학년 담임 배정(연임제, 중임제 등)

④ 1~2학년 교사학습공동체를 운영하고 평가 및 환류를 통해 교육과정 개선

⑤ 학부모와 상시로 소통하며 협력적 관계 형성

(5) 기대효과

① 학생 개개인의 특성과 상황을 정확히 파악 가능

② 맞춤형 교육 기회 제공

사이다 톡talk! 경기도교육청은 초등 저학년 '학습지원 협력 교사' 지원 사업에 관해 의견을 밝혔어요. '학습지원 협력 교사' 지원 사업은 초등 1~2학년 학생의 안정적인 학교생활 적응과 기초학력 보장 지원을 위해 마련한 제도인데요. 선정교가 되면 1교당 1명의 학습지원 협력 교사가 배치되는 거예요. 기초학력 학습지원 대상자, 다문화가정 학생, 취약계층 학생 비율 등을 고려해 해당 학교를 선정한 후 협력 교사가 담임교사와 협력 수업, 수업 자료 공동 준비, 방과 후 기초학력 지도 등을 하는 것이죠. 교육청이 초등학교 저학년 학생들의 안정적인 학교생활 적응 지원에 대한 비전을 밝힌 만큼, 초등학교 학생들의 성장 단계를 고려해 학년별 세분화 교육 및 맞춤 교육의 중요성을 이해하고 이 방향으로 교육 방안을 고민하셔야 합니다.

30 학생 문화 이해 (공)

현장 이야기로 사이다 열기

스마트폰의 일상화로 친구 간의 소통 방식과 교우관계를 맺는 방식이 빠르게 변화하고 있어요. 예컨대, 먼저 온라인으로 인스타그램 맞팔로우를 한 후, 메시지를 주고받으며 친해지다가 현실에서 베스트프렌드가 된다거나, 자기를 어떻게 생각하는지 직접 물어보지 않고 인스타그램 속 스토리 기능을 통해 설문을 받는 형식으로요. 또한 유튜브, 게임을 단순 시청하는 것을 넘어 생산자로 활동하며 수입을 벌어들이는 친구들도 꽤 있고요.

학업에 초점을 맞추거나 온라인 속 세상이 위험하다고 인식하는 학부모님들과 학생들 사이에는 큰 문화적 괴리가 존재하고 때론 교사들도 학생과 세대 차이를 느끼는 순간이 많아요. 사회에서 아주 익숙하게 쓰는 "꼰대"라는 표현에는 권위적인 사고를 가진 어른이나 선생님에 대한 학생들의 불만이 담겨 있는데요. 학생들의 문화를 이해하면서도 우려되는 부분을 해소할 수 있는 효과적인 소통 방안을 함께 고민해 봅시다.

#지도_방안

☑ All 기출 문장 및 빈도 체크

연도	자기성장소개서 (생)			집단토의 (토)			개별면접 (면)		
	초	중	비	초	중	비	초	중	비
2016									
2017									
2018									
2019							✓		
2020									
2021				미시행					
2022									
2023									
2024									
2025									

*공통 (공)

[19' 초 면] 학생 문화 중 하나를 골라(K-pop, 외모 가꾸기, 유튜브, 신조어 등) 지도 방안을 말하시오.

1 학생 지도의 주안점

① **이해하고 존중하기**: 학생의 문화를 무조건 금지·비판하기보다, 먼저 그 문화를 접할 때 드는 기분과 생각을 물어보고 공감한 후 우려되는 부분 전달

② **스스로 성찰 유도하기**: 토의·프로젝트 학습 등을 통해 과한 사용이 초래할 수 있는 문제를 스스로 깨닫고 통제 계획을 세우도록 함

③ **가정과 연대하기**: 행동에 대한 충고나 지시를 멈추고, 선(先) 관심 후(後) 대화법 제안

> 예 "요즘 인스타, 인스타 하던데 그게 뭐니? 어떤 건지 엄마도 알려줘."

2 인터넷·스마트폰 문화

(1) 순기능과 문제점

① **순기능**: 즉각적 소통, 교우관계 유지, 추억 저장 등 긍정적 측면 존재

② **문제점**: 사이버폭력, 정보 유출, 초상권 침해, 중독 현상

(2) 교육 방안

① **매체 활용 교육하기**: 매체 친숙성을 활용한 교육 효과 도출

- 등장인물 가상 SNS 제작
- 친구 작품에 댓글 달기 활동으로 피드백
- 매체의 친숙함을 활용한 교육
- 태블릿PC로 온라인 교과서 수업

② **올바른 이용 교육하기**

- 조·종례 시간을 활용한 짧고 반복적인 교육으로 경각심 고취
- 피해를 보았을 경우 대처 방안 안내 THEME 13
- **사례 탐구 프로젝트**: 실제 뉴스나 판례(사이버폭력, 개인정보 유출 사례 등)를 학생들이 직접 조사·발표 ➡ 원인·결과·예방책을 토론하며 스스로 깨닫게 함
- **디지털 시민 캠페인**: 학급·학교 차원에서 '스마트폰 안전사용 캠페인'을 학생들이 직접 기획하고 포스터, 카드뉴스, 짧은 영상 제작 ➡ 다른 학급이나 조회 시간에 공유
- **학생 주도 규칙 만들기**: 학급회의를 통해 '우리 반 스마트폰·SNS 사용 규칙' 제정
    ➡ 학생 스스로 합의한 규칙은 실천율이 높음

- 미디어 리터러시 저널 작성: 한 주 동안 자신이 사용한 스마트폰·인터넷 기록을 정리하고, 어떤 부분이 유익했고 어떤 부분이 불필요했는지 분석 후 학급에서 공유
- 퀴즈·게임화 학습: 인터넷 보안, 디지털 예절, 사이버폭력 대처법 등을 문제로 만들어 학생들이 직접 퀴즈쇼 진행 ➡ 재미와 학습 효과 동시에 달성

사이다 톡 talk! 인터넷 관련 문제가 생겼을 때, 학생들이 당황해서 혼자만 끙끙 앓고 있을 가능성이 있어요. 따라서 교사는 대처 방안을 주기적으로 안내해 주는 것이 좋아요. 뿐만 아니라 학생이 주도적으로 깨달을 수 있는 교육을 하면 좋겠죠. 학생 중심 교육을 하되, 학생이 스스로 찾기 어렵거나 힘든 주요 안내 사항은 교사가 전달해야 한다는 것 잊지 마세요.

③ 대중문화 기출

(1) 정의

대중매체를 통해 새롭게 생겨난 상업적·대중적 문화

예) 대중가요, 만화, 웹툰, 영화, 텔레비전 프로그램, 웹소설 등

(2) 학교 교육의 필요성

① 대중문화를 활용하면 여가를 즐기고 또래 집단 속 소속감을 느끼며, 소비자·생산자로서의 역할 경험 가능

② 학교 교육을 통해 대중문화를 접하면 비평적 안목이 길러져 문화 소비 수준이 높아지고, 창작자의 수준까지 함께 향상되는 선순환 형성

③ 대중문화 콘텐츠 산업의 범위가 확대되는 상황 속에서, 미래 인재 양성을 위해 학교 교육도 노력해야 함

(3) 교육 방안: 단순 비평을 넘어, 올바르게 소비하는 방법을 가르쳐야 함

① 비평 교육

- 은어를 사용하거나 과장된 드라마 및 예능 내용을 함께 살펴보며 언어를 순화해 다시 대본 작성하기
- 프로그램에서 볼 수 있는 사회 문제 토론하기 예) 드라마 속 양성평등 문제, 갑질 문제 등

사이다 톡 talk! 단순히 교사가 강의하는 것을 넘어 학생 스스로 성찰할 수 있도록 '학생주도학습'이 돼야 해요! 학생주도성은 경기도교육청이 매우 강조하고 있는 표현이니, 의도적으로 많이 노출하면 좋아요.

② 대중문화를 활용한 교과 수업: 학생들에게 친숙하게 다가가 흥미 있는 교육 가능
- **역사**: 랩으로 왕조 암기하기, 주요 왕의 업적을 노래로 개사하기, 왕에게 바치는 상소문을 랩으로 표현하기
- **국어**: 가요에서 비유법 찾기, 가요를 시로 만들기, 8분 미만의 유튜브용 짧은 드라마 대본 써보기
- **사회**: 뮤지컬·연극으로 모의재판 진행하기, 〈그것이 알고 싶다〉 같은 다큐멘터리 형식으로 사회 문제 보도하기 등
- **미술**: 웹툰으로 표현하기, 이모티콘 개발하기, '휴먼○○체'와 같이 자기 이름을 딴 글꼴 만들기 등

4 유튜브 문화 기출

(1) 현황

먹방, 게임, 청소년 메이크업, 명품 하울, 공부 스터디 등 다양한 분야의 10대 크리에이터 등장 ➡ 학생들은 간접 경험을 하고, 크리에이터를 모방함

(2) 학교 교육의 필요성

① 학생들은 '유튜브'에서 정보 검색을 많이 하며, 많은 조회 수나 크리에이터의 유명세를 믿고 영상 내용을 신뢰 ➡ 미디어 리터러시 교육이 필요함

② 명품 하울 영상을 보며, "1,000만 원 플렉스하기" 등이 학생 버킷리스트에 등장 ➡ 건전한 가치관 형성이 필요함

③ 초등학생 장래희망 중 새롭게 '유튜브 크리에이터'가 상위권에 오름 ➡ 관련 역량을 길러줄 교육이 필요함

(3) 교육 방안

① 콘텐츠 분석 활동
- 인기 있는 유튜브 영상(먹방, 게임, 하울 등)을 함께 시청하고, 그 속에 담긴 광고·협찬·과장 표현을 분석
- '사실'과 '의견'을 구분하는 훈련
- 영상 편집 기법, 홍보 방법 탐구

② 비판적 소비자 훈련: "왜 이 영상을 사람들이 좋아할까?", "이 영상이 전하고 싶은 메시지는 무엇일까?"를 토론하며 상업적 의도와 사회적 영향력에 대해 학생 스스로 성찰 유도

③ 학생 제작 활동

- 학급 채널을 운영하며 직접 영상 기획·촬영·편집·업로드
- 단순 재미 콘텐츠뿐 아니라 교과 연계 학습 영상, 학교 행사 홍보 영상 제작
- '좋아요' 수를 늘리는 것보다 전달력·메시지·공익성을 평가 기준으로 삼기

④ 디지털 시민교육

- 저작권, 초상권, 개인정보 보호, 악성 댓글 문제 다루기
- 책임 있는 온라인 소통과 건전한 댓글 문화 실천

사이다 톡 talk! 창의적 체험활동 시간에 학급 차원에서 하는 교육도 좋지만, 교과 지도 방안을 묻는 경우 '성취기준'에 근거해야 한다는 것 다시 또 강조합니다! 교과서를 펴서, 어느 단원에서 유튜브 관련 교육을 병행하면 좋을지 설계해 주세요. 올해는 수업 설계 능력이 매우 중요하니 교과서, 성취기준과 베스트프렌드가 되어야 합니다.

5 게임 문화

(1) 의미

① 청소년들의 관계 형성 수단: 사회적 거리 두기로 밖에서 친구를 만나거나 함께 놀지 못하는 상황에서 더욱 발달함 ➡ 문화로 보는 시선이 필요함

② 게임시간 선택제 도입: 셧다운제도(만 16세 청소년은 00~06시까지 게임에 접속할 수 없음. 청소년보호법 제26조 제1항)가 폐지되고 만 18세 미만 청소년 본인 또는 법정대리인의 요청 시 원하는 시간대로 게임 이용 시간 설정 ➡ 청소년의 자기결정권 및 가정 내 교육권을 존중해 자율적 방식으로 청소년의 건강한 게임 여가 문화가 정착되도록 지원하려는 시도

(2) 교육 방안

① 학생의 재능 인정하기: 이모티콘 및 캐릭터 제작 판매, 스트리머 활동 등을 진로로 연결

② 대안 활동 제공하기: 자기효능감이나 자존감이 낮다면 쉽게 게임이나 SNS에 빠지게 됨
 ➡ 오프라인에서 할 수 있는 취미 활동 지원

③ 예상되는 문제 언급하기: 청소년들을 상대로 범죄 행각을 벌이는 어른들이 있음을 고지, 금전 거래로 인한 사기 행위 등을 안내

④ 스스로 깨닫고 계획 세우게 하기: 사용 시간을 짚어보고 통제 계획을 세우도록 지도

사이다 톡 talk! 이 외에도 초등 기출문제로 나온 외모 꾸미기, 신조어 등의 지도 방안도 고민해 봐요. 외모 꾸미기에 대해 '꼰대적인 시각'에서 "학생이 무슨 화장이야."라고 말한다면 전혀 와닿지 않겠죠? 예뻐지고 싶은 마음을 이해하고 존중하되, 피부 건강이나 서클렌즈로 인한 안구건조증 유발 등을 언급하며 걱정하는 마음을 전달해야 소통이 원활하게 진행되겠지요! 그리고 남학생보다 여학생이 외모에 관심이 많은데, 여학생들의 외모 검열이나 과한 다이어트는 'THEME 47. 양성평등 및 성인지 감수성'에서 살펴보듯이 사회에 뿌리 깊게 자리 잡은 성 불평등에 속하는 일이라는 것도 자연스럽게 이해할 수 있도록 교과 연계 수업을 하면 좋을 것 같아요. 신조어 교육은 아이들이 낯선 단어를 사용하고 있다면 바로 검색해, 부모님을 욕하는 단어라든지, 성에 관련된 비속어라면 그냥 넘어가지 않고 상담하거나 학급 차원에서 자치 시간을 활용해 프로젝트 학습으로 구성해 학생들이 언어의 뜻을 찾아보고 서로 토의하며 올바른 언어 사용에 대해 스스로 성찰할 수 있는 시간을 부여해야겠지요! 일방적인 지도를 넘어 스스로 깨닫게 할 방안을 모색해야 해요.

2026학년도에 나는 교사이다 — 나만의 [학생 문화 이해] 방안 고민하기

① 문화 선택과 그 이유:

교육 방안:

② 문화 선택과 그 이유:

교육 방안:

③ 문화 선택과 그 이유:

교육 방안

31 인성교육 공

현장 이야기로 사이다 열기

경기도교육청은 "처방식 인성교육으로는 한계가 있다. 삶의 주인이 되어 자기 책임을 질 수 있는 예방적 차원의 경기인성교육을 추진하겠다."라고 강조하며 "가정, 학교, 지역사회 모두가 함께하는 인성교육으로 학생들의 긍정적 자질 함양이 이루어지도록 노력하겠다."라고 밝혔어요.

다양한 사회 문제, 교내 교육공동체의 관계 속 갈등 문제 등을 보고 있노라면 인성교육이 그 어떤 교육보다 중요함을 알 수 있죠. 미래 사회 변화에 디지털, AI 활용 교육을 강조하면서도 그에 못지않게 학생의 인성교육, 관계 문제에 신경 쓰고 있다는 사실을 절대 잊지 마시고요!
경기도교육청의 추진 방향성에 걸맞은 선생님만의 인성교육 방안을 꼭 수립해 둡시다.

#실천_방안

☑ All 기출 문장 및 빈도 체크

연도	자기성장소개서 성			집단토의 토			개별면접 면		
	초	중	비	초	중	비	초	중	비
2016									
2017									
2018									
2019									
2020									✓
2021				미시행					✓
2022									
2023								✓	✓
2024	✓							✓	✓
2025							✓		

*공통 공

[25'초] 자신의 교육철학에 따라 공동체적 인성 가치 중 하나를 선택하여 학급 인성 브랜드를 설정하고, 이를 바탕으로 학부모와 학생이 참여할 수 있는 인성교육 방안 3가지를 말하시오.

[24'비] 존중, 배려, 협력, 책임 중 1가지를 선택하여 그 이유를 말하고, 가정과 연계한 교육 방안을 말하시오.

[24'중] 우리 반 인성교육 브랜드를 제작하고자 한다. 존중, 협력, 책임, 배려 중 하나를 선정하여 브랜드를 만들고 제작 이유와 그 의미를 설명하시오. 또한 학급 자치 활동 시간에 학생들이 직접 실현할 수 있는 구체적인 방안 2가지를 제시하시오.

[24'초성] 경기교육은 모든 학생이 인성과 역량을 키워가며 꿈을 실현할 수 있도록 자율, 균형, 미래와 함께한다. 교사로서 학생의 인성과 역량을 신장할 수 있는 방안을 각각 하나씩 제시하시오.

[23'비면] 경기인성교육 목표를 참고하여 전공과 연계한 실천적 인성교육 방안을 말하시오.

[23' 중 실] SWOT을 분석하고(교육공동체 인성교육 필요, 교과 연계 인성교육 프로그램 미비, 미디어에 무분별하게 노출, 기초생활습관 부족 등) '_를 통한_'의 빈칸을 채워 자율과제의 필요성과 구체적인 교육 방안을 말하시오.
[21' 비 실] 역량중심 교육과정을 바탕으로 한 실천형 인성교육 방안을 말하시오.
[20' 비 실] 신체적 폭력보다 정신적 폭력이 증가하는 요즘, 이를 줄일 교육 방안을 제시하시오.

1 정의

자신의 내면을 바르고 건전하게 가꾸며 타인, 공동체, 자연과 더불어 사는 데 필요한 인간다운 성품과 역량을 기르는 것을 목적으로 하는 교육

2 필요성

① 글로벌 지식기반 사회가 요구하는 타인과 협력하며 더불어 살아가는 바른 인성을 갖춘 인재 육성

② 기술이 대체할 수 없는 인성 함양이 필요하며 상호연결성이 커지고 정보량이 급증하는 미래 사회에는 상대방을 존중·배려하면서 소통하는 인성 덕목 필수

③ 팬데믹과 디지털 사회로의 급격한 전환으로 인한 사회적 관계 소외 및 사회·정서적 결핍을 회복하고 공감과 배려 등 공동체 가치를 지향하는 인성교육에 대한 요구 증가

④ 인성 함양의 결정적 시기에 맞는 학생 생애단계별 인성교육 필요

⑤ 디지털 범죄, 기후 변화 등 새로운 사회문제 해결을 위해 타인·공동체·자연과 더불어 살아갈 수 있는 인성 가치·덕목의 내면화 필요

3 목표

자기 삶의 주인으로 미래 사회 변화에 유연하게 대응하며 윤리적 책임을 통해 나와 공동체의 행복을 추구하는 인성 함양

☑ 학교급별 목표

학교급	인성교육 목표
유치원	자신을 존중하고 다른 사람과 더불어 생활하는 능력과 태도를 기른다.
초등학교	학생의 일상생활과 학습에 필요한 기본 습관 및 기초 능력을 기르고 바른 인성을 함양하는 데 중점을 둔다.
중학교	학생의 일상생활과 학습에 필요한 기본 능력을 기르고 바른 인성 및 민주시민의 자질을 함양하는 데 중점을 둔다.
고등학교	학생의 적성과 소질에 맞게 진로를 개척하며 세계와 소통하는 민주시민으로서의 자질을 함양하는 데 중점을 둔다.

④ 경기인성교육 방향성

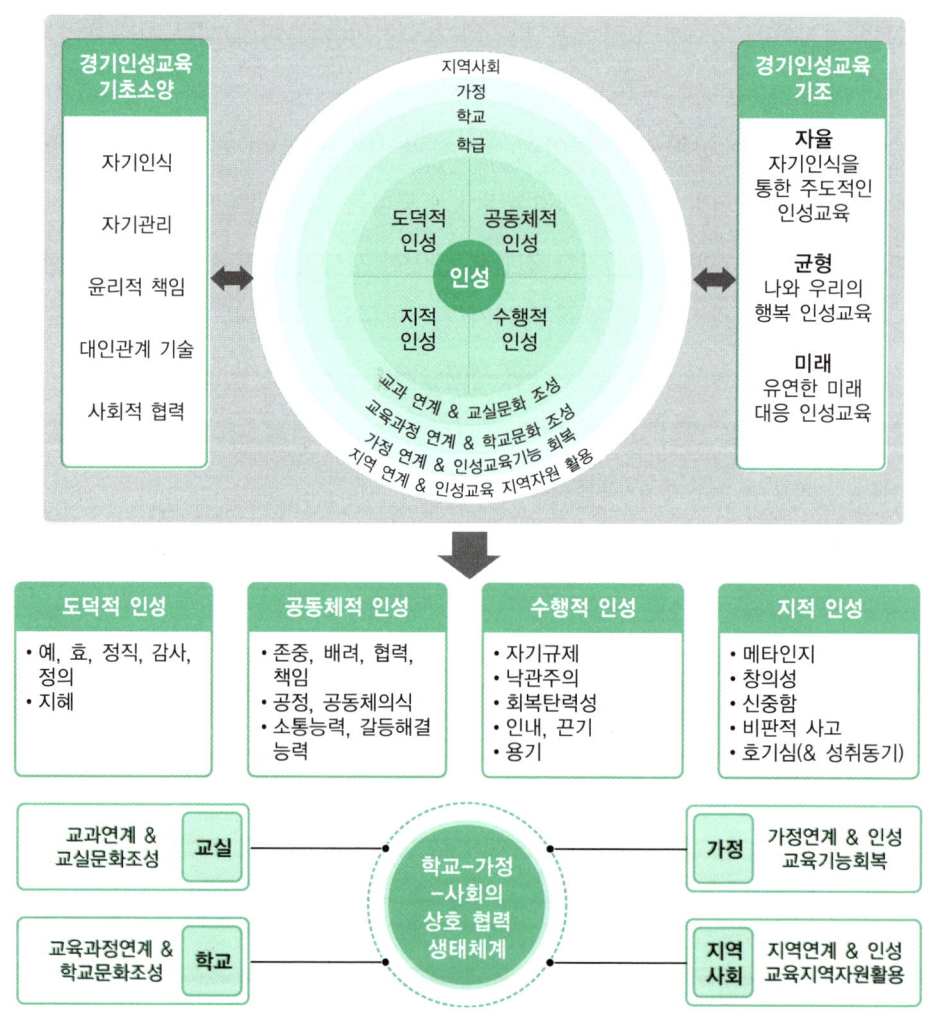

출처: 경기도교육청, 2025 경기도교육청 인성교육 시행계획

(1) 기초소양

경기인성교육 소양	내용
자기인식	감정이 어떻게 생각과 행동에 영향을 미칠 수 있는지를 포함하여, 자신의 생각, 감정, 사고방식과 개인적인 감정을 인식, 이해, 표현하는 능력
자기관리	다양한 상황에서 자신의 충동, 감정, 생각, 행동을 일관되게 관리하고 조절하는 능력
윤리적 책임	자신과 다른 사람에 대한 존중, 자신의 결정에 따른 결과를 고려하여 개인적 행동과 사회적 상호작용에 대해 건설적인 선택을 할 수 있는 능력
대인관계 기술	다양한 개인 및 집단과 건강하고 보람 있는 관계를 맺고 유지하며 명확한 의사소통, 적극적인 경청, 협력을 통해 갈등을 건설적으로 관리하고 필요할 때 도움을 구하고 동료의 부적절한 압력에 저항하는 능력
사회적 협력	문화적 차이에 대한 인식과 존엄에 대한 존중을 포함하여 타인의 관점을 공감하고 받아들이는 능력

출처: 경기도교육청, 인성교육 리플릿(2023)

사이다 톡 talk! 이러한 인성교육 소양을 '성장단계별'로 단계를 고려해 맞춤 교육을 하는 것이 관건이에요. 각 단계에 필요한 인성 역량을 함양할 것! 이것이 포인트랍니다. 출처로 제시한 〈인성교육 리플릿〉에 단계별 교육 내용이 상세히 수록돼 있으니 꼭 참고하세요.

(2) 경기인성 범주

인성 범주	특징과 내용
ⓓ덕적 인성	• 도덕적 선과 원칙을 추구하는 인성 • 윤리적 가치가 성품화된 자질(덕) • 디지털 환경과 인공지능 시대 필수적인 인간다움의 핵심
ⓒ동체적 인성	• 자기중심성에서 벗어나 타인과 협력하는 가운데 공동선의 증진에 기여하는 인성 • 시민으로서 자신의 역할과 책임을 갖는 데 필요한 자질(덕)
ⓢ행적 인성	• 도덕적 가치나 판단을 실행하기 위한 인성 • 과업 완수 지향적 능력(덕) • 학업이나 직업처럼 노력이 필요한 영역에서 우수성을 실현하기 위해 필요한 자질(덕)
ⓩ적 인성	• 빠르게 변화하는 지식과 정보로 인해 점차 예측이 어려운 불확실성 사회에서 강조되고 있는 인성 • 복잡한 문제를 합리적이고 책임감 있게 해결하기 위해 필요한 덕

사이다 톡 talk! 앞 글자를 따서 '도·공·수·지'로 외워요. 인성의 범주 안에 있는 가치들을 보고 학생들에게 어떤 부분을 강화해 주고 싶은지 고민해 보세요. 경기도교육청에서는 유치원·초등학교 단계는 도덕적 인성과 공동체적 인성을, 중학교 단계에서는 공동체적 인성과 수행적 인성을, 고등학교 단계에서는 지적 인성을 강조하고 있답니다. 면접 답변에서 학교급별 수준을 고려하고 학교의 상황, 학생 실태, 공동체의 의견을 반영한 중점 인성 덕목을 정하여 집중적으로 운영하겠다는 의지를 밝혀보세요.

⑤ 경기도교육청 추진 과제

사이다 talk! 경기도교육청에서 제시한 인성교육 방향을 살펴보고, 그 방향에 맞게 나만의 교육 방안을 수립해 보세요. 단순히 교실 수업 안에서 끝나지 않고, 학교 문화-교육과정-가정-지역사회까지 확장된다는 것이 핵심입니다!

(1) 인성 친화적 학교 문화 조성

① 학교·지역 인성교육 브랜드 운영

- 1교 1인성 브랜드 만들기: 학교 특색과 구성원의 의견을 반영한 브랜드 정립 및 실천 과제 제시 예 도덕적 인성 - 같이의 가치를 아는 ○○중학교 ➡ 우리 학년, 우리 학급, 우리 집, 개인별 인성 브랜드 정하기 등으로 확산 운영 가능

- 지역 특색 반영 브랜드 운영
  예 바다처럼 넓은 마음을 지닌 평택인 ➡ 다문화가정 친구와 함께하는 글로벌 존중 주간 운영

② 포용적 학급공동체 운영

- 회복적 생활교육, 학급긍정훈육법, 비폭력대화 등 관계 중심 생활교육 운영
- 학생이 직접 만드는 학급생활협약, 언어문화 개선 활동
- 학생 자치·동아리와 연계한 학교폭력 예방 활동

③ 존중과 책임의 학교 문화 구축

- 인성송, 학교 종소리, 학교 캠페인 등 문화적 요소를 활용한 존중 분위기 조성
- 학생·교사·학부모가 함께 만든 책임규약 실천
- 학년 간 결연, 사제동행 활동 등을 통한 협력적 관계 구축

사이다 talk! 이러한 활동들은 구성원들의 자율과 책임에 바탕을 두어야 한답니다. 학급회의 및 대토론회, 설문지 등 의견 수렴 활동을 거쳐 학교공동체 인성교육 방향을 수립해야 해요. 또한, 프로그램을 시행한 후에는 평가 결과를 공유하고 환류하여 교육공동체의 책임의식 고취해야 한답니다. 여러분의 교육 방안에 '자율과 책임'의 원칙을 포함시키는 것을 잊지 마세요.

(2) 교육과정 연계 상시적 인성교육

① 학교 교육과정 속 인성교육 내실화

- 경기 인성교육 4대 범주(도덕적·공동체적·수행적·지적) 반영
- 유·초 이음 인성 교육과정, 학교자율시간, 자유학기제 등을 통한 인성교육 운영
- 교과·행사(운동회, 학예회, 스포츠 클럽 등)와 연계한 인성교육 설계

- 1인 1예술 동아리, 뮤지컬, 독서·토론 등 체험 중심의 인성 수업 강화
- **디지털 시민교육과 연계**: 디지털 세상에서 남과 비교하기보다 나를 존중하자는 메시지를 담은 메신저 프로필 제작, 학생 간 협력을 통해 키오스크 활용 방법 숏폼 영상 촬영 후 조부모님께 전송, 언어습관 자기진단 앱 활용 교육 후 선플 달기 캠페인

② 교원의 인성교육 역량 강화
- 교원 연간 1시간 이상 인성교육 연수 이수
- 1교 1인성 전문적 학습공동체 운영
- 인성교육 실천사례 연구·발표 및 공유

(3) 가정 및 지역사회 연계 인성교육

① 가정과 연계한 실천 활동
- **밥상머리 교육**: 자녀와 소통, 배려가 있는 대화 시간 갖기, 기본 생활습관 지도, 예절교육, 주 1회 온가족과 함께 식사하기 등
- **효행·가족사랑 활동**: 편지쓰기, 봉사활동, 가족 캠핑 등
- 학부모-학생이 함께하는 정담회 및 인성교육 실천학교 사례 공유

② 지역사회와 협력한 인성교육
- 봉사활동, 마을 환경 가꾸기, 지역 어르신과 연계한 프로그램 운영
- **경기도교육청 산하기관과 연계한 프로그램 활성화**: 경기공유학교, 경기도 공공기관, 경기도교육청도서관, 경기도육아종합지원센터, 경기도교육청평생학습관, 경기학교예술창작소, 경기도평생학습포털, 경기도교육청안전교육관 등

6 교육 사례 기출

(1) 학급 운영 방안

① **나의 가치 찾기 활동**: 나의 강점, 가치를 탐색해 보고 그림으로 표현하는 과정을 통해 자신을 사랑하는 마음 갖기

② **다른 생명 돼보기 활동**: 동물원의 동물이 돼보고 동물이 원하는 세상은 어떤 것인지 상상해 보며 인간 중심을 넘어 지구 중심적 생각하기

③ **말!말!말! 활동**: 상처받은 말, 힘이 된 말, 즐거운 말을 들었던 경험을 교류하며 생활 속에서 바르고 고운 말의 중요성 인식하기

④ **책 속 인물 상담 활동**: 독후 활동으로 주인공의 마음을 이해하고, 힘이 되는 응원의 말을 통해 주인공을 상담하는 과정에서 타인과의 긍정적 소통 방법 익히기

(2) 교과 연계 방안

① **미술**: 마음을 표현하는 창작물 만들기

② **국어**: 상대방을 고려하는 행동에 대한 토의하기

③ **수학**: 협력 중심 문제 해결 활동으로 모둠 간 갈등을 조정하고 임무 완수하기

④ **사회**: 우리 지역 문제를 해결하기

⑤ **정보**: 저작권법 O×퀴즈 만들기(디지털 콘텐츠 생산자로서 책임감 함양), 인공지능이 인권에 미치는 영향에 대해 토론하기

⑥ **과학**: 자연재해 및 지구 온난화 현상 해결 방안 모색하기

⑦ **일반사회**: 소년법 개정에 대한 토론하기

⑧ **한문**: 사자성어를 통해 삶의 자세를 인식하고 현세대에 필요한 성어 모음집 만들기

사이다 톡 talk! 교과 연계 방안은 성취기준에 근거해야 해요. 자기 교과의 성취기준을 계속 들여다 보는 습관은 수업 방안을 구안하는 데에도 도움이 된답니다!

2026학년도에 나는 교 사이다 | 나만의 [인성교육] 방안 만들기

교과 지도 방안:

학급 운영 방안:

32 마약·도박·디지털 성범죄 예방 교육 ㉠

> **현장 이야기로 사이다 열기**
>
> 최근 SNS 등 인터넷을 통한 마약 거래가 활발해지면서 10~20대 마약사범이 증가하고 있다고 해요. 몇 해 전에는 서울 강남 지역 학원가 일대에서 학생들을 대상으로 시음 행사를 가장해 마약이 든 음료를 마시게 한 사건이 발생하면서 마약 예방 교육의 관심과 필요성이 본격적으로 논의됐죠. 또한 최근 청소년들 사이에 스마트폰을 통한 사이버 도박이나 성범죄가 빠르게 퍼지고 있어 이 문제 역시 수면 위로 떠올랐습니다. 인터넷에서 클릭 몇 번으로 쉽게 접할 수 있기 때문에 마약·도박·디지털 성범죄 예방 교육은 특히 중요합니다.
>
> 학생들에게 마약·도박·디지털 성범죄 예방 교육을 효과적으로 제공하기 위해서는 학생들이 단순히 정보를 수용하는 것이 아니라, 적극적으로 참여하고 스스로 인식하며 행동을 변화시킬 수 있는 방법이 필요합니다. 이를 위해 참여형 교육과 실제적 학습 경험을 결합하는 것이 중요한데요. 자세한 교육 방법을 함께 고민해 봅시다.

#필요성 #방법

1 마약 예방 교육

(1) 청소년 마약 경험 현황

대검찰청의 《2024 마약류 범죄 백서》에 의하면 2024년 마약류 사범 중 20·30대 비중이 전체의 60.8%를 차지했고(13,996명), 10대 마약류 사범은 649명으로 전체의 2.8%를 차지함

(2) 청소년이 마약 범죄에 연루되는 과정

① 친구의 권유에 의해 호기심으로 접근
② 스스로 SNS를 통해 온라인으로 구입
③ 직접 병원을 방문해 허위로 처방

(3) 마약의 위험성

① 도파민이 과다 분비돼 뇌세포와 중추신경계 파괴
② 감정 조절, 충동 조절의 어려움
③ 투약이 반복될수록 내성이 생겨 더 많은 양을 필요로 하는 약물중독 현상 발생
④ 폭력, 성범죄 등 각종 강력 범죄와 연결

(4) 예방 교육 방안

① **가정과 연계**: 가정통신문, 학부모 연수 등으로 청소년 마약 범죄의 심각성을 공유하고 공동의 연대를 통한 예방 교육

② **학교에서 주기적인 예방 교육**
- **창의적 체험활동 등 교육과정 연계 학습**: 실태를 보여주는 동영상 시청 후 토론 활동으로 마약 중독의 심각성과 문제점 각인
- **학생 주도 활동**: 마약 예방 포스터 공모전, 마약 금지 캠페인 활동 등 학생이 주도적이고 능동적으로 문제를 해결할 수 있도록 행사 개최

③ **인터넷 사용 습관 점검**: 온라인을 통해 접근한다는 사실에 기초해, 온라인 속 유해 정보와 상황을 스스로 분별해 차단할 수 있도록 디지털 리터러시 및 디지털 시민성 교육 시행

④ **현장과 지역사회와 합심한 협력 체계 구축**: 전문가의 찾아가는 강연, 경찰청 및 한국마약퇴치운동본부 등 유관 기관과의 협의체 구성

⑤ **약 바르게 알기 안전교육**: 약물 남용을 예방하기 위해 초·중·고등학교 청소년들이 올바른 의약품에 대한 지식을 습득하고 안전한 의약품 사용 습관을 형성할 수 있도록 강의 청취 후 토론 활동

2 도박 예방 교육

(1) 청소년 도박 문제 실태

연도	구분	비문제군	위험군*	문제군*	계
2018	경기(4,690)	94.2%	4.7%	1.1%	100%
	전국(17,520)	93.6%	4.9%	1.5%	100%
2020	경기(4,083)	98.0%	1.5%	0.5%	100%
	전국(15,349)	97.6%	1.7%	0.7%	100%

* 위험군: 지난 3개월간 도박 경험이 있으며, 경미한 수준의 조절실패 및 폐해 발생
* 문제군: 지난 3개월간 반복적인 도박 경험이 있으며, 심각한 수준의 조절실패 및 폐해 발생

출처: 한국도박문제예방치유원, 2018년 청소년 도박문제 실태조사·2020년 청소년 도박문제 실태조사

(2) 예방 교육 방안

① 인식 제고 및 예방 단계

- 강연: 돈내기와 게임의 차이, 게임 속 사행성과 도박 이해하기, 청소년 도박 실태 등 영화 감상 후 소감문 작성, 카드 뉴스 제작 등
- 강연 후 활동: 소감문 작성 및 발표, 현황을 알리는 카드 뉴스 제작

② 참여·체험 중심 활동

- 역할극: 학생들이 다양한 역할(피해자, 가해자, 목격자, 친구 등)을 맡아 연극 후 소모둠 토론 ➡ 대응 방식 및 경각심 고취
- SPO와 함께 하는 희망 메시지 작성: 학교전담경찰관이 학교에 방문하여, 청소년 도박 실태를 안내하고 도박을 예방할 수 있는 한 줄의 문구를 작성하여 교내에 전시하는 활동 진행

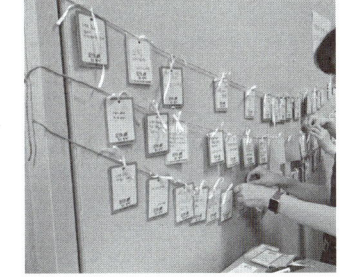

▲ 도박 예방 문구 전시

③ 캠페인 및 홍보 활동: 도박 문제 예방 홍보 포스터 및 리플릿 교내 배치, 등하굣길 피켓 캠페인, 공모전 개최

④ 가정 및 교원 연계 교육: 도박 문제에 관한 관심 제고 및 대처 방법 등의 안내를 위해 연 2회(학기당 1회) 가정통신문 발송

(3) 대응 및 지원체계 구축 단계

① 전문기관 협력체계 구축: 도박 전문기관인 한국도박문제예방치유원과 협력체계 구축

② 학교 내 대응체계 구성: 학교 내 타 위원회와 중복 운영 가능

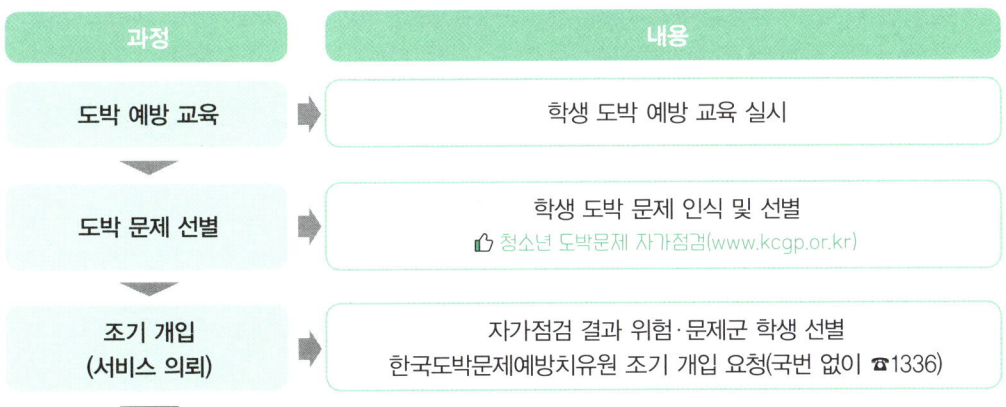

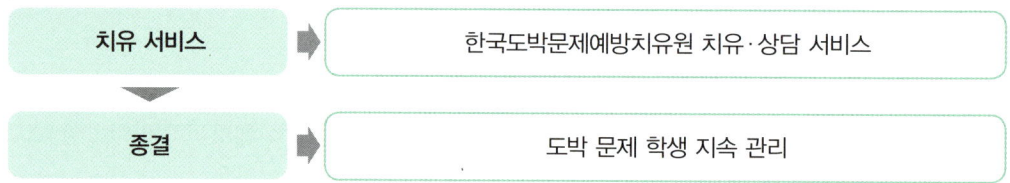

③ 한국도박문제예방치유원 상담 및 치유 지원: 도박 문제 학생에 대한 맞춤형 온·오프라인 프로그램 무료 운영

3 디지털 성범죄 예방 교육

(1) 디지털 성범죄 유형

① **지인 능욕**: 지인의 사진을 음란물과 합성하거나 모욕성 글과 함께 게시

② **몸캠피싱**: 음란 화상채팅을 녹화·협박, 휴대폰 해킹으로 유포 위협

③ **온라인 그루밍**: 성적 의도로 접근해 신뢰를 쌓고 촬영·가해를 자연스럽게 받아들이도록 길들이는 행위

④ **불법 촬영**: 동의 없는 신체 촬영

⑤ **비동의 유포**: 촬영 동의 여부와 상관없이 촬영물을 유포·재유포

⑥ **유포 협박**: 금전, 재회, 괴롭힘 등을 목적으로 성적 촬영물 유포 협박

(2) 예방 교육 방안

① **유형 인지 교육**: 사례와 영상을 통해 범죄 유형 및 위험성 이해 ➡ 경각심 고취

② **콘텐츠 제작 프로젝트**: 소그룹으로 캠페인 영상·포스터·웹툰 등을 제작, 학교·지역사회 공유 ➡ 학생 주도 참여 확대

③ **토론 및 문제 해결 학습**: 실제 사례 분석, 그룹별 예방책·대응 방안 도출 ➡ 비판적 사고력·실천 의지 강화

사이다 톡talk! 마약, 도박, 디지털 성범죄 교육은 단순한 지식 전달이 아니라 학생 주도의 참여형 수업이 핵심이에요. 교사가 강의로 경각심을 불어넣는 것도 필요하지만, 학생 스스로 토론·캠페인·프로젝트를 기획하고 실행할 때 실질적 변화가 생깁니다. 또, 교과 성취기준과 연계하여 수업 속에서 자연스럽게 다뤄야 교육의 설득력이 높아진답니다.

33 다문화교육 공

현장 이야기로 사이다 열기

"모두에게, 모두를 위한 다문화교육!"
다양한 문화와 인종이 공존하며 다문화 사회가 가속화되고 있습니다. 학교에서도 다문화가정 학생의 현황은 점점 늘어나고 있는데요. 중앙다문화교육센터 통계에 따르면 2010년 31,788명이었던 다문화가정 학생이 2023년 181,178명까지 늘어났다고 합니다.

다문화 시대에 살아가며, 이를 이끌어 나갈 학생들이 세계시민 역량을 갖추기 위해서는 어떤 교육이 필요할까요? 이번 테마는 1급 정교사 연수에서 뵈었던 경기대학교 김연권 교수님의 〈다문화사회와 교사의 역할〉을 참고했습니다. 함께 살펴보겠습니다.

#정의 #교육_방안

☑ All 기출 문장 및 빈도 체크

연도	자기성장소개서 성			집단토의 토			개별면접 면		
	초	중	비	초	중	비	초	중	비
2016									
2017									
2018									
2019									
2020									
2021		미시행							✓
2022									
2023									
2024									
2025									

*공통 공

[21' 비 면] 자신의 전공과 연계하여 다문화 감수성 함양 교육 방안을 제시하시오.

1 '다문화' 용어에 대한 성찰

① 전체 학생 수는 감소하나 다문화가정 학생 수는 증가 ➡ 올바른 용어와 교육 필요

② '다문화'의 본래 의미는 '다양성 존중'이었으나, 특정 학생을 낙인찍는 표현으로 변질

③ 학생 지칭 시 '다문화 학생'보다 '다문화가정 학생'이라는 용어 사용이 적합

　　나쁜 예 "아, 이번에 전학 온 1반에 그 다문화?"

2 한국 다문화교육의 방향

(1) 방향

① **인권 관점 교육**: 보호 대상이 아닌, 학생의 문화적 특성과 요구를 반영해야 함

② **맞춤형 교육**: 성장 단계·특성별 맞춤 지원이 필요함

③ **세계시민교육 지향**: 단순 관용에서 벗어나 세계시민 감수성을 강화해야 함

(2) 대상

학교 안팎 다문화가정 청소년 및 모든 학생 ➡ 심리·정서적 지원, 생활 및 언어교육, 세계시민교육 등

(3) 경기도교육청 방향: 성장단계별 지원

① **진입형**: 공교육 진입 및 초기 적응 지원(예비학교, 징검다리학교, 특별학급, 초기 한국어 교육)

② **적응형**: 교육 회복·학업중단 예방 지원(맞춤형 교육, 심리·정서 상담, 대안교육기관)

③ **성장형**: 자아존중감·진로 지원(이중언어 교육, 말하기 대회, 진학 자료 다국어 제공)

③ 다문화교육을 위해 필요한 교사의 역량

① **다문화 수용성**: 다문화에 대한 긍정적이고 편견 없는 태도 ➡ 생활지도의 잠재적 교육과정까지 영향을 미침
② **다문화교육에 대한 전문 지식**: 전문 지식을 바탕으로 학급 상황에 맞는 교육과정 재구성 역량
③ **수업 운영 역량**: 교과·창의적 체험학습과 연계한 다문화 이해교육 기획·실행 능력
④ **정보력**: 다문화가족지원센터, 교육지원센터 등 지역 자원 활용 능력
⑤ **현장 실천력**: 학급 배치 및 정착 지원 조력, 정책·사업을 파악하고 선별해 제공할 수 있는 역량
⑥ **다문화 수용성 증진 교육 역량**: 다양성 인식, 반차별 의식, 세계시민 태도를 바탕으로 다양한 교육 활동으로 재구성하는 능력

④ 다문화가정 학생 지도 방안

① **학생·가정의 이주 배경 파악**: 문화에 대한 배경지식과 특징적인 비언어적 표현 습득
   ➡ 상담 시 신뢰 형성 가능
② **개별 특성 파악**: 성장 환경, 사회경제적 조건, 가족 특성, 지적·정서적 특성 파악
③ **심리적 지지 제공**: 다문화가정 학생은 관계 상실 경험이 많고 부모와의 애착이 잘 형성되지 못한 경우도 있어 심리적 지지가 필요함
④ **정체성 확립 지원**: 자신의 정체성을 긍정적으로 인식할 때 다른 사람과의 관계도 건강하고 안정적일 수 있음을 안내
⑤ **친구 관계 맺기 조력**: 모둠활동·언어 습관 지도·차별 방지 교육
⑥ **한국어 및 기초학력 지원**: 교재·두드림학교·학습종합클리닉과 연계
⑦ **이중언어 장려**: 이중언어 말하기 대회 참여 독려, 글로벌 브릿지 사업 및 다문화언어 강사 활용 등
⑧ **다국어 정보 제공**: 다국어로 제공되는 각종 교육자료와 가정통신문, 드림레터 등을 적극적으로 활용 **예** 다누리(다문화가족지원 포털) 웹사이트, 경기다문화교육지원센터, 드림스타트 등

5 다문화 감수성 교육

(1) 정의

공동체의 구성원이 모두 다양한 문화적 배경을 가지고 있음을 수용하고 서로 다른 문화를 상호존중하고 이해하는 태도를 기르는 교육

(2) 교사의 역할

교사가 다문화에 대해 어떻게 인식하고 이해하느냐에 따라 학생들이 받아들이는 수업 활동의 내용과 질이 달라지고 결과가 달라질 수 있음

① 교과 융합으로 학생 중심·과정 중심 활동을 통해 학생 스스로 질문을 생성하고 타인의 의견을 경청하며 협력하는 태도 마련

② 교사 스스로 다문화 감수성 함양: 인종에 대한 편견 성찰·타파, 타 문화에 대한 열린 태도
  나쁜예 일본 사람은 나쁜 놈들이야, 베트남은 원래 그런 나라야

③ 다문화가정 학생에 대한 올바른 이해와 관심: 정체성 혼란, 언어 및 문화 부적응에 대한 이해와 도움, 이중언어 교육 및 이중 정체성의 장점 언급 등

④ 대학생 다문화 멘토링 등 다양한 다문화 감수성 교육 프로그램 적극적 활용

(3) 교사의 역량 강화 방안

교원 대상 다문화·세계시민교육 연수 참여, 전문적 학습공동체

(4) 물리적 환경 조성

학교와 교사의 물리적 환경은 가르침과 배움의 전반적 분위기를 조성하는 중요한 요소 ➡ 포용적·참여 지향적 학습 환경 조성

① 다문화 세계시민교육 도서 공간: 평등, 정체성, 다양성, 세계 이슈 등을 반영한 도서나 이중언어 동화책 등 구비 ➡ 독서 및 토론 활동 장려

② 다문화 세계시민교육 테마형 교실 및 교구: 유휴 교실에 세계 여러 나라의 놀이도구, 도서, 학습자료 등 비치 ➡ 타 문화에 대한 친숙함 증진, 다문화적 수용성과 감수성, 세계시민적 자질을 높이는 토대 마련

③ 복도, 학급 게시판에 다문화, 세계시민 내용 전시: 세계 여러 나라의 문화, 언어, 최신 이슈 등을 게시

④ 다문화가정 밀집지역 교육력 제고: 이중언어 교육에 대한 현장의 관심을 제고하기 위한 전국 이중언어 말하기 대회 개최 등

사이다 talk! 경기도교육청은 2022년 9월 3일 이중언어 말하기 대회를 개최했어요. 대회 참가자들은 한국어로 먼저 이야기하고 이어서 부모의 모국어인 중국어, 러시아어, 프랑스어, 일본어 등 다양한 언어로 '나'와 '나의 진로'에 대해 발표했지요. 이 대회는 다문화가정 학생에게 강점이 될 수 있는 이중언어 학습을 장려하고 다양한 언어와 문화를 접하는 기회를 확대해 글로컬 역량을 높이는 행사로 자리매김하고 있답니다. 글로컬 인재라는 개념을 활용해, 이중언어·다문화 역량을 학생의 강점으로 보는 시각을 답변에 담아보세요.

(5) 지역사회와 연계

도서관, 박물관 다문화 프로그램과 연계

사이다 talk! 경기도 정왕어린이도서관에서는 다문화 프로그램을 지속적으로 운영하고 있다고 해요. 여러 나라의 전통의상, 전통놀이, 전통악기의 3가지 주제 중 1가지를 선택해 이주민 교사와 소통하며 다양한 나라의 생활상을 알아보고 직접 체험하는 방식이랍니다. 그 과정에서 어린이들은 세계 곳곳의 문화에 대한 배경지식뿐 아니라 이해와 존중의 가치를 자연스레 배울 수 있게 될 텐데요. 이러한 지역 자원을 잘 이해하고, 체험활동을 추천하겠다는 교사의 실천 방안이 포함되면 좋겠죠.

(6) 교육 제도 및 기관

① 교육과정 연계: 교과·비교수 교과 연계 연간 2시간 이상 다문화교육, 학부모 연수

② 상호문화이해학교 운영 확대: 교육과정·교과연계교육·방과후학교·학교행사 등을 통해 다양한 방법으로 다문화교육을 적극 운영

(7) 유의점

① 국내 출신, 중도 입국, 외국 출신, 탈북 학생 등으로 세분화해 접근해야 함

② 지역 특성에 맞는 맞춤 교육 필요

2026학년도에 나는 교 사이다 — 나만의 [다문화교육] 방안 고민하기

34 특수교육·장애이해교육·통합교육 공

> **현장 이야기로 사이다 열기**
>
> 특수교육 대상 학생에 대해 처음에는 '많이 도와줘야지', '학급 친구들과 잘 어울릴 수 있게 해야지' 정도로만 생각했어요. 하지만 2년 차에 만난 한 제자가 제 생각을 완전히 바꾸어 주었습니다. 다리가 불편했던 이 친구는 운동의 신이었습니다. 주 종목은 탁구! 불편한 하체를 보완하며 상체의 힘을 자유롭게 활용해 탁구를 잘했고, 장애인 탁구 대회에서 금메달을 따기도 했습니다. 교내 스피드스택스 대회에서는 동메달까지 거머쥔 '만능 스포츠맨'이었죠.
>
> 이 제자를 통해 저는 '약점을 보완하는 교육'이 아니라 '강점을 발견하고 키워주는 교육'이 특수교육의 핵심임을 배웠습니다. 그리고 나아가 장애를 바라보는 올바른 시각, 즉 다양성을 존중하고 서로의 차이를 이해하는 장애이해교육의 필요성도 실감하게 되었죠. 이런 인식 위에서야 진정한 통합교육이 이루어질 수 있다는 것도요.
>
> 특수교육과 장애이해교육, 그리고 통합교육이 어떤 연계 속에서 학생들을 성장시킬 수 있을지, 교사로서 우리는 어떤 자세로 학급을 운영해야 할지 함께 고민해 봅시다.

#유의_사항 #교육_방안

1 용어 이해

① 특수교육대상자: 특수교육을 받는 학생으로 모두가 장애인인 것은 아님

특수교육대상자	장애인
'학습의 어려움'에 중점 (교육부 지정)	'삶의 어려움'에 중점 (보건복지부에 등록)

② 특수학급: 특수교육 대상 학생이 배치된 학급

③ 통합학급(교육): 특수교육 대상 학생이 통합교육을 받는 학급, 특수교육대상자가 일반학교에서 장애 유형·장애 정도에 따라 차별을 받지 아니하고 또래와 함께 개개인의 교육적 요구에 적합한 교육을 받는 것(장애인 등에 대한 특수교육법 제2조 제6항)

② 특수교육

(1) 특수교육대상자 선정 절차

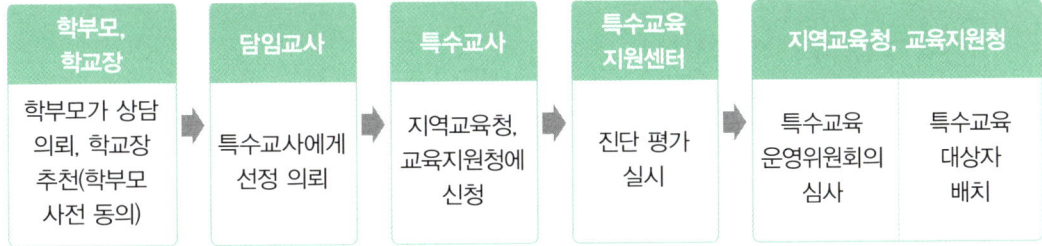

(2) 특수교육 지원 확대 정책

① 복합 특수학급 확대 운영

> **복합 특수학급이란** 중도중복장애학생의 통합교육을 위해 일반학교에 설치하는 전일제 형태의 특수학급. 중도중복장애 특성에 적합한 교육과정과 집중적인 특수교육 관련 서비스를 제공

② 병원학교 확대 운영: 만성질환 치료로 학업중단위기에 있는 건강장애 및 중도중복장애학생을 위해 지역별·병원 등 수요조사 및 지역사회의 병원학교 추가 설치(병원 내에 설치)

③ 대학 연계 특수교육 봉사활동 도입: 특수교육 전공 대학생 등 예비교원이 유·초·중·고·특수학교에 재학 중인 특수교육 대상 학생을 상대로 하는 자발적이며 교육적인 방법의 전문화된 봉사활동 도입

③ 장애이해교육

(1) 장애를 보는 시각

① 장애(인)가 불쌍하고 도움이 필요한 존재라는 인식을 강화하지 말아야 함 ➡ 장애인을 시혜, 동정의 대상으로 여기거나 특별한 어떤 시각으로 보는 것이 아닌 단지 장애가 있는 평범한 사람으로 보는 시각이 필요

② 무조건 칭찬하는 것도 편견일 수 있으므로 정당하고 합리적인 시각으로 봐야 함

③ 무조건적 도움보다 필요한 부분을 지원하며, "어떻게 해주면 되니?"라고 먼저 물어봄

(2) 장애이해교육의 필요성

① 모든 학생이 인권 감수성을 갖추고 서로의 차이를 존중하는 태도를 기르기 위함

② 통합교육 환경에서 비장애학생의 긍정적 인식과 협력적 태도가 장애학생의 학교생활 적응에 직접적으로 영향을 미침

③ 학교폭력 예방, 또래 관계 증진, 공동체적 가치 함양과 연결됨

(3) 교육 내용

① 장애 유형과 특성에 대한 기초적 이해: 시각·청각·지체·지적·자폐성 장애 등 각 유형의 특성과 학생들이 일상에서 겪는 어려움을 이해하도록 안내함

② 장애학생 학습·생활 지원 체계 이해: 점자 교재, 확대 교재, 보조공학 기기(스크린리더, 특수 키보드, 휠체어 접근 경사로 등)와 같은 보조도구의 필요성과 활용 방법을 배우게 함

③ 장애인 인권과 차별 금지에 대한 교육: 장애인은 동정의 대상이 아니라 동등한 권리를 가진 시민임을 강조하고, 차별과 편견을 없애는 태도를 기르도록 함

④ 긍정적 모델 제시: 장애를 극복하거나 자신의 강점을 살려 성취한 사례를 통해 자존감 및 상호존중 태도 함양

(4) 교육 방안

① 교육과정 연계
- 도덕·사회과 등에서 인권·다양성·차별금지 주제를 다루며 장애이해교육과 연결
- 창의적 체험활동(자율·동아리·봉사활동)에 장애 이해 활동 포함

② 체험 중심 활동
- 휠체어·점자·수화 등 장애 유형별 체험 프로그램 운영
- 시뮬레이션 활동(눈을 가리고 이동하기, 한 손으로 활동하기 등)을 통해 공감 능력 향상

③ 캠페인 및 행사
- '장애이해주간' 운영(매년 4월 20일 장애인의 날 전후)
- 포스터·UCC·글쓰기 공모전, 학교 내 홍보 활동

④ **지역사회 연계**: 장애인복지관, 특수학교, 체육·문화 예술 단체와 연계한 프로그램 운영

⑤ 학생 참여형 프로젝트: 장애학생과 비장애학생이 함께하는 공동 프로젝트(스포츠클럽, 문화예술 활동 등)

(5) 교사의 역할

① 장애학생 개별 특성과 지원 요구 파악

② 학급·학교 차원의 인성교육, 생활교육과 장애이해교육의 연계 실천

③ 비장애학생에게 '동정'이 아닌 '존중과 협력'을 강조

④ 학부모와의 협력을 통해 가정-학교 간 일관된 교육 환경 마련

사이다 톡talk! 장애이해교육은 단순히 장애인의 어려움을 알리는 데 그치지 않고, 학생들이 다양성을 존중하는 태도를 배우는 교육입니다. 현장에서는 장애 체험활동이나 캠페인도 의미 있지만, 더 중요한 것은 일상 수업 속에서 자연스럽게 차이를 존중하는 분위기를 만드는 것이에요. 면접 답변에서는 "저는 수업에서 장애학생을 포함한 모든 학생이 자신의 강점을 발휘할 수 있는 활동을 설계하고, 학급 공동체 안에서 서로 존중하는 문화를 만들어 가겠습니다."라는 방향으로 준비하시면 좋아요.

4 통합교육

(1) 정의

장애학생과 비장애학생이 함께 수업을 받는 교육 방식

(2) 원리

장애인도 가능한 한 정상적인 문화 속에서 살아야 한다는 철학

(3) 기대효과

비장애학생	• 공감 능력 및 협동 능력 향상 • 인간의 다양성 수용, 유연한 사고 • 장애를 가진 학생에 대한 편견 타파 • 장애로 인한 제한을 극복하는 모습에 동기 부여
장애학생	• 분리교육에서 초래할 수 있는 낙인과 고립감에서 탈피 • 비장애학생과의 동등한 교류를 통해 자존감 향상 • 또래 학생들과의 상호작용을 통해 의사소통 능력과 적응력 함양

(4) 교육 방안

① 유의 사항

- 학급 아이들이 장애를 모든 사람이 지니고 있는 특성 중 하나로 받아들이도록 지도
  ➡ 친구를 비하하는 말로 '야! 이 장애인아' 등의 부적절한 표현을 쓰지 않도록 지도
- 몸이 불편하다고 체험학습, 체육대회 등에서 제외하는 것이 아닌 함께 활동해 원활한 사회적 관계를 형성할 수 있도록 지원
- 자립심을 잃지 않도록 지나친 도움 삼가

② 학급 운영 및 교과 지도 방안

학급 운영	교과 지도
• 학생에 대한 관심 가지기, 이름 불러주기, 눈 맞춤하기 • 문제행동이 반복될 경우 특수학급 교사와 협동 지도하기	
• 조·종례 시간을 통해 학급구성원들의 수용적인 태도와 배려가 특수교육 대상 학생들의 학교생활 적응에 큰 도움이 됨을 지도하기 • 정해진 규칙을 똑같이 적용하기 　예 복장, 청소당번, 1인 1역 등 • 각종 행사 참여하게 하기	• 주의집중 시간이 짧고 이해하기 어려운 내용이 많아 흐트러질 수 있으나 일부 시간 동안이라도 바른 자세를 유지하고 수업을 경청할 수 있도록 지도하기 • 수업활동 중 특수교육 대상 학생이 부분적으로라도 참여 가능한 활동과 방법을 고민하기

사이다 talk! 임태희 교육감은 전국 최초로 특수학교 학생들에게 '활동중심 체험형 영어 수업'을 지원하겠다고 발표했어요. 특수학교 영어교육을 위해 원어민 강사가 놀이·활동 중심으로 영어교육을 진행하며 오감체험을 통해 상황에 맞는 표현을 익힐 수 있도록 하겠다는 것이에요. 발달장애, 시각장애, 청각장애 학생들도 재미있게 영어 학습을 할 수 있도록 스킨십, 맛보기, 문장 보고 이해하기 등 다양한 감각을 활용할 수 있다는 점에 주목해야 합니다! 이런 방향성을 고려해 교과 수업 방안을 고민해 봅시다.

2026학년도에 나는 교 사이다 　　　　　　　　　　　　　　　　　나만의 [통합교육] 방안 만들기

합격자의 달달한 조언!

중등 특수 면접 및 통합교육 문제 답변 전략

면접 연습 시 특수교과에서 흔하게 언급되는 단어를 사용하면 좋습니다. 제가 응시했던 2017학년도 2차 면접 문제는 특수교사가 되고 싶어 하는 학생의 진로 상담을 하는 것이었습니다. 저는 이 문제를 학교생활과 관련 지어 '또래 도우미', '모델링', '사회적 통합'이라는 키워드와 연결했습니다. 말로만 진로 상담을 하는 것이 아니라 특수교사가 되고 싶어 하는 학생에게 역할을 부여하고 그 과정에서 느끼는 것을 통해 특수교사라는 직업에 더 다가갈 수 있도록 할 것이라고 답변했습니다. 답변 중에 봉사, 책임감, 사명감이라는 단어들은 쓰지 않았습니다. 이러한 단어는 통합교육을 받는 학생들을 단순히 장애를 가져 돌봐야 하는 대상처럼 여기고 있기 때문입니다. 스스로 할 수 있는 존재, 교육을 통해 성장할 수 있는 대상으로 보고 접근하는 것이 중요합니다. 이러한 몇 가지 단어들이 별것 아닌 것처럼 보여도, 당락을 가르는 주요한 관점이라고 생각합니다.

2017학년도 합격자 안희진 선생님

35 문화예술교육 ㉘

현장 이야기로 사이다 열기

음악과 문학, 예술은 삶을 풍요롭게 만드는 요소입니다. 지친 하루를 위로하는 것은 한 곡의 노래로도 충분하고, 경험할 수 없는 세계를 상상하고 느끼게 해주는 것은 한 권의 책만으로도 충분하니까요.

문화와 예술을 경험하면 정서 안정과 감수성이 길러지고, 무언가를 향유하고 있다는 사실만으로도 삶의 동력이 됩니다. 학교 현장에서도 이런 경험은 학생들에게 꼭 필요합니다!

학생들 중에는 성적 경쟁이나 또래 관계로 지쳐 있는 경우가 많습니다. 그럴 때 음악, 미술, 연극, 무용 같은 예술 활동은 단순한 여가가 아니라 자기를 표현하고 타인과 소통하는 치유의 기회가 됩니다. 문화예술교육은 대안교육, 인성교육, 심지어 학교 안전과도 연결됩니다.

교육활동 속에서, 학교의 유휴 공간을 활용해 어떻게 이러한 기회를 열어줄 수 있을지 함께 고민해 봅시다.

#유의_사항 #교육_방안

☑ All 기출 문장 및 빈도 체크

연도	자기성장소개서 ㉘			집단토의 ㉠			개별면접 ㉙		
	초	중	비	초	중	비	초	중	비
2016									
2017									
2018									
2019									
2020									
2021				미시행					
2022									
2023									
2024									
2025									✓

*공통 ㉘

[25'㉙㉘] 자신의 전공과 연계하여 운영할 수 있는 문화예술 프로그램 1가지를 제시하고, 그 운영 방안과 기대효과를 설명하시오.

[25'㉙㉘] 다음은 부서별 업무계획에 따른 환경 분석 결과이다. 아래의 환경 분석 결과를 바탕(교육공동체, 지역사회와 함께하는 인문예술교육 방안)으로 자신의 전공(보건, 사서, 영양, 전문상담)과 연계한 교육 방안을 계획하시오.

① **필요성**

오늘날 학생들은 지식 학습에 치중하면서 감성과 정서적 안정, 창의성을 발휘할 기회가 상대적으로 부족함 ➡ 문화예술교육은 학생들이 정서적 균형을 이루고 인성을 함양하는 중요한 장치임

① **감성과 창의력 함양**: 예술 활동을 통해 스스로 표현하고, 타인의 감정을 이해하며 공감 능력을 기르는 경험이 가능함

② **인성교육과의 연계**: 협력, 배려, 나눔의 가치를 문화예술 활동 속에서 자연스럽게 습득함

③ **학교문화 개선**: 유휴 공간을 갤러리나 예술체험 공간으로 조성하여 '쉼과 나눔'이 있는 학교 환경을 마련함

④ **지역사회와의 연계**: 지역 예술자원과 협력해 학생들이 지역과 소통하며 배움을 확장함

⑤ **학생 발달 단계에 적합**: 초·중등 시기는 정서적·사회적 발달이 활발히 이루어지는 시기로, 문화예술교육이 자기표현 욕구를 충족하고 긍정적 자아 정체성을 형성하는 데 기여함

⑥ **교육 정책적 필요**: 2022 개정 교육과정이 강조하는 '창의융합 인재'와 '배려·공감의 인성'을 기르는 데 필수적 기반이 됨

⑦ **미래사회 역량 강화**: 4차 산업혁명 시대에 필요한 창의성·소통·협업 능력을 문화예술 경험을 통해 실제 연습할 수 있음

② **운영 방안** 기출

(1) 교육과정 연계

① **국어·사회·역사**: 문학 작품을 낭송하거나 역사적 사건을 연극으로 표현

② **미술**: 지역 작가 작품 전시와 연계해 비평·창작 활동

③ **음악·체육**: 뮤지컬·합창·무용을 프로젝트 수업으로 설계

사이다 talk! 문화예술 활동을 위한 활동이 아닌 이를 통해 길러주고 싶은 삶의 역량을 중심으로 문화예술교육 방안을 구안해 보세요. 연극, 뮤지컬, 합창 활동을 통해 감수성과 협동심을 기를 수 있고, 비평과 창작 활동으로 사고력과 비판력 등을 기를 수 있습니다. 또 반복적으로 강조하지만 성취기준에 근거해야 한다는 것을 잊지 마시고요! 교과서 단원과 성취기준을 잘 검토하며, 문화예술교육이 적합한 곳을 찾아보세요!

(2) 학교 안 문화예술 프로그램

① 1인 1예술 동아리 운영으로 학생 맞춤형 예술 체험 활성화

② 유휴 공간을 복합예술 공간·학교 갤러리, 예술공감터 조성 ➡ 상시 예술 전시 및 체험 운영

③ '학교로 찾아오는 예술가' 프로그램을 통해 전문가와 함께하는 현장 체험

사이다 톡talk! 문화예술교육은 교과 수업 속에서도 이루어지지만, 창의적 체험활동 시간이나 학교자율시간을 활용하면 훨씬 더 폭넓은 시도가 가능합니다. 예를 들어 창체 시간에는 '뮤지컬 제작 동아리'나 '학생 기획 전시회'를 운영할 수 있고, 학교자율시간에는 지역 예술가와 협력한 워크숍을 열 수 있죠. 교사가 미리 성취기준과 연계해 프로젝트형 과제를 설계하면, 학생들은 단순 체험을 넘어 자기주도적으로 작품을 기획하고 완성하는 경험을 하게 됩니다.
한편 경기도교육청은 보편적·일상적 예술교육의 중요성을 강조하고 있어요. 인문예술부 등에서 학생들이 자투리 시간을 통해 만든 작품을 '예술공감터'를 활용해 전시하겠다고 밝혀도 좋겠어요! 예술공감터란 학교에서 누구나 참여하는 전시·발표의 일상적 예술 활동 공간을 의미한답니다. 학급 활동에서 그치는 것이 아닌 학생들의 결과물을 전시하고 공유한다는 것을 꼭 밝혀 주세요! 그래야 학교에서 이러한 유의미한 문화가 자리 잡을 수 있을 테니까요.

(3) 학교 밖·온라인 프로그램

① 경기 학교예술창작소와 연계해 목공예, 미디어아트 등 체험 중심의 통합 예술 교육 제공

② 온라인 갤러리, 디지털 전시 운영으로 모든 학생이 시공간을 넘어 작품 향유

③ 기대효과 기출

① **학생**: 자기 표현력과 창의성 향상, 정서적 안정과 자존감 강화

② **교육공동체**: 학생, 교사, 학부모가 함께 참여하는 프로그램을 통해 협력과 소통 증진

③ **학교**: 특색 있는 학교 문화 정착, 유휴 공간 활용을 통한 새로운 배움터 조성

④ **사회**: 지역사회와 연계한 문화예술 활동으로 지역 정체성과 공동체성 강화, 나아가 세계 시민 역량으로 확장

사이다 톡talk! 문화예술교육은 단순히 예술 활동 그 이상입니다. 이를 통해 학생들의 정서를 돌보고 협력과 배려의 가치를 배우게 하는 인성교육의 중요한 기반입니다.

06

THEME 36~47
현장 문제 해결 방안

★★★ 빈출 주제

학생 문제
- THEME 36. 문제행동 학생
- THEME 37. 위기 학생
- THEME 38. ADHD 학생
- THEME 39. Wee 프로젝트

수업 문제
- THEME 40. 교육 약자
- THEME 41. 수업 문제 상황

관계 문제
- THEME 42. 갈등 문제
- THEME 43. 회복적 생활교육
- THEME 44. 학부모와의 소통 및 연대

문화 문제
- THEME 45. 청렴 문화
- THEME 46. 갑질 및 직장 내 괴롭힘 대응
- THEME 47. 양성평등 및 성인지 감수성

2016~2025학년도 출제 주제 빈도
- 교직관 16.7%
- 경기 정책 21.5%
- 교과 지도(전공 연계) 23.7%
- 학급 운영 18.8%
- 현장 문제 해결 19.4%

빈출 주제 BEST 2 (공통)
① 갈등 문제
② 학부모와의 소통 및 연대
② 수업 문제 상황

☆ 기출문제에서 자주 출제되는 유형 중 하나인 '현장 문제 해결 방안'을 마련하기 위해 문제 상황을 출제 패턴에 맞게 학생 문제, 수업 문제, 관계 문제, 문화 문제로 유형화했습니다.

☆ 학생 문제는 크게 문제행동을 보이는 학생과 위기에 처한 학생으로 구분해 접근 방법을 함께 고민하고자 합니다. 수업 문제는 수업 중에 발생할 수 있는 다양한 상황과 그 대응 방안을 살펴보겠습니다. 관계 문제는 학교의 다양한 교육 주체들 간의 갈등 양상과 해결 방안을 볼 것이며, 마지막으로 문화 문제는 학교의 문화를 개선하기 위해 현장에서는 어떠한 노력을 하고 있는지 알아보겠습니다.

 만점 대비 공부법!

무엇보다 '실질적 적용 방안'에 대해 많이 고민해 보셔야 합니다. 나라면 이 상황을 어떻게 해결할 것인지 교직 철학에 근거해서 고민하며, 자기만의 해결 방안을 꼭 마련해 두세요. 또한, 문화 개선을 위한 현장의 노력을 파악하고 이에 발맞추어 봅시다.

36 문제행동 학생 (공)

현장 이야기로 사이다 열기

신규 교사 시절에는 문제행동 학생을 만나는 일이 그저 버겁고 힘들게만 느껴졌어요. 나라는 사람에게 화를 내거나, 내 지도를 거부하는 것처럼 보여서 자존감도 낮아졌고요. 그런데 경력을 한 해 두 해 쌓으며, 많은 경험을 통해 깨달은 건, 문제행동 뒤에는 언제나 이유가 있다는 것입니다. 아이들은 스스로 감당하기 어려운 문제를 안고 있을 때, 그 답답함을 표현할 방법을 몰라 세상에 화를 내듯 문제행동을 반복합니다. 학교가 아이들의 삶 대부분을 차지하기 때문에, 결국 그 힘겨움이 교실 안에서 드러나는 것이지요. 자신도 방법을 몰라 무의식적으로 반복하고, 때로는 자각하면서도 제어가 되지 않아 스스로 괴로워하기도 합니다. 교사인 우리가 학생이 처한 환경 전체를 해결해 줄 수는 없지만, 적어도 학교 안에서 학생이 마음을 다잡고 다시 설 수 있도록 돕는 힘은 분명히 가질 수 있다고 생각합니다.

다만, 반드시 짚고 넘어가야 할 문제행동도 있습니다. 학생의 감정도 소중하지만, 그들과 마주하는 다양한 사람들의 감정 또한 소중하며, 공동체 안에서 반드시 지켜야 할 선과 약속 또한 존재하기 때문입니다. 학생을 이해하는 것과 동시에 지켜야 할 규칙을 분명하게 세우는 것, 그 균형 속에서 문제행동 학생 지도의 효과적인 방안을 고민해 보아야 합니다.

#지도_방안

☑ All 기출 문장 및 빈도 체크

연도	자기성장소개서 (성)			집단토의 (토)			개별면접 (면)		
	초	중	비	초	중	비	초	중	비
2016									
2017									✓
2018									
2019				✓					
2020								✓	
2021	미시행								
2022									
2023									
2024									
2025								✓	

*공통 (공)

[25' 중 면] 기본 생활습관이 미비하였으나 담임교사와의 상담을 통해 점차 개선되던 학생이, 교칙을 위반한 후 생활지도 담당 교사의 엄격한 지도로 인해 등교를 거부하는 상황에서 이 학생을 지도하기 위해 담임교사의 입장에서 생활지도 담당 교사와 협력할 수 있는 방안을 제시하시오.

[20' 중 면] 면담 시 다른 곳 응시, 잦은 지각, 수업 중 다른 행동을 하는 학생을 지도하는 방안을 말하시오.

[19' 초 토] ADHD 학생의 행동을 모방하는 학생의 담임을 맡은 A 교사를 지원할 수 있는 협력체제와 그 역할에 대해 논하시오.

[17' 비 면] 교복을 입지 않고 등교하는 학생을 어떻게 지도할지 평가위원을 학생이라고 가정하고 말하시오.

1 주안점 기출

① 교사가 마음을 먼저 열고 우호적인 관계를 형성하면 학생은 교사를 신뢰하고 자신의 마음을 솔직하게 털어놓을 수 있음

② 학생생활교육위원회(선도) 등 규정이나 절차를 도입하기 전에 상담과 대화를 통해 학생의 마음과 감정을 들어보는 시간을 갖고 원인 파악에 힘써야 함

> **사이다 톡 talk!** 요즘 뉴스를 접하다 보면, 갈등이 발생할 때 소통이나 대화 없이 '법대로 하자'는 분위기가 만연한 사회가 돼 버린 것 같아 안타까울 때가 있어요. 작은 사회인 학교도 이와 크게 다르지 않죠. 하지만 절차나 규정을 적용하기 전에 대화, 상담 등을 시도해 보려는 노력이 차가운 공간을 따뜻하게 바꿔나가는 데 기여할 것입니다.

③ 문제행동 학생뿐 아니라 다른 학생의 학습권, 교사의 교권 또한 소중한 권리임을 서로 인지하며 접근해야 함

④ 학생의 습관 개선에는 시간이 오래 걸릴 수 있으므로, 작은 관심과 주기적 상담을 병행하며 감정을 물어봐 주는 태도가 필요함

⑤ 자존감이 낮을 때 문제행동을 일으키는 경우가 많으므로 작은 성취에도 즉각적이고 구체적으로 칭찬하며 자존감 회복을 돕는 것이 중요함

⑥ 교사 혼자 책임지고 해결하는 방식이 아니라, 동료 교사·학부모·전문가·지역사회와 협력해 공동 대응 체제를 만드는 것이 필요함

> **사이다 톡 talk!** 그동안 학생 인권이 강조되면서 '인권 침해'라는 이유로 교사의 지도가 위축되는 경우가 많았습니다. 그러나 같은 교실에서 함께 배우는 학생들의 학습권, 그리고 교사의 교권 역시 반드시 존중받아야 할 소중한 권리입니다. 학교는 모두가 존중받는 공간이어야 하며, 그 누구도 상처받아서는 안 됩니다. 교사로서 우리는 교사 자존감을 바탕으로 학생을 이해하고 존중하면서도, 자신의 감정을 성찰하고 극복해 나가야 합니다. 그래야 학생과 교사 모두가 지켜지는 건강한 교육공동체를 만들어 갈 수 있습니다.

② 교사에게 화를 내거나 지도를 거부하는 학생

① 화를 잘 내고 공격적인 학생에 대한 교사의 관점

- 아동·청소년기에는 분노나 슬픔과 같이 강렬한 감정을 느낄 때 이성적인 판단이 어렵다는 점을 이해해야 함
- 행동 이면을 이해하되, 용납될 수 없는 행동에 대한 한계 설정을 분명히 해야 함

② 잠깐 멀어져 감정 가라앉히기: 교과 수업이나 생활지도 중 교사와 대립각을 세우는 학생을 마주했을 때 바로 일을 처리하고자 하면 서로 감정적으로 해결할 수 있음. 사안이 발생한 장소가 아닌 곳으로 옮기거나, 언제 어느 시간에 만나자고 약속해 서로 감정을 가라앉힌 후 상담하는 것이 좋음

③ 학생의 이야기 들어보기: 학생이 화를 내거나 지도에 불응한 이유에 대해 이야기를 들어봄 ➡ 자신의 마음을 표현하고 이해의 말을 듣는 것만으로 마음이 진정될 수 있음

④ 나의 감정 전달하기: 그 자리에서 느낀 교사의 감정을 '교사의 입장'에서 전달함. 학생을 탓하거나 다그치지 않음

⑤ 약속 맺기: 교사와 학생의 입장을 서로 주고받으며 앞으로의 해결 방안에 대해 같이 이야기를 나눔

⑥ 학부모 및 담임교사와 연대하기: 상담 전후로 담임교사와 학생에 대한 이야기를 나누며 지도 방안을 공유하거나 학부모님과 공유해 효과적인 해결 방안을 모색함

⑦ 천천히 다가가기: 이후 small talk, 작은 관심 등을 내비치며 관계 회복을 위해 천천히 다가감

사이다 talk! 또래 친구들과는 아주 잘 지내지만, 교사와 라포르 형성을 하지 않으려는 학생과의 일화가 기억나요. 교칙을 지키는 것에 거부감이 심하고 훈화의 말을 하면 대놓고 부정적인 피드백을 던져 당황을 시키곤 했습니다. 단순히 저를 싫어하는 줄 알고 울기도 많이 울고 수업에 들어가기 싫었습니다. 이 문제를 해결하고 싶어서 담임 선생님, 주변 선생님에게 상황을 설명하고 도움을 요청하니, 그 학생은 직전 연도에 선생님과 안 좋은 일이 있었고, 가정환경 문제로 어른에 대한 부정적인 인식이 심겨 있더라고요. '선생님들은 엘리베이터를 타면서 우리에겐 타지 말라고 한다.', '어른들은 호통치면서 학생들한테만 조용히 하라고 한다.' 등등 과거의 경험으로 교사에 대한 선입견을 만들고 곁을 내어주지 않았던 것입니다. 이런 친구들에겐 시간이 필요합니다. 저는 원인을 파악하고 학생이 그런 마음을 가질 수 있다는 것을 이해했어요. 그리고 학생의 관점에서 비합리적인 어른들의 행동이 무엇인지 고민해 보며 신뢰를 쌓고자 했어요. 점차 개인적인 대화의 빈도도 높여갔고요. 한 학기가 지나고, 1년이 지나며 점점 더 그 학생과 가까워질 수 있었답니다. 이 사건을 계기로 '원인 파악', '공감과 소통'의 중요성을 다시 한번 깨닫게 됐어요.

③ 지각이 잦은 학생

① 원인 파악하기: 지각의 원인이 무엇인지 파악해야 함 ➡ 생활 습관, 가정환경, 교통 문제 등 다양한 원인이 존재함

② 약속 맺기: 어떤 이유든 지각에 관한 규정은 일관적으로 적용돼야 함을 스스로 깨닫도록 이야기를 나눔 ➡ 시간 약속의 중요성 강조, 담임교사로서 도와줄 수 있는 일이 있다면 함께 돕겠다고 이야기함

③ 가정과 연대하기: 학부모님께 상황을 말씀드리고 협조를 부탁함

④ 긍정적 강화하기: 약속을 잘 지켰을 때는 구체적인 근거를 들어 칭찬하고 행동을 한 즉시 칭찬함

> **예** "○○이가 스스로 일찍 일어났다니 매우 기특하네. 잘했어" ➡ 학생의 작은 변화를 진심으로 칭찬하면 학생은 교사를 신뢰하고 스스로 노력하게 됨

④ 교칙 불이행 학생

(1) 이해 및 학생의 생각 듣기

① 또래와 어울리고 싶으면서도 차별화되고 싶은 청소년기 특성을 먼저 이해함

② 문제행동에 대한 학생의 생각을 들어봄(무슨 마음이었는지, 어떤 감정이었는지)

③ 학생이 생각할 때 비합리적인 교칙이 있다면, 이를 어기는 것이 아닌 학급회의 및 학생자치회에 건의해 절차에 따라 바꿔야 함을 인지시킴

(2) 깨달음 부여하기

① 사회에는 규칙과 법이 존재하고 작은 사회인 학교에서도 역시 이것을 지켜야 함을 스스로 깨닫도록 대화를 진행함

② 교칙 불이행으로 인해 공동체 질서가 깨지는 것을 이해시키고 책임감을 부여함

(3) 약속 맺기

강요가 아닌 스스로 깨달음에 의해 질서를 지킬 것을 약속하고 행동의 변화를 기다리며 긍정적 강화를 함

5 학급 분위기를 저해하는 학생

① **상황 파악하기**: 해당 학생, 담당 교과 교사, 학생들의 의견을 수렴해 객관적으로 문제 상황 판단을 해야 함

② **원인 파악하기**: 학급 친구들과의 갈등 때문인지, 개인적 행동 조절 실패 때문인지, 주의력 결핍 때문인지, 교과교사와의 갈등 때문인지 학생 및 학부모와의 상담을 통해 문제의 원인을 정확하게 파악해야 함

> **사이다 톡 talk!** 주의가 산만해 학급 면학 분위기를 저해하는 친구가 있다고 해서, ADHD(주의력결핍-과잉행동장애, Attention-Deficit Hyperactivity Disorder)일거라고 섣부르게 판단하지 않도록 주의해야 해요. 발달 과정에서 나타나는 주의산만과 충동적인 모습은 올바른 지도를 통해 점차 개선될 수 있으므로 그 방법에 대해 충분히 이해해야 한답니다! 적절한 지도에도 불구하고 지속되거나 학급의 분위기를 해치는 경우에는 ADHD라고 판단하기 전에 전문가나 전문기관의 도움을 받아야 해요.

③ **학생의 생각 듣기**: 스스로 문제라고 생각하는 점, 변하고 싶은 방향 등에 대해 고민하고 다짐할 시간을 부여하고 경청함

④ **공동의 노력으로 해결하기**: 해당 학생, 학급 친구들, 교과교사, 동 학년 교사들과 공동의 노력으로 해결해야 함

> **사이다 톡 talk!** 이 외에도 수업 중 무단이탈, 과도한 휴대폰 사용(수업 집중 방해), 반복적 과제 미제출, 또래 괴롭힘(언어·신체·사이버 포함) 등의 문제행동이 있을 수 있습니다. 해당 주제는 수업 문제 상황(THEME 41), 학교폭력 예방 교육(THEME 13), 디지털 시민교육·개인정보 보호(THEME 9)에서 다루도록 하겠습니다.

37 위기 학생 (공)

현장 이야기로 사이다 열기

매해 담임을 맡다 보면 교실 안에는 늘 위기에 처한 학생이 한두 명씩 있었습니다. 그 원인도, 위기의 형태도 제각각이어서 어떻게 접근하는 것이 맞는지 고민했던 순간이 많았습니다. 때로는 교사가 반드시 숙지해야 할 제도적 절차를 확인하며 지도 방안을 찾아야 했던 경험도 있었고요.

이번 테마에서는 위기 학생의 다양한 유형과 대응 절차를 살펴보고, 학교 현장에서 이들을 어떻게 효과적으로 지원할 수 있을지 함께 고민해 보겠습니다. 무엇보다 중요한 점은, 몇 가지 예외 상황을 제외하면 정책이나 제도적 절차만으로 문제를 해결하려 해서는 안 된다는 것입니다!

제도는 뒷받침의 수단일 뿐, 그 이전에 교사의 관심과 애정 어린 조언을 통해 학생을 이해하고 정서적으로 지지하는 과정이 반드시 선행되어야 합니다. 그 위에서야 제도가 진정한 힘을 발휘할 수 있답니다.

#지도_방안

☑ All 기출 문장 및 빈도 체크

연도	자기성장소개서 (생)			집단토의 (토)			개별면접 (면)		
	초	중	비	초	중	비	초	중	비
2016									✓
2017									
2018							✓	✓	
2019									
2020								✓	
2021				미시행					
2022									✓
2023									✓
2024									
2025									✓

*공통 (공)

[25'(비)(면)] 음식 알레르기가 있으나 이를 다른 학생들에게 알리는 것을 불편해하며 혼자 있고 싶어 하는 학생이 있다. 이 학생을 지원하기 위해 담임교사와 협력할 수 있는 방안을 제시하고, 대처 과정에서 교사가 유의해야 할 사항을 말하시오.

[23'(비)(면)] 가족 간 갈등으로 스트레스를 느끼는 학생이 증가하는 상황에서 자신의 교과와 연계하여 지역사회와 함께하는 건강회복 프로그램 방안을 말하시오.

[22'(비)(면)] 우울감을 느끼는 학생이 증가하는 상황에서 자신의 교과와 연계하여 지역사회와 함께하는 건강회복 프로그램 방안을 말하시오.

[20'(중)(면)] 자해를 시도한 학생의 지도 방안을 말하시오.

[18' 초·중] 담임교사로서 학업중단에 빠진 학생을 지도하기 위한 방안을 말하시오.
[18' 초·중] 가정폭력이나 아동학대가 의심되는 학생이 있을 때 교사의 행동 조치를 말하시오.
[16' 비·교] 직무와 관련하여 위기 청소년을 어떻게 발견하고 도울 것인지 말하시오.

① 위기 청소년 정의

가정 문제가 있거나 학업 수행 또는 사회 적응에 어려움을 겪는 등 조화롭고 건강한 성장과 생활에 필요한 여건을 갖추지 못한 청소년(청소년복지 지원법 제2조 제4호)
예) 우울증, 불안장애 학생, 자해 및 자살 시도 경험 학생, 아동학대 의심 학생, 학업중단위기 학생 등

② 위기 학생 유형별 지도 방안

(1) 우울증이 있는 학생

> • 2024년 중·고등학생의 스트레스 인지율은 43.3%, 우울감 경험률은 27.7%
> • 2023년 청소년 사망자 수는 1,867명. 사망 원인은 고의적 자해(자살) ➡ 안전사고 ➡ 악성신생물(암) 순
>
> 출처: 통계청·여성가족부, 2025 청소년 통계

① 특징
- 짜증과 예민함, 충동적 행동, 가면 우울증(겉으로 티 나지 않으나 비행, 공격적 행동으로 표출되기도 함)
- 성적 급락, 섭식·수면 습관 변화, 죽음에 대한 언급 등은 개입 신호

② 지도 방안
- 학생이 마음을 표현할 수 있도록 눈높이에서 대화를 시도하며 진정성 있게 경청
    - 예) ○○아, 수업 마치고 선생님과 얘기 좀 나눌래? 요즘 들어 표정이 어둡고 기운도 없어 보여서 혹시 무슨 일이 있는 건 아닌지 걱정돼.
- 학생을 이해하기 위한 노력과 관심, 돕고 싶은 마음 전달
    - 예) 선생님이 모든 것을 다 알 수는 없겠지만, ○○이를 이해하기 위해 노력하고 도움도 되고 싶어. 우리 같이 방법을 찾아보자.

- 무기력감을 보이는 학생을 게으름이나 꾀병으로 판단하거나 비난하지 않고 시작에 대한 응원과 격려, 성취감을 경험하도록 조력

  예) "○○아, 애썼다.", "참 수고 많았다.", "○○이가 충분히 노력했구나."

- 학급 내에 모둠 활동, 멘토링, 소그룹 동아리 활동을 장려해 자연스럽게 친구들과 어울릴 수 있는 기회를 만들고, 학생들 사이에서도 서로 관심을 갖고 인사를 나누는 분위기 형성

- 교내 위(Wee) 클래스를 포함해 위(Wee) 센터, 청소년상담복지센터, 정신보건복지센터 등에서 심층적인 상담을 받을 수 있음을 안내하고 도움을 받을 수 있도록 연계

(2) 불안장애가 있는 학생

① 특징: 자기 비하, 시험 시 시간초과, 체육활동 회피, 친구 맺기 어려움, 두통·복통·구역감·피로 등 신체 이상 증상

② 지도 방안

- 호흡과 이완 훈련, 불안 시 떠올릴 수 있는 긍정 이미지 제시
- 비합리적인 사고 교정

비합리적인 사고	합리적인 대처
지나친 과장(~하면 큰일이다)	있는 그대로 수용
과도한 책임감(그 일을 잘하지 못하면 그건 100% 내 책임이다)	무조건 자기 탓을 하기보다는 상황을 전체적으로 인식
최악의 상황 가정	반대되는 증거 탐색
사고 비약(모 아니면 도, 흑백 논리)	유연한 생각

- 자기 존중 교육: 아무런 조건 없이 자기 자신을 있는 그대로 존중하려는 마음가짐을 지니고 타인을 있는 그대로 바라보도록 조언
- 신체 활동 활용: 운동을 통한 불안 완화

사이다 talk! 《인스타 브레인》(안데르스 한센)에 따르면 스트레스와 불안을 해결하는 데 가장 좋은 방법은 '운동'과 같은 신체 활동을 하는 것이라고 합니다. 불안 민감도가 높은 학생들을 대상으로 실험 연구를 한 결과, 운동을 한 학생들은 불안감이 감소했고 프로그램 종료 후에도 그 효과가 유지됐다고 해요. 일주일에 2시간씩만 움직여도 많이 해소가 된다고 하니, 이 연구 결과를 인용해 교육 활동에 신체 움직임을 활용한 교육 방안을 고민해 본다면, 면접 시 전문적으로 보이면서도 학생의 전인적 성장을 고민해 본 참교사라는 느낌을 줄 수 있겠죠?

③ 유의할 점
- 학생이 불안을 보일 때마다 무조건 안심시키는 것은 결과적으로 학생을 더 의존적으로 만들 수 있음
- 지나치게 지시하거나 개입하는 행동을 하지 않음
- 불안해하는 상황을 회피하도록 허용하지 않음

(3) 자해 행동을 보이는 학생

① 지도 방안
- 비난하지 않고 안정적인 대화 시도 ➡ 구체적인 상황을 대답하게 하는 개방형으로 상황 파악 <small>예</small> 어떤 상황에서 이러한 행동을 하게 되니?
- 학생이 자해에 대해 이야기하고 싶지 않다고 한다면, 당연한 반응이라 생각하고 기다림
- 무작정 멈추라고 말하지 않고 학생과 함께 대인관계 기술 및 스트레스 해소 방안 탐색
- 학생이 가진 장점이나 잘한 행동에 대해서 지지하고 격려
- 사안이 심각할 경우 위기관리위원회나 외부 전문기관과 연계
- 학부모의 다양한 감정들을 공감한 후, 자해에 대한 정확한 정보와 자녀의 자해 행동에 대한 대처 방법 안내

② 유의할 점
- 자해는 쉽게 주변 학생들에게 확산될 수 있으므로 공개적으로 거론하지 않음
- 학생의 심리적 원인에 주목 ➡ 자해 행동 자체에만 관심을 두고 접근하면 주위의 관심을 얻으려는 의식적·무의식적 행동이 증가할 수 있음
- 학생에게 절대적인 비밀 유지를 약속해서는 안 되고, 필요시 외부에 이를 알리고 도움을 받아야 한다는 사실을 미리 안내하고 설득해야 함

③ 교사가 피해야 할 태도
- 무작정 자해를 멈추라고 말하지 않음
- 일방적으로 학생에게 훈계하듯 이야기하지 않음

(4) 자살 징후를 보이는 학생

① 체계적 개입 방안
- 경청하고 이해하기: 1:1 상담을 통해 학생의 말에 집중하고 감정 이입해 경청하는 순간 외로움에서 해방될 수 있음

- **전문가의 도움받기**: 학생의 상황을 있는 그대로 관찰한 후 상담 내용 등을 통해 교내 Wee 클래스 상담교사와 연계해 전문적 상담으로 연계함
- **또래 상담사 이용하기**: 자살 등의 문제로 고민하는 친구에게 따뜻한 친구의 위로나 말 한마디는 어른들의 이야기보다 크게 도움이 되기도 함

> **또래 상담 시 상담자가 지녀야 할 관점**
> - 친구의 어려움과 괴로움을 공감하고 이해하기: 조언을 주기보다 마음을 헤아려 정서적 유대감을 만들기
> - 문제의 심각성을 간과하지 않기: 정신적 위기에 처한 친구의 입장에서 진지하게 고통에 대해 경청하는 자세를 가지기
> - 친구의 긍정적인 측면을 강조하기: 자살을 생각하는 친구들은 부정적인 생각을 하는 경우가 많음. 이때, 옆에서 긍정적인 측면을 얘기해 주면 자존감이 향상될 수 있음

- **보호자에게 알리기**: 현재 상황을 알리고 전문기관의 도움을 받길 권유하며, 가정에서 자녀를 잘 살펴보도록 안내하고 위험한 도구를 치우도록 설명함

② 유의할 점

- 학생이 말하지 않은 감정까지 확대해서 판단하거나 별일 아니라는 듯이 대하지 말기
  - 예 "비참했겠구나.", "무시당했구나.", "누구나 그 정도는 힘들어."
- 공동체와의 연대를 통해 해결하기: 위기관리위원회를 개최하여 학교 내 협력체계를 구축하고 자살 시도 학생과 관련한 교사들이 함께 협력
- 자살에 대해 직접적으로 질문하기: 자살위험징후를 알아차렸을 때 직접적으로 자살에 대해 질문해 현재 상황 확인 ➡ 자살위험 수준을 알아보기 위해 자살 생각, 자살 동기, 자살 계획, 자살 시도 경험 순으로 질문을 하고 자해 여부 확인

자살 생각	"죽고 싶은 마음이 있니?", "그 마음에 점수를 준다면 10점 만점에 몇 점을 줄 수 있을까?"
자살 동기	"어떤 이유 때문에 죽고 싶을까?", "어떤 점이 그렇게 고통스러울까?"
자살 계획	"죽는 데 구체적인 계획이 있니?", "막연히 죽고 싶은 생각만 있니?"
자살 시도	"이전에 죽으려고 시도를 한 적이 있니?", "어떤 방법을 사용했었니?", "실패해서 마음이 어땠니?"
자해	"자해하고 있지 않니?", "자해하고 나면 마음이 어떠니?"

자살 생각이 있는 학생과 대화할 때 주의점

① 섣불리 학생을 설득하려고 하지 않음
② 비밀 보장이 가능하고 조용한 공간에서 대화를 시도함
③ 비밀 보장의 한계에 대해서도 학생에게 미리 고지함

도움이 되는 대화법	도움이 되지 않는 대화법
• ○○이가 그렇게 힘들었구나. • ○○이 입장에서는 그렇게 느껴지는 것이 당연하겠구나. 선생님도 ○○이 입장이었다면 그랬을 것 같다. • 선생님은 학생의 생명과 연관된 이야기를 알게 됐을 때는 꼭 보호자에게 알리도록 돼 있어. 혹시 부모님에게 알리게 됐을 때 걱정되는 것이 있니?	• 죽을 용기로 더 열심히 살아야지. • 누구나 그 정도 고통은 다 겪어. • 뭐 그런 문제로 죽을 생각까지 해? • 설마 자살하고 싶은 것은 아니지? • 이건 절대 비밀이야, 나만 알고 있을게.

사이다 톡 talk! 학급에서 우울증으로 오랜 기간 병원 치료를 받는 학생을 만난 적이 있어요. 첫 만남에서 자기소개 상담지를 받아보았을 때, 자기를 비하하는 표현, 세상을 원망하는 문구 등이 있어 학부모님께 안부 인사 형식을 빌려 전화를 드렸고 학생의 상황을 넌지시 여쭈니 먼저 말씀하시더라고요. 자기 외모와 이를 대하는 친구들의 태도에 상처를 받아 2년 정도 교우관계를 맺지 않고 있었다고 해요. 꾸준히 병원에 다니며 상담을 받고 약물치료를 하는 친구에게 담임으로서 어떤 일을 할 수 있을지 고민하며 그 친구를 많이 관찰했어요. 그 친구에겐 뚜렷한 장점이 있었습니다. 청소를 굉장히 성실히 하고 그림을 진짜 잘 그렸어요. 그래서 저는 조·종례 시간에 학생의 성실성과 그림 실력을 자주 언급하며 칭찬을 해주었어요. 또 교내 대회에 나가볼 것을 적극 추천하고 상을 받아왔을 때 학급에서 크게 박수를 쳐주었죠. 항상 소극적이고 고개를 숙이고 있던 친구였는데 칭찬받는 횟수가 늘어나니 친구들도 미술 활동을 할 때 그 친구를 찾게 됐고, 청소 시간에도 수다를 떨며 즐겁게 청소를 하더라고요. 점점 자신감도 가지게 돼 더 이상 고개를 숙이며 걷거나 우울한 표정으로 친구들을 마주하지 않았어요. 교사의 관심과 관찰, 가정과의 연대, 학급의 친화적인 분위기가 한 사람을 살릴 수도 있구나, 다시 한번 깨닫게 된 계기가 됐답니다.

(5) 아동학대 의심 학생

① 정의

- 보호자를 포함한 성인이 아동의 건강 또는 복지를 해치거나 정상적 발달을 저해할 수 있는 신체적·정신적·성적 폭력이나 가혹행위를 하는 것과 아동의 보호자가 아동을 유기·방임하는 것(아동복지법 제3조 제7호)
- 아동학대범죄를 직접 범하지 않았더라도 그를 교사·방조했다면 아동학대행위자에 해당(아동학대처벌법 제2조 제5호)

② 아동학대 현황과 접근 방향성

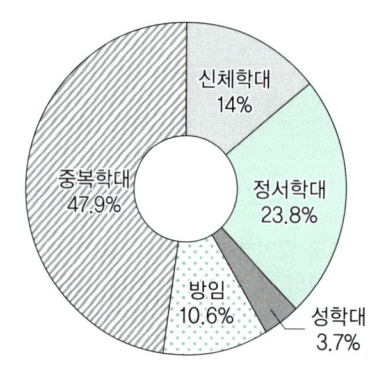
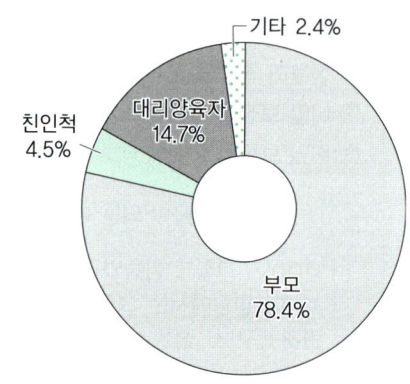

출처: 보건복지부·아동권리보장원, 2018 아동학대 주요통계

사이다 톡 talk! 아동학대에는 신체학대뿐 아니라 정서학대, 성학대, 방임 등이 포함된다는 것을 이해해야 합니다. 아동학대 의심 학생을 지도할 때, 이 통계를 인용해 주 대상자가 '부모'이며, '중복학대'가 절반 정도라는 것을 염두에 두고 교육 방안을 짜보세요. 또한 면접 시 이 통계를 언급한다면 발언에 더 큰 신뢰감을 줄 수 있을 거예요.

③ 특징: 신체 상흔, 영양실조, 발달 지연, 계절에 맞지 않는 옷, 잦은 결석, 나이에 맞지 않는 성적 행동, 보호자에 대한 두려움 표출 등

④ 지도 방안

- 아동학대 신고: 초·중·고교 직원, 의료인, 아이돌보미, 보육 교직원 등이 해당되며 정당한 사유 없이 신고 의무를 불이행할 경우 1,000만 원 이하의 과태료(아동학대처벌법 제63조 제1항 제2호) 기출

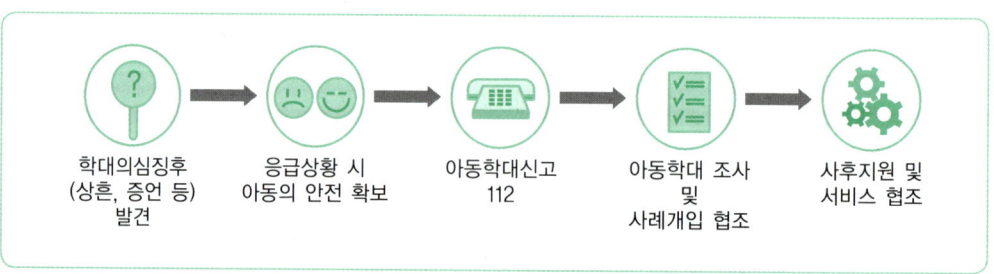

> **아동학대 신고 시 유의 사항**
> - 보호자에게 신고 내용을 알리는 등 아동학대 증거가 은폐되지 않도록 주의하기
> - 가능한 한 증거 사진을 확보하고 아동학대 조사에 적극적으로 협조하기
> - 아동이 불안에 빠지지 않도록 큰일이 난 것처럼 행동하지 않고 일상적으로 대하기
> - 성학대의 경우 증거 확보를 위해 씻기거나 옷을 갈아입히지 않기
> - 성학대의 경우 아동 진술 오염 방지를 위해 상담하지 말고 바로 112 신고하기
> - 진술의 오염이 발생할 수 있으므로, 학대에 대해서 캐묻거나 유도 질문을 하지 않기
>
> **신고 후 아동을 대하는 태도**
> - 신고 전과 동일한 태도로 아동을 대하기
> - 아동의 말 경청하기, 비언어적인 대화에도 반응하기
> - 학대받은 것이 아동의 잘못이 아님을 확인시켜 주기

- **아동학대 발견을 위한 노력**: 지속적으로 학생의 건강과 안전, 평상시와 다른 상흔 또는 감정의 변화가 있는지 확인, 친구나 이웃 등의 제보에 관심
- **미인정(무단) 결석에 대해 적극 대응**: 결석 학생의 결석 사유 확인, 출석 독려, 가정 방문 및 내교 요청, 소재 불명이나 안전 확인 불가 시 경찰에 수사 의뢰
- 상흔이나 감정의 변화에 대해 개방적인 질문 제시
  - 예 "많이 아파 보이는데, 어떻게 하다가 다친 건지 말해줄 수 있니?"
- 대화 과정에서 학대받은 정황이 드러날 경우 마음 달래기
  - 예 "그동안 정말 많이 힘들었겠다. 그 힘든 일을 너 혼자 견뎌내고 있었다고 생각하니 선생님 마음이 너무 아파."

⑤ 유의할 점

- 절대적 약속을 하지 않아야 함
  - 예 다른 사람에게 말하지 않을게. 내가 지금부터 네가 학대를 당하지 않도록 해줄게. (×)
- 학대를 가정한 질문이나 유도 질문은 하지 않도록 함
  - 예 혹시 누군가 너를 때리거나 괴롭혀서 생긴 상처니? (×)
- 학대의 이유를 아동에게 물으면 자신이 잘못해 그런 일을 당하는 것이라고 생각할 수 있으니 이유를 묻지 않음 예 그 사람이 너를 왜 때렸을까? (×)

⑥ 아동학대 관련 법 주요 개정 사항

- **조사 거부 시 과태료 상향**: 학대행위자의 현장조사 거부 시 불응 방해에 대한 과태료를 500만 원에서 1,000만 원으로 상향 조정

- **아동보호전문기관 기능 전환**: 아동학대 조사 및 사례 관리기관에서 심층 사례 관리 전문기관으로 전환해 사례 관리를 주도하면서 가족 기능 회복 지원 및 재학대 방지 기능 강화
- **위기 아동 조기 발견 노력**: 교육복지사 등을 통해 방학 기간 및 신학기 모니터링, 아동행복복지 시스템으로 분기별 위기 아동 가정방문 실시, 공무원 교육 강화

사이다 talk! 개정안의 방향성은 '조기 발견'이에요. "교사의 적극적인 관심·관찰로 조기에 발견하겠다."는 이야기가 꼭 포함돼야 합니다. 조기 발견-신고의무-신고 이후 아동을 대하는 태도 등 단계별로 이야기하면 교사의 전문성을 드러내는 데 효과적일 거예요.

(6) 학업중단위기 학생

① 교사의 역할

```
상담을 통해 심리 어루만지기  →  학업중단숙려제 안내
```

STEP 1. 상담하기
- 미인정 결석이 늘거나, 학업중단 의사를 밝힌 학생과 상담 실시
- 학생의 내면을 깊숙이 이해하고 공감하는 자세 필요. 이 과정을 통해 학업중단의 원인 파악
- 학업을 유지했을 때와 중단했을 때의 장단점, 고민하는 문제의 해결 정도를 함께 정리해 본 후 이야기 나눔

STEP 2. 학업중단숙려제 안내하기
- 학업을 중단하고자 의사를 밝힌 학생 모두에게는 반드시 '학업중단숙려제' 안내

  초·중등교육법 제28조(학습부진아 등에 대한 교육) 제7항
  학교의 장은 학업중단의 징후가 발견되거나 학업중단의 의사를 밝힌 학생에게 학업중단에 대하여 충분히 생각할 기회를 주어야 한다. 이 경우 학교의 장은 그 기간을 출석으로 인정할 수 있다. 〈신설 2016. 12. 20.〉

- **학업중단숙려제**: 학업중단위기 학생에게 1주(7일간)~7주(49일간)까지 숙려 기회를 부여하고 상담 및 매일 프로그램을 지원해 신중한 고민 없이 이루어지는 학업중단을 예방하는 제도, 위기 학생을 조기에 발견해 학업중단을 사전 예방하고 학교 적응력을 증진하고자 함

숙려상담(최대 2주)	매일 프로그램(최대 5주)
• 1주 2회 이상 숙려상담 • Wee 클래스 전문상담, Wee 센터, 청소년상담복지센터 등에서 상담 운영	• 1일 1회 이상 5주 매일 프로그램 • 심성 수련, 자존감 향상, 예술치료, 멘토링 등의 프로그램

STEP 3. 숙려제 진행하기 및 적응 도와주기

- 숙려제 참여를 희망할 경우: 신청서 작성 및 내부 계획에 의해 운영
- 학업중단을 희망할 경우: 지속적인 관찰과 상담으로 학생의 마음 치유와 진로 설정 도움

사이다 톡 talk! 학업중단숙려제는 학생이 학업중단 의사를 밝히거나 징후가 포착되면 반드시 설명하고 안내해야 하는 학교장 의무 사항으로, 이 사실을 서면으로 남겨야 해요. 단, 연락이 두절되거나 해외 이민·질병 치료 등으로 숙려제 적용이 불가능한 상태, 출석 정지나 퇴학 조치를 받은 학생은 해당되지 않아요. 의무 사항이므로 학업중단 학생에 대한 문제가 나왔을 때는 이 제도를 꼭 언급해야 한답니다!

② 유의할 점

- 상담 등 과정에서 학업중단위기 학생이라고 학생에게 단정적으로 언급하지 않도록 주의
- 학업중단숙려제를 단순히 제도적 방안으로 활용하는 것이 아닌 교사의 관심과 애정, 가정과의 연대하에 적용할 것
- 숙려 기간 중 학생 소재(출결 등) 및 안전 상태를 정기적으로 확인
- 학업중단숙려제 종료 후 학업 복귀 및 학교생활 적응 향상 지원

③ 경기도교육청 위기 학생 지원 방안: 예방-대비-대응-회복의 단계별 접근

(1) 예방 단계

① 생명존중 문화 조성을 위한 교육

- 교육과정 연계(교과 및 창의적 체험활동): 연간 6시간 이상 생명존중 및 생명살림 교육
- 매월 자살 예방 및 생명존중을 위한 뉴스레터 발송
- 담임교사의 조·종례 시간을 활용한 생명존중 교육 실시
- 보호자 대상 학생 자살 예방 리터러시 교육

② 생명존중 교육 주간 집중 운영: 학생 자살 발생 비율이 높은 학기 초(3월, 9월) 담임교사 중심으로 학생 및 학부모 상담을 통한 위기 학생 조기 발견 ➡ 상담 및 보건교사를 중심으로 관심군 학생 지원, 고위험군 학생 전문기관 치료 연계

③ 생명존중 문화 조성 자율 프로그램 운영

- 공모전, 도전 체험 프로그램(반려 식물 키우기, 따뜻한 등굣길 마음 나누기 등)
- 자치 활동 '생명존중 발표대회' 개최
- 생명존중 동아리 운영

④ 전문상담교사 배치를 통한 예방 상담 지원
- 초등 배치 확대: 위기 학생 저연령화 추세에 따라 초등학교에 우선 배치
- 상담 및 교육활동 지원: 초등학생 맞춤 상담 지원(미술치료, 놀이치료 등), 발달 특성에 맞춘 집단상담 프로그램 운영, 학생에 대한 이해를 도울 수 있도록 교사 및 학부모 교육 강화

(2) 대비 단계: 위기 학생 지원 시스템 구축 및 운영 활성화

① 조기 발견 노력: 학생 정서·행동 특성 검사 등을 통해 고위기 학생의 자살징후 조기 발견

② 학교 위기관리위원회 구성 및 운영: 학생 정신 건강, 가정 및 학교 부적응 문제 등으로 학교 차원의 대처가 필요한 경우 위기관리위원회를 구성하여 지원 방안 강구

③ 학생 맞춤 애플리케이션 안내: 다들어줄개(모바일앱), 스마트 안심 드림(자살징후 알리미 앱), 콜센터 번호

④ 심리·정서적 고위기 학생 대처 능력 향상: 위(Wee) 클래스, 위(Wee) 센터, 위(Wee) 스쿨 전문상담인력 상담 역량 강화 연수

(3) 대응 단계

① 자살 발생교 위기 개입 절차

1단계	• 학교 위기관리위원회 긴급 소집 • 자살 사안과 관련된 정보수집 및 상황 파악 • 유가족을 접촉하고 애도 표현
2단계	공개할 정보의 내용과 범위, 대상 결정해 교내·외 대응
3단계	• 특별 상담실 운영 및 애도 프로그램 지원 • 우선 관리군 학생 의뢰 및 관리 • 자살 학생 형제·자매·친구·이성 친구 등 파악 • 학생 보호 및 관리 요청
4단계	• 학생 심리회복을 위한 학급 및 학년 단위 애도 및 위기관리 프로그램 진행 • 자살 위기 학생 선별·평가·상담 및 의뢰

② 병원형 위(Wee) 센터 운영: 심리·정서적 문제로 학교생활에 적응이 어려운 학생을 대상으로 차별화된 전문가 진단 및 개입, 교육 치료와 상담을 통해 복교할 수 있도록 지원

(4) 회복 단계

① 위기 학생 발생교 긴급 심리 지원(특별상담실 운영, 학교 안정화 프로그램 및 트라우마 예방 프로그램)

② 위기 학생 상담 및 치료비 지원

③ 위기 학생 지원 협력체계 구축

4 대안교육

(1) 목적

① 학교 부적응 및 학업중단위기 학생의 학업중단 예방을 통한 공정한 교육 기회 보장

② 학생 적성과 소질에 따른 대안교육 기회 제공으로 학업중단 예방 강화

(2) 학교 내 대안교실

학업중단 예방을 위해 학교생활 부적응 학생의 다양한 교육적 요구를 충족시킬 수 있도록 일반학급과 구분해 정규수업 시간 내에 대안교육 프로그램을 운영하는 별도의 학급을 두는 것

> **예시**
>
> **치유 프로그램**
> - 전문가 치유 및 상담 치유(집단 및 개인) 등
> - 예술 치유: 미술 치유, 음악 치유 등
> - 신체 활동을 통한 치유: 댄스, 명상, 요가, 숲 치유 등
> - 연극 치유: 상황극, 사이코드라마, 단막극 작품 연출, 가족 세우기 등
>
> **공동체 체험 중점**
> - 또래 관계: 또래와 함께 만든 작품 전시 또는 발표회, 또래 멘토링, 뒤뜰 야영 등
> - 교사 관계: 사제동행(영화 관람, 등산), 교사-학생 멘토링 등
> - 학부모 관계: 부모-자녀 관계 증진 프로그램, 부모-자녀 동반 캠프 등

학습·자기 계발 중점
- 기초학력 신장: 신문·카드를 활용한 학습, 독서교육 등
- 수준별 수업: 학생들 수준에 맞는 수업 만들기, 영화 감상·게임 등 재미있는 수업 등
- 학습 멘토링: 교사 및 또래 학습 멘토링 등
- 예술 활동: 서예, 미술, 공예, 목공, 악기, 뮤지컬, 연극 등
- 창작 활동: 영상 제작하기, 다큐 만들기 등

사이다 talk! 학교 내 대안교실 학생은 교사가 추천하거나, 학생이 지원해 선발해요. 대상 학생들은 특정 요일, 시간대에 정규수업을 듣지 않고 대안교실로 이동해 해당 프로그램을 이수해요. 때론 방과 후, 학교 밖에서 활동하기도 한답니다.

(3) 유의할 점

① 전용 공간의 필요성
- 다양한 체험·진로·인성 프로그램을 운영하기 위해 전용 공간 필요
- 학생들의 소속감과 정서적 안정감을 주는 공간 마련

② 학교 내 대안교실 환경 조성
- 학생들에게 정서적 안정감을 줄 수 있는 장소 선택
- 전용 교실이 없을 경우 담당 부서와 협의해 공간 확보

⑤ 경기 희망학교

학교폭력 및 학교 부적응 등으로 학업중단위기를 겪은 학생의 중도 탈락 예방과 학교 복귀를 위해 ➡ 경기도교육청이 지정하는 대안교육 위탁 기관

① 국어, 영어, 수학, 사회, 과학은 각 2시간 이상 편성
② 체육/예술, 생활/교양은 대안 교과로 대체 가능(진로·직업교육, 자격증 취득, 전문 기술 교육, 현장실습, 인성교육, 심리상담 및 치유, 현장 체험학습, 공동체학습 등 특성화 프로그램)

38　ADHD 학생 공

현장 이야기로 사이다 열기

신규 교사 시절에 문제행동을 반복적으로 일으키는 학생이 있었습니다. 아무리 타이르고 때론 화를 내고 감정에 호소를 해봐도 나아지지 않았죠. 진심이 통하지 않을 때도 있구나, 내 지도를 무시하는구나, 허무함이 느껴졌습니다.

하지만 어느 순간 반복적 문제행동에는 분명 원인이 존재할 것이라는 깨달음이 있었고, 환경적 요인뿐 아니라 심리적인 원인, 질병의 관점에서 학생의 행동을 관찰하니 문제의 원인을 제대로 파악할 수 있었습니다. 이 과정에서 가정과의 연대는 필수적이었고요. 그렇게 심리·질병적 관점에서 ADHD 학생을 지도한 경험이 있어요.

함께 ADHD 학생들의 특징을 살펴보며 자칫 교사의 오해로 학생을 탓할 수 있는 문제 상황을 방지하고 현명하게 지도할 방안을 알아봅시다.

#ADHD_학생_특성 #지도_방안

☑ All 기출 문장 및 빈도 체크

연도	자기성장소개서 성			집단토의 토			개별면접 면		
	초	중	비	초	중	비	초	중	비
2016									
2017									
2018									
2019				✓					
2020									
2021	미시행								
2022									
2023									
2024									
2025									

*공통 공

[19′ 초 토] ADHD 학생의 돌발행동과 문제행동을 모방하는 학생의 지도 방안을 말하시오.

1 ADHD 정의

① 주의력 결핍 및 과잉 행동 장애: 지속적인 부주의, 과다 활동, 충동성이 핵심 특성

② 단순히 산만한 것이 아니라 주변 자극을 억제하지 못하고 사회적 관계를 맺는 것이 어려움

③ 대부분 아동기, 초등학교 생활을 시작하는 저학년 시기에 발현

2 진단을 시사하는 관찰 지표(교실 단서)

① 과제·활동 중 부주의한 실수, 지시를 듣지 않는 듯한 반응

② 과제 준비물 잦은 분실, 주의집중의 급격한 저하

③ 조직적 활동(순서·계획)에서 지속적 곤란

> **사이다 톡talk!** 교사는 의심 신호를 기록·관찰하여 학부모와 공유하고, 필요시 전문기관(학교 상담, 의료)과의 연계를 안내합니다. 단, 교사가 단독으로 ADHD라고 진단하고 낙인찍지 않도록 주의해야 합니다.

3 적절한 개입이 없을 때의 위험

① 자존감 하락, 피해 의식 고조, 학습 부진·학습 장애가 발생함

② 또래관계 좌절로 회피·반항이 강화되어 발달 과제를 놓칠 수 있음

4 ADHD 학생을 대하는 교사의 관점과 역할

① 교사의 관점: 문제행동을 고의적 반항이 아니라 기질적 어려움에서 비롯된 자기조절 곤란으로 이해해야 함

② 교사의 역할
- 수업·관계의 심리·사회적 중재자
- 또래 상호작용을 촉진하는 환경 설계자
- 학부모, 전문상담교사, 보건교사(필요시 의료기관)와의 연계 허브

⑤ 지도 방안 기출

① **가정과 협력한 일관적인 지원**: 가정과 학교에서의 일관된 지원이 중요함. ADHD 학생의 부모와 협력해 학생의 특성에 맞는 교육적 지원 방안을 함께 모색함. 문제행동이 서로의 잘못이라며 책임을 전가해서는 안 됨

② **칭찬으로 격려**: ADHD 학생들은 부정적인 피드백을 받을 가능성이 크기 때문에, 긍정적 강화와 구체적인 칭찬이 매우 중요함. 작은 성취라도 칭찬하고 격려해 주는 것이 학생의 자존감을 높이고 동기를 부여할 수 있음

③ **구체적이고 명확한 규칙 규정**: ADHD 학생은 모호하거나 복잡한 지시를 이해하는 데 어려움을 겪을 수 있으므로 명확하고 구체적인 지침을 주는 것이 중요함

④ **짧게 여러 번 수행할 수 있는 과제 제시**: 보통 ADHD 학생이 15분 정도 집중할 수 있다는 점을 고려해 다양한 학습 방식의 활동을 병행함 ➡ 정적인 활동과 동적인 활동을 번갈아 하게 하며, 시청각 자료를 수업에 활용함

⑤ **소집단 학습으로 대인관계 기회 제공**

⑥ **움직임의 기회 제공**: 도우미 활동, 교과 부장 등의 기회를 부여함

사이다 톡 talk! 《인스타 브레인》(안데르스 한센)에 따르면 인터넷, 스마트폰의 보급으로 학생들의 집중 시간이 상당히 감소했다고 해요. 집중력을 향상시키기 위한 가장 좋은 방법은 신체 활동인데요. 땀을 흘리는 격한 운동이 아니라도 매일, 단 5~6분의 활동만으로도 집중력 향상에 효과가 있었다고 해요. 특히 이러한 신체 활동은 ADHD 진단을 받은 학생들에게 큰 도움이 된다고 합니다. 면접 시 이러한 연구 결과를 언급하며 교과 활동에 신체적 움직임을 넣는 방향을 고민해 본다면 전문성을 드러낼 수 있겠죠?

39　Wee 프로젝트 공

> **현장 이야기로 사이다 열기**
>
> 올해 학교폭력 책임교사 역할을 맡으면서 전문상담 선생님과 대화할 기회가 많아졌습니다. 학생들을 Wee 클래스에 연계하는 경우도 많았고요. 상담 선생님과 대화하는 순간은 저 자신에게도 큰 힐링이 되었습니다. 늘 경청해 주시고, 학생의 상황에 맞는 솔루션을 제시해 주시는 모습에서 '이 공간은 학생들에게 반드시 필요한 곳이구나'라는 확신이 들었습니다.
>
> 현대 사회에서 학생들은 성실한 학업 수행자이면서도, 부모에게는 착한 자녀, 또래에게는 좋은 친구가 되기를 동시에 요구받습니다. 이런 역할들은 때로는 학생들을 지치게 하고, 감당하기 어려운 부담이 되기도 합니다. 어른들은 저마다의 방법을 찾아 위기를 극복해 나가지만, 학생들은 아직 그 과정을 배우고 있는 중이기에 방황과 흔들림이 잦습니다.
>
> 그럴 때 Wee 프로젝트는 지친 학생들의 마음을 전문적으로 어루만져 주는 든든한 안전망이 됩니다. 어떤 학생들에게 꼭 필요한 곳인지, 또 구체적으로 어떤 도움을 줄 수 있는지 함께 알아보도록 하겠습니다.

#치유

1 정의

① Wee: We(우리들) + education(교육) + emotion(감성)
② 의미: 위기 학생을 예방하고 종합적 지원체제를 갖춘 학교 안전망 구축 사업

2 도입 배경

① 인터넷 중독, 학교폭력, 가출 등으로 학교에 적응하지 못하는 학생이 증가
② 중복 위기에 노출된 학생에 대해 기존 학교 차원의 선도·치유만으로는 한계 존재
③ 이를 극복하기 위해 전문적 상담·치유·지원 체계로서 Wee 프로젝트 도입

3 종류

① Wee 클래스(학교)
  • 학교 내 설치된 상담실 ➡ 학생이 가장 먼저 도움을 받을 수 있는 1차적 상담 공간

- 학생과 전문상담교사가 신뢰를 형성하며 고민을 나누는 곳
- 랜선 Wee 클래스: 비대면 상담, 시간·거리·시선 부담을 줄여 접근성 확대

② Wee 센터(교육지원청)
- 학교에서 해결되지 않는 근본적 어려움에 대한 전문적 개입
- 지역사회 유관기관과 연계해 심층 상담·치료·서비스 제공

③ Wee 스쿨(기숙형 장기위탁교육기관)
- 고위기 학생 대상, 장기간 생활·치유·대안교육 제공
- 다양한 전문가와 함께 학생이 잃어버린 꿈과 재능을 회복하도록 지원

④ 가정형 Wee 센터
- 가정적 돌봄과 대안교육이 필요한 학생을 위한 특화형 기관
- 돌봄·상담·교육이 통합적으로 이루어짐

⑤ 병원형 Wee 센터
- 심리·정서적으로 큰 어려움을 겪는 학생에게 전문적 치료 제공
- 정신과 전문의의 진단·심리검사·상담 프로그램을 통해 학교 복귀를 조력

사이다 톡 talk! 관련 제도 중 '위(Wee) 닥터(원격 화상 자문)'가 있어요. 정신과 전문의가 Wee 프로젝트 담당자·학부모 등을 대상으로 자문을 제공하는 제도입니다. 면접에서 "필요시 위 닥터 제도를 통해 보다 전문적인 도움을 받겠다"라고 언급하면, 경기교육 제도를 잘 이해하고 있는 교사로 보일 수 있습니다. 단, 무작정 자문을 구한다는 느낌이 아닌 위 닥터 제도를 통해 보다 전문적인 지도를 하겠다는 느낌으로요!

4 기대효과

① 학생 개개인의 특성과 상황을 정확히 파악해 맞춤형 지원 가능
② 위기 학생의 정서적 안정을 돕고, 학교로부터 멀어지지 않도록 보호
③ 담임교사·전문상담교사의 상시 협력 ➡ 조기 발견 및 적절한 개입 실현

사이다 톡 talk! 담임교사로서 Wee 센터의 취지와 종류를 알고, 학생을 항상 관심 있게 살펴보며 적합한 학생을 연계하겠다고 답변하면 됩니다! 전문상담교사는 담임교사와 상시로 소통하고 학생들을 관찰해 위기 학생을 조기에 발견하고 적절한 개입을 하겠다는 방향이면 훌륭해요.

40 교육 약자 ㊂

현장 이야기로 사이다 열기

코로나19 상황 이후로 학생들의 학습 격차가 많이 벌어진 걸 실감합니다. 자기주도학습 능력을 갖추고 부모님의 돌봄을 받은 학생, 스마트 환경이 잘 갖춰진 학생, 기초학습 능력이 있는 학생은 코로나19가 확산된 2년간 인터넷 강의 등을 병행하며 자기관리를 상당히 잘했으나 부모님이 집에 계시지 않거나 자기조절 능력이 없는 학생의 경우에는 기초학력 부족 현상이 발견됐어요.

이 문제를 해결하기 위해 어떤 제도가 마련됐을까요? 현장 교사들은 어떤 노력을 하고 있을까요? 함께 살펴봅시다.

#교육_약자_정의 #교육_격차_해소_방안

☑ All 기출 문장 및 빈도 체크

연도	자기성장소개서 ㉝			집단토의 ㊗			개별면접 ㊞		
	초	중	비	초	중	비	초	중	비
2016									
2017									
2018									
2019									
2020									
2021				미시행					
2022									
2023									
2024									
2025							✓		

*공통 ㊂

[25'㊁㊞] 공평한 교육 기회를 제공해야 하는 이유 2가지를 말하고, A 학생(다문화 가정 출신, 농촌 지역 거주, 기초학력 부족, 천체 분야 관심)에게 적용할 수 있는 구체적인 교육 방안 2가지를 제시하시오.

1 정의

도움을 받지 않으면 학습과 성장이 어려운 상황에 처한 학생으로 단순히 취약계층 학생을 넘어, 개별적 지원이 필요한 모든 학생 포괄

(1) 가정적 요인

한부모가정, 조손가정, 다문화가정, 저소득 맞벌이 가정 등

(2) 학습적 요인

자기주도학습이 어려운 학생, 기초학력 미달 학생, 특수교육 대상 학생 등

2 교사의 역할과 지향점

(1) 관계 맺기

교육복지는 제도적 지원보다 먼저, 학생과의 신뢰 형성에서 출발함. 학생이 교사의 도움을 간섭이 아닌 지지로 받아들이게 하기 위해서는 경청·공감·관찰이 필수임

(2) 자율성과 전문성

교사의 자발적 관심과 꾸준한 상호작용을 통해 학생이 안정감을 느낄 수 있도록 해야함

(3) 공동체적 접근

담임교사 혼자만이 아니라 동료 교사, 교육공동체, 지역사회 자원과의 협력을 통해 지속 가능한 지원 체계를 구축해야 함

> **사이다 톡talk!** 신규 교사일수록 "내가 이 학생을 더 좋은 방향으로 바꾸겠다"라는 의지가 강하고, 그러다 보면 압박감에 지칠 때도 있습니다. 하지만 교육 약자를 돕는 일은 교사 혼자 감당할 수 있는 일이 아니에요. 여러 사람의 손길이 모일 때 효과가 배가 된다는 점을 꼭 기억하세요.

③ 노력 방안

(1) 조기 발견
① 기초학력 검사, 학생 상담지, 생활 기록을 꼼꼼히 확인하여 조기 개입

② '관찰 일지'를 기록해 작은 변화도 놓치지 않아야 함

(2) 가정과의 연대
① 학습 환경 및 가정 상황을 파악하여 학부모와 공동 노력

② 가정의 어려움을 이해하고, 학교에서 가능한 지원 방법 안내

(3) 멘토링 및 배움 동행 진행
① 교사·대학생·지역 전문가 멘토링을 통해 맞춤 학습 지원

② 학급 내 '또래 멘토-멘티 프로그램'을 운영하여 학생 간 상호 성장 유도

(4) 관련 제도 연계
① 스마트 기기 지원, 국립특수교육원 에듀에이블, 기초학력 보장을 위한 '베이스캠프' 등을 적극 활용

② 경기교육에서 강조하는 '에듀테크 기반 맞춤형 지도'를 접목해, 학생의 수준과 필요에 따른 학습 설계 가능

사이다 톡 talk! 저는 방과 후 보충수업에서 학습 부진 학생들과 소그룹 멘토링을 진행한 경험이 있어요. 소수 인원으로 학습하다 보니 확실히 개별화 교육이 쉬웠습니다. 또한 현장에서는 '에듀테크를 활용한 교과 지도'를 중시하고 있는데요. 에듀테크 콘텐츠를 연계해 학생의 학습 결과물을 확인하며 피드백을 주니 학생의 성취감도 높아졌습니다. 작은 성공 경험을 쌓아주면, 교육 약자 학생들도 충분히 도약할 수 있겠다는 생각이 들더군요. 이 점을 숙지하시고 면접에서 온라인 사이트, 콘텐츠 등을 적절히 연계하고 콘텐츠 활용 결과물로 학생에게 맞춤 지도를 하겠다고 말한다면, 경기교육의 취지에 부합한답니다.

41 수업 문제 상황 (공)

현장 이야기로 사이다 열기

성공적인 수업을 위한 몇 가지 요건 중 1가지는 학생 중심 사고라고 생각해요. 학생들을 이해하고, 학생의 관점에서 좋은 수업이란 무엇인지 고민하고, 문제가 발생한다면 그 원인을 파악하기 위해 노력하는 것이 정말 중요한 것 같아요.

몇 해 전, 수업 시간에 잠을 자는 학생 때문에 고민하고 수업을 바꾸기 위해 노력했는데, 원인은 따로 있었어요. 부모님이 안 계셔서 생활 습관이 뒤바뀐 탓에 밤을 새우고 학교에 와서 잠을 자느라고 모든 수업에 불참했던 것이더라고요. 이런 시행착오를 몇 번 겪고 나니 학생들을 이해하고, 학생들의 표정과 목소리에 귀 기울이는 것부터 수업이란 생각이 들더군요. 그 뒤에 학생이 자발적이고 주체적으로 참여할 수 있는 역량을 길러주고 동기 부여가 돼야 수업도, 관계도 성공적일 수 있다는 것을 깨달았습니다. 수업 문제 상황을 어떻게 해결해 나가면 좋을지 함께 생각해 봅시다.

#해결_방안

☑ All 기출 문장 및 빈도 체크

연도	자기성장소개서 (성)			집단토의 (토)			개별면접 (면)		
	초	중	비	초	중	비	초	중	비
2016					✓	✓	✓		
2017									
2018					✓				
2019		미시행							
2020								✓	
2021								✓	✓
2022									
2023								✓	
2024								✓	
2025								✓	

*공통 (공)

[25'중면] 수업과 수행평가에 적극적으로 참여하지 못하는 학생을 지도하기 위해, 교과교사로서 실천할 수 있는 방안을 제시하시오.
[24'중면] 교과 수업에 흥미가 없는 학생을 위해 교과교사와 담임교사로서 만족도를 증진할 방안을 제시하시오.
[24'중면] 학생에게 지속적으로 이야기했음에도 불구하고 수업 중 소란을 피우는 경우 어떻게 대처할지 말하시오.
[23'중면] 다음 상황(모둠 활동 중 특정인만 발언, 참여하고 싶으나 이해가 안 감, 혼자만 열심히 해서 손해 보는 기분)에서 효과적인 모둠 활동 운영 방안을 말하시오.
[21'비면] 기초학력 부진, 무기력, 친구들과 어울리지 못하며 학업에 흥미가 없는 학생을 지도하기 위해서 어떠한 지원을 할 것인지 자신의 전공과 연계하여 구체적 방안과 그 이유를 말하시오.
[21'중면] 담임교사의 지적에도 수업 중 딴짓을 하고 참여하지 않는 학생을 지도할 방안을 말하시오.
[20'중면] 모둠 활동 시 무임승차 발생으로 인한 문제와 해결 방법을 말하시오.

[20'중등] 학업에 흥미가 없는 학생을 지도할 수 있는 방안을 말하시오.
[18'중등] 학생 스스로 성장할 수 있는 방안과 다양한 학습 경험을 제공하기 위한 교사의 역할을 말하시오.
[16'비등] 배움에서 소외되는 학생이 없도록 구성원 전체가 참여하여 공동으로 실천 가능한 방안을 토의하시오.
[16'중등] 수업 중 잠을 자는 학생, 수업을 늦게 시작하게 되는 문제, 낮은 학생 만족도, 수업을 바꾸고 싶은 상황에서 문제 해결 방안을 논의하시오.
[16'초등] 배움에 흥미와 의지가 없는 학생을 위해 어떠한 노력을 할 것인지 말하시오.

1 해결 방향(공통 원리) 기출

① **학생과 원만한 관계 형성**: 학생을 이해하는 것부터가 수업임을 잊지 않아야 함. 관계를 기반으로 해야 학생이 수업에 참여할 수 있음

② **수업 성찰**: 철학이 담긴 수업인지, 학생에게 의미 있는 배움인지 성찰해야 함. 단순 전달식 수업은 참여율 저조로 이어질 수 있음

③ **수업 나눔, 수업 공개**: 공동체성을 바탕으로 동료 교사와 함께 수업을 점검하고 발전시켜야 함

④ **규칙 마련**: 학기 초 학생들과 함께 상호 존중 기반의 수업 규칙을 설정하고, 중간 점검을 통해 보완해야 함

2 상황별 문제 해결 방안

(1) 수업 중 잠을 자는 학생 기출

① **원인 파악**: 방치하지 않고 단순한 피로, 아르바이트, 가정환경, 학습 무기력 등 다양한 원인을 상담을 통해 직접 묻고, 담임교사에게 학생의 특성을 물어보는 등 개별 지도

② **관심 및 긍정적 강화**
- 일상에서 말을 걸거나 작은 역할 및 과제 부여
- 활동 시 반응을 보일 경우 긍정적 강화로 동기 부여 유도

사이다 talk! 학업에 관심이 없는 학교에서 근무했을 때 한 반에 한 명, 많게는 3명 정도가 수업 시간에 잠을 자곤 했어요. 매번 깨우는 것도 피곤해서 원활한 수업을 위해 자는 학생을 그냥 둔 적도 있죠. 하지만 이제는 자는 학생이 거의 없어요. 해답은 '관심'이더라고요. 언제부턴가 수업 중간중간 '성찰일지'를 작성하게 했어요. 수업 내용에 관련된 것은 아니고요. 자기 생활이나 습관에 대한 성찰 질문을 주고 생각을 적어내게 했어요. 공부에 관련된 것이 아니니, 친구들은 거의 모두 성실하게 작성했답니다. 특히 "사소한 것도 상관없으니 내가 매일 하는 일을 적어보세요", "요즘 나의 감정을 이야기해 보세요.", "앞으로의 계획 및 다짐을 적어보세요."라는 질문에서 아르바이트를 한다거나 캐릭터를 제작해 판매한다는 것, 일이 고돼 공부에 집중할

수 없어 마음이 괴롭다는 등 학생을 자세히 이해할 수 있는 답변들이 나왔죠. 한 학기에 2~3번 실시하며, 학생을 파악하고 오가며 그 학생을 만날 때 "아르바이트는 잘하고 있어?"라고 관심을 갖고, 피곤하지만 학교에서 잠을 이기고 몰입하는 연습이 인생에서 얼마나 중요한 경험이자 자양분이 되는지 수업 시간에 수시로 동기 부여를 하고 있어요. 그리고 반드시 깨웠고요. 이렇게 하다 보니 2학기 때에는 집중은 못 해도 적어도 잠은 자지 않으려고 노력하는 모습을 보여주더라고요. 단순히 깨우는 것이 아니라 관심을 표현하고, 자기 성찰 기회를 제공하면 학생이 '나는 존중받고 있구나' 느끼며 변화를 보일 수 있다는 것을 깨달았던 경험이었습니다.

(2) 수업과 수행평가에 소극적인 학생 기출

① 원인 파악: 무기력, 기초학력 부족, 관심사 불일치 등 다양한 이유를 상담과 관찰로 확인

② 지도 방안

- 학생의 수준 및 관심사에 맞는 맞춤형 과제 제시 및 개별 피드백
- 작은 성취 경험을 제공하고 즉각적인 칭찬으로 동기 부여
- 모둠 학습 등을 통해 협력의 기쁨과 성취감을 맛보게 함
- 강의식 수업, 모둠식 수업, 태블릿 수업 등 학생 주도의 다양한 형태의 수업으로 흥미를 고취시킴

사이다 톡 talk! 의지가 없어서가 아니라 방법을 몰라서 수업에 참여하지 못하는 학생도 있습니다. 이때 교사는 학생이 스스로 성취를 경험할 수 있도록 사다리를 놓아주는 역할을 해야 합니다. 《인스타 브레인》에 따르면 인간은 신체 활동을 할 때 큰 집중력을 발휘한다고 해요. 그리고 무기력과 우울감이 많이 사라지기도 하고요. 이런 것을 참고해 교과수업에 활동형 수업을 포함해 보는 건 어떨까요?

(3) 수업을 방해하는 학생 기출

① 수업 규칙 상기

- 학생들과 함께 정한 학급별 수업 규칙을 되새기며 책임감 부여
- 문제행동으로 인한 교사의 어려움을 솔직하게 전달
- 수업에는 분명한 규칙과 지켜야 할 질서가 있음을 안내
- 내한 달에 한 번씩 수업 참여 정도를 성찰하며 규칙 재정비

사이다 톡 talk! 규칙은 강제로 주입하는 것이 아니라 함께 만드는 것이어야 효과가 있습니다. 학생이 동의한 규칙일수록 스스로 지키려는 힘이 커집니다. 꼭 규칙을 세우는 시간, 재정비하는 시간을 확보해야 합니다!

② 원인 파악: 학기 초 규칙을 함께 설정했음에도 문제행동을 보일 경우 학생과 1:1 상담을 통해 학생이 그렇게 행동한 이유, 상황, 감정에 대해 들어보며 개인 사정인지 흥미 부족인지 교사와의 관계 문제인지 점검

③ 담임교사와 협력 체계 구축: 담임교사에게 자문을 구해 학생의 특성, 성향, 가정환경 등을 파악해 학생을 이해하고 맞춤 지도를 실시함

(4) 배움이 느린 학생 기출

① 원인 파악: 기초학력 부족, 무관심, 용어 이해의 어려움 등 배움이 느린 원인이 무엇인지 상담 혹은 인공지능 등 에듀테크를 활용해 정확하게 파악

② 해결 방안: 파악한 원인에 따라 적합한 해결책 제시

> 예 배움 사전 제작(용어 풀이), 또래 교수 활동, 과제 제시 후 개별 피드백, 지역사회 연계(대학생 멘토링) 등

사이다 talk! 현재 경기도교육청에서는 '개별화 교육'을 매우 중시하고 있어요. 따라서 학생 개개인의 고민을 해결해 줄 수 있는 능력을 갖춘 교사임을 어필해야 합니다. 물론, 30여 명을 지도해야 하는 교사에게 이것은 무리한 요구일 수 있어요. 그래서 인공지능 활용을 권고하고 있답니다. 교사가 놓칠 수 있는 부분을 AI가 분석해 줄 수 있으니까요. 교사는 객관적인 데이터를 기준으로 학생에게 부족한 부분을 파악할 수 있고, 맞춤 피드백을 줄 수 있죠. 반면, AI가 할 수 없는 내적 동기 부여, 자신감 강화 등은 온전히 교사의 몫이에요. AI를 활용한 개별화 교육을 하면서도, 교사 본연의 업무인 학생의 성장을 위한 정서적 지원을 강화하겠다는 이야기를 꼭 하셔야 해요!

(5) 모둠 학습 문제(무임승차·발언 편중 등) 기출

① 취지 설명: 본격적인 활동 전, 모둠 수업의 취지와 효과 등을 안내해 동기 유발

② 효과적인 모둠 구성: 담임교사와 상의하거나 직전 학기 성적·수업 태도를 고려해 멘토 역할을 할 수 있는 학생을 포함해 성향이 잘 맞는 학급 구성원으로 모둠을 구성함

③ 역할 분담제 실시: 공동 과제 속에 세부 역할을 나누는 역할 분담 및 책임제를 실시해 맡은 역할을 수행할 수 있게 함

④ 토킹스틱 안내: 한 명에게 발언권이 쏠리는 문제를 방지하기 위해 조별로 토킹스틱을 제공해, 토킹스틱을 들고 있는 친구는 발언하고 나머지는 경청할 수 있게끔 규칙을 마련함

⑤ 다양한 형식 허용: 1가지 주제를 주되 다양한 형식의 과제물 제출을 허용함

> 예 신문 제작, 방송 영상 제작, 파워포인트 녹음 등 아이들이 각자의 재능을 녹일 수 있도록 유연하게 과제물의 방식을 열어둠

⑥ 중간 피드백 제공: 모둠을 구성하고 방치하는 것이 아닌 순회 지도를 통해 무임승차 학생이나 이해가 어려워 참여하지 못하는 학생을 조기 발견해 잘 정착할 수 있도록 지도함

사이다 talk! 모둠 수업은 '협력'의 가치를 배우는 좋은 기회입니다. 하지만 관리가 없으면 불공정성이 발생합니다. 교사는 '구체적인 역할 부여'와 '중간 점검' 등을 통해 진정한 협력을 경험하게 해야 합니다!

사이다 면접

42 갈등 문제 (공)

현장 이야기로 사이다 열기

교사가 되기 전에는 학교를 단순히 수업 잘하고 학생들을 사랑하는 공간으로만 상상했습니다. 그러나 현실 속 학교는 달랐습니다. 가장 크게 다가온 차이는 바로 '관계 문제'였습니다. 수업 못지않게, 갈등을 마주하는 태도와 갈등을 해결하는 방식이 교사에게 중요한 역량이라는 것을 절실히 깨달았습니다. 학교는 수많은 관계가 얽힌 작은 사회이기 때문입니다.

특히 올해 학교폭력 책임교사를 맡으면서 학생과 학생, 학생과 교사, 교사와 교사, 나아가 학부모와의 관계까지, 하루에도 수십 번의 상호작용 속에서 크고 작은 갈등을 경험했습니다. 그 과정 속에서 갈등을 피할 수는 없다는 것, 중요한 것은 그것을 어떻게 풀어가느냐는 사실임을 다시금 느꼈답니다.

관계의 질은 교육공동체 모두의 학교생활 만족도를 결정짓는 핵심 요소입니다. 그리고 교사가 그 중심에서 신뢰를 세워 나갈 때, 학교는 안정과 성장을 동시에 이룰 수 있습니다. 그렇다면 좋은 관계를 맺기 위해 우리는 무엇을 고민해야 할까요? 갈등 해결의 열쇠는 어디에 있을까요? 사이다와 함께 살펴봅시다.

#지도_방안

☑ All 기출 문장 및 빈도 체크

연도	자기성장소개서 (성)			집단토의 (토)			개별면접 (면)		
	초	중	비	초	중	비	초	중	비
2016				✓					
2017									✓
2018									✓
2019									
2020				✓					
2021				미시행				✓	
2022								✓	✓
2023							✓		
2024							✓	✓	✓
2025									

*공통 (공)

[24'중면] 교사와의 관계 만족도가 낮은 경우 교과교사와 담임교사로서 학생의 만족도를 증진할 방안을 제시하시오.

[24'중면] 학교폭력 업무에 배정된 상황에서 업무가 과중하다고 생각하여 다음 해에 다른 업무를 요청했는데 인력 부족으로 한 해 더 해야 하는 상황에서 어떻게 대처할지 말하시오.

[24'비면] 갈등 상황에서 소통과 협력으로 해결해 나갔던 경험과 이를 교직 현장에서 교사 관계에 적용할 방안을 전공과 연계해서 답변하시오.

[24'초중] 수업 시간에 떠든 학생을 불러 상담하려 하니, "왜 저만 혼내세요?"라고 하는 상황에서 어떻게 답변할지 시연하고, 그 이유를 제시하시오.
[23'초] 교내 다양한 연령의 개인주의와 공동체 의식에 대한 차이점 속 신규 교사의 노력 방안 3가지를 제시하시오.
[22'비중] 학급 내 갈등이 잦아 고민하는 담임교사와 협력하여 자신의 전공과 연계한 교육 방안을 제시하시오.
[22'중중] 교과교사가 매 시간마다 학급 아이를 데리고 와서 생활지도를 하라고 한 상황에서 해결 방안을 제시하시오.
[21'초중] 자신의 업무를 맡아 달라고 하는 동료 교사와의 문제를 해결할 방안을 제시하시오.
[20'초중] ADHD 학생의 돌발행동, 학부모가 교사의 전문성을 의심, 문제행동 학생을 모방하는 학생이 존재하는 상황에서 담임교사를 지원할 수 있는 협력 체제와 그 역할을 논의하시오.
[18'비중] 같은 반 학생과 갈등이 있어서 특정 수업에 불참한 학생을 지도할 방안과 그 담당 교과 선생님과 함께 생활교육 전문성을 신장할 방안을 제시하시오.
[17'비중] 아침맞이 시간에 교복을 입지 않고 등교하는 학생을 어떻게 지도할지 평가위원을 학생이라고 가정하고 이야기하시오.
[16'초중] 학급 문제행동 아이와 이를 둘러싼 학급 친구들, 학부모, 다른 교사와의 갈등 문제를 해결할 방안을 토의하시오.

1 교사의 의사소통 방법과 태도

① 감정 이입하기: 학생·동료의 입장에서 상황을 바라보고 감정을 헤아림

② 경청하기: 단순히 듣는 것이 아니라 감정과 의도를 읽어내는 적극적 태도를 지님

③ 피드백 주고받기: 상대가 의도한 바와 내가 이해한 바를 확인하며 오해를 줄임

④ 권력과 지위에 의한 전달 피하기: 교사의 지위에 기대어 전달하지 않고, 존중 기반의 대화 지향

⑤ 나 전달법 사용하기: "너 때문에 힘들다"가 아닌 "나는 ~해서 속상하다"와 같은 화법으로 저항을 최소화

⑥ 일대일로 의사소통하기: 일대일 관계에서는 이해와 존경이 포함될 수 있음

⑦ 개방적인 자세로 소통하기: 내 감정을 드러내되 상대방의 입장을 존중하며 타인을 신뢰하고 있음을 정직하게 전달해야 함

사이다 톡 talk! 학생들이 고민이 생겼을 때 친구들과 소통하는 경우가 거의 전부라는 사실을 알고 계세요? 부모님이나 선생님께는 고민을 잘 말하지 않는다고 해요. 어른들의 과한 우려로 일을 크게 만들거나, 공감보다 해결 방안이 앞서는 경향이 있어서 그런 것 같단 생각이 들어요. 실제 상담을 할 때 딱히 해결책을 말하지 않아도 그저 들어주고 같이 공감하고 이해하는 것만으로도 학생들이 매우 만족하는 것을 확인할 수 있었는데요. 학생의 관점에서 경청하기, 공감하기, 이 원칙만 잘 기억해도 수월한 소통이 가능해진답니다.

2 효과적인 의사소통 방법

(1) 나-전달법

나-전달법(I-Message)
- 나를 주어로 사용해 나의 느낌이나 감정을 진술하게 표현하는 방법
- 상대방을 비난하지 않으므로 상대방의 저항을 일으키지 않고, 상대방의 행동이나 말로 인한 문제 상황일 때 자신이 어떻게 영향을 받고 있는지 효율적으로 알릴 수 있음
  - 예) 선생님 말에 형식이가 그렇게 대답을 하니, 선생님 마음이 아프다.

너-전달법(You-Message)

상대방에게 직접 충고, 명령, 나무람, 비난하는 뜻을 내포하는 말
- 예) 너 아주 형편없구나, 어떻게 그런 식으로 얘기하니?

(2) 감정주도 대화방식

감정주도(Emotion-Oriented) 대화방식

감정을 먼저 헤아리고 사실을 들여다보는 화법
- 예) 민수가 그런 이야길 해서 많이 화가 났구나. 너무 놀라고 당황했겠다. 괜찮아?

사실주도(Fact-Oriented) 대화방식

사실을 언급하며 대화
- 예) 또 싸웠어? 동민아 한두 번도 아니고 이번이 도대체 몇 번째야.

3 갈등 해결의 주안점 기출

(1) 교사 자존감 정립

① 매 순간 건강하고 활기차게 살며 교사 자존감을 길러야 함. 상처를 방치하지 않고 적극적으로 해소하기 위해 노력해야 함

② 갈등 상황이 왔을 때 나의 존재 자체를 공격하는 것이 아니라는 점을 인지하고 침착하게 대응해야 함

(2) 판단 금지의 원칙

타인의 태도가 내 관점에선 이해되지 않아도 함부로 판단해 평가하지 않고, '상대의 입장에서는 이게 화가 날 일이구나'라고 먼저 생각해야 함

(3) 소통과 상호존중의 원칙

무조건 교사가 참거나, 학생이 어른의 말을 따라야 한다거나 기분이 나쁜데 눈치를 보느라 참거나, 잘 지내고 싶어서 원하는 대로 해주는 것은 현명한 갈등 해결 방안이 아님 ➡ 상호존중하에 갈등을 해결해야 함

(4) 교육공동체 공동의 노력

갈등 상황은 당사자만 해결해야 하는 문제가 아닌 학교, 학부모, 동료 교사 등 공동의 협조와 노력으로 해결해야 함

(5) 과제 분리

갈등 이후 감정을 사적으로 끌고 가지 않고, 역할과 관계를 분리해 건강하게 정리해야 함

> **사이다 톡talk!** 교사가 진심을 담아 솔직하게 자기 감정을 표현하면 아이들도 보고 배운다고 합니다. 저는 특정 학생과 마찰이 생겼을 때 호통을 치거나 다그치는 것이 아니라, 솔직하게 저의 감정을 표현하곤 해요. '아깐 조금 서운했어.', '마음이 조금 속상하더라.' 같은 이야기를 들으면 학생들의 표정이 미묘하게 흔들리더라고요! 자기가 무의식적으로 한 행동이 선생님에게 상처가 된다는 것을 아는 거지요. 어른이라고, 교사라고 무조건 감내하는 것이 아닌 솔직하게 진심을 담아 감정 표현을 하되, 상대를 탓하지 않는 '나 전달법'을 현장에 가서도 사용해 보세요!

4 갈등 상황 및 해결 방안

(1) 나와 특정 학생 간의 갈등 해결 방안 〔기출〕

감정적 반응, 섣부른 충고, 강압적 지도가 아닌 우선 경청의 자세로 학생 입장을 들어봄
➡ 나 전달법으로 감정을 전달 ➡ 공동의 약속 수립 ➡ 담임교사 및 학부모와 연대

(2) 학생과 학생 간의 갈등 해결 방안 〔기출〕

처벌 중심의 해결이 아닌 상호존중과 배려의 관점에서 해결해야 함

① 학교폭력 예방 교육 〔THEME 13〕
② 인성교육 〔THEME 31〕
③ 회복적 생활교육 〔THEME 43〕

(3) 학급 학생과 특정 교사 간의 갈등 해결 방안 기출

① **상황 파악**: 수업 및 생활지도 중 문제 상황이 생긴 경우 각자의 이야기, 목격한 사람의 이야기를 들어본 후 객관적으로 상황을 인지해야 함

② **감정 공감**: 각자 입장과 감정을 들어보며 갈등 후의 극적인 감정을 가라앉히고 차분해질 수 있도록 함

③ **적절한 개입**: 중재의 입장에서 서로의 상황을 전달하고 충분한 소통을 할 수 있도록 분위기를 조성함

> **사이다 톡 talk!** 담임 반 학생과 교과교사 사이에서 갈등이 발생한 경우, 필요 이상의 개입은 서로를 불편하게 만들 수 있습니다. 교과교사가 상황을 알리면 교사가 겪었을 괴로운 마음에 함께 공감하고 학생의 특성을 고려해 해결 방안을 같이 모색해 나가는 정도면 충분하답니다. 학생은 교과교사보다 담임교사를 신뢰하기 때문에, 곧잘 지도에 따릅니다. 학생의 이야기를 경청하되, 교과 선생님이 겪었을 난처함 등에 대해서 이야기를 한 후 학생 스스로 깨닫게 하는 방식으로 교과교사와 담임 반 학생이 원활하게 문제 해결을 할 수 있도록 분위기를 조성하면 좋습니다.

(4) 교사와 교사 간의 갈등 해결 방안 기출

① **갈등 유형**: 업무 전가, 한 학생이나 상황을 두고 지도 방식 대립 등

② **해결 방안**: 공감적 소통, 진솔하고 차분하게 자기 입장을 전달하고 협력의 관점, 공동체적 관점으로 문제를 해결해 나가야 함

> **사이다 톡 talk!** 너-나-우리의 관점에서 대화를 해보세요! 먼저 상대 교사의 입장을 들어줍니다(너). 그렇다면 상대방도 나의 이야기를 들어줄 준비가 됐겠죠? 먼저 공감하고 이해했으니까요. 그 후 자기 감정을 솔직히 전달하는 겁니다(나). 나 전달법으로요! 상대를 탓하는 게 아닌 나의 감정에 초점을 맞춰요. 그러고 나서 협조와 협력의 관점에서 같이 문제 상황을 해결해 나갈 것을 약속합니다(우리). 이 3가지의 원칙을 고민해 해결 방안을 생각해 보면 어떤 문제든 쉽게 해결책이 나올 거예요. 가장 먼저 경청과 공감적 이해를 위한 준비를 하겠다는 것을 잊으시면 안 돼요.

43 회복적 생활교육 (공)

현장 이야기로 사이다 열기

교사가 아닌 친구가 저에게 말하더군요.
"네 얘기를 들으면 교사가 T 성향일 경우, 아주 쉽게 일을 해결할 수 있을 것 같아!"

하지만 저는 그렇게 생각하지 않습니다. 현장에서 문제를 겪어보니, 절차와 제도를 엄격히 적용해서 일이 풀리는 경우는 생각보다 많지 않았습니다. 오히려 공감하고 이해하며 대화로 풀어가는 순간이 훨씬 많았죠. 그 대표적인 방법이 바로 이번 주제, 회복적 생활교육입니다.

현장에서 회복적 생활교육을 경험하며 깨달은 점은, 학생들이 생각보다 대화와 공감의 힘을 잘 알고 있다는 것입니다. 존중받은 경험이 있을 때 책임을 더 잘 받아들이고, 친구와의 갈등도 서서히 풀어내더군요. 처벌만으로는 결코 만들 수 없는 변화였습니다.

존중과 목소리가 있는 교실, 자발적인 책임과 의무를 다하는 교실, 이것이 회복적 생활교육이 만든 교실 풍경입니다.

#정의 #사례 #방법

☑ All 기출 문장 및 빈도 체크

연도	자기성장소개서 (성)			집단토의 (토)			개별면접 (면)		
	초	중	비	초	중	비	초	중	비
2016									
2017									
2018									
2019									
2020									
2021				미시행					
2022									
2023								✓	
2024									
2025									

*공통 (공)

[23' 중 면] 최근 처벌 중심 사안 처리가 한계로 지적되고 있다. 학교폭력 문제에 대한 다음 상황을 분석하고 담임교사로서 교육적 해결 방안과 처리 시 유의 사항을 말하시오.

1 정의

학생들 간의 갈등이나 문제 상황을 처벌 중심으로 해결하기보다는 관계 회복과 공동체 강화에 중점을 두고 문제를 해결하는 교육 접근 방식 ➡ 학생들이 자신의 행동에 대해 책임을 지고, 피해를 입은 학생과의 관계를 회복하며, 공동체 내에서 긍정적인 변화를 이끌어 내는 것을 목표로 함

① 회복적
- 처벌이 아닌 가해자와 공동체 구성원의 노력으로 피해가 온전히 회복될 때 성취됨
- 통제 중심이 아닌 존중·자발적 책임·협력 목표

👍 NOT! 응보적: 잘못된 행동이 있을 때 그에 상응하는 고통을 부여하거나 사회를 통제하고 사람의 행동을 변화시킬 수 있다는 믿음 ➡ 이러한 관점으로 접근하는 것이 아님!

② 생활교육: 학생 생활 전반에 대한 교육적 접근

👍 NOT! 생활지도: 잘못된 행동만이 아닌 생활 전반에 대한 교육적 접근임!

2 도입 배경

학교폭력 문제를 당사자인 피해자를 빼놓고 행정가들끼리 모여서 논의하는 문제를 두고 피해자 어머니의 호소로부터 공동체의 대화 시작

3 필요성

① 단순 징계는 문제행동 재발, 공동체 불신으로 이어질 수 있음
② 회복적 접근은 피해·가해·공동체 모두가 참여해 근본적 해결을 도모함
③ 갈등을 부정적으로만 보지 않고, 민주시민 역량, 공동체 책임 의식을 기를 수 있음

④ 방법: 결과보다 과정에 집중, 공동체의 재통합 중시 기출

① 과정 중심 해결

| 문제 발생 ➡ | 대화하기 | ➡ 문제 직면하기 ➡ | 회복하고 책임지기 | ➡ 공동체로 재통합 |

- 대화하기: 행동과 결과의 영향에 대해 대화, 상황을 맥락적으로 이해
- 회복하고 책임지기: 회복해야 할 피해 확인, 자발적으로 책임
- 공동체로 재통합: 문제 해결 과정에 공동체가 참여, 분리되지 않고 공동체로 연결

② 공감적 의사소통: 비폭력 대화(관찰, 느낌, 욕구, 부탁으로 의식하고 말하는 것)

관찰	내가 ~를 보았을 때
느낌	나는 ~라고 느껴
욕구	왜냐하면 나는 ~를 중요하게 생각하는 사람이기 때문이야
부탁	~ 이렇게 해줄 수 있어?

③ 회복적 서클 운영

- 사전 서클 ➡ 본 서클 ➡ 사후 서클을 통해 공감을 이루고 탐구하는 갈등 당사자들의 대화 모임, 고민과 문제의식을 나누는 시간
- 발언권은 토킹스틱을 가진 사람에게만 주어지며 서로의 이야기를 경청하는 프로세스 방식으로 진행
- 서클 프로세스를 활용한 학급 운영: 서로 동등하게 말하고 듣는 방식 훈련, 공유된 목적과 약속 세우기 예 학급회의, 체크인·체크아웃 서클(하루를 시작하고 마감할 때 서로의 감정 이야기)

사이다 톡talk! 회복적 생활교육의 취지와 맞닿아 있는 또 다른 제도 하나를 소개할게요. 바로 '화해 중재 대화 모임'입니다. 학교에서 관계 문제가 생겼을 때, 갈등을 해결하려는 방안 중 하나로 갈등의 당사자들 모두 동의할 경우, 각 교육지원청에서 전문상담교사들이 학교로 찾아와 당사자들의 화해를 위한 대화를 진행하는 거예요. 먼저, 예비모임에서 각자의 생각과 감정을 들어본 후 본 모임에서 만나 대화를 이어 나가는 것이죠. 처음 참여한 학생들은 반신반의했지만, 자신의 마음을 존중받고 상대의 마음을 이해할 수 있는 단서를 얻으면서 "큰 도움이 됐다"라는 피드백을 주었습니다. 이처럼 현장에서 실제로 활용되는 제도를 잘 이해하고, 면접에서 언급할 뿐 아니라 교직 생활 속에서도 적극적으로 적용해 보세요.

5 원칙

① **'갈등' 소재**: 갈등을 부정적 혹은 긍정적인 것이 아닌, 상호관계에서 나타나는 자연스러운 현상으로 여기고 그 과정에서의 배움에 초점을 둠

② **관계 중심**: 규칙을 어긴 것보다 그로 인해 관계성이 훼손된 것을 잘못으로 여기고 관계를 강화하는 방향으로 나아감

③ **상호존중**: 모든 인간은 존재 자체로 존엄한 가치를 지님, 자율성과 다른 사람과의 상호의존성을 동등하고 소중한 것으로 여기도록 배워야 함

④ **공동체의 참여**: 문제 해결 과정에 공동체가 참여, 공동체성을 회복시키는 윈-윈 방식으로 나아가야 함

⑤ **지배 체제가 아닌 파트너십 체제**: 교사와 학생은 지배관계가 아닌 협력적 관계를 통해 공동체를 세움

⑥ **내면의 힘 부여**: 처벌 등 외부 통제에 의해 행동하지 않음, 내면의 힘을 길러 자율적으로 행동할 수 있어야 함

⑦ **합의를 통한 의사결정**: 다수결이 아님, 모든 참여자들이 욕구와 이해를 깊이 인식하고 모든 욕구를 만족시키는 방법 탐색

6 기대효과

① 학생의 정서적 안정 ➡ 학교와 멀어지지 않도록 도움

② 문제행동의 재발 방지 ➡ 책임과 회복 경험을 통한 성장

③ 갈등 해결 능력·민주시민 역량 강화

④ 존중과 신뢰가 살아 있는 학급·학교 문화 형성

44 학부모와의 소통 및 연대 ⓒ

현장 이야기로 사이다 열기

올해 학교폭력 책임교사를 맡으며 학부모님과의 관계에 대해 깊이 고민하게 되었습니다. 담임교사로서의 상담과는 달리, 학교폭력과 관련된 사안을 다루다 보면 때때로 갈등 상황에 직면하기도 했습니다. 뉴스에서 다뤄지는 충격적인 사건이 저에게도 일어날 것만 같아 걱정도 컸고 이래저래 초반에는 쉽지 않았습니다.

하지만 경험을 통해 분명히 깨달은 점이 있습니다. 바로 대화의 출발점은 '이해'라는 것입니다. 자녀의 학교생활을 걱정하는 마음, 별 탈 없이 잘 자라길 바라는 마음은 모든 학부모에게 공통적일 것입니다. 이 마음을 먼저 이해하고 나니, 학부모님을 단순히 '안내 대상'이 아니라 함께 문제를 해결해야 할 교육의 동반자로 바라보게 되었습니다. 이런 관점을 가지자 제 태도도 한결 여유로워졌고, 관계에서도 신뢰를 얻을 수 있었습니다. 결국 학부모와의 소통은 갈등을 줄이고, 학생의 성장을 위해 함께 힘을 모을 수 있는 든든한 기반이 된다는 사실을 다시 확인했습니다.

교사들이 겪는 다양한 문제 중 하나는 학부모와의 관계라고 합니다. 특히 신규 교사 시절에는 더욱 그럴 것입니다. 학부모를 '보호자'나 '불편한 상대'로만 여기지 말고, 교육공동체의 동반자라는 관점을 가져보세요. 그리고 답변을 준비할 때에도 '학부모의 마음을 이해하는 태도'와 '학부모를 교육 파트너로 삼는 관점'을 녹여내면, 전문성과 따뜻함을 동시에 보여줄 수 있을 겁니다.

#학부모와의_연대_중요성 #관계_맺기 #학부모_참여_활성화_방안

☑ All 기출 문장 및 빈도 체크

연도	자기성장소개서 ⓢ			집단토의 ⓣ			개별면접 ⓘ		
	초	중	비	초	중	비	초	중	비
2016				✓				✓	
2017						✓			
2018									
2019				✓					✓
2020				✓					
2021	미시행								✓
2022	미시행								✓
2023									
2024							✓		
2025									✓

*공통 ⓒ

[25'ⓑⓘ] 자신의 전공과 연계하여 자녀 이해를 돕기 위한 학부모 교육 방안과 기대효과를 말하시오.

[24'ⓒⓘ] 멘티미터로 만든 학부모와 교사의 신뢰 관계 강화 방안에 대한 서로 다른 생각을 보고, 학부모와의 신뢰 관계 형성을 위해 학급 담임으로서 실천할 수 있는 방안을 2가지 제시하시오.

[22'비초] 학부모의 참여도가 낮지만 교육열이 높은 환경을 고려하여 전공 연계 교육 방안을 기획하시오.
[21'비초] 학부모 요구 사항을 원만하게 해결하기 위한 전공 연계 방안을 제시하시오.
[20'초중] 두 학생 사이 갈등을 둘러싼 학부모의 의견 대립 상황에서 존엄, 정의, 평화의 가치를 실현할 수 있는 방안을 토의하시오.
[19'초중] ADHD 학생의 학부모가 교사의 전문성을 의심할 경우, 교사를 지원할 수 있는 다양한 협력 체제와 그 역할에 대해 논의하시오.
[19'비초] 교육공동체 대토론회에서 학부모 참여율을 높일 수 있는 방안을 제시하시오.
[17'비초] 맞벌이 가정이 많아 학부모의 참여가 저조한 학교에서의 비전을 모색하시오.
[16'중등] 학교에 관심이 없는 학부모들을 학교 공동체에 참여시킬 수 있는 방안을 제시하시오.
[16'초중] 학생 간 갈등을 둘러싼 학부모들의 의견 대립을 해결할 방안을 말하시오.

1 학부모가 학교를 바라보는 시각

① 교육 정책의 잦은 변화, 현장과 정책의 괴리로 공교육에 대한 불안과 불신을 느낌

② 학교 참여 의지는 있으나, 맞벌이·시간 부족 등으로 참여율이 낮음

③ 학교 참여가 때론 오해로 이어질까 부담을 느끼는 경우도 있음

사이다 톡talk! 〈교육시선 오늘 2022년 7호〉 등 조사 자료를 참고해 학부모가 학교를 바라보는 시각을 정리해 봤어요. 교사인 우리가 해결할 수 있는 수준에서 학부모와 소통할 수 있는 방안을 고민해 보세요. 정책에 대한 쉬운 해설을 제공하거나 상시적 안내 연락을 하는 것은 어떨까요? 또 학교에 실질적으로 참여하기 어려운 이유를 알아보고, 그것이 직장 문제 때문이라면 온라인으로 참여할 수 있는 창구를 만든다는 방법도 좋고요. 적극적으로 참여하시는 것이 교사 입장에서 불편한 일이 아니라 꼭 필요한, 감사한 일이라는 것을 학기 초에 미리 알리는 방법 등도 생각해 볼 수 있겠죠.

2 학부모에 대한 인식 방향

(1) 교육시민으로서의 학부모

학부모를 단순 동의를 구하는 사람이나 조력할 대상이 아니라 공적인 참여자, 교육공동체 일원으로 존중해야 함

(2) 비공식적 교육자

가정에서 학생에게 미치는 영향은 교사보다 클 수 있으므로, 학교와 가정의 연대가 필수적임

③ 관계 맺기의 핵심

자녀(학생) 이해하기	자녀(학생)에 대한 관심 표현하기	공동의 고민 나누기	동반자적 관계 맺기
학생과의 원만한 관계를 바탕으로 관찰 및 상담 등을 통해 학생의 장점, 성향, 학교생활, 교우관계 등을 파악함	학부모와 대면·비대면 상담으로 학생에 관한 이야기를 나누며 애정 어린 관심을 표현함	가정에서 학부모와 학생의 관계를 파악하고, 지도의 어려운 점을 상호 공유하며 심리적인 거리를 가깝게 함	학부모 모임을 후원 체제로 활용할 생각에서 벗어나, 평생학습 차원에서 함께 성장할 수 있는 동반자적 관계로 인식하며 다양한 차원에서 참여 활성화를 부탁함

④ 교사와 학부모 간 상호존중 방안 기출

① **교사의 전문성과 신뢰 보여주기**: 학기 초 자신의 교직관, 학급 운영 방안을 담은 가정통신문을 발송해 상호 신뢰와 존중을 위한 심리적 환경을 마련함. 학기 초에 교사가 자신의 기대와 교육 목표를 명확하게 전달하고, 학부모와 협력할 부분에 대해 미리 논의하면 오해를 줄일 수 있음

② **교칙에 관한 이야기는 사전에 안내하기**: 교칙과 규정을 무시할 수 없는 곳이 학교이기에 사후에 문제가 생기기 전에 이 부분에 대해 미리 안내함

③ **상시적인 상담 창구 마련하기**: 상담 주간만이 아니라 상시적 상담이 가능하다는 점을 안내함. 상담을 통해 학생의 성적이나 생활에서 일어나는 중요한 일들을 교사가 투명하게 공유하면 학부모는 신뢰를 느낄 수 있음

④ **긍정적 피드백과 칭찬하기**: 교사의 관찰을 통해 알게 된 학생의 긍정적인 면이나 성장 정도를 학부모에게 알리면, 관계를 강화하는 데 도움이 됨. 부모는 교사가 아이의 발전에 진심으로 관심을 가지고 있다고 느끼게 되고 교사를 믿고 존중함

⑤ **학부모 참여 기회 제공하기**: 학교 행사, 수업 참관 또는 학급 활동에 학부모가 참여할 수 있는 기회를 제공해 교사와 학부모가 더 깊이 연결될 수 있도록 함. 학부모가 학생 교육의 일부가 되면 신뢰가 더욱 강화됨

⑥ **학부모 자체에 대한 관심과 존중 표현하기**: 학부모님의 이야기를 경청하고 학부모님의 노고와 삶을 존중하는 표현을 전달, 섣부른 충고나 설교를 하지 않음

5 학부모 상담 방안

(1) 학부모 상담의 핵심

① 상담의 목적은 학생의 문제행동을 지적하는 것이 아닌, 학부모와 협력해 학생을 돕는 것이라는 점을 명심할 것

② 학부모의 마음에 대한 공감과 주의 깊은 경청이 필요함

③ 학생이 학교생활에서 보이는 장점으로 이야기를 시작하는 것이 편안하게 대화하는 데 도움이 됨

(2) 학부모 상담의 진행 과정

① 학부모에게 전화하기

- 교사가 갑자기 전화하면 학부모는 당황하거나 방어적인 태도를 취할 수 있음 ➡ 이 부분을 짚고 상담 목적을 부드럽게 설명해야 함
    - 예) ○○이 학부모님. 갑자기 전화를 드려 놀라셨죠? ○○이와 관련해 상의드리고 싶은 일이 있어서 연락드렸어요.
- 학생의 장점을 먼저 언급한 뒤 어려움을 자연스럽게 연결하고, 대면상담 약속으로 이어감
    - 예) ○○이는 활발하고 에너지가 넘쳐서 학급의 분위기 메이커예요. 그런데 감정 표현을 적절하게 하는 법을 잘 모르는 것 같아서 걱정되네요. 이 일에 대해서 직접 뵙고 상의드리고 싶은데 언제 시간이 괜찮으실까요?

② 가정에서의 모습을 탐색하기

- 가정에서 지도하는 데 어려운 점이 있는지 확인하고, 학교에서 도움을 줄 수 있는 부분을 질문함
    - 예) ○○이를 키우면서 혹시 어려운 점이 있으실까요? 말씀해 주시면 제가 ○○이를 교육할 때 참고해 도울 수 있을 것 같습니다.
- 교사가 관찰한 학생의 문제가 가정에서도 나타난다면 자연스럽게 문제를 공유
    - 예) 네. 저도 ○○이를 교육하면서 ~한 부분을 느꼈습니다. 오늘 그 점에 대해 상의드리고 싶습니다.
- 가정에서는 어려움이 없는 경우, 학교 공동체 생활의 특성을 설명하며 다양한 어려움이 나타날 수 있음을 설명함
    - 예) ○○이가 수용적인 가정에서 성장해 큰 어려움이 없었던 것 같네요. 그런데 공동체 생활을 하는 학교에서는 모든 것이 허용되지 않기 때문에, 가정에서와는 다른 어려움이 나타날 수 있습니다.

③ 문제상황을 전달하기: 문제상황을 학부모에게 공유할 때는 있었던 일에 기반해 사실만 전달함. 왜 문제가 되는지, 앞으로 어떻게 지도하고자 하는지 등을 명확하게 설명함

④ 가정과의 협력을 강조하며 마무리하기: 현재 학생이 경험하는 문제가 이후 사회 적응과 성장에 도움이 될 수 있음을 이야기하고, 학생의 변화와 성장을 위해 학부모의 협조와 노력이 매우 중요함을 강조함

⑥ 학부모가 방어적이거나 공격적인 경우

① 교사와 학부모가 학생의 성장이라는 공동 목표를 가지고 있음을 상기하고, 상담의 목적이 학생이나 학부모를 비난하기 위함이 아니라는 점을 설명하며 협력적인 태도를 끌어냄

② 교사의 감정적인 대응은 문제 해결을 방해하고 장기적인 관점에서 교사에게도 도움이 되지 않으므로 학부모의 반응을 교사에 대한 거부나 공격으로 해석하지 않고 침착함을 유지함

③ 한 번의 상담으로 문제를 해결할 수 있는 것은 아니므로, 학부모와의 대화가 해결의 방향으로 가지 않거나 학부모가 무리한 요구를 하는 경우에는 성급히 결론을 내리기보다 더 좋은 방법을 고민해 볼 것을 제안하고 다음 상담으로 연결함

사이다 톡 talk! 학생을 지도하다 보면 학부모님과 마찰이 생기기도 합니다. 학부모님이 무턱대고 화를 내거나 때론 무리한 요구를 하는 경우도 있고요. 어느 날 문득, 그런 생각이 들었어요. 자기의 분신인, 때론 자기보다 소중한 자녀에 대해 부정적인 이야기를 들으면 자신을 부정당하는 느낌이 들 수도 있겠구나. 그래서 학부모님과 문제행동에 대해 상담을 할 땐 저의 평가나 판단은 뒤로 하고 상황 자체에 초점을 맞추어 말씀드리고, 가정에서의 모습은 어떤지 물어보며 많이 들어주는 편을 택했어요. 그럴 경우 공감을 받는다고 여겨 제가 던지는 메시지에 긍정적으로 반응하셔서 더 효과적으로 상담을 할 수 있었습니다. 또한 막무가내로 화내는 학부모님이 있을 때는 멘탈 관리를 잘해야 해요. 상처받지 말고 한숨 고르고 생각해 보세요. '저 화는 나를 향하는 것이 아니다. 상황을 향하는 것이다.'라고요.

45 청렴 문화 공

현장 이야기로 사이다 열기

2016년 9월 28일 이른바 '김영란법'이 시행된 지 어느새 10년이 지났습니다. 학교 현장이 보다 투명해지고 실용성에 기반을 둔 선물이 아닌 편지, 종이접기 같은 소소하고 정성이 담긴 선물이 오가는 등 긍정적인 변화가 이제 자연스러운 문화가 됐죠. 학교에서는 여전히 전 교직원이 청렴 연수를 필수로 이수해야 합니다. 그만큼 현장에서 공무원으로서의 청렴은 매우 중요한 덕목 중 하나입니다. 청렴에 위배되는 사례를 살펴보며 관련 역량을 키워나가 봅시다.

#청렴_내용 #내면화

1 정의 및 목적

(1) 의미

공직자 등에 대한 부정청탁 및 공직자 등의 금품 수수를 금지함으로써 공직자 등의 공정한 직무 수행을 보장하고 공공기관에 대한 국민의 신뢰를 확보하는 것

(2) 도입 배경

2011년 현직 검사가 변호사로부터 사건 청탁에 대한 대가로 고급 승용차와 명품 가방을 받은 사건 이후 뇌물에 대한 기준을 마련하고자 당시 김영란 권익위원장이 추진
➡ 「부정청탁 및 금품등 수수의 금지에 관한 법률」(이하 '청탁금지법') 제정

2 내용

(1) 부정 청탁 금지

① 부정 청탁 시: 즉시 거절, 재청탁 시 기관장에 서면 신고
② 허용범위: 5만 원의 식사 대접·선물·경조사비는 의례상 허용(농수산물 선물 한도 평상시 15만 원, 명절(추석 등) 기간 30만 원 허용)

(2) 금품 수수 금지

100만 원 이하	100만 원 기준 대가성 여부 불문	100만 원 초과
직무 관련성이 있는 금품 등 수수 시 수수 금액의 2~5배 과태료 부과 (직무 관련성이 없으면 무관)		직무 관련성과 관계없이 형사 처벌 3년 이하의 징역, 3천만 원 이하 벌금

① 직무 관련성 여부와 상관없이 직위 영향력을 통한 금품 수수 금지

② 위반 시 처벌 대상이며, 제공자와 미신고 배우자도 제재

③ 신속한 신고 및 금품 반환 시 처벌 면제 가능

사이다 톡talk! 학생(학부모)과 교사 사이 직무 관련성(성적, 생활기록부 기록)이 있는 경우 100만 원 이하의 금품 수수 시 과태료가 부과됩니다. 졸업한 제자여서 직무 관련성이 없어졌다고 해도, 100만 원을 초과한 선물을 받을 경우 형사 처벌 대상이거나 벌금이 부과됨을 기억해 주세요!

(3) 외부강의 수수료 제한

① **신고 대상**: 직무와 관련되거나 그 지위, 직책 등에서 유래되는 영향력을 통한 교육, 홍보, 토론회, 세미나, 공청회 또는 그 밖의 회의 등에서 한 강의, 강연

② **절차**: 사전 신고 의무화에서 강의를 마친 날로부터 10일 이내 서면 신고

③ **사례금**: 일반 공직자 상한액 40만 원, 교직원 및 언론사 임직원 시간당 100만 원, 강의료·원고료 등 명목과 관계없이 일체 사례금 포함(교통비 제외)

④ 초과 시 신고 및 반환 필수, 미이행 시 500만 원 이하의 과태료 부과 및 징계 처분

3 기대효과

① 공직자 및 교직사회 내 부정에 대한 경각심 강화

② 교육기관에 대한 국민 신뢰 회복 및 투명성 확보

③ 교육 현장에서 청렴 문화 확산 기반 마련

④ **청렴 11덕목: 청렴 6덕목 + 확장된 5덕목**

(1) 청렴 6덕목

① 내가 맡은 "책임"

② 서로 믿을 수 있는 "정직"

③ 내 것과 남의 것을 보호하는 "절제"

④ 모두 함께 지키는 "약속"

⑤ 서로 따뜻함을 나누는 "배려"

⑥ 공평하고 정의로운 "공정"

(2) 확장된 청렴의 개념 5덕목

⑦ 올바른 솔직함 "투명"

⑧ 사회를 유지하는 기본 질서 "도덕"

⑨ 지켜주고 싶고 아껴주고 싶은 "준법"

⑩ 믿음을 지키는 "신뢰"

⑪ 모든 사람을 고귀하게 대하는 "사회정의"

사이다 톡 talk! 청렴 11덕목을 어떻게 교직 사회에서 실천할 것인지 고민해 주세요.

⑤ **청렴 관련 주요 Q & A**

Q 상조회(같은 학교 구성원들이 월 정기 회비를 납부하는 모임)에서 경조사가 발생해 회칙에 따라 30만 원을 지급할 수 있나요?

A 교직원 등과 관련된 상조회가 정하는 기준에 따라 구성원에게 제공하는 금품 등은 수수 금지 금품 등의 예외사유(청탁금지법 제8조 제3항 제5호)에 해당돼 지급 가능합니다.

Q 학생이 담임 선생님께 몇천 원 정도의 소소한 선물을 드릴 수 있나요?

A 학생에 대한 평가·지도를 상시로 담당하는 담임교사 및 교과교사와 학생 사이의 선물은 가액 기준인 5만 원 이하라도 원활한 직무 수행, 사교·의례 목적을 벗어나므로 허용될 수 없습니다.

Q 학부모가 자녀의 작년 담임교사에게 10만 원 상당의 선물을 한 경우 「청탁금지법」 위반인가요?

A 작년 담임교사의 경우 직무 관련성이 인정되지 않기에 사교·의례 목적으로 제공하는 5만 원 이하의 선물은 가능합니다. 다만, 교과교사로서 성적이나 수행평가 등 관련성이 있다면 허용될 수 없습니다.

Q 담임 선생님 결혼식에 축의금을 드릴 수 있나요?

A 학생에 대한 평가·지도를 상시적으로 담당하는 담임교사 및 교과교사와 학생(학부모) 사이의 경조사비는 가액기준인 5만 원 이하라도 원활한 직무수행, 사교·의례, 부조의 목적을 벗어나므로 드릴 수 없습니다.

Q 교사에게 택배나 우편을 통해 선물을 전달한 경우 택배비 또는 우편비가 선물의 가액에 포함되나요?

A 택배·우편비는 교사에게 제공되는 것이 아니므로 포함되지 않습니다.

Q 직무 관련자가 교사에게 촌지 제공 의사 표시를 했고 교사가 그 자리에서 거부 의사를 표시한 경우에도 「청탁금지법」 위반인가요?

A 직무와 관련된 교사에게 금품 등 제공 의사 표시를 한 것만으로도 「청탁금지법」 위반입니다. 다만, 거부 의사를 표시한 교사는 처벌 대상에서 제외됩니다.

Q 교사가 직무와 관련이 없는 지인으로부터 경조사비 50만 원을 받을 수 있나요?

A 교사 등 공직자는 직무 관련자로부터 1회 100만 원 이하의 금품 등 수수 행위가 금지돼 있습니다. 직무와 관련이 없는 자로부터 1회 100만 원 이하의 금품 등 수수 행위는 허용됩니다.

Q 교사가 직무와 관련된 자로부터 5만 원 상당의 식사를 제공받고, 곧바로 자리를 옮겨 6,000원 상당의 커피를 제공받은 경우 「청탁금지법」 위반에 해당하나요?

A 식사 접대 행위와 음료 접대 행위가 시간적·장소적으로 근접성이 있어 1회로 평가 가능해, 음식물 가액범위인 5만 원을 초과했으므로 청탁금지법 위반입니다.

Q 졸업식 날 학생들이 담임 선생님께 꽃다발을 드려도 되나요?

A 성적 평가 등 학사 일정이 모두 종료됐으므로 5만 원을 초과(100만 원 이하)한 선물이 허용될 수 있습니다.

46 갑질 및 직장 내 괴롭힘 대응 (공)

> **현장 이야기로 사이다 열기**
>
> 수업 중에 학생들에게 질문을 던졌어요.
> "5년 전에 비해 사회에서 크게 달라진 게 무엇이 있을까?"
> 키오스크, 무인점포와 같은 방향으로 답변이 나오기를 기대하며 던진 질문인데, 어떤 학생이 의외의 대답을 하더군요.
> "사람들이 자꾸 싸워요. 소통하지 않고 화를 내거나 법대로 하라? 이렇게 된 것 같아요. 약한 사람한테는 갑질하거나 꼽주고요."
>
> 그날 이 주제로 학생들과 이야기를 하며 서로 엄청난 공감을 했답니다. 돌아보니 어느 순간부터 한국인 특유의 '정' 문화는 사라진 지 오래고, 사회에 '갑질'이란 표현이 매우 만연하게 쓰이게 된 것 같아요. 학교에서도 어느 순간부터 갑질 예방 연수가 자리 잡을 만큼요. 서로 존중하고 배려하는 문화를 꿈꾸며, 관련 주제에 대해 이야기 나눠봅시다.

#경험 #예방_방안

1 갑질 정의

사회·경제적 관계에서 우월적 지위에 있는 사람이 권한을 남용하거나 우월적 지위에서 비롯된 사실상의 영향력을 행사해 상대방에게 행하는 부당한 요구나 처우

2 갑질 유형

① **법령 위반**: 법규나 내부 규정을 어기고 부당한 이익을 추구하는 행위

② **사적 이익 요구**: 금품·향응 등 사적 이익을 요구하거나 제공받는 행위

③ **부당한 인사**: 채용·승진·평가 등 인사 업무를 사적 이익에 맞게 처리하는 행위

④ **비인격적 대우**: 폭언·폭행·비하 발언 등 인격을 침해하는 행위

⑤ **기관 이기주의**: 기관의 이익을 위해 비용 전가 등 부당한 요구를 하는 행위

⑥ **업무 불이익**: 감정적 이유로 특정인에게 과중한 업무나 배제를 가하는 행위

⑦ **부당한 민원 응대**: 정당한 민원을 거부·지연·취하 종용 등으로 처리하지 않는 행위

⑧ **기타**: 따돌림, 모임 강요 등 일상적 갑질 행위

③ 갑질 판단 기준

갑질 여부는 관련 법규, 당시 상황(공개된 장소 여부, 근무시간 여부, 당사자와의 관계 등), 공사의 구분, 인권 존중의 원칙과 공동체 의식 등을 종합적으로 고려해 판단해야 함

④ 갑질 예방 및 상호존중 문화 조성 방안

(1) 갑질 예방 방안

① 실태조사 및 교육
- 매년 1회 갑질 실태조사 실시
- 연 1회 갑질 예방 교육 의무화
- 행동강령 책임관 및 관리자 대상 연수

② 피해자 중심 처리체계 강화(2024년 성과)
- 신고 ➡ 조사 ➡ 처분 ➡ 회복 ➡ 사후관리 단계까지 피해자 중심으로 처리
- 갑질온도계 도입: 기관 스스로 조직문화를 진단·개선하도록 유도

③ 현황 및 실태 분석
- 갑질 신고·경험은 감소했으나 체감도는 여전히 낮음
- 신고 후 불이익 우려와 2차 피해 발생 사례 존재
- 갑질 민원 조사자 선정에 대한 객관성 문제 제기

사이다 talk! 현황 및 실태를 보고 시사점을 고민해 보세요. 갑질 신고는 줄었지만 교사들이 실제로 느끼는 체감도는 낮고, 신고 후 불이익 우려와 2차 피해가 있다는 점에서 '제도가 있어도 현장에 신뢰가 쌓이지 않으면 실효성이 떨어진다'는 시사점을 도출할 수 있습니다. 우리는 교사의 입장에서 일상에서 상호존중 문화를 먼저 실천하며 제도적 장치가 교실·학교 현장에서 작동할 수 있도록 노력할 수 있어야 합니다!

(2) 상호존중 문화 조성 방안

① 상호존중의 날 운영
- 매월 11일, '1=1'의 의미로 상호존중의 날 지정
- 존댓말 쓰기, 소통 간담회, 자체점검 활동 등 실시
- 기관 사정에 따라 탄력적 운영 가능

② 열린 소통방 운영
- 조직 내 불합리·칭찬 사례를 익명으로 공유할 수 있는 게시판을 운영하여 진솔한 의견 청취
- 경기도교육청: 본청 교직원 대상 홈페이지 열린 소통방 시범 운영 중

③ 캠페인 및 자료 활용
- 경기도교육청 배포 갑질 예방 소식지, 홍보영상, 카드뉴스 등 적극 활용
- 전 교직원 동참 캠페인 실시: 매월 실천과제 운영
  - 예) 2월: 출장 시 운전 수행 부당 요구 금지, 3월: 합리적 다과 문화, "내 커피는 내가"

④ 공모전 참여: 상호존중 사례 수기, 표어·슬로건 공모 등 참여 독려

⑤ 학부모 정보 공유 확대
- 학부모 소통 앱을 통한 맞춤형 정보서비스 제공
- 기관 이기주의, 부당 민원 대응 자료, 갑질 기준 동영상·카드뉴스 제공

사이다 톡talk! 상호존중 문화에 앞장서는 교사가 되겠다는 포부를 꼭 넣어주세요. 교사는 단순히 지식을 전달하는 존재를 넘어, 건강한 조직문화와 인권을 존중하는 문화를 만드는 핵심 주체입니다. 면접 답변에서도 '상호존중 문화를 만드는 교사'라는 관점을 드러내면 전문성과 실천력을 함께 보여줄 수 있습니다.

47 양성평등 및 성인지 감수성 (공)

현장 이야기로 사이다 열기

담임을 처음 맡았을 때, 이름표를 만들며 무의식적으로 여학생은 분홍색, 남학생은 하늘색 디자인을 선택했습니다. 물건을 옮길 때는 남학생에게 부탁하고, 꼼꼼히 기록하는 일은 여학생에게 맡기곤 했죠. 학급 소개를 할 때도 여학생 몇 명, 남학생 몇 명으로 설명을 시작했습니다.

돌이켜보면 이런 습관적인 행동이 양성평등과는 거리가 있었다는 걸 깨닫게 되었습니다. 학창 시절에 당연하게 보던 모습들이 교사가 된 지금 제 행동으로 이어졌던 거죠. 무심코 던진 말 한마디, 학급 운영의 작은 습관 하나가 아이들의 성 고정관념을 강화하기도 하고, 반대로 깨뜨릴 수도 있다는 사실을 성찰하게 되었습니다.

교사의 성인지 감수성이 부족하다면 학생들의 가치관, 관계 맺음, 나아가 진로 선택에까지 부정적인 영향을 줄 수 있습니다. 때론 아이들의 가능성을 제약하는 굴레가 될 수도 있지요. 그래서 양성평등과 성인지 감수성은 단순한 연수 주제가 아니라, 매일 교실 속에서 실천해야 할 교육철학으로 자리 잡아야 합니다.
이번 테마를 공부하면서 여러분도 자신만의 경험을 돌아보고, 굳어진 성 관념이 없는지 점검해 보시길 바랍니다. 작은 변화의 시작이 결국 학교 문화를 바꾸고, 더 건강한 공동체를 만들어 갈 것입니다.

#경험 #교육_방안

☑ All 기출 문장 및 빈도 체크

연도	자기성장소개서 (소)			집단토의 (토)			개별면접 (면)		
	초	중	비	초	중	비	초	중	비
2016									
2017									
2018									
2019									
2020									
2021					미시행				
2022							✓		✓
2023									
2024									✓
2025									

*공통 (공)

[24'(비)(면)] 학생이 자신의 신체상을 체중과 관련하여 정립할 경우, 전공 연계 교육이 필요한 이유를 말하고 교과교사 또는 담임교사와 연계한 교육 방안을 말하시오.

[22'(비)(면)] 양성평등과 관련한 자신의 성장 경험을 말하고, 자신의 전공(보건, 사서, 영양, 전문상담)과 연계한 학생 체험 중심 양성평등 교육 방안을 제시하시오.

[22'(초)(면)] 성인지 감수성 부족으로 학교 내에서 발생할 수 있는 문제 상황과 개선 방안을 말하시오.

1 정의

① **양성평등**: 성별에 따른 차별, 편견, 비하 및 폭력 없이 인권을 동등하게 보장받고 정치·경제·사회·문화 모든 영역에 동등하게 참여하고 대우받는 것

② **성인지 감수성**: 전통적인 성역할, 남성성과 여성성에 대한 고정관념이나 편견 등이 사회 내에서 개인의 발달에 어떻게 작용하는지 이해하고 직업 선택이나 가정 내 역할 분배, 타인과의 관계 등 다양한 영역에서 이러한 고정관념과 편견이 미치는 영향을 인지하는 것

➡ 양성평등을 실현하기 위한 필수 역량이 성인지 감수성임

2 양성평등에 대한 교육적 관점

(1) 양성평등교육의 기본

① 어느 특정 성에 대해 부정적인 감정이나 고정관념, 차별적 태도를 가지지 않음

② 생물학적 차이를 사회문화적 차이로 직결시키지 않음

③ 남녀 모두에게 잠재된 특성을 충분히 발현해 자신의 자유의지로 살아가도록 촉진함

(2) 교육 현장에서의 관점

① 학생들을 여자, 남자라는 틀에 맞추지 않고 고유한 개성을 지닌 사람으로 대해야 함

② 수업 자료·교과서·학교 문화에 내재된 성 고정관념을 의식적으로 검토하고 개선해야 함

③ 명시적 교육과정뿐만 아니라 잠재적 교육과정에서 성차별 요소를 점검하고 개선해 양성평등을 반영하는 방향으로 나아가야 함

3 학교 내 양성평등 관련 문제 상황

(1) 교육과정 문제

① **명시적 교육과정**: 교과서 등장인물에 남성 비율이 높음, 여성 독립운동가는 최근 조명됨

② **잠재적 교육과정**: 교사·학생 관계 속 무의식적 성차별

> 예 남학생은 철이 없다고 생각하고 여학생은 사려 깊다고 여김. 여학생은 성실하기에 성취도가 높다고 해석하며, 남학생은 신체적·정신적 능력이 우수해 성과가 좋다고 생각함

(2) 남학생과 여학생의 특성을 유형화하는 문제

① 무의식적인 발언
- 예) '여학생들끼리 조를 구성하면 수다만 떨어서 안 돼', '넌 무슨 남자애가 여자애보다 운동을 못해?', '남자애들은 너무 덤벙거려', '여학생들은 잘 삐져서 지도하기 힘들어.'

② 남학생 불평등: '남자는 울지 않는다.' 등 감정적 금욕을 강제하면서 분노는 허용
- 예) 치고받고 싸우고 공격성을 보여도 '남자애들은 원래 그렇지' 하며 그러려니 함

③ 여학생 불평등: 미디어나 일반적 사회 작용으로 그들의 신체를 성적 대상화하는 경험
- 예) 대중매체가 부추기는 날씬하고 매력적인 신체에 미치지 못할 경우 낮은 자존감, 우울증으로 이어짐. 남학생은 매력 압박을 훨씬 덜 받음

4 양성평등교육에서 교사의 역할 기출

(1) 성찰

일상에서 여성이나 남성으로 살면서 경험해 온 것들을 성찰해 보며, 무의식적 편견을 점검하고 양성평등을 위해 어떤 노력이 필요한지 고민하고 실천해야 함

(2) 역할 기대 관련 노력

① 감정을 느낄 수 있는 남자아이들의 능력을 무시하거나 부정하지 않기

② 또래집단에서 남자다움을 과시하는 태도를 바꾸도록 도와주기

③ 아이들이 있는 그대로 자신을 긍정할 수 있도록 하기

④ 평가 기준이나 칭찬을 성별에 두지 않고 행동 중심 피드백하기
- 예) "남자애 치고 잘 하네." (×), "남자답구나." (×), "자신감 있는 발표가 참 좋았어." (○)

⑤ 각자의 성향을 파악하지 않고 성별로 미루어 짐작해 학생을 파악하지 않기
- 예) "여학생은 원래 그래." (×), 축구부에 들어가려는 여학생에게 "여자가 왜 여길?" (×)

(3) 언어 사용의 노력

① 여학생, 남학생이라고 부르기보다 '아이들', '모두', '학급'과 같이 집합적인 명사 사용하기

② 줄을 세우거나 조 편성 시 성별이 아닌 다른 기준을 활용하기
- 예) 1~6월 생일인 사람, 검은 양말을 신은 사람, 좋아하는 음식이 떡볶이인 사람 등

③ '남자애들이 원래~', '여자들은 원래~'와 같이 성차를 일반화하거나 성차별 발언을 했을 때 바로잡기

(4) 학교 환경 체크

학교 환경이 성별 중립적인지 체크하고 수정하기

사이다 Check List
- ☐ 학교에 붙어있는 이미지들이 다양한 역할을 하는 존재로서의 남녀를 보여주고 있나?
- ☐ 색깔은 교실과 복도에서 어떻게 사용되고 있나?
- ☐ 반에서 쓰이는 물품이 성별 고정관념을 강화하거나 구분하고 있나?
- ☐ 1인 1역이나 학급 일을 여자, 남자로 나누지 않나?

(5) 보호자와 관계 맺기

① 보호자에게 연락 시 어머니 중심이 아닌, 기초조사서에 가장 먼저 연락할 보호자를 선택할 수 있도록 하기

② 보호자가 학생에게 성역할을 강요하지 않도록 안내하기

(6) 학급 운영

① 학급 소개판에 '남자 ○명 여자 ○명'으로 성별 구성을 보여주는 것만으로 그 반을 설명할 수 없으므로 학급이 추구하는 가치관과 학생의 생각을 담기

② 팀 대결 시 남자팀, 여자팀과 같은 성별 대립 구도가 아닌 화합을 초점으로 하기

③ 자리배치 시 성별보다 개개인의 성향 고려하기

④ 여학생에게 얌전을 요구하거나 남학생에게 무례함을 허용하지 않기

⑤ 특정 성에만 적용되는 규칙이 만들어지지 않도록 하기 예 화장 금지

⑥ 외모중심주의, 성적 대상화를 조장하는 급훈 지양하기
   예 공부를 화장하듯 하자, 5분 더 공부하면 아내 얼굴이 바뀐다 등

⑤ 교육과정 및 창의적 체험활동 교육 방안

연구에 의하면, 양성평등교육은 수업활동을 하면서 이루어지는 것이 가장 효과적이라고 함

(1) 교과 연계 교육 사례

① **초등학생 1~2학년 대상**: 놀이 형태로 직업과 가족 내 역할을 다루며 아이들이 남자의 일과 여자의 일이 따로 있지 않다고 생각할 수 있게 함

② **초등학생 3~6학년 대상**: 일상생활 속 성별 고정관념과 성차별 현상에 대해 감수성을 키울 수 있도록 내용 심화

③ **중학생 대상**: 일과 가정의 균형을 가지고 성역할 고정관념과 성 불평등을 직접 생각해 보고 대안을 찾으며 실천을 모색하도록 함

- **국어**: 언어폭력의 개념과 종류, 문제점을 언급하고 그중 차별적 표현에 주목하여 바르고 좋은 칭찬으로 바꾸기 활동
- **기술·가정**: AI 도구 등을 활용하여 대중문화 콘텐츠(노래 가사) 속에 드러나는 성 고정관념을 비판적으로 분석한 후 성 고정관념을 대체할 수 있는 문장으로 AI와 함께 개사하는 활동
- **사회**: 사회에서 경험할 수 있는 성차별, 인종차별, 장애인 차별 등을 조사한 후 양성평등을 위한 행동 및 지침서 제작, 숏폼으로 드라마를 제작하는 활동 등

(2) 창의적 체험활동

① 프로젝트 수업

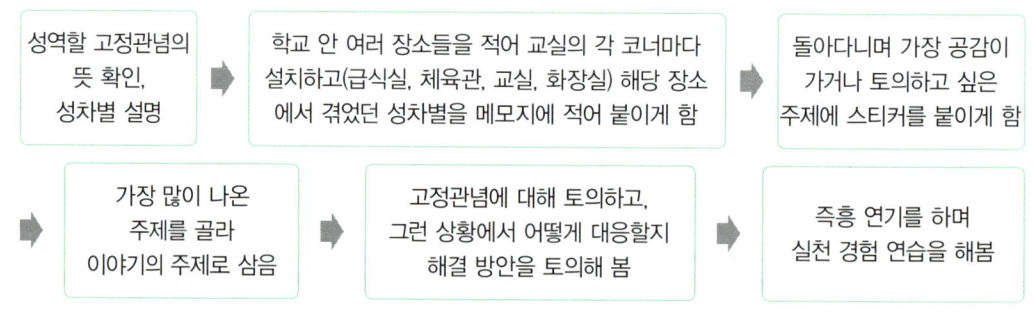

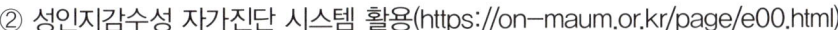

② 성인지감수성 자가진단 시스템 활용(https://on-maum.or.kr/page/e00.html)

- 대상: 초등학교 5학년~고등학교 3학년
- 목적
  - 자신의 성인지 감수성 정도를 스스로 진단하고 결과를 알 수 있도록 하며 그 수준에 맞추어 양성평등교육이나 상담의 기초자료로 활용
  - 검사 결과표는 응답자가 스스로 자신의 성인지 감수성 정도를 진단하고 변화의 계기를 가질 수 있도록 개발된 것으로 개인 간의 비교를 목적으로 하지 않음
- 검사 문항 예시

> **성인지 감수성 진단**
>
> 매우 동의/ 대체로 동의/ 별로 동의하지 않음/ 전혀 동의 하지 않음
>
> - 학급에서 섬세하고 꼼꼼하게 해야 하는 일은 여학생에게 맡기는 것이 더 효율적이다.
> - 여자들만큼 외모에 신경 쓰는 남학생을 보면 어색하다.
> - 남학생이 원하는 직업과 여학생이 원하는 직업이 대체로 다른 것은 당연한 일이다.
>
> **관련 법과 제도에 대한 인지**
>
> 전혀 몰랐다/ 들어는 보았지만 정확하게 알지 못한다/ 정확히 알고 있다
>
> - 사귀는 사이여도 성적인 사진, 동영상을 동의 없이 촬영하는 것은 불법이다.
> - 피해자의 이름을 거론하지 않더라도 교내 성희롱, 성폭력 사건에 대하여 타인과 이야기하거나 관련 비밀을 누설하여 피해가 가중된다면 처벌될 수 있다.

(3) 진로교육

① 진로 탐색 시 고정관념에 갇히지 말고 적극적으로 적성과 자질을 찾을 수 있도록 함

② 지역사회, 보호자와 협력해 일반적으로 성별화됐다고 여겨지는 분야에서 활약하는 인물(예 여자 소방관, 남자 간호사)을 초청해 진로 멘토링 진행

사이다 talk! 양성평등교육 방안을 고민할 때는 무엇보다 먼저 스스로 신념을 점검하는 것에서 출발해야 합니다. 무의식 중에 성차별적 사고를 한 적은 없는지, 그러한 신념은 어디에서 비롯된 것인지 성찰해 보세요. 그 후, 그러한 문화를 바꾸기 위해 내가 교실과 학교에서 할 수 있는 구체적 실천 방안을 고민해야 합니다. 경험에서 나온 이야기가 가장 설득력이 있다는 점을 잊지 마세요! 또한, 교과 수업과 학급 운영 속 실천도 반드시 함께 준비해야 합니다. 특히 교과 수업은 추상적인 의지만으로는 부족하니, 반드시 성취기준에 근거해 어느 단원에서 양성평등 수업을 끌어낼 수 있을지를 고민해 두세요. 학급 운영 역시 역할 분담, 언어 사용, 규칙 설정 등 생활 속에서 자연스럽게 성평등이 스며들 수 있는 방안을 구체화하는 것이 중요합니다.

⑥ 학교 문화 형성 방안 기출

① **업무 분장:** 교사의 성별이 아니라, 관심사·전문성을 기준으로 평가하고 역할을 배정하여 교직 사회에서 성 고정관념이 개입되지 않도록 주의

② **연수 운영:** 단순히 형식적으로 이수하는 연수가 아닌, 실제 사례와 토론을 중심으로 성 인지 감수성을 실질적으로 높일 수 있는 연수 실시

③ **존중하는 대화 문화:** "결혼은 언제 해요?", "애는 언제 낳아요?"와 같이 특정 삶의 과정을 전제로 한 질문은 지양하고, 관심 분야·취미 등 그 교사만의 개성과 자기다움을 존중하는 대화 문화 조성

> **사이다 톡 talk!** 학생을 위한 교육 방안을 세우는 것도 중요하지만, 학교 전체의 문화를 바꾸려는 노력이 병행되어야 합니다. 학교는 교사와 학생이 함께 만들어 가는 공동체이기 때문에, 양성평등은 개별 수업 차원이 아니라 교직 사회 전반의 문화 속에서 뿌리내려야 하죠. 면접에서 "저는 교사로서 학생뿐 아니라 교직 사회의 성평등 문화 조성에도 기여하겠습니다"라는 포부를 담아보세요. 전문성과 태도가 동시에 드러나는 답변이 될 거예요!

참고문헌

1. 사이트

- 성인지감수성 자가진단 https://on-maum.or.kr/page/e00.html
- 경기도교육청 블로그 http://blog.naver.com/go_edu
- 경기도교육청 사이트 http://www.goe.go.kr/
- 교육부 https://www.moe.go.kr/
- 대한안전교육협회 http://safetykorea.or.kr/
- 스마트쉼센터 https://www.iapc.or.kr/
- 아동권리보장원 http://www.korea1391.go.kr/new/
- 에듀넷·티-클리어 https://www.edunet.net/
- 에듀프레스(edupress) http://www.edupress.kr
- 학교폭력예방홈페이지 https://doran.edunet.net/main/mainForm.do
- 행복한 교육 1월~10월호 https://happyedu.moe.go.kr/

2. 문서

- 경기도교육청, 「생명감수성 증진 프로그램」, 2015.
- 경기도교육청 보도자료, 「경기도교육청, 신규교사 임용시험 개선」, 2015. 5. 19.
- 경기도교육연구원, 「교육과정, 수업, 평가 운영 실태 및 일체화 방안 연구」, 2015.
- 경기도교육청, 「2016학년도 경기도교육청 교육정책 및 신규 교원 임용제도 설명회 자료」, 2015. 8. 28.
- 한국교육과정평가원, 「21세기 역량 기반 교육과정 개발 방향 연구-OECE Education 2030-」, 2016.
- 김성천 외, 「초등교사 임용후보자 선정 경쟁시험의 문제점과 개선방향 탐색」, 교육문화연구 vo.23, 2017.
- 경기도교육청, 「2018학년도 경기도교육청 교육정책 및 신규 교원 임용제도 설명회 자료」, 2017. 6. 21.
- 한국교육개발원, 「2019 탈북학생 지도교사용 매뉴얼 '함께 만들어요! 하나된 세상'」, 2018. 4.
- 경기도교육청, 「경기도 성장중심평가 기본 문서 -학생의 전면적 발달을 돕는 성장중심평가-」, 2018.
- 경기도교육청, 「2030 경기미래교육 이해자료」, 2019.
- 경기도교육청 민주시민교육과, 「경기 다문화교육 추진 계획」, 2019. 2.
- 경기도교육청, 「2020 교육복지우선지원사업 운영 지원 계획」, 2020.
- 교육부·한국교육학술정보원, 「함께 실천하는 사이버폭력 예방 리플릿-교사용」, 2020.
- 교육부·한국교육학술정보원, 「함께 실천하는 사이버폭력 예방 리플릿-학부모용」, 2020.
- 교육부·한국교육학술정보원, 「함께 실천하는 사이버폭력 예방 리플릿-학생용」, 2020.
- 경기도교육청, 「2021~2022 학교로부터 시작하는 경기교육 기본계획 수립 계획」, 2020.
- 아동권리보장원, 「아동학대 신고의무자가 꼭 알아야하는 아동학대 예방요령」, 2020.
- 경기도교육청, 「반부패청렴교육표준안」, 2020.
- 중앙교육연수원, 「스마트폰 과의존 예방교육 연수자료」, 2020.
- 경기도 용인교육지원청, 「기초기본학력보장 추진 계획」, 2020.
- 경기도교육청, 「유·초·중등 및 특수학교 코로나19 감염예방 관리 안내 자료」, 2020.
- 경기도교육청, 「경기 블렌디드 러닝의 이해(초등)」, 2020.

- 경기도교육청 학교교육과정과, 「2020 원격교육 선도학교 '함께학교·먼저학교' 운영 사례」, 2020.
- 경기도교육청, 「학교 정책을 잇다 1권~2권」, 2021.
- 경기도교육청, 「초등 성장배려학년제의 이해」, 2021.
- 경기도교육청, 「2022 경기교육 주요업무계획」, 2021.
- 경기도교육청, 「혁신학교 2021, 우리가 만들어 갑니다」, 2021.
- 경기도교육연구원, 「통계로 보는 오늘의 교육-통권 20호」, 2021.
- 경기도교육연구원, 「통계로 보는 오늘의 교육-통권 21호」, 2021.
- 경기도교육청, 「1급 정교사 자격연수-다문화사회속 교사의 역할(김연권)」, 2021.
- 경기도교육청, 「2021 2학기 중등 원격수업 및 등교수업 출결 평가 기록 가이드라인」, 2021.
- 경기도교육청, 「즐겨찾기 통권 3호, 4호」, 2022.
- 경기도교육연구원, 「교육시선 오늘 1~7호」, 2022.
- 경기도교육청, 「2022 중등 교사교육과정 도움자료」, 2022.
- 경기도교육청, 「2022 혁신교육 정책추진 기본계획」, 2022.
- 경기도교육청, 「임태희 교육감 취임 기자회견 문서」, 2022.
- 경기도교육청, 「2022 과정중심 피드백 실천 사례집」, 2022.
- 경기도교육청, 「2022 학생생활인권 정책추진 기본계획」, 2022.
- 경기도교육청, 「2022 민주시민교육 정책추진 기본계획」, 2022.
- 경기도교육청, 「2022 교원역량강화 정책추진 기본계획」, 2022.
- 경기도교육청, 「2022 융합교육정책과 정책추진 기본계획」, 2022.
- 경기도교육청, 「2022 미래학교기획과 정책추진 기본계획」, 2022.
- 경기도교육청, 「2022 진로직업정책과 정책추진 기본계획」, 2022.
- 경기도교육청, 「2022 학교교육과정과 정책추진 기본계획」, 2022.
- 경기도교육청, 「2022 경기형그린스마트미래학교 추진 기본계획」, 2022.
- 경기도교육청, 「2022~2024년 학생 도박 예방 교육에 관한 기본계획」, 2022.
- 경기도교육감직인수위원회, 「제18대 경기도교육감직인수위원회 백서」, 2022.
- 경기도교육청, 「2023 경기 기초학력 보장 시행 계획」, 2023.
- 경기도교육청, 「2023 경기교육 기본계획」, 2023.
- 경기도교육청, 「2023 디지털 미디어 문해교육 협력체 사례집」, 2023.
- 경기도교육청, 「2023 디지털 시민교육 이해자료」, 2023.
- 경기도교육청, 「2023 디지털 시민역량교육 실천학교 수업사례집」, 2023.
- 경기도교육청, 「2023 배움과 성장을 지원하는 과정중심피드백 실천 사례집」, 2023.
- 경기도교육청, 「2023 세계시민(학교민주시민) 교육 기본 계획」, 2023.
- 경기도교육청, 「2023 창의융합체험 추진 계획」, 2023.
- 경기도교육청, 「2023 초등 성장중심평가 이렇게 실천해요」, 2023.
- 경기도교육청, 「2023 초등학생 맞춤형 수업 기본 계획」, 2023.
- 경기도교육청, 「2023 학교 독서교육 및 도서관 운영 기본 계획」, 2023.

참고문헌

- 경기도교육청, 「2023 학생 주도성 프로젝트 활성화 계획」, 2023.
- 경기도교육청, 「2023 함께 만들어가는 고교학점제」, 2023.
- 경기도교육청, 「2023 함께 만들어가는 학생중심 학교교육과정(고등학교편)」, 2023.
- 경기도교육청, 「2023년 교원역량강화 정책추진 기본계획」, 2023.
- 경기도교육청, 「2023년 보도 자료」
- 경기도교육청, 「2023년 보편적·일상적 학교예술교육 기본계획」, 2023.
- 경기도교육청, 「2023년 융합교육정책과 기본계획」, 2023.
- 경기도교육청, 「2023년 정보통신윤리교육 추진 계획」, 2023.
- 경기도교육청, 「2023년 학교 내 대안교실 운영 매뉴얼」, 2023.
- 경기도교육청, 「2023년 학교급식 기본방향」, 2023.
- 경기도교육청, 「2023년 학교정책과 정책추진 기본계획」, 2023.
- 경기도교육청, 「2023년 학생건강과 정책 세부추진계획」, 2023.
- 경기도교육청, 「2023년 학생생활교육 정책추진 기본계획」, 2023.
- 경기도교육청, 「2023학년도 2학기 경기이룸대학 운영 안내서」, 2023.
- 경기도교육청, 「2023학년도 경기 고교학점제 추진 계획」, 2023.
- 경기도교육청, 「2023학년도 경기교육 정기여론조사 1회차 결과보고서」, 2023.
- 경기도교육청, 「2023학년도 자유학기제 추진 계획」, 2023.
- 임태희, 「취임1주년을 맞아 경기교육가족에게 드리는 글」, 2023.
- 경기도교육청, 「23년 학교폭력 사안처리 가이드북」, 2023.
- 경기도교육청, 「갑질 업무 처리 가이드북」, 2023.
- 경기도교육청, 「경기도 초등 학적 길라잡이」, 2023.
- 경기도교육청, 「경기인성교육 시작하기 리플릿」, 2023.
- 경기도교육청, 「교원, 교육전문직원 대상 IB 프로그램 설명회 자료」, 2023.
- 경기도교육청, 「교육공동체가 함께하는 즐거운 여정, 우리들의 행복한 학교자율과정 이야기」, 2023.
- 경기도교육청, 「글로컬 융합인재 육성을 위한 IB 프로그램 Q&A」, 2023.
- 경기도교육청, 「글로컬 융합인재 육성을 위한 미래교육 IB 포럼 자료집」, 2023.
- 경기도교육청, 「미래교육협력지구 추진계획」, 2023.
- 경기도교육청, 「아동학대 예방 및 대처 요령 교육 부문 가이드북」, 2023.
- 경기도교육청, 「에듀테크 활용 교육 기본계획」, 2023.
- 경기도교육청, 「유·초 연계 교육과정 실천사례」, 2023.
- 경기도교육청, 「청렴교육 표준 교재」, 2023.
- 경기도교육청, 「초·중 연계 교육과정 실천사례」, 2023.
- 경기도교육청, 「초등 무학년제 교육과정 실천사례」, 2023.
- 경기도교육청, 「초등 저학년 인성교육프로그램 자료」, 2023.
- 경기도교육청, 「초등 학년군 연계 교육과정 실천사례」, 2023.
- 경기도교육청, 교직원이 꼭 알아야 할 청렴 법령, 2023.
- 경기도교육청, 「2024 1학기 1~6학년 수업-평가 연계 도움자료 개발」, 2024.
- 경기도교육연구원, 「경기도교육연구원_인사이트_1권 2호」, 2024.
- 경기도교육연구원, 「경기도교육연구원_인사이트_1권 3호」, 2024.

- 경기도교육연구원, 「경기도교육연구원_인사이트_1권 4호」, 2024.
- 경기도교육연구원, 「경기도교육연구원_인사이트_1권 5호」, 2024.
- 경기도교육연구원, 「경기도교육연구원_인사이트_2권 1호」, 2024.
- 경기도교육연구원, 「교육데이터 인사이트 1호」, 2024.
- 경기도교육청, 「'생각의 힘을 키우는 학기' 논술형 평가 운영 도움자료」, 2024.
- 경기도교육청, 「2022 개정 교육과정에 따른 2024학년도 초등학교 교육과정 편성 안내」, 2024.
- 경기도교육청, 「2022 개정 중학교 교육과정과 학교자율시간」, 2024.
- 경기도교육청, 「2022 개정교육과정 연계 디지털 소양 교육 가이드(중등)」, 2024.
- 경기도교육청, 「2022 개정교육과정 연계 디지털 창의역량 교육 사례집(초등)」, 2024.
- 경기도교육청, 「2022 개정교육과정 연계 디지털 창의역량교육 사례집」, 2024.
- 경기도교육청, 「2024 경기 기초학력 보장 시행 계획」, 2024.
- 경기도교육청, 「2024 경기공유학교 운영계획」, 2024.
- 경기도교육청, 「2024 경기교육 주요업무계획」, 2024.
- 경기도교육청, 「2024 경기도교육청 놀이 활동 활성화 운영 계획」, 2024.
- 경기도교육청, 「2024 경기도교육청 인성교육 시행계획」, 2024.
- 경기도교육청, 「2024 경기이룸학교 시행 계획」, 2024.
- 경기도교육청, 「2024 교육과정과 연계한 정책구매제 활용 수업사례 공모 계획」, 2024.
- 경기도교육청, 「2024 교육역량정책과 기본계획」, 2024.
- 경기도교육청, 「2024 교육활동 보호 강화 종합 대책」, 2024.
- 경기도교육청, 「2024 디지털 시민교육 이해자료(리플릿)」, 2024.
- 경기도교육청, 「2024 세계시민 교육 기본 계획」, 2024.
- 경기도교육청, 「2024 에듀테크 활용 교육 기본계획」, 2024.
- 경기도교육청, 「2024 역사교육 기본계획」, 2024.
- 경기도교육청, 「2024 용인 탄소중립 생태환경교육 추진 계획」, 2024.
- 경기도교육청, 「2024 초등 '학습으로의 평가' 이해하기」, 2024.
- 경기도교육청, 「2024 초등 교육과정-수업-평가, 기초학력 추진계획」, 2024.
- 경기도교육청, 「2024 학교자율과제 정책 연계 지원 방안」, 2024.
- 경기도교육청, 「2024 학생의 사고력과 문제해결력을 키우는 중등 논술형 평가 길라잡이」, 2024.
- 경기도교육청, 「2024 함께 만들어가는 학생중심 학교교육과정 도움자료집(고등학교편)」, 2024.
- 경기도교육청, 「2024 함께 만들어가는 학생중심 학교교육과정 도움자료집(중학교편)」, 2024.
- 경기도교육청, 「2024년 달라지는 경기교육」, 2024.
- 경기도교육청, 「2024년 독도교육 활성화 계획」, 2024.
- 경기도교육청, 「2024년 정보통신윤리교육 추진 계획」, 2024.
- 경기도교육청, 「2024년 통일교육 탈북학생교육 기본 계획」, 2024.
- 경기도교육청, 「2024년 학생상담 지원계획」, 2024.
- 경기도교육청, 「2024학년도 IB 프로그램 운영 계획」, 2024.
- 경기도교육청, 「2024학년도 경기 교수학습 기본 계획」, 2024.
- 경기도교육청, 「2024학년도 경기도 공동교육과정 운영 길라잡이」, 2024.
- 경기도교육청, 「2024학년도 자유학기제 안내 리플렛」, 2024.

참고문헌

- 경기도교육청, 「2024학년도 자유학년제 추진 계획」, 2024.
- 경기도교육청, 「2024학년도 자율장학 운영계획」, 2024.
- 경기도교육청, 「2024학년도 학교폭력 사안처리 가이드북 개정판」, 2024.
- 경기도교육청, 「초등학교 2022 개정 교육과정 학교자율시간과목 및 활동 개설 예시자료」, 2024.
- 경기도교육청, 「장애이해교육 연수 자료」, 2024.
- 경기도교육청, 「프로젝트 수업, 에듀테크를 만나다」, 2024.
- 경기도교육청, 「하이터치 하이테크 교육의 이해와 활용」, 2024.
- 경기도교육청, 「학교에서 알아야 하는 청탁금지법 Q_A 및 주요 지적 사례」, 2024.
- 경기도교육청, 「학교자율시간 이것이 궁금해요」, 2024.
- 경기도교육청, 「학력향상 교육과정 실현을 위한 학교자율시간 설계의 실제」, 2024.
- 교육부, 「2022개정교육과정총론」, 2024.
- 경기도교육청, 「경기공유학교 리플릿」, 2024.
- 경기도교육청, 「e정책장터이해자료」, 2024.
- 경기도교육청, 「경기도 초중등학교 교육과정 총론」, 2024.
- 경기도교육청, 「경기도교육청 어린이 놀 권리 보장을 위한 조례」, 2024.
- 경기도교육청, 「경기도교육청(북주청사)_초등 깊이있는 수업 프레임워크 월간 자료집」, 2024.
- 경기도교육청, 「경기도교육청_중학교 2022 개정 교육과정과 학교자율시간」, 2024.
- 경기도교육청, 「고차원적 사고력을 키우는 논술형평가」, 2024.
- 경기도교육청, 「공감과 소통을 위한 교실 속 다문화교육」, 2024.
- 경기도교육청, 「교육활동 보호 강화 대책 홍보자료」, 2024.
- 경기도교육청, 「교육활동 예방 교육」, 2024.
- 경기도교육청, 「기초소양을 토대로 역량을 키우는 초등 1~2학년 성장이음과정 안내」, 2024.
- 경기도교육청, 「깊이있는 수업 이해자료 및 정보공시용 교수학습 예시」, 2024.
- 경기도교육청, 「깊이있는수업설계도움자료」, 2024.
- 경기도교육청, 「논술평 평가 학생 교육용 도움자료」, 2024.
- 경기도교육청, 「달라지는 학교 폭력 제도」, 2024.
- 경기도교육청, 「담임교사를 위한 학생 상담 길잡이」, 2024.
- 경기도교육청, 「디지털성범죄 유형 카드뉴스」, 2024.
- 경기도교육청, 「디지털성범죄 이해 카드뉴스」, 2024.
- 경기도교육청, 「신학기 에듀테크 세우기」, 2024.
- 경기도교육청, 2025년 갑질예방 근절교육, 2025
- 경기도교육청, 2025 경기도교육청 양성평등교육 도움자료(중등), 2025.
- 경기도교육청, 2025 경기도교육청 양성평등교육 도움자료(초등), 2025.
- 경기도교육청, 2025 경기 기초학력 보장 시행 계획, 2025.
- 경기도교육청, 경기형 탄소중립교육 종합계획(2025-2029), 2025.
- 경기도교육청, 2025학년도 중등 교수 학습 및 평가계획[정보공시] 작성 도움 자료 -깊이있는 수업-, 2025.
- 경기도교육청, 학습 여정을 탐색하는 의미있는 경기 논술형 평가, 2025.
- 경기도교육청, 2025 다름과 공존하는 경기토론교육 자료집, 2025.
- 경기도교육청, 탐구-실행-성찰과정 프레임워크 2.0, 2025.

- 경기도교육청, 2025학년도 자유학기제 추진 계획, 2025.
- 경기도교육청, 2025년 독도교육 활성화 계획(안), 2025.
- 경기도교육청, 2025년 통일교육·탈북학생교육 추진 계획, 2025.
- 경기도교육청, 2025년 세계시민(학교민주시민)교육 기본 계획 안내, 2025.
- 경기도교육청, 2025 경기 독서인문교육 정책 추진계획, 2025.
- 경기도교육청, 선생님을 위한 유·초 이음교육 길라잡이, 2025.
- 경기도교육청, 2025 경기도교육청 인성교육 시행계획, 2025.

3. 도서

- 정문성, 『토의·토론 수업 방법 84』, 교육과학사, 2008.
- 사토마나부, 『수업이 바뀌면 학교가 바뀐다』, 에듀니티, 2011.
- 손우정, 『배움의 공동체』, 해냄, 2012.
- 롤프 도벨리, 『스마트한 생각들』, 걷는나무, 2012.
- 박숙영, 『회복적 생활교육을 만나다』, 좋은교사, 2014.
- 김현섭, 『질문이 살아있는 수업』, 한국협동학습센터, 2015.
- 노구치 데츠노리, 『숫자의 법칙: 생각의 틀을 바꾸는 수의 힘』, 어바웃어북, 2015.
- 김고연주, 『나의 첫 젠더 수업』, 창비, 2017.
- 김현섭, 『철학이 살아있는 수업기술』, 수업디자인연구소, 2017.
- 이명섭 외, 『교육과정-수업-평가-기록의 일체화 실천편』, 에듀니티, 2017.
- 좋은교사, 『좋은교사』, 2019.
- 송형호·왕건환, 『교사 119 이럴 땐 이렇게』, 에듀니티, 2019.
- 김윤정, 『공부머리 만드는 초등 문해력 수업』, 믹스커피, 2019.
- 이케가야 유지, 『세상에서 가장 재미있는 61가지 심리실험: 인간관계편』, 사람과나무사이, 2019.
- 안데르스 한센, 『인스타 브레인』, 동양북스, 2020.
- 토드 휘태커·애넷 브로, 『교실에서 바로 쓸 수 있는 낯선 행동 솔루션 50』, 우리학교, 2020.
- 구본권, 『유튜브에 빠진 너에게』, 북트리거, 2020.
- 게일 에반스, 『남자처럼 일하고 여자처럼 승리하라』, 해냄, 2000.
- 교육과정디자인연구소, 『교사 교육과정을 디자인하다』, 테크빌교육, 2020.
- 김태훈, 『서울대 수석은 이렇게 공부합니다』, 다산에듀, 2021.
- EBS 당신의 문해력 제작팀, 김윤정, 『당신의 문해력』, EBSBOOKS, 2021.
- 고영규 외, 『지혜로운 교사는 교실 속 문제를 어떻게 해결하는가』, 테크빌 교육, 2021.
- 신고은, 『인간의 마음을 이해하는 수업』, 포레스트북스, 2021.
- 송형호, 『학부모 상담 119』, 지식의날개, 2021.
- 송형호·송지선, 『온·오프를 아우르는 학급경영 B to Z』, 우리학교, 2021.
- 김용섭 외, 『청소년을 위한 미래 교과서』, 김영사, 2022.
- 교육트렌드2023 집필팀, 『대한민국 교육 트렌드』, 에듀니티, 2022.
- 김원아, 『예의 없는 친구들을 대하는 슬기로운 말하기 사전』, 사계절, 2022.
- 박기현 외, 『디지털교육 트렌드 리포트 2024』, 테크빌 교육 2023.

| **초판인쇄** | 2025. 11. 3. **초판발행** | 2025. 11. 7. **공저자** | 이지수, 구영모
| **발행인** | 박 용 **발행처** | (주)박문각출판
| **등록** | 2015년 4월 29일 제2019-000137호
| **주소** | 06654 서울특별시 서초구 효령로 283 서경빌딩
| **교재문의** | (02)6466-7202

저자와의
협의하에
인지생략

이 책의 무단 전재 또는 복제 행위는 저작권법 제136조에 의거, 5년 이하의 징역 또는 5,000만 원 이하의 벌금에 처하거나 이를 병과할 수 있습니다.

ISBN 979-11-7519-302-4
　　　979-11-7519-301-7(세트)

정가 47,000원(분권, 별책 포함)

2026 경기도 임용 2차 면접 대비

답답하고 막막한 임용면접엔

사이다 면접

Output

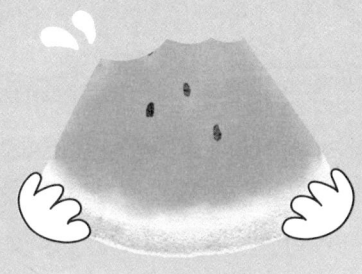

이지수, 구영모 공저

- 문제 유형별 집중 공략법
- 역대 기출문제 분석 및 예시답변
- 예상문제 80문항

+특별부록
사이다 Light
시험장용

박문각

머리말

《사이다 면접》은 경기도교육청 임용 2차 심층 면접을 준비하는 예비 교사들을 위한 수험서입니다. 교육의 변화는 곧 교사의 역할 변화를 뜻하며, 면접 역시 이러한 흐름에 따라 진화하고 있습니다. 2026학년도 개정판은 '단순한 암기'가 아닌 '깊이 있는 이해'와 '유연한 사고력'을 중심에 두고, 미래 교육의 본질에 가까이 다가갈 수 있도록 재구성하였습니다. 이번 개정에서 주목한 교육계의 흐름은 다음과 같습니다.

첫째, 평가 방식의 전환입니다.

2025학년도부터 논·서술형 평가 강화, 수행평가 구조 개선 등 평가 방식 개선에 교육계의 이목이 쏠리고 있습니다. 이는 교사의 평가 전문성을 전제로 하며, 평가의 변화는 곧 수업의 변화로 이어집니다. 2026학년도부터 임용시험에 수업 나눔을 폐지하고 수업 설계 역량을 도입한 이유도, 평가와 수업의 혁신을 위한 전문성을 갖추었는지 확인하기 위해서입니다. 교사로서 우리가 지향할 수업과 평가에 대한 철학을 정립해 두는 일이 무엇보다 중요합니다.

둘째, 디지털 교육의 확장과 성찰입니다.

AI와 디지털 도구의 교육적 활용은 이제 기본이며, 이를 넘어 디지털 시민성, 윤리적 판단, 교육 격차 해소에 대한 실천이 강조되고 있습니다. 기술을 어떻게 적용할 것인가를 넘어, 학생의 삶과 연결된 교육적 통찰을 갖춘 교사의 모습이 면접에서도 요구되고 있습니다.

셋째, 정책과 수업의 연결입니다.

경기도교육청의 정책 방향은 '학생의 삶에 중심을 둔 교육'과 '학교의 자율성과 전문성 보장'을 축으로 더욱 분명해지고 있습니다. 이러한 정책은 수업과 교육 활동으로 구체화해야 하며, 이를 실현해 나갈 주체는 교사입니다. 교사는 정책을 수동적으로 해석하는 존재가 아니라, 이를 실천하는 중심이 되어야 합니다. 따라서 정책의 방향성과 실현 방안을 고민하는 일은 면접에서 교사로서 자질을 보여주는 핵심이기도 합니다.

《사이다 면접》은 이와 같은 변화의 흐름을 반영하여 다음과 같이 개정하였습니다.

《사이다 면접 Input》은 2025년 핵심 교육 이슈와 경기도교육청의 주요 정책을 체계적으로 정리하였습니다. 경기도교육청의 교육 방향이 명확해진 만큼, 정확하게 현장과 정책의 내용을 이해해야 합니다.

《사이다 면접 Output》은 면접 문제 유형이 뚜렷해지고 있다는 점을 고려하여, 기존의 주제별 문제 은행뿐 아니라 유형별 분류를 강화하여, 어떤 질문이 나와도 답할 수 있도록 전략을 다듬었습니다. 또한, 실전 감각을 높이기 위한 모의 면접 5회분을 수록하였습니다.

임용 면접은 답을 외우는 시험이 아니라, '교사로서의 방향'을 고민하게 하는 성장의 과정입니다. 임용 면접이 막막하고 답답할 때, 사이다로 시원하게 갈증을 해소하시길 바라며 현직에서 기다리고 있겠습니다.

저자를 대표하여

이지수

《사이다 면접》 최적화 학습법

1차 합격자 발표 전과 후의 공부 방법은 달라야 한다. 아직 배경지식과 면접에 대한 이해도가 쌓이지 않은 상태에서 무턱대고 시간을 재며 모의 면접을 진행하는 것은 오히려 실전 감각을 떨어뜨리고, 교육 철학과 성찰의 기회를 놓치게 된다. 지금 필요한 것은 시기별 전략에 맞는 구조화된 학습이다. 수많은 합격자가 검증한 이 학습 흐름을 따라 제한된 시간 안에 가장 효율적으로 준비해 보자.

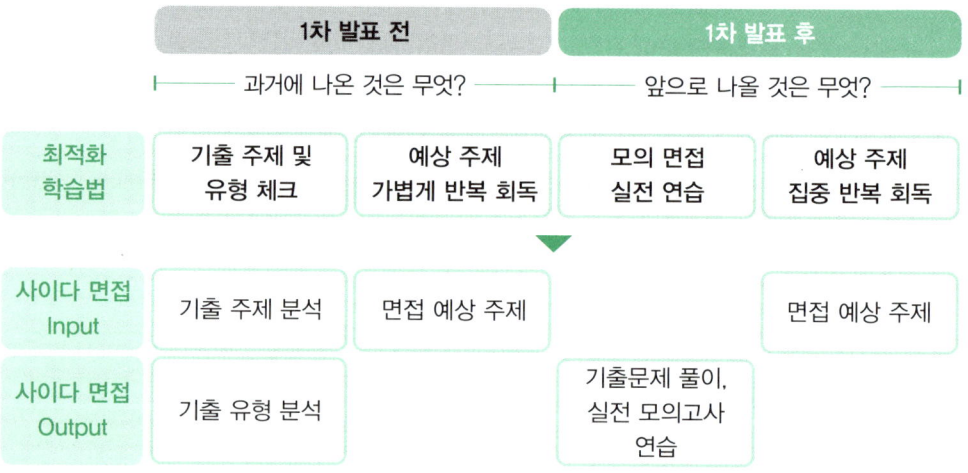

《사이다 면접 Output》 활용법

면접 준비에 시간이 부족하다고 《사이다 면접 Output》의 문제 풀이와 해설 학습만 반복한다면, 반쪽짜리 준비에 그치고 만다. 모의 면접 형태를 갖추어 시간을 재고 답변한 후 상호 피드백하고 끝나는 스터디도 반쪽짜리에 불과하다. 《Output》은 '실전 감각'을 길러주는 도구이지, 모든 것을 대신해 주는 답안지가 아니다. 《사이다 면접 Input》에서 방향을 잡고, 《Output》으로 훈련을 쌓는 것이 합격의 정석이다. 《Output》을 최적의 방법으로 활용하여, 최종 합격의 기회를 절대 놓치지 말자.

1차 합격자 발표 전 – 문제 유형을 체화한다.

PART 1 기출문제 유형을 확인한다.

최근 심층 면접 문제는 주제가 생소하거나 어렵다기보다, 공부한 내용임에도 문제 유형이 복잡하고 까다로워 수험생들이 풀이에 어려움을 느끼는 추세이다. 따라서 Chapter 01을 통해 문제 유형에 대한 감을 먼저 잡아야 한다. 문제 유형이 어떠한지 확인했다면, Chapter 02에서 유형별 적합한 풀이 전략을 숙지해야 한다. 단순히 문제를 푸는 데 그치지 않고, 답변 구조를 어떻게 짜야 하는지 반복적으로 훈련하면서 감을 체화하는 것이 중요하다.

PART 2 역대 기출문제를 푼다.

출제 유형을 고려해 자신이 지원한 급의 기출문제를 반드시 실전처럼 풀어야 한다. 임용 시험 제도가 개편된 2016학년도부터 최근 2025학년도까지의 문항을 풀면서, 문제의 흐름과 트렌드를 익히는 것이 필요하다. 단, 2016~2022학년도 문제는 현재 교육감과 정책 기조가 달랐으므로, 답변을 외우는 목적이 아니라 풀이 방식과 답변 전략을 익히는 용도로 활용하는 것이 바람직하다.

1차 합격자 발표 후 – 합격을 위한 '자기 언어화' 단계를 거친다.

PART 2 다른 급의 기출문제를 푼다.

자신의 급 기출문제를 모두 소화했다면, 이제는 초등·중등·비교수 교과 문항까지 범위를 넓혀야 한다. 다른 교육청 문제는 교육 방향과 출제 의도가 다른 문항이 있지만, 경기도교육청 내부의 다른 급 문제는 충분히 교차 학습 가치가 있다. 다양한 문항을 접하면서 경기도교육청의 교육관과 지향점을 파악해야 한다.

PART 3 사이다 면접 모의고사 5회를 푼다.

최종 단계는 실전과 똑같이 훈련하는 것이다. 구상 시간과 답변 시간을 정확히 재면서, 모의고사 5회를 풀어 현장감을 익힌다. 이 과정에서 자신의 답변을 스스로 점검하고, 스터디 피드백을 통해 구체성·현실성·논리성을 보완해야 한다. 《Input》으로 다진 기반 위에 《Output》으로 훈련을 더할 때, 합격에 필요한 '자기 언어화된 답변'이 완성된다.

| PART 1 | 기출문제 유형 분석 및 유형별 문제 풀이 |

Chapter 01 기출문제 유형 분석 • 10

    1. 일반형 • 11
    2. 제시문 분석형 〔고난도 유형〕 • 12
    3. (입장) 선택형 〔고난도 유형〕 • 17
    4. 이유 제시형 • 19
    5. 관련 경험 제시형 • 21
    6. 빈칸 채우기형 • 22
    7. 위반 여부 판단형 〔고난도 유형〕 • 23

Chapter 02 유형별 문제 풀이 연습(30문항)

    1. 일반형(5문항) • 24
    2. 제시문 분석형(6문항) • 30
    3. (입장) 선택형(4문항) • 42
    4. 이유 제시형(4문항) • 48
    5. 관련 경험 제시형(5문항) • 54
    6. 빈칸 채우기형(3문항) • 59
    7. 위반 여부 판단형(3문항) • 62

Chapter 03 나만의 답안 설계하기 • 66

| PART 2 | 역대 기출문제 분석 및 예시 답변 |

Chapter 01 최신 4개년 기출문제 분석 • 76

: 초등·중등·비교수 교과 2025~2022학년도

Chapter 02 기출문제 분석

1. 개별면접(초등·중등·비교수 교과 2021~2016학년도) • 182
2. 자기성장소개서(초등·중등·비교수 교과 2025~2016학년도) • 262
3. 집단토의(초등·중등·비교수 교과 2020~2016학년도) • 282

* 「2021~2022학년도 자기성장소개서」, 「2021~2025학년도 집단토의」 영역 미시행

| PART 3 | 2026 면접 예상문제 |

Chapter 01 주제별 예상문제(45문항) • 314

경기형 교직관 및 교사 전문성 / 2026 교육 이슈 / 교육 정책 이해 및 적용 / 교과 지도(전공 연계) 방안 / 학급 운영 방안 / 현장 문제 해결 방안

Chapter 02 실전 모의고사 5회(35문항) • 339

예상문제 80문항 꼼꼼 해설 • 356

사이다 면접

PART 1

기출문제 유형 분석 및 유형별 문제 풀이

Chapter 01
기출문제 유형 분석

Chapter 02
유형별 문제 풀이 연습(30문항)

Chapter 03
나만의 답안 설계하기

기출문제 유형 분석

최근 면접 문제의 관건은 문제 분석력이다. 그동안의 개별면접이 한 줄 정도의 짧은 문항(일반형)을 제시해 간단한 생각을 묻거나 수험생의 교직관 등을 파악하는 수준에 그쳤다면 최근에는 복잡한 제시문이나 조건을 추가해 '문제 분석력'을 확인하고자 한다. 임용 시험이 개편된 2016학년도부터 가장 최근 시험인 2025학년도까지의 면접 문항 유형을 분류하면 다음과 같다.

❶ 일반형
❷ 제시문 분석형 〔고난도 유형〕
❸ (입장) 선택형 〔고난도 유형〕
❹ 이유 제시형
❺ 관련 경험 제시형
❻ 빈칸 채우기형
❼ 위반 여부 판단형 〔고난도 유형〕

10개년 문항 유형 빈도(2016~2025학년도)

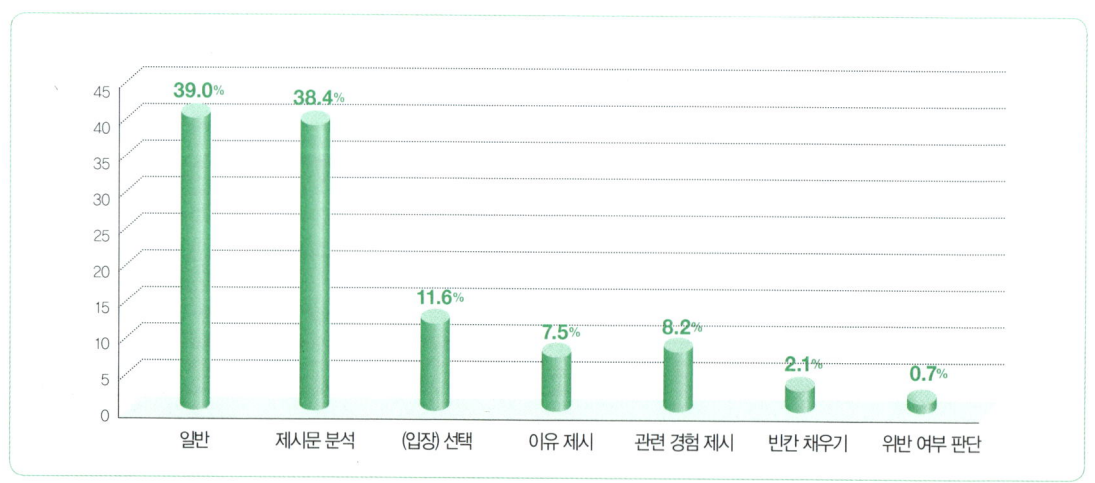

추후 기출문제를 직접 풀어볼 때, 어떠한 유형인지 생각하면서 풀어본다면, 무작정 연습을 하는 것보다 훨씬 좋은 효과를 낼 수 있을 것이다. 하나하나 살펴보며 최적화된 전략 방법을 수립해 나가자.

① 일반형

일반형 문제는 문장만 제시되는 가장 전형적인 유형이다. 난도가 높지 않아 보이지만, 겉으로 단순해 보이는 만큼 핵심 키워드를 놓치기 쉽다. 그래서 수험생들이 가장 많이 실수하는 유형이기도 하다. 문제를 대충 읽고 연습해 둔 만능 답변 틀을 적용한 뒤에야 조건을 놓쳤다는 걸 깨닫는 경우가 흔하다. 따라서 일반형 문제를 만났을 때는, 반드시 문제 속에 숨어 있는 조건을 꼼꼼히 분석한 뒤 답변을 시작해야 한다. 대표 기출문제를 통해 자세히 살펴보자.

대표 기출문제

① 교사의 전문적 성장을 도모하고 장기적으로 안정적인 교직생활을 이어가기 위해, 신규 교사, 5년 이하 저경력 교사, 15년 이상 경력 교사의 측면에서 본인의 교직 전문성 향상 계획을 각각 설명하시오.
2025학년도 초등 즉답형 2번

② 교사는 학생 개개인에게 성장 경험과 배움을 제공하고자 했으나, 한 학생이 수업과 수행평가에 적극적으로 참여하지 않아 학습 목표를 달성하지 못하고 있다. 교과교사로서 이 문제를 해결하기 위한 방안을 제시하시오.
2025학년도 중등 즉답형 1번

③ 자녀 이해를 돕기 위한 학부모 교육을 계획하고자 한다. 자신의 전공과 연계하여 학부모가 자녀를 이해할 수 있도록 하는 교육 방안을 제시하고, 그 방안의 기대효과를 말하시오.
2025학년도 비교수 교과 즉답형 3번

① 이 문제는 얼핏 보면 단순한 자기계획 서술을 요구하는 것처럼 보이지만, 사실은 교사 생애 주기별 발달 과제를 이해하고 있는가를 묻고 있다. 따라서 신규 교사 단계에서는 학교 적응과 기본 역량 강화, 저경력 교사 단계에서는 수업 전문성과 평가 역량의 심화, 고경력 교사 단계에서는 자기 관리와 사회 변화 대응과 같은 영역으로 답변을 전개해야 한다.

② 여기서는 답변의 흐름이 중요하다. 교과교사로서 해야 할 일은 무작정 대책을 나열하는 것이 아니라, 먼저 참여하지 않는 이유를 진단하고, 원인에 맞는 맞춤형 지원을 제공한 뒤, 학생이 작은 성취 경험을 쌓을 수 있도록 안내하는 것이다. 즉, 원인 진단 ➡ 맞춤 지원 ➡ 성장 경험 제공의 순서를 놓치지 않는 것이 이 문제의 핵심이다.

③ 비교수 교과 문제는 특히 조건을 놓치기 쉽다. 전공과의 연계, 구체적인 교육 방안, 기대효과 3가지를 모두 담아야 한다. 그런데 실제 시험장에서는 긴장으로 인해 마지막 기대효과 부분을 빠뜨리는 경우가 많다. 따라서 이 문제는 전공의 특성을 반영한 구체적인 교육 프로그램을 제시하면서, 반드시 기대효과까지 언급해야 답변이 완성된다.

이처럼 일반형은 단순한 듯 보여도, 문제 속 요구를 충실히 반영해 답변하는 것이 중요하다.

② 제시문 분석형 〔고난도 유형〕

2020학년도까지 제시문 분석형 문제는 시, 현장 문제 상황 등을 주고 '제시문에 근거하여 ~ 하라'는 식의 문제가 대부분이었으나 최근에는 요구 조건이 까다로워지고 있다. 단순히 몇 개의 키워드를 통해 자신의 생각을 말하는 게 아니라, 자료 분석 능력을 기반으로 문제를 해결할 수 있어야 한다. 대표 기출문제를 통해 자세히 살펴보자.

대표 기출문제

① 다음 제시문을 참고하여 교사가 학생들의 미래 역량 함양을 위해 실천할 수 있는 교육 방안을 교육과정 측면과 학급 운영 측면에서 각각 2가지씩 제시하시오.
2025학년도 초등 구상형 1번

> 공교육 1섹터는 교사와 함께 미래를 준비하는 학교이다. 교사는 교육과정 속에서 학생의 미래 준비에 필요한 기본 인성과 기초 역량을 기르는 데 주력하며, 이러한 교육 활동은 하이러닝 고도화를 통해 충실히 지원된다.
>
> 공교육 2섹터는 지역사회와 함께 미래를 준비하는 경기공유학교이다. 지역사회가 갖춘 다양한 교육 역량을 학교와 연계하여 학생 개개인에게 맞춤형 교육을 제공한다.
>
> 공교육 3섹터는 AI 교사와 함께 미래를 준비하는 경기온라인학교이다. 인공지능(AI) 기술을 활용하여 시간과 공간의 제약 없이 언제나 누구나 양질의 교육을 받을 수 있도록 돕는다.

② 다음은 부서별 업무계획에 따른 환경 분석 결과이다. 아래의 환경 분석 결과를 바탕으로 자신의 전공(보건, 사서, 영양, 전문상담)과 연계한 교육 방안을 계획하시오.
2022학년도 비교수 교과 구상형 3번

업무 계획	
• 인문예술 교육 실시 • 마을교육공동체와 함께하는 교육 실시	

환경 분석 결과	
강점(S)	**약점(W)**
• 교사의 교육 열정 높음 • 학부모의 교육열 높음	• 학생의 자존감 낮음 • 학부모의 참여도 낮음
기회(O)	**위협(T)**
• 지역 내 문화예술 전문가 많음 • 혁신학교 예산 지원 많음	• 지역 내 문화시설 부족 • 지역 주민 문화예술 경험 기회 부족

③ 다음 자료를 분석하여 담임교사와 교과교사로서의 노력 방안을 각각 2가지씩 말하시오.

2024학년도 중등 구상형 3번

자료 1 A 학교의 상황
- 제거(E): 문해력 저하로 인한 기초학력, 개별화 교육 부족
- 감소(R): 학습 격차, 교사 개인별 행정 업무의 양
- 증가(R): 교사의 에듀테크 활용 역량, 교과별 디지털 활용 수업
- 창조(C): 교육공동체의 에듀테크 활용 역량, 교육 행정 지원 에듀테크 개발 및 운영

자료 2
경기교육은 기초·기본학력을 보장하는 책임교육으로 모든 학생의 학력 향상을 위해 노력하겠습니다. AI에 기반한 학생 1:1 맞춤형 교육으로 디지털 활용 역량을 강화해 성장을 지원하겠습니다.

① 제시문에는 공교육 1섹터 부분에만 박스가 쳐져 있었다. 이것은 우연이 아니다. 출제자가 굳이 박스를 친 이유는 답변에서 1섹터를 중심으로 언급하라는 신호이기 때문이다. 따라서 교육과정과 학급 운영 방안을 제시할 때는 1섹터에 비중을 두고 말해야 한다. 그렇다고 해서 2섹터와 3섹터를 무시하면 곤란하다. 제시된 이유가 있으므로 반드시 세 섹터를 모두 언급해야 한다. 다만, 같은 강도로 말하는 것이 아니라, 강조된 부분을 중심으로, 나머지는 보완적으로 다루는 식으로 답변을 구성해야 한다. 결국 이 문제는 공교육 세 섹터 간의 연계성을 알고 있는지, 출제 의도를 읽어내는지를 확인하는 까다로운 문제였다. 제시문 분석형에서는 이렇게 제시문 속에서 강조된 단서와 함의를 놓치지 않고 활용하는 것이 합격의 관건이다.

②③ 수험생을 가장 당황하게 만든 것은 2022~2024학년도에 출제된 SWOT 및 ERRC 분석 유형이다. 이 2가지는 원래 기업 경영이나 혁신 전략에서 사용하는 틀이지만, 최근 교육과정 디자인에도 적극 활용되는 개념이다. 시험장에서 처음 마주했을 때는 형식도 낯설고 분량도 많아 부담스럽게 느껴졌을 것이다. 그러나 이런 문제가 나오면 오히려 '앗싸!' 하고 접근해야 한다. 왜냐하면 답이 이미 제시문 안에 모두 들어 있기 때문이다. 이 유형은 창의적 발상을 검증하는 게 아니라, 주어진 자료를 빠짐없이 활용할 수 있는가를 묻는 것이다. 긴 제시문을 받으면 당황하지 말고, 문장을 단락별로 쪼개고 번호를 매긴 뒤, 하나씩 체크하며 키워드를 모두 반영하면 된다. 구상 시간에 밑줄을 긋고, 다 쓴 문장은 지워가면서 정리하는 방식으로 답안을 구성하면 실수를 줄일 수 있다. 결국 이 문제의 핵심은 자료 분석과 키워드 활용 능력을 보여주는 것이다.

업무 계획	
① 인문예술 교육 실시 ② 마을교육공동체와 함께하는 교육 실시	
환경 분석 결과	
강점	약점
③ 교사의 교육 열정 높음 ④ 학부모의 교육열 높음	⑤ 학생의 자존감 낮음 ⑥ 학부모의 참여도 낮음
기회	위협
⑦ 지역 내 문화예술 전문가 많음 ⑧ 혁신학교 예산 지원 많음	⑨ 지역 내 문화시설 부족 ⑩ 지역 주민 문화예술 경험 기회 부족

예시 구상 방안

저는 사서교사로서 '마을과 함께하는 인문예술 교육(①, ②)'을 다음과 같이 시행하겠습니다.

업무 계획
~~① 인문예술 교육 실시~~ ~~② 마을교육공동체와 함께하는 교육 실시~~

구체적인 방안은 다음과 같습니다.

첫째, '학부모 스토리텔러' 방안을 추진하고 싶습니다. 환경 분석 결과 교사의 열정이 높고, 학부모의 교육열이 높다는 강점을 활용한 방안입니다(③, ④). 교사와 학부모가 학생들에게 도움이 되는 좋은 책을 함께 선정해 '책 읽어주는 학부모회'를 조성하고 매주 1회, 혹은 독서 주간을 정해 조회 시간 등을 활용해 책을 읽어주는 것입니다. 이렇게 한다면 약점으로 지적된 학부모의 낮은 참여도 문제를 해결할 수 있고(⑥), 학생들은 좋은 이야기를 듣고 생각하며 인문 소양과 자존감을 쌓아나갈 수 있을 것입니다(⑤). 또한 학생 추천 도서와 사연 등을 함께 받아 친구들에게 공유하는 시간을 갖는다면 기대효과가 더욱 강화될 수 있을 것입니다.

환경 분석 결과	
강점	약점
~~③ 교사와 교육 열정 높음~~ ~~④ 학부모의 교육열 높음~~	~~⑤ 학생의 자존감 낮음~~ ~~⑥ 학부모의 참여도 낮음~~

이런 식으로 말이다.

③을 통해 다시 한번 연습해 보자. 마찬가지로 문장마다 번호를 매기고, 이를 활용해 답변을 구상해 나가는 식으로 진행하면 된다.

자료 1 A 학교의 상황
- 제거(E): ① 문해력 저하로 인한 기초학력, ② 개별화 교육 부족
- 감소(R): ③ 학습 격차, ④ 교사 개인별 행정 업무의 양
- 증가(R): ⑤ 교사의 에듀테크 활용 역량, ⑥ 교과별 디지털 활용 수업
- 창조(C): ⑦ 교육공동체의 에듀테크 활용 역량, ⑧ 교육 행정 지원 에듀테크 개발 및 운영

자료 2
경기교육은 ⑨ 기초·기본학력을 보장하는 책임교육으로 모든 학생의 학력 향상을 위해 노력하겠습니다. ⑩ AI에 기반한 학생 1:1 맞춤형 교육으로 디지털 활용 역량을 강화해 성장을 지원하겠습니다.

예시 구상 방안

자료 2를 통해 경기교육은 기초학력 보장(⑨)과, AI 기반 맞춤형 교육을 지향하고 있다는 것(⑩)을 알 수 있습니다. A 학교의 상황 중 제거 요소를 통해 학생들의 문해력 저하로 기초학력 문제와(①), 개별화 교육 부족 문제를 해결하고자 한다는 것을 알 수 있습니다(②).

저는 이를 해결하기 위해 담임교사와 교과교사로서 다음과 같이 실천하겠습니다. 먼저 담임교사로서의 방안을 말씀드리겠습니다.

첫째, 문해력 교육을 하겠습니다. A 학교의 증가 요소를 통해 교사의 에듀테크 활용 역량과 교과별 디지털 활용 수업을 늘리고자 함을 알 수 있습니다(⑤, ⑥). 학생들에게 친숙한 디지털 환경을 통해 디지털 교과서를 함께 읽고, 학생 의견을 패들렛에 공유하며 피드백하는 과정을 통해 문해력을 상승하겠습니다.

둘째, 감소 영역에서 언급된 학습 격차 해소를 위해 소모둠 활동을 장려하겠습니다(③). 조회 시간 전이나 방과 후에 친구들이 협동해 멘토-멘티 활동으로 학습 격차를 해소하기 위한 분위기를 조성하고, 교사로서 저는 중간 중간 적절한 피드백을 제공하겠습니다. 모둠 활동 외에 지역사회 자원도 활용하겠습니다. 학습이 부진한 친구를 위해 교대·사대 멘토링 등 지역 자원을 연계해 기초학력을 보장하겠습니다.

다음으로 교과교사로서의 노력 방안입니다.

첫째, 개별화 교육을 하겠습니다. 이를 위해 증가 영역에서 거론된 디지털 활용 수업을 적극 장려하겠습니다(⑥). 디지털 플랫폼에서 학습을 한다면, 학생 활동의 체계적인 결과가 나오고 성장 정도를 확인할 수 있기에 효과적일 것입니다. 디지털 기기를 통해 학습하고, 교사는 그 과정을 확인하고 피드백하는 과정에서 학생들의 에듀테크 역량도 강화될 것입니다(⑦).

둘째, 교사로서 에듀테크 역량을 강화하겠습니다. 감소와 창조 항목에서 행정 업무를 경감하기 위해 에듀테크가 보급되고 있음을 알 수 있습니다(④, ⑥). 학생들의 에듀테크 역량을 길러주는 것뿐만 아니라 저 역시 자기장학, 전문적 학습공동체, 연수 등으로 에듀테크 역량 강화를 위해 노력할 것입니다(⑤).

긴 제시문이 나온다면 이렇게 단락을 끊거나 문장별 핵심을 찾아내어 모두 언급하자. 다시 한번 명심하자. 이것은 나를 돕기 위해 커닝하라고 보여주는 오픈북에 불과하다는 것을!

그렇다면 이번엔 SWOT과 ERRC 모델에 대해 정리하고 갈까?

SWOT 유형은 2022학년도, 2023학년도 2년 연속 출제됐다. 《사이다 면접》을 꼼꼼히 봤다면 쾌재를 부르고 구상 방향을 쉽게 잡을 수 있었을 것이다.

SWOT은 기업의 환경 분석을 통해 강점(Strength)과 약점(Weakness), 기회(Opportunity)와 위협(Threat) 요인을 규정하고 이를 토대로 마케팅 전략을 수립하는 기법을 의미한다. 여기서 강점과 약점은 내부 요인, 기회와 위협은 외부 요인이다. 그래서 짝을 지을 때 주로 다음과 같은 방식을 쓴다.

- SO: 강점으로 기회를 잡자.
- ST: 강점으로 위협 요소를 극복하자.
- WO: 약점을 보완해 기회를 잡자.
- WT: 약점을 보완해 위협 요소를 극복하자.

즉, 다음의 두 방향을 충족해야 한다.

① 강점을 살리고 약점을 보완해 기회를 활용하자.
② 강점을 살리고 약점을 보완해 위협 요소를 극복하자.

당연한 얘기지만 이것까지 고려하거나 이대로 풀이하라고 문제를 낸 것은 결코 아니다. 그러니 키워드를 모두 언급해 방안을 짜는 것에 집중하자. 그것만으로도 훌륭하다.

ERRC는 Elimination(제거), Reduce(약화), Raise(강화), Create(창조)의 앞 글자를 따서 만든 말로 원래는 기업이 혁신하기 위해, 현재 상태를 분석하고 증가·감소할 요인은 무엇인지, 새롭게 만들고 제거해야 할 요소는 무엇인지 분석해 보는 프레임 워크를 의미한다.

- Elimination(제거): 조직에서 당연한 것으로 받아들이는 요소 가운데 제거할 요소는 무엇인가?
- Reduce(감소): 조직에서 표준 이하로 내려야 할 요소는 무엇인가?
- Raise(증가): 조직에서 표준 이상으로 올려야 할 요소는 무엇인가?
- Create(창조): 조직에서 아직 한번도 제공하지 못한 것 중 창조해야 할 요소는 무엇인가?

이에 대한 대답을 내리며, 기업을 혁신하고자 하는 것이다. 학교교육과정을 디자인하기 위해 많이 사용되니 SWOT과 ERRC 모델을 꼭 기억해 두자.

3 (입장) 선택형 〔고난도 유형〕

　선택형 문제는 단순히 여러 보기 중 하나를 고르는 문제가 아니다. 왜 그 입장을 선택했는지, 선택한 이유가 교육철학과 어떻게 연결되는지, 다른 선택지와 어떻게 구분되는지를 드러내야 답변이 완성된다. 특히 입장 선택형은 수험생의 교직관을 직접적으로 확인하려는 의도가 담겨 있기 때문에, 자신의 교직관을 자연스럽게 드러내는 것이 핵심이다. 다음 제시한 대표 기출 문제는 모두 선택형이지만 각각 풀이 방식이 다르다. 하나하나 살펴보자.

대표 기출문제

① 학생들의 문화 중 하나를 골라 학생의 문화를 이해할 방안과 지도 방안을 말하시오.
2019학년도 초등 즉답형 1번

> K-pop, TV, 웹툰, 게임, 외모 가꾸기, 유튜브, 신조어 등

② 다음 상황에서 A, B 교사의 의견 중 어느 의견을 지지할지와 그 이유를 말하시오.
2021학년도 중등 구상형 1번

> **상황**
> A 교사와 B 교사가 함께 교과 연계 융합 수업을 3차시 프로젝트 수업으로 진행하였다. 그 과정을 수행평가로 하기로 했는데, 마지막 3차시 결과물을 제출하는 상황에서 수업 시간 종료 직전에 C 학생이 USB 외부입력장치 오류로 결과물을 제출하지 못하였다.
>
> **의견**
> A 교사: 저는 3차시 결과물은 평가에 반영해선 안 된다고 생각해요. 이전 1, 2차시 제출 내용에 대해서만 평가해야 해요.
> B 교사: 저는 C 학생의 3차시 결과물도 평가해야 한다고 생각해요.

③ 아래 제시문의 입장 중 하나를 선택하여 본인의 생각을 말하시오.
2022학년도 비교수 교과 즉답형 1번

> A: 아이들은 스스로 성장한다.
> B: 아이들은 어른들의 세심한 지도와 안내가 필요하다.

① 선택 이유를 분명히 밝혀야 하는 문제이다. 겉보기에 단순히 문화 하나를 선택해 방안을 제시하면 될 것처럼 보인다. 그러나 여기서 중요한 것은 왜 이 문화를 선택했는지에 대한 설명이다. 예를 들어 '게임'을 선택했다면, 게임이 학생 생활 속에서 차지하는 비중과 긍정적·부정적 측면을 짚은 뒤, 지도 방안을 구체적으로 제시해야 답변이 설득력을 얻는다. 선택 이유를

생략하면 답변이 피상적으로 들리므로, 반드시 '굳이 이것을 선택한 이유'를 밝혀주는 것이 관건이다.

② 정책 방향에 맞는 입장을 분명히 선택해야 하는 문제이다. A 교사는 결과중심평가를, B 교사는 과정중심평가를 지향하는 입장을 보인다. 이 문제의 의도는 수험생이 과정중심평가를 얼마나 이해하고 있는가를 묻는 데 있다. 따라서 답변에서는 반드시 B 교사의 입장을 지지하며, 과정중심평가의 의미와 필요성을 논리적으로 풀어내야 한다. 이런 문제는 두 입장이 명확히 상반되므로, 중립적인 답변을 하는 것은 곧 정책 이해 부족으로 보일 위험이 크다. 결국 이 문제의 핵심은 경기교육의 평가 철학과 일치하는 방향으로 입장을 분명히 밝히는 것이다.

③ 이 문제는 반대로 두 입장이 조화롭게 어우러져야 한다. 두 입장이 완전히 대립한다기보다는 서로 보완될 수 있는 성격을 지니기 때문이다. 학생은 무궁무진한 가능성을 지닌 존재이지만, 그 가능성이 발휘되기 위해서는 교사의 안내와 조력이 필요하다. 따라서 답변에서는 A와 B 중 하나를 선택하되, 다른 쪽의 장점도 취해 조화롭게 풀어내는 것이 안전하다. 즉, 능동적이고 가능성 있는 학생(A)과 촉진자로서의 교사(B)라는 두 관점을 함께 아우르면 된다. 이 문제의 핵심은 극단적으로 한쪽에 치우치지 않고, 학생 중심 교직관을 균형 있게 드러내는 것이다.

④ 이유 제시형

앞서 선택형 문제를 살펴보며, 설득력을 갖추기 위해서는 반드시 이유를 말해야 한다고 강조했었다. 그런데 많은 수험생들이 실제 답변에서 이유를 생략하는 실수를 반복했다. 그래서 최근에는 아예 문항 속에 '그 이유를 말하라'는 조건이 직접적으로 포함되기 시작했다. 이유 제시형 문항은 단순히 '왜 그렇게 생각하는가'를 넘어, '그 선택이나 교육 방안이 왜 꼭 필요한가', 즉 필요성을 분명하게 밝히는 것이 핵심이다. 필요성을 설득력 있게 드러내야 만점 답변이 완성된다.

대표 기출문제

① 다음 제시문의 상황을 바탕으로 공평한 교육 기회를 제공해야 하는 이유 2가지를 말하고, A 학생에게 적용할 수 있는 구체적인 교육 방안 2가지를 제시하시오.　　　　　　2025학년도 초등 즉답형 1번

> A 학생은 다문화가정 출신으로 농촌 지역에 거주하고 있으며, 기초학력이 부족한 상태이다. 그러나 천체 분야에 특별한 관심을 가지고 있다.

② 인성교육의 일환으로 '우리 반 인성교육 브랜드'를 제작하고자 한다. 아래의 공동체적 역량 중 하나를 선정하여 브랜드를 만들고, 제작 이유와 그 의미를 설명하시오. 또한 학급 자치 활동 시간에 학생들이 직접 실현할 수 있는 구체적인 방안 2가지를 제시하시오.　　2024학년도 중등 구상형 1번

> 공동체적 역량: 존중, 협력, 책임, 배려

③ 다음 조건에서 하나를 골라 그 방법으로 제시문의 상황에 적합한 교육을 실현하고자 한다. 조건 3가지 중 하나를 선택하여 그 이유를 말하고, 제시문과 관련한 전공 연계 방안을 제시하시오.
　　　　　　　　　　　　　　　　　　　　　　　　　　　　　　　2023학년도 비교수 교과 구상형 1번

> **제시문**
> - 게임에 과몰입하고 가정교육이 부족하여 기본적인 습관이 형성되지 않은 학생이 있음
> - 교사·학생의 학교 참여도·만족도가 높음
> - 지역사회 프로그램이 부족함
> - 지역자치단체 예산이 많음
>
> **조건**
> 1. 교육 안전망 구축
> 2. 미래형 교육과정 운영
> 3. 학교자율과정 강화

① 다문화·농촌·기초학력 부족이라는 제약 속에서도 학생의 흥미(천체 분야)를 강조한 제시문이다. 공평한 교육 기회가 필요한 이유를 답할 때는 잠재력 발현이라는 관점을 반드시 포함해야 한다. 모든 학생이 가진 가능성을 키워야 한다는 교육적 정의와, 학생 개인의 흥미와 재능이 배움으로 연결될 수 있어야 한다는 필요성을 짚어야 답변이 완전해진다.

② 여기서는 단순히 브랜드명을 만드는 데 그치면 안 된다. 선택한 역량(예 협력, 존중 등)을 중심으로 브랜드를 설정한 이유와 의미를 구체적으로 밝혀야 한다. 역량 선택 이유는 교직관, 경기교육철학 등에서 찾아야만 경기형 교사로서의 소양을 드러낼 수 있다.

③ 이 문제 역시 조건을 단순히 고르는 것이 아니라, 교직관과 경기교육철학을 근거로 선택 이유를 제시해야 한다. 제시된 조건은 모두 교육청이 강조하는 핵심 키워드이므로 무엇을 고르든 정답이 될 수 있다. 다만, 답변에서 선택 이유를 교직관 + 제시문 맥락으로 묶어내야 한다. 그래야 단순한 선택이 아니라, 해당 조건이 현재 교육 상황에서 '왜 꼭 필요한가'를 보여주는 설득력 있는 답변이 된다.

합격자의 달달한 조언!

답변에 '왜'를 넣어 설득력을 부여하자!

면접에서 가장 중요한 것은 똑같은 말이라도 얼마나 더 설득력 있게 말하느냐인 것 같습니다. 저는 매체를 활용한 독서 방법에 관한 질문에 정말 평범한 답변을 했습니다. 그래도 좋은 점수를 받을 수 있었던 것은 '왜'에 대한 설명을 놓치지 않으려 노력했기 때문이라고 생각합니다. 다음은 제 답변 내용입니다.

저는 영어 교과와 연계해서 다음과 같은 순서로 독서 프로그램을 진행하겠습니다.
첫째, 학생들에게 1인 1영어책 읽기 프로젝트를 실시하겠습니다. 왜냐하면, 학생들이 평소에 영어로 된 책을 읽을 기회가 많지 않으리라 생각하기 때문입니다. 또한, 학생들이 자신에게 맞는 수준의 영어책을 찾는 것 또한 쉽지 않을 것입니다. 따라서 학교 도서관에 있는 영어책을 함께 살펴보고, 각자의 수준에 맞는 책을 스스로 읽을 수 있도록 기회를 제공한다면, 학생들은 영어로 독서를 할 수 있는 기회를 가질 수 있을 것입니다.
둘째, 학생들이 매체를 활용해서 자신만의 독후 활동을 할 수 있도록 돕겠습니다. 이때, 저는 학생들이 사용할 매체를 정하지 않겠습니다. 왜냐하면 교사가 학생들에게 과제를 단순하게 부여할 때보다, 학생들에게 과제를 스스로 관리하고 통제할 기회를 제공할 때, 학생들이 조금 더 주도적으로 활동에 참여할 수 있다고 믿기 때문입니다. 유튜브를 좋아하는 학생은 책의 내용을 바탕으로 책을 소개하는 동영상을 제작하고, 웹툰을 좋아하는 학생은 책의 내용을 바탕으로 책을 소개하는 웹툰을 제작할 수 있도록 한다면, 학생들이 조금 더 주도적이고 자율적으로 독후 활동을 할 수 있을 것입니다.
셋째, 학생들이 자신의 독후 활동을 전시할 수 있는 공간과 시간을 제공하겠습니다. 왜냐하면, 학생들은 자신의 작품이 전시된 것을 보며 자신감과 뿌듯함을 얻을 수 있을 뿐만 아니라, 다른 친구들의 작품을 보며 자신의 사고를 확장할 수 있기 때문입니다. 영어 교과 교실이 있다면 그 공간에 학생들의 독후 활동을 전시하고, 학생들이 이를 볼 수 있도록 하겠습니다. 그렇게 된다면 학생들은 함께하는 독서의 즐거움 또한 느낄 수 있을 것입니다.

2021학년도 합격자 이수진 선생님

⑤ 관련 경험 제시형

관련 경험을 묻는 문제는 임용 시험이 개편된 2016학년도 이후 꾸준히 출제되고 있다. 출제 의도는 단순히 수험생의 과거 경험을 듣고 싶은 것이 아니라, 그 경험을 통해 교사로서 어떤 성장을 이뤄왔는가를 확인하는 데 있다. 결국 중요한 것은 경험 자체가 아니라, 그 경험을 통해 드러나는 교육적 가치(교육관·교직관)와 앞으로의 포부이다. 따라서 답변은 언제나 '과거 경험 ➡ 교육적 깨달음(교직관) ➡ 현장 교사로서의 포부'라는 세트로 완결해야 한다.

대표 기출문제

① 교육 실습생 시절 가장 어려움을 느꼈던 구체적 경험을 말하고, 이를 해결하기 위한 역량과 그 역량을 갖출 수 있는 노력 방안에 대해 각각 2가지씩 말하시오.
_{2024학년도 초등 즉답형 1번}

② 갈등 상황에서 소통과 협력으로 해결해 나갔던 경험과 이를 교직 현장에서 교사 관계에 적용할 방안을 전공과 연계해서 말하시오.
_{2024학년도 비교수 교과 즉답형 3번}

③ 학교에서 양성평등 실천 주간을 운영하고자 한다. 양성평등과 관련한 자신의 성장 경험을 말하고, 자신의 전공(보건, 사서, 영양, 전문상담)과 연계하여 학생 체험 중심 양성평등 교육 방안을 제시하시오.
_{2022학년도 비교수 교과 즉답형 3번}

① 여기서는 단순히 힘들었던 경험만 말해서는 안 된다. 그 경험 속에서 내가 부족했던 역량은 무엇이었는지, 그 역량을 어떻게 보완할 수 있는지까지 구체적으로 이어야 한다. 핵심은 '실패 경험을 솔직하게 드러내되, 그것을 성장의 발판으로 삼았다'는 흐름을 보여주는 것이다.

② 소통과 협력의 경험을 묻는 문제는 교직에서 대인관계 역량을 강조한다는 의미이다. 따라서 단순히 '나는 갈등이 없었다'라고 회피하면 곤란하다. 실제로 있었던 사례를 통해 '갈등을 어떻게 풀었는가 ➡ 교사로서 동료와 학생 관계에 어떻게 적용할 것인가'로 연결해야 한다.

③ 양성평등과 관련한 성장 경험을 묻는 문제는 경험 여부 자체보다, 그 경험이 교육적 가치로 어떻게 전환되었는가를 보는 것이다. 따라서 '경험이 없다'라고 말하는 것은 최악의 답이다. 실제로 그런 답을 한 수험생은 결과가 좋지 못했다. 경험이 부족하다면 주변에서 들은 사례나 학교 활동에서 본 장면을 빌려서라도, '이 경험을 통해 양성평등의 필요성을 깨달았다'는 흐름을 만들어야 한다.

관련 경험 제시 문항은 언제나 '경험을 통한 성찰'을 요구한다. 단순히 과거를 나열하는 것이 아니라, 그 경험에서 교직관을 어떻게 형성했는지, 앞으로 교사로서 어떻게 실천하겠다는 포부까지 연결해야 답변이 살아난다.

6 빈칸 채우기형

빈칸 채우기형 문항은 새로운 유형이 아니라 일반형 유형을 다른 방식으로 제시한 것에 불과하다. 당황할 필요 없이, 빈칸에 들어갈 핵심 키워드를 정확히 찾고 문제를 평이한 문장으로 바꿔 생각하면 된다.

대표 기출문제

① 교사의 존재 의미는 ○○이다. 빈칸을 채우고 자신의 경험에 빗대어 설명하시오. 2020학년도 초등 즉답형 2번

② 코로나19로 인해 원격 수업과 등교 수업을 병행하며, 등교 인원을 1/3 이하로 제한하고 있다. 교직원 회의 상황을 읽고 D 교사가 제시할 의견과 그 근거를 말하시오. 2021학년도 초등 구상형 3번

> **교직원 회의 상황**
> A 교사: 방역 당국에서 학교 인원의 1/3까지 등교하라는 지침이 내려왔네요. 우리 학교는 어떻게 할까요?
> B 교사: 학급을 1/3로 나누어 등교하는 건 어떨까요?
> C 교사: 그렇게 하면, 담임교사의 업무 부담이 커질 것 같습니다. 지정일을 정해 1개 학년씩 등교하는 것은 어떨까요?
> D 교사: 제가 생각했을 때, 교육의 공공성 측면에서… [수험생 답변 부분]

① '교사의 존재 의미는 ○○이다.'라는 문항은 결국 '교사의 존재 의미를 경험에 빗대어 말하시오.'라는 문제와 같다. 즉, 빈칸에 들어갈 말은 자신의 교직관을 보여줄 수 있는 단어여야 하고, 이어서 구체적 경험을 덧붙이면 된다.

② D 교사가 '교육의 공공성 측면에서 의견을 말하라'라는 문항도 마찬가지이다. 이는 단순히 '교육의 공공성 측면을 고려해 1/3 등교 방안과 이유를 말하시오.'라는 문제로 바꿔 생각하면 쉽게 답할 수 있다.

따라서 빈칸 채우기 유형이 출제된다면, 문제 속 키워드를 정확히 찾아 간단히 재정의하고 답변하면 된다. 너무 어렵게 접근하지 말고, 핵심 키워드를 중심으로 평소 연습한 답변을 풀어내면 된다.

7 위반 여부 판단형 　고난도 유형

위반 여부 판단형은 흔치 않지만, 실제 출제되면 수험생을 크게 당황하게 만드는 고난도 유형이다.

대표 기출문제

상황별 개인정보 보호법 위반 여부를 말하시오.　　　　　2020학년도 중등 즉답형 1번

- 사례 1: 업무 일지에 학생 신상정보를 기입하고 이를 토대로 상담을 진행한 경우
- 사례 2: 학부모회 대표 학부모에게 다른 회원들의 번호를 공유한 경우
- 사례 3: 학급 게시판에 잘한 학생, 못한 학생 이름을 '김○호' 등으로 표시하여 게시한 경우

2020학년도 중등 즉답형 1번 문항은 개인정보 보호법 위반 여부를 상황별로 판단하게 했다. 문제의 핵심은 '개인정보는 ① 목적에 따라, ② 사전 동의가 있으면 활용할 수 있다'는 원칙이다. 하지만 출제 당시 문항에는 목적과 동의 여부가 제시되지 않아 답하기가 쉽지 않았다.

솔직히 말해, 수험생이 즉시 '목적'과 '사전 동의'를 떠올려 완벽히 답하는 것은 거의 불가능하다. 이 문제는 정답을 맞히라고 낸 것이라기보다는, 위기 상황에서 수험생이 얼마나 침착하게 기본 소양을 발휘하는가를 보려는 의도가 강하다. 따라서 이런 문제가 다시 나온다면, 모르는 문제라 해도 당황하지 말고 내가 아는 최소한의 정보에 근거해 답해야 한다. 예를 들어 개인정보 보호법의 기본 원칙인 "개인정보는 제3자에게 동의 없이 제공하지 않는다" 수준만 떠올릴 수 있어도 답변을 구성할 수 있다.

사례 1은 제3자 제공이 없으므로 위반이 아닙니다.
사례 2는 동의 없이 제3자에게 제공했으므로 위반입니다.
사례 3은 가명 처리했지만 특정할 수 있어 위반입니다.

이런 식으로 말이다. 그렇다면, 그냥 문제를 놓치는 것보다 나은 결과를 기대할 수 있을 것이다. 또한 개인정보 관련 문제는 최대한 보수적으로 답하는 것이 좋다.

02

유형별 문제 풀이 연습(30문항)

갈수록 문제의 주제보다 유형이 어려워지고 있다. 따라서 문제의 유형에 익숙해지는 시간이 필요하다. 여기에서는 문제 유형을 파악하는 연습을 할 것이므로 완벽한 답변을 하지 않아도 된다. 한 문제당 5분 정도를 투자하여, 문제 유형별 핵심을 파악할 수 있는지 체크해 보자. 오픈북 형식으로 《사이다 면접 Input》을 보며 답을 적어도 된다. 완벽한 답변에 집중하는 것이 아닌, 문제를 보는 눈을 기르는 시간임을 명심하자.

① 일반형(5문항)

> **1줄 사이다 전략**
> 문제 속에 숨겨진 함정을 잘 찾아내자.

01 학생의 기초학력 보장을 위한 교사의 교육 방안을 수업 운영 측면과 학급 운영 측면에서 각각 2가지씩 제시하시오.

관련주제: THEME 5

구상하기

✦ 해설

수업 운영, 학급 운영 측면에서 2가지씩 말해야 하는 조건을 놓치지 말자. 방향성은 경기도교육청의 지향점에 맞는 에듀테크, 지역사회 자원 활용 측면에서 답변하면 된다.

✦ 예시 답변

기초학력 보장은 공평한 배움을 책임지는 교사의 가장 중요한 책무라고 생각합니다. 학생의 기초학력 보장을 위한 교육 방안을 수업 운영과 학급 운영 측면에서 각각 2가지씩 제시하겠습니다.

먼저 수업 운영 측면입니다.
첫째, AI 진단·보정 프로그램을 활용하여 학생 개별 학습 수준을 주도적으로 점검하고, 직접 맞춤형 학습 계획을 수립하겠습니다. AI는 교사가 놓치기 쉬운 학습 데이터를 빠르게 분석할 수 있어, 이를 활용한다면 정확한 데이터에 근거하여 학생을 파악할 수 있고, 시간 여유가 생기므로 학습 계획을 꼼꼼히 수립할 수 있을 것입니다.
둘째, 온라인 플랫폼과 에듀테크 자료로 보충 학습을 제공하겠습니다. 이때, 단순히 기술에만 의존하는 것이 아닌, 학생의 학습 과정을 지속적으로 모니터링하고 즉각적인 피드백을 제공하겠습니다.

다음으로 학급 운영 측면입니다.
첫째, 지역사회 멘토링 프로그램을 연계하겠습니다. 학생의 학습 및 생활 태도 등을 토대로 학생의 필요를 파악하고 적합한 멘토를 연결하여 학습 결손을 최소화하겠습니다.
둘째, 학부모와 연대하겠습니다. 학생의 기초학력은 학교에서만 완성될 수 없다고 생각합니다. 가정과 학교가 협력하여 학생의 기초학력 상승 일지 등을 교환하며, 학생에게 개별 맞춤형 교육을 제공하겠습니다. 지역사회, 학부모와 연대하여 학생에게 필요한 안전망을 구축하는 주체가 되겠습니다.

이와 같은 노력을 통해 학생의 기초학력을 보장할 뿐 아니라, 경기교육이 지향하는 공평한 배움과 미래 역량 함양을 실현하는 교사가 되겠습니다. 이상입니다.

02 기존 수행평가의 문제점을 3가지 밝히고, 수행평가 개선을 위해 교사가 할 수 있는 역할을 제시하시오.

관련주제: THEME 7

구상하기

✦ 해설

경기도교육청의 방향성을 이해하여 답변에 활용해야 한다.

✦ 예시 답변

수행평가는 학생의 학습 과정을 평가하고 다양한 역량을 기르기 위해 도입된 제도이지만, 실제 운영 과정에서는 여러 가지 문제가 나타나고 있습니다.
첫째, 한 과목당 2~3개의 수행평가가 있고 학년마다 과목이 많다 보니, 중간·기말고사 시기와 겹치며 학생과 교사 모두에게 과중한 부담이 됩니다.
둘째, 채점의 편의성에 치중하다 보니 단순한 서술형 문제나 암기식 평가로 흐르는 경우가 있어 수행평가 본래의 취지가 충분히 드러나지 못합니다.
셋째, 한 과목을 가르치는 교사가 여러 명일 경우, 교사마다 채점 기준이 달라 공정성과 신뢰성이 흔들릴 수 있습니다.

이러한 문제를 개선하기 위해 저는 2가지 방안을 생각했습니다.
먼저 동 교과 협의회와 교사 협의회를 활성화하겠습니다. 동 교과 교사들과 공동 루브릭을 개발해 평가 기준을 명확히 하고, 협의를 통해 수행평가 시기를 조율하여 학생들의 부담을 줄이겠습니다. 또한 AI 채점 도구를 적극 활용하겠습니다. 최근 도입된 AI 채점 도구는 95% 이상의 정확도를 보이고 있습니다. AI가 기본 채점을 진행하면 보다 공정한 채점이 가능해지고, 교사는 확보된 시간을 학생 개별 피드백과 수업 개선에 집중할 수 있을 것입니다.

이와 같은 노력을 통해 수행평가가 단순히 성적을 매기는 도구가 아니라, 학생의 성장을 지원하는 진정한 과정중심평가로 자리 잡을 수 있도록 실천하는 교사가 되겠습니다. 이상입니다.

03 수업 활동에서 생성형 AI를 활용할 방안을 말하고, AI를 수업에 활용 시 유의 사항을 3가지 답변하시오.

관련주제: THEME 8

구상하기

✦ 해설

수업 설계 방안은 성취기준에 근거해 답변하면 좋다. 따라서 수업 실연, 면접 준비 과정에서 성취기준을 자주 들여다보고 이해하는 과정이 필요하다. 성취기준 암기가 어렵다면 단원명을 기억해 두자. 챗GPT와 같은 생성형 AI 사용은 맹목적인 사용이 되지 않도록, 사전 교육을 충분히 하고 중간에 교사가 피드백, 시연을 통해 윤리적이고 적절한 사용이 될 수 있도록 신경 써야 한다.

✦ 예시 답변

중학교 국어 수업에서 생성형 AI를 활용할 방안을 말씀드리겠습니다.
국어과 성취기준 가운데 '다양한 자료를 재구성해 내용을 체계적으로 조직하고 청중이 이해하기 쉽게 발표한다.'라는 목표가 있습니다. 이를 실현하기 위해 저는 청자를 고려한 말하기 수업에서 생성형 AI를 보조 교사처럼 활용하고자 합니다. 예를 들어 발표문을 작성할 때, AI가 도입·전개·정리 구조를 안내하고, 발표 목적이나 청중의 특성에 맞는 적절한 설명 방법을 제시하도록 하는 것입니다.
학생들은 AI로부터 아이디어를 얻고, 이를 토대로 자신만의 발표 대본을 완성할 수 있습니다. 수업 이후에는 발표 과정을 되돌아보고 느낀 점을 정리하며, 기술을 올바르게 사용했는지를 스스로 점검하게 할 것입니다. 이를 통해 학생들은 국어 수업에 더 적극적으로 참여하고, 글쓰기 능력뿐 아니라 인공지능 활용 역량과 윤리적 성찰 능력까지 함께 기를 수 있다고 생각합니다.

다만, AI 활용 시 몇 가지 유의 사항이 필요합니다.
첫째, 학생들이 AI의 원리와 한계, 윤리적 문제를 이해할 수 있도록 사전 교육을 철저히 하겠습니다.
둘째, AI의 답변을 무비판적으로 수용하지 않고, 비판적으로 검토하는 태도를 기를 수 있도록 피드백 기회를 제공하겠습니다.
셋째, 학생들이 질문 능력을 키울 수 있도록 순회 지도와 피드백을 통해 사고를 자극하겠습니다. 단순히 기계가 준 답을 그대로 받아들이는 것이 아니라, 원하는 답을 이끌어내기 위해 끊임없이 사고하고 탐구할 수 있도록 지도하겠습니다.

이와 같은 노력을 통해 생성형 AI는 단순한 편의 도구가 아니라, 학생들의 표현력과 비판적 사고, 그리고 윤리성을 함께 길러주는 학습의 동반자가 될 수 있을 것이라 생각합니다. 이상입니다.

04 고교학점제를 원활하게 추진하기 위해 교사가 갖추어야 할 역량과 그 이유를 3가지 설명하고, 역량 강화 방안을 제시하시오.

관련주제: THEME 11

구상하기

✦ 해설

'고교학점제'란 정책명이 나왔으므로, 서론에 정책 정의를 한 줄 정도 언급하면 전문성을 드러낼 수 있다.

✦ 예시 답변

고교학점제란 학생이 기초소양과 기본학력을 바탕으로 진로 적성에 따라 과목을 선택하고, 이수 기준에 도달한 과목에 대해 학점을 취득·누적해 졸업하는 제도를 말합니다. 이를 원활하게 추진하기 위한 교사의 역량 3가지와 강화 방안을 말씀드리겠습니다.

첫째, 진로지도 역량이 필요합니다. 고교학점제는 학생의 진로나 흥미에 적합한 과목을 수강해야 효과적입니다. 따라서 교사는 학생 맞춤형 진로상담 역량을 갖추고 있어야 합니다. 역량 강화를 위해, 학생 개개인에게 관심을 두고 포트폴리오를 만들어 지도하겠습니다. 학생의 활동, 장점, 개성 등을 누적 기록해 맞춤형 진로 선택에 도움을 주고 싶습니다. 또한, 희망 과목이 학교 내에 개설되지 않을 때 연계할 수 있는 공동교육과정과 같은 교외 자원을 충분히 파악하고 있겠습니다.

둘째, 자기주도학습 코칭 역량이 필요합니다. 고교학점제로 인해 주어진 시간표를 이수하는 것이 아닌 학생이 선택한 과목에 따라 학생마다 개별 스케줄이 생기게 됩니다. 따라서 교사는 학생이 스스로 학습 스케줄을 잘 관리할 수 있도록 지도하는 자기주도학습 코칭 능력이 필요합니다. 역량 강화를 위해 저부터 스스로 업무 계획을 수립하고 점검하며 자기주도 능력을 함양하겠습니다. 이후 학기 초에 학생들과 함께 스터디 플래너 작성하기, 소모둠으로 스터디 그룹을 조직해 관리하기 등의 방법을 통해 학생들의 자기주도학습 능력을 길러주겠습니다.

마지막으로 의사소통 역량이 필요합니다. 학생 맞춤형 수업을 위해서는 학생뿐 아니라 학부모 상담을 병행해야 합니다. 또한, 공동교육과정을 연계하는 과정에서 인근 학교와 연락을 취할 일도 생길 수 있습니다. 의사소통 능력을 강화하기 위해 교사 공동체를 통해 협업을 상시화하겠으며, 늘 존중하고 배려하는 자세를 갖고 교직 생활에 임하겠습니다.

현장에 나아가 고교학점제 운영을 원활하게 할 수 있는 역량을 갖춘 교사가 되겠습니다. 이상입니다.

사이다 면접

05 독서교육의 필요성을 말하고, 담임교사와 교과교사의 관점에서 독서교육을 활성화하기 위한 방안을 각각 1가지씩 제시하시오.

관련주제: THEME 22

구상하기

✦ 해설

독서교육의 필요성을 분명히 제시하고, 담임교사와 교과교사의 서로 다른 관점을 드러내며 방안을 제시하는 것이 핵심이다.

✦ 예시 답변

독서교육은 학생의 사고력과 표현력을 신장시키고, 타인의 경험과 감정을 이해하는 공감 능력을 길러주기 때문에 반드시 필요합니다. 또한 다양한 텍스트를 읽으며 지식을 습득하고, 스스로 사고를 확장하는 능력을 키울 수 있어 미래 사회가 요구하는 창의적 문제 해결력과 비판적 사고를 기르는 데에도 중요한 역할을 합니다. 독서교육을 활성화하기 위한 방안을 말씀드리겠습니다.

먼저 담임교사로서 저는 학급 전체가 함께 성장할 수 있는 독서 문화를 조성하겠습니다. 예를 들어 '학급 독서 토론의 날'을 정해, 학생들이 스스로 선택한 책을 바탕으로 서로 생각을 나누고 토론하는 날을 만들겠습니다. 이렇게 한다면, 학급 공동체 속에서 자연스럽게 독서 습관이 자리 잡을 수 있을 것입니다.

다음으로 교과교사의 관점에서는 '책 쓰기 프로젝트'를 하겠습니다. 교과서 속에서 가장 관심 있는 주제를 하나 선정하여, 학기 말에 학생이 그 소재를 중심으로 소설이나 시 등 책을 쓰는 프로젝트를 진행하는 것입니다. 선정한 주제를 다룬 책을 읽어보며, 다른 책은 어떻게 사건을 전개했는지 살펴보고 나만의 창작 스토리로 재구성하는 시간을 가져보겠습니다. 이를 통해 책 읽는 학생을 넘어 책 쓰는 학생이 되어 사고력과 창의력이 강화될 것입니다.

이와 같은 독서교육을 통해 학생들은 풍부한 지성과 성숙한 인성을 갖춘 미래 인재로 성장할 수 있을 것입니다. 이상입니다.

② 제시문 분석형(6문항)

> **1줄 사이다 전략**
> 제시문을 철저히 분석해, 언급된 키워드를 답변에 활용하자.

01 다음 자료를 참고하여, 신규 교사로서의 노력 방안을 제시하시오.   `관련주제: THEME 2`

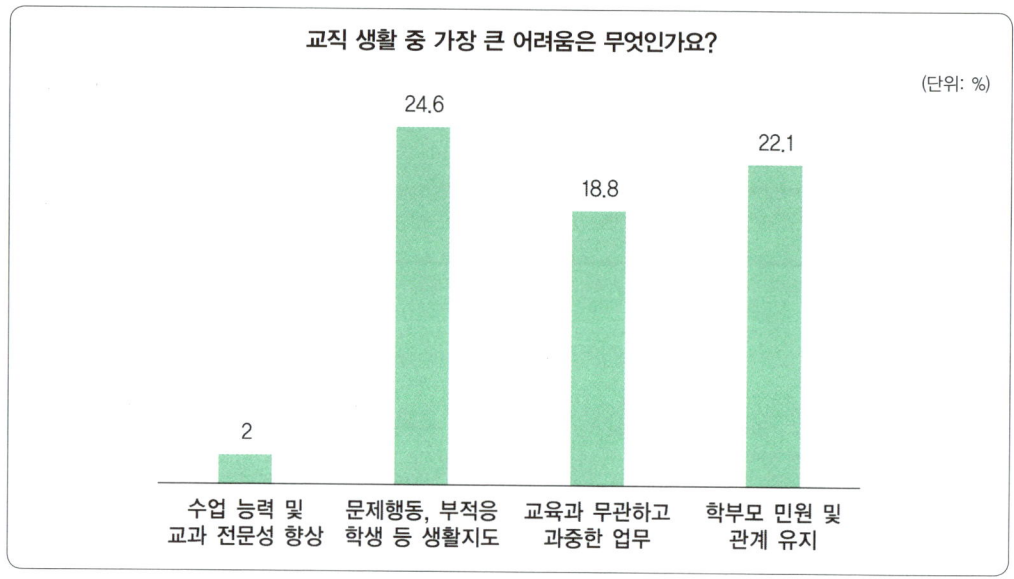

구상하기

✦ 해설

제시문에 따라 신규 교사가 가장 어려워하는 3가지 요소 즉, 생활지도, 학부모 소통, 업무 적응을 모두 아우르는 노력을 제시해야 한다.

✦ 예시 답변

저는 제시문의 설문 결과를 참고하여 신규 교사로서 현장에서 겪을 어려움을 극복하기 위해 다음과 같은 노력을 하고자 합니다.

첫째, 문제행동이나 부적응 학생의 생활지도를 위해 전문성을 기르겠습니다. 제시문에서 신규 교사들이 가장 어려워하는 것은 생활지도 영역입니다. 학생을 단순히 지도 대상으로 보지 않고, 상담 등을 통해 개별 특성과 상황을 이해하려 노력하겠습니다. 또한 혼자만의 노력이 아닌 전문상담교사, 학부모와 협력하며 맞춤형 지원을 제공해 학생이 학교생활에 적응할 수 있도록 돕겠습니다.

둘째, 학부모와의 관계를 원만히 유지하기 위해 소통 역량을 강화하겠습니다. 신규 교사들은 학부모와의 소통을 어려워하고 있습니다. 하지만 학부모와 교사가 같은 목표를 지향하고, 서로의 철학을 공유한다면 어려움을 많이 해소할 수 있을 것입니다. 저는 온·오프라인 소통 창구를 마련하여 학생의 성장 과정을 학부모와 공유하겠습니다. 혹시 민원 상황이 발생한다면 방어적 태도보다 경청과 공감을 우선시하겠습니다.

셋째, 교육과 무관한 과중한 업무는 에듀테크 및 디지털 도구를 활용하겠습니다. 불필요한 반복 업무는 줄이고, 에듀테크를 활용해 행정 업무 시간을 단축하며, 확보된 시간을 학생 지도에 더 투자하겠습니다.

마지막으로, 수업 전문성 향상은 교사의 본질적인 역할이기에 꾸준히 연구하고 연수에 참여하며 제 역량을 높이겠습니다.

이와 같은 노력을 통해 학생에게는 성장의 경험을, 학부모에게는 신뢰를, 동료 교사에게는 협력의 모습을 보이는 교사가 되고 싶습니다. 이상입니다.

02 다음 제시문 1, 2의 취지에 맞는 구체적인 교과 지도 방안에 대해 수업 내용을 사례로 들어 제시하시오.

관련주제: THEME 6

> **제시문 1**
>
> 학습의 전이는 실생활에 가까운 맥락을 제공할 때 쉽게 일어나므로, 수업은 삶의 맥락 속에서 지식을 구성할 수 있도록 설계되어야 한다. 학생들이 배운 내용이 삶과 직접 연결된다고 느낄 때 더 몰입하게 되며, 교사교육과정 재구성으로 학습 경험의 폭과 깊이를 확장할 수 있다. 삶의 맥락 중심 수업은 학생의 삶을 확장하고, 새로운 변화 대응, 문제 해결, 사회적 책임과 실천, 변혁적 도전 정신을 강조한다. 또한, 학교 밖 교육 활동 공간과 지역사회의 인적 자원을 활용하여 학생들이 당면한 문제를 논의하고 구체적인 실천으로 이어지도록 지원하는 수업을 지향한다.
>
> **제시문 2**
>
> 깊이 있는 이해를 위해서 학생이 명확하게 문제를 이해하고 탐구과정에서 지적 호기심을 유발하는 질문이 중요하다. 아울러 사실과 주제에 대해 학생들이 끊임없이 질문을 만들고 답하면서 문제를 깊게 파고들며 탐구할 수 있도록 설계가 필요하다. 이를 위해 탐구-실행-성찰 과정을 담은 깊이 있는 수업을 위한 프레임워크 전략을 적용하고 있다.

구상하기

✦ 해설

제시문을 분석한 내용을 제시해, 문제 분석력을 드러내면 좋다. 교과 지도 방안을 제시할 때는 단원명이나 성취기준을 근거로 한다.

✦ 예시 답변

제시문 1에서는 학습의 전이를 촉진하기 위해 수업을 삶의 맥락 속에서 구성하고 학생들에게 실천적인 문제 해결을 강조해야 할 것을 이야기합니다. 제시문 2에서는 깊이 있는 탐구와 성찰을 유도하기 위해 학생의 호기심을 자극하는 질문 중심 수업을 설계해야 할 것을 이야기하고 있습니다. 저는 이를 토대로 한 국어 수업 방안을 제시하겠습니다.

먼저 제시문 1에 따라 삶과 밀접하게 연결된 주제를 바탕으로 주제 중심 수업을 진행하겠습니다. 중학교 국어 듣기·말하기 영역에는 '토의에서 다양한 의견을 교환해 대안을 마련하고 문제를 해결한다.'라는 성취기준이 있습니다. 모둠별로 모여 지역 언론 매체나 뉴스 기사를 분석하고 사회 문제에 대한 의견을 교환한 후 학급 전체가 모여 해당 문제에 대한 대안을 마련하는 시간을 갖고 싶습니다. 이때 이런 현상이나 문제에 대해 온·오프라인으로 특강을 진행해 줄 수 있는 지역사회 인적 자원이 있다면 더욱 효과적으로 제시문 1의 목표를 달성할 수 있을 것입니다.

저는 교사로서 지역사회의 이슈가 담긴 콘텐츠를 제공한 후 제시문 2에서 언급한 것과 같이 '왜 이러한 사건이 지역사회에서 논란이 되고 있는가?' 또는 '이 기사가 다루고 있는 사건이 지역사회에 미치는 영향은 무엇인가?'와 같은 질문을 통해 학생들의 지적 호기심을 유발하겠습니다. 또한 하브루타 토론 기회를 부여하여, 학생들이 직접 질문을 만들 수 있는 기회를 제공하고, 짝과 함께 질의에 대한 답변을 하는 기회를 통해 깊이 있는 학습을 유도하겠습니다. 토론을 마친 후에 타인의 말을 경청했는지, 자신이 제시한 대안에 혐오나 편견이 섞인 표현은 없었는지 성찰하는 시간도 부여하겠습니다.

현장에 나아가 탐구-실행-성찰 수업을 통해 학생들의 지식의 전이와 깊이 있는 학습에 도움을 주는 교사가 되겠습니다. 이상입니다.

03 다음 제시문과 학교의 SWOT 분석을 참고하여, A 학교의 자율과제를 완성한 후 구체적인 교육 방안을 제시하시오.

관련주제: THEME 9, 17

제시문
경기교육에서는 디지털 공간에서의 인성교육을 중시하고 있다. 인공지능 중심의 교수학습 플랫폼과 함께 디지털 인성교육, 디지털 시민교육을 준비함으로써 학생의 균형 있는 전인교육을 도모하고 있다.

SWOT 분석

강점(S)	약점(W)
• 교사의 디지털 교육 전문성 함양 • 학생들의 학교 활동에 대한 높은 신뢰	• 학교 자체의 디지털 관련 교육 미비 • 주제 중심 수업 부족
기회(O)	**위협(T)**
• 다양한 디지털 인프라 구축 • 교육공동체의 디지털 관련 교육의 필요성 공감	• 학생들의 무분별한 온라인 활용 • 딥페이크 기술 등을 활용한 온라인 조롱이 밈으로 유행

학교자율과제: _____

구상하기

✦ 해설

제시문과 학교 SWOT을 분석해 학교자율과제를 추출해야 한다. 이때, SWOT의 환경 분석 내용을 모두 언급해야만 문제 분석력을 드러낼 수 있다.

✦ 예시 답변

제시문과 학교 SWOT을 분석한 결과, A 학교의 자율과제는 '주제 중심 디지털 인성교육·시민교육'으로 정할 수 있습니다. 왜냐하면 제시문에는 디지털 인성교육·디지털 시민교육의 중요성을 언급하고 있고, A 학교의 SWOT을 분석한 결과, 학생들의 무분별한 온라인 활동과 딥페이크 기술 악용으로 인한 문제점이 보이고, 교육공동체가 디지털 시민교육 필요성에 공감하고 있기 때문입니다. 학교는 디지털 인프라를 갖추고 있고 교사는 디지털 전문성을 갖췄기에 이를 성공적으로 시행할 수 있을 것입니다.

구체적인 교육 방안은 다음과 같습니다. 우선 '디지털 시민으로서의 윤리적 성찰'을 주제로 온라인에서 최근 한 달간 접한 정보를 취합한 후 모둠원들과 함께 팩트 체크를 하는 시간을 마련하고 싶습니다. 온라인에서 얻은 정보가 사실인지, 가짜인지, 정보의 전파 속도는 얼마나 빠르고 그에 따른 피해는 어떤지 직접 조사해 디지털 시민으로서 정보 수용의 자세에 관한 규율을 학생들 스스로 마련해 보는 기회를 부여하고 싶습니다.

또한 딥페이크 기술을 직접 활용해 보고 싶습니다. 기술을 활용하며 딥페이크의 장점은 무엇인지, 악용했을 때 어떤 문제가 발생할 수 있는지 함께 토의해 보며 올바른 사용 수칙을 정립하고 싶습니다. 이후 학생 중심으로 윤리적 디지털 사용 캠페인을 진행해 조·종례 시간에 피켓 활동이나 홍보물 제작 활동을 해보고 싶습니다. 이렇게 한다면 A 학교의 디지털 인성·시민 프로그램이 부족한 점과 주제 중심 수업이 부족한 점을 보완할 수 있고 학생들이 온라인 속 가짜 정보를 그대로 수용하는 점, 딥페이크 기술을 무분별하게 사용하는 점을 해결할 수 있을 것입니다.

현장에 나아가 디지털 사회를 살아갈 학생들의 성숙한 디지털 시민의식과 디지털 인성을 갖추는 데 도움이 되는 교사가 되겠습니다. 이상입니다.

04 다음 교육공동체의 의견을 통해 IB 프로그램의 장점과 예상되는 문제점을 말하고, 신규 교사로서 IB 교육 관련 전문성을 기를 수 있는 방안을 제시하시오.

관련주제: THEME 12

- 학생 A: 예전에는 교실이 조용하고 자는 애들도 많았어요. 하지만 IB 프로그램으로 바뀌면서 같이 협동하는 분위기가 생기며 학생 참여도가 높아졌어요.
- 교사 B: 우리 학교는 IB 기초학교인데, 교사 확보가 매우 힘들어요. 전입을 희망한 교사는 거의 MZ 세대입니다.
- 학부모 C: IB 프로그램은 영어 사교육을 더 조장하는 것 아닌가요? 교육비를 더 부담해야 한다니 막막합니다.

구상하기

사이다 면접

✦ 해설

제시문의 의견을 모두 반영해 답변해야 한다.

✦ 예시 답변

제시문 속 교육공동체의 의견을 통해 파악할 수 있는 IB 프로그램의 장점은 다음과 같습니다.
학생 A의 발언처럼 토의·토론, 탐구 학습, 프로젝트 학습으로 수업을 구성하는 과정에서 학생주도 학습이 실현될 수 있으며 학생의 능동성과 참여도가 높아질 수 있습니다. 또한 비판적 사고력, 문제해결 역량을 갖출 수 있습니다.

예상되는 문제점은 다음과 같습니다.
교사 B의 발언과 같이 기존의 수업, 평가 방식에서 벗어나다 보니 교사의 입장에서 업무 부담이 될 수 있어 적극적인 참여가 어려울 수 있습니다. 또한 학부모 C의 발언에서 알 수 있듯 취지를 제대로 알리지 못할 경우, 교육공동체의 공감을 받지 못하고 사교육을 조장하는 프로그램, 복잡하고 어려운 교육과정이라는 오해를 받을 수 있습니다.

이런 점을 고려해 신규 교사로서 노력 방안을 말씀드리겠습니다.
첫째, 학생 중심 수업을 구현하기 위해 IB 프로그램의 취지를 이해하고 관련 연수, 교육공동체와의 연구 활동으로 전문성을 갖춰나가겠습니다.
둘째, IB 교육과정을 실현하다 보면 교사 공동체 안에서도 업무 난이도나 역량 차이가 존재할 수 있습니다. 이때 열린 마음으로 서로 협력하는 자세를 취하겠습니다.
셋째, 학부모님과 학생이 IB 교육과정의 취지를 정확히 이해할 수 있도록 안내하고, 제시문과 같은 오해가 생길 때 한국형 IB 프로그램은 한국어로 진행하며, 과정중심평가와 학생의 사고력을 중시하기에 사교육으로 단기간에 달성하기 어려워 학교 수업 참여에 따른 성장이 중요하다는 점을 안내하겠습니다.

현장에 나아가 IB 교육과정의 취지를 이해하고 이에 관한 전문성을 쌓아나가는 교사가 되겠습니다. 이상입니다.

05 다음 설문조사의 시사점을 밝히고, 교권과 인권을 상호존중할 수 있는 학교 문화를 만들기 위한 교육 프로그램과 교사의 자세를 각각 1가지씩 제시하시오.

관련주제: THEME 14

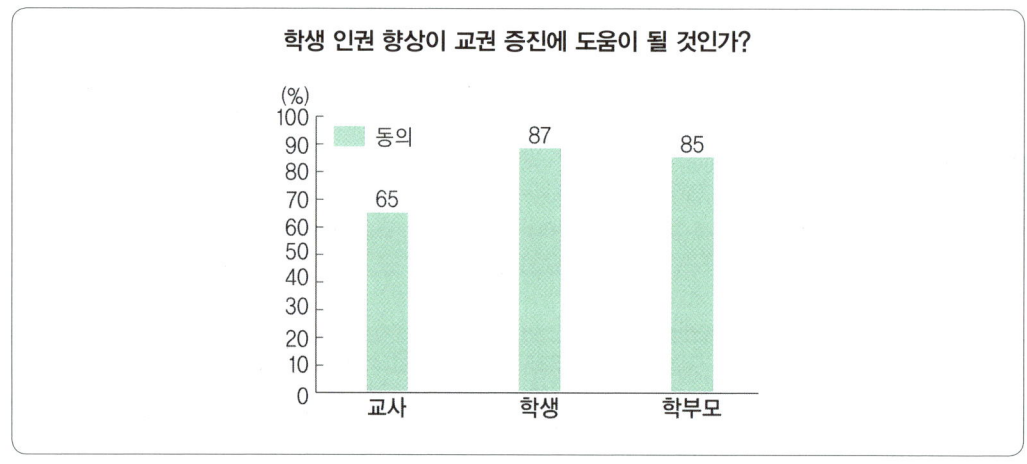

구상하기

✦ 해설

서두에 제시문 분석 결과를 이야기한 후 이와 관련한 프로그램과 교사의 자세를 제시하면 된다.

✦ 예시 답변

제시문에서는 '학생 인권 향상'과 '교권 증진'의 상관관계를 묻는 응답에 학생과 학부모는 높은 긍정을 보이지만, 교원은 그렇지 않아 학생 인권과 교권에 대해 교육 주체별로 서로 다르게 인식하고 있다는 것을 알 수 있습니다. 이럴 경우, 진정한 의미의 상호존중이 어렵고 갈등을 유발할 수 있으므로 학교 교육에서는 한쪽만 만족하는 문화가 아닌 서로 믿고 존중할 수 있는 문화가 필요함을 시사합니다.

상호존중하는 학교 문화를 만들기 위한 교육 프로그램은 다음과 같습니다.
창의적 체험활동 시간 등을 통해 '교육공동체 생활 규약 협의'를 하고 싶습니다. 교육공동체 간 진솔한 대화를 통해 서로 존중하고 배려할 수 있는 문화 분위기를 만드는 방안입니다. 한쪽에서 참거나 무조건 배려하는 것이 아닌 상호 책임과 의무를 바탕으로 해야 할 일을 규정하고, 각자 부탁할 사항 등을 공유하며, 존중 문화를 확산하면 좋을 것입니다. 이후 이런 규약이 잘 지켜지고 있는지 점검하는 시간을 통해 학생 인권과 교권을 이분법적으로 바라보며 대립하는 것이 아닌 함께 존중하는 것임을 교육공동체가 스스로 느끼게 하고 싶습니다.

다음으로 상호존중하는 학교 문화를 만들기 위한 교사의 자세를 말씀드리겠습니다.
저는 교사로서 뚜렷한 교육철학을 바탕으로, 학생과 건강한 사제 관계를 형성하기 위해 솔선수범할 것입니다. 또한 교사 자존감을 바탕으로 교직에서 상처받는 일이 생긴다고 해도 상처를 방치하지 않고 회복하고자 노력할 것입니다. 가정과의 연대로 원활한 의사소통 창구를 마련하는 것도 잊지 않겠습니다.

현장에 나아가 건강한 학교 문화를 만드는 데 기여하는 교사가 되겠습니다. 이상입니다.

06 다음 제시된 이 교사의 수업 일지를 읽고, 학생들을 지도하기 위한 교육 방안을 각각 제시하시오.

관련주제: THEME 42

이 교사의 수업 일지 중 일부

- A 학생: 학습 능력이 높아, 과제를 빨리 해결하고 자신에게 필요한 다른 과목 공부를 한다.
- B 학생: 수업이 시작되면 무언가를 하려고 노력하지만, 곧 잠을 잔다.
- C 학생: 모둠 활동을 할 때 학급 친구들의 의견을 무시하며 자기 생각대로 과제를 제출한다. 과제물의 결과가 항상 좋기에 학생들은 아무 말도 못하겠다고 한다.

구상하기

✦ 해설

학생의 다양한 행동 특성을 보고 단순히 '문제행동 교정'이 아니라, ① 원인 분석 ➡ ② 교육적 개입 ➡ ③ 성장 기회 제공이라는 구조로 답변할 수 있는지를 묻는 문제이다.

✦ 예시 답변

먼저 A 학생에게는 과제를 빨리 끝내는 것이 학습의 목표가 아니라, 과정을 통해 사고를 확장하는 것이 중요함을 상담을 통해 안내하겠습니다. 수업 시간에 다른 과목 공부를 하는 것은 교사와의 신뢰 문제로 이어질 수 있음을 알려주고, 수행 수준을 높일 수 있는 도전 과제를 제시하겠습니다. 또한 다른 학생들의 멘토 역할을 맡겨, 스스로 역량을 더 넓히고 성장을 경험할 수 있도록 돕겠습니다.

B 학생의 경우, 수업에 참여하려는 의지는 있으나 곧 잠드는 모습이 관찰됩니다. 이는 이해 부족, 생활습관 문제, 포기 심리 등 다양한 원인이 있을 수 있으므로, 먼저 상담을 통해 원인을 파악하겠습니다. 이후 학습 수준과 상황에 맞는 맞춤형 과제를 제공하고, 작은 성취 경험을 통해 자신감을 회복할 수 있도록 지원하겠습니다.

C 학생은 결과는 뛰어나지만, 협력과 존중의 과정이 결여되어 있습니다. 이에 대해 '좋은 결과만큼이나 함께 만들어 가는 과정이 중요하다'는 점을 분명히 안내하겠습니다. 또한 모둠장 역할을 맡겨 친구들의 의견을 수렴하고 조율하는 경험을 하게 함으로써, 리더십을 협력적 방식으로 발휘할 수 있도록 지도하겠습니다.

이처럼 학생 개개인의 특성과 상황을 존중하면서도, 자율·책임·협력의 가치를 키울 수 있는 교육적 개입을 통해 학생들이 조화롭게 성장할 수 있도록 지도하겠습니다. 이상입니다.

③ (입장) 선택형(4문항)

> **1줄 사이다 전략**
> 일반 선택형/상반된 선택형/조화 가능한 선택형 중 어떤 유형인지 분석한 후 맞춤 전략을 활용하자.

01 제시문의 두 교사 중, 자신의 교육관에 부합하는 교사의 관점을 선택하고 그 이유를 말하시오. 또한, 이를 바탕으로 자신이 실현할 수 있는 교육 활동 1가지를 제시하시오. <small>관련주제: THEME 1</small>

- A 교사: 진리는 변합니다. 미래 사회는 빠르게 변화하고 있으며, 불확실성도 커지고 있습니다. 교육은 이러한 변화에 능동적으로 대응해야 합니다.
- B 교사: 진리는 변하지 않습니다. 사회가 변해도 변하지 않는 가치들이 존재합니다. 교육은 그런 보편적인 가치를 가르쳐야 합니다.

구상하기

✦ 해설

이 문제는 '교육이 변화에 대응해야 하는가, 변하지 않는 가치를 지켜야 하는가'라는 2가지 입장을 제시하고 있다. A 교사는 미래 사회 대응형 교육관을 지향하며, 변화를 민감하게 읽고 학생들이 역동적인 사회 속에서 살아갈 수 있도록 역량을 길러야 한다는 입장이다. B 교사는 보편 가치 중시형 교육관을 지향하며, 정의·존중·책임 같은 변하지 않는 가치를 지켜야 한다는 입장이다. 경기도교육청의 교육 지향점은 '미래 사회 변화에 대응하는 역량 함양'과 동시에 '인성과 공동체적 가치를 기반으로 한 교육'을 강조한다. 따라서 한쪽을 선택하되, 다른 입장의 장점도 보완적으로 언급하면 균형 잡힌 답변이 된다.

✦ 예시 답변

A 선택

저는 A 교사의 입장을 선택하겠습니다. 저의 교육관은 '학생은 미래 사회 속에서 스스로 길을 찾을 수 있는 주체적 존재'라는 것입니다. 미래 사회는 AI와 디지털 기술의 발달로 급변하고 있으며, 교육은 이러한 변화에 맞춰 학생들이 새로운 지식을 탐구하고 창의적으로 문제를 해결할 수 있도록 해야 합니다.

물론 사회가 변해도 존중과 배려 같은 가치는 변하지 않습니다. 하지만 저는 교육이 보편적 가치 위에서, 변화하는 미래 사회에 대응할 수 있는 힘을 길러주는 방향으로 나아가야 한다고 생각합니다.

이를 실현하기 위한 교육 활동으로, '미래 사회 문제 해결 프로젝트'를 운영하고 싶습니다. 학생들이 모둠별로 환경 문제, 인공지능, 지역사회 문제 등 변화하는 사회 속 실제 주제 중 관심 있는 주제를 하나 선정하여 스스로 탐구하고, 협력하여 해결 방안을 제시하는 활동입니다. 이 과정에서 학생들은 지식을 단순히 배우는 것을 넘어, 변화에 능동적으로 대응하는 역량과 더불어 공동체적 가치를 함께 체득할 수 있을 것입니다. 이상입니다.

B 선택

저는 B 교사의 입장을 선택하겠습니다. 저의 교육관은 '학생은 변하지 않는 가치를 배우며 공동체 속에서 성장하는 존재'라는 것입니다. 사회는 빠르게 변하지만, 존중·책임·정직과 같은 가치들은 어떤 시대에도 흔들리지 않는 교육의 중심이어야 한다고 생각합니다. 학생들이 이 토대를 갖추어야 변화하는 사회 속에서도 올바른 방향을 잃지 않을 수 있습니다.

물론 미래 사회 변화에 대응하는 역량도 필요합니다. 하지만 그 변화에 올바르게 대응하기 위해서도 결국 변하지 않는 가치가 기준이 되어야 합니다. 그렇기에 저는 학생들에게 먼저 가치와 인성을 가르치는 것이 무엇보다 중요하다고 생각합니다.

이를 실현하기 위해, '학급 인성 브랜드 프로젝트'를 운영하고 싶습니다. 학급 학생들이 함께 토의하여 존중, 책임, 협력과 같은 핵심 가치를 담은 학급 브랜드를 만들고, 이를 생활 속에서 실천하는 활동입니다. 예를 들어, 존중을 강조하는 학급이라면 경청 캠페인이나 존중의 말 사용하기를 실천하게 하는 것입니다. 이러한 과정에서 학생들은 단순한 지식 습득을 넘어, 어떤 상황에서도 변하지 않는 가치를 지키는 태도를 기를 수 있을 것입니다. 이상입니다.

02 다음은 두 교사의 학생관에 관한 입장이다. 이 중 하나를 선택하여 그 이유를 밝히고, 이와 관련하여 현장에서 어떤 교육 활동을 할지 답변하시오.

관련주제: THEME 1

- A 교사: 학생을 무조건 신뢰해야 한다.
- B 교사: 학생을 무조건 신뢰하는 것은 교육적으로 옳지 않다.

구상하기

✦ **해설**

긍정적인 학생관을 드러내기 위해서 A 교사의 입장을 택하는 것이 유리하다.

✦ **예시 답변**

저는 교사로서 A 교사의 '학생을 무조건 신뢰해야 한다.'라는 입장을 선택하겠습니다. 신뢰는 '믿는다'라는 의미입니다. 학생이 비록 옳지 못한 행동을 한다고 해도, 지도를 통해 바른길로 나아갈 것이라는 믿음, 성장할 것이라는 믿음이 있어야만 교육 활동이 원활하게 전개될 것입니다. 또한 학생들은 교사가 자신을 믿어준다는 느낌을 받으면, 자기 능력을 더 믿고 도전할 용기를 가지게 되며, 책임감을 가지고 생활할 수 있을 것입니다. 따라서 저는 A 교사의 입장을 지지합니다.

저는 이와 같은 관점에서 다음과 같은 교육 활동을 전개하겠습니다.

첫째, 학생들과 함께 교실 규칙을 설정하고, 규칙을 준수하겠다는 서약식을 진행하겠습니다. 무조건 신뢰한다고 해서 아무렇게나 행동해도 용인한다는 것은 아닙니다. 학생들이 규칙을 만들고, 지킬 수 있다는 것을 신뢰하고, 규칙을 위반할 때는 대화를 통해 문제를 해결할 수 있다는 것을 믿겠습니다. 학생들이 스스로 문제를 해결할 기회를 제공하고, 문제 해결 과정에서 신뢰를 바탕으로 학생들의 의견과 결정을 존중하겠습니다.

둘째, 감사 일기를 작성하도록 하겠습니다. 일주일에 한 번, 자신이 감사하게 생각하는 사람이나 일, 존중받았던 경험을 일기에 기록하도록 하겠습니다. 이를 통해 존중의 가치를 체감하고, 긍정적인 감정을 표현하는 방법을 배울 수 있습니다. 저는 교사로서 긍정적이고 지지적인 피드백을 통해 학생들이 지속적으로 성장할 수 있도록 돕겠습니다.

현장에 나가서도 학생들을 신뢰하고, 저 역시 신뢰받는 교사가 되기 위해 노력하겠습니다. 이상입니다.

03 다음 경기도교육청이 제시한 인성 기반 디지털 역량 중 하나를 선택하여, 학생에게 해당 역량을 함양할 수 있는 방안을 교과 지도와 학급 운영 측면에서 각각 2가지씩 말하시오. _{관련주제: THEME 9}

| 디지털 안전 | 디지털을 안전하게 활용하기 | 디지털 책임 | 디지털을 책임감 있게 활용하기 |
| 디지털 윤리 | 디지털 윤리의식 갖추기 | 디지털 소통 | 디지털 세상에서의 올바른 소통과 관계 형성하기 |

구상하기

✦ **해설**

선택형 문제이므로, 선택한 이유를 제시하면 설득력을 얻을 수 있다. 또한, 교육 방안을 제시할 때 성취기준을 근거로 답변하면 좋다.

✦ **예시 답변**

저는 인성 기반 디지털 역량 중 디지털 소통을 선택하겠습니다. 학생들은 게임이나 SNS를 통해 다양한 사람들과 교류하기 때문에, 타인의 의견을 존중하고 다양한 관점을 수용하는 법을 배우는 것이 필요합니다. 타인에 대한 존중을 바탕으로 한 온라인 행동을 통해 건강한 디지털 문화를 형성할 수 있습니다. 디지털 소통 역량을 함양할 수 있는 방안은 다음과 같습니다.

먼저 교과 지도 측면입니다. 첫째, 사회과의 편견과 차별 단원과 연계하여, 인터넷 유행어나 밈 속에 숨어 있는 혐오 표현을 찾아보고 그 의미를 분석하게 하겠습니다. 아무렇지 않게 쓰는 단어의 어원, 의미 등을 분석해 보며 디지털 사회 속에 얼마나 많은 편견과 차별이 있는지 문제의식을 느끼고, 이를 올바르게 수정해 상호 소통할 수 있는 자세를 갖추도록 하겠습니다. 이를 통해 학생들이 디지털 사회의 문제점을 인식하고 올바른 언어 사용 태도를 기를 수 있을 것입니다.

둘째, 가족의 형태와 역할 변화 단원과 연계한 방안입니다. 디지털 사회는 다양한 문화적 배경을 가진 사람들이 쉽게 소통하고 협력합니다. 다양한 형태의 가족, 다문화 사회의 모습을 학습하며 이런 사회 속에서 갖춰야 할 우리의 태도에 대해 학생들이 직접 토의·토론해 보며, 타인의 문화적 차이를 존중하고 이해할 수 있게 하겠습니다.

다음은 학급 운영 측면입니다. 첫째, 학급 내 디지털 소통 규칙을 설정하겠습니다. 학급 단체 채팅방에서 소통할 때 지켜야 할 규칙을 학생들과 함께 정하겠습니다. 먼저 소모둠으로 토의해 학생들의 발언권을 보장하고, 여기에서 나온 안건으로 학급 차원에서 다시 한번 토론을 진행하겠습니다.

둘째, 디지털 소통 및 협력 프로젝트를 시행하겠습니다. 학급에서 1인1스마트 기기를 활용해, 학급 친구들에게 알려주면 좋은 건강 정보, 상급 학교 진학 정보, 시사 상식 등 정보를 취합하고 편집해 매주 한 모둠씩 발표하는 방식으로 진행하겠습니다. 디지털 도구를 활용한 협력 프로젝트를 진행한다면 학생들은 온라인에서도 원활하게 소통하고 협력하는 법을 배울 수 있고, 이를 통해 상호존중과 건전한 의사소통의 중요성을 체험적으로 학습할 수 있을 것입니다. 이상입니다.

04 학급 규칙에 대한 두 교사의 입장을 읽고, 자신의 입장에 가까운 교사를 선택하여 자신의 학생관에 비추어 그 이유를 말하시오. 또한 선택한 교사의 입장에서 학생들이 학급 규칙을 만드는 방법을 3가지 제시하시오.

관련주제: THEME 27

- 이 교사: 학급 규칙은 학생 자치를 통해 만들어져야 합니다. 학생들은 충분히 스스로 규칙을 세울 수 있는 역량을 갖추고 있습니다. 따라서 교사는 뒤에서 지켜보고, 학생들이 주도적으로 규칙을 정할 수 있도록 해야 합니다.
- 박 교사: 학생들은 아직 미성숙한 부분이 많습니다. 만약 규칙을 전적으로 학생들에게 맡기면 방향을 잡기 어려워할 수 있습니다. 교사가 기본 틀을 먼저 마련해 주고, 그 위에서 학생들이 의견을 보태는 방식이 바람직합니다.

구상하기

✦ 해설

경기교육·교직관에 근거하여 선택해야 한다. 경기도교육청은 '학생이 주인이 되는 교육', '책임 있는 학생 자치', '공동체적 성장'을 강조하고 있기 때문에, 학생 주도성을 인정하되, 교사가 촉진자·안내자로 함께하는 방향이 가장 바람직하다. 즉, 이 교사의 입장을 기본적으로 수용하면서도 박 교사의 우려를 고려해 교사의 조력적 역할을 언급하는 답변이 이상적이다.

✦ 예시 답변

저는 이 교사의 입장에 가깝습니다. 저의 학생관은 '학생은 스스로 성장하고 책임질 수 있는 주체적 존재'라는 것입니다. 따라서 학급 규칙은 교사가 일방적으로 정하는 것이 아니라, 학생들이 제안하고 토의하며 합의하는 과정을 통해 만들어져야 한다고 생각합니다. 이러한 과정은 학생들에게 자율성과 책임감을 기르고, 민주적 회의 문화를 익히는 중요한 교육 활동이 됩니다. 다만 교사가 전혀 관여하지 않는 것은 바람직하지 않습니다. 교사 역시 학급의 한 구성원이자 교육공동체의 주체이기 때문에, 규칙이 현실적이고 실천 가능하도록 안내자·촉진자로 참여해야 합니다.

구체적으로는 첫째, 학급회의를 통해 학생들이 자유롭게 규칙안을 제안하고 토론하여 합의하도록 하겠습니다. 이때 단순한 다수결이 아니라 충분한 대화를 통해 꼭 필요한 규칙이 반영되도록 하겠습니다.
둘째, 학생들이 직접 규칙 준수 서약을 하고, 생활 속에서 스스로 점검하며 책임지는 문화를 만들겠습니다.
셋째, 일정 기간이 지난 뒤 규칙을 성찰하고 환류하여 재개정하는 과정을 거쳐 더 나은 학급 문화를 만들어 나가겠습니다.

이처럼 학급 규칙은 회의·자율·책임의 원리에 따라 운영되어야 하며, 저는 학생들의 자율성을 존중하면서도 교육공동체의 일원으로서 함께 성장하는 교사가 되고자 합니다. 이상입니다.

④ 이유 제시형(4문항)

> **1줄 사이다 전략**
> 경기교육, 교직관에서 근거를 찾자.

01 다음 상황에서 두 교사의 입장 중 하나를 선택하고, 그 이유에 대해 말하시오. `관련주제: THEME 7`

> A 교사와 B 교사는 교과협의회에서 의견을 나누는 중이다.
> - A 교사: 수업에서 배운 것을 그대로 평가해야 한다고 생각합니다.
> - B 교사: 변별력을 위해 강조하지 않은 부분을 출제해야 합니다.

구상하기

___

✦ 해설

A 교사는 과정중심평가, B 교사는 결과중심평가를 지향하므로 A 교사를 선택해야만 경기교육의 지향점과 일치한다. 경기교육의 지향점과 교직관이 일치한다는 점을 어필하기 위해 답변에 자연스럽게 교직관을 녹여내면 좋다.

✦ 예시 답변

저는 A 교사의 입장을 선택하겠습니다. A 교사는 성장중심·과정중심평가를 지향하고 있는 반면 B 교사는 성적중심·결과중심평가를 강조하고 있습니다. 경기교육은 학생 개개인의 성장과 발달을 지원하는 평가를 지향하고 있으며, 저의 교직관 또한 교육은 서열을 매기는 것이 아니라 학생이 배우고 성장하는 과정을 지원해야 한다는 데 있습니다.
따라서 저는 학생이 수업에서 배운 내용을 중심으로 평가해야 한다고 생각합니다. 그래야 학생이 수업에 집중하고 성취감을 느낄 수 있으며, 공정성과 신뢰성도 확보할 수 있습니다.

현장에 나아가서는 단순히 정답 여부만 보는 평가가 아니라, 학생이 수업 활동에 참여한 정도, 협력 과정, 표현 방식 등 다양한 면을 관찰하고 피드백하겠습니다. 또한 개별 학생의 발달 속도를 고려한 루브릭을 마련하여 학생이 스스로 성장을 확인할 수 있도록 돕겠습니다. 이를 통해 평가가 단순한 점수가 아니라 학생의 성장을 촉진하는 과정이 되도록 실천하겠습니다. 이상입니다.

02 학교 현장에서 토론교육이 필요한 이유를 3가지 설명하고, 토론교육을 운영할 때 교사의 역할을 3가지 제시하시오.

관련주제: THEME 10

구상하기

✦ 해설

단순히 토론교육의 장점을 나열하는 것이 아니라, 왜 토론교육이 지금 학교 현장에서 꼭 필요한지를 설명하고, 이를 효과적으로 운영하기 위해 교사가 어떤 역할을 해야 하는지 구체적으로 말해야 한다.

✦ 예시 답변

미래 사회는 협력적 문제 해결력, 비판적 사고력, 그리고 민주시민 역량을 갖춘 인재를 요구하고 있습니다. 학교 현장에서 토론교육은 이러한 역량을 길러 주는 중요한 방법이라고 생각합니다. 구체적인 이유는 다음과 같습니다.
첫째, 토론은 학생들이 다양한 시각을 접하며 사고를 확장할 수 있는 기회를 줍니다. 단순히 지식을 습득하는 것을 넘어, 비판적이고 창의적인 사고를 기를 수 있습니다.
둘째, 서로 다른 의견을 존중하며 논의하는 과정에서 민주적 의사소통 능력을 키울 수 있습니다. 이는 미래 사회가 요구하는 민주시민으로 성장하는 데 필수적인 경험입니다.
셋째, 학생들이 자신의 생각을 표현하고 검증받는 과정을 통해 자기주도적 학습 역량을 기르게 됩니다. 스스로 사고하고 결론을 내리는 힘을 기를 수 있다는 점에서 토론교육은 큰 의미가 있습니다.

토론교육이 효과적으로 이루어지기 위한 교사의 역할 3가지를 말씀드리겠습니다.
첫째, 중립적 태도 유지입니다. 교사의 주관이 강요로 작용하지 않도록 하고, 학생 스스로 의견을 형성하도록 지원해야 합니다.
둘째, 촉진자의 역할입니다. 학생이 놓친 쟁점을 제시하거나 발언이 어려운 학생을 참여시켜 토론이 균형 있게 진행되도록 해야 합니다.
셋째, 안전하고 존중받는 분위기 조성입니다. 자유롭게 의견을 말할 수 있도록 비난을 차단하고, 모든 질문과 의견을 존중하며 적절한 피드백을 제공해 학생의 사고가 확장되도록 해야 합니다.

저는 이러한 역할을 통해 학생들이 토론 속에서 사회적 관심을 키우고, 미래 사회가 요구하는 역량을 기를 수 있도록 지원하는 교사가 되겠습니다. 이상입니다.

03 학교 현장에 생태환경교육이 필요한 이유를 3가지 말하고, 다음 설문 자료를 참고하여 구체적인 교육 방안을 1가지 제시하시오.

관련주제: THEME 15

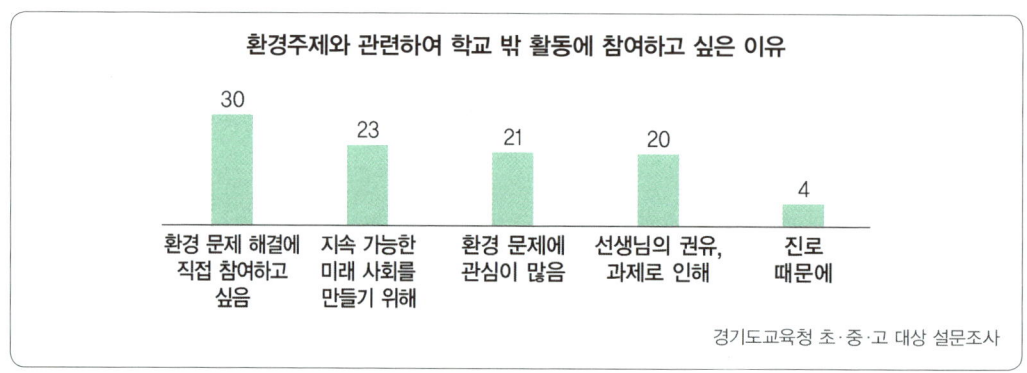

구상하기

✦ 해설

이유를 사회 변화, 경기도교육청의 교육철학에 근거하여 답하고, 제시문에 근거하여 학생이 참여하는 교육 방안을 기획해야 한다.

✦ 예시 답변

학교 현장에서 생태환경교육이 필요한 이유를 말씀드리겠습니다.

첫째, 기후 위기에 대응할 수 있는 역량을 길러야 하기 때문입니다. 미래 사회의 핵심 문제 중 하나가 기후 변화이므로, 학생들이 이를 올바르게 이해하고 대응할 수 있도록 돕는 것이 필요합니다.

둘째, 지속 가능한 삶의 가치를 확립하기 위해서입니다. 자원의 소중함을 알고 절약하는 습관을 기르는 과정에서 학생들은 개인의 행동이 환경에 미치는 영향을 인식하고, 지속 가능한 사회를 만들 수 있는 시민으로 성장할 수 있습니다.

셋째, 생태 감수성을 기르기 위해서입니다. 단순히 자연을 소중히 여기는 차원을 넘어, 자연과 더불어 살아가는 법을 배우며 타인의 고통과 사회 문제에도 공감할 수 있는 힘을 길러줍니다. 학생들은 이러한 감수성을 통해 책임 있는 시민으로 성장할 수 있고, 정서적 안정과 공동체 의식을 함양할 수 있습니다.

다음으로 제시된 설문 자료를 토대로 구체적인 환경 교육 방안을 말씀드리겠습니다. 설문을 보면, 학생들이 '환경 문제 해결에 직접 참여하고 싶다', '지속 가능한 미래 사회를 만들고 싶다'는 응답이 높게 나타났습니다. 이는 곧 학생 참여형 교육이 필요함을 시사합니다.

저는 학생 주도 환경 프로젝트를 운영하고 싶습니다. 구체적으로 지역사회의 환경 문제를 모둠별로 탐구 주제로 선정해 스스로 해결 방안을 고민하도록 하겠습니다. 그 과정에서 제작한 카드뉴스나 홍보 영상을 학급 SNS 계정에 공유한다면 학생들의 참여 의욕이 높아지고, 지역사회와도 연계되는 의미 있는 캠페인으로 확산될 것입니다.

이를 통해 학생들은 교과 지식을 실제 삶과 연결하며, 환경 보호 활동에 능동적으로 참여하는 지속 가능한 사회의 주체로 성장할 수 있을 것입니다. 이상입니다.

04 수험생이 다음 상황의 교사라고 가정하고, 교사로서 바람직한 답변을 시연한 뒤 그렇게 답변한 이유를 설명하시오.

관련주제: THEME 36

> A 교사가 본인의 교과 수업 시간마다 도형이가 떠든다는 이야기를 전해주어, 도형이를 불러 왜 수업 시간에 집중하지 않는지 물었다. 그러자 도형이는 "선생님은 왜 A 선생님 말만 듣고 저한테만 뭐라고 하세요?"라고 되물었다.

구상하기

✦ 해설

조건을 잘 파악해야 한다. 바람직한 답변을 직접 시연해야 하는 것이 핵심! 그리고 그 이유를 언급해야 한다. 문제해결 능력을 보고 교직관을 파악하려는 것이므로 현실적인 답변을 하는 것이 좋다.

✦ 예시 답변

저는 먼저 다음과 같이 답변하겠습니다.

"도형이가 억울한 마음이 드는 걸 이해해. 마치 A 선생님 말씀만 듣고 너를 지적하는 것 같아 속상할 수 있겠구나. 하지만 선생님이 도형이를 혼내려는 게 아니라, 실제로 어떤 상황이었는지 도형이의 입장을 직접 듣고 싶어서 대화를 시작한 거야. 이후에는 다른 친구들에게도 확인하고, A 선생님께도 다시 상황을 여쭤볼 거야. 혹시 수업 시간에 집중하기 어려웠던 특별한 이유가 있었니? 선생님은 도형이가 충분히 집중할 수 있고 책임감 있는 학생이라고 생각해. 그런데 수업 시간에 떠들면 다른 친구들은 학습 방해를 받고, 수업하는 선생님도 존중받지 못한다는 기분이 들어. 앞으로는 도형이의 생각도 존중받을 수 있도록 선생님이 더 공정하게 살필게. 도형이는 책임감을 가지고 성실히 수업에 임해 줬으면 좋겠다. 우리 함께 좋은 수업 환경을 만들어 가자."

이렇게 답변한 이유는 다음과 같습니다.

첫째, 학생의 감정을 공감하기 위해서입니다. 도형이가 억울함을 느끼는 순간 방어적으로 나오지 않도록, 감정을 먼저 인정하고 대화를 시작했습니다.

둘째, 공정성을 확보하기 위함입니다. 한쪽 말만 듣고 판단하지 않고, 도형이의 입장과 사실관계를 모두 확인하겠다고 밝혀 교사가 편향되지 않았음을 드러냈습니다.

셋째, 책임감과 공동체 의식 함양을 위해서입니다. 도형이의 가능성을 긍정적으로 언급하면서도, 수업 방해가 공동체에 미치는 영향을 설명해 학생 스스로 책임 있는 태도를 갖도록 안내했습니다.

마지막으로, 이런 태도는 교사의 권위를 앞세우는 방식이 아니라, 학생과 함께 더 나은 교실 문화를 만들어가는 협력적 리더십이라고 생각했기 때문입니다.

현장에 나아가서도 저는 학생들의 감정을 존중하면서도 공정성과 책임감을 지켜, 모두가 존중받는 수업 문화를 만들어가는 교사가 되겠습니다. 이상입니다.

⑤ 관련 경험 제시형(5문항)

> **1줄 사이다 전략**
> 한 세트인 '경험-교직관-교사로서의 포부와 의지'를 잊지 말자!

01 교육 실습을 하며 가장 의미 있었던 순간을 말하고, 그것이 앞으로 교직 생활에 어떤 영향을 미칠지 학급 운영과 교육과정 운영 측면에서 제시하시오.

관련주제: THEME 1

구상하기

✦ 해설

교육 실습 과정에서 얻은 의미 있는 경험을 바탕으로, 앞으로 교사로서의 성장 가능성을 묻는 문제이다. 핵심은 단순히 '좋았다, 뿌듯했다'가 아니라, 경험을 통해 어떤 교직관을 형성했는지, 그리고 그것을 학급 운영과 교육과정 운영에 어떻게 연결할 것인지 구체적으로 제시하는 데 있다.

✦ 예시 답변

제가 교육 실습을 하며 가장 의미 있었던 순간은 학급의 ADHD 학생과 함께했던 경험입니다. 처음에는 충동적인 행동으로 다른 아이들에게 피해를 주는 모습만 보여서 힘든 학생이라고만 생각했습니다. 그러나 매일 대화하고 상담하며 가까이 지내다 보니, 그것이 고의적인 행동이 아니라 조절이 어려운 상황 속에서 노력하고 있다는 사실을 알게 되었습니다. 반 친구들 또한 그 학생을 배척하지 않고 존중하며 어울려 주었고, 저는 그 모습에서 학교가 지향해야 할 진정한 공동체적 가치를 느꼈습니다. 이 경험은 저에게 학생을 선입견 없이 바라봐야 한다는 교훈과, 학급 분위기를 잘 조성하면 한 명도 소외되지 않을 수 있다는 확신을 주었습니다.

앞으로 교직 생활에서 저는 2가지를 실천하겠습니다.
첫째, 학급 운영 측면에서는 학생 개개인의 특성을 존중하고 다름을 이해하는 학급 분위기를 조성하겠습니다. 정기적인 학급회의와 협력 활동을 통해 학생들이 서로 공감하고 존중하는 기회를 만들겠습니다.
둘째, 교육과정 운영 측면에서는 학생의 다양성을 고려해 맞춤형 지도를 실천하겠습니다. 특히 에듀테크와 협력 수업을 활용해 학생들이 자신의 속도에 맞게 성장할 수 있도록 지원하겠습니다. 이를 통해 모든 학생이 존중받으며 성장하는 교실 문화를 만들어 가겠습니다. 이상입니다.

02 갈등 상황에서 상호 소통보다 법적 근거를 기준으로 문제를 해결하는 방식이 늘고 있다. 소통으로 갈등을 해결한 경험과 이를 교육 활동에 적용할 방안을 말하시오. 관련주제: THEME 1

구상하기

✦ 해설

갈등을 소통으로 해결한 경험을 말하되, 출제 의도를 고려해 경험 속에서 얻은 성찰 내용을 언급해야 한다. 교사로서의 소양을 확인하고자 하기 때문이다.

✦ 예시 답변

학부 시절 동아리 연합회에서 활동 결과물을 발표해야 했습니다. 신입 회원 유치에 중요한 행사였던 만큼 의견 충돌이 잦았고, 시험 기간과 겹치면서 불참하는 동아리원도 많아 책임감과 서운함이 동시에 크게 느껴졌습니다. 처음에는 혼자 묵묵히 작품을 준비했지만, 이 방식으로는 갈등을 해결할 수 없다는 생각이 들었습니다.

그때 학창 시절 학급회의로 문제를 해결했던 경험이 떠올라, 동아리원들에게 회의를 제안했습니다. 회의 자리에서 모두가 돌아가며 자신의 상황과 기대를 말하게 했고, 저는 갈등이 커지지 않도록 공감과 경청을 강조하며 중재했습니다. 처음에는 소극적이던 동아리원들도 점차 마음을 열고 서로의 어려움과 서운했던 점을 솔직히 이야기하면서 갈등이 자연스럽게 해소되었습니다. 이 경험을 통해 갈등 상황에서는 혼자 책임지거나 감정을 누르는 것보다, 공감적 경청을 바탕으로 한 진솔한 대화가 문제 해결의 핵심이라는 사실을 깨달았습니다.

저는 이 경험을 바탕으로 교사가 된 후 정기적인 학급회의를 운영하고자 합니다. 한 달에 1~2회 학급 회의를 열어 학생들이 생활 속 어려움과 바람을 솔직하게 나눌 수 있도록 돕겠습니다. 담임교사로서 저는 학생들이 존중과 경청의 태도로 의견을 주고받을 수 있도록 소통 방법을 안내하고, 필요할 때는 공정하게 중재하며 원만한 갈등 해결을 지원하겠습니다. 이를 통해 학생들이 서로 존중하며 협력하는 공동체 문화를 만들어가도록 하겠습니다. 이상입니다.

03 학창 시절 가장 힘들었던 경험을 이야기하고, 교사가 된 후 똑같은 경험을 하고 있는 학생에게 어떻게 도움을 줄지 이야기하시오.

관련주제: THEME 1

구상하기

✦ 해설

경험을 진솔하게 언급하는 것은 물론이고, 경험 속에서 얻은 성찰 내용을 함께 이야기해야 한다.

✦ 예시 답변

제가 학창 시절 가장 힘들었던 경험은 중학교 3학년 때 전학 간 학교에 잘 적응하지 못했던 일입니다. 학교 문화와 분위기가 달라 낯설었고, 친구들은 이미 오래전부터 서로 친분이 있어 쉽게 어울리기 어려웠습니다. 그 결과 오랜 시간 학교생활을 혼자 해야 했습니다.

이때 담임 선생님께서는 제 감정을 세심하게 살펴주셨고, 상담을 통해 마음을 표현할 기회를 주셨습니다. 또 학급 단합 활동을 자주 마련해 주셔서 친구들과 자연스럽게 가까워질 수 있었습니다. 함께 대청소를 하거나 모둠 활동을 하며 단짝 친구도 생겼고, 학교생활에 점차 적응할 수 있었습니다. 이 경험은 저에게 큰 위로가 되었고, 훗날 저도 학생들의 어려움을 살펴주는 교사가 되어야겠다고 다짐한 계기가 되었습니다.

만약 제가 맡은 학급에 새로운 전학생이 들어온다면, 우선 상담을 통해 적응에 어려움을 겪는 부분을 세심히 파악하겠습니다. 그리고 협력 중심의 학급 활동을 마련해 친구들과 자연스럽게 어울릴 수 있는 기회를 제공하겠습니다. 아울러 학급 전체가 서로를 환영하고 존중하는 분위기를 가질 수 있도록 인권 친화적인 교실 문화를 조성해 나가겠습니다. 저는 이러한 노력을 통해 학생이 학교생활에 안정적으로 적응할 수 있도록 돕는 교사가 되고자 합니다. 이상입니다.

04 미래 교사에게 필요한 역할 중 하나를 골라 그 이유를 밝히고, 이에 필요한 역량과 그 역량을 함양하기 위해 노력한 과정을 말하시오.

관련주제: THEME 2

> **미래 교사의 역할**
> 교육과정 전문가, 생활교육 전문가, 학교 공동체 운영자, 자기개발자

구상하기

✦ 해설

경기도교육청에서 제시한 교원 역량이므로 이를 잘 숙지해야 한다. 각 역할을 요구하고 있으므로 관련 역량과 발전 계획을 미리 고민해 두자.

✦ 예시 답변

저는 제시된 미래 교사의 역할 중 '생활교육 전문가'를 선택하겠습니다.

경기교육 3가지 섹터에서도 확인할 수 있듯이, 배움의 공간은 이미 학교를 넘어 지역사회와 온라인으로 확장되고 있으며, 앞으로 그 속도는 더욱 가속화될 것입니다. 그렇다면 학교는 더 이상 지식 학습의 전유물이 아닐 수 있습니다. 그러나 저는 학교에서만 가능한 고유한 기능이 있다고 생각합니다. 그것은 바로 사람과 어울리며 살아가는 법, 서로를 존중하고 갈등을 예방·해결하는 법을 배우는 것입니다. 다양한 연령대와 배경의 사람들이 함께 생활하는 학교는 이러한 경험을 가장 온전히 제공할 수 있는 공간입니다. 따라서 교사는 학생들이 성숙한 사회인으로 성장할 수 있도록 생활교육 전문가의 역할을 다해야 한다고 생각합니다.

이 역할을 위해 가장 중요한 역량은 학생 이해 능력이라고 생각합니다. 단순히 규율을 일관되게 적용하는 수준을 넘어, 학생 개개인의 차이를 존중하고 상황을 이해하며 지도하는 역량이 필요합니다. 이를 위해 저는 교생실습 과정에서 학급 학생들과 1 대 1 상담을 진행하며, 그들의 고민을 듣고 공감하는 연습을 했습니다. 처음에는 떨렸지만, 학생의 이야기를 진심으로 듣고 함께 고민할 때 큰 보람을 느꼈습니다. 이후 동기들과 상담 경험을 공유하면서 저의 교직 철학도 더욱 견고히 다질 수 있었습니다.

앞으로 현장에 나아가서도 학생들의 목소리에 꾸준히 귀 기울이고 상담 기회를 자주 마련하며, 그 결과를 동료 교사들과 나누고자 합니다. 이를 통해 학생들이 서로를 이해하고 존중하며 공동체 속에서 건강하게 성장할 수 있도록 조력하는 생활교육 전문가가 되겠습니다. 이상입니다.

05 교사라는 직업을 선택하는 데 영향을 미쳤던 경험을 말하고, 신규 교사로서의 포부를 3가지 말하시오.

관련주제: THEME 1

구상하기

✦ 해설

경험을 진솔하게 제시하되, 경험에서의 깨달음을 교직에서 실천하겠다는 흐름으로 답변해야 한다.

✦ 예시 답변

저는 고등학교 1학년 때까지 무기력한 학생이었습니다. 부모님은 생업을 하느라 바쁘셨고, 집에 혼자 있는 시간이 많았기에 제가 무엇을 좋아하는지, 어떤 것을 잘하는지 탐색할 기회가 부족했습니다. 그래서 늘 학교에서도 소극적이었고, 수업에 집중하지 못하는 날이 많았습니다. 그런데 문학 선생님께서는 늘 수업 시간에 생각할 거리를 던지셨고, 저를 콕 집어 질문하시기도 했습니다. 처음에는 부끄러워서 대답을 못 했지만, 점점 선생님의 질문에 생각도 해보고 용기 내 답변도 해보았습니다. 제가 답변을 몇 차례 했을 무렵, 문학 선생님께서는 반 친구들 앞에서 저를 크게 칭찬해 주셨습니다. 문학을 이해하는 능력이 좋아서, 사람의 마음을 울리는 글을 쓰면 잘 쓸 것 같다고 말입니다. 저는 그 덕에 자신감과 용기가 생겼고, 교내 시 짓기 대회에서 수상도 했습니다. 저는 문학 선생님과 1년을 보내며 선생님처럼 학생들에게 긍정적인 영향을 주는 교사가 되리라는 다짐을 하게 됐습니다. 이러한 마음을 지니고, 제가 교사가 된다면 다음과 같이 행동하겠습니다.

첫째, 교사의 일방적인 수업이 아닌 교사와 학생, 학생과 학생이 함께할 수 있는 수업을 구안하겠습니다. 무기력했던 저의 사고력을 자극했던 것은 선생님의 발문이었습니다. 학생들의 잠재력을 끌어낼 수 있는 좋은 질문을 수업에 넣고, 학생 주도의 프로젝트 학습, 탐구 학습, 토의·토론 등으로 학생 주도의 수업을 만들고 싶습니다. 이러한 수업은 저처럼 무기력하거나 본인의 흥미와 장점을 모르는 친구들에게 긍정적인 영향을 미칠 것입니다.

둘째, 학생을 잘 관찰하겠습니다. 저는 선생님의 칭찬 덕에 새로운 인생을 살게 됐습니다. 그만큼 교사는 가치관을 형성할 시기의 학생들에게 매우 중요한 역할을 합니다. 저는 학생들을 관찰하고, 상담을 통해 학생의 장점과 흥미를 고려해 적절한 조언과 피드백으로 학생들의 성장에 이바지하겠습니다.

셋째, 가정과 연대하겠습니다. 학생이 성장하는 데에는 학교와 가정의 연대가 중요하다고 생각합니다. 학생이 가정에서 어떤 모습인지, 학부모님은 학생의 성장에 어느 정도 관심이 있는지를 파악해 상담의 기초 자료로 삼겠습니다. 이를 통해 학생들에게 필요한 지원을 하도록 하겠습니다. 이상입니다.

⑥ 빈칸 채우기형(3문항)

> **1줄 사이다 전략**
> 문제를 한 줄로 간추린 후 풀이하자.

01 다음 빈칸에 알맞은 말을 채우고, 그 이유를 교직관에 비추어 답변하시오.　　관련주제: THEME 1

> 나에게 지역사회는 □□이다.
>
> *빈칸의 글자 수는 제한 없음

구상하기

✦ 해설

핵심은 교사가 지역사회를 어떻게 바라보는지, 그리고 그 관점을 자신의 교직관과 연결해 말하는 것이다. 경기도교육청은 학교·가정·지역사회의 연대를 강조하고 있으므로, '협력', '동반자', '배움터', '성장 기반'과 같은 긍정적 키워드가 적절하다.

✦ 예시 답변

저에게 지역사회는 학생 성장을 함께 이끌어 가는 동반자입니다. 경기도교육청은 공교육 3가지 섹터를 지향하며, 학교·지역사회·온라인을 아우르는 배움의 확장을 도모하고 있습니다. 이처럼 학교 교육은 교사 혼자만의 노력으로 완성될 수 없으며, 지역사회의 다양한 자원과 연계될 때 비로소 학생들의 배움은 더욱 풍성해집니다. 이는 저의 교직관인 '학교는 혼자가 아닌 공동체 속에서 성장하는 곳'과도 맞닿아 있습니다. 저는 교사의 역할을 학생과 지역사회를 연결하는 가교라고 생각합니다. 교육은 교실 안에서만 이루어지는 것이 아니라, 공동체 안에서 서로 협력하고 함께 성장할 때 완성되기 때문입니다. 예를 들어 경기공유학교, 지역 도서관, 문화 시설, 전문가의 도움은 학생들에게 교과서 밖에서 배우는 경험과 삶의 역량을 제공합니다. 교사로서 저는 학생들이 지역사회 안에서 다양한 사람들을 만나고, 협력하며 성장할 수 있도록 다리 역할을 하겠습니다.

지역사회를 단순한 환경 요소가 아니라, 학생과 교사가 함께 배우고 성장하는 살아 있는 교육 자원으로 바라보고, 이를 적극적으로 연계하며 공동체적 가치를 실현하는 교사가 되겠습니다. 이상입니다.

02 B 교사의 입장에서 (가)와 (나)에 들어갈 말을 완성하시오.

관련주제: THEME 8

> A 교사: 이번에 학생들에게 자료 조사를 하라고 했더니 챗GPT를 그대로 활용했더군요. 수업 시간에 챗GPT 활용을 금지한다고 공지해야겠습니다.
> B 교사: 물론 그런 문제가 있지만, 학생맞춤형수업 및 완전학습 측면에서 장점도 많다고 생각해요. 예를 들면 _____(가)_____. 물론 선생님이 걱정하신 부분을 해결하기 위한 교육도 필요하겠어요. 예컨대 _____(나)_____.

구상하기

✦ 해설

(가), (나)에 어떠한 내용이 들어가야 하는지 제시문을 근거로 답하고, 이에 해당하는 구체적인 교육 방안을 제시하면 된다. 논점을 놓치지 않았다는 것을 강조하기 위해, '제시문과 같이~', '제시문에 따라~'라는 말을 의도적으로 넣어주면 좋다.

✦ 예시 답변

A 교사의 말씀처럼 수업 활동에서 챗GPT 활용에는 여러 문제점이 있을 수 있습니다. 그러나 AI가 보편화되고 에듀테크 활용이 장려되는 현시대에 이를 단순히 금지하기보다, 올바른 사용을 통해 최적의 학습 효과를 이끌어내는 것이 더 현명하다고 생각합니다.

제시문을 근거로 B 교사의 발언 속 (가), (나)에 들어갈 말을 유추하면 다음과 같습니다. 먼저 학생이 적극 참여하면 그에 따른 장점이 있다는 B 교사의 발언으로 보아 (가) 부분에서 챗GPT 활용 수업의 구체적인 장점을 말했을 것입니다. 학생이 구체적인 상황, 질문을 입력하면 요청 내용에 따라 답변하는 생성형 인공지능 시스템으로 학습할 경우, 학습의 흥미를 불러일으킬 수 있고 학생들이 필요로 하는 자료를 찾고 아이디어를 제공하는 데 도움을 줄 수 있기에 학생 맞춤형 수업에 도움을 줄 수 있을 것입니다. 또한 모르는 부분을 계속 질문할 수 있고 즉시 답변이 제공되므로 완전 학습 측면에서 장점이 있다고 답변했을 것입니다.

(나) 부분에서 B 교사는 챗GPT 답변 결과를 그대로 활용하는 문제, 질문을 그대로 복사하고 붙여넣기를 해 답만 도출하는 문제를 해결하기 위한 구체적인 교육 방안을 제시했을 것입니다. 질문을 그대로 사용하는 문제를 해결하기 위해 '어떻게 질문하느냐'에 대한 교육이 필요하다고 말했을 것입니다. 구체적이고 정확한 요구 사항이 포함된 질문으로 원하는 답을 도출할 수 있어야 하며, 이 과정이 있어야만 A 교사가 우려한 것처럼 학생이 아무것도 하지 않는 것이 아니라 학생의 사고력과 창의성이 증진될 수 있을 것입니다. 또한, 생성형 AI의 답변을 맹신하지 않고, 참고 자료로 활용해 진위 검증을 거치는 작업, 즉 자료 비평 교육을 병행해야 한다고 이야기했을 것입니다. 이상입니다.

03 다음 A 학교의 자율과제 방향과 SWOT을 참고하여, A 학교에 필요한 자율과제를 도출하고, 구체적인 교육 방안을 제시하시오.

관련주제: THEME 9, 17, 30

> **A 학교 자율과제 방향** 학생 중심 프로젝트 활동
>
> **A 학교 SWOT 분석**
> S: 학생의 학교 교육에 관한 높은 신뢰, 구성원 간 소통 원활
> W: 교과 융합 프로그램 부족, 삶과 연계되는 주제 학습 미비
> O: 지역 자원 풍부, 교사들의 전문성 및 열정 보유
> T: 지역 내 청소년 마약 문제 보도, 학생들의 디지털 시민성 부족
>
> 학교자율과제: _____

구상하기

✦ 해설

SWOT을 분석한 결과가 교육 방안에 반영돼야 한다.

✦ 예시 답변

A 학교 자율과제의 방향과 환경 분석을 토대로 도출한 자율과제는 '청소년 마약 예방 프로젝트를 통한 디지털 시민성 함양'입니다. SWOT 분석을 보면 교과 융합 프로그램 부족, 삶과 연계되는 주제 학습 미비라는 약점이 있었고, 위협 요소로는 청소년 마약 문제와 디지털 시민성 부족이 확인되었습니다. 따라서 학생 중심 프로젝트 활동을 통해 이러한 위협 요인을 동시에 해소할 필요가 있습니다. 학생들이 학교 교육에 대한 신뢰가 높고, 교사의 전문성과 열정이 있으며, 구성원 간 소통도 원활하다는 강점을 기반으로 교과와 지역사회를 연계한 프로젝트 수업을 추진하고자 합니다.

구체적 교육 방안으로는 먼저 보건·도덕·정보 교과가 연계하여 청소년 마약 문제의 원인과 심각성을 탐구하도록 하겠습니다. 학생들이 지역사회의 실제 사례를 조사하고, 보건소·경찰서·청소년 상담센터와 같은 기관의 강연과 자료를 통해 문제 해결의식을 심화할 수 있도록 하겠습니다.

다음으로는 디지털 시민성 함양 활동을 강조하겠습니다. 온라인 공간에서 성숙한 시민으로서 지켜야 할 수칙을 학생들과 함께 토론한 후, 이를 바탕으로 예방 캠페인을 기획하겠습니다. 학생들은 팀별 프로젝트를 통해 '마약 예방 카드뉴스', 'SNS 캠페인 영상', '건강한 스트레스 해소 방안 탐구 자료' 등을 제작하여 학교와 지역사회 공식 SNS에 공유하겠습니다. 이후 댓글과 피드백을 통해 지역사회와 소통하며, 디지털 공간에서 책임 있는 참여 자세를 기르도록 하겠습니다.

이와 같은 과정을 통해 학생들은 교과 지식을 실제 삶과 연결할 수 있으며, 프로젝트형 학습 속에서 건강한 생활습관과 디지털 시민 의식을 동시에 기를 수 있을 것입니다. 이상입니다.

7 위반 여부 판단형(3문항)

> **1줄 사이다 전략**
> 아는 정보 내에서 근거를 들어 판단하자.

01 다음 상황에서의 개인정보 위반 여부를 근거를 들어 말하시오. 또한 개인정보 처리 시 유의 사항을 2가지 말하시오.

관련주제: THEME 9

> A 교사는 학생의 가정 환경 및 기초 역량 조사를 위해 학부모의 성명, 나이, 직업, 최종 학력 등을 수집하였다.

구상하기

✦ 해설

위반 문제는 오답과 정답이 명확한 유형이므로 관련 내용을 정확히 숙지해야 한다. 개인정보 보호법 제16조에 따르면, 업무 처리 목적에 필요한 최소한의 정보만 수집하고 그 목적에 맞는 용도로만 활용해야 한다.

✦ 예시 답변

A 교사는 학생의 가정 환경과 기초 역량을 조사한다는 명목으로 학부모의 성명, 나이, 직업, 최종 학력 등을 수집하였습니다. 그러나 직업과 학력은 학사 업무와 직접적인 관련성이 없는 정보이므로, 이는 개인정보 최소 수집 원칙에 위반됩니다.

다음으로 개인정보 처리 시 유의사항 2가지를 말씀드리겠습니다.
첫째, 개인정보는 반드시 수집 목적에 맞게 사용해야 하며, 제3자 제공이나 목적 외 활용이 필요할 경우에는 대상자의 사전 동의를 받아야 합니다.
둘째, 개인정보는 철저한 보안 조치 속에서 관리해야 합니다. 개인정보를 저장하거나 전송할 때는 암호화를 적용하고, 무단 접근이나 유출을 방지하기 위한 보안 체계를 강화해야 합니다. 이를 통해 개인정보가 변조되거나 외부로 유출되는 일을 막을 수 있습니다.

저는 앞으로 현장에서 개인정보 처리와 관련된 법적 기준을 철저히 준수하고, 학생과 학부모 모두가 안심할 수 있는 신뢰받는 교사가 되겠습니다. 이상입니다.

02

다음 사례를 읽고 근거를 들어 학교폭력 여부를 파악하시오. 또한 교사로서 학교폭력 예방을 위한 방안을 3가지 제시하시오.

관련주제: THEME 13

- 사례 1. 친구의 굴욕 사진을 SNS에 게재한 경우
- 사례 2. 일대일 다이렉트 메시지로 욕설을 한 경우
- 사례 3. ○월 ○일 ○시에 대화를 하자며 학원 앞에서 기다린 후, 초등학교 운동장으로 데려가 언성을 높인 경우(단, 물리적 폭행은 저지르지 않음)
- 사례 4. 아웃도어 외투를 빌려 가서 고의로 돌려주지 않은 경우

구상하기

✦ 해설

이 문제는 오답, 정답이 명확하므로 관련 내용을 정확히 숙지해야 한다.

✦ 예시 답변

먼저 사례별로 학교폭력 여부를 말씀드리겠습니다. 사례 1의 굴욕 사진을 SNS에 게재한 경우, 사례 2의 일대일 메시지 욕설, 사례 3의 학원 앞에서 기다려 운동장으로 데려가 위협한 경우, 사례 4의 외투를 빌려 가서 돌려주지 않은 경우 모두 학교폭력에 해당합니다. 물리적 폭행이 없더라도 모욕, 언어적 폭력, 협박, 그리고 금품 갈취 등은 모두 학교폭력의 범주에 포함되기 때문입니다. 교사는 이러한 내용을 명확히 이해하고 학생들에게도 물리적 폭행만이 폭력이 아님을 지속적으로 안내해야 합니다.

다음으로 학교폭력 예방을 위한 구체적 실천 방안을 말씀드리겠습니다.
첫째, 학급 차원에서 존중과 배려의 문화를 형성하겠습니다. 학급 책임 규약을 학생들과 함께 만들고, 선서식을 통해 실천 의지를 다짐하며, 우리 반 인성 브랜드를 세워 스스로 책임감을 갖고 지켜나갈 수 있도록 하겠습니다.
둘째, 사이버폭력 예방 교육을 강화하겠습니다. 사례 1, 2와 같은 문제를 다루기 위해 역할극과 토론 활동을 활용하겠습니다. 단순한 응보적 활동이 아니라, 피해자의 입장과 가족의 입장을 체험하면서 학생들이 공감 능력을 기르고 스스로 성찰할 수 있는 기회를 제공하겠습니다.
셋째, 학생 참여형 캠페인을 운영하겠습니다. 사례 3, 4와 같은 경우 학생들은 학폭이라는 인식이 부족할 수 있습니다. 따라서 퀴즈나 피켓 캠페인 같은 활동을 통해 "이런 것도 학폭이다"라는 문제의식을 확산시키고, 학교폭력 예방 도우미를 조직해 학생 스스로 예방 활동의 주체가 되도록 하겠습니다.

이와 같은 노력을 통해 저는 학교폭력이 단순히 규제의 문제가 아니라, 학생들이 서로 존중하고 안전하게 생활할 수 있는 학교 문화를 만들어가는 과정임을 실천하는 교사가 되겠습니다. 이상입니다.

03 다음 사례를 읽고 청탁금지법 위반 여부를 말하시오. 또한 신규 교사로서 청렴을 지키기 위한 계획을 3가지 제시하시오.

관련주제: THEME 45

- 사례 1. 학부모가 담임교사의 결혼식에 5만 원의 축의금을 전달하였다.
- 사례 2. 학부모가 자녀의 작년 담임교사에게 10만 원 상당의 선물을 하였다.
- 사례 3. 교사가 직무와 관련된 자로부터 5만 원 상당의 식사를 제공받고, 곧바로 자리를 옮겨 6천 원 상당의 커피를 제공받았다.

구상하기

✦ 해설

위반 문제는 오답, 정답이 명확한 유형이므로 관련 내용을 정확히 숙지해야 한다. 잘 모르겠다면 아는 정보 내에서 근거를 들어 답변하고 개인정보, 금전, 폭행 문제 등은 최대한 보수적으로 답변한다.

✦ 예시 답변

사례 1의 경우, 청탁금지법 위반입니다. 담임교사와 학부모 사이의 경조사비는 가액 기준이 5만 원 이하라 하더라도, 직무와 직접 관련된 이해관계에 해당하기 때문에 주고받을 수 없습니다.

사례 2의 경우, 학생이 졸업생이라면, 직무 관련성이 없어 청탁금지법 위반이 아닙니다. 학생이 재학생이라면, 작년 담임교사이기에 의례상 5만 원 상당의 선물이 가능합니다. 그러나 해당 사례는 10만 원 상당의 선물을 받았기에 청탁금지법 위반입니다.

사례 3의 경우, 청탁금지법 위반입니다. 곧바로 자리를 옮겼다 하더라도, 시간적·장소적으로 근접성이 있기에 1회로 평가돼 음식물 가액 범위인 5만 원을 초과했기 때문입니다.

다음으로 청렴을 지키기 위한 계획 3가지를 말씀드리겠습니다.
첫째, 청렴의 핵심 덕목인 '책임'을 마음에 새기고, 맡은 업무를 끝까지 성실히 수행하겠습니다.
둘째, 교육공동체와 함께 일하면서 감사의 마음을 표현해야 할 때가 있을 것입니다. 이때 금품이나 선물로 표현하는 것이 아니라, 손편지나 작은 봉사, 도움을 주는 행동처럼 비물질적 방식으로 실천하겠습니다.
셋째, 나의 이익만이 아니라 타인의 권리와 재산을 존중하고, 절제하는 자세를 생활 속에서 지켜나가겠습니다.

이와 같은 노력을 통해 교사로서 청렴한 자세를 확립하고, 학생과 학부모, 동료 교사 모두에게 신뢰받는 교사가 되겠습니다. 이상입니다.

03 나만의 답안 설계하기

> " 면접에는 정답이 없다. 그러나 방향은 분명히 있다. "

면접에 대해 감을 잡지 못한 수험생 중 일부는 모범답안을 그대로 외우는 실수를 한다. 하지만 막상 말할 차례가 되면 어쩐지 그 문장이 내 것이 아니라는 사실을 알게 된다. 실제로 필자의 지인이 2차 면접에서 두 차례 고배를 마셨다. 늘 정답처럼 보이는 모범답안을 통째로 외워 갔기 때문이다. 그때마다 "너만의 생각, 너의 언어로 말해봐야 한다"고 조언했지만, 쉽지 않아 했다.

핵심은 모범답안을 이해한 후 핵심을 유지한 채 나만의 언어로 풀어내는 능력이다. '누구의 말'이 아니라, '나의 언어'로 말하는 연습이 필요한 것이다. 참고로 앞서 언급한 지인도, 이후 나만의 구조를 설계하는 훈련을 거쳐 최종 합격의 문을 열었다.

여기에서는 모범답안을 단순히 '외우는 자료'가 아닌, 나만의 답안으로 다시 구성하는 연습을 해볼 것이다.

답안 구상 연습 1

학창 시절에 가장 기억에 남는 경험을 말하고, 신규 교사로서의 포부를 3가지 말하시오.

모범답안

저는 학창 시절 고등학교 때 만난 역사 선생님과의 경험이 가장 기억에 남습니다. 그 선생님은 항상 열정적으로 수업을 준비하셨습니다. 단순히 역사적 사실을 전달하는 데 그치지 않고, 그 안에 담긴 사람들의 삶과 도전의 의미를 이야기해 주셨습니다. 가끔은 자신의 삶의 경험을 들려주시며, "삶은 주어진 대로 사는 것이 아니라, 끊임없이 도전하며 스스로 개척하는 것"이라고 말씀해 주셨습니다. 저는 그 이야기를 들으며 더 주체적이고 도전적으로 살아야겠다는 다짐을 하게 되었습니다. 또 수업 중에는 제가 발표나 토론을 할 때마다 긍정적으로 피드백해 주시고, 제 장점을 짚어 주셨습니다. 선생님의 칭찬과 격려는 저에게 큰 용기를 주었고, '나도 누군가에게 긍정적인 영향을 줄 수 있는 교사가 되고 싶다'라는 꿈을 가지게 된 계기가 되었습니다.

이러한 경험을 바탕으로, 제가 교사가 된다면 다음과 같이 실천하겠습니다.

첫째, 학생 주도 수업을 만들겠습니다. 역사 선생님처럼 열정적으로 수업을 준비하고, 좋은 질문과 토론을 통해 학생 스스로 사고하고 탐구할 수 있도록 하겠습니다. 학생들이 수업 속에서 주체적으로 참여할 때, 무기력했던 저처럼 배움의 즐거움과 자신감을 얻을 수 있을 것입니다.

둘째, 학생 개개인의 특성을 잘 관찰하고, 작은 성취에도 아낌없는 칭찬과 피드백을 주겠습니다. 역사 선생님의 칭찬이 저의 가능성을 발견하게 해 주었던 것처럼, 저도 학생들의 잠재력을 끌어내는 교사가 되겠습니다.

셋째, 가정과 긴밀히 연대하겠습니다. 학생은 학교와 가정 모두의 영향을 받으며 성장합니다. 학부모와 꾸준히 소통하며 학생의 생활과 배움에 필요한 부분을 공유하고 협력하여, 학생이 온전하게 성장할 수 있도록 지원하겠습니다.

이와 같은 노력을 통해 학생들의 성장을 격려하고, 도전적이고 긍정적인 삶을 살아가도록 이끄는 교사가 되고 싶습니다. 이상입니다.

→ 자기만의 스토리를 물어보는 문제라면, 모범답안은 그냥 '하나의 짧은 웹툰'을 본다는 느낌으로 '아 이렇게 살아온 사람도 있구나' 하고 넘겨야 한다. 이것은 답변에 그대로 활용해선 절대 안 되는, 무조건 바꿔야 하는 이야기이다. 내 삶 속에서 이야깃거리를 찾아 내야 한다. 남의 스토리를 말한다면 절대 듣는 사람에게 울림을 줄 수 없다.

나만의 답안으로 바꿔보기

답안 구상 연습 2

교사, 학생, 학부모 등 교육 주체들의 상호 고소가 만연해진 상황이다. 교육공동체의 신뢰 회복을 위해 어떠한 노력을 할 것인지 교사의 입장에서 3가지 방안을 제시하시오.

모범답안

교사로서 교육공동체의 신뢰를 회복하기 위해 다음과 같이 노력하겠습니다.

첫째, 갈등 상황이 생긴다면, 고소 등의 법적 해결보다는 <u>대화의 자세</u>를 먼저 갖추겠습니다. 일을 하다 보면 의도치 않게 서로 오해가 생기거나 크고 작은 문제가 발생할 수 있다고 생각합니다. 이때 존중과 배려의 자세로 상대방의 이야기를 경청하고, 진솔하게 저의 입장을 전달하면서 갈등이 커지지 않도록 의사소통을 잘하는 교사가 되겠습니다.

다음으로 갈등이나 오해가 생기지 않도록 <u>미리 예방</u>할 방법을 말씀드리겠습니다.

먼저, <u>투명한 소통</u>을 강화하겠습니다. 수업 활동이나 생활지도를 할 때 학생들에게 수업의 철학과 생활지도의 원칙을 먼저 이해시켜 공감을 유도하고 교사로서 신뢰를 주겠습니다. 또한 정기적인 학부모 회의나 학교 의사소통 플랫폼을 통해 교사와 학부모 간의 소통을 강화하겠습니다. 교사의 수업 계획, 평가 기준, 학생의 성장 상황 등을 투명하게 공유한다면 오해와 불신을 줄일 수 있을 것입니다.

마지막으로 교육공동체와 <u>협력</u>하겠습니다. 학교 행사, 학급의 문제 상황 등을 학급 친구들과 회의를 통해 해결해 학생들이 갈등 해결에 주체적으로 행동할 힘을 길러주겠습니다. 또한 학부모와의 협력적인 관계를 구축하기 위해, 학부모가 행사에 함께 참여할 수 있는 기회를 만들겠습니다.

이와 같은 방안을 통해 갈등을 예방하고, 혹시 갈등이 발생하더라도 지혜롭게 해결해 나가는 교사가 될 것입니다. 이상입니다.

→ 밑줄 친 '대화, 예방, 소통, 협력'이라는 중심 키워드의 방향성은 유지한 채 부연 설명은 자기만의 용어로 바꾸어 나가야 한다.

나만의 답안으로 바꿔보기

답안 구상 연습 3

다음을 읽고 미래의 교육을 누가 담당해야 하는지 선택하고, 그 이유를 제시하시오. 또한 이와 관련하여 교사로서 어떠한 노력을 할 것인지를 2가지 말하시오.

> 미래에는 인공지능이 발달하여 로봇이 수업을 하는 시대가 올 것이다. 그렇다면 학교에서 교사의 역할은 많이 축소될 것이다.

모범답안

저는 인공지능과 로봇 기술이 발달하는 시대에서도 교사가 여전히 핵심적인 역할을 담당할 것이라고 생각합니다. 교육은 사람과 사람의 만남에서 시작된다고 생각하기 때문입니다. 교육은 단순히 지식을 습득하고 정보를 정리하는 것을 넘어, 내적 동기를 자극하고, 정서적 지원을 하며 윤리적 가치와 도덕적 판단을 가르치는 것이 수반된다고 생각합니다. 인공지능은 기술적 지원을 제공할 수 있지만, 인간의 감정과 사회적 상호작용을 이해하고 적절히 반응하지 못하며, 윤리적·도덕적 판단을 위한 교육을 효과적으로 제공하기는 어렵습니다. 저는 이와 관련해 다음과 같이 노력하겠습니다.

첫째, 상호 협력하는 분위기를 조성하겠습니다. 페이스북, 구글 등 4차 산업혁명을 이끈 기업은 공동의 창업자로 구성된다는 공통점이 있습니다. 이는 기술의 발전에도 인간 간의 협력이 중요하다는 사실을 보여주는 사례입니다. 저는 학생들이 서로 협력하는 모둠 학습, 프로젝트 학습을 조성해 사회적 상호작용을 체득할 수 있게 하겠습니다. 이때, 윤리적 판단력을 기를 수 있거나 창의력을 키울 수 있는 주제를 중심으로 수업을 기획해 기술이 대체할 수 없는 인간만의 역량을 기를 수 있도록 도움을 주겠습니다.

둘째, 학생과 정기적으로 상담을 하겠습니다. 행정 업무 등 기술로 해결할 수 있는 부분은 기술의 도움을 받고, 남은 시간을 학생의 정서적 지원과 내적 동기 자극에 몰두하겠습니다. 자칫 기술 만능주의로 흐를 수 있는 문제를 예방하고 학생들의 내면을 들여다보며 적절한 도움을 제공할 수 있는 교사가 되겠습니다.

현장에 나아가 하이테크, 하이터치를 실현하는 교사가 되겠습니다. 이상입니다.

→ 선택형이지만 어느 정도 요구하는 정답이 있는 경우, 모범답안을 읽고 왜 이것을 선택해야만 하는지 이해한 후 같은 결을 유지한 채 나만의 근거를 덧붙일 수 있어야 한다.

나만의 답안으로 바꿔보기

답안 구상 연습 4

자료 1, 2를 통해 학교폭력에 대한 시사점을 도출하고, 이에 해당하는 구체적인 교육 방안을 2가지 제시하시오.

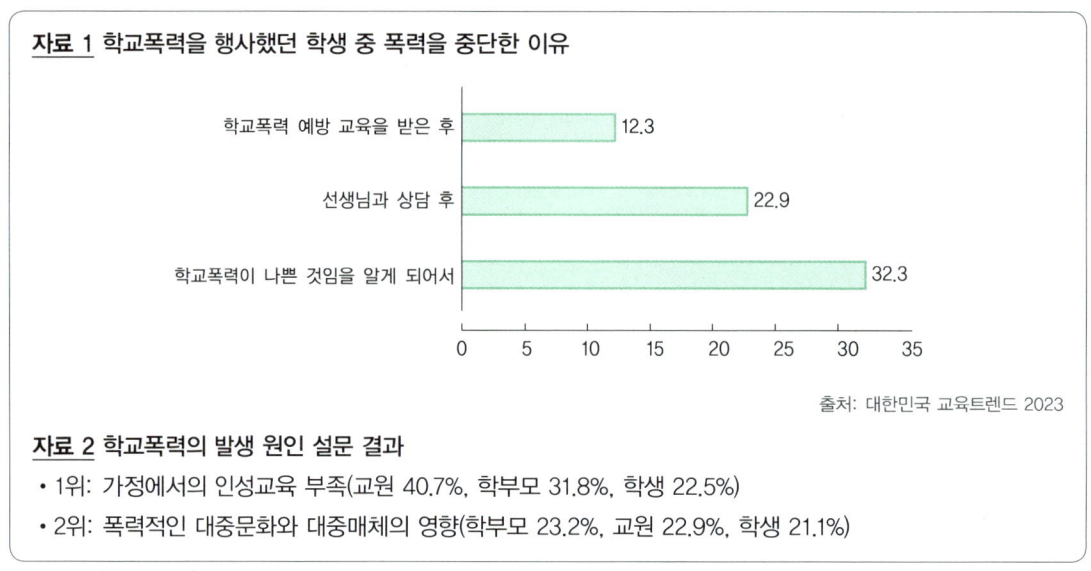

모범답안

① [자료 1은 학교폭력을 멈추는 이유에 학교 교육이 이바지하는 바가 크다는 것을 시사합니다. 선생님과의 상담, 학교폭력 예방 교육이 폭력을 멈추는 데 일조했다는 것에서 그것을 알 수 있습니다. 자료 2에서는 학교폭력의 원인으로 가정에서 인성교육 부족, 폭력적인 대중매체의 영향을 언급하고 있습니다. 이를 통해 학교에서 학교폭력 예방 교육 및 상담 교육을 하되 가정과 연대한 방향, 미디어를 활용한 방향으로 교육해야 함을 알 수 있습니다.] 이를 실현하기 위한 구체적인 교육 방안은 다음과 같습니다.

먼저 학교에서 학부모 자녀 이해 교육 활동을 마련해 가정과 함께하는 인성교육 방안을 마련하겠습니다. 예를 들어 '가족 사랑의 날'을 마련하고 '밥상머리 인성교육' 프로젝트를 시행해 가정에서 식사 시간에 함께 밥을 먹으며 효, 예 등 도덕적 인성을 함양하고 존중과 소통 능력 등 공동체적 인성을 함양하도록 하겠습니다. 이후 학부모와 학생의 체험수기를 받아 학교에서 함께 공유한다면 효과가 더욱 극대화될 것입니다.

둘째, 학교에서는 주제 중심 학교폭력 예방 교육으로 '미디어 속 언행 교정' 프로젝트를 시행하겠습니다. 청소년 관람 예능, 드라마 중 폭력적인 장면, 옳지 못한 대화 표현 등을 점검해 보고 '꼭 필요한 장면이었는지', '일상에서 그런 행동과 표현을 사용한다면 어떤 갈등이 유발될 수 있는지', '순화한다면 어떻게 표현하면 좋을지'에 대해 토론하는 시간을 갖도록 해 미디어를 그대로 수용하는 것이 아닌 옳고 그름을 분석할 수 있는 감식안을 갖추도록 하겠습니다.

현장에 나아가 학교폭력을 예방할 수 있는 인성교육에 앞장서는 교사가 되겠습니다. 이상입니다.

사이다 면접

→ 자료를 분석하여 시사점을 도출하는 문제는 모범답안을 꼼꼼히 읽어보는 것이 좋다. 어떻게 시사점을 도출해 냈는지 사고 과정을 반복해서 읽어보면 비슷한 유형의 문제에 쉽게 접근할 수 있기 때문이다. ①의 내용을 그래프와 비교하며 반복적으로 읽어본 후, 다시 내가 이해한 말로 풀어내 보자.

구체적인 교육 방안은 도출한 시사점에 맞게 가정과 함께하는 인성교육, 대중교육과 관련한 프로그램을 제시하되 모범답안과는 다른 나만의 방안을 고안해야 한다.

나만의 답안으로 바꿔보기

답안 구상 연습 ⑤

다음 교사의 의견 중 공감이 되는 것을 하나 선택하고, 그 이유를 말하시오. 만약, 자신이 선택하지 않은 방식으로 소통이 진행될 경우, 어떻게 할 것인지 답변하시오.

- A 교사: 만나서 얼굴을 보고 회의를 진행하고, 업무를 처리해야 한다. 그래야 집중이 잘된다.
- B 교사: 메신저로 소통하는 것이 훨씬 빠르게 업무를 처리할 수 있기에 온라인 소통을 선호한다.

모범답안

저는 A 교사의 입장을 선택하겠습니다. 대면 회의는 직접 만나서 소통하기 때문에 발언자에게 집중할 수 있고 비언어적 의사소통이 가능하기 때문입니다. 또한 대면 회의에서는 즉각적으로 질문하고 피드백을 주고받을 수 있어, 오해가 생길 가능성이 줄어듭니다. 따라서 메신저로 소통할 때보다 복잡한 문제를 명확히 하고, 오히려 빠르게 문제를 해결할 수 있다고 생각하기에 A 교사의 입장을 선택했습니다.

만약, 메신저 회의로 진행된다면 저는 다음과 같이 행동하겠습니다. 메신저의 장점을 적극 활용해 중요한 논의 사항이나 결정을 문서화해 모든 관련자에게 미리 배포하고, 의견을 받아 메신저에 모든 결정 사항이 명확히 기록되도록 하겠습니다. 온라인 소통 후에는 회의 내용을 요약한 후 공유해 자칫 집중력 부족으로 놓친 내용을 다시 한번 확인할 수 있도록 하겠습니다. 이상입니다.

→ 선택형이지만 둘 다 정답이 될 수 있는 경우, 모범답안에서 선택한 입장을 읽어본 후 의견이 같다면 같은 결의 답변을 구상하고 그렇지 않다면, 자기만의 의견을 작성한다. 자신만의 의견을 작성한 후에는 평가위원의 입장에서 듣기에 불편한 점이 없는지, 반드시 타인에게 검토하는 작업을 거쳐야 한다.

나만의 답안으로 바꿔보기

사이다 면접

주의사항

- PART 1의 Chapter 01 기출문제 유형 분석을 반드시 학습한 후 기출문제에 접근해야 한다. 형식적으로 시간을 재고 푸는 것이 아닌, 유형을 이해하고 그에 맞는 전략을 적용하고 있는지 스스로 인지하면서 기출 연습을 해야 한다. 과거 기출문제는 매우 쉬운 수준이기에 역순으로 구성하였다. 최근 기출문제 유형을 숙지하는 것이 중요하다.
- 예시 답변은 '현재 가장 중요한 교육적 관점'을 기반으로 작성한 것이니, 반복해서 읽어보는 것만으로도 교육관을 정립하는 데 도움이 될 것이다. 말하기를 어떻게 구조화하여 진행하는지 파악하면 실제 답변하는 데 유용한 팁을 얻을 수 있다.
- 그렇다고 해서 해설을 읽고 답을 외우는 식으로 접근하는 것은 옳지 않다. 반드시 혼자 구상하는 시간을 갖고, 스스로 생각하는 연습을 해야만 실제 시험장에서 구상 능력을 발휘할 수 있다.
- 자기 급의 문제를 다 푼 후 다른 급의 문제도 분석해야 한다. 다른 급의 문제가 우리 급의 문제로 출제된 사례가 있기 때문이다.

PART 2

역대 기출문제 분석 및 예시 답변

Chapter 01
최신 4개년 기출문제 분석

Chapter 02
기출문제 분석

최신 4개년 기출문제 분석

① 2025학년도

(1) 초등

구상형 1 다음 제시문을 참고하여 교사가 학생들의 미래 역량 함양을 위해 실천할 수 있는 교육 방안을 교육과정 측면과 학급 운영 측면에서 각각 2가지씩 제시하시오.

> 공교육 1섹터는 교사와 함께 미래를 준비하는 학교이다. 교사는 교육과정 속에서 학생의 미래 준비에 필요한 기본 인성과 기초 역량을 기르는 데 주력하며, 이러한 교육 활동은 하이러닝 고도화를 통해 충실히 지원된다.

공교육 2섹터는 지역사회와 함께 미래를 준비하는 경기공유학교이다. 지역사회가 갖춘 다양한 교육 역량을 학교와 연계하여 학생 개개인에게 맞춤형 교육을 제공한다.

공교육 3섹터는 AI 교사와 함께 미래를 준비하는 경기온라인학교이다. 인공지능(AI) 기술을 활용하여 시간과 공간의 제약 없이 언제나 누구나 양질의 교육을 받을 수 있도록 돕는다.

구상하기

✦ 해설

이 문제는 박스 처리된 1섹터를 중점적으로 활용해야 한다. 그렇다고, 2~3섹터를 언급하지 않으면 만점이 나올 수 없다. 그렇다면 제시문으로 나올 이유가 없기 때문이다. 이때 2섹터, 3섹터는 부가적 도구나 확장 방안으로 짧게 연결하면 된다. 또한 학생들의 미래 역량을 길러주기 위한 방향을 묻고 있으므로, 교육 방안을 통해 학생들의 어떤 미래 역량이 강화될 수 있을지 언급해야 한다.

✦ 예시 답변 및 답변 포인트 분석

구상형 1번 문제 답변드리겠습니다. ● 발언을 시작하는 말 넣기

경기교육 3가지 섹터의 중심은 1섹터인 학교입니다. 학교는 학생의 기본 인성과 기초 역량을 기르는 핵심 공간이며, 저는 교사의 역할을 중심에 두고 교육과정과 학급 운영에서 실천 방안을 말씀드리겠습니다.

먼저 교육과정 측면입니다. 미래 사회에는 기후 변화, AI 활용으로 인한 직업 변화, 인구 감소, 고령화 등 다양한 사회 문제가 예견됩니다. 학생들은 이러한 문제에 대응할 수 있도록 공동체 의식과 문제해결 역량을 길러야 합니다. 이를 위해 첫째, 교과 융합 프로젝트를 실시하겠습니다. 지역사회의 환경 문제나 복지 문제 등을 주제로 교육과정을 재구성하고, 학생들이 여러 주제 중 하나를 선택해 모둠별로 탐구하게 하겠습니다. 이를 통해 자율성과 주도성을 기르고, 협력과 소통 역량을 함양하며 삶의 역량을 체득할 수 있습니다. 둘째, 하이러닝 기반 학습 지원을 활용해 학생 수준에 맞는 과제를 제시하고 맞춤형 피드백을 제공하겠습니다. 이 과정에서 2섹터의 공유학교와 연계해 깊이 있는 학습의 기회를 제공하거나, 3섹터의 온라인학교 콘텐츠를 활용해 보충 학습을 할 수 있도록 지도한다면 다양한 학습 경험을 제공하고 학습 격차를 줄이는 데에도 도움이 될 것입니다.

● 서두에 답변의 전개 방향을 제시해, 문항을 잘 이해하고 있음을 드러내기

다음으로 학급 운영 측면입니다. 첫째, 학생 자치 활동을 활성화해 상시적인 학급회의와 규칙 제정을 운영하겠습니다. 이를 통해 학생들은 민주적 의사결정과 책임감을 경험하며 미래 사회의 시민으로 성장할 수 있습니다. 둘째, 모둠 활동을 일상화해 역할을 분담하고 학급 문제를 협력적으로 해결하도록 하겠습니다. 이를 통해 학생들은 협력과 배려 문화를 내면화하고, 공동체 역량을 기를 수 있습니다.

콘텐츠 프로슈머로서 전문성과 책임감으로 교육과정을 재구성하고, 학교 내 자원 외에도 지역사회와 온라인 자원까지 적극 활용해 공교육 3가지 섹터의 취지를 이해하고 이를 현장에 실천하는 교사가 되겠습니다.

● 경기교육에서 교사에게 기대하는 역할인 '콘텐츠 프로슈머'를 언급해 경기교육의 적임자임을 보여주기
● 문제와 관련된 포부와 의지 표현하기

이상입니다. ● 발언을 끝내는 말 넣기

구상형 2 자신의 교육철학에 따라 아래의 인성적 측면 중 1가지를 선택하여 학급 인성 브랜드를 설정하고, 이를 바탕으로 학부모와 학생이 참여할 수 있는 인성교육 방안 3가지를 말하시오.

공동체적 인성 가치의 예: 존중, 배려, 협력, 책임 등

구상하기

✦ 해설

답변에서 중요한 점은 첫째, 자신의 교육철학과 선택한 가치가 어떻게 연결되는지를 설명해야 한다. 둘째, 학부모와 학생이 함께 참여할 수 있는 실천 방안 3가지를 구체적으로 제시해야 한다. 단순한 원칙 나열이 아니라 실제 실행 가능한 활동 중심으로 답해야 설득력이 높아진다.

✦ 예시 답변 및 답변 포인트 분석

구상형 2번 문제 답변드리겠습니다.
● 발언을 시작하는 말 넣기

저는 제 교육철학인 '혼자가 아닌 같이 성장하기'에 따라 제시된 인성 가치 중 '존중'을 선택해 브랜드를 만들겠습니다. 존중은 학생 개개인의 다양성을 인정하고, 타인의 의견과 존재를 받아들이는 태도로서 공동체 생활의 출발점이기 때문입니다. 이를 바탕으로 만든 학급 인성 브랜드는 '존중에서 출발해 하나로 완성되는 우리 반'으로 설정하겠습니다. 이를 바탕으로 학생과 학부모가 참여할 수 있는 방안을 말씀드리겠습니다.

첫째, 학생 참여 방안입니다. 저는 학급 '존중의 날'을 운영하겠습니다. 존중의 날은 학급 자치 시간을 활용해 학생들이 모둠별로 서로의 특징, 배울 점, 좋아하는 행동, 싫어하는 행동을 기록하고 발표하는 시간입니다. 이후 나와 타인이 공존할 수 있는 방법에 대해 의견을 나누겠습니다. 이를 통해 서로의 차이를 인정하고 이해하며, 존중하는 문화를 학급 전체에 확산시킬 수 있습니다.
● 질문의 순서대로 답변을 전개해 문제 이해력을 드러내고 답변에 안정감 더하기

둘째, 학부모 참여 방안입니다. 저는 '존중의 메시지 캠페인'을 운영하겠습니다. 학부모가 가정에서 자녀에게 존중을 담은 짧은 메시지를 적어 보내주면, 이를 교실 게시판에 전시하겠습니다. 이를 통해 학생들은 가정과 학교에서 존중받는 경험을 할 수 있으며, 학부모는 학급과 교사의 철학을 공유하고 공감할 수 있습니다.
● 각 방안에 기대효과를 넣어 답변에 신뢰 부여하기

셋째, 학부모와 학생이 함께하는 방안입니다. 저는 '존중 체크리스트'를 운영하겠습니다. 일상에서 존중의 태도가 반영된 행동을 실천했는지 질문으로 만들어 가정에서도 함께 실천할 수 있도록 하겠습니다. 예를 들어 '오늘 서로의 삶을 존중했나요?', '존중하는 언어로 상대에게 부탁했나요?'와 같은 질문을 만들고 가족들이 체크 후 우리 집 존중 점수를 확인하여 학교와 공유하겠습니다. 이를 통해 존중의 문화가 가정과 학교 모두에서 확산될 수 있습니다.

저는 학교 현장에서 학부모와 학생이 함께 참여할 수 있는 활동을 통해, 학생들이 미래 사회에서 필요로 하는 공동체적 인성과 성숙한 시민 역량을 기를 수 있도록 조력하는 교사가 되겠습니다.
● 문제와 관련된 포부와 의지 표현하기

이상입니다.
● 발언을 끝내는 말 넣기

구상형 3 학생이 느끼는 학교생활 불안감에 관한 다음 자료를 참고하여, 자료의 시사점 2가지를 제시하고, 이를 해결하기 위한 실천 방안을 3가지 답하시오.

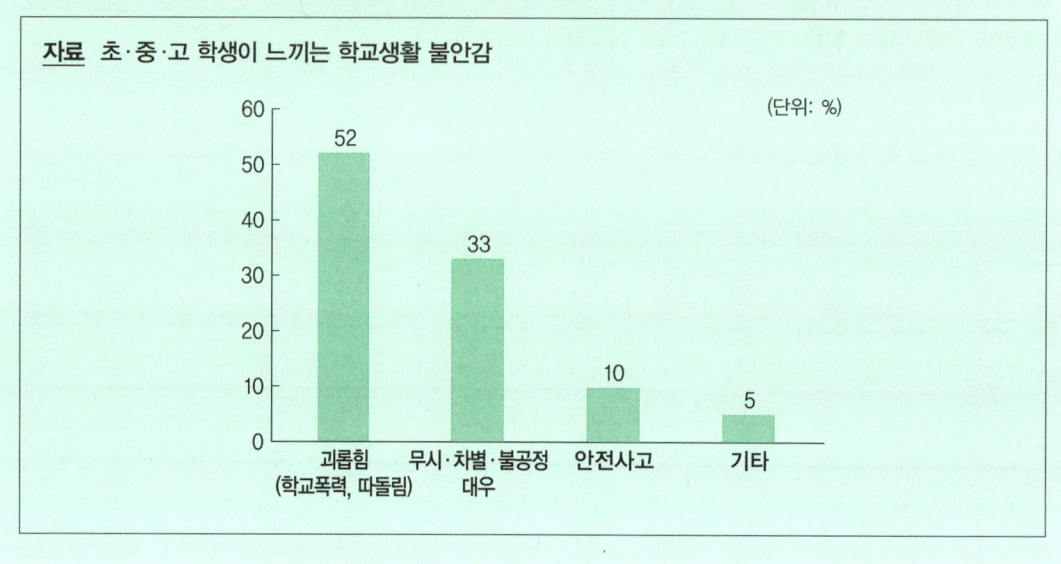

자료 초·중·고 학생이 느끼는 학교생활 불안감

구상하기

사이다 면접

✦ 해설

자료에는 여러 가지 불안감 요소가 제시됐지만, 시사점을 2가지만 뽑으라고 했으므로 먼저 어느 부분에 초점을 맞춰 답할 것인지 서두에 알려야 한다. 예를 들어 학생들이 학교생활에서 느끼는 불안감의 가장 큰 요인은 '괴롭힘(학교폭력, 따돌림)'이며, 다음은 '무시·차별·불공정 대우'이므로 첫째, 학교폭력 예방 및 대응을 강화하고, 둘째, 공정하고 존중받는 학급 문화를 조성하는 것이 핵심 시사점이라고 언급할 수 있다. 혹은 물리적 안전(3위)도 중요하지만, 따돌림(1위), 무시(2위) 등 정서적 불안감 해소가 더 시급하다고 보고, 물리적 안전과 정서적 안전을 모두 다루겠다고 답할 수도 있다. 어떤 시사점을 택하든 무방하지만, 자료를 포괄적으로 이해했음을 드러내며 시사점을 분명히 제시하는 것이 핵심이다. 실천 방안은 경기도교육청의 지향점에 맞추어 학생의 활동 중심으로 제시해야 답변의 구체성과 설득력이 높아진다.

✦ 예시 답변 및 답변 포인트 분석

구상형 3번 문제 답변드리겠습니다. ─ 발언을 시작하는 말 넣기

제시된 자료를 보면 학생들이 학교생활에서 가장 큰 불안감을 느끼는 요인은 '괴롭힘과 따돌림'이며, 다음은 '무시·차별·불공정 대우'라는 것을 알 수 있습니다. 이를 통해 학교에서는 첫째, 안전사고와 같은 물리적 안전이 필요할 뿐 아니라, 둘째, 괴롭힘과 무시와 같은 정서적 안전이 필요함을 알 수 있습니다. 저는 물리적 안전과 정서적 안전을 위한 실천 방안을 3가지 말씀드리겠습니다.

첫째, 물리적으로 안전한 환경을 조성하기 위해, 매주 나침반 안전교육을 실시해 체육 활동과 실험 활동에서 지켜야 할 안전 수칙과 사고 발생 시 대응 방법을 지도하겠습니다. 이후 OX 퀴즈 등 참여형 활동을 병행해 학생들의 흥미를 높이겠습니다. 이를 통해 학생들의 물리적 불안감을 줄일 수 있을 것입니다. ─ 제시문을 분석한 결과를 서두에 넣어 문제 분석 역량 드러내기

둘째, 학생 중심 학교폭력 예방 교육입니다. 학교폭력 교육은 교사의 일방적 전달보다 학생 참여가 중요합니다. 피해자·가해자·방관자 각각의 입장을 다룬 청소년 드라마를 시청한 뒤 토론 활동을 진행하겠습니다. 학생들이 피해자의 고통을 공감하고, 방관자의 역할에 대해 고민한다면 학급 내 정서적 안전 분위기가 강화될 것입니다. ─ 기대효과를 넣어 답변에 신뢰 부여하기

셋째, 회복적 생활교육입니다. 무시, 차별, 불공정 대신 존중과 배려의 문화를 정착시키기 위해 신뢰 서클을 운영하겠습니다. 갈등이 발생할 시, 처벌이나 규정을 앞세우기보다 교사와 학생, 학생 상호 간 진솔한 대화를 통해 라포르를 형성하고 신뢰를 쌓도록 하겠습니다. 이를 통해 정서적 불안감을 해소할 수 있을 것입니다.

교사로서 학생들이 안전하고 존중받는 환경 속에서 생활할 수 있도록 교육과정과 학급 운영을 세심히 설계하겠습니다. ─ 문제와 관련된 포부와 의지 표현하기

이상입니다. ─ 발언을 끝내는 말 넣기

즉답형 1 다음 제시문의 상황을 바탕으로 공평한 교육 기회를 제공해야 하는 이유 2가지를 말하고, A 학생에게 적용할 수 있는 구체적인 교육 방안 2가지를 제시하시오.

> A 학생은 다문화가정 출신으로 농촌 지역에 거주하고 있으며, 기초학력이 부족한 상태이다. 그러나 천체 분야에 특별한 관심을 가지고 있다.

✦ 해설

경기교육의 방향과 자원 활용에 대한 이해도를 파악하려는 문제이다. 따라서 답변은 공평한 배움을 추구하는 경기도교육청의 취지를 반영해야 한다. A 학생의 상황을 구체적으로 분석한 뒤, 기초학력 보완과 진로·적성 발휘라는 두 측면에서 방안을 제시하되, 제시문이 의도하는 경기도교육청의 자원(에듀테크, 두드림학교, 경기공유학교 등)을 언급하는 것이 핵심이다.

✦ 예시 답변 및 답변 포인트 분석

즉답형 1번 문제 답변드리겠습니다. ● 발언을 시작하는 말 넣기

모두에게 공평한 교육 기회를 제공해야 하는 이유는 2가지입니다.
첫째, 교육은 모든 학생이 누려야 할 기본적 권리이기 때문입니다. 학생의 배경이나 환경에 따른 차별 없이 누구나 공평하게 교육받을 권리를 보장해야 합니다.
둘째, 학생 개개인이 가진 잠재력은 다르며, 이를 발휘할 수 있도록 지원하는 것이 공교육의 의무이기 때문입니다. 특히 A 학생과 같이 기초학력이 부족하더라도 특정 분야에 강한 관심과 재능을 보이는 학생에게 적절한 기회가 주어질 때 역량이 강화될 수 있습니다.

이와 관련해 A 학생에게 필요한 교육 방안은 다음과 같습니다. ● 경기도교육청의 구체적 자원을 언급해, 경기형 교사임을 드러내기
첫째, 에듀테크를 활용한 맞춤형 교육입니다. A 학생은 다문화가정 출신으로 농촌에 거주하며 기초학력이 부족합니다. 이런 환경적 취약점을 보완하기 위해 기초학력 진단 사이트 '꾸꾸'의 3R 진단을 통해 수준을 파악하고, 다양한 에듀테크 프로그램으로 맞춤형 과제를 제공하겠습니다. 또한 교내 두드림학교와 같은 기초학력 향상 프로그램을 제공해 학생을 체계적으로 지원하겠습니다.
둘째, 경기공유학교와 연계한 천체 분야 학습 기회 제공입니다. 학교 단위에서 해당 분야에 관한 다양한 지원이 어렵다면, 교사가 경기공유학교와 연계해 A 학생이 천체 관련 수업과 프로젝트에 참여할 수 있도록 돕겠습니다. 이를 통해 학생의 흥미와 재능을 학업 동기로 연결하고, 미래 역량으로 발전시킬 수 있습니다.

저는 모든 학생이 차별 없이 자신의 가능성을 발휘할 수 있도록 공평한 교육 기회를 ● 문제와 관련된 포부와 의지 표현하기
보장하고, 맞춤형 지원을 통해 학생의 성장을 이끄는 교사가 되겠습니다.

이상입니다. ● 발언을 끝내는 말 넣기

즉답형 2 교사의 전문적 성장을 도모하고 장기적으로 안정적인 교직생활을 이어가기 위해, 신규 교사, 5년 이하 저경력 교사, 15년 이상 경력 교사의 측면에서 본인의 교직 전문성 향상 계획을 각각 설명하시오.

✦ 해설

이 문제는 교사의 생애주기별 전문성 성장을 어떻게 설계하는지를 묻는 것이다. 답변에 교직 경력 단계에 따라 요구되는 역량이 다르다는 점을 반영하는 것이 중요하다. 신규 교사는 수업 설계 역량, 생활교육, 학급 운영 역량 등 기본 업무 중심의 역량이 필요하다. 저경력 교사는 수업 전문성 심화와 교직 내 협력이 필요하다. 고경력 교사는 자기 관리 역량과 변화 대응 역량 등을 강조하는 것이 적절하다.

✦ 예시 답변 및 답변 포인트 분석

즉답형 2번 문제 답변드리겠습니다. ● 발언을 시작하는 말 넣기

저는 교사의 전문적 성장을 도모하고 장기적으로 안정적인 교직 생활을 이어가기 위해 경력 단계별로 다음과 같이 계획을 세우겠습니다.

먼저 신규 교사 시기입니다. 이 시기에는 기본 업무 역량을 안정적으로 쌓아나가는 것이 가장 중요하다고 생각합니다. 수업 설계 역량을 기르기 위해 동 교과 교사와 협력하고, 전문적 학습공동체와 지역 교과 연구회에 참가해 다양한 수업 방식을 이해하고, 학교 사정에 맞는 수업을 구안하겠습니다. 생활교육과 학급 운영 역량을 강화하기 위해서는 교직에 오게 된 동기를 늘 상기하며, 학급 학생들과 주기적인 상담으로 학생을 이해하고, 지원할 것 등을 파악하겠습니다. 또한 관련 교육지원청 연수 등을 통해 기본기를 다지고 싶습니다.

● 생애 주기를 이해하며 그 시기에 적절한 역량을 언급하기

다음으로 5년 이하 저경력 교사 시기입니다. 이 시기에는 교사의 전문성을 심화하고 협력적 문화를 형성하는 것이 필요하다고 생각합니다. 교사 학습공동체에 참가해 수업 사례를 공유하고, 교육과정을 재구성해 학생 맞춤형 수업을 실천하겠습니다. 또한 동료 교사와의 협력 수업이나 교과 연계 프로젝트 수업 등을 통해 교직 내 협력 역량을 키우겠습니다.

마지막으로 15년 이상 고경력 교사 시기입니다. 이 시기에는 자기 관리 역량과 변화 대응 역량을 갖춰야 한다고 생각합니다. 소진을 예방하기 위해 교직 일기를 작성하며 자기 성찰 시간을 갖고, 새로운 사회와 교육의 변화를 학습하며 연구 활동으로 전문성을 재충전하겠습니다. 또한 후배 교사 멘토링과 자율장학 활동에 참여해 경험을 나누고, 교직 사회의 지속 가능한 성장을 지원하겠습니다.

저는 이처럼 경력 단계별 성장 목표를 분명히 세우고, 평생학습의 자세로 전문성을 발전시켜 학생과 함께 성장하는 교사가 되겠습니다. ● 문제와 관련된 포부와 의지 표현하기

이상입니다. ● 발언을 끝내는 말 넣기

(2) 중등

구상형 1 (가)를 읽고 경기미래교육을 위한 교사 역량은 무엇인지 말하고, 이를 바탕으로 (나)의 A, B 학생을 지도할 수 있는 교사의 역할을 제시하시오.

(가) 경기미래교육은 주도성 있는 인재를 기르는 것을 목표로 한다. 이를 위해 학교 교육을 지역사회와 온라인까지 확장한 미래교육 플랫폼을 구축·운영하고 있으며, 학생 개개인의 잠재력과 역량이 충분히 발휘될 수 있도록 입체적으로 지원하고자 한다. 나아가 서열과 경쟁이 아닌, 100명의 학생에게 100개의 성공모델을 만들어 가는 교육을 지향한다.

(나) • A 학생: 저는 영화감독이 되고 싶은데, 학교에서는 관련된 교육을 찾기 어려워 고민이에요.
  • B 학생: 교과 수업에서 탄소중립을 배웠는데, 이를 실제 생활 속에서 실천하기 위해 다른 나라 학생들과 함께 환경보존 프로젝트를 하고 싶습니다.

구상하기

✦ 해설

제시문 (가)에 따르면, 경기미래교육의 핵심은 주도성 있는 인재 양성이며 이를 위해 학교 교육을 지역사회·온라인으로 확장하고, 개인 맞춤형 교육을 해야 한다는 것을 알 수 있다. 이에 따라 교사에게 필요한 역량은 지역사회 및 온라인 자원 연계 역량, 학생 개별성 존중과 맞춤형 지원 역량 등이 있다. 따라서 (나)의 상황에서 A 학생에게는 진로·적성에 맞는 경기도교육청의 자원을 연결해 주고, B 학생에게는 온라인 연계를 통한 프로젝트형 학습을 지원하며 맞춤형 교육을 지원하는 역할을 제시하는 것이 적절하다.

✦ 예시 답변 및 답변 포인트 분석

구상형 1번 문제 답변드리겠습니다.   ● 발언을 시작하는 말 넣기

(가)를 통해 알 수 있는 경기미래교육을 위한 교사의 역량은 학생 개별성을 존중하며 맞춤형 지원을 할 수 있는 역량, 지역사회와 온라인 자원을 연계해 교육과정을 확장할 수 있는 역량입니다. 이를 바탕으로 (나)의 학생들을 지도할 수 있는 교사의 역할을 제시하면 다음과 같습니다.

먼저 A 학생은 영화감독이라는 진로 목표를 가지고 있으나 학교에서는 관련 교육을 찾기 어렵다고 고민하고 있습니다. 이 경우 교사는 경기공유학교 프로그램 중 영상 제작 관련 수업 등을 소개해 학생과 연계할 수 있습니다. 또한 공동교육과정과 같이 학교 밖 배움 자원을 연계해 수강할 수 있도록 안내할 수 있습니다. 이렇게 한다면 학생의 흥미가 학업 동기로 이어지고, 주도적으로 진로 역량을 쌓아갈 수 있을 것입니다.

● (가)의 키워드인 '주도성 있는 인재'를 의도적으로 넣어 제시문을 잘 파악했음을 드러내기

● 기대효과를 넣어 답변에 신뢰 부여하기

다음으로 B 학생은 탄소중립을 생활 속에서 실천하며 해외 학생들과 협력하고 싶어 합니다. 교사는 학생의 주도성을 살려 경기온라인학교를 활용해 국제 협력 프로젝트 수업에 참여하도록 지원할 수 있습니다. 온라인 플랫폼을 통해 해외 학생들과 함께 환경보존 프로젝트를 기획·운영하게 하고, 지역 환경센터와 연계해 실천 활동을 병행하도록 돕는다면, 학생은 교과 지식을 실제 삶에 적용하고, 글로벌 시민 역량을 기를 수 있을 것입니다.

저는 이처럼 경기공유학교와 경기온라인학교와 같은 자원을 적극 활용해 학생이 스스로 성공 모델을 만들어 갈 수 있도록 조력하는 교사가 되겠습니다.   ● 문제와 관련된 포부와 의지 표현하기

이상입니다.   ● 발언을 끝내는 말 넣기

구상형 2 (가)의 사이버폭력 사례를 참고하여, (나)를 고려한 구체적인 교육 방안을 제시하시오.

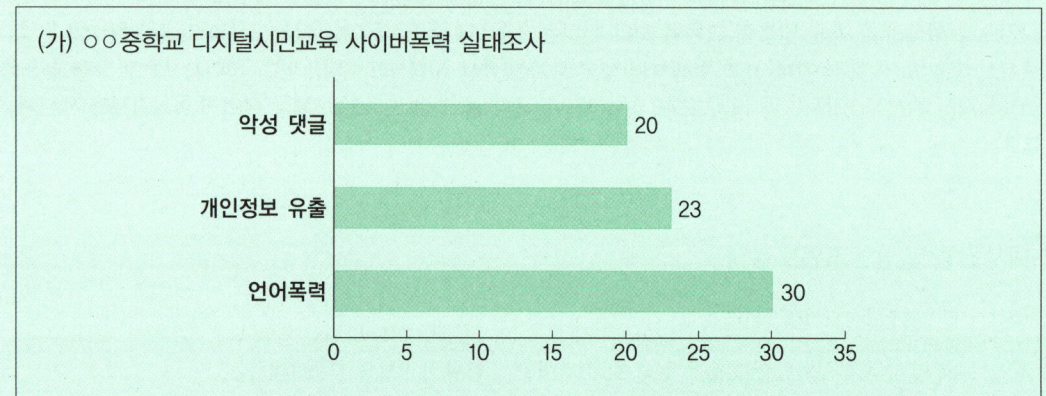

(나) 사이버폭력 문제 해결을 위해서는 다양한 교과와 연계한 접근이 필요하며, 동시에 사회적 참여 활동을 통해 학생들의 디지털 활용 능력과 디지털 소양을 기를 수 있는 교육이 요구된다.

구상하기

✦ 해설

제시문 (가)에 따르면, 사이버폭력의 주요 사례는 언어폭력, 개인정보 유출, 악성 댓글이다. 따라서 교육 방안은 3가지 문제를 해결할 수 있는 방안이어야 한다. 제시문 (나)에서는 교과 융합 교육, 사회적 참여 활동이 필요하다는 것을 알 수 있다. 따라서 문항에서 가짓수를 안내하지 않았지만 교과 융합 교육과 사회적 참여 활동을 균형 있게 제시해 1가지 방안을 충실히 제시하거나 교과 융합 방안 1가지, 사회 참여 활동 1가지를 제시해도 된다.

✦ 예시 답변 및 답변 포인트 분석

구상형 2번 문제 답변드리겠습니다. ● 발언을 시작하는 말 넣기

제시문 (나)에서는 사이버폭력 문제 해결을 위해 다양한 교과와 연계한 접근이 필요하며, 동시에 학생의 사회적 참여 활동이 요구된다는 것을 알 수 있습니다. 이에 따라 (가)에서 학생들이 경험한 언어폭력, 개인정보 유출, 악성 댓글 등의 문제를 해결할 수 있는 교육 방안을 2가지 제시하겠습니다.

먼저 교과 융합 방안입니다. 저는 도덕 교사로서 학교자율시간을 활용해 과학, 정보 교과와 연계한 수업을 진행하겠습니다. 과학 기술이 삶에 가져온 긍정적인 영향과 가치뿐 아니라, 개인정보 유출이나 딥페이크와 같은 부작용을 함께 다루겠습니다. 학생들이 직접 기술과 과학 발전의 사례, 그에 따른 장점과 문제점을 찾고 토론으로 대안을 고민해 본다면, 사이버폭력을 포함한 디지털 사회의 문제점에 대한 성찰과 함께 온라인 공간에서 책임 있는 태도를 갖추고 디지털 시민성을 기를 수 있겠다고 생각합니다. ● (나)의 키워드를 통해 (가)의 문제를 모두 해결할 수 있는 교육 방안을 기획하기

다음으로 사회적 참여 활동 방안입니다. 저는 학급 차원에서 '릴레이 선플 달기' 활동을 진행하고 싶습니다. 이는 악성 댓글과 언어폭력에 대한 문제를 해결하기 위한 실천 활동입니다. 인터넷 뉴스나 영상에서 쉽게 확인할 수 있는 언어 폭력적인 발언, 악의적인 감정이 담긴 댓글을 찾아 순화해 보고, 같은 주제에 긍정적인 언어로 선플을 달아보는 활동을 하는 것입니다. 학급 번호순이나 모둠별 릴레이 댓글을 통해, 서로에게 긍정적인 영향을 주는 경험을 하도록 하겠습니다. 이를 통해 학생들은 자신의 언행이 디지털 사회에 미치는 영향을 체감하며, 건전한 온라인 문화를 조성하는 주체로 일조할 수 있음을 깨닫게 될 것입니다.

저는 이처럼 교과 융합 수업과 사회적 참여 활동을 통해 학생들이 사이버폭력의 문제를 성찰하고, 디지털 시민으로서 책임 있는 태도를 실천하도록 조력하는 교사가 되겠습니다. ● 문제와 관련된 포부와 의지 표현하기

이상입니다. ● 발언을 끝내는 말 넣기

구상형 3   다음 제시문을 읽고 담임교사의 입장에서 생활지도 담당 교사와 협력하여 A 학생의 성장을 도울 수 있는 방법을 제시하시오.

> A 학생은 가정의 보살핌이 부족하여 기본 생활습관이 미비하였으나, 담임교사와의 지속적인 상담을 통해 점차 개선되고 있다. 그러나 생활 규칙을 위반한 이후 생활지도 담당 교사가 규정에 따라 엄격히 지도를 하자, 현재 학교에 나오지 않고 있는 상황이다.

구상하기

사이다 면접

✦ 해설

이 문제는 담임교사와 생활지도 담당 교사 간의 협력적 대응을 통해 A 학생이 성장할 수 있는 방안을 묻고 있다. 핵심은 A 학생이 이미 담임과의 상담으로 변화 가능성을 보였다는 점, 그러나 생활지도 담당 교사의 엄격한 지도가 다시 위축 요인이 되었다는 점을 고려하는 것이다. 생활지도 담당 교사의 역할을 존중하면서도, 두 지도 방식의 균형을 맞추는 시각이 필요하다.

✦ 예시 답변 및 답변 포인트 분석

구상형 3번 문제 답변드리겠습니다. — 발언을 시작하는 말 넣기

A 학생은 담임교사와의 상담을 통해 생활습관이 개선되었으나, 생활지도 담당 교사의 엄격한 지도 이후 학교 적응에 어려움을 겪고 있습니다. 담임교사로서 저는 생활지도 담당 교사와 협력해 A 학생의 성장을 돕기 위해 다음과 같은 노력을 하겠습니다.

첫째, 생활지도 담당 교사와 함께 학생 지도의 원칙과 방식에 대해 충분히 논의하겠습니다. 제시문에서는 A 학생을 지도하는 방식에 대한 합의가 이뤄지지 않은 것으로 보입니다. 공동체 생활에서 규칙을 지도하는 생활지도 교사의 역할은 존중하되, 지도 과정에서 학생에게 발견되는 긍정적 변화를 존중하고, 학생이 무력감을 느끼지 않도록 성장 중심의 피드백을 제공할 것을 제안하겠습니다. 이렇게 한다면 학생은 두 교사의 메시지를 혼란 없이 이해하고, 지도받는 과정을 성장의 기회로 받아들일 수 있을 것입니다.

둘째, 공동 상담 및 격려 체계를 마련하겠습니다. 생활지도 담당 교사와 협력해 학생과 생활지도 교사, 담임교사가 함께하는 상담 시간을 마련하겠습니다. 담임은 학생의 정서적 안정과 관계 회복을, 생활지도 교사는 규칙 준수와 책임 의식을 강조하는 역할을 해, 상담에서 상호 보완적 역할을 하도록 하겠습니다. 또한 상담 과정에서 긍정적 변화를 함께 확인하고 칭찬한다면 학생은 교사들의 지도가 자신을 돕기 위한 것임을 체감할 수 있을 것입니다. — 제시문을 분석한 내용을 짧게 언급해 문제 분석 역량을 드러내기

셋째, 가정에서 보살핌이 부족한 상황을 고려해 생활지도 담당 교사와 함께 학부모 면담을 실시하고, 학생의 변화를 공유하며 협력을 요청하겠습니다. 필요할 경우 지역 복지 자원이나 전문기관을 함께 연계해 학생이 학교 안팎에서 안정적인 지원을 받을 수 있도록 협력하겠습니다.

이처럼 생활지도 담당 교사와 협력해 지도 방향을 공유하고, 공동 상담을 운영하며 격려하고, 가정·지역사회와의 연계를 함께 추진한다면, A 학생은 다시 학교에 적응하고 성장할 수 있을 것이라 생각합니다. — 문제와 관련된 포부와 의지 표현하기

이상입니다. — 발언을 끝내는 말 넣기

> **즉답형 1** 교사는 학생 개개인에게 성장 경험과 배움을 제공하고자 했으나, 한 학생이 수업과 수행평가에 적극적으로 참여하지 않아 학습 목표를 달성하지 못하고 있다. 교과교사로서 이 문제를 해결하기 위한 방안을 제시하시오.

✦ 해설

수업 및 수행평가에 참여하지 않는 학생을 어떻게 지도할 것인지 묻고 있다. 핵심은 단순히 결과만 보는 것이 아니라, 학생의 참여 부족 원인을 파악하고 그에 맞는 지원을 하는 것이다.

✦ 예시 답변 및 답변 포인트 분석

즉답형 1번 문제 답변드리겠습니다. ← 발언을 시작하는 말 넣기

저는 교과교사로서 학생이 수업과 수행평가에 참여하지 않는 상황을 해결하기 위해 다음과 같이 접근하겠습니다.

첫째, 원인을 진단하겠습니다. 상담을 통해 단순한 참여 의지 부족인지, 기초학력 부족이나 정서적 어려움 때문인지를 파악하겠습니다. 담임 및 상담교사와 협력해 학생의 상황을 다각적으로 살피겠습니다.

둘째, 원인에 맞는 맞춤형 지원을 제공하겠습니다. 만약 기초학력이 부족하다면 두드림학교 프로그램이나 방과 후 보충수업, 에듀테크 학습 도구를 활용해 학습 격차를 해소하도록 돕겠습니다. 단순한 불참이라면 학생이 관심 있는 주제나 생활 맥락과 연결된 학습 과제를 제시해 흥미를 높이고, 수행평가 역시 난이도를 조절하거나 단계별 과제를 부여해 작은 성취를 경험할 수 있도록 하겠습니다. ← 파악한 원인에 따른 해결 방안을 제시해 답변의 일관성을 부여하기

셋째, 긍정적인 피드백을 강화하겠습니다. 학생이 과제에 조금이라도 참여했을 때 즉각적인 칭찬과 보완 피드백을 제공하고, 참여 자체가 의미 있는 성장 경험임을 느낄 수 있도록 돕겠습니다.

저는 이처럼 원인 파악, 맞춤형 자원 연계, 긍정적 피드백을 통해 학생이 학습에 다시 참여하고, 성장 경험을 쌓아갈 수 있도록 지원하는 교사가 되겠습니다. ← 문제와 관련된 포부와 의지 표현하기

이상입니다. ← 발언을 끝내는 말 넣기

사이다 면접

즉답형 2 제시문을 바탕으로 문제 상황이 발생한 원인을 분석하고, 담임교사와 교과교사의 관점에서 각각 실천 가능한 해결 방안을 제시하시오.

> 담임교사가 중학교 2학년 학생들에게 가정통신문을 배부하였으나, 일부 학생들이 '사흘', '상비약', '구조' 등의 단어를 정확히 이해하지 못해 내용을 반복적으로 질문하는 상황이 발생하였다.

✦ 해설

해결 방안을 담임교사와 교과교사의 관점에서 제시하라고 했으므로 두 방안이 서로 다른 관점을 담고 있어야 한다. 예를 들어 담임교사는 학급 운영 차원에서 생활 문해력 지도, 안내 방법 개선을 강조해야 하고, 교과교사는 교과 차원에서 어휘·문해력 지도 강화, 교육과정 속 언어 경험 확대를 중심으로 제시하는 식으로 말이다.

✦ 예시 답변 및 답변 포인트 분석

즉답형 2번 문제 답변드리겠습니다. ● — 발언을 시작하는 말 넣기

제시문의 상황은 학생들이 가정통신문 속 단어를 이해하지 못한 경우입니다. 학생들은 태어날 때부터 전자 기기에 익숙한 세대로, 이모티콘이나 축약어로 감정을 표현하는 데는 익숙하지만, 일상에서 학습 언어를 표현할 기회가 부족했기 때문이라고 생각합니다. 이 문제를 해결하기 위해 담임교사와 교과교사로서 각각의 역할을 말씀드리겠습니다.

먼저 담임교사 관점입니다. 저는 생활 문해력을 기를 수 있는 학급 활동을 운영하겠습니다. 모둠별로 가정통신문과 같은 공적 문서를 함께 읽고, 어려운 어휘를 찾아 '우리 반 생활 사전'을 만들어 보겠습니다. 또 그 단어를 활용한 문장 만들기 활동을 통해 어휘의 의미를 정확히 이해하고 실제로 사용할 수 있도록 지도하겠습니다. 이렇게 한다면 학생들의 생활 속 언어 사용 빈도가 높아지고, 학습 언어에 대한 자신감도 생길 것입니다. ● — 담임교사와 교과교사의 관점에서 각각 서로 다른 해결 방안을 제시하기

다음은 교과교사 관점입니다. 교과 수업 속에서 학생들의 어휘력과 문해력을 체계적으로 강화하겠습니다. 함께 읽기 시간을 확보해 교과서나 학습 자료를 읽고, 낯선 어휘를 맥락 속에서 추론하는 활동을 하겠습니다. 또한 프로젝트형 과제를 통해 다양한 자료를 읽고 요약·발표하게 해, 학생들이 교과 지식을 자기 언어로 설명하는 경험을 확대하겠습니다. 이를 통해 학습 언어 사용 능력을 높일 수 있을 것입니다.

저는 이처럼 담임교사로서 생활 문해력 지도를 하고, 교과교사로서 교과 속 어휘 경험을 확장해 학생들이 학습 언어와 생활 언어를 균형 있게 습득할 수 있도록 돕겠습니다. ● — 문제와 관련된 포부와 의지 표현하기

이상입니다. ● — 발언을 끝내는 말 넣기

(3) 비교수 교과

> **구상형 1** 학생에 대한 책임교육을 확대하고 학생의 성장을 통합적으로 지원하기 위해, 자신의 전공과 연계하여 활용할 수 있는 지역 자원을 제시하고, 이를 활용한 구체적인 교육 방안 2가지를 말하시오.

구상하기

✦ 해설

전공에 따라 책임교육과 학생 성장 통합 지원을 어떻게 실현할 수 있는지를 묻고 있다. 자원을 단순히 나열하는 수준을 넘어서, 학생 성장과 연결되는 구체적 교육 방안 2가지를 설명해야 한다.

✦ 예시 답변 및 답변 포인트 분석

구상형 1번 문제 답변드리겠습니다. ← 발언을 시작하는 말 넣기

저는 상담교사로서 책임교육을 확대하고 학생 성장을 위한 통합적 지원을 위해 경기도청소년상담복지센터를 활용하겠습니다. 청소년상담복지센터는 위기 청소년을 위한 심리 상담과 디지털 미디어 피해 회복 지원, 진로·자기이해 집단 프로그램 등 전문적인 서비스를 제공하고 있습니다. 저는 경기도교육청이 지향하는 '한 명의 학생도 소외되지 않는 교육'과 '개인 맞춤형 교육'의 방향에 깊이 공감하고 있습니다. 따라서 기관과 연계해 학생들의 다양한 필요에 맞는 맞춤형 상담과 교육을 제공하고 교육에서 소외되는 학생이 없는 학교를 만들고 싶습니다. 구체적인 교육 방안은 다음과 같습니다.

첫째, 위기 상황에 놓인 학생을 위해 센터의 전문 상담 프로그램을 연계하겠습니다. ← 경기도교육청의 방향을 제시해, 경기형 교사임을 드러내기
예를 들어 자살·자해 위험이나 디지털 미디어 피해를 경험한 학생은 학교 내 상담만으로는 회복이 어렵습니다. 이 경우 청소년상담복지센터의 집중 상담 프로그램이나 치료비 지원 제도를 적극적으로 안내하고, 담당자와 긴밀히 협력해 학생이 정서적 안정을 되찾고 학교생활로 복귀할 수 있도록 돕겠습니다.

둘째, 일반 학생들의 성장을 지원하기 위해 집단 상담 프로그램을 도입하겠습니다. 교육과정 설계 시 관련 부서와 협의해 센터에서 제공하는 진로탐색, 자기이해, 감정조절 등의 프로그램을 학급이나 학년 차원에서 운영하고, 제가 참여해 사후 피드백을 함께 제공하겠습니다. 이를 통해 학생들은 자기 이해를 넓히고, 또래와의 긍정적인 관계를 형성하며, 미래 역량을 기를 수 있을 것입니다.

저는 이처럼 청소년상담복지센터와 협력해 위기 학생부터 일반 학생까지 아우르는 ← 문제와 관련된 포부와 의지 표현하기
맞춤형 지원을 실천함으로써, 경기도교육청의 책임교육과 통합적 성장 지원의 가치를 학교 현장에서 구현하는 상담교사가 되겠습니다.

이상입니다. ← 발언을 끝내는 말 넣기

> **구상형 2** 다음 제시문을 읽고, (가) 상황을 고려하여 (나)를 실현하기 위한 구체적인 교육 방안을 제시하시오.

> (가) OECD 조사에 따르면, 한국 학생들이 학교폭력을 경험했다고 응답한 비율은 OECD 평균보다 낮은 것으로 나타났다. 그러나 일부 학생들은 또래와의 관계에서 정서적 소외감을 느끼거나 학업 스트레스로 인해 심리적 불안정을 호소하는 경우가 보고되고 있다.
> (나) 학교는 물리적 안전뿐 아니라 학생들의 심리·정서적 안정을 지원하여 전인적 웰빙을 실현해야 한다.

구상하기

사이다 면접

✦ 해설

제시문 (가)의 상황은 한국 학생들이 물리적 폭력 경험은 적지만, 여전히 정서적 소외감과 학업 스트레스 등 심리적 불안정을 겪고 있음을 보여준다. 제시문 (나)에 밑줄이 그어진 것은, 학교가 단순히 물리적 안전을 보장하는 데 그치지 않고, 심리·정서적 안정까지 포함한 전인적 웰빙 지원을 실현해야 한다는 점을 강조하기 위함이다. 따라서 학생들의 심리·정서적 안정과 관계 형성을 지원할 수 있는 구체적 교육 방안을 제시해야 한다.

✦ 예시 답변 및 답변 포인트 분석

구상형 2번 문제 답변드리겠습니다. ← 발언을 시작하는 말 넣기

제시문 (가)의 상황은 학생들이 물리적 폭력보다는 정서적 소외감과 학업 스트레스 등 심리적 어려움으로 학교생활에 힘들어하고 있음을 나타냅니다. 제시문 (나)를 통해, 학교는 학생의 물리적 안전뿐 아니라 심리·정서적 안정까지 책임지는 전인적 웰빙 지원이 중요하다는 것을 알 수 있습니다. 저는 이 점을 고려해 사서교사로서 학생들의 전인적 웰빙을 실현하기 위해 다음과 같은 방안을 실천하겠습니다.

첫째, 독서치료와 감정 공유 독서 프로그램을 운영하겠습니다. 상담교사와 협력해 심리적 불안이나 소외감을 겪는 학생들을 대상으로 정서적 공감과 치유를 주제로 한 책을 함께 읽고, 독서 후 소감 나누기를 진행하겠습니다. 학생들은 이 과정을 통해 자기 표현과 타인 공감을 경험하며 정서적 안정을 도모할 수 있습니다. 저는 교사로서 학생들이 편안하게 대화할 수 있도록 도서관 환경을 따뜻한 조명과 부드러운 음악으로 조성하고, 모든 학생이 균형 있게 발언할 수 있도록 토론을 조율하겠습니다. ← 경기도교육청이 지향하는 협력의 방향을 포함해 경기형 교사임을 드러내기

둘째, 정보 활용 및 자기주도 학습 지원을 강화하겠습니다. 학업 스트레스를 줄이기 위해 담임교사와 협력해 학생들의 학업 수준을 파악한 뒤, 맞춤형 학습 자료와 탐구 자료를 제공하겠습니다. 도서관을 단순한 자료 보관 공간이 아니라, 학생들이 자기주도적으로 탐구하고 성취를 경험하는 학습 지원 공간으로 만들겠습니다. 저는 교사로서 학생들의 학습 진행 상황을 관찰하고, 필요할 경우 학습 전략이나 탐구 방법을 안내해 자기 효능감을 높이도록 돕겠습니다.

저는 이처럼 정서적 안정과 학업 지원을 동시에 실천해, 학생들이 도서관에서 전인적 웰빙을 경험할 수 있도록 지원하는 사서교사가 되겠습니다. ← 문제와 관련된 포부와 의지 표현하기

이상입니다. ← 발언을 끝내는 말 넣기

구상형 3 전공과 연계한 새 학년 새 학기 프로그램을 1가지 제시하고, 제시문의 평가 결과를 토대로 해당 프로그램을 활성화할 구체적 방안 2가지를 제시하시오.

> **학교 평가 결과**
> - 학생들은 학교 행사에 자기 의견이 반영되어 만족도가 높았다.
> - 학부모들은 학교 교육활동에 참여하고 싶어 한다.
> - 생활교육에 있어 모든 선생님이 참여하고 있지만, 가끔 어떤 프로그램을 하는지 모를 때가 있다.

구상하기

✦ 해설

프로그램은 이미지가 그려질 정도로 취지와 내용이 구체적으로 제시돼야 하며, 교육과정 평가 결과를 모두 반영해야 한다. 따라서 학부모 참여 확대, 학생 의견 반영, 교사 홍보 및 협력을 고려한 방안을 균형 있게 말하는 것이 핵심이다.

✦ 예시 답변 및 답변 포인트 분석

구상형 3번 문제 답변드리겠습니다. ● 발언을 시작하는 말 넣기

저는 보건교사로서 새 학기 프로그램으로 '건강한 학교생활 스타트업 캠페인'을 운영하겠습니다. 이 프로그램은 학기 초 3월 한 달 동안 보건실과 교실을 병행해 진행하며, 학생들이 수면 관리, 응급처치, 스트레스 관리 등 학교생활에 꼭 필요한 건강 역량을 기를 수 있도록 돕는 활동입니다.

구체적으로, 첫째 주에는 담임교사와 협력해 수면 관리·스마트폰 사용 체크리스트를 작성하고 모둠별로 개선 방안을 논의하게 해 학생들이 스스로 변화의 필요성을 인식하도록 하겠습니다. 둘째 주에는 개인별 건강 상담을 실시하고, 점심시간을 활용해 응급처치 실습을 병행해 생활습관 목표를 점검하고 위기 대처 역량을 키우도록 하겠습니다. 셋째 주에는 중간 점검과 정서 지원 활동을 하겠습니다. 학생들의 실천 정도를 모둠별로 확인하고, 상담교사와 연계해 스트레스 관리 워크숍과 호흡·명상법을 실습하게 해 정서적 안정을 도모하겠습니다. 넷째 주에는 실천 발표회를 열어 모둠별 건강 실천 사례를 공유하고, 우수 사례는 보건실 게시판에 전시해 성취감을 느끼고 확산 효과를 얻도록 하겠습니다. ● 학교 평가 결과 내용을 모두 반영해 문제 분석 역량을 드러내기

프로그램 활성화 방안은 2가지입니다.

첫째, 학부모 의견을 반영해 참여 기회를 확대하겠습니다. 학부모 총회나 상담 주간에 가정 내 필요한 식습관·수면습관을 안내하고 질의응답 시간을 마련하겠습니다. 또한 학생과 학부모가 함께하는 '건강 실천 과제'를 제시해 가정과 학교가 연계되도록 하겠습니다.

둘째, 학생의 의견을 반영하고 교사들과 비전을 공유하겠습니다. 학생들에게는 사전 설문으로 수면 관리, 응급처치, 스트레스 관리 등 중점적으로 학습하고 싶은 주제를 직접 선택하게 해 주도성과 참여율을 높이고, 교사들에게는 새 학기 회의와 가정통신문, 보건실 게시판을 통해 프로그램을 적극 홍보해 비전을 공유하고 담임 외 교사도 함께 참여할 수 있도록 하겠습니다.

저는 이처럼 학부모·학생·교사의 의견을 모두 반영한 새 학기 캠페인을 통해, 학교 전체가 건강한 생활 문화를 만들어가도록 실천하겠습니다. ● 문제와 관련된 포부와 의지 표현하기

이상입니다. ● 발언을 끝내는 말 넣기

즉답형 1 자신의 강점 1가지를 말하고, 이를 활용하여 교육공동체와 상호존중을 실천할 수 있는 방안을 제시하시오.

✦ 해설

자신의 강점을 단순히 나열하는 것이 아니라, 그것이 교직 상황에서 어떻게 발휘돼 교육공동체 내 상호존중으로 이어질 수 있는지를 묻는 문제이다. 실천 방안의 가짓수를 제한하진 않았지만, 자신의 전공에서 자주 접하게 되는 교육공동체의 구성원을 고려해 대상을 분류해 답변하는 것이 바람직하다.

✦ 예시 답변 및 답변 포인트 분석

즉답형 1번 문제 답변드리겠습니다. ●— 발언을 시작하는 말 넣기

저의 강점은 소통 역량입니다. 저는 상대방의 의견을 경청하고, 나 전달법을 활용해 제 생각을 조율하며, 갈등 상황에서도 웃는 얼굴로 대화하는 것을 중요하게 생각합니다. 특히 영양교사에게 소통은 필수 역량입니다. 급식실에서 조리실무사와 협력하고, 학생·교직원·학부모와 소통하며 급식과 영양교육을 이끌어야 하기 때문입니다. 저는 저의 소통 능력을 바탕으로 다음과 같이 교육공동체와 상호존중을 실천하겠습니다.

첫째, 조리실무사와의 대화에서 존중의 언어를 사용하겠습니다. 조리실 내 위생과 안전 수칙은 철저히 지켜야 하지만, 지시의 발언은 상대방의 감정을 상하게 할 수 있다고 생각합니다. 저는 상호존중의 대화로 협력 문화를 만들어 나가겠습니다. 예를 들어 급식 위생 점검 시 문제점이 발견되면 즉각적인 지적이 아니라 개선 방법을 함께 논의하며 협력하겠습니다. 이렇게 하면 청결과 안전이라는 목표를 지키면서도 존중의 문화를 형성할 수 있을 것입니다. ●— 기대효과를 넣어 답변에 신뢰 부여하기

둘째, 학생과 학부모 대상 영양교육을 실시할 때 경청과 공감의 태도를 갖겠습니다. 일방향적인 영양교육이 아닌, 학생들의 식습관을 조사하고 의견을 경청해 학생 맞춤형 영양 지도를 실천하겠습니다. 또한 학부모와의 상담, 영양 소식지 등을 통해 가정과 학교가 함께 건강한 식습관을 지도할 수 있도록 협력하겠습니다. 이렇게 한다면 교육공동체 안에서 상호존중의 문화를 확산할 수 있을 것입니다.

저는 이처럼 소통 역량을 바탕으로 급식 안전과 위생을 지키고, 학생·학부모·교직원과 협력해 존중과 배려의 문화를 실천하는 영양교사가 되겠습니다. ●— 문제와 관련된 포부와 의지 표현하기

이상입니다. ●— 발언을 끝내는 말 넣기

즉답형 2 A 교사와 협력하여 학생을 지원할 수 있는 방안을 제시하고, 대처 과정에서 교사가 유의해야 할 사항을 말하시오.

> A 교사는 학급의 한 학생이 특정 음식을 섭취하면 몸이 가렵고 호흡 곤란 증상을 보인다고 하며, 이 학생의 상황에 대한 지원 방안을 협의하고자 도움을 요청하였다. 해당 학생은 이러한 증상을 다른 친구들에게 알리지 말아 달라고 하면서, 혼자 있고 싶다는 의사를 표현하고 있다.

✦ 해설

즉각적인 위기 대응뿐 아니라, A 교사와 협력해 학생이 식품 섭취 시 취해야 할 안전교육과 또래 관계에서의 소외감을 예방하는 방향을 제시해야 한다.

✦ 예시 답변 및 답변 포인트 분석

즉답형 2번 문제 답변드리겠습니다. ● 발언을 시작하는 말 넣기

저는 상담교사로서 A 교사와 협력해 학생을 지원하기 위해 2가지 방향으로 실천하겠습니다.

첫째, 식품 안전을 확인하겠습니다. 영양교사·보건교사와 협력해 즉시 정보를 공유하고, 급식 안내표에서 주의할 음식을 학생과 함께 확인하겠습니다. 또 학급 안전교육 시간을 활용해 특정 학생을 지목하지 않고 '식품 알레르기 안전교육'을 실시해, 학생의 상황이 노출되지 않으면서도 음식 섭취에 대한 주의를 강화하겠습니다.
둘째, 정서적 지원입니다. 학생이 혼자 있고 싶다고 한 것은 불안 신호일 수 있으므로 담임과 협력해 정기 면담을 마련하고, 필요시 학생 동의하에 또래 지지자를 연결해 고립되지 않도록 돕겠습니다.

● 제시문을 분석한 내용을 짧게 언급해 문제 분석 역량을 드러내기

● 경기도교육청이 지향하는 협력의 방향을 포함해 경기형 교사임을 드러내기

이때 교사가 유의해야 할 점은, 학생의 상황을 학급에 공개하거나 과잉보호하지 않는 것입니다. 과잉보호란 학생이 스스로 할 수 있는 일까지 대신하거나 특별 대우를 하는 경우로, 오히려 낙인감과 소외를 유발할 수 있습니다. 따라서 반드시 학생의 동의를 전제로 자연스럽게 배려해야 하며, 위기 상황에는 신속히 대응하되 평소에는 자율성을 존중하는 태도가 필요합니다.

저는 이처럼 안전과 정서를 함께 지원하며, 학생이 존중받는 환경에서 성장할 수 있도록 조력하겠습니다.

● 문제와 관련된 포부와 의지 표현하기

이상입니다. ● 발언을 끝내는 말 넣기

즉답형 3 자녀 이해를 돕기 위한 학부모 교육을 계획하고자 한다. 자신의 전공과 연계하여 학부모가 자녀를 이해할 수 있도록 하는 교육 방안을 제시하고, 그 방안의 기대효과를 말하시오.

✦ 해설

핵심은 학부모가 자녀의 발달 특성과 관심사를 이해하도록 돕는 것이다. 답변의 가짓수가 제한돼 있지 않지만 즉답형임을 고려해 구체적인 학부모 교육 방안 1~2가지, 그 방안의 기대효과를 명확히 말하는 구조가 적절하다.

✦ 예시 답변 및 답변 포인트 분석

즉답형 3번 문제 답변드리겠습니다. ← 발언을 시작하는 말 넣기

저는 사서교사로서 학부모 교육을 '책으로 이해하는 우리 아이' 프로그램으로 계획하겠습니다.

첫째, 학부모 독서 모임을 운영하겠습니다. 자녀의 발달 단계와 심리 특성을 다룬 교육학·아동 발달 관련 도서를 선정해, 학부모님과 함께 읽고 사춘기 학생들을 이해하기 위한 토론을 진행하도록 하겠습니다. 이후 각 가정에서 자녀와의 실제 사례를 나누며 책의 내용을 생활 속에 적용해 보도록 하겠습니다. 이를 통해 학부모는 자녀의 발달 특성을 이론과 실제 모두 이해할 수 있을 것입니다.

← 교육 방안 기대효과를 넣어 조건 모두 충족하기

둘째, 자녀와 함께하는 독서 대화법 교육을 실시하겠습니다. 학부모에게 책을 매개로 자녀와 대화하는 구체적인 방법, 예를 들어 자녀가 읽은 책의 인물이나 사건에 대해 열린 질문을 던지고 공감하는 방법을 안내하겠습니다. 이를 통해 학부모는 자녀의 생각과 감정을 자연스럽게 파악하고 존중하는 태도를 배울 수 있습니다.

이러한 학부모 교육은 단순히 독서 지도를 넘어, 자녀의 발달 특성과 관심사를 이해하고 긍정적인 관계를 형성하는 데 도움을 줄 것입니다. 또한 가정에서의 독서 문화가 강화돼 학교 도서관 교육과 연계되는 효과도 기대할 수 있습니다.

현장에 나아가 학부모와 함께 학생들의 성장과 발달을 위해 협력하는 교사가 되겠습니다. ← 문제와 관련된 포부와 의지 표현하기

이상입니다. ← 발언을 끝내는 말 넣기

사이다 면접

즉답형 4 자신의 전공과 연계하여 운영할 수 있는 문화예술 프로그램 1가지를 제시하고, 그 운영 방안과 기대효과를 설명하시오.

✦ 해설

프로그램은 실제 현장에서 실행 가능하고, 교육공동체와 협력할 수 있는 형태여야 설득력이 높아진다.

✦ 예시 답변 및 답변 포인트 분석

즉답형 4번 문제 답변드리겠습니다. ● 발언을 시작하는 말 넣기

저는 보건교사로서 상담, 미술·음악 교사와 협업해 '아트&뮤직 테라피 프로그램'을 운영하고 싶습니다. 이 프로그램은 학생들이 음악과 미술 활동을 통해 스트레스를 해소하고 정서적 안정을 찾을 수 있도록 돕는 활동입니다. 실제로 학생들이 보건실을 찾는 이유 중에는 외상뿐 아니라 스트레스에서 비롯된 복통, 두통 같은 증상도 많습니다. 단순히 약을 처방하는 것을 넘어 근본적인 정서적 문제를 다루는 것이 중요하다고 생각해 이 프로그램을 기획했습니다.

운영 방안으로는, 먼저 보건실을 '힐링 존'으로 꾸며 정기적인 테라피 활동을 운영하겠습니다. 학생들이 자유롭게 그림을 그리고 색칠하며 감정을 표현하고, 교사와 대화를 통해 이를 공유하도록 하겠습니다. 또 음악교사와 협력해 정서적 안정에 도움이 되는 음악을 선정해 힐링존에 상시 틀어놓아 학생들이 언제든 긴장을 완화하고 자기표현을 확장할 수 있도록 돕겠습니다.

● 경기도교육청이 지향하는 협력의 방향을 포함해 경기형 교사임을 드러내기

● 운영 방안과 기대효과를 넣어 조건 모두 충족하기

이 프로그램의 기대효과는 3가지입니다.
첫째, 학업과 또래 관계로 인한 스트레스를 완화할 수 있습니다. 둘째, 감정을 건강하게 표현하고 나누는 경험을 통해 정서적 회복탄력성을 강화할 수 있습니다. 마지막으로, 보건교육과 문화예술을 융합해 보건실이 단순한 처치의 공간을 넘어 학생 전인적 성장을 실현하는 공간으로 자리매김할 수 있을 것입니다.

저는 이처럼 보건 전공과 문화예술을 연결해 학생들의 건강과 정서를 함께 돌보는 교육을 실천하겠습니다. ● 문제와 관련된 포부와 의지 표현하기

이상입니다. ● 발언을 끝내는 말 넣기

② 2024학년도

(1) 초등

> 구상형 1   새로운 경기교육을 실현하기 위해 '균형' 측면에서 학교 현장에서 어떤 학생상이 필요한지 말하고, 그러한 학생을 양성하기 위한 수업 방안과 생활지도 방안을 각각 2가지씩 제시하시오.
>
>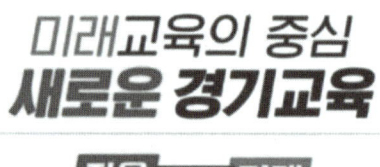
>
> 균형은 교육의 본질에 집중하겠다는 경기교육의 다짐입니다.
> 서로의 다름을 인정하고 존중하며 교육공동체의 조화로운 성장을 지원하겠습니다.

구상하기

✦ 해설

균형의 키워드가 학생상에 잘 녹아야 한다. 질문 순서에 따라 학생상 ➡ 수업 방안 ➡ 생활지도 방안 순으로 답변하면 된다.

✦ 예시 답변 및 답변 포인트 분석

구상형 1번 문제 답변드리겠습니다. ●── 발언을 시작하는 말 넣기

'균형'은 교육의 본질에 집중하면서 교육공동체의 조화로운 성장을 지원하는 것으로 이 측면에서 학교 현장에서 필요로 하는 학생상은 다양성과 포용성을 갖춘 공동체적 인성을 가진 학생입니다.

공동체적 인성을 갖춘 학생을 양성하기 위한 수업 방안과 생활지도 방안을 말씀드리겠습니다. 먼저, 수업 방안 2가지입니다.
첫째, 프로젝트 학습을 구안하겠습니다. 지역사회 문제를 탐구하고 해결책을 제시하는 프로젝트 학습을 통해, 학생들은 실생활의 문제를 파악하고, 이를 해결하기 위한 다양한 의견을 제시하고 취합하게 됩니다. 이 과정에서 타인의 의견을 존중하며 협력하는 방법을 배울 수 있을 것입니다.
둘째, 토론 수업을 진행하겠습니다. 토론 주제는 사회·문화적 이슈, 외교 이슈 등 다양한 측면을 포함해 학생들이 폭넓은 시각을 갖도록 하겠습니다. 사회 이슈를 주제로 토론하며 학생들은 다양한 사회 문제를 이해할 수 있고, 의견을 교류하며 타인을 인정하고, 존중하는 자세를 배울 수 있을 것입니다.

●── 기대효과를 넣어 답변에 신뢰 부여하기

다음으로 생활지도 방안을 2가지 말씀드리겠습니다.
첫째, 다문화 주간을 운영하겠습니다. 학생들이 관심 있는 국가의 특색 있는 문화, 역사에 대해 직접 조사하고 팜플렛, 팝업북 등으로 제작해 교실에 진열해 놓겠습니다. 그 후 갤러리 워크 형식으로 다른 학생들의 작품을 관람하도록 하겠습니다. 이를 통해 다양한 배경을 가진 사람들을 이해하고 존중하는 태도를 기를 수 있을 것입니다.
둘째, 학생주도의 학급 단합 행사를 진행하겠습니다. 학급 학생들이 직접 행사를 기획하고 준비하는 과정을 통해 학생들은 서로 강점이 있음을 인정하며 조화롭게 활동하는 경험을 할 수 있을 것입니다.

현장에 나아가 학생들이 공동체적 인성을 함양하기 위해 다양한 교육을 시도하는 열정 있는 교사가 되겠습니다. ●── 문제와 관련된 포부와 의지 표현하기

이상입니다. ●── 발언을 끝내는 말 넣기

구상형 2 다음 제시문을 읽고 따뜻한 말로 위로를 받거나 감동했던 경험을 말하고, 그에 따른 자신의 교직관을 말하시오. 또한 학급 담임으로서 이를 실현할 방안을 2가지 제시하시오.

> 너는 봄날의 햇살 같아. 로스쿨 다닐 때부터 그렇게 생각했어. 너는 나한테 강의실의 위치와 휴강 정보와 바뀐 시험 범위를 알려주고, 동기들이 날 놀리거나 속이거나 따돌리지 못하게 하려고 노력해. 지금도 너는 내 물병을 열어주고, 다음에 구내식당에 또 김밥이 나오면 나한테 알려주겠다고 해. 너는 밝고 따뜻하고 착하고 다정한 사람이야. 봄날의 햇살 최수연이야.
>
> 드라마 〈이상한 변호사 우영우〉 중

구상하기

✦ 해설

제시문의 내용을 간단히 언급한 후, 질문 순서대로 답변하면 된다. 또한 경험을 제시할 땐, 그 속에서 얻은 깨달음을 꼭 언급하자.

✦ 예시 답변 및 답변 포인트 분석

구상형 2번 문제 답변드리겠습니다. ● 발언을 시작하는 말 넣기

제시문은 진심 어린 배려와 관심이 타인에게 얼마나 큰 힘이 되는지를 잘 보여주고 있습니다. 배려와 관심은 사람의 마음을 따뜻하게 하고, 관계를 더욱 깊고 의미 있게 만들어 줍니다. ● 제시문 내용을 정리해 문제 분석력 보여주기

교육 실습생 시절에 담당 선생님의 추천으로, 학급 친구들과 개인 상담을 했습니다. 한 학생이 가정 형편 때문에 힘들어해, 이야기를 잘 들어주고 격려도 해주었습니다. 그 후 학생은 자신감을 얻고 주도적으로 학교생활을 했고, 저와의 관계도 훨씬 가까워졌습니다. 그러던 어느 날 그 학생이 "선생님 요즘 힘드신가요? 선생님 덕분에 다시 힘을 낼 수 있었어요. 선생님은 정말 좋은 분이세요."라는 쪽지를 건넸습니다. 그때 저는 진로 문제와 개인적인 상황으로 압박이 많았는데, 그 친구의 눈에 그게 보였나 봅니다. 그 학생이 보여준 관심과 격려를 통해, 삶의 용기를 낼 수 있었습니다. 이 경험을 통해 교사는 단순히 지식을 전달하는 역할에 그치지 않고, 학생들과 마음을 나누는 직업임을 깨달았습니다. 덕분에 저는 '서로 사랑하고 성장하기'라는 교직관을 갖추게 됐습니다. ● 경험을 언급할 땐 교육적 깨달음을 함께 제시하기

학급 담임으로서 교직관을 실현할 방안을 2가지 말씀드리겠습니다.
첫째, 정기적인 개인 상담 시간을 갖겠습니다. 학생들이 자신의 고민이나 어려움을 나눌 수 있는 상담 시간을 마련해 학생들 이야기에 귀 기울이며 진심 어린 조언과 격려를 하겠습니다. 이를 통해 저 역시도 보람을 느끼며 함께 성장할 수 있을 것입니다.
둘째, 학급 친구들끼리 마니또 행사를 하겠습니다. 마니또를 하는 동안 친구를 관찰할 기회를 가질 수 있고, 편지나 작은 선물 등을 통해 감정을 표현할 수 있을 것입니다. 이렇게 한다면 제시문에서 배려와 관심이 타인에게 긍정적인 영향을 미친 것과 같이 타인에게 용기가 될 수 있을 것입니다.

현장에 나가서 학생들과 함께 따뜻한 관심과 배려를 주고받으며 같이 성장할 수 있는 교사가 되겠습니다. ● 문제와 관련된 포부와 의지 표현하기

이상입니다. ● 발언을 끝내는 말 넣기

구상형 3 다음 설문조사 결과의 시사점을 말하고 학부모와의 신뢰 관계 형성을 위해 학급 담임으로서 실천할 수 있는 방안을 2가지 제시하시오.

멘티미터로 만든 학부모와 교사의 신뢰 관계 강화 방안에 대한 워드 클라우드

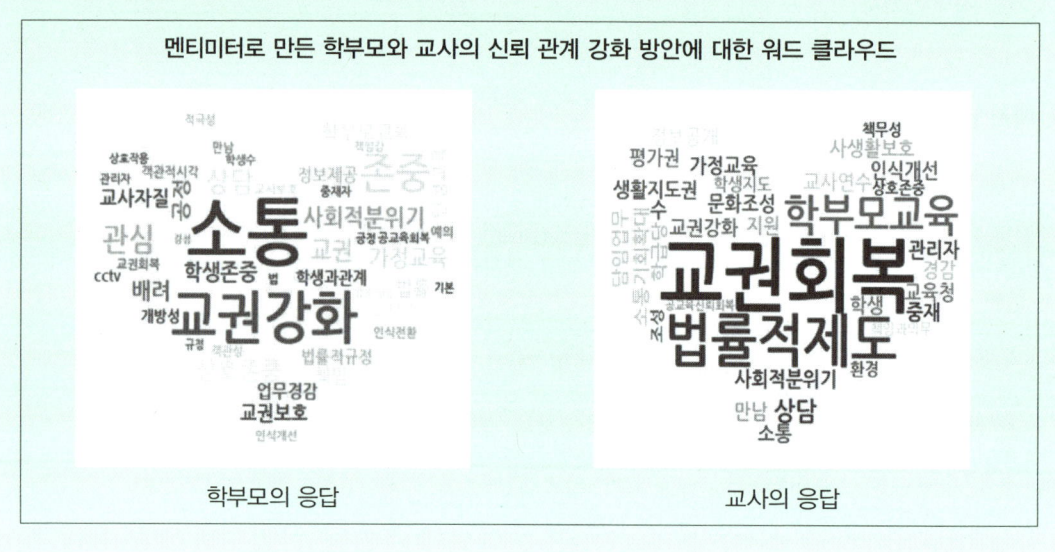

학부모의 응답   교사의 응답

구상하기

✦ 해설

본격적인 답변 전에 제시문 결과를 분석해 언급한다면, 문제 분석력을 드러낼 수 있다.

✦ 예시 답변 및 답변 포인트 분석

구상형 3번 문제 답변드리겠습니다. ● 발언을 시작하는 말 넣기

제시된 2가지 멘티미터를 보면 학부모와 교사의 신뢰 강화 방안에 관해 학부모와 교사의 우선순위가 다르다는 것을 알 수 있습니다. 이는 서로의 입장을 이해할 수 있어야 하고 이를 위해 소통이 필요함을 시사합니다. ● 제시문 분석 결과를 넣기

시사점을 바탕으로, 학부모와의 신뢰 관계 형성을 위해 학급 담임으로서 실천할 방안을 2가지 제시하겠습니다.

첫째, '교사와의 만남' 시간을 기획하겠습니다. 학부모를 대상으로 교사의 교육철학과 학급 운영 방침을 공유하는 기회가 있다면, 학부모에게 신뢰를 줄 수 있고 교육 전문가로서 교사의 면모를 드러낼 수 있을 것입니다. 이렇게 한다면, 제시문 속 교사들이 기대하는 것과 같이 교권 회복에 도움이 될 것입니다. ● 제시문과 연계한 실천 방안을 언급해 문제 분석력, 문제 해결력을 드러내기

둘째, 정기적인 소통의 창구를 마련하고 피드백 체계를 구축하겠습니다. SNS나 개인 상담 등 정기적인 소통 창구를 마련하고, 학부모에게 이를 안내하겠습니다. 학생 진로 문제, 학교생활 등에 대해 소통 창구를 통해 학부모들이 교사와 원활하게 소통할 수 있도록 한다면, 제시문 속 학부모들이 기대하는 것과 같이 소통과 협력을 강화할 수 있을 것입니다.

현직에 나아가 학부모와의 소통으로 상호 신뢰를 구축할 수 있는 교사가 되겠습니다. ● 문제와 관련된 포부와 의지 표현하기

이상입니다. ● 발언을 끝내는 말 넣기

즉답형 1 수험생이 다음 상황의 교사라고 가정하고, 교사로서 바람직한 답변을 시연한 뒤 그렇게 답변한 이유를 설명하시오.

> 수업 시간에 규민이가 영철이랑 떠들자, 교사가 규민이를 따로 불러서 왜 수업 시간에 집중하지 않느냐고 물었다. 그러자 규민이는, "영철이도 같이 떠들었는데 왜 저만 혼내세요?"라고 되물었다.

✦ 해설

문제해결 능력을 보고 교직관을 파악하려는 것이므로 현실적인 답변을 하는 것이 좋다. 규민이의 태도를 짚되, 반항심이 커지지 않는 방향으로 이야기할 수 있어야 한다.

✦ 예시 답변 및 답변 포인트 분석

즉답형 1번 문제 답변드리겠습니다. ← 발언을 시작하는 말 넣기

저는 먼저 다음과 같이 답변하겠습니다.
규민아, 선생님이 규민이만 불러서 억울한 마음이 든다는 걸 이해해. 한 명씩 개인적으로 만나서 이야기를 나눠보고 싶어. 규민이와 대화를 마치고 영철이를 만날 거야. 선생님이 규민이 먼저 보자고 한 이유는, 규민이는 학습에 집중할 수 있는 사람이라는 걸 잘 알기 때문이야. 혹시 수업 시간에 영철이와 급하게 나눌 이야기가 있었니? 수업 시간에 떠들면 선생님은 존중받지 못한다는 마음이 들어. 그리고 학급 친구들도 집중하기 힘들 거야. 지금, 이 순간부터 규민이가 책임감을 가지고 성실히 공부했으면 좋겠어. 우리 함께 더 나은 수업 환경을 만들어 가자.

이렇게 답변한 이유는 다음과 같습니다. ← 처벌 중심의 해결 방식을 지양하고, 학생을 존중하면서도 수업 규칙을 바로 세울 수 있는 답변하기
먼저 저는 규민이가 영철이를 부르지 않는다고 오해하고, 억울해할 수 있는 상황을 이해하는 것이 중요하다고 생각하기 때문에 규민이의 감정에 공감하며, 학생이 방어적이거나 반항적인 태도를 보이지 않도록 했습니다.
다음으로 규민이의 학습 집중력에 대한 칭찬을 했습니다. 이처럼 규민이에게 긍정적인 기대를 표현하며, 잠재력을 인정하면 존중받고 있다는 느낌을 받고, 기대에 부응하려는 동기를 가질 수 있을 것입니다.
또한 규민이의 사정을 들은 후 나 전달법으로 수업 시간의 태도에 대해 언급해 자신의 행동이 누군가에게 피해를 줄 수 있다는 점을 주지시켰습니다.
마지막으로 규민이를 탓하거나 책임을 전가하는 것이 아니라, 함께 더 나은 수업 환경을 만들어 가자고 말하며 모두 함께 수업에 집중해야 한다는 메시지를 전달했습니다.

현장에 나아가 학생의 감정을 존중하면서도 학습 환경을 조성하는 데 노력하는 교사가 되겠습니다. ← 문제와 관련된 포부와 의지 표현하기

이상입니다. ← 발언을 끝내는 말 넣기

사이다 면접

즉답형 2 교육 실습생 시절 가장 어려움을 느꼈던 구체적 경험을 말하고, 이를 해결하기 위한 역량과 그 역량을 갖출 수 있는 노력 방안에 대해 각각 2가지씩 말하시오.

✦ 해설

경험은 깨달음, 실천 의지와 한 세트라는 것을 잊지 말자! 경험 속에서 얻은 깨달음, 교육적 가치를 꼭 포함하자.

✦ 예시 답변 및 답변 포인트 분석

즉답형 2번 문제 답변드리겠습니다. ● 발언을 시작하는 말 넣기

저는 교육 실습생 시절, 갑자기 벌어지는 돌발 상황에 대처하는 것이 어려웠습니다. 교실에서 학생들이 말다툼하다가 서로 흥분해 싸움이 커졌던 일, 수업 시간에 학생이 갑자기 울었던 일 등이 벌어질 때 문제 상황에 재빠르게 대응하지 못해 어려움이 있었습니다. 현장에서 일해 보니 교사에게는 위기대응 능력과 교육공동체와 협업해 문제를 처리하는 문제해결 능력이 매우 중요하다는 것을 깨달았습니다.

저는 위기대응 능력과 문제해결 능력을 기르기 위해 다음과 같이 노력하겠습니다. 먼저 위기대응 능력을 위한 방안입니다. 첫째, 선배 교사에게 멘토링을 요청하고, 수업 후 피드백을 받겠습니다. 이를 통해 실질적인 조언을 들을 수 있으며, 교실 안에서 일어날 수 있는 문제 상황에 대한 해결 방안을 익힐 수 있을 것입니다. 둘째, 문제 상황을 예견할 수 있도록 1:1 상담 및 집단 상담 등을 통해 학생들 간의 관계, 학생들의 심리 상태 등에 대해 인지하고 있겠습니다. ● 경험 속에서 얻은 깨달음 넣기

다음으로 문제해결 능력을 기르기 위해 다음과 같이 노력하겠습니다. 첫째, 연수나 교사 공동체 활동을 통해 다양한 사례를 접하고, 상황에 맞는 대응책을 적용하겠습니다. 둘째, 교육공동체와의 협력으로 문제를 해결하기 위해 학부모님과 자주 소통하며, 교원 회의 등에 주체적으로 나서도록 하겠습니다.

이러한 노력으로 교직 생활에서 유사한 어려움이 발생한다면 효과적으로 극복해 나가겠습니다. ● 문제와 관련된 포부와 의지 표현하기

이상입니다. ● 발언을 끝내는 말 넣기

(2) 중등

구상형 1 인성교육의 일환으로 '우리 반 인성교육 브랜드'를 제작하고자 한다. 아래의 공동체적 역량 중 하나를 선정하여 브랜드를 만들고, 제작 이유와 그 의미를 설명하시오. 또한 학급 자치 활동 시간에 학생들이 직접 실현할 수 있는 구체적인 방안 2가지를 제시하시오.

공동체적 역량: 존중, 협력, 책임, 배려

구상하기

✦ 해설

문제에서 요구하진 않았지만, 4가지의 공동체적 역량 중 하나를 선정한 이유를 제시하면, 나의 답변에 신뢰감을 부여할 수 있다. 이후 문제의 요건에 충실하게 풀이하자.

✦ 예시 답변 및 답변 포인트 분석

구상형 1번 문제 답변드리겠습니다. ← 발언을 시작하는 말 넣기

저는 공동체 역량 중 존중의 가치를 선택하겠습니다. 타인과 자신을 존중하는 역량을 갖춰야만 서로 협력할 수 있고, 책임감을 가지고 행동할 수 있으며 타인을 배려할 수 있습니다.
제가 정한 인성 브랜드는 '존중의 나무'입니다. 나무는 튼튼한 뿌리를 통해 성장하고, 가지와 잎을 넓게 펼쳐 주변에 그늘과 산소를 제공합니다. 존중의 나무를 통해 학생들은 서로에게 그늘과 산소처럼 좋은 영향을 줄 수 있을 것입니다.

← 조건에 따라 공동체 역량을 선택하고, 브랜드명과 의미, 이유를 제시하기

'존중의 나무'를 학급 자치 활동 시간에 실현할 수 있는 구체적인 방안 2가지를 제시하겠습니다.
첫째, 우리 반 존중 선언문을 작성하겠습니다. 학급 자치 시간에 학생들이 모여 서로를 존중하는 방법을 주제로 토론하고, 이를 바탕으로 '존중 선언문'을 제작하겠습니다. 작성된 선언문은 교실에 게시하고, 매일 이를 실천하기 위한 다짐을 나누는 시간을 가질 것입니다. 학생들 스스로 만든 내용이므로 책임감을 느끼고 실천할 수 있을 것입니다.

둘째, 존중 릴레이 활동을 하겠습니다. 학급 내에서 서로 존중하는 행동을 릴레이 형태로 이어가는 활동입니다. 한 명의 학생이 다른 학생에게 존중을 표현하는 행동을 실천하고, 이를 받은 학생이 다시 다른 학생에게 존중을 실천하는 방식으로 진행됩니다. 이 릴레이는 학급 전체가 참여할 때까지 지속되며, 마지막에 학생들은 존중받은 경험을 공유하고, 그 과정에서 느낀 점을 함께 나누고 싶습니다. 이를 통해 학생들은 존중의 가치를 몸소 배우며, 학급 내 존중 문화를 자연스럽게 확산시킬 수 있을 것입니다.

← 기대효과를 넣어 답변에 신뢰성 부여하기

현장에 나아가 학생들의 공동체적 역량 강화를 위해 노력하는 교사가 되겠습니다. ← 문제와 관련된 포부와 의지 표현하기

이상입니다. ← 발언을 끝내는 말 넣기

구상형 2 생태환경교육이 중시되고 있다. 아래를 참고하여 교과교사로서 생태환경교육을 실현할 수 있는 방안을 2가지 제시하시오.

- 교육철학: 사유하는 학생, 깊이 있는 수업
- 교육방향: 질문이 자유로운 수업, 서로 다른 생각을 존중하는 수업

구상하기

✦ 해설

교육철학과 교육방향을 고려해 학생이 생각하고 탐구하며, 질문하고 토론하는 형식의 수업 방안을 구안해야 한다. 교과 수업 방안은 성취기준 및 단원에 근거해야 한다.

✦ 예시 답변 및 답변 포인트 분석

구상형 2번 문제 답변드리겠습니다. ← 발언을 시작하는 말 넣기

생태환경교육을 실현하기 위해서는 제시문의 교육철학과 방향처럼 학생들이 스스로 사유하고, 자유롭게 질문하며, 서로의 의견을 존중하는 수업이 되어야 합니다. 기술가정 교과의 특성을 살려 2가지 방안을 말씀드리겠습니다. ← 제시문의 키워드를 언급해 문제 해결력 보여주기

첫째, 환경과 조화를 이루는 미래 기술 토의 수업을 운영하겠습니다. 학생들은 적정 기술, 지속 가능한 개발, 녹색 성장 등의 개념을 학습한 뒤, 미래 기술의 발전 방향을 환경과의 조화라는 관점에서 토의합니다. 이 과정에서 학생들은 스마트 기기나 생성형 AI를 활용해 자유롭게 질문하고 자료를 탐색할 수 있으며, 저는 교사로서 토의가 주제에서 벗어나지 않도록 논점을 잡아주고 서로의 생각을 존중하는 분위기를 조성하겠습니다.

둘째, 재활용 의류를 활용한 친환경 제작 활동을 하겠습니다. 패스트 패션이 환경오염 문제로 지적되는 만큼, 학생들이 집에서 가져온 재활용 의류로 새로운 옷이나 액세서리를 제작하도록 하겠습니다. 이를 통해 새로운 것을 만들어내는 기술뿐 아니라, 기존 자원을 재활용하는 가치와 의미를 체험할 수 있을 것입니다. 활동 후에는 느낀 점과 다짐을 글로 정리하게 하여 단순한 체험이 아니라 성찰과 실천으로 이어지도록 하겠습니다. ← 기대효과를 언급해 주장에 신뢰 부여하기

이처럼 학생들이 생태환경 문제를 주도적으로 탐구하고, 서로의 생각을 존중하며 성장할 수 있는 수업을 설계하는 교사가 되겠습니다. ← 문제와 관련된 포부와 의지 표현하기

이상입니다. ← 발언을 끝내는 말 넣기

구상형 3 자료 1을 참고하여 자료 2의 실현 방안을 담임교사와 교과교사로서 각각 2가지씩 제시하시오.

자료 1 A 학교의 상황
- 제거(E): 문해력 저하로 인한 기초학력, 개별화 교육 부족
- 감소(R): 학습 격차, 교사 개별적 행정 업무의 양
- 증가(R): 교사의 에듀테크 활용 역량, 교과별 디지털 활용 수업
- 창조(C): 교육공동체의 에듀테크 활용 역량, 교육 행정 지원 에듀테크 개발 및 운영

자료 2
경기교육은 기초·기본학력을 보장하는 책임교육으로 모든 학생의 학력 향상을 위해 노력하겠습니다. AI에 기반한 학생 1:1 맞춤형 교육으로 디지털 활용 역량을 강화해 성장을 지원하겠습니다. 　교육감 신년사 중

구상하기

✦ 해설

ERRC 분석 내용과 자료 2의 키워드인 '기초·기본학력 보장 교육', 'AI에 기반한 학생 1:1 맞춤형 교육'에 관한 내용이 모두 포함돼야 한다.

✦ 예시 답변 및 답변 포인트 분석

구상형 3번 문제 답변드리겠습니다. ← 발언을 시작하는 말 넣기

자료 1을 참고하면, 경기교육은 기초·기본학력을 보장하면서 AI 기반 1:1 맞춤형 교육을 통해 모든 학생의 성장을 지원하고자 합니다. 이러한 목표를 실현하기 위해 담임교사와 교과교사의 입장에서 각각 지도 방안을 말씀드리겠습니다. ← 답변의 전개 방향을 서두에 제시해 논리성 부여하기

먼저, 담임교사로서의 방안입니다.
첫째, 문해력 저하 및 개별화 교육 부족 문제를 제거하기 위해 아침 독서 활동과 독서 일지를 운영하겠습니다. 학생 개개인의 수준에 맞게 AI 기반 문해력 진단 도구를 활용하여 부족한 영역을 찾아내고, 수준에 맞는 도서를 추천한 후 독후감을 작성하게 하여 문장, 단어, 어휘력 등 맞춤형 피드백을 제공하겠습니다. 또한 학생별 독서 기록을 학부모와 공유하며 가정과 협력하겠습니다.
둘째, 학습 격차와 교사의 과도한 행정 업무를 감소시키기 위해 에듀테크를 적극적으로 활용하겠습니다. 예를 들어, 수식 입력, 반복된 문장 입력 등은 자동화 도구를 활용하고, 절감된 시간을 학생 개별 상담과 진로 지도로 돌려 학습 격차를 줄이는 데 집중하겠습니다.

다음으로, 교과교사로서의 방안입니다. ← 제시문의 내용을 언급하며 답변 전개하기
첫째, 디지털 활용 수업을 확대하겠습니다. AI 기반 퀴즈 시스템을 활용해 개별 이해도를 실시간으로 확인하고, 수준별 맞춤형 보충 자료를 제공하겠습니다. 이를 통해 학생의 기초·기본 학력을 보장하고 자기주도 학습 및 완전 학습을 촉진하겠습니다. 또한 교사 공동체와 협력하여 디지털 수업 아이디어를 공유함으로써 교사의 역량을 함께 높이겠습니다.
둘째, 교육공동체의 디지털 리터러시 역량을 창조하겠습니다. 생성형 AI를 활용하기 전, 윤리 수업을 통해 기술의 편리함뿐 아니라 악용 가능성과 주의 사항에 관해 토론하게 하겠습니다. 학생들과 함께 디지털 활용 수칙을 만들고, 안전한 학습 환경 속에서 책임 있는 AI 활용이 가능하도록 지도하겠습니다.

이처럼 저는 현장에 나아가 경기교육이 지향하는 AI 기반 1:1 맞춤형 교육과 기초·기본학력을 보장하는 책임교육을 실현하는 교사가 되겠습니다. ← 문제와 관련된 포부와 의지 표현하기

이상입니다. ← 발언을 끝내는 말 넣기

즉답형 1 두 교사의 상황을 고려하여 대처 방안을 마련하시오.

- A 교사: 학생에게 지속적으로 이야기했음에도 불구하고 수업 중 소란을 피운다. A 교사는 학생이 교사의 권위를 무시하고, 다른 학생들의 학습권을 침해하고 있다고 생각한다.
- B 교사: 학교에 발령 나고 학교폭력 업무에 배정되어 업무가 과중하다고 생각한다. 다음 해에는 담임교사를 하고 싶어, 이를 요청했으나 인력이 부족하여 한 해 더 업무를 맡아야 하는 상황이 되었다.

✦ 해설

무조건적인 방어적 태도나 무조건적인 수용의 자세가 아닌 중용의 태도를 지니는 것이 중요하다.

✦ 예시 답변 및 답변 포인트 분석

즉답형 1번 문제 답변드리겠습니다. ● 발언을 시작하는 말 넣기

A 교사는 학생과의 문제, B 교사는 업무 관련 문제로 인해 불만족스러운 상황에 처해 있습니다. 이러한 상황을 해결하기 위한 방법을 말씀드리겠습니다. ● 제시문 분석 내용을 서두에 넣어 문제 분석력 보여주기

먼저 A 교사의 사례부터 말씀드리겠습니다. 이런 상황에서 저는 학생의 행동을 바로잡으면서도, 학생의 인격을 존중하는 방식으로 접근하겠습니다. 이를 위해 먼저 학생과 개별적인 시간을 갖고 대화를 나누겠습니다. 학생이 수업에 집중하기 어려운 이유가 있는지, 혹은 다른 부분에서 스트레스를 받고 있는지 물어보겠습니다. 학생이 자신의 감정을 표현할 기회를 부여하되, 이러한 행동이 교사나 다른 학생들에게 미치는 영향에 대해서도 이해시키겠습니다. 교실에서 지켜야 할 규칙을 학생들에게 명확히 전달하겠습니다. 상황이 교사의 힘만으로 해결되지 않을 경우, 학교 내 상담교사나 담임교사에게 도움을 요청하겠습니다. 이때 학부모가 학생의 문제행동에 대해 알고 함께 대처 방안을 찾는다면, 더 효과적인 결과를 얻을 수 있을 것입니다. ● 무조건적인 방어나 수용이 아닌 중용의 자세가 드러날 수 있도록 답변하기

다음으로 B 교사의 사례를 말씀드리겠습니다. 업무가 과중하다고 여겨지는 이유에 대해 먼저 분석하겠습니다. 학교에 학교폭력 건수가 많아 힘든 것이라면, 학교 차원에서 인성교육을 강화해 폭력 없는 학교를 만드는 일부터 시작하겠습니다. 이 외에 행정 처리상 어려움이 있다면, 지역 교사 공동체에 가입해 비슷한 업무를 맡고 있는 동료 교사들과 협력하고, 서로의 경험과 조언을 공유하겠습니다. 혼자서 모든 것을 해결하려 하기보다는, 협력해 문제를 해결한다면 처리하기 수월할 것입니다. 만약, 업무가 저의 능력 외의 일이라 힘든 것이라면 관리자분들께 진솔하게 저의 상황에 대해 말씀드리고 협조할 수 있는 부분에 지원을 받도록 하겠습니다.

교직에서는 제가 하고 싶은 일만 할 수 있는 것은 아니라고 생각합니다. 담당 업무를 통해 얻을 수 있는 경험과 지식을 최대한 활용해 향후 교직 생활에서 가치 있는 자산을 만들겠다는 자세를 갖추겠습니다. ● 문제와 관련된 포부와 의지 표현하기

이상입니다. ● 발언을 끝내는 말 넣기

즉답형 2 학생의 만족도를 고려하여 교과교사와 담임교사로서의 학생 만족도 증진 방안을 제시하시오.

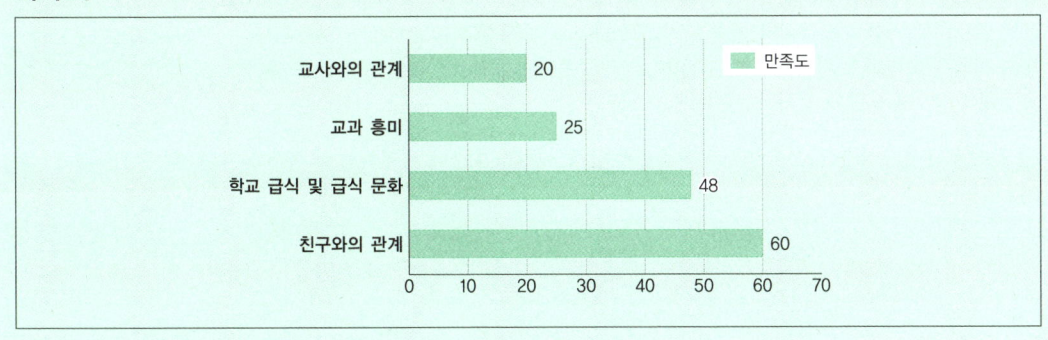

✦ **해설**

4가지 항목 중 만족도가 낮은 항목을 중점적으로 설명해도 좋고, 4가지 항목에 대해서 모두 언급해도 좋다. 낮은 항목을 중점적으로 설명할 때는 높은 항목에 관해서도 짧게 언급해야만 문제 분석력을 보여줄 수 있을 것이다.

✦ **예시 답변 및 답변 포인트 분석**

즉답형 2번 문제 답변드리겠습니다.
　　　　　　　　　　　　　　　　　　　　　　　　　　　　　　　　　　　● 발언을 시작하는 말 넣기

제시문을 분석하면, 친구와의 관계나 학교 급식 및 급식 문화에는 비교적 만족도가 높으나, 교사와의 관계와 교과 흥미가 낮은 것으로 나타났습니다. 저는 만족도가 낮은 두 항목에 대한 증진 방안을 중심으로 말씀드리겠습니다.
　　　　　　　　　　　　　　　　　　　　　　　　　　　　　　　　● 만족도가 높은 항목에 대해서도 언급함으로써 제시문 분석력 드러내기

먼저 교사와의 관계에 대한 만족도를 높일 방안에 대해 말씀드리겠습니다. 교사와의 관계에 대한 학생들의 만족도가 낮게 나왔다는 결과는 교사로서 매우 중요한 신호입니다. 이 문제를 해결하기 위해 다양한 방안을 시도해 볼 수 있습니다.
첫째, 학생들과의 개별 상담을 진행하겠습니다. 정기적으로 학생들과 1:1로 상담해 학생들의 고민이나 어려움을 듣고, 그에 대해 적절히 대응하겠습니다. 교사가 자신에게 관심이 있다고 느끼면 학생들은 교사를 신뢰하고 관계 만족도가 높아질 것입니다.
둘째, 작은 성취나 변화에도 관심을 두겠습니다. 학생들을 잘 관찰한 후 학생들이 작은 성취를 이뤘을 때 그것을 인지하고 칭찬하겠습니다. 이런 작은 관심이 쌓이면 학생들과의 관계에 긍정적인 영향을 미칠 것으로 생각합니다.
　　　　　　　　　　　　　　　　　　　　　　　　　　　　　● 기대효과를 언급해 신뢰성 부여하기

셋째, 긍정적이고 존중하는 분위기를 조성하겠습니다. 학생들과 대화할 때 긍정적이고 격려하는 언어를 사용하고 온화한 학급 분위기를 조성하기 위해 학급 단합대회 등을 열어 교사와 학생들이 함께하는 시간을 늘리겠습니다.

다음으로 교과 학습 부분에서 만족도를 높일 방안을 말씀드리겠습니다.
첫째, 학생들의 의견을 반영하겠습니다. 수업 방식, 속도에 대해 학생들의 의견을 물어보고, 반영할 수 있는 부분은 반영하도록 하겠습니다. 학생들은 자신들의 의견이 존중된다고 느낄 때 큰 만족감을 느낄 것입니다.

둘째, 협동 학습 기회를 제공하겠습니다. 협력 학습을 통해 학생들이 함께 목표를 이루는 경험을 하게 하고, 이 과정에서 교사가 적극적으로 참여하고 지도하면, 교사와의 관계도 자연스럽게 개선될 수 있을 것입니다.

셋째, 자기 계발 및 교사로서의 역량 강화를 위해 노력하겠습니다. 교사로서 저의 강점과 약점을 객관적으로 성찰하고, 부족한 부분을 개선하겠습니다. 관련 연수나 교사 공동체에 참석해 역량을 강화하겠습니다.

진심 어린 관심과 소통으로 학생들의 학교생활 만족도를 높이는 데 기여하는 교사가 되겠습니다. ← 문제와 관련된 포부와 의지 표현하기

이상입니다. ← 발언을 끝내는 말 넣기

(3) 비교수 교과

구상형 1 다음 제시문을 참고하여 전공 연계 방안을 2가지 말하시오.

> **유네스코의 지속가능발전교육**
> 지속가능발전교육은 모든 연령대의 학습자들이 기후 변화와 환경 문제, 생태 다양성 손실, 물질 사용 남용 등과 같이 상호 연결되어 있는 과제를 풀어나가는 지식, 가치, 태도를 갖추도록 돕는 교육입니다.
>
> **2024 경기교육 방향성**
> 에듀테크 활용, 지역사회 연계, 학생중심 교육, 학생맞춤형 교육

구상하기

사이다 면접

✦ **해설**

제시문 속 키워드인 ① 유네스코 지속가능발전교육 내용과 ② 경기교육 방향성의 키워드를 포함해야만 제시문 분석 능력을 보여줄 수 있다. 전공 연계 방안은 에듀테크 활용, 지역사회 연계, 학생 중심·학생 맞춤형 교육이 돼야 한다.

✦ **예시 답변 및 답변 포인트 분석**

구상형 1번 문제 답변드리겠습니다. ● 발언을 시작하는 말 넣기

유네스코는 기후 위기, 물질 사용 남용, 생태 다양성 감소 등의 문제를 지적하며 환경교육을 중시하고 있습니다. 이 자료와 2024 경기교육 방향성을 참고해, 학생 중심의 에듀테크를 활용한 환경교육 방안과 지역사회 자원을 활용한 환경교육 방안을 보건교육과 연계해 말씀드리겠습니다. ● 제시문의 내용을 언급해 문제 해결력 보여주기

첫째, 에듀테크를 활용한 방안입니다. 학생들을 소모둠으로 나눈 후 환경 문제를 주제로 토의할 수 있도록 지도하겠습니다. 학교 안에서 일어나고 있는 환경 문제를 찾아보게 하고, 패들렛에 이를 해결하기 위해 일상에서 실천할 수 있는 환경 보호 내용을 공유하도록 하겠습니다. 또한 이런 문제가 건강에 미치는 영향은 무엇인지 태블릿을 통해 조사하게 한 후 피드백하겠습니다. 이후 이 내용을 정리해 카드뉴스를 제작하고 SNS에 올려 온라인 이웃들에게 영향력을 미칠 수 있도록 할 것입니다. 이렇게 한다면, 학생들이 실생활 속에서 환경 보호를 실천할 수 있음은 물론 시민의식을 기를 수 있을 것입니다. ● 기대효과를 언급해 답변에 신뢰성 부여하기

둘째, 지역사회 연계 방안입니다. 저는 학생들과 함께 지역사회 환경 정화 활동을 하고 싶습니다. 줍깅 프로그램을 기획해, 마을을 조깅하며 지역사회 환경 정화 활동을 하는 것입니다. 이 활동을 통해 환경 보호에 대한 성취감과 책임감을 갖출 수 있을 뿐 아니라 조깅을 통해 신체적 건강을 지킬 수 있을 것입니다.

현장에 나아가 세계의 흐름과 경기교육 방향성을 고려한 학생 중심·학생 맞춤형 교육을 실천하는 교사가 되겠습니다. ● 문제와 관련된 포부와 의지 표현하기

이상입니다. ● 발언을 끝내는 말 넣기

구상형 2 다음 제시문을 분석하여 전공과 연계한 교육 방안의 필요성을 말하고, 교과 또는 담임 교사와 연계한 교육 방안을 말하시오.

설문조사 결과
- 자신의 신체상은 체중의 영향을 받는다.
- 정상체중 학생들은 자신을 뚱뚱하다고 인식하는 경우가 있다.
- 저체중 학생들은 자신을 정상체중으로 인식하기도 하고, 살이 쪘다고 생각하기도 한다.

구상하기

✦ 해설

문제에서 묻는 순서에 따라 ① 제시문을 먼저 분석하고 ② 전공 연계 교육의 필요성을 말한 후 ③ 교과 또는 담임교사와 연계한 교육 방안을 말해야 한다. 문제를 꼼꼼하게 읽지 않는다면 3가지 요구 조건을 놓칠 수 있으니, 문제를 읽는 시간을 확보해 두어야 한다.

✦ 예시 답변 및 답변 포인트 분석

구상형 2번 문제 답변드리겠습니다. ● 발언을 시작하는 말 넣기

미디어의 발달로 인해 대중매체 속 연예인이나 인플루언서들의 영향으로 학생들은 제시문과 같이 신체상을 체중에 의해 판단하고, 정상체중이나 저체중임에도 자신을 뚱뚱하다고 생각하고 있습니다. ● 의도적으로 '제시문과 같이~'라는 표현을 넣어, 제시문을 정확히 분석했음을 드러내기

주로 여학생들에게서 이런 일이 많이 생기는데, 과도한 다이어트나 불균형적인 식습관은 생리불순, 빈혈 등의 건강 문제와도 직결되기에 올바른 신체상 정립을 위한 보건교육이 꼭 필요하다고 생각합니다. 이와 관련해 타 교과 교사 혹은 담임교사와 연계한 보건교육 방안을 말씀드리겠습니다. ● 전공 연계 교육의 필요성 말하기

첫째, 나다움 프로젝트입니다. 외모에 대한 압박은 성인지 감수성과도 연결됩니다. 담임교사와 연계해 조회 시간 등에 미디어에서 강조하는 남자다움, 여자다움이 아닌 나다움에 대해 생각해 보는 시간을 갖도록 하겠습니다. 자신이 언제 가장 아름다운지 생각하게 하고, 활동지에 글과 그림으로 기록하게 하겠습니다. 이를 통해 학생들은 외모 외에 자신의 강점에 대해서 생각하는 기회를 갖고, 자아정체성과 자아존중감을 쌓게 될 것입니다. ● 전공 연계 방안을 말하되, 조건에서 언급한 것과 같이 교과교사 혹은 담임교사와의 연계 방안 말하기

둘째, 체육 교과와 연계해 BMI를 함께 계산하도록 하겠습니다. BMI는 키와 체중을 바탕으로 적정 체중을 계산하는 것입니다. 이를 통해 마른 몸에 대한 강박에서 벗어나고 적정 체중을 유지하는 것의 중요성과 건강한 신체를 유지하기 위해 해야 할 운동에 대해서 함께 고민하는 시간을 갖겠습니다. 이를 통해 학생들은 외모가 아닌 건강의 관점에서 체중을 생각해 볼 수 있는 기회를 갖게 될 것입니다.

현장에 나아가서, 학생들이 가지고 있는 고민과 개선해야 할 점에 기민하게 반응하고, 여러 교사와 연대해 효과적으로 대응할 수 있는 교사가 되기 위해 노력하겠습니다. ● 문제와 관련된 포부와 의지 표현하기

이상입니다. ● 발언을 끝내는 말 넣기

구상형 3 다음 인성교육 중 1가지를 선택하여 그 이유를 말하고, 가정과 연계한 교육 방안을 말하시오.

초등학교	• 존중: 다른 사람의 입장 이해하며 함께 어울리기 • 배려: 서로 다름을 인정하고 다른 사람 배려하기 • 협력: 공동체에서 지켜야 할 규칙을 알고 다른 사람과 협력하며 실천하기 • 책임: 디지털 공간에서 예절을 알고 실천하기
중학교	• 존중: 나와 생각이 다른 사람의 견해 존중하기 • 배려: 도덕적 상상력을 발휘하여 주변 사람을 위해 배려할 수 있는 일을 찾고 실천하기 • 협력: 주변에서 일어나는 사례를 바탕으로 도덕적 규범이 중요한 이유를 토의하고 함께 규범 실천하기 • 책임: 디지털 콘텐츠 생산자로서 책임감 가지기

구상하기

✦ 해설

본인이 선택한 급에 해당하는 인성교육 내용 4가지 중 하나를 선택해 가정과 연계해 답변하면 된다. 이 외에도 본인의 급을 선택한 후, 4가지 하위 요소를 모두 가정과 연계해 답변했어도 무방하다. '선택 이유'를 언급하라고 했으므로, 반드시 말해야만 감점을 피할 수 있다.

✦ 예시 답변 및 답변 포인트 분석

구상형 3번 문제 답변드리겠습니다. ● 발언을 시작하는 말 넣기

저는 초등학교 인성교육 중 '책임'의 덕목에 관한 가정 연계 교육을 시행하고 싶습니다. 요즘 학생들은 디지털 네이티브 세대로, 매우 어릴 적부터 스마트폰 및 컴퓨터와 함께 자라왔습니다. 하지만, 디지털 공간에서 갖춰야 할 시민의식에 대한 교육은 잘 이뤄지지 않아, 디지털 성범죄, 온라인 사기 거래, 악플 등의 사회 문제가 새롭게 떠오르고 있습니다. 앞으로 디지털 사회는 더욱 가속화될 것이라 생각합니다. 따라서 사회 문제를 예방하고 성숙한 디지털 사용자가 되는 것이 중요하기에 책임 덕목과 관련한 가정 연계 교육 방안을 말씀드리겠습니다. ● 선택한 이유를 제시해 답변에 설득력 부여하기

첫째, 가정에서 가족 구성원이 함께 '가정생활 협약'을 만들어 보도록 하고 싶습니다. 학부모님들께 사전 교육을 통해 디지털 사용 교육에 대한 학부모님의 책무성과 방법 등을 안내한 후 가족회의를 통해 가족의 디지털 시민성을 진단하고 디지털 기기 사용 약속을 정할 수 있도록 안내하고 싶습니다. 이후 학교에서도 가정생활 협약을 공유하고, 학교에서 디지털 기기를 사용할 때 주의할 점에 대한 협약을 규정하는 시간을 갖도록 하겠습니다. 이렇게 한다면 학생들이 가정과 학교에서 디지털 기기를 사용할 때 협약 내용을 준수하며 올바르게 사용할 수 있을 것입니다.

둘째, 첫 번째 방안과 같이 디지털 예절을 익힌 후 가족들과 함께 온라인 투표, 선플 등 디지털 사회에 참여하는 활동을 해보도록 하고 싶습니다. 점점 사회 문제에 대한 온라인 청원이나 댓글 소통 등 디지털 사회에 참여할 기회가 늘어나고 있습니다. 프로젝트 학습을 구성해 학생들이 가장 관심 있는 사회 문제 중 하나를 선택해, 가정에서 학부모님과 함께 투표 및 댓글 달기 활동을 한 후 학교에서 공유하는 시간을 갖도록 하겠습니다. 이렇게 한다면, 사회 참여에 적극적으로 앞장서면서도 온라인에서의 예절을 지킬 수 있는 성숙한 시민으로 성장할 수 있을 것입니다. ● 기대효과를 언급해 답변에 신뢰 부여하기

현장에 나아가 가정과 연대해 학생들의 인성교육에 앞장서는 교사가 되겠습니다. ● 문제와 관련된 포부와 의지 표현하기

이상입니다. ● 발언을 끝내는 말 넣기

> **즉답형 1** 학생들이 건강하고 안전하게 학교생활을 하기 위한 캠페인 주제와 구체적인 전공 연계 방안 2가지를 말하시오.

✦ **해설**

① 캠페인 주제와 ② 구체적인 전공 연계 방안 2가지를 모두 충족해야 한다. 캠페인 주제를 정했다면, 그 이유를 함께 제시해 설득력을 부여하는 것이 좋다.

✦ **예시 답변 및 답변 포인트 분석**

즉답형 1번 문제 답변드리겠습니다. ● 발언을 시작하는 말 넣기

저는 건강하고 안전하게 학교생활을 하기 위해 '몸 건강, 마음 건강' 캠페인을 주최하고 싶습니다. 건강과 안전은 신체뿐 아니라 정서와 심리 영역에서도 중요하기 때문입니다. ● 주제를 정했으면, 그 이유를 함께 제시해 설득력 부여하기

첫째, 체육 교과와 연계해 학생들에게 창작 댄스를 만들도록 하고 싶습니다. 학생들에게 충분한 준비 운동을 시킨 후, 학생들이 좋아하는 K-POP 음악을 선정해 소모둠을 구성하고 일정 기간 동안 창작 댄스를 만들도록 하는 것입니다. 이 과정에서 학생들은 흥미를 느끼고 건강 증진 활동에 참여할 수 있으며, 협동심도 강화돼 안전한 학교를 만들 수 있을 것입니다.

둘째, 건강 습관 66일 프로젝트를 시행하겠습니다. 1가지 건강 습관을 형성하는 데에는 66일이 소요된다고 합니다. 학생들이 스스로 건강 습관을 돌아보고 건강플래너에 자신이 목표하는 건강 습관과 구체적인 계획을 적어 실천사항을 체크하도록 하겠습니다. 몸 건강뿐 아니라 하루의 기분은 어땠는지, 마음이 힘든 일은 없는지 정신 건강을 기록하게 하고 저는 플래너에 따뜻한 응원을 남기는 일을 하고 싶습니다. 이를 통해 학생들이 올바른 건강 습관을 가지고 자신의 건강에 책임감을 갖고 살아갈 수 있도록 하겠습니다. ● 구체적인 교육 방안을 제시하되 교사의 역할이 드러나도록 구안하기

현장에 나아가 학생들이 건강하고 안전한 학교에서 즐겁게 활동할 수 있도록 노력하는 교사가 되겠습니다. ● 문제와 관련된 포부와 의지 표현하기

이상입니다. ● 발언을 끝내는 말 넣기

즉답형 2 미래교육을 실현하기 위해 지역 중심 교사 공동체에서 하고 싶은 연구 주제와 구체적 활동 방안을 2가지 말하시오.

✦ **해설**

미래교육을 위해 지역 중심 교사 공동체라는 키워드를 제시했다. 방향은 미래교육을 향해야 하고, 방안에는 '지역'에 관한 이야기가 담겨야만 맥락을 잘 파악했다고 할 수 있다. 또한 연구 주제를 왜 선정했는지에 대해 이유를 함께 제시한다면, 설득력을 줄 수 있을 것이다.

✦ **예시 답변 및 답변 포인트 분석**

즉답형 2번 문제 답변드리겠습니다.   ● 발언을 시작하는 말 넣기

저는 지역 중심 영양교사 모임에서 '기후 위기 대응'에 관한 연구를 하고 싶습니다. 왜냐하면 미래 사회에는 기후 위기, 생태 다양성 감소 등 다양한 환경 문제가 예견되고 있고, 이러한 문제는 농업 생산, 식품 공급망, 식단의 다양성에 직접적인 영향을 미치기 때문입니다. 학생들은 이러한 미래의 환경 문제를 인지하고 대응 능력을 갖춰야 하므로 이와 관련한 연구 활동을 하고자 합니다. 구체적인 활동 방안은 다음과 같습니다.   ● 주제를 정했다면, 그 이유를 함께 제시해 설득력 부여하기

첫째, 기후 변화가 지역사회의 식량 공급과 영양 불균형에 미치는 영향을 연구하겠습니다. 기후 변화로 인해 특정 식품의 공급이 불안정해지거나 가격이 상승하는 상황을 분석하고, 이를 해결하기 위한 영양교육 방안을 모색하고자 합니다. 이를 토대로 학교 현장에서 학생들과 함께 현황을 공유하고, 학생 수준에서 실천할 수 있는 일에 대한 방안을 함께 모색하는 맞춤형 교육 프로그램을 진행하고 싶습니다.   ● 연구 활동 내용을 제시하기 (이때 학교에 어떻게 적용할 것인지 제시한다면 '미래교육을 실현하기 위한~'이라는 조건을 완벽히 충족할 수 있음)

둘째, 기후 친화적인 식단 및 식습관 교육 프로그램을 개발하고 싶습니다. 지역에서 생산된 친환경 식품을 중심으로 기후 친화적인 식단을 구성하고, 학생들에게 관련된 영양교육을 할 수 있는 프로그램을 개발하고자 합니다. 이를 토대로 학교 현장에서 학생들에게 식습관 교육을 진행하고, 기후 친화적 식단 공모전을 개최해 학생들이 기후변화에 능동적으로 대처할 수 있는 힘을 기르도록 하겠습니다.

현장에 나아가 미래 사회 대비를 위해 지역 교사 공동체에 적극적으로 참여하는 열정 있는 교사가 되겠습니다.   ● 문제와 관련된 포부와 의지 표현하기

이상입니다.   ● 발언을 끝내는 말 넣기

즉답형 3 갈등 상황에서 소통과 협력으로 해결해 나갔던 경험과 이를 교직 현장에서 교사 관계에 적용할 방안을 전공과 연계해서 말하시오.

✦ 해설

경험을 제시할 때, 이를 통해 얻게 된 깨달음을 함께 제시하고, 포부까지 연계하자. '경험-깨달음-포부'는 한 세트임을 잊지 말자.

✦ 예시 답변 및 답변 포인트 분석

즉답형 3번 문제 답변드리겠습니다. ● 발언을 시작하는 말 넣기

학부 때 동아리 축제 부스를 운영해야 했습니다. 저희 동아리는 학생들이 다른 동아리 면접에서 떨어진 후 마지못해 온 경우가 많았기 때문에 동아리 축제 부스 운영에 소극적이었고, 하고 싶은 형식이 모두 달라 회의가 원활하게 진행되지 않은 채 감정이 점점 안 좋아졌습니다. 저는 회장으로서 솔직하게 힘든 상황을 공유했고, 모두의 의견을 경청하는 시간을 마련했습니다. 공감적 경청을 하니, 학생들은 각자의 사정과 동아리 운영에 대한 의견을 말했고, 결국 각자의 장점으로 부스를 꾸며보자고 의기투합하게 됐습니다. 저는 이 경험을 통해 갈등의 상황에서는 공감적 경청과 문제를 진솔하게 나누는 것의 중요성을 알게 됐습니다.

● 경험을 제시할 때, 이를 통해 얻은 깨달음을 함께 언급하기

학교 현장에서도 여러 분야에 대한 서로의 입장이 다를 수 있다고 생각합니다. 특히 저는 사서교사로서 도서관에 혼자 있는 일이 많아, 선생님들의 이야기에 귀를 기울일 기회가 적을 수 있습니다. 도서관에 소리함을 만들어서 도서관 이용 시 불편한 점, 건의 사항, 학생들에게 필요한 사서 교육, 교과 연계 교육 방안 등을 자유롭게 제안할 수 있도록 하겠습니다. 그 후 교사 회의를 통해 의견을 나누며 의견을 수렴하겠습니다. 소통을 할 때 공감적 경청을 기반으로 솔직한 마음을 전달한다는 원칙을 잊지 않고, 모두의 성장을 위해 노력할 것입니다.

현장에서 소통과 협력으로 돈독한 교사 관계를 형성하는 데 일조하는 공동체적 인성을 갖춘 교사가 되겠습니다. ● 문제와 관련된 포부와 의지 표현하기

이상입니다. ● 발언을 끝내는 말 넣기

사이다 면접

> **즉답형 4** 자신의 전공과 관련해서 학생 데이터 수집 분석의 필요성을 말하고 그 데이터를 활용할 방안을 제시하시오.

✦ 해설

① 전공과 연계한 ② 데이터 수집의 필요성, ③ 데이터 활용 방안에 대해 언급해야 한다.

✦ 예시 답변 및 답변 포인트 분석

즉답형 4번 문제 답변드리겠습니다. — 발언을 시작하는 말 넣기

학창 시절은 학생들의 성장이 활발하게 일어나는 시기입니다. 따라서 보건교사가 학생들의 신체적·정신적 건강 상태를 정확하게 파악하고 이에 필요한 지원을 하는 것이 중요하기 때문에 데이터 수집이 필요합니다. 데이터 활용 방안을 구체적으로 말씀드리겠습니다. — 전공과 연계한 데이터 수집의 필요성을 언급하기

첫째, 체육·영양 교사와 연계해 맞춤형 식단을 제안하겠습니다. 인바디 기계로 체성분을 분석하고 추천 운동을 제공하고 건강 식단을 안내해 부족한 지방, 근육량을 보완할 수 있도록 하겠습니다.

둘째, 하이러닝에서 수집되는 학습 데이터를 기반으로 학생의 학습 양상을 분석하겠습니다. 이때 학습에 대한 코칭뿐 아니라 학습 동기에 대해서 관심을 갖도록 하겠습니다. 학업 스트레스는 없는지, 건강한 학습을 위해서 어떤 자세를 갖는 것이 좋은지 멘토링을 하고 싶습니다. — 데이터 활용 방안에 대해 언급하기

미래 사회의 교사는 기술을 잘 활용하면서도 AI나 데이터가 대체할 수 없는 따뜻한 관심을 바탕으로 학생들의 마음을 읽어주고 학생들이 잘 성장할 수 있게 도움을 제공해야 한다고 생각합니다. 학교에서 학생들에게 세심한 관심을 갖는 따뜻한 보건교사가 되겠습니다. — 문제와 관련된 포부와 의지 표현하기

이상입니다. — 발언을 끝내는 말 넣기

③ 2023학년도

(1) 초등

구상형 1 다음 경기교육의 방향성을 교육적 관점에서 분석하고 이를 실현할 방안을 교육과정 및 학급 운영 측면에서 각각 제시하시오.

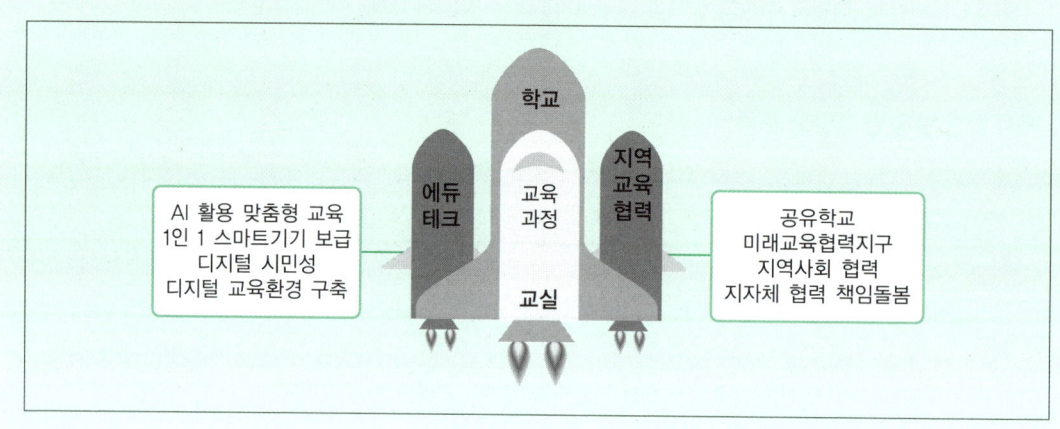

구상하기

✦ 해설

제시문 속 키워드인 ① 에듀테크 활용, ② 지역사회 자원 활용 방안을 언급하되, '경기 정책'에서 강조하고 있는 내용을 중심으로 말해야 경기형 교사로서의 소양을 보여줄 수 있다. 또한 방안은 문항에서 제시한 대로 ③ 교육과정 내용과 ④ 학급 운영 방안이 모두 드러나야 한다. 주의할 점은 이것을 나열식으로 열거하는 것이 아닌 '교사의 역할'이 드러나게 말해야 한다는 것이다.

✦ 예시 답변 및 답변 포인트 분석

구상형 1번 문제 답변드리겠습니다.   ● 발언을 시작하는 말 넣기

제시된 자료를 통해 경기교육은 교육에 에듀테크를 활용하고 지역 교육과 협력하는 방향으로 나아간다는 것을 알 수 있습니다. 이것의 실현 방안을 교육과정 및 학급 운영 측면에서 각각 말씀드리겠습니다.   ● 서두에 제시문 분석 결과를 말해, 문제 분석력을 드러내기

먼저, 에듀테크 활용 방안입니다. 학급 운영 방안부터 말씀드리면 경기도교육청의 1인 1스마트 기기 보급에 발맞춰, 학생들이 디지털 기기를 올바르게 사용할 수 있도록 디지털 시민교육을 시행하고 싶습니다. 초등학생들은 디지털 네이티브 세대로 디지털 기기 활용 능력과 잠재력이 매우 큽니다. 하지만, 디지털 세계에는 가짜 정보, 자극적인 정보가 많아, 올바른 사용 관점과 디지털 시민의식을 갖춰야만 유용하게 활용할 수 있습니다. 따라서 저는 학생들이 많이 보는 유튜브를 함께 분석해 유해성과 유익성을 직접 분석하는 시간을 갖거나 가짜 뉴스를 보고 쟁점을 분석하는 시간을 통해 학급 친구들이 디지털 시민 소양을 갖추도록 지도하겠습니다.   ● 조건 ①, ②에 대한 이야기를 하되, 경기 정책에 발맞추어 '교사의 역할'이 드러나게 말하기

교육과정 측면에서는 AI를 활용한 맞춤형 교육을 하고 싶습니다. 교사로서 AI 관련 전문성을 갖추고 학생들을 지도하는 것뿐 아니라 AI를 기반으로 학습 부진 원인을 분석하거나 AI 튜터를 활용해 부족한 점을 보충하는 방식을 병행하겠습니다. 이렇게 한다면 학생의 학습 능력과 성향에 따라 맞춤형 학습을 제공할 수 있고 개개인의 학습 효과를 극대화할 수 있을 것입니다.   ● ③ 교육과정 내용과 ④ 학급 운영 방안 모두 말하기

다음으로 지역사회 자원을 활용한 교육 방안을 말씀드리겠습니다. 먼저 학급 운영 측면에서 학생들과 지역 문화 유산, 자원 등을 활용한 현장 체험학습을 하고 싶습니다. 예를 들어 지역 박물관, 농장, 캠핑장 등을 방문해 공동체 체험을 통해 지식과 경험을 쌓는 것입니다. 이를 통해 학생들은 지역사회를 이해하고, 사랑하는 감정을 갖는 것은 물론이고 문제해결 능력, 협력 능력 등을 함께 배울 수 있을 것입니다. 학습 측면에서는 지역 대학생 멘토링, 두드림학교 등을 학급 학생들과 연계해 학생들의 기초학력을 향상하고자 합니다.   ● 기대효과를 언급해 답변에 설득력을 부여하기

교육공동체와 연대해 에듀테크 관련 교육력을 강화하고, 지역사회와 협력하는 교사가 되겠습니다.   ● 문제와 관련된 포부와 의지, 계획 표현하기

이상입니다.   ● 발언을 끝내는 말 넣기

구상형 2 자신의 교직관을 바탕으로 제시문 (가), (나)에서 공통적으로 강조하는 것을 분석하고, 이를 실현할 방안을 3가지 제시하시오.

(가) 경기교육은 역량 중심 맞춤형 교육을 통해 학생의 역량을 키워가는 정책을 추진하고 있습니다. 저마다의 창의력과 잠재력을 발휘하는 학생 주도의 맞춤형 교육을 통해 더 나은 미래를 함께 만들어 갈 수 있도록 학생의 역량을 키워가겠습니다.

(나) 2022 개정 교육과정이 추구하는 미래교육에 대한 비전은 '포용성과 창의성을 갖춘 주도적인 사람'으로 요약할 수 있다. 포용성은 더불어 살아가는 공동체적 소양이나 서로를 존중하고 배려하는 성숙한 인격의 함양 등과 같은 교육의 전통적인 가치를 대표한다. 창의성은 사회적으로 요구되는 다양한 능력 중 하나이자, 경쟁력 있는 인재가 갖추어야 할 역량 중 하나로 교육의 사회적 가치를 의미한다. 주도성은 자주성, 자기관리 역량, 자율성 등의 개념에 더해 공적인 책임의식까지 포함하는 개념으로서 교육의 개인적 측면과 공공적 측면을 포괄한다고 할 수 있다.

구상하기

✦ 해설

① 교직관, ② 제시문의 공통점 ③ 실현 방안, 이 3가지 조건이 답변에 모두 포함돼야 한다. 교직관이 제시문의 방향과 일치해야 하므로 큰 틀에서 경기형 교직관을 수립해 놓되, 제시문에 따라 방향을 가다듬어야 한다.

✦ 예시 답변 및 답변 포인트 분석

구상형 2번 문제 답변드리겠습니다.
— 발언을 시작하는 말 넣기

먼저, 저의 교직관을 바탕으로 제시문의 공통점을 분석하겠습니다. 저의 교직관은 '학생이 스스로 성장할 수 있도록 조력하는 교사'입니다. 제시문 (가), (나)는 이와 맥락을 같이 하며 '학생 주도 학습과 개별 맞춤형 교육'을 강조하고 있습니다.
— 문항에서 요구하는 대로 교직관을 언급한 후, 제시문의 공통점 말하기

이를 교실에서 실현할 방안을 3가지 말씀드리겠습니다.

첫째, 학생 중심의 학습 환경을 조성하겠습니다. 학생들의 참여를 촉진하기 위해 관찰력을 가지고 요즘 학생들의 관심사를 파악해 예시 사례, 비유 표현 등을 수업 자료에 적극 활용하도록 하겠습니다. 또한 토론이나 주제 중심 프로젝트 학습을 하겠습니다. 주제는 실생활과 관련 있는 생활 중심 주제를 선정해 학생들이 능동적으로 생각하고 적극적으로 수업에 참여할 수 있도록 할 것입니다.
— 조건 ③에 대한 이야기를 하되, 경기 정책에 발맞추어 '교사의 역할'이 드러나게 말하기

둘째, 함께 플래너를 작성하며 피드백하겠습니다. 자기주도학습을 위해서는 초등학교 때부터 꼼꼼하게 계획을 세우는 연습이 필요합니다. 학생과 1:1 상담을 통해 개개인에게 적합한 목표를 함께 설정하고 주기적으로 진행 상황을 점검하며 피드백을 하겠습니다. 이때, AI 튜터를 활용한다면 학생의 성장 정도를 더 정확히 파악할 수 있을 것입니다.
— 기대효과를 언급해 답변에 설득력을 부여하기

마지막으로 가정과 연대하겠습니다. 개별 맞춤형 교육은 학교와 가정의 연대가 있을 때 더 효과적이라고 생각합니다. 학부모 상담, 온라인 상담소 운영 등의 방식을 통해 가정과 학교에서 학습 내용을 상호 공유한다면 학생들의 성장에 큰 도움이 될 것입니다.

현장에 나아가 학생들의 자기주도학습 능력과 개별화 교육에 앞장서는 열정 있는 교사가 되겠습니다.
— 문제와 관련된 포부와 의지 표현하기

이상입니다.
— 발언을 끝내는 말 넣기

구상형 3 다음 자료의 시사점을 말하고 신규 교사로서 노력 방안을 3가지 제시하시오.

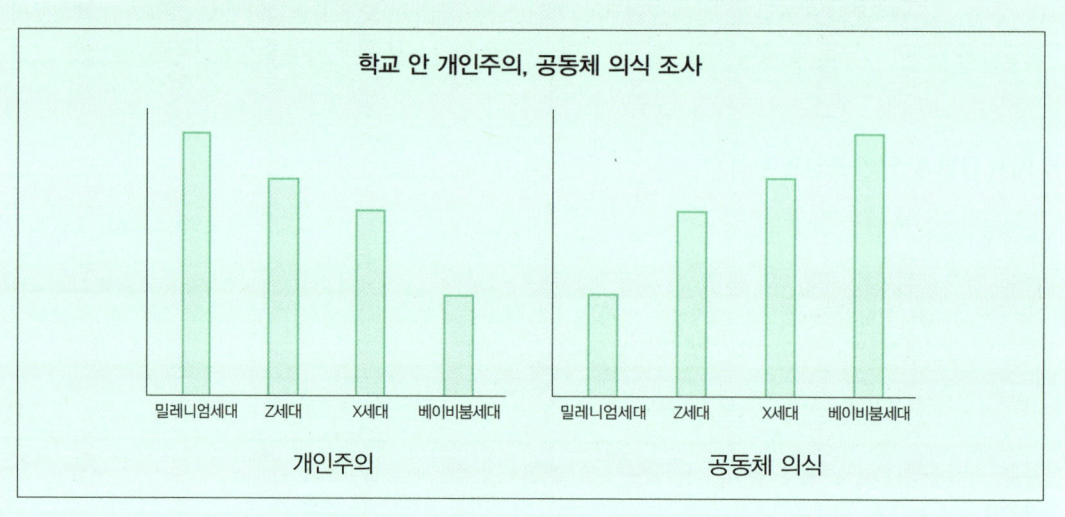

구상하기

✦ 해설

① 자료의 시사점을 분석하고 ② 신규 교사로서 노력 방안 3가지를 제시해야 한다. 이때 노력 방안은 자료의 시사점을 해결할 수 있는 방안이 돼야 한다.

✦ 예시 답변 및 답변 포인트 분석

구상형 3번 문제 답변드리겠습니다.   — 발언을 시작하는 말 넣기

먼저, 자료의 시사점을 말씀드리겠습니다. 자료에서는 교내 다양한 연령의 개인주의와 공동체 의식에 대한 차이점을 보여주고 있습니다. 밀레니엄세대는 개인주의가 높지만, X세대, 베이비붐세대는 공동체 의식이 높아, 학교 구성원 간 의식 차이가 있음을 보여주고 있습니다. 이러한 현상이 뚜렷해진다면, 교내에 세대 갈등 등 여러 문제가 유발될 가능성이 있습니다.   — 조건 ①대로 제시문 분석력을 드러내기

이런 상황 속에서 신규 교사로서 노력 방안을 3가지 말씀드리겠습니다.

첫째, 존중과 이해, 배려의 자세를 갖겠습니다. 10대 미만부터 최대 60대까지 다양한 연령대가 생활하는 학교에서는 서로의 문화를 잘 이해하지 못하거나 세대 차이로 인해 소통이 어렵다는 문제가 생길 수 있습니다. 저는 타인을 존중하고, 배려하는 자세를 바탕으로 교직 생활을 이어가겠습니다.

둘째, 교원 공동체와 같이 동료 교사들과 협력으로 문제를 해결할 수 있는 활동에 적극 참여하겠습니다. 경기도교육청에서는 전문적 학습공동체, 교원 네트워크 등과 같이, 교사들의 집단지성으로 문제를 해결할 수 있는 기회를 마련하고 있습니다. 혼자가 아닌 '같이'의 가치를 알고, 협력을 생활화하는 신규 교사가 되겠습니다.   — 조건 ②에 대한 이야기를 하되, 경기 정책에 발맞추기 (전문적 학습공동체 언급)

    — 기대효과를 언급해 답변에 설득력을 부여하기

셋째, 법보단 소통의 자세로 접근하겠습니다. 다양한 사람이 있는 학교란 공간에서, 문제 상황이나 갈등 상황은 어쩌면 피할 수 없는 일일지도 모른다고 생각합니다. 이때, 서로 대화나 소통 없이 법이나 규정대로 처리하는 것이 아닌 앞서 말한 배려와 존중, 이해의 자세를 바탕으로 소통해 일을 해결할 수 있게 하겠습니다.

이렇게 한다면, 학교 안 개인주의와 공동체 의식의 불일치로 인한 문제 상황이 많이 해소될 수 있을 것입니다.

현장에 나아가 협력에 앞장서는 교사가 되겠습니다.   — 문제와 관련된 포부와 의지 표현하기

이상입니다.   — 발언을 끝내는 말 넣기

즉답형 1 자기성장소개서에 적힌 역량과 관련하여 대학교 과제(수업) 또는 동아리에서 그 역량을 길렀던 경험을 구체적으로 말하시오.

✦ 해설

자기성장소개서 진위 검증 문항이다. 대리 작성이나 허위 사실 여부를 확인하기 위해 자기성장소개서에 적은 역량이 어떤 것이었는지 묻고, 이와 관련된 경험을 물어본 것이다. 진솔하게 작성했다면 아주 쉬운 문제였을 것이다. 《사이다 면접》에서 줄곧 강조하지만, 관련 경험은 교직관(깨달음), 포부·의지와 한 세트이다. 관련 경험만 언급하지 말고, 그 속에서 느낀 성찰, 교육철학 등을 제시한다면 교사로서 수험생의 역량을 어필할 수 있다.

✦ 예시 답변 및 답변 포인트 분석

즉답형 1번 문제 답변드리겠습니다. — 발언을 시작하는 말 넣기

제가 자기성장소개서에서 말씀드린 미래 인재 육성에 적합한 교사 역량은 '교육과정 재구성 역량'과 '디지털 활용 능력'입니다. 이와 관련된 경험을 말씀드리겠습니다. — 자기성장소개서와 무조건 일치시키기

먼저, 교육과정 재구성 역량을 기르기 위해 저는 수업 연구 대회에 참가했습니다. 교육과정을 분석하고, 재구성해 '지역 공동체와 함께하는 사회 교육'을 주제로 지역사회의 물적·인적 자원을 활용한 마을 알기 수업을 구안했습니다. 동기들과 함께 교육과정을 분석하며, 실생활에 필요한 지식을 쌓기 위한 교육을 기획하는 과정에서 교육과정 재구성의 참된 의미와 취지를 깊게 이해하게 됐습니다.
또한 수업 과제로 'IB 교육과정'에 대한 프레젠테이션을 했습니다. 경기도교육청에서 핵심적으로 추진하고 있는 IB 교육과정의 교육 사례를 찾아보고 토론 주제와 교사의 역할에 대해 고민하는 시간을 가졌습니다. 이 과정에서 교사의 교육과정 재구성 전문성과 평가 감식안이 중요하다는 것을 깨닫게 됐습니다. — 관련 경험뿐 아니라 깨달음(교육철학)을 제시하기

둘째, 디지털 활용 역량을 기르기 위한 경험을 말씀드리겠습니다. 저는 디지털 활용 역량 중에서도 특히 '디지털 시민성'에 관심이 많아 동기들과 소모임을 만들어 관련 활동을 했습니다. 디지털 사회 속에서 갖춰야 할 시민성은 무엇이고, 학생들에게 어떤 교육을 해야 하는지 온라인 플랫폼에 정리된 현직 교사의 사례를 찾아보고 이를 참고해 효과적인 교육 방안을 고민해 보았습니다. 카드뉴스를 활용한 가짜 뉴스 찾기, 유튜브를 함께 시청하고 시청 규약 제정하기, 학급 유튜브 플랫폼 만들기 등의 활동을 고민할 수 있던 시간이었습니다. 이를 통해 디지털 시민교육의 중요성과 필요성을 다시 한번 깨달을 수 있었습니다.

현직에 나가서도 개인적 노력, 집단지성의 힘으로 교육과정 재구성 역량과 디지털 활용 능력을 갖춰, 미래 인재를 양성하는 데 기여하는 교사가 되겠습니다. — 문제와 관련된 포부와 의지 표현하기

이상입니다. — 발언을 끝내는 말 넣기

사이다 면접

즉답형 2 요즘 급격하게 변화하는 사회 현상 속에서 학생 맞춤형 진로교육이 필요한 이유를 3가지 설명하시오. 또 이에 필요한 교사의 자질을 3가지 말하시오.

✦ 해설

즉답형에 조건이 많이 추가돼 수험생을 당황하게 한 문제이다. 구상 시간 없이 ① 급격하게 변화하는 사회에 초점을 맞춰 ② 진로교육이 필요한 이유 3가지를 설명해야 했고, ③ 교사의 자질을 이유 3가지와 연계해 답변해야 했던 매우 까다로운 문제였다.

✦ 예시 답변 및 답변 포인트 분석

즉답형 2번 문제 답변드리겠습니다. → 발언을 시작하는 말 넣기

최근 사회는 매우 급격하게 변화하고 있습니다. 이 변화상에 초점을 맞춰 진로교육의 필요성 3가지와 이에 필요한 교사의 자질을 말씀드리겠습니다. → 조건을 언급해 문제를 제대로 파악했음을 드러내기

첫째, 현대사회는 과거에 비해 진로 선택의 폭이 다양해지고 있습니다. 온라인으로 직업의 무대가 확대되며 다양한 직업군이 생기고 있고, 사회적으로도 창업, 자영업, 해외 취업 등 보편적인 기업 입사나 자격증 취득이 아닌 더 도전적인 삶을 장려하고 있습니다. 따라서 학생 맞춤형 진로교육을 통해 학생들이 자신의 관심과 능력에 맞는 다양한 진로를 탐색하고 체험할 수 있도록 해야 합니다. 이를 위하여 교사는 직업 탐색 역량을 갖추고 있어야 합니다. 다양한 직업의 세계를 이해하고, 학생의 특성·강점에 맞게 직업을 추천해 줄 수 있어야 합니다.

둘째, 학생들도 개성이 뚜렷해지고 있습니다. 어렸을 때부터 SNS에 자기의 생각과 개성을 표출하는 것이 자연스러운 요즘 학생들은 관심, 성향, 능력 등에서 다양성을 보여줍니다. 이러한 다양성을 고려하지 않고 일괄적인 진로교육을 제공하는 것은 학생들의 잠재력을 제한할 수 있습니다. 따라서 학생 맞춤형 진로교육을 통해 학생들의 다양성을 존중하고 그에 걸맞은 직업을 가질 수 있도록 조력해야 합니다. 이에 따라 교사는 관찰과 공감을 바탕으로 학생 이해 역량과 개별화 지도 능력을 지니고 있어야 합니다. → 사회 변화상과 진로교육이 필요한 이유를 연계하기 / 이와 관련한 교사의 자질을 언급하기

마지막으로 평생학습 시대가 도래하며, 자기주도적 진로 설계 역량이 중요해졌기 때문입니다. 은퇴할 때까지 하나의 직업에 종사하는 것이 아니라, 평생학습을 하며 끊임없이 자기의 적성과 재능을 연마하며 여러 가지 직업을 선택해야 합니다. 따라서 자기를 알아가고 진로 설계 역량을 체득해야 합니다. 이를 위해 교사는 자기주도학습 코칭 역량을 갖추고 있어야 합니다.

현장에 나아가 학생들을 이해하고, 사회 변화에 기민하게 반응해 학생들에게 적합한 진로 지도 역량을 갖추는 열정 있는 교사가 되겠습니다. → 문제와 관련된 포부와 의지 표현하기

이상입니다. → 발언을 끝내는 말 넣기

(2) 중등

> **구상형 1** 제시문을 참고하여 기초학력 향상을 위한 교과 교육 방안을 말하시오.
>
> 기초학력 향상을 위해 학교 기반 교육이 중요하며 이를 위해 교육의 새로운 두 축을 활용하겠습니다.
> 첫째, 인공지능 등 디지털 테크놀로지를 활용하겠습니다.
> 둘째, 지역교육 협력체제 구축으로 학교 교육을 지원하겠습니다.
>
> *기초학력의 사전적 의미: 어떤 교육을 받는 데 기초적으로 필요한 학습 능력으로, 어떤 과제의 학습에 직접적으로 요구되는 학습 능력이 아니라 여러 과제의 학습에 포괄적으로 필요한 일반적 학습 능력을 의미함

구상하기

✦ 해설

① 제시문 분석 결과를 말하고 ② 이와 연계한 교과 교육 방안을 제시해야 한다. 제시문대로 ③ 디지털 테크놀로지 활용 교육과 ④ 지역교육 협력체제 두 방향을 답변해야 한다.

✦ 예시 답변 및 답변 포인트 분석

구상형 1번 문제 답변드리겠습니다. — 발언을 시작하는 말 넣기

제시문에서는 인공지능과 같은 디지털 테크놀로지 교육과 지역교육 협력체제를 통해 기초학력을 향상할 것을 제시하고 있습니다. 이 두 방향과 발맞춘 교과 교육 방안을 말씀드리겠습니다. — 제시문 분석력을 드러내기

먼저, 디지털 테크놀로지 활용 교육을 통한 기초학력 향상 방안입니다. 경기교육에서는 AI를 활용한 맞춤형 콘텐츠, AI 튜터 등을 도입하고자 합니다. 저 역시, 수학 수업 시간에 에듀테크를 적극 활용해 개별 학생의 학습 수준과 성향에 맞는 맞춤형 학습 콘텐츠를 활용하겠습니다. 수학은 학생 개인별 수준 차이가 확연한 과목입니다. 한번 흐름을 놓치면, 소위 말하는 수포자가 되기 쉽습니다. AI를 활용한 맞춤형 콘텐츠를 통해 학생 개개인의 수준을 파악해 학생의 기초학력 보장을 돕겠습니다. 또한 부족한 부분은 AI 튜터의 도움을 받을 수 있도록 안내하겠습니다. 저는 교사로서 기술만 도입하는 것이 아닌, 개별 학생의 학습 속도를 이해해 계획을 수립하고 피드백하는 역할을 충실히 할 것입니다. — 조건에 따라 기초학력 보장, 교과 교육 방안을 언급하기

둘째, 지역교육과 협력의 하나로 대학생 멘토링과 연계해 기초학력을 보장하겠습니다. AI로 학습 수준을 정확하게 분석하고 저의 관찰을 통해 멘토링이 필요한 학생이 보인다면, 지역 대학교 학생들과 연계해 멘토링을 진행할 수 있게 하겠습니다. 교과 보충이 필요한 학생들이 방과 후 멘토링을 한다면 기초학력 보장을 할 수 있고, 지역 사회의 인재를 활용할 수 있다는 장점이 있습니다. 이렇게 한다면 지역교육 협력 체제를 통한 학교 기반 교육을 강화할 수 있을 것입니다.

현장에 나아가 학교 기반의 디지털 테크놀로지와 지역교육 체제를 활용해 학생들이 기초학력을 보장하는 데 도움을 주는 교사가 되겠습니다. — 문제와 관련된 포부와 의지 표현하기

이상입니다. — 발언을 끝내는 말 넣기

구상형 2 최근 처벌 중심 사안 처리가 한계로 지적되고 있다. 학교폭력 문제에 대한 다음 상황을 분석하고 담임교사로서 교육적 해결 방안과 이때의 유의 사항을 말하시오.

- 학생 A: 급식실에서 B가 저한테 욕을 해서 제가 살짝 밀었는데 저를 학교폭력으로 신고했어요. 제가 민 것은 잘못했지만, B가 신고했기 때문에 저도 언어폭력으로 신고하려고요.
- 학생 B: 제가 먼저 욕한 건 맞지만 그래도 A 잘못이 더 큰 거 아닌가요? 신고했지만 교실에서 볼 때 마음이 불편해요.

구상하기

✦ 해설

① 문제에 초점을 맞춰 '처벌', 즉 '응보적 대응'이 아닌 '회복적 생활교육'의 관점에서 접근하거나 ② 제시문에 초점을 맞춰 상황 그 자체에 입각해 답변을 전개해도 된다. 문제의 키워드인 '처벌 중심 사안 처리'를 고려해, 이것을 해결할 수 있는 방안으로 말해야 한다.

✦ 예시 답변 및 답변 포인트 분석

구상형 2번 문제 답변드리겠습니다. ● 발언을 시작하는 말 넣기

주어진 상황을 보면 A와 B 학생 간 갈등이 발생한 것을 알 수 있습니다. A와 B는 갈등을 대화로 해결하기보다 신고하는 방식, 즉 처벌 중심 사안 처리 방식을 선택하고 있습니다. B가 마음이 불편하다고 한 것으로 보아 자신도 이런 방식이 옳은 것은 아니라고 생각한다는 것을 알 수 있습니다. 이러한 상황에서 담임교사로서 다음과 같이 해결하겠습니다. ● 제시문 분석력을 드러내기

첫째, 먼저 A 학생과 B 학생을 따로 불러 마음을 들어보겠습니다. 혹시 서로를 오해하고 있거나 비합리적으로 생각하는 부분이 있다면 상담을 통해 해결하겠습니다.
둘째, 개인 상담을 한 후 중재자 역할을 시도하겠습니다. 중재 과정은 양측 모두가 합의할 수 있는 방향이어야 하며, 상호존중과 이해가 선행돼야 합니다.
셋째, 재발하지 않도록 학급 차원에서 철저한 예방 교육에 힘쓰겠습니다. 상호 존중 day를 지정해 언어 사용을 바르게 하는 날을 만든다거나 사과day, 고맙day로 친구에게 미안하거나 고마움을 표현하는 날을 만들어 서로 아껴주는 분위기를 만들도록 하겠습니다.

이와 같은 교육적 해결 방안을 시도할 때는 다음과 같은 사항에 유의해야 합니다.
첫째, 공정하고 객관적 자세를 견지해야 합니다. 선입견이나 편견을 가지고 학생을 대해서는 안 되며 상황 자체에 집중해야 합니다.
둘째, 화해의 자리를 마련하되, 성급하게 교사가 화해를 종용하지 않아야 합니다. 서로 충분히 마음을 회복한 후 화해할 수 있도록 해야 합니다.
마지막으로 사안 조사는 수업 외 시간을 활용해 학생들의 학습권을 보장할 수 있어야 합니다. ● 조건에 따라 해결 방안과 유의 사항을 말하기

현장에 나아가 처벌 중심 사안 처리가 아닌 상호 회복할 수 있는 회복적 생활교육에 앞장서는 교사가 되기 위해 노력하겠습니다. ● 문제와 관련된 포부와 의지 표현하기

이상입니다. ● 발언을 끝내는 말 넣기

> **구상형 3** 다음 환경 분석 결과를 토대로 A 학교의 학교자율과제를 정하고자 한다. 다음 빈칸을 채우고, 이를 실현하기 위한 구체적인 교육 방안을 제시하시오.

*학교자율과제: _____ 을/를 통한 _____

A 학교 환경 분석 결과
- 강점(S): 학생의 학교 교육에 대한 높은 신뢰, 교육공동체의 인성교육 필요성 공감
- 약점(W): 교과 연계 인성교육 프로그램 미비, 교육공동체 간 배려 부족
- 기회(O): 지역 자원 풍부, 인성교육 관련 학교 예산 증가
- 위협(T): 가정교육 부재로 기초 생활습관 미비, 미디어에 무분별하게 노출

구상하기

✦ 해설

앞서 SWOT 문제는 제시문 문장을 모두 활용하면 된다고 말씀드렸다. 학교자율과제는 SWOT에서 반복적으로 등장하는 단어인 ① 교육공동체, ② 인성교육을 뽑아서 '교육공동체를 통한 인성교육' 혹은 '가정, 지역사회와 연대를 통한 인성교육' 정도로 정리할 수 있다. 구체적인 사례는 공동체와 함께하는 방향으로 언급하되, 제시문에 나와 있는 교육공동체 배려, 디지털 관련 인성교육 내용을 포함하면 된다. 꼭 제시문에 있는 문장을 활용해야 한다는 것을 잊지 말자.

✦ 예시 답변 및 답변 포인트 분석

구상형 3번 문제 답변드리겠습니다. ← 발언을 시작하는 말 넣기

학교자율과제는 학교자율역량을 바탕으로 학교 현안을 진단하고 숙의를 거쳐 도출한 과제를 말합니다. A 학교의 현안을 SWOT으로 분석한 후, 필요한 자율과제를 제시하도록 하겠습니다.

SWOT 분석 결과, A 학교의 자율과제는 '교육공동체와의 협력을 통한 인성교육'으로 정할 수 있습니다. 강점과 기회 요소를 통해 인성교육이 필요하며, 예산도 뒷받침되고 있다는 것을 알 수 있습니다. 학생이 학교에 대한 신뢰가 높은 만큼 참여도가 높을 것입니다. 또한 약점과 위험 요소를 분석한 결과, 교과 연계 프로그램이 필요하고 공동체 간 배려 문제, 기초 생활습관, 미디어 관련 문제를 해결해야 함을 알 수 있습니다. 이를 종합해 구체적인 방안을 3가지 말씀드리겠습니다. ← SWOT 분석 내용을 언급해 문제 분석력 드러내기

첫째, 가정과 연대해 기초 생활습관을 바로잡겠습니다. 가정교육 부재로 인한 문제를 해결하기 위해 학교와 가정이 긴밀하게 협력해야 합니다. 온라인 소통 채널을 개설해 가정에서 인성교육을 지원하는 교육 자료와 프로그램을 업로드하겠습니다. 학교 차원에서 가족 사랑의 날을 운영해 주 1회 온 가족 함께 식사하기, 밥상머리 인성교육 프로젝트를 시행해 자연스럽게 식사 예절을 익히도록 하고 싶습니다. 또한 디톡스앱을 소개해 기초 생활습관을 잡을 수 있게 하겠습니다.

둘째, 기회 요소에서 알 수 있듯, 지역사회 자원을 활용할 수 있는 만큼 지역사회와 연대해 공동체 배려 교육을 하겠습니다. 지역사회 행정복지센터, 도서관 등에서 자원봉사를 연계해 사회 구성원들과 소통하고 배려할 수 있는 자세를 기르도록 하겠습니다. 성찰 일지, 일과 일지 등을 받아 직접 코멘트를 달며, 학생에게 동기 부여를 해주고 싶습니다. ← 약점과 위험 요소로 언급되는 문제를 전부 해결하기

마지막으로 교과와 연계해 디지털 시민교육을 진행하겠습니다. 디지털 정보 팩트 체크, 딥페이크 자료 분별 등 윤리적 성찰이 가능한 주제를 선정해 학생들이 직접 고민하고 토론하도록 하겠습니다. 시민으로서 디지털 사회에서 행동해야 할 방안에 대해 스스로 성찰할 수 있도록 조력하겠습니다.

현직에 나아가서도 자율적으로 학교 현안을 분석하며 학교가 나아갈 방안을 고민하고 계획하고 실천할 수 있는 능동적인 교사가 되겠습니다. ← 문제와 관련된 포부와 의지 표현하기

이상입니다. ← 발언을 끝내는 말 넣기

즉답형 1 다음 상황에서 효과적인 모둠 활동 운영 방안을 말하시오.

> **제시문**
> A 학생: 모둠 활동 중 자기 의견만 말하는 친구 때문에 불만이에요.
> B 학생: 모둠 활동에 참여하고 싶지만 내용이 이해가 안 가서 눈치 보여요.
> C 학생: 학습에 관심이 없는 친구들은 별로 참여하지 않고 저만 열심히 해서 손해 보는 기분이에요.

✦ 해설

A, B, C 학생이 언급한 내용을 모두 해결할 수 있는 운영 방안이 돼야 한다.

✦ 예시 답변 및 답변 포인트 분석

즉답형 1번 문제 답변드리겠습니다. ← 발언을 시작하는 말 넣기

모둠 활동은 장점도 많은 반면, 단점도 존재합니다. 교사가 모둠 활동 운영 방안에 대해 잘 인지하고 있어야 효과적인 운영이 가능합니다. 저는 각 학생들의 불만 사항을 고려해 효과적인 모둠 활동 운영 방안에 대해 말씀드리겠습니다.

← 출제 의도가 충분히 느껴지는 경우이므로, 이를 알아채 서론을 넣기. 거창할 필요는 없고 제시문에서 언급한 '효과적 모둠 운영'에만 초점을 맞추기

A 학생은 자기 의견만 말하는 친구 때문에 불만을 느끼고 있습니다. 교사는 맹목적인 모둠 활동이 되거나 발언권이 쏠리는 문제를 해결하기 위해 먼저 모둠 활동의 취지를 학생들에게 충분히 이해시켜야 합니다. 집단지성으로 좋은 결과물을 내기 위함이라는 것을 말하고, 토킹스틱 제도 등을 활용한다면 이런 문제 상황을 줄일 수 있을 것입니다.

다음으로 B 학생은 모둠 활동에 참여하고 싶지만, 내용이 이해되지 않아 눈치를 보고 있습니다. 교사는 모둠을 선정할 때 담임교사에게 조언을 구하거나 평소 학습 태도 등을 잘 관찰하고 있다가 멘토 역할을 할 수 있는 친구를 포함해 모둠을 구성할 수 있어야 합니다. 또한, 모둠 활동을 방치하지 않고, 학생들이 이해하지 못한 부분에 대해서는 추가 설명이나 질문을 받을 수 있는 시간을 마련해 두어야 합니다.

← 제시문의 상황을 모두 해결할 수 있는 방안을 제시하되 '교사의 역할'을 드러내기

마지막으로 C 학생은 혼자 열심히 해서 불만을 느끼고 있습니다. 이런 문제를 해결하기 위해 모둠 내 각자의 역할과 책임을 분명하게 정의하는 시간을 가져야 합니다. 역할 분담제를 시행해 그 임무를 수행하기 위한 일정과 계획을 세워 피드백을 받는 시간을 확보해야 합니다. 또한 중간중간 순회 지도를 통해, 무임승차를 하는 학생이 없도록 교사의 세심한 관찰과 피드백이 더해져야 합니다.

이렇게 한다면 모둠 활동의 취지를 살리고 단점을 최소화할 수 있을 것입니다.

현장에 나아가 효과적인 수업 운영을 위해 고민하고 노력하는 교사가 되겠습니다.

← 문제와 관련된 포부와 의지 표현하기

이상입니다. ← 발언을 끝내는 말 넣기

즉답형 2 다음을 참고해 교과교사, 담임교사로서의 교육 방안을 말하시오.

> **설문조사 결과**
> 학생들이 가장 선호하는 선생님은 '우리 요구와 목소리를 들어주는 선생님'이다.

✦ 해설

교직관 문제이다. 이런 문제에서 교사의 진정성이 묻어나오고, 그것이 차별화가 되는 법이다. 제시문의 키워드는 '소통'이며, 그 방향으로 말하면 된다. 제시문이 있으니 그것에 대한 분석을 서두에 꼭 말하자. 문제 분석력을 보여줄 수 있다.

✦ 예시 답변 및 답변 포인트 분석

즉답형 2번 문제 답변드리겠습니다. — 발언을 시작하는 말 넣기

설문조사 결과 학생들은 소통 가능한 선생님을 선호하고 있습니다. 학생들과 소통하기 위한 교육 방안을 교과교사와 담임교사 측면으로 나누어 말씀드리겠습니다. — 제시문 분석력을 드러내기

먼저 저는 교과교사로서 학생 중심의 수업을 진행하겠습니다. 저만 하고 싶은 수업이 아닌 학생들의 수준과 요구에 맞게 교육 방식을 조정하기 위해 수업에 대한 설문, 소통의 시간을 마련할 것입니다. 소통한 후 이를 다음 차시 수업부터 반영해, 누구나 참여하고 싶은 수업을 만들겠습니다. 학생들이 제시한 의견이나 피드백을 흘려듣지 않고 교육 방법을 개선해 나가겠습니다.

— 조건대로 교과, 담임 두 측면을 모두 언급하기

다음으로 담임교사로서 학생을 인정하고 존중하는 자세를 바탕으로 1:1 상담을 분기별 1회 이상 실시하겠습니다. 학생 그 자체의 모습을 인정하고 존중하면서, 학생의 성장과 발전을 위해 상담을 하겠습니다. 개인적으로 이야기하며 학생들이 원하는 것과 필요한 것을 파악해 학급 운영의 토대를 마련하겠습니다.

현장에 나아가 학생들의 목소리에 귀 기울일 줄 아는 의사소통력을 갖춘 교사가 되겠습니다. — 문제와 관련된 포부와 의지 표현하기

이상입니다. — 발언을 끝내는 말 넣기

(3) 비교수 교과

> **구상형 1** 다음 조건에서 하나를 골라 그 방법으로 제시문의 상황에 적합한 교육을 실현하고자 한다. 조건 3가지 중 하나를 선택하여 그 이유를 말하고, 제시문과 관련한 전공 연계 방안을 제시하시오.
>
> **제시문**
> - 게임에 과몰입하고 가정교육이 부족하여 기본적인 습관이 형성되지 않은 학생이 있음
> - 교사·학생의 학교 참여도·만족도가 높음
> - 지역사회 프로그램이 부족함
> - 지역자치단체 예산이 많음
>
> **조건**
> 1. 교육 안전망 구축
> 2. 미래형 교육과정 운영
> 3. 학교자율과정 강화

구상하기

✦ 해설

문항에서 제시한 ① 조건에서 하나 선택, ② 선택 이유 제시, ③ 제시문과 관련된 ④ 전공 연계 방안을 모두 충족해야 한다. SWOT 문제를 푸는 것처럼 제시문에 있는 문구를 모두 활용하면 된다.

✦ 예시 답변 및 답변 포인트 분석

구상형 1번 문제 답변드리겠습니다.   ← 발언을 시작하는 말 넣기

저는 조건 3번 학교자율과정을 선택해, 제시문과 연계한 상담 방안을 말씀드리겠습니다.

제시문을 보면 교사와 학생의 학교 참여도와 만족도가 높다는 것을 알 수 있습니다. 이런 환경은 학교가 자율적으로 학교 현안을 분석하고 숙의해 자체 프로젝트를 수행하는 학교자율과정을 성공적으로 이행하기 적합하기에 3번을 선택했습니다.   ← 조건 ①, ②를 먼저 언급해 제시문 분석력을 드러내기

제시문과 연계해 학교자율과정 속 상담 방안을 2가지 말씀드리겠습니다.

첫째, 자율과정 프로그램으로 '가정과 함께하는 휴대전화 디톡스day'를 열겠습니다. 상담실에는 휴대전화, 컴퓨터 중독으로 찾아오는 학생들이 많습니다. 제시문의 문제를 해결해 기본 습관을 잡고 게임 외에 다른 것에 관심을 둘 수 있도록 가정과 연계해 디톡스day를 운영하겠습니다. 온라인 플랫폼을 통해 학부모님께 취지를 설명해 드리고, 주말 이틀간 가족들이 휴대전화를 사용하지 않고, 가족 간 대화 시간, 야외 활동을 하는 프로젝트입니다. 참여한 가정에서 참여 수기를 보내 학교 차원에서 함께 공유하도록 하겠습니다. 이렇게 한다면, 가정교육으로 생활습관을 바로잡고 게임 과몰입 현상을 해소할 수 있습니다.   ← 제시문에서 언급한 키워드를 모두 활용하기

둘째, 자율과정 프로그램으로 '지역사회와 함께하는 진로 상담 교육'을 진행하겠습니다. 지역자치단체 예산이 확보돼 있고, 지역사회 프로그램이 부족하기에 지역 특색을 고려한 진로 상담 프로그램이 마련된다면 도움이 될 것입니다. 게임 중독은 미래에 대한 갈등, 고민을 피하고자 현재에서 도피하는 행위로부터 시작되는 경우도 있습니다. 우리 지역의 전문가를 초청해 멘토링 프로그램을 시행하며 학생들과 함께 미래의 직업과 산업 흐름에 대해 논의하고, 학생들의 흥미와 장점을 고려한 미래 직업 탐색 프로그램을 개발하고 싶습니다. 저는 상담교사로서 지역사회 단체와 소통하고, 진로 상담에 대해서도 조언을 할 수 있도록 관련 전문성을 갖출 것입니다.

현직에 나아가 학교 현안에 대한 철저한 분석으로, 상담교사로서 제가 할 수 있는 일에 앞장서는 적극적인 교사가 되겠습니다.   ← 문제와 관련된 포부와 의지 표현하기

이상입니다.   ← 발언을 끝내는 말 넣기

구상형 2 에듀테크를 활용하여, 제시문의 A 학생을 지도할 수 있는 전공 연계 방안을 제시하시오.

A 학생의 상황
A는 늦은 시간까지 스마트폰을 사용한다. 그로 인해 밤에 폭식을 하여 비만인 상태이다. 친구들이 놀릴까봐 학교에 가기 싫어한다. 친구들과 관계 형성이 잘 되지 않은 상태이다.

구상하기

✦ 해설

애플리케이션, 온라인 플랫폼을 활용한 전공 연계 프로그램을 제시하면 된다. 제시문의 키워드를 활용해 ① 스마트폰 사용 절제, ② 건강(비만) 관리, ③ 사회성 회복 3가지 키워드를 포함한 방안이어야 한다.

✦ 예시 답변 및 답변 포인트 분석

구상형 2번 문제 답변드리겠습니다. ← 발언을 시작하는 말 넣기

제시문의 A 학생은 스마트폰 중독, 비만, 사회성 부족의 문제를 가지고 있습니다. 이 학생에게 필요한 에듀테크 활용 교육을 말씀드리겠습니다. ← 제시문 분석력을 드러내기

저는 보건교사로서 '애플리케이션'을 활용해 학생의 '헬스 및 심리 코칭'을 하고자 합니다.

저는 최근에 '달리기' 앱을 사용한 적이 있습니다. 다이어트를 하려고 했지만 혼자 하니 자꾸 미루게 돼 같은 목표를 가진 사람들이 만나, 각자의 목표를 달성하는 과정에서 서로 격려도 해주고 자극도 받을 수 있는 '협업 애플리케이션'을 활용하게 됐습니다. 다른 사람들이 운동을 시작하면 알람이 뜨니, 저 역시 해야겠다는 마음이 들고, 매일 매일 목표가 자동 측정되니, 포기하지 않고 꾸준히 하게 됐습니다.

A 학생에게 이런 애플리케이션을 추천해서 같이 목표를 세워 보고 싶습니다. 협업 애플리케이션을 통해 목표 달성과 사회성 회복을 동시에 할 수 있을 것입니다. 오전, 오후에 운동을 하면 몸이 피곤해져 늦은 시간까지 스마트폰을 사용하는 문제도 자연스럽게 해결될 수 있다고 생각합니다. ← 제시문에서 언급한 A 학생의 문제 상황을 모두 해결하기

A 학생의 사회성이 차차 회복되는 것이 보인다면, 보건실 주최로 '친구들과 함께하는 건강 챌린지'를 주최해, 교내 학생들이 온라인으로 모여 건강한 요리법을 공유하거나 일주일 목표 운동량을 달성하는 챌린지를 시행하겠습니다. 그렇게 한다면, 친구들과의 관계도 회복될 수 있을 것입니다.

현장에 나아가 위기 학생, 문제행동 학생의 어려운 점을 공감하고 해결하기 위해 노력하는 보건교사가 되겠습니다. ← 문제와 관련된 포부와 의지 표현하기

이상입니다. ← 발언을 끝내는 말 넣기

구상형 3 다음 전환기 학년 중 1가지를 선택하여, 이 학생들을 위한 전공 연계 전환기 프로그램을 제시하시오.

조건

1. 만 5세
2. 초등학교 1~2학년
3. 초등학교 6학년
4. 중학교 3학년
5. 고등학교 3학년

구상하기

사이다 면접

✦ 해설

발달 단계에 적합한 전환기 교육을, 근거를 들어 설명해야 한다.

✦ 예시 답변 및 답변 포인트 분석

구상형 3번 문제 답변드리겠습니다.

저는 초등학교 6학년 학생을 선택하겠습니다. 6학년 학생들은 중학생으로 학교급이 바뀌는 경험을 합니다. 이 시기는 신체적인 성장이 급격히 일어나고 약간의 엄격한 규칙을 지켜야 하며 교복 착용, 휴대전화 제출, 지필 평가 도입 등으로 분위기가 많이 전환되기에 두려움이 클 것입니다. 따라서 중학교로의 전환을 더욱 원활하게 지원하기 위해 6학년 학생들을 위한 전환기 프로그램이 필요하다고 생각합니다.

구체적인 방안을 2가지 말씀드리겠습니다.

첫째, 저는 상담교사로서 학생들에게 심리적 안정감을 줄 수 있는 프로그램을 시행하겠습니다. 중학생이 된다는 부담감과 불안감을 완화하기 위한 심리 완화 프로그램, 집단 상담 등을 그림, 카드 상담 등의 형식으로 가볍게 접근해 학생들이 재미있고 편안한 환경에서 안정감을 가질 수 있게 하겠습니다. 또한 소모임으로 이야기를 나눠보는 시간을 통해 학생들의 고민을 서로 나누며, 독려하는 시간을 갖겠습니다.

둘째, 중학교 선생님, 선배 인터뷰 및 멘토링 프로그램을 연계하겠습니다. 중학교 선생님이나 선배를 초청해 물어보고 싶은 것을 물어볼 수 있는 시간을 마련해, 멘토링을 한다면 부담감을 저하하고 자신감 있게 첫 출발을 할 수 있을 것입니다.

이런 전환기 프로그램을 진행한다면, 6학년 학생들이 불안함을 덜고 학교생활에 대한 이해를 높일 수 있어 중학교 생활을 잘 해낼 수 있을 것입니다.

현장에 나아가 전환기 교육에 힘쓰는 열정 있는 교사가 되겠습니다.

이상입니다.

● 발언을 시작하는 말 넣기

● 선택형 문제는 반드시 이유를 제시하기

● 교육 방안을 제시하되 '교사의 역할'이 드러나게 말하기

● 문제와 관련된 포부와 의지 표현하기

● 발언을 끝내는 말 넣기

즉답형 1 교사에게 필요한 미래교육 역량은 무엇인지 그 이유와 함께 제시하시오.

✦ 해설

자기성장소개서와 일치하는 문제였다. 자기성장소개서에 쓴 내용에서 크게 벗어나지 않는 내용을 말해야 스스로 작성했다는 것을 입증할 수 있다.

✦ 예시 답변 및 답변 포인트 분석

즉답형 1번 문제 답변드리겠습니다. ● 발언을 시작하는 말 넣기

미래 사회는 디지털 기술 사용이 일상화되고, 사회구성원의 사회 활동이 가상 공간에서 이뤄지는 디지털 사회가 될 것입니다. 이런 사회에서 교사는 디지털 활용 역량과 디지털 시민 역량을 갖춰야 합니다.
● 서론을 넣으면 유리한 문제. 미래 사회 변화상을 짧게 소개하면서, 이와 관련된 역량을 자연스럽게 설득시키기

미래교육에서는 디지털 기술이 핵심 요소가 됩니다. 교사는 AI와 같은 최신 기술을 활용해 학생들의 학습을 지원하고, 온라인 자료와 도구를 활용해 흥미로운 수업을 설계해야 합니다. 그러므로 교사는 기계나 컴퓨터 등 디지털을 다루는 능력을 갖추고 있어야 합니다.

또한 교사에게는 디지털 시민 역량이 필요합니다. 그 이유는 다음과 같습니다. 디지털 사회에 살아가며 익명성에 기대어 가짜 뉴스가 퍼지거나, 딥페이크 기술로 초상권 문제가 대두되고 있습니다. 디지털 사회에 머무는 기간과 빈도가 길수록 이러한 문제는 더욱 심각해질 수 있습니다. 학생들에게 올바른 디지털 시민교육을 하기 위해서라도 교사부터 솔선수범해 관련 역량을 갖추어야 합니다.
● 이유를 언급하라고 했으므로 꼭 언급하기

미래교육을 선도하는 경기교육의 일원이 돼 디지털 활용 역량과 시민 역량을 강화하기 위해 자율 연수, 전문적 학습공동체 등으로 전문성을 쌓겠습니다.
● 문제와 관련된 포부와 의지 표현하기

이상입니다. ● 발언을 끝내는 말 넣기

사이다 면접

즉답형 2 교육공동체 중 하나를 골라 이들을 대상으로 한 구체적인 교육 방안을 제시하시오.

✦ 해설

선택형 문제는, 묻지 않았어도 그 이유를 제시해야 설득력을 부여할 수 있다.

✦ 예시 답변 및 답변 포인트 분석

즉답형 2번 문제 답변드리겠습니다. ← 발언을 시작하는 말 넣기

저는 교육공동체 중 학부모님을 선택해 안전교육을 하겠습니다. 사회 곳곳에서 안전 문제가 심각해지며 안전교육의 중요성이 대두되고 있습니다. 교내에서는 주기적으로 소방 훈련, 심폐소생술, 지진대피 훈련 등을 하지만 학부모님은 가정에서 학생들의 보호자로서 중요한 역할을 하고 있음에도 안전교육을 받을 기회가 부족하기 때문입니다. ← 선택 이유를 제시해 설득력 부여하기

학교 일정에 맞춰 학부모님을 모두 모시기 어렵다는 점을 고려해, 온라인으로 안전교육을 시행하겠습니다. 지진 및 화재 상황 등을 가상으로 체험할 수 있는 온라인 공간을 만들어 언제 어디서든 접속해 학부모님이 생생하게 안전교육을 받을 수 있는 시스템을 마련하고 싶습니다. 보건교사인 저 혼자 구축하기가 어려울 수 있으므로 지역사회와 연대해 온라인 체험 공간을 만들 수 있다면 보다 효과적으로 진행이 될 것입니다. ← 조건에 대한 이야기를 하되, 경기 정책에 발맞추기(지역사회 연대 언급)

또한 학교 안내문 등으로 주요 사항을 주기적으로 전송해 교육공동체의 협력으로 학생들이 더욱 안전한 환경에서 살아갈 수 있도록 조력하겠습니다.

현장에 나아가 교육공동체와 함께하는 교육을 만드는 데 앞장서는 교사가 되겠습니다. ← 문제와 관련된 포부와 의지 표현하기

이상입니다. ← 발언을 끝내는 말 넣기

즉답형 3 경기도교육청의 인성교육 목표를 참고하여 전공과 연계한 실천적 인성교육 방안을 말하시오.

> **경기인성교육 목표**
> 자기 삶의 주인으로 미래 사회 변화에 유연하게 대응하며 윤리적 책임을 통해 나와 공동체의 행복을 추구하는 인성 함양

✦ 해설

제시된 경기인성교육 목표 중 어느 부분을 참고했는지 언급해야 주어진 조건을 충실히 이행했다고 할 수 있다.

✦ 예시 답변 및 답변 포인트 분석

즉답형 3번 문제 답변드리겠습니다. — 발언을 시작하는 말 넣기

디지털 사회, 기후 변화에 맞는 미래지향적이고 실효성 있는 인성교육의 필요성이 대두되고 있습니다. 저는 경기인성교육 목표를 참고해, 다음과 같은 영양교육 방안을 생각해 보았습니다. — 서론을 넣으면 유리한 문제. 경기도교육청은 2023학년도에 인성교육을 매우 강조함. 출제 의도를 파악하고 서두에 언급해, 준비된 교사임을 어필하기

인성교육 목표에서는 '미래 사회'에 유연하게 대응할 것을 명시하고 있습니다. 저는 사회 변화 중 '기후 위기'에 초점을 맞추어 2가지 방안을 말씀드리겠습니다.

첫째, 한 달에 한 번 '채식day'를 지정해, 학생들이 직접 짠 식단을 급식에 도입하도록 하겠습니다. 영양교육 시간이나 창의적 체험활동 시간을 통해 음식과 기후 위기의 상관성에 대해 학습하고 학생들이 음식을 단순히 맛으로만 인지하는 것이 아닌 사회 문제 실천, 건강의 관점에서 접근할 수 있게 하겠습니다. 학교에 작은 텃밭을 만들어 학생들이 직접 텃밭을 가꾸고, 그 재료를 활용한 급식을 만든다면 더 효과적인 인성교육이 될 것입니다. — 단순히 인성교육 방안을 말하는 것이 아닌 '미래 사회에 대한 대응', '윤리적 책임', '공동체의 행복'이라는 제시문에 초점을 맞추기

둘째, 도덕 교과와 연계해 학생들에게 윤리적 가치와 책임감을 심어주는 프로젝트 학습을 하고 싶습니다. 배달 음식으로 인한 플라스틱 사용이 미치는 사회적 영향, 육식 중심의 식단이 미치는 기후 위기 문제 등에 대해 사회적 책임을 이해하고 행동할 수 있도록 교육할 것입니다.

이를 통해 학생들은 미래 사회에 대응하는 윤리적 책임 의식을 기르고, 스스로 실천하는 인성을 함양할 것입니다. — 기대효과를 언급해 답변에 설득력을 부여하기

현장에 나아가 학생의 실천적 인성교육에 앞장서는 교사가 되겠습니다. — 문제와 관련된 포부와 의지 표현하기

이상입니다. — 발언을 끝내는 말 넣기

즉답형 4 전공과 연계한 에코데이 운영 방안을 제시하시오.

✦ 해설

전공 연계 방안을 제시하되 경기도교육청의 지향점에 따라 학생의 체험 중심이 돼야 하며, 타 교과와 연계하는 방안을 말하는 것도 좋다.

✦ 예시 답변 및 답변 포인트 분석

즉답형 4번 문제 답변드리겠습니다. ——● 발언을 시작하는 말 넣기

지구 온난화와 같은 이상기후 현상으로 환경교육의 중요성이 커지고 있습니다. 저는 사서교사로서 국어 교과와 연계한 '학생 중심 에코데이 운영 방안'을 말씀드리겠습니다.
●— 서론을 넣으면 유리한 문제. 경기도교육청은 환경교육을 매우 강조함. 출제 의도를 파악하고 서두에 언급해, 준비된 교사임을 어필하기

구체적으로 말씀드리면, 에코데이에 국어 교과 시간과 연계해 환경 관련 도서를 읽고 글쓰기나 포스터 공모전을 주최하고 싶습니다. 교사가 책을 지정해 줄 경우, 학생들은 자발성에 기초한 것이 아니기에 동기 부여를 못 할 수 있습니다. 따라서 도서관에 와서 스스로 환경 관련 책을 탐색해 보고, 적합한 책을 찾을 수 있도록 조력하겠습니다. 사서교사로서 저는 자신의 수준과 흥미에 맞는 책을 선정할 수 있도록 독서 수준에 맞는 추천 도서 목록을 만들어 가이드라인을 제공하겠습니다. 환경 관련 도서를 읽은 후 소감을 글, 포스터, 만화 등 다양한 형식으로 표현할 수 있도록 해 학생들이 자기 재능과 관심에 따라 더 적극적으로 참여할 수 있도록 할 것입니다.
●— 구체적인 전공 연계 방안을 제시하기

현장에 나아가 교육공동체와 협력해 환경교육에 앞장서는 교사가 되겠습니다.
●— 문제와 관련된 포부와 의지 표현하기

이상입니다. ——● 발언을 끝내는 말 넣기

④ 2022학년도

(1) 초등

> **구상형 1** 다음의 신년사를 읽고 학생들을 미래 인재로 양성하기 위해 자기 교직관을 바탕으로 교사가 지녀야 할 역량과 그 역량을 강화하기 위한 노력 방안은 무엇인지 자신의 교직관을 바탕으로 말하시오.
>
> 새해에는 우리 아이들을 더 사랑하고, 더 소중하게 존중하며, 더 공감 능력을 길러주고, 더 협동하는 마음 여백을 만들어 주며, 더 당당하고 스스로 위기를 기회로 만들 수 있도록 그 어느 때보다 더 정성을 기울일 것입니다.
> 2022 이재정 경기도교육감 신년사

구상하기

✦ 해설

제시문 문제가 나왔을 때는 문제와 제시문을 철저하게 분석하자고 말씀드렸다. '신년사 분석, 역량과 노력 방안, 교직관'이라는 키워드가 모두 반영돼야 한다.

✦ 예시 답변 및 답변 포인트 분석

구상형 1번 문제 답변드리겠습니다.   ← 발언을 시작하는 말 넣기

저의 교직관은 '스스로 바로 서고, 더불어 살아가는 인재 만들기'입니다. 이러한 인재는 미래 사회와 같이 급변화하고 기계화가 만연해지는 시대에서 인간 소외를 예방하고, 위기에 대응하기 위해 꼭 필요하다고 생각합니다. 저는 이를 바탕으로 제시문과 연계해 제게 필요한 역량과 노력할 점을 말씀드리겠습니다.

← 교직관이 제시문과 일치해야 함. 교직관을 유연하게 변경하기

첫째, 공감 능력이 필요합니다. 제시문과 같이 아이들을 존중하고, 공감 능력을 길러주기 위해서는 교사부터 공감 능력을 지니고 있어야 합니다. 학생들과 학기별 최소 2회 이상 개별 상담을 하며, 공감하고 이해하는 능력을 강화하겠습니다. 이를 바탕으로 개개인의 특성을 파악하고 이에 맞는 맞춤형 교육을 적용하겠습니다.

둘째, 제시문과 같이 협동심을 길러주기 위해 교사인 저부터 공동체 역량을 갖추겠습니다. 문제 상황이나 학습이 필요한 경우, 혼자 해결하기보다 전문적 학습공동체와 같이 동료들과의 집단지성으로 해결하고자 하겠습니다. 동료의 어려움을 존중하고 공감하며 나눌 줄 아는 배려심 있는 사람이 될 것입니다.

← 문제의 조건인 자기 교직관과 제시문을 모두 연계하기

← 의도적으로 '제시문과 같이'라는 말을 넣어, 제시문에 충실하게 답변하고 있음을 드러내기

마지막으로, 제시문과 같이 스스로 위기를 기회로 만드는 인재를 양성하기 위해서는 교육과정 재구성 역량이 필요합니다. 강의식 수업이 아닌 스스로 문제 상황에 대해 다각도로 고민해 보며, 친구들과 문제를 해결하는 과정을 통해 학생들의 위기 대처 능력이 높아진다고 생각합니다. 이를 위해 교사는 교육과정을 유연하게 재구성할 수 있어야 합니다. 연수, 전문적 학습공동체 등으로 교육과정 재구성 역량을 갖춰나가겠습니다.

이러한 역량을 바탕으로 저의 교직관인 스스로 바로 서고 더불어 살아가는 미래형 인재를 양성하는 교사가 되겠습니다.

← 문제와 관련된 포부와 의지 표현하기

이상입니다.   ← 발언을 끝내는 말 넣기

구상형 2 경기 교육과정의 특징 중 '학생이 배움의 주체가 되는 교육과정'의 의미가 무엇인지 말하고, 이를 실현하기 위한 학급 운영 방안을 말하시오.

구상하기

✦ 해설

2022학년도 기준, 초등학교 교육과정 편성 안내에 따르면 경기도 교육과정은 다음과 같은 특징이 있었다.
   ① 학생이 배움의 주체가 되는 교육과정
   ② 교육과정 자율화를 지원하는 교육과정
   ③ 교육의 생태적 전환을 추동하는 교육과정
   ④ 학습복지를 추구하는 교육과정
이 중, 첫 번째 특징이 출제됐다.

✦ 예시 답변 및 답변 포인트 분석

구상형 2번 문제 답변드리겠습니다. ● ― 발언을 시작하는 말 넣기

경기 교육과정의 특징 중 하나인 '학생이 배움의 주체가 되는 교육과정'은 모든 학생이 배움의 주체가 돼 자신의 독창성과 잠재력을 계발하고 배움의 과정에서 자신의 삶의 의미와 가치를 스스로 발견할 수 있도록 돕는 교육과정을 의미합니다. 저는 이를 현장에 적용해 '학급 유튜브'를 운영하고 싶습니다. ● ― 문제에서 제시한 순서대로 답변하기

최근 '크리에이터'가 초등학생들의 희망 직업으로 떠오르고 있습니다. 또한 사회적으로 가짜 뉴스, 유튜브 속 비속어 사용 등의 문제로 초등학생을 대상으로 한 디지털 교육의 필요성이 대두되고 있습니다.

학급 유튜브를 운영한다면, 학생들 스스로 잠재력을 뽐내 창의적으로 채널을 운영할 수 있을뿐더러, 제작 과정에서 직업 역량을 기를 수도 있고, 주의 사항을 숙지하는 과정에서 미디어 리터러시 역량도 증가할 것이라고 생각합니다.

구체적인 방법은 다음과 같습니다.

먼저 사전 교육으로 유익한 영상과 해로운 영상을 직접 분석해 보며 같은 초등학생을 대상으로 영상을 만들 때 유의해야 할 제작 규약과 시청 규약을 만드는 회의를 도입할 것입니다. 교사인 저는 회의가 원활하게 진행될 수 있도록 의견을 피드백하고 촉진하는 역할을 하겠습니다. ● ― 교사의 역할이 드러나도록 교육 방안을 제안하기

다음으로 학생들이 만들고 싶은 희망 콘텐츠를 조사한 후, 흥미와 특기가 비슷한 친구들끼리 소모둠을 운영해, 적합한 주제를 선정한 후 콘텐츠를 기획하겠습니다. 기획안을 제작해 보고 꼼꼼하게 준비하는 절차를 도입해, 관련 역량을 강화하도록 하겠습니다.

이를 바탕으로 영상을 제작하고 직접 업로드하며, 댓글로 소통까지 하겠습니다. 혹시나 문제가 발생된다면, 소모둠이 모여 문제를 해결하는 법을 고민할 수 있도록 주기적인 회의 시간을 부여할 것입니다.

이렇게 한다면 학급 내 모든 학생이 주체가 돼 자기 삶의 의미와 가치를 스스로 발견할 수 있을 것입니다.

경기 교육과정의 취지를 이해하고 현장에 적용할 수 있는 교사가 되고자 노력하겠습니다. ● ― 문제와 관련된 포부와 의지 표현하기

이상입니다. ● ― 발언을 끝내는 말 넣기

구상형 3 경기형 그린스마트스쿨은 '광장형 공간' 조성을 제안하고 있다. 이 공간의 필요성과 이를 활용하여 학교에서 하고 싶은 교육 활동을 말하시오.

구상하기

✦ 해설

2022학년도 기준으로 그린스마트스쿨은 출제 예상 주제이긴 했으나, 광장형 공간이란 낯선 개념이 나와 당황스러웠을 것이다. 하지만 경기도교육청의 지향점과 단어를 통해 충분히 유추할 수 있는 내용이었다. 광장형은 단어에서 의미하듯 협력과 소통의 공간이다. 학생들의 다양한 활동과 민주적 소통 능력을 기르는 것을 목표로 하고 있다. 대토론회 운영, 투표 공간 활용 등 의견 수렴 및 협력 공간으로서의 모습을 드러내면 된다.

✦ 예시 답변 및 답변 포인트 분석

구상형 3번 문제 답변드리겠습니다. ● 발언을 시작하는 말 넣기

그린스마트스쿨은 미래교육을 위해 학교 환경에 디지털 인프라를 구축하고 친환경적인 공간으로 탈바꿈하는 것을 의미합니다.
● 서론을 넣으면 유리한 문제. 정책의 정의를 한 줄 정도 언급하기

그린스마트스쿨에서 광장형 공간은 학생들이 협력해 다양한 활동을 할 수 있고 소통을 할 수 있는 공간입니다. 이러한 소통 공간이 필요한 이유는 미래 사회에는 기계, 인공지능이 일상화되면서 사람 간의 소통이 중요해지기 때문입니다. 또한, 4차 산업혁명을 이끈 구글, 메타와 같은 기업의 특징은 '공동 창업자'가 존재한다는 것입니다. 즉, 미래 사회를 이끄는 동력은 협력입니다. 따라서 이런 광장형 공간에서 서로 의견을 모으고 협력하는 과정이 꼭 필요합니다. 이 공간을 활용한 교육 방안은 다음과 같습니다.

첫째, 사회 문제 해결 프로젝트를 하고 싶습니다. 광장형 공간에 학생들이 모인 후 다시 소그룹을 나눠 현실적인 사회 문제에 대한 해결책을 만들어 전체 공유하는 것입니다. 친환경 문제, 기후 위기, 사이버폭력 등 다양한 사회 이슈에 관한 생각을 공유하고, 해결 방안을 나누는 과정에서 창의적인 아이디어가 생길 수 있습니다. 갤러리 워크 형식으로 해결 방안을 전시하고 댓글, 좋아요 등으로 소통한다면 스마트스쿨의 디지털 환경을 적극 활용할 수 있을 것입니다.
● 조건에 따라 공간의 필요성을 언급한 후 교육 활동 제시하기
● 기대효과를 언급해 답변에 설득력을 부여하기

둘째, 멘토링 프로그램을 하고 싶습니다. 광장형 공간은 여러 명을 수용할 수 있기에 학생들 간의 상호 도움과 지원을 장려할 수 있습니다. 기업 박람회 같은 것을 보면, 넓은 공간에 여러 개의 작은 부스를 마련한 모습을 볼 수 있습니다. 멘토링day를 만들어 간이 부스를 설치하고, 부스를 자유롭게 돌아다니며 멘토를 찾고 원하는 도움을 받을 수 있는 시간을 마련한다면 의사소통력과 협력의 자질을 기르는 데 도움이 될 것입니다.

현장에 나아가 경기 정책을 깊게 공감하고, 이를 현장에 적용할 수 있는 교사가 되도록 노력하겠습니다.
● 문제와 관련된 포부와 의지 표현하기

이상입니다. ● 발언을 끝내는 말 넣기

즉답형 1 '새 학년 집중 준비 기간'에 담임교사로서 준비 및 계획할 것을 <u>3가지</u> 말하시오.

✦ 해설

현장성을 확인하려는 문제이다. 거창한 정책을 대는 것이 아닌, 찐 교사의 입장에서 현실적인 대안을 말하는 것이 관건이었다. 또 이 문제에는 '3가지 방안'에 밑줄이 쳐져 있었으니 꼭 3가지를 대답해야 했다.

✦ 예시 답변 및 답변 포인트 분석

즉답형 1번 문제 답변드리겠습니다.   — 발언을 시작하는 말 넣기

새 학년 집중 준비 기간에 학급 담임교사는 학생을 맞을 준비를 해야 합니다. 계획을 3가지 말씀드리겠습니다.

첫째, 안전하고 편안한 학급 환경을 조성하겠습니다. 책걸상의 이상 유무를 확인하고 교실에 준비물 꾸러미를 마련하는 등 새 학년을 시작하기 위해 적절한 교실 환경을 만들겠습니다. 책상에 학생들의 이름표를 미리 부착해, 학생을 기다리고 있었다는 표현을 통해 긴장되는 상황 속에서도 학생들이 편안하게 새 학년을 시작할 수 있게 하겠습니다.

둘째, 학생들의 명렬표를 뽑고 대략 이름을 익히겠습니다. 또한 전 학년에서 넘어온 자료가 있다면 숙지해 학생의 특성을 익히고 전 학년 담임 선생님께 자문해 개별 맞춤 교육을 준비하겠습니다.   — 준비 계획 3가지를 말하기

마지막으로, 학급 첫 시간에 할 활동을 계획하고 학부모님과 학생에게 전할 인사말을 써보겠습니다. 첫 순간에 좋은 기억이 남아야 1년을 활기차게 시작할 수 있다고 생각합니다. 또한, 가정에서 걱정하고 계실 학부모님을 안심시키기 위해 교직관을 담은 담임 안내자료, 학급 운영 계획, 학사 일정 등을 기록해 가정에 보낼 준비를 하겠습니다.

현장에 나아가 새 학년 집중 준비 기간을 효율적으로 활용해 학생들과 의미 있는 첫 만남을 준비할 수 있는 계획성 있는 교사가 되겠습니다.   — 문제와 관련된 포부와 의지 표현하기

이상입니다.   — 발언을 끝내는 말 넣기

즉답형 2 성인지 감수성 부족으로 학교 내에서 발생할 수 있는 문제 상황과 개선 방안을 말하시오.

✦ 해설

문제 상황과 개선 방안에 밑줄이 있다. 이 부분에 집중해야 한다.

✦ 예시 답변 및 답변 포인트 분석

즉답형 2번 문제 답변드리겠습니다.   — 발언을 시작하는 말 넣기

성인지 감수성은 양성평등의 시각으로 성별 차이로 인한 차별과 불균형을 감지해 내는 민감성을 의미합니다.   — 서론을 넣으면 유리한 문제. 성인지 감수성이 무엇인지 한 줄 정도 설명해 구조화된 말하기를 하기

이러한 성인지 감수성이 부족한 경우 학교 내에서 다음과 같은 문제가 발생할 수 있습니다.

첫째, 특정 역할을 성별을 기준으로 고정하는 문제가 생길 수 있습니다. 예를 들어, 힘을 쓰는 일은 남학생에게 부탁하거나 여학생은 환경 미화를 하는 것, 또한 남자가 왜 그런 거로 울어? 여자애가 왜 이렇게 덤벙거리니? 같은 성별에 따른 잘못된 역할 기대 문제가 생길 수 있습니다.

둘째, 이로 인해 학생들에게 성별에 따른 고정관념을 심어줄 수 있습니다. 남자가 해야 하는 직업, 여자가 잘하는 직업 등 개인의 특성을 고려한 직군이 아닌 성별에 따라 구분하는 문제가 있을 수 있습니다. 예를 들어 소방관은 남자, 간호사는 여자 등으로 구분 짓는 것입니다.   — 문제 상황과 개선 방안을 실질적으로 언급하기

이러한 문제를 개선하기 위해서 다음과 같은 방법을 고민해 보았습니다.   — 기대효과를 언급해 답변에 설득력을 부여하기

첫째, 성인지 감수성 교육을 해야 합니다. 교육공동체가 직접 고민하고 성찰할 수 있는 체험형 방식이면 더 효과적일 것입니다. 일상에서 여성이나 남성으로 살아오면서 경험한 것들을 성찰하며, 양성평등을 위한 노력을 스스로 고민하고 실천할 수 있어야 합니다.

둘째, 교내, 학급 내 성별 불균형적 요소가 있는지 체크하고 혹시 있다면 필요한 조처를 해 차별 없는 환경으로 변화해야 합니다. 남학생은 파란색으로 여학생은 분홍색으로 표현한다든지, 학교에 붙어 있는 시각적 이미지들이 남녀의 역할을 고정하는 데 일조하는 것은 아닌지 점검한 후 바꾸도록 해야 합니다.

마지막으로, 성별의 관점이 아닌 학생 개인의 특성에 맞는 장점을 찾고 맞춤 교육을 지향해야 합니다.

현장에 나아가 성인지 감수성을 강화하고, 학생들에게 공정하고 평등한 교육 환경을 제공할 수 있는 교사가 되도록 노력하겠습니다.   — 문제와 관련된 포부와 의지 표현하기

이상입니다.   — 발언을 끝내는 말 넣기

(2) 중등

구상형 1 다음 A 학생의 상황을 고려하여 구체적인 진로 지도 방안을 말하시오.

> **A 학생의 상황**
> A 학생은 구체적인 진로를 결정하지 못했다. 고등학교 2학년 때 선택과목을 무엇으로 고를지 고민 중이다. 학교에 A 학생이 흥미 있는 과목은 개설되지 않았다.

구상하기

✦ 해설

고교학점제와 온라인 공동교육과정을 겨냥해 출제된 문제이다. 고교학점제를 언급하지 않았어도 제시문에 따랐다면, 감점은 되지 않았지만 이를 언급해야만 경기교육을 위해 완전히 무장한 교사라는 느낌을 줬을 것이다. 만점자들은 전부 고교학점제를 언급했다. 제시문 속의 3가지 상황을 전부 해결해야 한다.

✦ 예시 답변 및 답변 포인트 분석

구상형 1번 문제 답변드리겠습니다. — 발언을 시작하는 말 넣기

고교학점제가 도입되며 학생들은 자신의 진로와 관련되거나 흥미 있는 과목을 직접 선택해 주도적으로 배움에 참여하게 됩니다. 이런 상황에서 진로 지도의 중요성이 커지고 있습니다. 제시문의 학생은 진로 문제로 고민하고 있습니다. 이를 해결할 수 있는 구체적인 진로 지도 방안을 말씀드리겠습니다. — 제시문 분석력을 드러내기

먼저, A 학생은 구체적인 진로를 결정하지 못했습니다. 진로 설정을 위해서는 학생의 흥미, 강점, 약점부터 찾아야 합니다. 저는 교사로서 학생과 개별 상담을 하거나 다중지능검사를 실시하고 분석 결과를 토대로 상담해 학생의 진로 탐색 과정을 적극적으로 돕겠습니다. 또한 진로 전문교사와 연계해 학생이 진로 상담을 받을 수 있도록 자리를 마련하겠습니다.

이런 과정으로 진로 탐색을 했다면, 두 번째 상황인 선택과목 문제도 어느 정도 해결될 수 있습니다. 진로에 도움이 되는 과목을 제가 직접 추천할 뿐만 아니라 '선배동행' 같은 경기도교육청만의 프로그램과 연결해 미리 수강해 본 선배들이 교육과정을 소개하고 안내하는 시간을 마련해 보겠습니다. — 해결 방안을 제시하되, 관련된 경기 정책을 꼭 언급하기

마지막으로 듣고 싶은 과목이 현 학교에 개설되지 않았다면 공동교육과정을 안내하겠습니다. 거점학교에 가서 직접 듣거나, 온라인 공동교육과정으로 수강할 수 있도록 신청 기간과 방법을 안내하겠습니다. 추후 진행 상황에 대해서도 관심을 기울이겠습니다.

현장에 나아가 내실 있는 진로지도, 진로교육에 앞장서는 교사가 되겠습니다. — 문제와 관련된 포부와 의지 표현하기

이상입니다. — 발언을 끝내는 말 넣기

구상형 2 코로나19로 학생들의 사회성이 많이 떨어졌다. 다음 제시문의 활동으로 학생들의 사회성을 증진시킬 프로그램을 만들고자 한다. 3가지 중 하나를 선택해 그 이유를 말하고, 이를 활용한 구체적인 사회성 증진 프로그램을 제시하시오.

제시문
1. 또래 활동
2. 창의적 체험활동
3. 주제 중심 체험활동

구상하기

✦ 해설

'코로나19, 사회성'이라는 문제 키워드를 챙겨야 한다. 또한 선택형 문제이므로 선택한 이유를 제시해야만 신뢰와 설득력을 줄 수 있을 것이다. 대안에는 학생들의 사회성을 기를 수 있는 현장성 있는 답변이 들어가야 한다. 온·오프 연계 프로그램, 학생체험 중심 프로그램 등의 방안이라면 경기교육이 지향하는 것과 방향성이 일치할 것이다.

✦ 예시 답변 및 답변 포인트 분석

구상형 2번 문제 답변드리겠습니다. ← 발언을 시작하는 말 넣기

코로나19로 사회성이 떨어진 학생들을 위한 사회성 회복 교육 방안으로 1번 또래 활동을 선택하겠습니다. 왜냐하면, 또래 친구는 제일 가깝게 있는 존재이며, 학생들이 코로나19 상황에서 가장 그리웠던 존재이기 때문입니다. 서로 어울리는 활동을 진행한다면 사회성 회복에 큰 도움이 될 것입니다. 구체적인 방안은 다음과 같습니다. ← 선택 이유 제시하기

첫째, 소모둠 활동입니다. 방역 수칙을 철저히 준수한 후 4인 1조 모둠을 만들어 온·오프라인 연계 수업 및 생활에 대해 서로 조력하는 활동을 하고 싶습니다. 예를 들어, 서로 온라인 수업 때 기상 시간을 챙겨준다거나 수행평가를 안내해 주는 등 소통 부족으로 생길 수 있는 문제를 4명이 한 팀이 돼 챙겨주는 것입니다. 들쑥날쑥한 등교일을 서로 알려주고, 아침에 모닝콜 등을 하며, 생활 일지를 공유하는 등의 소모둠 활동으로 코로나19 속 온라인 수업에서 느껴지는 공허함과 외로움을 보완하고 싶습니다. ← 문제 키워드인 코로나19, 사회성을 언급하기

둘째, 멘토·멘티 활동입니다. 코로나19로 인한 온라인 수업의 문제점으로 기초학력 저하, 학습 격차가 주목받고 있습니다. 등교 일정에 서로 멘토·멘티 활동으로 부족한 부분을 보완하고 함께 공부한다면, 기초학력 보충도 될 수 있고 사회성 회복에도 큰 도움이 될 것입니다.

코로나19 상황 속 학생들의 어려움을 파악하고, 이를 보완하고 해결하기 위해 적극적으로 노력하는 교사가 되겠습니다. ← 문제와 관련된 포부와 의지 표현하기

이상입니다. ← 발언을 끝내는 말 넣기

> **구상형 3** 다음 A, B, C 학생의 상황을 바탕으로 구체적인 학급생활협약 제정 방안을 이야기하시오.
>
> - A 학생: 우리 학급의 문제 상황을 해결하기 위해 학급생활협약이 필요해. 우리가 스스로 만들자고 선생님께 건의하자.
> - B 학생: 학급생활협약이 왜 필요한지 모르겠어. 학교 교칙만 지키면 되잖아.
> - C 학생: 작년에 선생님이 일방적으로 정한 규칙 때문에 지각할 때마다 벌 청소를 했어. 청소 좀 안 했으면 좋겠어.

구상하기

✦ 해설

3명의 고민을 모두 해결할 수 있는 내용이어야 한다. 제시문을 모두 언급하자.

✦ 예시 답변 및 답변 포인트 분석

구상형 3번 문제 답변드리겠습니다. ← 발언을 시작하는 말 넣기

학급생활협약은 학급 내에서 학생들이 스스로 정한 규칙으로, 학급 내의 질서를 유지하고, 학생들의 협력을 강화하는 데 도움을 주는 중요한 도구입니다. A, B, C 학생의 의견을 모두 반영해 구체적인 학급생활협약 제정 방안을 제시하겠습니다. ← 제시문 분석력을 드러내기

먼저 A 학생의 의견을 반영해, 토의와 합의 시간을 마련하겠습니다. 학급 내에서 규칙을 만드는 것은 소수가 결정하는 일이 아니라, 학급회의 같은 시간을 통해 학생들이 자유롭게 의견을 제시하고, 이해하며 공감하는 분위기에서 시작해야 합니다.

둘째, B 학생의 의견을 고려해, 학급생활협약과 교칙과의 관련성을 설명하는 시간을 확보하겠습니다. 학급생활협약이 교칙을 보완하고 학급의 사정을 더 구체적으로 반영할 수 있는 규칙이라는 것과 학생들이 협약의 중요성을 이해할 수 있도록 서로 대화하며 소통하는 시간을 확보해야 합니다.

마지막으로 C 학생의 의견을 반영해 교사 위주, 벌 위주의 규정을 최소화하겠습니다. 교사가 벌 청소를 시키는 대신 학생들끼리 협력해 깨끗한 교실을 유지하는 방안을 모색하고, 함께 책임지며 교실을 관리하는 문화를 확립해야 합니다. ← 세 학생의 요구 조건을 모두 반영하기

학급생활협약을 구체화한 뒤에는 시각화해 교실 내에 게시판 등을 통해 모든 학생이 확인할 수 있도록 해야 합니다. 또한, 학급생활협약에 참여한 모든 학생은 자발적으로 약속하고 서명해 자신의 의지와 책임감을 다짐하도록 유도하면 더 효과가 있을 것입니다.

이렇게 A, B, C 학생의 의견을 모두 반영한 학급생활협약을 통해 학급 내에서 학생들의 참여와 책임감이 강화될 것입니다.

현장에 나아가 더욱 활발하고 건강한 학급 분위기를 조성하는 교사가 되겠습니다. ← 문제와 관련된 포부와 의지 표현하기

이상입니다. ← 발언을 끝내는 말 넣기

즉답형 1
다음 상황을 보고, 담임교사의 입장에서 교과교사 A와의 갈등을 해결하기 위한 방안을 이야기하시오.

> 교과교사 A가 수업이 끝날 때마다 학급 아이들을 데려와 생활지도를 하라고 한다. 학생들의 담임교사이기에 처음에는 알겠다고 했지만 이런 경우가 지속되다 보니 점점 힘들다.

✦ 해설

갈등 상황이 제시될 때는 '너-나-우리 전략'을 쓰자. 이 전략을 적용하면 다음과 같은 해결책이 나온다. 교과교사의 이야기를 들어주고 공감 ➡ 나의 감정 전달 ➡ 공동의 협조로 해결할 것을 약속 ➡ 학급 아이들과 문제를 공유해 문제점을 찾고 해결

✦ 예시 답변 및 답변 포인트 분석

즉답형 1번 문제 답변드리겠습니다.   • 발언을 시작하는 말 넣기

다음 상황을 분석하면 첫째, A 교사와 담임 학급 학생들 간의 갈등이 지속되고 있으며 둘째, A 교사가 담임에게 학생 생활지도의 책임을 전가하고 있다는 것을 알 수 있습니다. 크게 이 2가지 문제를 해결하기 위한 방안을 제시하겠습니다.   • 제시문 분석력을 드러내기

가장 먼저 A 교사와 소통하겠습니다. A 교사와 학급의 갈등 원인을 파악하려면 근본적인 문제점을 알고 있어야 한다고 생각합니다. 학급에서 느끼는 감정, 문제라고 생각하는 지점에 관한 이야기를 들어보겠습니다. 또한 학급회의 시간에 학급 아이들과도 이 문제를 공유해 각자의 이야기를 들어보고 객관적인 판단을 하겠습니다.

이후 A 교사에게 제가 힘든 점에 대해서도 진솔하게 말씀드리겠습니다. 저 혼자 생활지도를 하는 것보다 A 교사와 협력해 생활지도를 하는 것이 효과적이기에 함께 협력할 방안을 공유하도록 하겠습니다. 이후 학급 아이들과도 수업 생활 규약에 관해 토론을 하고 우리 반이 지켜야 할 수업 규칙을 만들겠습니다.   • 문제 상황을 모두 해결하는 방안을 제시하되, 상대를 공감하고 이해하는 과정을 가장 먼저 넣기

또한 교사 회의 시간에 수업 나눔 및 생활지도에 관한 이야기를 함께 나누며, 교육공동체가 함께 문제 해결을 하면 더 좋은 생각이 나올 수 있을 것입니다. 이러한 방안들은 A 교사와의 갈등을 해결하고, 학생들에게 더 나은 교육적 효과를 줄 수 있을 것입니다.

상호 이해와 협력을 바탕으로 학생들의 발전과 학급 분위기를 개선하는 데 기여하는 교사가 되겠습니다.   • 문제와 관련된 포부와 의지 표현하기

이상입니다.   • 발언을 끝내는 말 넣기

> **즉답형 2** 미래 교사 역량 중 하나를 선택하여, 구체적인 함양 방안을 말하시오.

> 공동체 역량, 자기관리 역량, 교수학습 역량

✦ 해설

선택형 문제이다. 이 경우에는 선택 이유를 제시하고 이를 기르기 위한 방안을 이야기하되 '공동체'와 함께할 수 있는 방법, '지역사회'와 함께할 수 있는 방법을 포함하면 경기형 답변에 적합하다.

✦ 예시 답변 및 답변 포인트 분석

즉답형 2번 문제 답변드리겠습니다. ● 발언을 시작하는 말 넣기

저는 미래 교사가 갖춰야 할 역량 중 공동체 역량을 선택하겠습니다. 미래 사회는 교육의 무대가 세계로, 온라인 공간으로 확대되는 속도가 빨라지며 다양한 공간에서 여러 사람을 접할 기회가 많아지기에 공동체 역량이 필요하다고 생각합니다. ● 선택형 문제는 선택 이유 언급하기

공동체 역량을 함양할 방안은 다음과 같습니다.
첫째, 학생과 함께 공동체 역량을 강화하겠습니다. 사제동행 멘토링 프로그램을 진행해 운동, 학습플래너 작성 등의 활동을 하고 싶습니다. 학생들과 함께 사제동행을 진행하며 진솔한 대화를 나눈다면, 학생 이해 능력과 공동체 역량이 증진될 것입니다.

둘째, 교사 간 공동체 역량을 강화하겠습니다. 이를 위해 전문적 학습공동체에 적극적으로 참여하겠습니다. 특히 신규 교사로서 생활지도 역량을 갖추는 것이 중요하다고 생각하기에, 생활지도에 관한 주제 중심 전문적 학습공동체에 참여해 집단지성으로 문제를 해결하고, 의사소통 역량과 공동체 역량을 함께 기르고 싶습니다. ● 지역사회, 전문적 학습공동체 등 경기형 답변을 말하기

마지막으로 지역사회와의 공동체 역량을 강화하겠습니다. 미래에는 교육의 범위가 학교를 넘어 확장될 것입니다. 교육과정을 재구성하는 과정에서 지역 자원을 활용하고 지역 인적 자원들과 대화하는 과정을 통해 공동체 역량을 강화해, '온 마을이 학교다'라는 가치를 실현하는 교사가 되고 싶습니다.

현장에 나아가 협력에 앞서는 교사가 되겠습니다. ● 문제와 관련된 포부와 의지 표현하기

이상입니다. ● 발언을 끝내는 말 넣기

(3) 비교수 교과

구상형 1 경기혁신교육은 생활중심교육을 강화하고 있다. 다음의 경기교육 약속 4가지 중 가장 공감이 가는 내용 2가지를 선택하여 그 이유를 말하고, 학생들이 민주시민으로 성장할 수 있도록 생활중심교육을 어떻게 실현할지 구체적인 방안을 제시하시오.

경기 약속
1. 학생의 올바른 가치관을 함양하기 위한 교육을 강화하겠습니다.
2. 학생이 매 순간 성장하는 교육을 실천하겠습니다.
3. 학생이 공동체와 소통하고 삶을 나누는 교육을 실현하겠습니다.
4. 학생 한 명 한 명의 목소리에 귀를 기울이겠습니다.

구상하기

✦ 해설

선택형 문제이므로 반드시 이유를 제시해야 한다. 교육 방안은 경기형에 맞도록 학생 중심, 삶의 역량과 연계된 생활 중심 방안을 짜야 한다. 혁신교육과 민주시민은 이전 교육감 시절 강조한 정책이니 예시 답변은 참고만 하자.

✦ 예시 답변 및 답변 포인트 분석

구상형 1번 문제 답변드리겠습니다. ← 발언을 시작하는 말 넣기

저는 경기교육 약속 4가지 중 3번과 4번을 선택하겠습니다.
학생들이 민주시민으로서 삶에서 타인과 잘 어울려 살아가기 위해서는 공동체 역량을 지니고 있어야 합니다. 따라서 3번과 관련한 생활중심교육이 필요합니다. 또한 경기교육이 지향하는 민주시민이 되기 위해서는 자기 의견을 잘 이야기하고, 타인의 의견을 공감하고 수용하며 협의하는 의사소통 능력이 필요합니다. 따라서 4번을 선택했습니다. ← 선택형 문제는 이유를 언급하기

지금부터 이러한 경기교육 약속을 실제로 실현할 수 있는 생활중심교육 방안을 말씀드리겠습니다.

먼저 3번, 공동체와 소통하고 삶을 나누는 교육을 위해 저는 도서관을 중심으로 지역사회 봉사 동아리를 만들어 운영하고 싶습니다. 민주시민은 사회 참여에 적극적인 사람입니다. 지역 도서관과 연계해 지역사회 봉사활동 동아리를 운영하며 지역 도서관 쓰레기 줍기, 대여 및 반납 업무 진행, 도서관 자체 행사 진행 등을 통해 사회 속에 소속감을 느끼고 활동 과정에서 다양한 연령대의 사람들을 만나며 소통하고 자기 재능을 나누며 보람을 느끼는 기회를 부여하고 싶습니다.

둘째, 4번 한 명 한 명의 목소리에 귀 기울이는 교육을 위해 도서관 앞에 소리함을 설치하겠습니다. 학생들의 이용 건의 사항을 받고, 공간 재구성에 필요한 아이디어 등도 수렴하겠습니다. 한 달에 한 번씩 이 내용으로 투표하거나, 간이 토론회를 개최하는 등 의견 수렴을 위해 적극적으로 나서고 싶습니다. 또한 함께하고 싶은 독서 프로그램, 도서관과 친해지기 프로그램 등 학생들의 의견을 받아 친근한 도서관을 운영하겠습니다. 학생들은 자기가 제시한 의견이 반영되는 것을 보며, 사회 참여에 더욱 적극적인 사람으로 성장할 수 있을 것입니다. ← 문제의 '민주시민', '생활중심교육'이라는 키워드를 넣기

현장에 나아가 경기교육의 취지를 이해하고 이를 반영한 생활중심 교육에 앞장서는 교사가 되겠습니다. ← 문제와 관련된 포부와 의지 표현하기

이상입니다. ← 발언을 끝내는 말 넣기

구상형 2 다음의 학생 실태조사를 바탕으로 이를 해결하기 위해 지역사회와 함께하는 건강회복 프로그램을 실시하고자 한다. 자신의 전공(보건, 사서, 영양, 전문상담)과 연계하여 지역사회와 함께하는 건강회복 프로그램을 제시하시오.

실태조사 결과
- 가족 간 갈등으로 인한 스트레스 증가
- 우울감을 느끼는 학생 증가
- 아동, 청소년 비만율 증가
- 평균 수면시간 부족

구상하기

✦ 해설

구상형 문제는 제시문을 분석하는 것이 핵심이다. 4가지 실태조사는 괜히 나온 것이 아니다. 4가지 사례를 모두 언급해야만 좋은 결과를 기대할 수 있다. 또한, 단순히 지역사회의 어떤 것을 활용하는 데 그치는 것이 아니라 교사로서 할 수 있는 역할을 분명하게 제안해야 한다. 예컨대, "지역사회와 함께 ○○활동을 한다면, 학생들의 가족 갈등으로 인한 스트레스를 해결할 수 있을 것이다. 이때 교사인 나는, 학생들의 상황을 잘 확인하고 상담을 통해 전후 변화를 자세히 파악해 상황을 개선하기 위해 조력할 것이다." 등으로 말이다.

✦ 예시 답변 및 답변 포인트 분석

구상형 2번 문제 답변드리겠습니다. ● 발언을 시작하는 말 넣기

제시문의 실태조사 결과에 따르면 해당 학생은 가족 간 갈등으로 인한 스트레스와 수면 부족, 우울, 비만 등의 복합적인 문제를 가지고 있습니다. 영양교사로서 지역사회와 협력한 건강회복 프로그램 2가지를 제안하겠습니다. ● 제시문 분석력을 드러내기

첫째, 지역 문화 센터와 연계하여 '힐링 쿠킹 클래스'를 운영하겠습니다. 학생과 학부모가 함께 균형 잡힌 가정 식단을 설계하고 직접 건강식을 조리하는 시간을 갖도록 하는 것입니다. 이 과정에서 가족 간 긍정적인 정서 교류를 촉진할 수 있어 스트레스 문제에 대응할 수 있고, 건강한 식단 구성을 통해 비만 문제도 완화할 수 있을 것입니다.

● 실태조사 결과 내용을 모두 반영하기

둘째, 지역 병원과 협력하여 '수면 건강 캠페인'을 실시하겠습니다. 수면과 영양의 연관성을 강조하며, 늦은 밤 고열량 간식 섭취가 수면에 미치는 부정적 영향을 교육하겠습니다. 강의식 교육과 함께 퀴즈, 게임형 활동을 병행해 학생들이 흥미롭게 참여하도록 하겠습니다. 이를 통해 청소년이 올바른 수면 위생을 실천할 수 있도록 지도한다면 우울감과 수면 부족 문제를 개선할 수 있을 것입니다.

현장에 나아가 교육공동체와 함께 학생의 위기 상황과 문제 상황을 협력적으로 해결할 수 있는 교사가 되겠습니다. ● 문제와 관련된 포부와 의지 표현하기

이상입니다. ● 발언을 끝내는 말 넣기

구상형 3 다음은 부서별 업무 계획과 환경의 SWOT 분석 결과이다. 이를 바탕으로 자신의 전공(보건, 사서, 영양, 전문상담)과 연계한 교육 방안을 기획하시오.

업무 계획	
• 인문예술 교육 실시 • 마을교육공동체와 함께하는 교육 실시	
SWOT 분석 결과	
강점(S)	약점(W)
• 교사가 교육에 대한 열정 높음 • 학부모의 교육열 높음	• 학생의 자존감 낮음 • 학부모의 참여도 낮음
기회(O)	위협(T)
• 지역 내 문화예술 전문가 많음 • 혁신학교 예산 지원 많음	• 지역 내 주민 문화시설 부족 • 지역 주민 문화예술 경험 기회 부족

구상하기

✦ 해설

이 문제는 제시문에 있는 키워드를 짧게라도 모두 언급해서 문제해결 능력을 보여줘야 했다. 'PART 1. 기출문제 유형 분석'을 꼭 참고하길 바란다.

✦ 예시 답변 및 답변 포인트 분석

구상형 3번 문제 답변드리겠습니다. ← 발언을 시작하는 말 넣기

저는 사서교사로서 다음 학교의 업무 계획을 참고해 마을교육공동체와 함께하는 인문예술 교육 방안을 시행하겠습니다. 구체적인 방안은 환경 분석 결과를 반영해 다음과 같이 고민했습니다. ← 제시문 분석력을 드러내기

첫째, '학부모 스토리텔러' 방안입니다. 환경 분석 결과 교사의 열정이 높고, 학부모의 교육열이 높다는 강점을 활용한 방안입니다. 교사와 학부모가 학생들에게 도움이 되는 좋은 책을 함께 선정하고 '책 읽어주는 학부모회'를 조성해 매주 1회, 혹은 독서 주간을 정해 조회 시간 등을 활용해 책을 읽어주는 것입니다. 이렇게 한다면 약점으로 지적된 학부모의 낮은 참여도 문제를 해결할 수 있고, 좋은 이야기를 듣고 생각하며 학생들은 인문 소양과 자존감을 쌓아나갈 수 있을 것입니다. 또한 학생 추천 도서와 사연 등을 함께 받아 친구들과 공유하는 시간을 갖는다면 기대효과가 더욱 강화될 수 있을 것입니다. ← 환경 분석 결과의 내용을 모두 언급하기

둘째, 지역 문화예술 전문가를 초빙해 지역 주민과 함께하는 문화예술 콘서트를 개최하는 것입니다. 학교를 공연장으로 활용한다면, 지역 내 문화 시설이 부족한 문제를 해결할 수 있고 지역 주민의 문화예술 경험 기회를 부여할 수 있을 것입니다. 또한 지역 내 자원을 적극 활용한다면, 학생들에게 지역사회에 대한 자부심을 줄 수 있습니다.

현장에 나아가 학교 환경을 분석하고, 적합한 계획을 수립해 실천하는 적극적인 교사가 되겠습니다. ← 문제와 관련된 포부와 의지 밝히기

이상입니다. ← 발언을 끝내는 말 넣기

> **즉답형 1** 아래 제시문의 입장 중 하나를 선택하여 본인의 생각을 말하시오.
>
> A: 아이들은 스스로 성장한다.
> B: 아이들은 어른들의 세심한 지도와 안내가 필요하다.

✦ 해설

수험생의 교직관을 확인하는 문제이다. A는 학생의 성장 가능성에, B는 교사의 역할에 무게를 둔 입장이다. 하지만 학생은 혼자서만 성장할 수 없고, 모든 영역에서 교사의 지도를 받을 만큼 미성숙한 존재도 아니다. 따라서 두 관점을 적절히 섞어 학생들은 스스로 무궁무진한 성장 가능성을 지닌 존재이지만 이를 촉진할 수 있도록 교사의 안내와 지도가 필요한 부분이 있다는 것을 이야기해야 했다.

✦ 예시 답변 및 답변 포인트 분석

즉답형 1번 문제 답변드리겠습니다.   ● 발언을 시작하는 말 넣기

A는 아이의 잠재력에, B는 어른의 역할에 초점을 둔 입장입니다. 저는 A의 "아이들은 스스로 성장한다."라는 입장을 선택하겠습니다.   ● 제시문 분석력을 드러내기

왜냐하면 저는 '학생이 스스로 성장할 수 있도록 조력하는 교사'를 꿈꾸고 있기 때문입니다. 사람들은 태어날 때부터 자신의 성장과 발전을 위한 자연적인 능력을 갖추고 있고, 특히 아이들은 태어난 순간부터 호기심과 탐구심으로 주변 세계를 탐색하고 배우며 스스로 성장해 나간다고 생각합니다.

하지만 그렇다고 해서 아이들을 방치나 방임해선 안 된다고 생각합니다. 어른들의 세심한 지도와 안내는 중요합니다. 경험이 풍부하고 보다 다양한 지식을 가지고 있으므로 아이들의 성장 과정에 필요한 지식과 가치관을 전달하고, 문제해결 능력과 사회적 기술을 가르치는 역할을 해야 합니다. 하지만 아이들의 성장을 모든 면에서 제어하거나 간섭하는 것은 바람직하지 않다고 생각합니다.   ● 입장을 선택했다면, 이유를 제시하기

따라서 저는 아이들은 스스로 성장한다고 믿고, 제가 이것을 극대화할 수 있도록 세심한 관찰과 피드백으로 조력하겠습니다.

학생들의 성장 과정을 존중하고 지지하며, 아이들이 자신의 가능성을 찾아나가도록 도울 수 있는 교사가 되겠습니다.   ● 문제와 관련된 포부와 의지 표현하기

이상입니다.   ● 발언을 끝내는 말 넣기

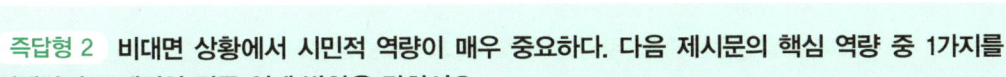

즉답형 2 비대면 상황에서 시민적 역량이 매우 중요하다. 다음 제시문의 핵심 역량 중 1가지를 선택하여 구체적인 전공 연계 방안을 말하시오.

> ㄱ. 비판적 사고 ㄴ. 책임과 권리 ㄷ. 의사소통 ㄹ. 정보 처리

✦ 해설

'비대면 상황'이라는 주요 키워드를 놓치면 안 된다. 이 상황에서 가장 필요한 시민적 역량을 선택하고, 타당성을 부여하기 위해 '이유'를 함께 제시한다. 그 후 구체적 방안을 말하되 학생 중심, 체험 중심의 방향으로 이야기해 경기교육의 지향점과 맥을 같이해야 한다.

✦ 예시 답변 및 답변 포인트 분석

즉답형 2번 문제 답변드리겠습니다. ● 발언을 시작하는 말 넣기

저는 4가지 역량 중 비판적 사고 능력을 선택하겠습니다. 비대면 교육을 시작하면서 인터넷 의존도가 더 늘어났습니다. 이에 인터넷에 떠도는 가짜 뉴스 및 해로운 콘텐츠에 대한 감식안을 기르는 능력이 중요해지고 있기에 비판적 사고 능력을 중점적으로 키워야 한다고 생각합니다. ● 선택형 문제는 이유를 제시하기

저는 이를 위해 상담실 주관 학생 중심 프로젝트 학습의 방식으로 미디어 리터러시 교육을 하겠습니다.

허위 사실, 자극적 뉴스로 심리적 고통을 받고 극단적 선택을 하는 유명인들의 소식을 자주 접할 수 있습니다. 청소년들이 미디어에 대한 올바른 관점을 수립하지 않는다면, 이런 루머에 현혹되기 쉬울뿐더러 동참하게 되는 문제가 생길 수도 있습니다. 따라서 담임교사와 연계해 창의적 체험학습 시간 등을 통해 미디어를 시청할 때 시청 기준, 진위 판단 방법 등 비판적 시청 방법에 대해 학생들 스스로 토의 활동을 하도록 하겠습니다. 유튜브 등 SNS에서 떠도는 뉴스를 접할 때의 자세와 진짜 뉴스와 가짜 뉴스를 판단하는 기준을 스스로 고민해 보며 비판적 사고 능력을 확립하도록 하겠습니다. ● 기대효과를 언급해 답변에 설득력을 부여하기

또한 가짜 뉴스의 실태와 피해 상황을 직접 조사하게 하며 문제점을 인지하고 차후 모둠 활동으로 공익 광고 영상을 제작하도록 해 온라인 플랫폼에 직접 게시하도록 하겠습니다. 가짜 뉴스로 인한 정서적 고통을 받는 사람들을 치유할 수 있는 정서적 지지 캠페인 등을 포함해 상담 특화 프로그램으로 구성하고 싶습니다. 이렇게 한다면 비판적 사고 능력을 키울뿐더러 사회 문제를 파악하고 이를 해결해 보는 과정에서 사회 참여 의식과 주인 의식이 성장할 것입니다.

비대면 상황 속에서도 학생들의 시민의식 함양을 위해 노력하는 교사가 되겠습니다. ● 문제와 관련된 포부와 의지 표현하기

이상입니다. ● 발언을 끝내는 말 넣기

즉답형 3 학교에서 양성평등 실천 주간을 운영하고자 한다. 양성평등과 관련한 자신의 성장 경험을 말하고, 자신의 전공(보건, 사서, 영양, 전문상담)과 연계하여 학생 체험 중심 양성평등 교육 방안을 제시하시오.

✦ **해설**

학교에서는 우리도 인지하지 못한 채 낮은 성인지 감수성으로 학생들을 대하곤 한다. 예를 들어 남자는 신체 활동이나 힘을 쓰는 일을 잘한다고 생각하고 여자는 미화나 손재주 있는 일을 잘한다고 여겨, 1인 1역을 그렇게 고정하는 것이다. 이러한 분위기는 학생들의 직업 선택 폭을 좁아지게 만든다. 이를 해결하는 방안을 짜되 교사가 강의하는 식이 아닌 학생 체험 중심 방안으로 고민해야 한다.

✦ **예시 답변 및 답변 포인트 분석**

즉답형 3번 문제 답변드리겠습니다.
⟵ 발언을 시작하는 말 넣기

양성평등은 성별에 따른 차별, 편견, 비하 없이 인권을 동등하게 보장받고 모든 영역에서 동등하게 참여하고 대우받는 것을 의미합니다. 이와 관련한 저의 성장 경험을 말한 후, 학생 중심 체험 방안을 말씀드리겠습니다.
⟵ 서론을 넣으면 유리한 문제. 양성평등 교육이라는 이슈를 제시하고 있으므로 정의를 언급하기. 제시문 분석력을 드러내기

저는 양성평등이 부족한 환경에서 성장했습니다. 특히 직업을 선택할 때 그런 경향이 두드러졌습니다. 저는 학생들을 좋아하고, 사람들과의 소통을 좋아해서 교사를 희망했는데 '여자 직업으로 교사가 딱이다.'라는 어른들의 말씀을 종종 들어야 했습니다. 제가 양성평등에 대해 깨닫게 된 경험은 대학 시절에 '여학생 리더십 캠프'에 참여하면서입니다. 캠프를 통해 성별에 따른 역할 고정에 대해 많은 성찰을 하게 됐습니다. 이후 이 분야에 관심이 생겨, 동기들과 소모임을 만들었고 남자 역시 '남자는 울면 안 된다.', '남자에겐 능력이 가장 중요하다.'와 같은 무의식적 성차별이 존재한다는 것을 깨닫게 됐습니다.
⟵ 경험을 진솔하게 언급하기. 단, 학교 안에서 이러한 차별을 당했다고 적나라하게 표현해 공교육에 부정적인 사람이라는 인식을 줘서는 안 됨. 누구나 공감할 만한 보편적 사례를 제시하기. 관련 경험이 혹시 없더라도 '없다'고 말하지 않고, 그럴듯하게 만들기

저는 이런 저의 성찰 경험을 토대로 보건교사로서 학생 체험 중심 양성평등 방안을 다음과 같이 고민해 보았습니다.
⟵ 반드시 학생 체험 중심 방안을 만들기

먼저, 학교 양성평등 주간에 양성평등 교육 및 홍보 행사에 참여해 적극적으로 프로그램을 운영을 조력하겠습니다. 학생들과 함께 토론 활동으로 양성평등이 필요한 이유, 사회 문제, 개선 방안 등을 이야기해 보며 보건실 주관으로 캠페인 활동을 펼쳐 보고 싶습니다. 예를 들어 학교 안 여러 장소에서 겪었던 차별을 메모지에 적어 붙이게 하고, 학생들이 갤러리 워크 형식으로 돌아다니며 가장 공감하거나 토의하고 싶은 주제에 스티커를 붙여, 선택된 주제로 토론하는 것입니다. 캠페인 활동이 일회성에 그치지 않도록 콘텐츠로 남겨, 학부모와 교사들도 함께 공유해 양성평등 문화가 확산할 수 있게 하겠습니다.

둘째, 보건교사로서 학생생활부와 연계해 양성평등을 위한 리더십 프로그램을 개발하고 싶습니다. 학생들에게 양성평등에 대한 중요성과 리더십의 역할을 강조하는 리더십 프로그램은 자신만의 강점 찾기, 스피치 활동, 성별 역할극을 통한 일상생활 고정관념 잡기 등으로 모든 학생이 성차별 없이 자신의 역량을 발휘할 기회를 주게 할 것입니다. 남과 여가 아닌 자신이 잘하는 것을 찾을 수 있게 하겠습니다.

마지막으로 보건 분야는 일반적으로 성별화됐다고 여겨지는 분야 중 하나라고 생각합니다. 저는 보건 분야에서 이러한 성역할을 깬 인사를 초청해 진로 멘토링을 진행하고 싶습니다. 일반적인 강의식 수업이 아니라 학생들이 진로 멘토링을 통해 느낀 점을 발표하고, 토론하는 시간을 가지며, 스스로 성찰하는 과정을 포함하겠습니다.

현장에 나아가 남학생과 여학생을 불필요하게 구분하거나, 그들의 특성을 유형화해 양성평등을 저해하는 교사가 아닌 학생 개개인의 능력과 특성에 초점을 맞추는 성인지 감수성을 갖춘 교사가 되겠습니다.

— 문제와 관련된 포부와 의지 표현하기

이상입니다.

— 발언을 끝내는 말 넣기

즉답형 4 교내 담임교사가 학급에서 갈등과 오해가 잦아 학급 운영이 어렵다며 고민을 털어놓았다. 이러한 상황에서 담임교사와 협력하여 문제를 해결하기 위한 전공(보건, 사서, 영양, 전문상담) 연계 방안을 제시하시오.

✦ 해설

경기교육의 지향점에 맞게 교육공동체와 연대해 해결 방안을 고민해야 한다.

✦ 예시 답변 및 답변 포인트 분석

즉답형 4번 문제 답변드리겠습니다. ● — 발언을 시작하는 말 넣기

학급 내 오해와 갈등이 있는 상황에서, 담임교사와 협력한 상담 교육 방안을 제시하도록 하겠습니다. ● — 문제 분석력을 드러내기

첫째, 담임교사와 함께 갈등 해결을 위해 집단 상담 프로그램을 기획하겠습니다. 해당 학급에서는 오해와 갈등이 있는데, 해결하지 못해 문제 상황이 계속 발생하고 있습니다. 학생들이 갈등을 원만하게 해결할 수 있도록 함께 대화하는 시간을 마련하겠습니다. 혹시 감정이 격해질 수 있기에 사전에 나 전달법으로 감정 표현을 할 수 있도록 지도하고, 토킹스틱 제도를 통해 타인의 말을 경청하는 방식을 익힌 후 함께 대화하는 시간을 마련할 것입니다.

둘째, 감정 조절 및 스트레스 완화 방안을 기획하겠습니다. 갈등 상황에서 학생들이 감정을 적절하게 조절하고 대처하는 것이 중요합니다. 이때 담임교사뿐 아니라 보건교사와도 연대한다면 보다 수월할 것입니다. 스트레스 상황 시 이완 호흡법 등을 안내하고 스트레스 관리 프로그램을 통해 학생들이 자기를 잘 다스릴 수 있도록 지원하겠습니다. ● — 교육공동체와 연대할 수 있는 방안을 수립하기

마지막으로 담임교사뿐 아니라 학년부 교사들과 함께 갈등 예방을 위한 프로그램을 운영하겠습니다. 학급 학생들이 서로 협력한다면, 갈등과 오해가 쌓이는 분위기가 아니라 서로 신뢰하고 협동하는 반 분위기를 만들 수 있을 것입니다. 학급 단합대회, 체육대회, 전지에 편지 완성하기 등 협동해 하나의 결과물을 낼 수 있는 프로그램을 기획하고 저는 상담교사로서 협력적인 분위기를 만들 수 있도록 조력하겠습니다.

현장에 나아가 교육공동체와 연대해 문제 상황을 해결할 수 있는 협력적인 교사가 되겠습니다. ● — 문제와 관련된 포부와 의지 표현하기

이상입니다. ● — 발언을 끝내는 말 넣기

기출문제 분석

① 개별면접

(1) 초등

2021학년도

| 구상형 |

1. 학교와 교육의 본질에 대해 이러한 물음을 던진 의미는 무엇이며, 이와 관련하여 학교에서 중점을 두고 해보고 싶은 교육 활동은 무엇인지 말하시오.

> 멀게만 여겼던 미래가 예상보다 훨씬 빠르게 우리 삶 속으로, 그리고 교실 안으로 들어왔습니다. 이렇게 갑자기 찾아온 미래는 우리에게 '학교와 교육의 본질'에 대한 질문을 던졌고 경기교육은 이 질문에 대한 답을 학교 현장으로부터 찾고자 하였습니다.
> "학교 교육 활동에서 중점을 두어 해보고 싶은 것은 무엇입니까?"

2. 다음 제시문과 관련하여 하고 싶은 교육 방안을 교육과정과 연계하여 구체적으로 제시하시오.

> • 5년 전 세계 지도자들이 파리협정에 서명하며 지구 평균온도가 2℃ 이상 상승하지 않도록 하겠다고 발표했습니다. 이후 많은 일이 있었지만 필요한 행동은 아직 보이지 않고 있습니다.　　그레타 툰베리
> • 과학자들은 세계가 본격적으로 기후 위기에 접어들 것이며, 코로나19는 그 서막이라고 이야기합니다. 향후 5년 동안 지구 온도는 1.5도 상승한다는 예측과 수많은 감염병은 인류가 수십 년 동안 이어온 환경 파괴의 결과라고 경고합니다.　　2021 이재정 교육감 신년 기자회견문

3. 코로나19로 인해 원격 수업과 등교 수업을 병행하며, 등교 인원을 1/3 이하로 제한하고 있다. 교직원 회의 상황을 읽고 D 교사가 제시할 의견과 그 근거를 말하시오.

> **교직원 회의 상황**
> A 교사: 방역 당국에서 학교 인원의 1/3까지 등교하라는 지침이 내려왔네요. 우리 학교는 어떻게 할까요?
> B 교사: 학급을 1/3로 나누어 등교하는 건 어떨까요?
> C 교사: 그렇게 하면, 원격 수업과 등교 수업을 하는 학생들이 동시에 생겨 담임교사의 업무 부담이 커질 것 같습니다. 지정일을 정해 한 학년씩 등교하는 것은 어떨까요?
> D 교사: 제가 생각했을 때, 교육의 공공성 측면에서… [수험생 답변 부분]

| 즉답형 |

1. 코로나19로 인해 소통과 협력 등 공동체 의식을 함양할 기회가 줄어들고 있다. 이와 관련하여 공동체성을 발휘한 경험과 이를 교육 활동에 적용할 방안을 말하시오.
2. 1학년 학생들이 겪는 어려움은 무엇일지 말하고 교사로서 이를 해결할 방안을 말하시오.

구상하기

✦ 해설 및 예시 답변

구상형 1

키워드 #학교의 본질 #미래 교육

해설 교육과 학교에 대한 관점을 확인하려는 문제이다. 과거의 배움은 학교의 전유물이었다. 하지만 현재 교육은 학교 밖 혹은 온라인 등으로까지 영역이 확장됐다. 특히 코로나19로 가속화된 교육 공간 확대 속에서 학교만의 역할은 무엇인지에 대한 고민이 담겨야 한다.

예시 답변 구상형 1번 답변드리겠습니다.
물음의 의미를 먼저 말씀드리겠습니다.
과거의 '배움'은 학교만의 전유물이었습니다. 하지만 현재 교육은 꿈의학교, 꿈의대학 등 학교 밖에서도 행해지고 있고 온라인으로까지 확장되고 있습니다. 특히 코로나19로 인해 온라인 학습이 보편화되며 미래에는 이런 현상이 더욱 일반적일 것입니다. 이러한 상황에서 학교와 교육의 본질에 대한 물음의 의미는 학교가 미래 변화와 사회적 요구에 대응하며, 더 나은 교육을 제공하기 위해서 본래의 목적과 가치에 대한 성찰 과정이 필요하기 때문입니다.

저는 이와 관련하여 현장에 나아가 '학생 주도 프로젝트 학습'을 중점적으로 하고 싶습니다. 미래가 빠르게 변화하고 기술이 우리 삶 속으로 들어오는 상황에서 학교는 단순히 지식을 전달하는 것이 아니라 학생들이 세계를 이해하고, 문제를 해결하며 창의적으로 사고하는 능력을 갖추도록 지원해야 합니다. 저는 '미래'라는 제시어를 주고, 아이들이 단어를 보고 떠오르는 아이디어 및 주제를 중심으로 여러 교과를 통합하는 융합 프로젝트 수업을 만들고 싶습니다. 제가 생각을 제한하는 것이 아닌, 아이들만의 무궁무진한 창의성으로 미래와 관련한 주제를 풀어나가게 하고 싶습니다. 저는 교사로서 학생들의 생각에 피드백을 주며 생각을 자극하도록 하겠습니다. 이 경우 미래 직업, 미래 사회 예측 및 대응, 기후 위기, 세계화, 인공지능 등 다양한 주제가 만들어질 수 있습니다. 학생들은 각자가 선택한 주제에 따라 다양한 삶의 모습을 예측해 보고, 그 속에서 우리가 할 수 있는 일이 무엇인지 생각해 보는 과정을 갖게 됩니다. 이 과정에서 시민의식과 창의력, 삶에 대한 역량을 기를 수 있을 것입니다.

학교와 교육의 본질에 대해 성찰하며, 현장에서 실천할 수 있는 교사가 되도록 노력하겠습니다. 이상입니다.
👍 꿈의학교, 꿈의대학은 2022학년도까지의 정책이나 《사이다》에서는 해설을 소급하지 않고 그 시기에 맞는 답안을 유지했다.

구상형 2

키워드 #기후 위기 교육

해설 교육과정과 연계한 방안은 ① 학급 활동을 하거나 ② 교과 시간에 할 수 있는 것으로 나눌 수 있다. 학급 활동은 학기 단위 장기적 계획으로 '체험 중심', '학습자 주도' 교육을 지향하면 좋고, 교과 활동은 짧은 차시의 프로젝트 학습으로 역시 교사 주도가 아닌 학습자 위주로 진행해야 경기도교육청의 지향점과 방향이 같다.

예시 답변 구상형 2번 답변드리겠습니다.
제시문에서는 기후 위기로 인한 노력이 필요함을 시사하고 있습니다. 저는 이를 고려해 다음과 같은 교육 활동을 하고 싶습니다. 저는 사회 시간에 '학생 주도 기후 변화 대응 프로젝트'를 총 4차시에 거쳐 진행하고 싶습니다. 이 캠페인은 학생들에게 기후 변화의 심각성을 인식시키고, 학생이 직접 개인과 지역사회 차원에서 기후 변화에 대한 적극적인 대응 방안을 모색해 보도록 하는 학생 중심 프로젝트입니다.

가장 먼저 기후 변화와 관련된 흥미 있는 영상으로 학생들에게 상황의 심각성과 문제 해결을 위한 내적 동기를 자극하고 싶습니다. 이후 기후 변화의 원인을 분석하는 활동을 하겠습니다. 태블릿, 스마트폰 등으로 검색할 수 있게 하되 사전에 미디어 리터러시 교육을 통해 정확한 출처를 찾고 가짜 정보를 가려내는 활동을 할 것입니다.

2차시에는 학생들의 토론으로 실생활에서 우리 조의 문제 습관을 점검해 유형화하는 시간을 갖겠습니다. 마인드맵, 온라인 패들렛 플랫폼 등을 통해 의견을 모으는 과정에서 학생들의 의사소통 능력, 자기주도성을 기를 수 있을 것입니다.

3차시에는 나, 우리 가정, 학급, 지역사회에서 해야 할 노력을 토론으로 고민해 공유하도록 하겠습니다.

마지막 4차시에는 영상, 포스터, 노래 등 다양한 방식으로 캠페인 활동을 해, 사회 문제에 대해 고민하고 이를 해결하기 위해 실천하는 시민이 될 수 있도록 할 것입니다. 이러한 기후 변화 캠페인을 통해 학생들은 기후 변화에 대한 심각성과 중요성을 깨달으며, 기후 변화에 대한 인식과 책임감을 함양할 수 있을 것입니다.

현장에 나아가 학생 중심으로 사회 문제를 해결하기 위해 교육과정 재구성에 신경쓰는 교사가 되겠습니다.
이상입니다.

구상형 3

키워드 #교육의 공공성

해설 1/3 등교 방식을 논의하되 '공공성'의 측면에서 이야기해야 한다. 교육의 공공성이라는 의미를 알고, 이를 등교 방식에 적용해야 하는 문제이다. 단어를 통해 어느 정도 유추가 가능하지만 정책 용어로 정확히 표현하면 다음과 같다.

- 교육 공공성을 구현한다는 것은 사회 계층의 격차 또는 개인적 한계를 넘어 각 학습자의 다양한 소질과 특성에 맞는 학습설계를 통해, 모든 학생이 자신의 삶과 연관된 질 높은 배움을 얻을 수 있는 교육과정을 구성함을 의미
- 교육공동체는 함께 교육과정을 만들어 가는 경험을 통해 공공선을 인지하고 추구하게 되며, 이는 상호 존중, 관용, 배려, 신뢰를 바탕으로 교육의 공공성을 구현하는 과정
- 학생 개개인의 차이와 다양성을 고려해 교육과정과 수업에서 교육의 질적 수월성과 형평성을 보장할 수 있도록 보편적 학습설계를 적극적으로 실천

밑줄 친 키워드인 학습자의 차이와 다양성 고려, 함께 교육과정 만들기에 초점을 맞춘 답변은 다음과 같다.

예시 답변 구상형 3번 답변드리겠습니다.
교육의 공공성이란 학습자의 차이와 다양성을 고려하고, 함께 교육과정을 만드는 것을 의미합니다. 이 측면에서 D 교사가 제시할 의견과 근거를 말씀드리겠습니다.

D 교사는 저학년 위주의 등교, 교육공동체의 의견 수렴을 주장했을 것 같습니다. 앞서 말씀드린 것처럼 교육의 공공성을 위해서는 학생의 차이와 다양성을 고려해야 합니다. 1~6학년 학생들의 차이와 온라인 학습에 적합한 수준을 고려했을 때, 필요한 학생들에게 적절한 도움을 주어야 합니다. 고학년 학생들은 어느 정도 학습 수준을 갖추고 있어서 콘텐츠 학습이 쉬울 수 있으나 저학년은 학습 지도뿐 아니라 돌봄이 필요하므로 우선 등교를 해야 할 것 같습니다. 또한 이와 관련해 학교에서 일방적으로 시행하는 것이 아닌 교육공동체의 의견을 수렴한 후 결정하는 것이 공공성에 입각한 대안이라고 생각합니다.

따라서, D 교사는 1/3 등교 방식을 저학년 위주로 하되, 공동체 의견을 수렴하자는 방식으로 말할 것 같습니다.
이상입니다.

즉답형 1

키워드 #공동체 경험

해설 단골 출제 유형이다. 자신의 경험-경험에서 깨달은 점-교직 실천 방안, 3가지를 한 세트로 묶어서 이야기해야 한다. 특히 '코로나19로 인해'라는 문구를 넣은 만큼 서론, 결론 부분에 '코로나19'를 언급해 제시문을 잘 분석했다는 것을 드러내면 좋다.

예시 답변 즉답형 1번 답변드리겠습니다.

공동체성이 중요한 이유는, 코로나19로 인해 공동체 의식을 함양할 기회가 줄어들고 있을 뿐 아니라, 미래 사회에는 기후 위기, 전염병 등 전 지구적 문제로 인해 공존과 상생의 가치가 더욱 중요해질 것이기 때문입니다. 저는 이와 관련한 저의 경험과 교육 활동에 적용할 방안을 말씀드리겠습니다.

저는 학부 시절부터 꾸준하게 교육 멘토링 활동으로 교육봉사를 해왔습니다. 멘토링 대상 학생들은 기초학력 부족 학생, 다문화가정 학생, 탈북학생 등 다양한 문화 배경을 가졌습니다. 각기 다른 친구들의 성향과 환경을 파악하고, 그들에게 필요한 맞춤형 교육을 제공하는 일이 어려울 때도 있었습니다. 하지만 시간이 흐를수록 학생들과 만나며 다양성을 존중하고 포용적인 태도를 갖춰가는 제 자신을 발견할 수 있었습니다. 깨달음을 인지한 후부터 이를 내재화하기 위해 학생들과 만난 후 성찰일지를 꾸준히 작성하는 습관도 들이고 있습니다. 저는 이런 저의 경험을 통해 얻은 가치를 공유하고자 학급 내에서도 '멘토·멘티 프로그램'을 기획해 보고 싶습니다.

이론으로 아는 것보다 직접 실천하고 성찰할 때 공동체성이 더 크게 와닿았기 때문에, 학급 내에서도 서로가 서로에게 멘토가 돼 잘하는 것으로 학급을 이롭게 하는 방향을 만들어 보고 싶습니다. 멘토링 일지를 직접 작성하게 해, 서로 도울 때 스스로 어떤 성장이 일어났는지 작성하는 시간도 줄 것입니다. 이렇게 한다면, 각자의 역량이 더 커지는 것은 물론 화합하고 협력할 때의 기쁨과 가치를 아는 사람으로 성장할 수 있을 것입니다.

이런 협력이 주는 가치를 잊지 않고, 코로나19 상황 속에서도 공동체 의식을 함양할 수 있는 교육 활동을 제공하는 교사가 되겠습니다. 이상입니다.

즉답형 2

키워드 #초1의 어려움

해설 경기도교육청에서 2020학년도에 무척이나 강조했던 성장배려학년제를 아는지 확인하는 문제이다. 성장배려학년제라는 단어가 없어도, 주어진 상황에서 이 정책이 필요했음을 알아야 하는 까다로운 문제였다.

예시 답변 즉답형 2번 답변드리겠습니다.

경기도교육청에서는 문항과 같이 학교생활에 어려움을 겪는 초등학교 1~2학년 학생들을 위해, 성장배려학년제를 도입하고 있습니다. 1학년 학생들이 겪는 어려움을 말씀드리고, 성장배려학년제 취지에 맞는 해결 방안을 말씀드리도록 하겠습니다.

초등학교 1학년 학생들은 다음과 같은 어려움이 있을 수 있습니다.
먼저, 새로운 환경에 대한 불안함입니다. 1~6학년까지 다양한 연령대를 마주해야 하며 지켜야 할 규칙과 질서가 있는 초등학교에 입학해 적응이 어려울 수 있습니다.
또한 기초학습이 필요한 1학년 학생들은 읽기, 쓰기, 셈하기 등에서 학습의 어려움을 경험할 수 있습니다.

이러한 어려움을 해결하기 위해 성장배려학년제의 취지에 맞춰 해결 방안을 말씀 드리겠습니다.

먼저, 학교 적응을 위해 학생들을 세심히 관찰하고 적응할 수 있는 교실 문화를 만들겠습니다. 안내문 작성, 온라인 플랫폼 개설 등을 통해 가정과 연대하여 학생의 성장 배경, 심리, 행동적 특성을 이해한 후 개별화 교육을 하겠습니다. 또한 저학년 발달 단계를 고려해 쉼이 있는 교실을 만들 것입니다. 한글 및 수학 관련 게임, 퍼즐 등을 교실에 갖추어 적응을 돕겠습니다.

다음으로 학습 측면에서 기본 교육을 강화하겠습니다. 동료 교사들과 전문적 학습공동체를 운영하며, 놀이 중심 수업 및 놀이 활동 콘텐츠를 개발해 학생들이 즐겁게 기본 교육을 받을 수 있게 하겠습니다. 이렇게 한다면 학생들이 좀 더 쉽게 초등학교에 적응할 수 있을 것이라고 생각합니다.

현장에 나아가 초등학교 학생들의 발달 단계에 따른 학년별 특성을 이해하고, 적합한 교육과정 편성과 운영을 도입할 줄 아는 능력 있고 유연한 교사가 될 것을 약속드립니다. 이상입니다.

자기 평가	
체감 난도	상 중 하 ➡ 원인 파악:
답변을 잘한 문제	
부족한 문제	
보완 계획	
스터디원의 핵심 피드백 내용	

2020학년도

| 구상형 |
1. 교사로서 자신의 강점과 약점을 키워드로 제시하고, 자신의 강점을 발휘하여 학생을 지도할 방안과 약점을 보완할 방안을 말하시오.
2. 사회가 급속하게 변하며 교육 역시 변화를 요구받고 있다. 사회 변화에 따른 미래 교실의 모습을 제시하고 혁신교육 3.0과 연관 지어 교사에게 필요한 역량이 무엇인지 제시하시오.

| 즉답형 |
1. 자신의 경험에 빗대어 "온 마을이 학교다."의 의미를 논하고, 교실에서 어떻게 실현할지 말하시오.
2. 교사의 존재 의미는 ○○이다. 빈칸을 채우고 자신의 경험에 빗대어 설명하시오.

구상하기

✦ 해설 및 예시 답변

구상형 1

키워드 #강점 #약점

해설 강점과 약점을 묻는 문제는 《사이다 면접 Input》의 '자기성장소개서 전략'에서 언급한 것처럼 약점 부분이 관건이다. 약점을 쓸 땐, 강점이 될 수 있는 약점을 서술해야 한다.

예시 답변 구상형 1번 답변드리겠습니다.
교사로서 자신의 강점과 약점을 인지하고 이를 효과적으로 활용하거나 보완하는 것은 매우 중요합니다. 저는 '꾸준함'이라는 저의 강점을 발휘해 학생을 지도할 방안과 '눈물이 많다'는 약점을 보완할 방법을 말씀드리겠습니다.

먼저, 꾸준함을 발휘한 지도 방안입니다. 저는 저의 꾸준한 성격을 적극 활용해 학생을 꾸준히 관찰하고 꼼꼼하게 성장 내용을 기록하겠습니다. 학생의 학습 패턴, 강점, 약점을 파악해, 이를 바탕으로 개별화 교육을 하겠습니다. 또한 교직 생활을 하며, 문제행동을 보이는 학생이 있거나 학습 속도가 느린 학생을 만나도 포기하지 않고 지속적으로 학생의 성장을 위해 격려하고, 지지하겠습니다.

다음으로 눈물이 많다는 점을 보완하는 방안입니다. 저는 저의 감수성을 긍정적인 에너지로 전환하겠습니다. 감수성이 풍부한 교사는 학생의 감정을 잘 이해하고 공감할 수 있다고 생각합니다. 학생들과 상담이나 대화를 할 때 감정을 숨기기보다는, 공감을 통해 학생의 마음을 이해하고 위로하겠습니다. 하지만 감정이 과도하게 표출되는 것은 지양해야 한다고 생각합니다. 저는 전문적인 상담 기술을 익혀, 감정이 북받치는 상황에서도 학생들에게 안정적이고 차분한 모습을 보여주도록 하겠습니다. 상담 관련 연수나 전문적 학습공동체에 참여해 감정 관리 및 상담 기술을 배우고, 이를 교실 상황에서 적용하겠습니다. 이상입니다.

구상형 2

키워드 #미래 교실 #혁신교육 3.0 #교사 역량

해설 사회는 기술 중심, 기계 중심으로 변화하고 있으며 이에 따라 교실도 변화하게 된다. 교실은 시설이나 기기 등에서 이러한 기술의 변화를 적극적으로 수용하는 공간이 되겠지만, 한편으론 기계가 대체할 수 없는 인간만의 능력을 함양할 수 있도록 상상력과 창의력, 협동이 만연한 공간이 돼야 한다. 혁신교육 3.0의 핵심은 학교혁신의 지역화, 마을과 함께하는 교육을 지향한다. 이를 위해 교사에게는 의사소통 역량, 협동심 등이 필요하다. 혁신교육 3.0은 이전 교육감 시절 정책이니 이를 고려해 답변의 내용은 참고만 하자.

예시 답변 구상형 2번 답변드리겠습니다.
사회가 빠르게 변화하면서 교실 환경도 빠르게 변화하고 있습니다. 저는 미래에는 교실의 공간적 경계가 희미해질 것이라 생각합니다. 온라인 기술의 발전으로 교실의 공간적 제약이 사라져 학교를 넘어 지역, 나아가 해외에 있는 학교와도 소통할 수 있을 것입니다. 이를 통해 쌍방향 교류가 가능해짐으로써 학생들의 배움의 폭이 넓어질 수 있을 것입니다.

교실 공간의 제약이 사라지는 상황 속에서 미래 교사에게 필요한 역량은 공동체 역량입니다. 혁신교육 3.0에서는 마을과 함께하는 교육을 지향하고 있습니다. 미래 교실은 교실의 공간적 제약이 사라지면서 교실 내에서도 우리 마을, 먼 지역과 연계한 쌍방향 수업이 가능해질 것입니다. 이때, 교사는 마을과 협력해 학생들이 마을 공동체의 일환으로써 성장할 수 있도록 마을 교육 방안을 기획할 수 있습니다. 이를 위해 교사는 학생과 마을을 연결하는 다리 역할을 해야 하므로, 공동체 역량을 갖춰야 합니다.

교사가 먼저 마을과 협력함으로써 학생들도 마을의 의미를 고민해 보고 함께 성장하는 교실을 만들어 가도록 하겠습니다. 이상입니다.

즉답형 1

키워드 #경험 #실현 방안

해설 혁신교육 3.0의 가치를 이곳에서도 반영하고 있다. 교육, 혁신교육의 지역화가 포인트이다. 이를 자신의 경험에 비추어 설명하고 교육 방안을 고민해야 했다.

예시 답변 즉답형 1번 답변드리겠습니다.

"온 마을이 학교다."라는 의미는 학생 한 명이 성장하는 데 학교뿐만 아니라 지역도 함께 노력해야 함을 의미합니다. 즉, 학생이 혼자 성장하는 것이 아니라 학교, 마을과 연계해 함께 성장해야 함을 이야기하고 있습니다.

교실에서 마을 교육을 실현하기 위한 방안을 2가지 말씀드리겠습니다.

첫째, 마을 지도 만들기를 하겠습니다. 우리 지역의 맛집, 우리 지역의 공원 등 생활 속 필요한 장소를 먼저 찾아보고 표시함으로써 학생들의 마을에 대한 이해와 애정을 높일 수 있을 것입니다.

둘째, 지역의 어르신들과 협력해 사람책 프로그램을 운영하겠습니다. 학창 시절에 저 역시 마을에 관심이 없던 학생이었습니다. 하지만 학교 축제에서 지역 어르신들이 마련한 지역 홍보 부스를 체험하고 동네에 관해 관심을 가지게 된 경험이 있습니다. 지역 어르신을 초청하고 어르신들의 이야기를 아이들에게 들려줌으로써 학생들이 마을에 관심을 가지고 지역 어르신들의 지혜를 느끼는 시간을 제공하겠습니다.

학생들이 혼자 성장하는 것이 아닌 지역과 함께 공동체 속에서 성장할 수 있는 자세를 기를 수 있도록 노력하는 교사가 되겠습니다. 이상입니다.

👍 '사람책'은 이재정 전 교육감 시절 정책이며, 임태희 현 교육감은 '휴먼 라이브러리'로 명명했다.

즉답형 2

키워드 #경험 #교사의 존재 의미

해설 새로운 유형의 문제인 듯 보이지만, 결국 교사를 어떻게 생각하는지, 교사관 및 교육관을 확인하려는 문제였다.

예시 답변 즉답형 2번 답변드리겠습니다.

교사의 존재 의미는 영향력이라고 생각합니다. 교사는 단순히 지식을 전달하는 사람이 아니라, 학생들의 삶과 사고방식에 깊은 영향을 미치는 존재이기 때문입니다. 초등학교 때 담임 선생님은 제게 큰 영향을 주었습니다. 저는 초등학교 저학년 때까지만 해도 다른 친구들보다 배움이 느리고, 학교생활을 두려워하는 학생이었습니다. 선생님은 단지 수업 시간에 교과 지식을 가르치는 것을 넘어, 저뿐만 아니라 모든 학생에게 관심을 기울이고 잠재력을 발견하려고 노력했습니다. 또한 저희 부모님과도 소통하며 저의 성장 내용을 전달해 주셨습니다. 내성적이고 자신감이 부족했던 저는, 선생님의 관심과 칭찬 덕분에 학교를 가는 일이 즐거워졌고, 다양한 협동 활동을 기획해 주신 덕에 친구들과도 잘 어울릴 수 있었습니다. 중·고등학교 때 임원을 도맡을 만큼 주도적인 학생으로 성장할 수 있던 이유는 초등학교 선생님의 영향력 때문이었습니다. 이처럼 학생들의 삶에 긍정적인 영향을 미치고, 앞으로 나아갈 방향을 제시해 주는 존재라는 점에서 교사의 의미를 영향력이라고 정의했습니다.

현장에 나아가 저의 선생님께서 해주셨던 것처럼 긍정적인 영향력을 줄 수 있는 교사가 되겠습니다. 이상입니다.

사이다 면접

자기 평가	
체감 난도	상 중 하 ➜ 원인 파악:
답변을 잘한 문제	
부족한 문제	
보완 계획	
스터디원의 핵심 피드백 내용	

2019학년도

| 구상형 |

1. 미래교육을 위해 학생들의 창의력과 상상력을 키워주는 것이 중요하다. 학교 공간 중 하나를 선택하여 공간 재구성 방안을 말하시오. 단, 다음의 조건을 모두 포함하시오.

> 조건 1. 공간을 선정한 이유
> 조건 2. 재구성한 공간의 구체적 모습
> 조건 3. 활용 방안과 교육적 효과

2. A 학교의 전문적 학습공동체의 모습에서 부정적 요인을 분석하고 개선 방안을 말하시오.

> **A 학교의 전문적 학습공동체 현황**
> - 전문적 학습공동체 이수율 99%
> - 연간 운영 시간 15시간으로 같은 학년 선생님들 간 협의 시간 부족
> - 공동 연구보다 개인 연구 선호
> - 학년 단위로 운영

| 즉답형 |

1. 학생들의 문화 중 하나를 골라 그 문화를 이해할 방안과 지도 방안을 말하시오.

> K-pop, TV, 웹툰, 게임, 외모 가꾸기, 유튜브, 신조어 등

2. 성장(과정)중심평가를 가정과 연계할 수 있는 방안을 말하시오.

구상하기

해설 및 예시 답변

구상형 1

키워드 #미래교육 #창의력 #상상력

해설 조건 순서에 따라 답변하는 것이 구조적으로 안정적이다.

예시 답변 구상형 1번 답변드리겠습니다.
학교는 학생의 아침부터 오후까지 하루의 생활을 책임지는 곳으로, 교과 지식뿐만 아니라 창의력과 상상력 같은 정의적 영역에도 큰 영향을 주는 공간입니다. 이러한 학교 공간 중에서 제가 바꾸고 싶은 곳은 도서관입니다. 그 이유는 도서관이 평생교육의 중심 공간으로, 초등학교 시절부터 가까이하면 좋은 독서 습관을 기를 수 있고, 전 학년이 공통으로 사용할 수 있으며 방과 후에도 개방할 수 있어 접근성이 뛰어나기 때문입니다.

다음으로, 제가 재구성하고 싶은 도서관의 구체적인 모습을 말씀드리겠습니다. 저는 도서관을 단순히 획일적인 독서 공간이 아니라 다양한 성격의 공간이 공존하는 복합적 공간으로 만들고 싶습니다. 예를 들어, 조용하게 공부할 수 있는 집중 공간, 해먹이나 쿠션을 두어 편안하게 쉴 수 있는 휴식 공간, 토론과 협업을 할 수 있는 회의 공간, 그리고 자유롭게 앉아 창작 활동을 할 수 있는 바닥 활동 공간으로 구성하겠습니다. 이렇게 하면 학생들은 자신이 선호하는 공간에서 자유롭게 몰입할 수 있고, 유연하고 개방적인 환경 속에서 창의적이고 독창적인 사고가 자연스럽게 싹틀 수 있습니다.

마지막으로 활용 방안과 교육적 효과를 말씀드리겠습니다. 도서관의 문턱을 낮추기 위해 단순한 독서 활동을 넘어 팝업북 만들기, 전시·포토존 운영, 독서 기반 체험 프로그램 등을 운영하겠습니다. 이를 통해 학생들은 책을 읽고 지식을 습득하는 것에서 더 나아가, 창작과 체험을 통해 상상력을 확장할 수 있을 것입니다. 결과적으로 학생들의 내적 동기를 높이고, 창의력과 문제해결력까지 함께 키워주는 교육적 효과를 거둘 수 있을 것으로 생각합니다. 이상입니다.

구상형 2

키워드 #부정적 요인 분석 #개선 방안

해설 제시문의 키워드를 모두 활용해야 한다.

예시 답변 구상형 2번 답변드리겠습니다.
전문적 학습공동체는 교사들이 자율적으로 모여 탐구하며 전문성을 키우는 모임입니다.

A 학교의 운영상 문제점을 분석하면 크게 3가지입니다.
첫째, 이수율은 높지만 공동 연구보다는 개인 연구를 선호하여 협력적 성장이 부족하다는 점입니다.
둘째, 연간 운영 시간이 15시간으로 제한되어 동 학년 교사 간 충분한 협의가 어렵다는 점입니다.
셋째, 학년 단위 운영에 국한되어 교사의 다양한 관심사를 반영하지 못한다는 점입니다.

개선 방안을 2가지 말씀드리겠습니다.

첫째, 학년 중심이 아닌 교사의 관심사와 필요에 따른 주제 중심 운영으로 전환해야 합니다. 예를 들어, 생활지도, 평가, 수업 혁신 등 교사의 실제 고민과 연결된 소주제로 공동체를 구성한다면 교사의 자율성과 참여 의지를 높이고, 개인 연구 선호 문제도 협력적 연구로 전환할 수 있을 것입니다.

둘째, 운영 시간을 공동체 자율에 맡겨 유연하게 운영하도록 해야 합니다. 고정된 15시간 체제 대신 각 공동체가 필요에 따라 시간을 조율한다면 형식적인 운영을 줄이고, 협의와 연구가 심화될 수 있을 것입니다.

이처럼 A 학교의 전문적 학습공동체는 자율성과 다양성을 확보하는 방향으로 개선되어야 교사들의 전문적 성장을 실질적으로 지원할 수 있다고 생각합니다. 이상입니다.

즉답형 1

키워드 #학생 문화 이해 #지도 방안

해설 급속한 사회 변화에 따라 학생과 교사 사이의 문화적 차이가 점차 심해지는 추세이다. 따라서 학생들의 문화를 이해하고 다가가는 과정이 필요하다. 이는 교직관과도 연결되는데, 학생의 문화를 이해할 수 있는 방안을 생각해 보자.

예시 답변 즉답형 1번 답변드리겠습니다.

19세기 교실에서 20세기 교사가 21세기 학생을 가르친다는 말이 있습니다. 다양한 매체가 발달함에 따라 교사와 학생 사이의 문화 차이는 더욱 심해지고 있습니다. 저는 다양한 학생 문화 중 유튜브를 선택하겠습니다. 그 이유는 유튜브는 학생들에게 TV보다 친숙한 매체이며 자동 추천되는 영상 중에 자극적이거나 유해한 방송이 많아 현장에서 교육이 필요하다고 생각하기 때문입니다.

이를 위해 저는 가장 먼저 아이들과 함께 인기 채널을 시청하며 공감대를 형성하겠습니다. 이후 해당 채널이 인기를 끄는 원인을 모둠 토의를 통해 분석해 보겠습니다. 마지막으로 건강한 구독 문화를 조성하기 위해 모둠별로 유튜브 영상을 만들어 보며 제작 및 시청 규약을 만들겠습니다. '초등학생을 타깃으로 한 영상을 만든다면 어떤 주제가 좋을까? 어떤 것에 유의해야 할까?' 등을 스스로 생각해 보게 하는 것입니다. 이렇게 한다면, 학생들 스스로 무분별한 영상물 속에서 어떤 것이 유익하고 해로운지 스스로 생각해 보고 선택하는 힘을 기르는 데 도움이 될 것입니다.

변화하는 학생 문화를 이해하면서 학생들과 끊임없이 소통하는 교사가 되겠습니다. 이상입니다.

즉답형 2

키워드 #성장중심평가 #가정 연계

해설 성장중심평가는 경기교육에서 매우 중점적으로 추진되는 정책이다. 학생의 성장을 돕는 평가는 교사의 누가 기록, 관찰 등이 선행돼야 한다. 또한, 가정과 연대해 가정에 학생의 성장 내용을 알리고 피드백 내용을 학교 교육에 반영해야 한다.

예시 답변 즉답형 2번 답변드리겠습니다.

성장중심평가는 학생의 과정과 결과에 대한 피드백을 통해 학생의 성장을 지원하는 평가입니다. 즉, 단순히 시험 결과로 평가하는 것이 아닌 학생이 수업 과정에서 어떻게 성장했는지 관찰하는 것이 중요한 평가 방식입니다. 성장중심평가를 가정과 연계할 수 있는 방안을 2가지 말씀드리겠습니다.

첫째, 가정과 연계해 미리 학생의 수준을 진단해 보는 것입니다. 성장중심평가는 학생이 어떻게 변화했는지가 중요하기 때문에 학생의 처음 수준을 진단하는 것이 중요하다고 생각합니다. 따라서 가정과 연계해 학생들의 수준을 명확히 살펴보고 이에 따른 수업 과정을 수정·보완해 학생들이 수업에 원활하게 참여할 수 있도록 하겠습니다.

둘째, 온라인 소통 창구를 마련해 학생의 수업 과정과 피드백 내용을 가정에 알리도록 하겠습니다. 성장중심평가는 수업 과정마다의 결과물을 중시하기 때문에 수업마다 학생들이 보여준 결과물, 수행한 정도 등을 온라인 소통 창구에 올리면서 학생들의 성장 정도를 확인할 수 있도록 하겠습니다. 나아가, 댓글이나 쪽지를 활용해 가정에서 학교로 피드백을 할 수 있도록 쌍방향 소통을 강화하도록 하겠습니다. 피드백을 가정에 지속적으로 제공한다면 학교에 대한 신뢰감이 두터워질 뿐만 아니라 학생의 성장 정도를 가시적으로 확인할 수 있을 것입니다.

교사와 학생, 교사와 가정 사이 신뢰 형성을 통해 성장중심평가를 실천하는 교사가 되겠습니다. 이상입니다.

자기 평가	
체감 난도	상 중 하 ➔ 원인 파악:
답변을 잘한 문제	
부족한 문제	
보완 계획	
스터디원의 핵심 피드백 내용	

2018학년도

| 구상형 |

1. 아래 통계 자료를 통해 교사 존경도가 낮은 원인을 분석하고, 자신의 교사상과 연결하여 해결 방안을 말하시오.

   자료 1 OECD 회원국 15세 학생들 중 장래 희망이 교사인 학생의 응답률

터키	한국	아일랜드	룩셈부르크	멕시코
25%	15.5%	12.0%	11.6%	8.2%

   자료 2 요즘 교사들은 학생들에게 존경을 받고 있나?

그렇지 않다 83%	그렇다 9%	모른다 8%

2. 경기혁신교육에서 강조하는 가치를 바탕으로 학교민주주의가 교육과정 재구성 실천에 미치는 영향을 말하시오.

| 즉답형 |

1. 교실 내 비민주적 요소(수업, 생활교육, 환경)와 해결 방안을 3가지 말하시오.
2. 가정폭력이나 아동학대가 의심되는 학생이 있을 때 교사의 행동 조치에 대해 말하시오.

구상하기

✦ 해설 및 예시 답변

구상형 1

키워드 #통계 자료 분석 #교사상 #해결 방안

해설 자료 제시형 문제이니, 반드시 '자료 1에서는~', '자료 2에서는~'이라는 표현을 언급해 제시문 분석 능력을 어필하자. 자료의 문제점과 해결 방안을 자신의 교사상과 연결해 답변하면 된다.

예시 답변 구상형 1번 답변드리겠습니다.

제시된 통계 자료에 따르면 자료 1은 직업인으로서 교사를 선호하지만, 자료 2에서는 학생들이 교사를 존경하지 않는 모습을 보여주고 있습니다. 이러한 상황의 원인은 교사를 존중의 자세로 접근하기보다 직업적인 장점을 먼저 생각하기 때문입니다.

이러한 문제를 해결하기 위해서는 교사와 학생 사이에 즐거운 상호작용이 필요할 것입니다. 저의 교사상은 학생 한 명 한 명에게 관심을 가지고 귀 기울이는 따뜻한 교사입니다. 저의 교사상에 입각해 문제를 해결하기 위한 구체적인 해결 방안을 2가지 제시하도록 하겠습니다.

첫째, 생일파티, 마니또, 미니 체육대회와 같은 학급 단합 활동을 통해 교사, 학생이 함께하는 즐거운 학교생활의 경험을 제공하겠습니다. 고등학교 때 저의 담임 선생님께서는 매월 생일파티를 기획하면서 반 아이들의 생일을 축하해 주시고 저희에게 추억을 선물해 주셨습니다. 당시 담임 선생님의 모습처럼 교사와 학생이 함께 즐거운 학교에 대해 고민해 보고, 함께 행사를 기획하고 참여함으로써 즐거운 학교생활 경험을 선물해 주겠습니다.

둘째, 우리 반만의 특색 있는 교실을 만들겠습니다. 고등학교 때 선생님과 학급 친구들이 함께 학급 달력을 만들고 학급 창문을 특색 있게 꾸미면서 소속감을 느꼈던 기억이 있습니다. 이처럼 아이들과 함께 우리 반만의 교실을 꾸며나가면서 학생들이 교실에 대한 주인의식을 가지고 선생님과 함께 행복한 생활을 할 수 있도록 하겠습니다.

학급 단합 행사와 특색 있는 학급 프로그램을 통해 선생님과의 즐거운 추억을 쌓음으로써 교사 존경도가 낮은 문제를 해결하겠습니다. 이상입니다.

구상형 2

키워드 #혁신교육 가치 #학교민주주의 #교육과정 재구성

해설 혁신교육의 가치는 학생 중심, 학교 중심 혹은 교육 주체들의 자발성, 창의성, 집단지성 등을 강조하고 있다. 학교민주주의는 이러한 가치가 자연스럽게 내재된 학교 문화를 말한다. 교사의 자발성과 창의성을 존중하는 문화여야만 교사는 스스로 교육과정 문해력을 갖추고, 필요한 내용을 재구성할 수 있게 된다. 이러한 것을 언급해야 한다.

👍 혁신교육은 이전 교육감의 주요 정책이므로 이를 고려해 답변 내용은 참고만 하자.

예시 답변 구상형 2번 답변드리겠습니다.

학교민주주의는 학생, 교사, 학부모 등의 교육 주체들이 주체가 돼 자발적으로 자신들의 의견을 표현하고 교육 주체들의 토론을 통해 하나의 문제를 해결해 가는 주체적인 학교 문화를 말합니다. 즉, 학교민주주의는 경기혁신교육에서 강조하는 자발성, 창의성, 집단지성이 내재된 학교 분위기를 뜻합니다.

학교민주주의가 교육과정 재구성 실천에 미치는 영향을 2가지 말씀드리도록 하겠습니다.

첫째, 학교 실정에 적합한 교육과정을 개발하는 데 도움이 됩니다. 학교민주주의에서는 문제 해결을 위해 각 교육 주체들의 의견 표현을 중요시하는데, 교육과정을 재구성하는 데 있어서 학생, 교사, 학부모가 중요하게 생각하는 요구를 들어보고 반영함으로써 우리 학교에 적합한 교육과정을 만드는 데 도움을 받을 수 있습니다.

둘째, 학생, 교사, 학부모가 학교에 대한 주인의식을 가짐으로써 발전적인 교육과정을 만드는 데 도움이 됩니다. 학교민주주의는 학생, 교사, 학부모의 의견을 중시하는 학교 풍토를 의미하기에 각 주체가 학교에 대해 주인의식을 가지게 될 것입니다. 각자 학교에서 느끼는 문제점을 이야기함으로써 교육과정의 문제를 정확하게 진단할 수 있고, 극복 방안을 토론함으로써 발전적인 교육과정을 만들 수 있을 것입니다.

교육 주체들의 자발적 협력을 통해 민주적 학교 분위기가 자라나는 학교를 만들 수 있도록 교실에서 먼저 노력하겠습니다. 이상입니다.

즉답형 1

키워드 #비민주적 요소 해결 방안

해설 비민주적인 요소를 수업, 생활교육, 환경의 측면에서 이야기하고 해결 방안의 개수가 정해져 있는 등 조건이 많은 문제이다. 긴장되는 상황 속에서 문제의 조건을 놓치지 않도록 조심하자. 문제에서 해결 방안을 3가지 말하라는 언급이 있을 때는 명확하게 '첫째, 둘째, 셋째'로 구분하는 것이 좋다.

예시 답변 즉답형 1번 답변드리겠습니다.

제가 생각하는 교실 내 비민주적 요소는 다음과 같습니다. 교사 중심의 수업, 학급 규칙, 청소당번 등의 역할을 교사가 부여하고 고정하는 문제입니다. 최근에 교생실습으로 학교에서 생활하며 아직도 비민주적 요소가 남아 있다는 것을 알 수 있었습니다. 이를 해결하기 위해 다음과 같이 노력하겠습니다.

첫째, 교사 중심에서 학생 중심 수업으로 바꿔나가겠습니다. 이를 원활하게 하기 위해 동료 교사들과의 집단지성으로 연구해 학생들 간의 협력과 창의성을 기를 수 있는 수업을 구성하겠습니다.

둘째, 학급회의를 통해 학급 규칙을 정하겠습니다. 학생들의 손으로 만든 규칙이니만큼 책임감도 키울 수 있을 것입니다.

셋째, 청소당번 등 교실 내에서 역할은 단순히 번호순으로 한다거나 교사가 일방적으로 규정하지 않고 자신이 잘하는 분야의 1인 1역에 참여할 수 있게끔 의견을 공유하며 환경을 바꾸어 나가겠습니다.

이렇게 한다면 수업, 생활, 환경 측면에서 민주적인 교실로 성장할 수 있을 것입니다. 이상입니다.

즉답형 2

키워드 #가정폭력·아동학대 학생 지도

해설 교사는 아동학대에 대한 신고 의무가 있다. 정당한 사유 없이 관련 기관에 신고하지 않을 경우 과태료에 처하므로 이 점을 언급해야 한다. 또한 이러한 제도뿐 아니라 학생의 상처를 어루만지고 향후 지속적인 관심을 갖는다는 내용을 말해야만 경기형 교사에 적합하다.

예시 답변 즉답형 2번 답변드리겠습니다.

가정폭력, 아동학대가 의심되는 학생이 있을 때 교사의 행동 조치를 2가지 말씀드리겠습니다.

첫째, 의심 사례를 발견한 즉시 경찰에 신고하도록 하겠습니다. 교사는 가정폭력이나 아동학대 의심 사례가 발생했을 때 반드시 신고해야 하는 의무가 있습니다. 따라서 의심 징후를 발견한 경우 즉시 경찰에 알리고 아동학대나 가정폭력 조사에 적극 협조하도록 하겠습니다.

둘째, 해당 학생에 대해 지속적으로 관심을 갖도록 하겠습니다. 경찰 조사와 별개로 학생에게 다가가 현재 상황에서의 어려움을 물어보고 학생의 아픔에 공감해 줌으로써 학생의 상처가 아물 수 있도록 노력하겠습니다.

아동학대나 가정폭력 의심 사례가 발견됐을 때 학생에게 정서적으로 다가가면서도 절차를 준수하는 교사가 될 수 있도록 노력하겠습니다. 이상입니다.

자기 평가

체감 난도	상 중 하 ➡ 원인 파악:
답변을 잘한 문제	
부족한 문제	
보완 계획	
스터디원의 핵심 피드백 내용	

2017학년도

| 구상형 |

1. 제시된 시를 자신의 교직관과 관련지어 분석하고, 이를 교직에서 어떻게 실현할 것인지 구체적인 실천 방안을 말하시오.

> 똑같아요.
> – 심층면
>
> 햇살 같은 선생님이 웃어주면
> 나도 해님이 되고
> 바다 같은 선생님과 함께하면
> 나는 고래가 돼요

2. 제시된 자료에서 알 수 있는 문제점과 해결 방안을 제시하시오.

자료 1
경기도교육청에서는 학교민주주의 지수를 조사했다. 그 결과 A 학교에서 교원 만족도 86%, 학생 만족도 64%가 나왔다.

자료 2
경기도교육청에서 학생들을 대상으로 조사한 설문이다.

존중 지수 2.9	배려 지수 3.4	공감 지수 1.9

* 5점 만점

학생 간 갈등 발생 시 도움을 청할 곳은?

있다 25%	모르겠다 10%	없다 65%

| 즉답형 |

1. 아침맞이의 긍정적 효과와 교사로서 어떤 아침맞이를 할 것인지 말하시오.
2. 성장 과정에서 겪은 어려움을 협업으로 해결한 경험을 말하시오.

구상하기

✦ 해설 및 예시 답변

구상형 1

키워드 #교직관 #시의 의미 #실천 방안

해설 이 시는 교사의 선한 영향력의 중요성에 관한 시이다. 제시문을 그냥 준 것이 아니므로 나의 교직관과 시의 내용이 같은 방향을 바라보게끔 해야 한다. 교직관이 나왔으니 시 주제와 같이 학창 시절 선생님께 받은 긍정적 영향력에 관한 경험을 곁들이면 좋을 것이다.

예시 답변 구상형 1번 답변드리겠습니다.

이 시는 교사와 학생의 관계를 은유적으로 표현하고 있습니다. "햇살 같은 선생님"과 "바다 같은 선생님"은 각각 따뜻함과 포용력을 상징합니다. 학생은 이러한 교사를 통해 정서적 성장을 하고, 잠재력을 발견할 수 있음을 보여줍니다. 즉, 교사의 태도와 행동이 학생의 정서와 자아 형성에 얼마나 큰 영향을 미치는지를 강조하고 있습니다.

저는 이 시를 통해 교사의 역할은 단순히 지식을 전달하는 것에 그치지 않고, 학생들을 정서적으로 지지하고 잠재력을 발휘할 수 있도록 돕는 것이라는 저의 교직관을 다시 한번 확신했습니다. 이를 실현하기 위한 구체적인 실천 방안을 말씀드리겠습니다.

첫째, 학생들과 긍정적인 관계를 형성하겠습니다. 일상적인 상호작용에서 긍정적인 언어와 태도를 통해 학생들이 존중받는다고 느끼도록 하겠습니다. 이는 학생들의 자존감을 높이고, 교실 환경을 더 따뜻하고 안전한 공간으로 만드는 데 이바지할 것입니다.

둘째, 개별적 관심을 보이고 지지하겠습니다. 모든 학생은 저마다의 재능과 관심사를 가지고 있습니다. 학생의 장점이나 잠재력을 발견했을 때 이를 적극적으로 칭찬하고 격려해 학생들이 자신의 장점을 발견하고 발전시킬 수 있도록 돕겠습니다.

마지막으로 학생들과 자주 소통하겠습니다. 학생들이 자신의 의견과 생각을 자유롭게 표현할 수 있는 학급회의를 개최하거나 학급 소리함을 설치해 학생들의 목소리에 귀 기울이겠습니다. 학생들의 이야기를 진지하게 들어주고, 그들의 감정을 존중하는 모습을 보여줄 때 학생들은 교사를 신뢰할 것입니다.

이러한 실천 방안을 통해 학생들은 교사와의 관계 속에서 긍정적인 에너지를 얻고, 자신감을 가지고 성장할 수 있을 것입니다. 시에서처럼, 학생들이 "해님"이나 "고래"가 돼 자신의 길을 당당하게 걸어갈 수 있도록 지지하고 이끌어주는 교사가 되겠습니다. 이상입니다.

구상형 2

키워드 #학교민주주의 문제점 #해결 방안

해설 제시문에서 존중, 배려, 공감이란 키워드가 나왔기에 이를 포함해야 한다. '자료 1에서는~', '자료 2에서는~' 이라는 표현과 구체적인 수치를 통해 제시문을 정확하게 파악했음을 드러내자.

예시 답변 구상형 2번 답변드리겠습니다.

제시된 자료는 교사와 학생의 학교민주주의 지수와 학생들을 대상으로 진행한 설문의 내용을 보여주고 있습니다. 자료 1에서 학생들은 교사보다 학교민주주의 지수가 20%가량 낮게 나왔으며, 자료 2에서는 학생들의 존중, 배려, 공감 지수가 현저히 낮고 갈등 발생 시 도움을 청할 곳이 없거나 모른다는 비율이 75%로 과반을 넘어가는 모습을 보여주고 있습니다. 즉, 제시된 자료에서 알 수 있는 문제점은 학생들은 학교에서 존중, 배려, 공감을 크게 느끼지 못하며, 학교를 신뢰하지 못하는 모습을 보인다는 것입니다.

이 문제를 해결하기 위한 방안은 다음과 같습니다.

첫째, 학급회의를 상시 개최해 구성원의 의견을 듣겠습니다. 나아가 소통 우체통 및 온라인 비밀 상담방 등을 개설해 자신의 의견을 말하고 이것이 반영될 수 있도록 할 것입니다.

둘째, 학생들이 서로 존중하고 배려하며 공감할 수 있도록 소모둠을 만들어 학습 및 생활 부분에서 협력할 수 있게 하겠습니다. 평가 역시 등수가 아닌 개인의 성장을 목표로 하는 성장중심평가가 이루어지도록 하겠습니다.

마지막으로 주기적인 1:1 상담으로 학생들의 고민을 미리 파악하고 또래 상담 도우미 등을 만들어 교사와 나누기 어려운 이야기는 친구들과 해결할 수 있도록 해 도움을 요청할 수 있는 분위기를 만들겠습니다. 그 밑바탕에는 교사에 대한 신뢰와 믿음이 있어야 한다고 생각합니다.

항상 학생들을 관찰하고 먼저 다가가는 교사가 될 것입니다. 이렇게 한다면 민주주의 지수가 상승해 자료 1의 문제를 해결할 수 있고, 배려와 존중, 공감의 문화가 자리 잡아 자료 2의 문제도 해결할 수 있을 것입니다. 이상입니다.

즉답형 1

키워드 #아침맞이 효과와 방안

해설 아침맞이의 긍정적 효과와 아침맞이의 방안을 묻고 있지만, 사실상 경기교육의 추구 방향, 수험생의 교직관을 묻는 문제라고 할 수 있다. 학생이 중심이 되는 경기교육의 목표를 담아서 수험생의 교직관을 녹여낸 방안을 고민해 보자.

예시 답변 즉답형 1번 답변드리겠습니다.

아침맞이는 교사가 학생에게 먼저 다가가 따뜻하게 맞이함으로써 하루를 긍정적으로 시작하게 하는 중요한 활동이라고 생각합니다. 저도 고등학교 시절 교장 선생님께서 교문 앞에서 학생들의 이름을 불러주시며 인사하셨던 기억이 있습니다. 처음에는 조금 어색했지만, 시간이 지나면서 저 역시 그 인사를 기다리게 되었고, 하루를 활기차게 시작할 수 있었습니다. 이처럼 아침맞이는 학생에게 기분 좋은 경험을 주고, 하루를 즐겁게 보내는 힘이 될 수 있습니다.

교사로서 저는 등굣길에 '오늘의 노래'를 선정해 학생들과 함께하는 아침맞이를 하고 싶습니다. 학생들이 직접 신청한 우정, 응원, 사랑을 주제로 한 노래를 틀어놓고, 노래를 들으며 등교한다면 잠에서 막 깨어난 학생들이 활력을 얻고, 학교 분위기도 한층 밝아질 것입니다. 더 나아가 조회 시간과 연계하여 오늘의 노래 가사 중 인상 깊은 부분을 나누는 활동을 한다면 학생들의 소통 역량과 심미적 감성까지 함께 기를 수 있을 것입니다.

저는 이처럼 작은 아침맞이가 학생들에게 긍정적인 하루의 시작을 열어주고, 그 기운이 방과 후까지 이어져 행복한 교실 문화를 만드는 밑거름이 되리라 생각합니다. 이상입니다.

사이다 면접

즉답형 2

키워드 #협업 경험

해설 교직관 유형의 전형적인 패턴이다. 경험–교직관–실천 계획까지 일체화해 언급하자.

예시 답변 즉답형 2번 답변드리겠습니다.

저는 고등학교 1학년 때 체육대회 입장 퍼포먼스를 준비하며 어려움을 겪은 경험이 있습니다. 저는 내향적인 성격에 춤을 잘 추지 못해 동작을 익히는 것이 힘들었고, 그로 인해 심리적 부담감이 컸습니다. 하지만 학급 친구들은 저를 탓하거나 나무라지 않고 오히려 격려와 응원을 해주었습니다. 반장의 제안으로 방과 후에 소규모 멘토링 시간을 가지게 되었고, 친구들이 동작 하나하나를 차근차근 알려주며 끊임없이 칭찬해 준 덕분에 저는 책임감을 가지고 더 열심히 참여할 수 있었습니다. 담임 선생님께서도 연습 현장을 끝까지 지켜봐 주시며 따뜻한 응원을 해주셨습니다.

그 결과 저는 퍼포먼스를 끝까지 포기하지 않고 준비할 수 있었고, 학급 친구들과 함께 땀 흘리며 만들어낸 성과는 좋은 추억으로 남게 되었습니다. 이 경험을 통해 협동은 개인의 한계를 극복하게 하는 원동력이 된다는 것을 깨달았고, 격려와 응원이 공동체를 지탱하는 중요한 힘이라는 것도 배울 수 있었습니다.

앞으로 교사가 되어서도 학생들이 서로에게 힘이 되어주는 학급 분위기를 조성하고, 협업 속에서 성장을 경험할 수 있도록 지원하는 교사가 되겠습니다. 이상입니다.

자기 평가

체감 난도	상 중 하 ➔ 원인 파악:
답변을 잘한 문제	
부족한 문제	
보완 계획	
스터디원의 핵심 피드백 내용	

2016학년도

| 구상형 |
1. 수험생 본인의 교육철학과 이를 학교 현장에서 어떻게 실천해 나갈 것인지 말하시오.
2. 경기 정책 중 공감 가는 것을 1가지 말하고 실현 방안을 말하시오.

| 즉답형 |
1. 교육 봉사를 통해 깨달은 점을 말하시오.
2. 배움에 흥미와 의지가 없는 학생을 위해 어떠한 노력을 할 것인지 말하시오.

구상하기

사이다 면접

✦ 해설 및 예시 답변

구상형 1

키워드 #교육철학 #현장 실천 방안

해설 교직관 문제는 '경험-교직관-실천 방안' 3가지가 한 세트이다. 교육철학을 정립하게 된 계기, 즉 관련 경험을 묻지 않았어도 간략하게 언급한다면, 진솔한 교사임을 어필할 수 있다.

예시 답변 구상형 1번 답변드리겠습니다.

저의 교직관은 '학생과 많은 대화를 나누며 함께 성장하는 교사'가 되는 것입니다. 교생실습 때 담당 선생님의 추천으로 학급 학생들과 1:1 상담을 하게 됐는데, 진솔한 이야기를 서로 나누는 과정에서 저 역시 성장하는 것을 경험했습니다. 그때부터 이런 교육철학이 더욱 굳건해졌습니다.

이러한 저의 교육철학을 현장에서 실천할 방안 3가지를 말씀드리겠습니다. 첫째, 민주적인 학급회의를 개최하겠습니다. 교실에서 제가 일방적으로 무언가를 결정하는 것이 아닌 학생들과의 소통과 회의로 학급에 필요한 사항을 결정하겠습니다. 둘째, 학기별 2번 이상 개별 상담을 하겠습니다. 개별 학생과 소통하며, 학생들에게 필요한 교육적 조치와 정서적 안정을 제공하겠습니다. 마지막으로, 방학 때 손편지를 주고받겠습니다. 기계화가 만연해지며 간단한 이모티콘, 좋아요 표시 등으로 감정을 표현하는 일이 보편적이다 보니 속마음을 진솔하게 표현할 기회가 부족하다고 생각합니다. 방학 시간을 활용해 학생들과 편지를 주고받으며, 따뜻한 대화를 나누는 교사가 되고 싶습니다.

학생들과의 대화를 통해 서로 성장하고 사제간의 정을 나누는 따뜻한 교사가 되겠습니다. 이상입니다.

구상형 2

키워드 #경기 정책 #실현 방안

해설 여러 개 중 하나를 선택하는 문제는 반드시 '이유'를 밝히자고 말씀드렸다. 그래야만 나의 답변에 타당성과 신뢰감을 부여할 수 있을 것이다. 실천 방안은 구체적이고 현장성이 있어야 하며, 마지막으로 기대효과를 넣는다면 완전한 답변 구조로 설득력을 줄 수 있다.

예시 답변 구상형 2번 답변드리겠습니다.

저는 교사와 학생이 소통을 통해 함께 성장하는 교실을 꿈꾸고 있습니다. 교사와 학생이 함께 성장하는 교실을 만들기 위해서 제가 공감하는 경기 정책은 배움중심수업입니다. 배움중심수업은 학생이 배움의 주체가 돼 삶의 역량을 기르는 자발적이고 협력적 배움이 일어나는 수업입니다. 배움중심수업에 공감하는 이유는 점차 기계화와 4차 산업혁명이 만연해지는 사회 속에서 학생 스스로가 배워가는 역량이 중요하기 때문입니다.

배움중심수업을 학교 수업에서 실현하기 위한 방안을 교과교사 측면에서 1가지, 담임교사 측면에서 1가지 말씀드리겠습니다. 첫째, 교과교사로서 수업 시간에 학생 주도형 프로젝트 수업을 운영하겠습니다. 학생 주도형 프로젝트 수업은 학생이 스스로 관심 있는 주제를 탐구하고 같은 관심사를 가진 친구들이 협력을 통해 문제를 해결해 나가는 배움중심수업의 일종입니다. 학생들은 스스로 문제를 해결해 나감으로써 성취감과 탐구의 즐거움을 느낄 수 있을 것입니다. 두 번째로, 담임교사로서 1인 1부서 활동을 통해 학생들이 주체적으로 참여하는 교실을 만들도록 하겠습니다. 학습부, 체육부, 이벤트부 등 학생들의 의견을 바탕으로 다양한 부서를 만들고 학급 행사를 시행함으로써 학급에 대한 주인의식을 가질 수 있게 하겠습니다.

학생들이 자발성과 협력을 통해 성장하는 배움중심수업을 실천하는 교사가 되도록 노력하겠습니다. 이상입니다.

👍 배움중심수업은 이재정 전 교육감 시절의 정책이다.

즉답형 1

키워드 #교육 봉사 #깨달은 점

해설 구상형 1번과 같은 유형이다. '교육 경험-깨달은 점(교직관)-실천 방안'이 한 세트인 것을 잊지 말자. 깨달음은 '교육적 깨달음'을 말해야 출제 의도를 정확하게 간파한 것이다.

예시 답변 즉답형 1번 답변드리겠습니다.
저는 대학 시절 교육 봉사 활동을 하며 지역사회의 다양한 배경을 가진 학생들과 함께 학습하는 경험을 쌓았습니다. 그 과정에서 몇 가지 중요한 깨달음을 얻을 수 있었습니다.

첫째, 모든 학생은 다르다는 점입니다. 교육 봉사 활동에서 만난 학생들은 학습 스타일, 흥미, 성취도 등이 매우 다양했습니다. 같은 내용을 가르치더라도 어떤 학생은 쉽게 이해하는 반면, 다른 학생은 어려움을 겪는 모습을 보았습니다. 이 경험을 통해, 학생들의 개별적 차이를 존중하고 그에 맞춘 다양한 교수 방법을 적용하는 것의 중요성을 깨달을 수 있었습니다.

둘째, 교사의 역할은 단순한 지식 전달자가 아니라는 점입니다. 봉사 활동 중 저는 학업뿐만 아니라 학생들의 정서적 지원도 중요하다는 것을 느꼈습니다. 어떤 학생들은 가정 문제나 친구 관계에서 어려움을 겪고 있었고, 이러한 문제들이 학습에 영향을 미친다는 것을 알게 됐습니다. 교사는 학생들의 전반적인 삶에 관심을 가지고, 그들이 어려움을 극복할 수 있도록 도와주는 조력자 역할도 해야 한다는 것을 배웠습니다.

셋째, 작은 변화가 큰 영향을 줄 수 있다는 점입니다. 봉사 활동을 통해 제가 제공한 작은 도움이나 격려가 학생들에게 큰 힘이 될 수 있다는 것을 경험했습니다. 한 학생이 수업 시간에 자신감을 느끼지 못해 질문에 대한 답변을 꺼렸는데, 제가 작은 칭찬과 격려를 해준 후 그 학생이 조금씩 답변하기 시작했습니다. 이런 경험을 통해 교사의 작은 행동 하나하나가 학생들의 자신감과 태도에 큰 영향을 미칠 수 있다는 것을 깨닫게 됐습니다. 이러한 깨달음은 제가 앞으로 교사로서 학생들을 대할 때 중요한 지침이 될 것입니다.

저는 모든 학생을 개별적으로 이해하고, 그들에게 맞춤 교육을 제공하며, 정서적 지원과 격려를 통해 학생들이 성장할 수 있도록 도울 것입니다. 또한, 작은 변화와 격려가 학생들에게 큰 영향을 미칠 수 있다는 것을 항상 염두에 두고, 긍정적인 변화를 일으킬 수 있는 교사가 되기 위해 노력할 것입니다. 이상입니다.

즉답형 2

키워드 #배움에 의지가 없는 학생을 위한 노력 방안

해설 경기도가 좋아하는 단어를 사용해 보자. 학생과의 개인 상담, 교육공동체와의 연대적 해결, 자존감을 높일 수 있는 작은 성취과제 부여하기, 또래 도우미 활동하기 등 개별적 관심, 공동체적 해결이라는 포인트를 넣으면 좋다. 그리고 이와 관련된 개인 경험이 있다면 덧붙여 보자. 따뜻한 교사, 신뢰감 있는 교사라는 인상을 줄 수 있을 것이다.

예시 답변 즉답형 2번 답변드리겠습니다.
하나의 교실에는 30명의 다른 아이들이 있습니다. 배움의 속도가 빠른 아이와 느린 아이, 공부를 좋아하는 아이와 싫어하는 아이 등 다양한 아이들이 있을 것입니다. 단 한 명도 포기하지 않는 경기교육을 실현하기 위해서 배움에 흥미와 의지가 없는 학생들을 끌어주는 것이 중요합니다.

저는 배움에 흥미와 의지가 없는 학생들을 위해 2가지 노력을 하도록 하겠습니다.
첫 번째, 학생과 개별 상담을 통해 학생이 배움에 어려움을 느끼는 요인을 찾아보겠습니다. 학생이 배움에 어려움을 느끼는 요인은 내용 난도의 문제일 수도, 흥미 있는 자료가 부족해서일 수도 있습니다. 따라서 개별 상담을 통해 그 학생이 좋아하는 것은 무엇인지 물어보고 현재 학생의 상황을 정확하게 진단하도록 하겠습니다.

이때 학생의 가정과도 연계해 상담을 진행함으로써 학생의 전반적인 상황을 이해하도록 노력하겠습니다.

둘째, '1그룹 1목표 프로젝트'를 실시하겠습니다. 배움에 흥미와 의지가 없는 학생은 지금까지의 성공 경험이 부족한 경우가 많습니다. 따라서 학생에게 성공 경험을 단계적으로 제공해 줌으로써 배움의 즐거움을 느끼도록 도와주겠습니다. 먼저 교실 내 관심사가 비슷한 학생들을 묶어서 그룹을 조직하고, 그룹마다 목표 달성을 할 수 있도록 구체적인 활동 내용을 설정하도록 하겠습니다. 학생은 자신과 비슷한 관심사를 가진 아이들과 소통하면서 즐거움을 느끼고, 본인이 속한 그룹이 달성한 내용에 대해 성취감을 느낄 수 있을 것입니다. 또한, 교사는 그룹별로 달성 내용에 대해 피드백을 줌으로써 학생들을 독려하고 성공 경험을 제공할 필요가 있습니다.

학생들에 대한 지속적인 관심을 통해 단 한 명의 학생도 포기하지 않고 학생과 함께 성장하는 교사가 되도록 노력하겠습니다. 이상입니다.

자기 평가	
체감 난도	상 중 하 ➡ 원인 파악:
답변을 잘한 문제	
부족한 문제	
보완 계획	
스터디원의 핵심 피드백 내용	

(2) 중등

2021학년도

| 구상형 |

1. 다음 상황에서 A, B 교사의 의견 중 어느 의견을 지지할지와 그 이유를 말하시오.

> **상황**
> A 교사와 B 교사가 함께 교과 연계 융합 수업을 3차시 프로젝트 수업으로 진행하였다. 그 과정을 수행평가로 하기로 했는데, 마지막 3차시 수행평가 과제 결과물을 제출하는 상황에서 수업 시간 종료 직전에 C 학생이 USB 외부입력장치 오류로 결과물을 제출하지 못하였다.
>
> **의견**
> A 교사: 저는 3차시 결과물은 평가에 반영해선 안 된다고 생각해요. 이전 1, 2차시 제출 내용에 대해서만 평가해야 해요.
> B 교사: 저는 C 학생의 3차시 결과물도 평가해야 한다고 생각해요.

2. 다음 상황의 학생들에 대한 지도 방법을 보완하여 종합적으로 어떻게 지도할 것인지 말하시오.

> • A 학생: 담임교사와 면담하는데 자꾸 다른 곳을 본다. 지적해도 소용없다.
> • B 학생: 담임교사와 지각하지 않기로 약속했는데 계속해서 지각을 한다.
> • C 학생: 담임교사의 지적에도 수업 중 딴짓을 하고 참여하지 않는다.

3. 코로나19 상황에서 원격 수업과 비교할 때 대면 수업의 교육적 효과를 학습 지도와 인성 지도 측면에서 각각 말하시오.

| 즉답형 |

1. 학생들이 자신의 경험을 매체로 표현하는 독서교육을 한다고 할 때, 이와 관련한 교과 연계 교육 방안을 말하시오.
2. 다음 상황에서 자신이 A 교사라면 어떻게 대처할 것인지 말하시오.

> A 교사에게 B 교사가 자신의 진로 체험 활동 업무를 맡아달라고 부탁하였다. A 교사는 이미 업무 분장이 다 끝난 상태에서 자신의 업무가 정해져 있고, 진로 체험 활동 관련 업무도 해본 적이 없어 난감한 상황이다.

구상하기

✦ **해설 및 예시 답변**

구상형 1

키워드 #수행 결과 #수행 과정

해설 성장중심평가의 취지를 알고 있어야 했다. 성장중심평가는 교사가 학생의 학습 '과정'을 관찰하며 '기록'하고 피드백해 학생의 '성장'을 최종 목표로 하는 것이다. A 교사는 결과중심평가, B 교사는 성장중심평가에 입각한 입장이다. 따라서 B 교사의 입장을 선택해야 경기교육의 지향점과 방향이 일치한다. 이를 두괄식으로 먼저 주장한 후 답변하자.

예시 답변 구상형 1번 답변드리겠습니다.
경기도교육청은 결과중심평가가 아닌 학생의 성장을 촉진할 수 있는 성장중심평가를 지향하고 있습니다. 이런 관점과 '학생의 성장을 촉진하는 교사가 되겠다'는 저의 교직관을 토대로 B 교사 입장을 지지하겠습니다.

제시문의 A 교사의 입장은 결과중심평가의 관점입니다. 학생의 활동 과정을 평가하는 것이 아닌, 제출하지 못한 상황에 집중하고 있으므로 타당하지 않습니다. B 교사의 입장을 지지하는 이유는 다음과 같습니다. 학생은 3차시를 성실하게 참여하지 않아 결과물을 제출하지 않은 것이 아닌 USB 오류로 제출하지 못한 것이기 때문입니다. 따라서 교사가 보는 상황에서 저장할 기회를 주어야 합니다. 사실 평가 전 USB 확인 등의 절차를 거쳐야 했었는데 이 부분이 미흡했으므로 이후에 이런 일을 방지하기 위해, 평가 전 같이 확인해 보는 과정을 포함하면 좋겠습니다. 또한, C 학생에게 추가 시간을 주는 것을 형평성에 어긋난다고 생각하는 친구들이 있을 수 있습니다. 학생들에게 평가의 목적이 경쟁이 아닌 성장임을 설명하고 해당 조치가 형평성에 어긋난 것이 아님을 설득하는 과정도 필요합니다. 물론, 이런 일을 예견해 수행평가 전에 기기 오류로 인한 문제가 발생할 수 있고, 그때 이렇게 처리하겠다는 것을 미리 공지했으면 더 좋을 것입니다. 이렇게 한다면 진정한 학생의 성장을 촉진할 수 있는 수행평가가 되겠다고 생각합니다.

현장에 나아가 결과에 집중하기보다는 성장하는 과정에 초점을 맞추고 학생들을 독려할 수 있는 교사가 되겠습니다. 이상입니다.

구상형 2

키워드 #종합적 지도

해설 지도 방법을 보완해서 지도 방안을 구상하라고 했다. A~C 학생에게 지도한 내용을 개선해 이들을 아우를 수 있는 종합적 지도 방향을 재설정하는 것이 핵심이다.

예시 답변 구상형 2번 답변드리겠습니다.
다음 상황을 분석해 보면, 그동안 A 학생과 C 학생에게는 지적의 방식으로, B 학생에게는 지각하지 않기로 약속하는 방식으로 지도를 했습니다. 즉, 벌어진 상황 자체를 보고 일시적인 해결책을 사용한 것입니다.

이 방법을 보완해 이 학생들을 지도할 수 있는 종합적인 방안을 말씀드리겠습니다.

먼저, 개별 상담을 통해 근본 원인을 파악하겠습니다. A 학생이 잡생각을 하거나 B 학생이 지각하는 것, C 학생이 딴짓하는 원인이 가정 문제인지, 교우 관계 때문인지, 병적 원인인지 등을 알아야 합니다. 그래야 적절한 해결책을 제시할 수 있습니다. 상황의 원인을 효과적으로 파악하기 위해 가정과 연대하는 것이 필요합니다. 학부모님과의 상담으로 가정에서의 모습을 확인하고 문제를 공유해야만 더 쉽게 해결할 수 있을 것입니다.

둘째, 교사가 일방적으로 지도하거나 개선을 요구하는 것이 아닌 학생 스스로 문제의식을 느낄 수 있도록 생각해 보는 시간을 부여하겠습니다. 지속적인 지적이나 지도는 학생의 자존감 하락을 유발할 수 있기에 작은 약속부터 정한 후 점점 학교생활에 적응할 수 있게 하겠습니다. 작은 성공 경험을 달성했을 경우 칭찬을 통해 긍정적 강화를 하겠습니다.

마지막으로 학교 내 상담교사, 보건교사 등과 협력해 세 학생 각각의 어려움에 맞는 적절한 지원을 제공하겠습니다. 학습 지원, 감정적 지원, 심리 상담 등을 통해 학생들이 건강하고 긍정적으로 성장할 수 있도록 돕겠습니다.

이처럼 종합적인 접근으로 A, B, C 학생들의 어려움을 파악하고 지원한다면, 학생들의 성장에 이바지할 것입니다. 이상입니다.

구상형 3

키워드 #대면 수업 효과

해설 코로나19 상황에서 시행된 블렌디드 러닝의 모습을 이해하고 장단점을 고민해 보았는지 확인하기 위한 문제이다. 평소 교육 이슈를 잘 알고 있어야 함을 시사한다.

예시 답변 구상형 3번 답변드리겠습니다.

코로나19 상황에서 유례없는 온라인 개학이 시작되며, 온라인 수업이 활성화됐습니다. 이 방식은 학생들의 건강과 안전에 효과가 있었으나, 대면 수업의 중요성이 드러났던 시간이기도 합니다. 지금부터 대면 수업의 교육적 효과를 원격 수업과 비교해 말씀드리겠습니다.

먼저 학습 지도 측면에서의 효과입니다. 원격 수업은 콘텐츠를 반복 수강한다거나, 배속 듣기가 가능해 개별화 학습에 유리하다는 장점이 있으나 학생들이 집에서 학습하게 되므로 집중력이 저하될 수 있다는 문제점이 있습니다. 반면 대면 수업은 학생들이 교실에서 직접 교사와 상호작용하며 수업을 받기 때문에 실시간 소통이 가능하고, 모둠 활동, 멘토·멘티 활동을 통해 학생들의 자기주도적 학습과 협업 능력을 향상할 수 있다는 장점이 있습니다.

다음으로 인성 지도 측면에서의 효과입니다. 원격 수업에서는 교사와 학생이 얼굴을 마주할 수 없어 학생의 감정을 읽거나 심리적 지지를 제공하는 데 어려움이 있을 수 있습니다. 또한 교실 내에서의 인간관계 형성과 친밀감 형성이 제한적일 수 있습니다. 반면 대면 수업에서는 교사가 직접 학생들을 지켜보며 학생들의 감정을 파악하고 인성 지도를 할 수 있습니다. 교실 내에서 친구들과 소통과 협업을 통해 학생들의 인간관계 능력과 사회적 능력을 강화할 수 있기에 인성 지도에 더욱 효과적일 수 있습니다.

현장에 나아가 온·오프라인 수업의 장단점을 잘 인지하고, 단점을 보완해 학생들의 교육적 성장에 기여하는 교사가 되도록 노력하겠습니다. 이상입니다.

즉답형 1

키워드 #경험 #매체 표현 #독서교육

해설 문제 속에 숨어 있는 조건인, 학생들이 ① 자기 경험을 ② 매체로 표현하는 ③ 교과 연계 독서교육 방안을 제시해야 한다.

예시 답변 즉답형 1번 답변드리겠습니다.

저는 한국 현대사 수업과 연계하여 학생들이 자신의 경험을 매체로 표현하는 독서교육을 시행하고자 합니다. 활동은 책 읽기-경험과 연결하기-매체로 표현하기라는 3단계로 구성됩니다.

첫째, 읽기 단계에서는 한국 현대사의 생활사 관점을 담은 독서 자료를 활용합니다. 단순히 사건 중심의 역사 서술이 아니라 당시를 살아간 보통 사람들의 이야기가 담긴 구술사 인터뷰, 신문 기사, 수기 등을 자료로 제시합니다. 학생들은 자료를 읽으며 생긴 궁금증이나 더 탐구하고 싶은 질문을 정리하고, 이를 바탕으로 역사적 사실과 개인의 삶이 어떻게 교차하는지 고민하도록 합니다. 이 과정에서 역사 학습이 단순 암기가 아니라 나와 연결될 수 있다는 흥미를 느끼게 됩니다.

둘째, 나·가족·지역의 경험과 연결하기 단계입니다. 학생들은 '우리 집 현대사', '우리 동네 현대사'와 같은 소주제를 정하고, 앞서 만든 질문을 토대로 가족이나 지역 어르신을 인터뷰합니다. 저는 교사로서 인터뷰 가이드라인과 동의서, 민감 주제 유의 사항을 안내하여 학생들이 안전하고 존중 속에서 활동할 수 있도록 돕겠습니다. 또한, 읽은 자료와 자신의 경험을 반드시 연결하도록 지도해 2가지 이상 닮은 점과 다른 점을 기록하게 합니다. 이를 통해 학생들은 역사 속 큰 흐름과 자기 경험을 연결 짓는 사고를 기를 수 있습니다.

셋째, 매체로 표현하기 단계입니다. 학생들은 자신이 선택한 매체로 결과물을 제작합니다. 예를 들어, 포토에세이를 만들어 옛 사진과 현재 사진을 비교하고 그 의미를 글로 해석할 수 있습니다. 또 IMF 시기를 살아간 가족의 이야기를 팟캐스트 형식으로 내레이션하며 기록할 수도 있고, 카드뉴스 형식으로 정리하여 친구들에게 공유할 수도 있습니다. 중요한 점은 단순히 지식을 재생산하는 것이 아니라, 읽기와 경험을 창의적으로 연결해 표현하는 것입니다.

마지막으로 성찰 활동을 통해, 독서 자료를 읽고 경험과 매체로 표현하는 과정을 거치며 무엇을 느꼈는지, 역사와 나의 삶이 어떻게 만날 수 있는지를 정리하도록 합니다.

이러한 수업을 통해 학생들은 단순히 책을 읽는 데서 그치지 않고, 자신의 경험을 역사적 맥락과 연결해 보고, 이를 매체로 표현하며 창의적 사고와 비판적 사고를 동시에 기를 수 있을 것입니다. 이상입니다.

즉답형 2

키워드 #업무 전가

해설 이 같은 상황이라면 A 교사는 무척이나 부담스러울 것이다. 하지만 무조건 안 된다고 하는 것이 아닌 공감적 대화를 통해 문제를 해결하려는 의지와 노력을 보여야 한다. 실제 시험에서 "무례한 이야기이므로 거절하겠다."라고 답변한 수험생이 있었는데, 평가위원의 반응이 무척 좋지 않았다는 감독관의 후기가 있었다. 이럴 때는 너-나-우리 전략을 쓰면 좋다. 먼저, 존중의 언어로 상대의 이야기를 들은 후 나의 입장을 이야기하고 우리가 같이 해결할 수 있는 공동의 노력 방안을 제안하는 전략이다. 간혹 상대가 무리한 부탁을 하는 경우 어떻게 할 것인지 대처 방안을 묻는 문제가 등장하는데 이때는 '해결 의지'를 보여줘야 한다는 것을 꼭 명심하자!

예시 답변 즉답형 2번 답변드리겠습니다.

제시문에서는 B 교사가 자신의 업무인 진로 체험 활동 업무를 관련 경험이 없는 A 교사에게 맡아달라고 부탁하는 상황입니다. 이 경우 제가 A 교사라면 다음과 같이 대처하겠습니다.

먼저 공감과 경청의 자세로 B 교사가 부탁한 이유에 관해 물어보겠습니다. A 교사를 전임자로 착각했거나 혹은 A 교사가 아무 일도 하고 있지 않다고 생각했을 수 있고, B 교사 혼자 맡기에 부담스러운 업무여서 도움을 요청한 것일 수도 있기 때문입니다. 우선 B 교사와의 대화를 통해 교사가 처한 상황을 이해하겠습니다.

그다음 저의 상황, 감정을 알리겠습니다. 이미 업무가 배정돼 있고, 진로 체험 업무를 해본 적 없는 상황이라 저 역시 처음부터 배워야 하는 업무임을 알리겠습니다. 전임해서 맡는 것은 저에게도 업무가 있으므로 불가능할 수 있으나 B 교사가 어려움에 부닥칠 때, 도울 수 있는 부분은 함께 협조하겠다는 의사를 내비치겠습니다. 혹시 A 교사와 B 교사의 노력만으로 안 되는 문제라면, 협의회 등을 통해 어려운 점을 공유하고 공동체원과 함께 해결하는 방안도 고려하겠습니다.

이렇듯 현장에 나아가 공동체 의식을 갖추고, 대화와 존중의 태도로 문제 상황을 현명하게 해결해 나가는 교사가 되도록 노력하겠습니다. 이상입니다.

자기 평가	
체감 난도	상 중 하 ➔ 원인 파악:
답변을 잘한 문제	
부족한 문제	
보완 계획	
스터디원의 핵심 피드백 내용	

2020학년도

| 구상형 |

1. 다음은 A 학교의 급식실 질서에 관한 설문조사 결과이다. 설문조사에서 보이는 문제를 해결할 방안을 제시하시오.

교사	매우 잘 지켜짐	잘 지켜짐	보통	안 지켜짐	매우 안 지켜짐
학생	매우 잘 지켜짐	잘 지켜짐	보통	안 지켜짐	매우 안 지켜짐

2. A 학생의 상황을 보고, A 학생을 지원할 수 있는 방안을 제시하시오.

> **A 학생의 상황**
> - 학교생활에 전반적으로 흥미가 없음
> - 4월 ○일: 기초학력검사 결과, 기초학력 미달됨
> - 6월 ○일: 자해 시도함

| 즉답형 |

1. 상황별 개인정보 보호법 위반 여부를 말하시오.

> - 사례 1: 업무 일지에 학생 신상정보를 기입하고 이를 토대로 상담을 진행한 경우
> - 사례 2: 학부모회 대표 학부모에게 다른 회원들의 번호를 공유한 경우
> - 사례 3: 학급 게시판에 잘한 학생, 못한 학생 이름을 '김○호' 등으로 표시하여 게시한 경우

2. 모둠 활동 시 무임승차 발생으로 인한 문제점과 해결 방법을 제시하시오.

구상하기

✦ 해설 및 예시 답변

구상형 1

키워드 #급식실 무질서 해결 방안

해설 학교에서 발생하는 문제 상황을 해결하기 위해 학생, 학부모, 교사 등 학교 주체들이 함께 협력하는 방안을 고민해 보자.

예시 답변 구상형 1번 답변드리겠습니다.
제시문을 보면, 교사와 학생 모두가 급식실 질서가 잘 지켜지지 않는다고 인식하고 있음을 알 수 있습니다. 이 문제를 해결하기 위해 저는 교육공동체의 참여와 협력을 중심으로 접근하고자 합니다.

먼저, 교사와 학생 각각을 대상으로 소규모 토론회를 운영하겠습니다. 토론을 통해 각자의 입장에서 문제의 원인과 구체적인 사례를 공유하도록 하고, 이를 바탕으로 개선 방안을 스스로 찾아보게 하겠습니다. 이후 교사와 학생이 함께 참여하는 대토론회를 열어, 합의된 의견을 모아 '슬기로운 급식생활 협약'을 제정하도록 하겠습니다. 이를 통해 학생들에게 자율성과 책무성을 부여할 수 있을 것입니다.

다음으로, 학부모와도 연계하겠습니다. 협약 내용을 가정통신문이나 SNS를 통해 공유하여 가정에서도 식사 예절 교육이 이어질 수 있도록 하겠습니다. 또한 후속 운영 과정을 정기적으로 안내하여, 학부모가 함께 관심을 가질 수 있는 구조를 만들겠습니다.

이와 같이 학교와 가정, 학생과 교사가 함께 협력한다면, 급식실 질서 문제를 해결할 뿐 아니라 올바른 식사 예절을 자연스럽게 형성하는 계기가 될 것이라 생각합니다. 이상입니다.

구상형 2

키워드 #학력 미달 #학업 무흥미 #자해 시도 #지도 방안

해설 특정 상황(조건)이 제시되는 문제는 먼저 꼼꼼히 상황의 내용을 파악하자.

예시 답변 구상형 2번 답변드리겠습니다.
현재 A 학생은 학교생활 전반에 흥미가 없고, 기초학력 미달 판정을 받았으며, 자해 시도까지 한 상황입니다. 따라서 정서·학습·심리적 측면을 모두 고려한 지원이 필요합니다. 구체적인 방안은 다음과 같습니다.

첫째, 담임으로서 A 학생의 심리적 상태를 정확히 진단하겠습니다. A 학생과의 개인 상담뿐 아니라 학부모, 전년도 담임과의 면담을 통해 A 학생의 생활 배경과 어려움을 종합적으로 파악한 후 맞춤형 지원을 고민하겠습니다.

둘째, 기초학력 보장을 위해 교내 두드림학교와 기초학력 지원 프로그램에 참여하도록 연계하겠습니다. 단순히 연계로 끝내는 것이 아닌 지속적인 관찰과 피드백으로 학생이 기초학력에 도달하는지 관심을 갖고 지켜보겠습니다. 또한 또래 도우미와 함께하는 소집단 학습, 개별 과제 부여 등을 통해 작은 성취감을 경험하게 하여 자신감을 회복하도록 하겠습니다.

셋째, 자해 문제는 전문적 개입이 필요하므로 Wee 클래스, 필요하다면 외부 전문기관과 연계하겠습니다. 이를 통해 정서적 안정과 회복을 우선 지원하겠습니다.

이처럼 학생의 학습과 정서를 동시에 살펴 지속적인 관심을 표현하고, 단 한 명의 학생도 포기하지 않는 교사가 되겠습니다. 이상입니다.

즉답형 1

키워드 #개인정보 보호법 위반 판단

해설 학교에서는 학기 초 '개인정보 수집 및 이용 동의서'와 '학생상담 및 상담기록에 대한 개인정보 동의서'를 걷는데, 이는 이용 목적에 한정해 개인정보를 수집하는 것에 동의를 구하는 것이다. 목적 외에 개인정보를 사용할 경우에는 따로 동의 절차를 구해야 한다. 문제에서는 목적이 제시돼 있지 않으므로 상황을 어떻게 해석하느냐에 따라 답이 다르게 제시될 수 있다. 실제 시험에서도 자신이 생각한 근거를 명확하게 제시하고 근거에 따라 답변했다면 어떤 답을 해도 큰 감점이 없었다. 3가지 사례를 문제의 조건에 따라 상황 / 개인정보로 나누어 보면 다음과 같다.

- 사례 1: 업무 일지에 기록하고 상담(상황) / 신상정보(개인정보)
- 사례 2: 학부모회 대표에게 회원의 전화번호 전달(상황) / 전화번호(개인정보)
- 사례 3: 학급 게시판에 잘한 학생, 못한 학생 이름 게시(상황) / 일부 가려진 이름(개인정보)

문제와 관련된 개인정보 보호법에 대해 살펴보자.

구분	개인정보 목록 및 법적 근거	항목 및 목적	개인정보
사례 1, 3	학교생활기록부, 성적 (초·중등교육법 제25조)	학생 상담, 학생 관리	인적사항, 주소 등
사례 2	학교운영위원회 명부 (초·중등교육법 제34조, 초·중등교육법 시행령 제62조)	학부모회 가입자 정보, 학부모회 구성 및 운영	이름, 전화번호

이에 따라 학생의 인적사항(사례 1), 학부모 전화번호(사례 2), 이름(사례 3)을 학교 차원에서 수집하는 것은 합법이다. 위반 여부를 알기 위해서는 상황과 목적에 초점을 맞추어야 하지만, 목적이 문제에 제시되지 않았기 때문에 상황을 통해 유추해 답변해야 한다.

예시 답변 즉답형 1번 답변드리겠습니다.

개인정보는 동의를 구하고, 목적에 맞게 사용해야만 합니다. 이 원칙에 초점을 맞춰 답변드리겠습니다.

사례 1은 학기 초 개인정보 수집 동의서에 동의했다는 가정하에 원래 목적인 개인 상담을 이유로 개인정보를 사용한 경우이기 때문에 개인정보 보호법에 위반되지 않습니다. 사례 2는 학부모회 구성 및 운영을 목적으로 정보수집동의서를 받아 정보 수집을 했고 이 목적으로 공유했다면 개인정보 보호법 위반이 아닙니다. 다만, 이 문장 속에는 어떤 목적으로 사용했는지 명확하게 제시돼 있지 않기 때문에 법 위반으로 해석할 수도 있습니다. 운영 목적이 아닌 개인적인 사유로 동의 없이 번호를 제공하는 것은 법 위반입니다. 마지막 사례 3은 목적에 적합하지 않을뿐더러 교육적으로도 부적합합니다. 학급 내 제한된 인원 중 이름의 한 글자를 지우고 공개했다는 것은 특정할 수 있는 정보이기에 개인정보 보호법을 위반했다고 해석할 수 있습니다.

현장에 나아가 개인정보 보호법을 이해하고, 주의해 사용하는 교사가 되겠습니다. 이상입니다.

즉답형 2

키워드 #무임승차 문제 분석 #해결 방안

해설 모둠 활동에 참여한 학생과 참여하지 않는 학생을 두루 고려한 방안을 제시하면 교직 전문성을 드러낼 수 있다.

예시 답변 즉답형 2번 답변드리겠습니다.

모둠 활동 시 무임승차 발생으로 인한 문제점을 말씀드리겠습니다. 먼저, 공정성 문제가 있습니다. 모둠 내에서 몇몇 학생은 열심히 노력하는 반면, 일부 학생은 이바지하지 않고도 동일한 평가를 받게 되면, 열심히 참여한 학생들이 불공평하다고 느끼게 됩니다. 이는 학습 동기의 저하로 이어질 수 있습니다. 또한, 무임승차를 한 학생은 학습 기회를 놓치게 돼 자신의 역량을 충분히 발휘하지 못하고 책임감을 기르는 데도 방해가 됩니다. 이러한 무임승차 문제를 예방할 방안을 3가지 말씀드리겠습니다.

첫째, 모둠 활동을 시작하기 전에 책임감과 협력의 중요성에 대해 교육하겠습니다. 무임승차가 단순한 게으름이나 무관심을 넘어, 다른 친구들에게 피해를 줄 수 있는 행동임을 이해하게 하고, 모둠 활동을 단순히 점수를 얻기 위한 활동이 아니라, 함께 성장하는 기회로 인식하게 만들겠습니다.

둘째, 모둠 내에서 학생 각자에게 구체적인 역할과 책임을 부여하겠습니다. 역할이 명확히 나누어 있으면 무임승차 가능성이 줄어들고, 학생은 자신이 맡은 임무를 수행해야 한다는 책임감을 느낄 수 있습니다. 또한 모둠 전체에 동일한 점수를 부여하는 대신, 개별 평가를 병행하겠습니다. 각 학생이 모둠 활동에 어떤 이바지를 했는지 기록하게 하거나, 모둠 구성원끼리 동료 평가를 하도록 하겠습니다. 이를 통해 무임승차를 줄이고, 각자의 공헌도에 따른 공정한 평가를 할 수 있습니다.

셋째, 모둠 활동 중간에 교사가 각 모둠을 돌아다니며 진행 상황을 점검하고, 학생들에게 정기적인 피드백을 제공하는 일도 신경 쓰겠습니다. 이 과정에서 무임승차가 감지되면 조기에 바로잡을 수 있기 때문입니다. 또한, 학생들에게 건설적인 피드백을 제공해 자신의 역할을 보다 충실히 수행하도록 유도할 수 있습니다.

이러한 방안을 통해 모둠 활동 시 무임승차 문제를 줄이고, 모든 학생이 적극적으로 참여하며 공정한 학습 환경을 조성할 수 있을 것입니다. 이상입니다.

자기 평가	
체감 난도	상 중 하 ➡ 원인 파악:
답변을 잘한 문제	
부족한 문제	
보완 계획	
스터디원의 핵심 피드백 내용	

2019학년도

| 구상형 |

1. 학생들의 참여와 소통이 중요한 가운데, 우리 학급 학생들은 개별 학습은 적극적이고 성취도가 높지만 협동 학습은 참여도가 낮다고 교과 선생님들이 말해주신다. 담임으로서 협동을 활성화할 방안을 3가지 말하시오.
2. 학교에서는 수학능력시험 후나 학년말 고사가 끝난 후 다양한 프로그램을 운영하고 있다. 전환기 교육을 운영하는 방안을 말하시오.

| 즉답형 |

1. 학생과 함께하는 민주시민교육 방안을 학급 활동과 교과교육 측면에서 각각 1가지씩 제시하시오.
2. 독서교육의 필요성과 교과와 연계한 독서교육 활성화 방안을 말하시오.

구상하기

✦ 해설 및 예시 답변

구상형 1

키워드 #협동 학습 방안

해설 학생들에게 먼저 협동의 중요성을 깨닫게 해주는 과정이 필요하다. 학급회의 및 교사의 훈화 등으로 스스로 깨닫게 하는 과정이 있어야만 어떤 프로그램이든 참여가 원활할 것이다. 그 이후 학생들이 주도적으로 협동을 체화할 수 있도록 학급 단합대회 개최, 학습 멘토-멘티 등 다양한 활동을 기획한다.

예시 답변 구상형 1번 답변드리겠습니다.
사회가 발전하고 개인주의가 팽배해지면서 공동체 생활을 위한 참여와 소통의 기술이 중요해지고 있다고 생각합니다. 현재 주어진 문제 상황은 학급 학생 개개인의 학습 성취도는 높지만, 협동은 하지 않는다는 것입니다.

해당 문제 상황을 극복하기 위해 담임교사로서 협동을 활성화할 방안을 3가지 말씀드리겠습니다.
첫째, 마니또나 미니 체육대회 등 학급 단합 프로그램을 통해 친밀한 학급 분위기를 만들도록 하겠습니다. 협동학습의 참여도가 낮은 이유는 다양하겠지만, 학급의 친밀도도 참여에 영향을 끼친다고 생각합니다. 중학교 2학년 때 학급 달력 만들기, 학급 장기 자랑 등 다양한 학급 행사를 하면서 반 친구들 모두가 친해졌던 경험이 있습니다. 학급 분위기는 곧 수업 분위기로 이어졌고, 반 친구들과 즐겁고 협력적으로 수업에 참여했었습니다. 이처럼 마니또, 미니 체육대회 등 반 학생들이 먼저 친해질 수 있는 기반을 마련해 활기찬 분위기를 만듦으로써 협동학습의 참여를 끌어내기 위한 기반을 마련하겠습니다.
둘째, 학급 내 멘토·멘티 제도를 활성화하겠습니다. 제시문 속의 학생들은 개별 학습 능력이 뛰어납니다. 저는 이러한 개별 학습 능력으로 서로에게 도움을 주는 멘토·멘티 제도를 운영하고 싶습니다. 이렇게 한다면, 학급 구성원들의 강점을 발휘하면서도 단점을 보완할 수 있을 것이고 협력으로 무언가를 성취하는 경험을 통해 유대감을 느낄 수 있을 것입니다.
셋째, 프로젝트 학습을 구성하겠습니다. 소모둠을 구성해 학급 내 문제, 지역사회 문제, 학교 문화 문제 등 다양한 주제 중 하나를 선정해 직접 문제를 조사하고, 해결 방안을 모색하며 발표하는 시간을 갖도록 하겠습니다. 하나의 프로젝트를 같이 완주하는 과정에서 학생들은 협력의 중요성을 느낄 수 있을 것입니다.

학생들과 소통하고 협력함으로써 즐거운 교실을 만들 수 있도록 노력하겠습니다. 이상입니다.

구상형 2

키워드 #전환기 교육 방안

해설 중학교에서 고등학교, 고등학교에서 대학교에 입학하기 직전 학교에서는 전환기 교육을 운영한다. 전환기는 학생들이 새로운 시기로 나아간다는 점에서 의미가 있다. 자신의 교직관과 각 시기의 특징을 녹여낸 교육 프로그램을 고민해 보자.

예시 답변 구상형 2번 답변드리겠습니다.
저는 고등학교 3학년 학생들을 대상으로 전환기 교육을 하고 싶습니다. 고등학교 3학년 학생들은 곧 성인이 돼 사회에 나가게 됩니다. 이 시기는 학교에서 배운 지식을 실제 생활에 적용해야 하는 중요한 시기이므로 학생들을 대상으로 노동법과 부동산 관련 법에 대한 기본적인 지식을 가르치고 싶습니다. 노동법과 부동산 관련 법에 대한 기본적인 이해는 학생들이 성인의 권리와 의무를 이해하고, 안전하고 합리적인 선택을 할 수 있도록 돕는 데 필수적이기 때문입니다.

학생들이 졸업 후 아르바이트나 첫 직장을 선택할 때, 자신의 권리와 책임을 이해하는 것은 매우 중요합니다. 노동법은 근로 시간, 임금, 휴식 시간, 해고 등의 중요한 문제들을 규정하고 있어, 이를 알지 못하면 부당한 대우를 받을 수 있습니다. 또한 고등학교 졸업 후, 학생들은 대학 진학이나 취업 등으로 인해 자취를 시작하는 경우가 많습니다. 이때, 부동산 거래의 기본적인 법적 사항을 모르면, 계약서 작성 시 불리한 조건에 동의하거나 사기 피해를 당할 위험이 큽니다. 부동산 관련 법을 교육하면 학생들의 올바른 주거지 선택과 안전한 거래를 도울 수 있습니다.

구체적인 교육 방안은 다음과 같습니다. 저는 노동법, 부동산 관련 법과 관련한 기초 상식을 강의식으로 가르친 후 학생들을 모둠으로 구성해 가상의 근로 계약서, 부동산 계약서를 작성해 보고, 서로의 계약서를 분석해 법적으로 문제가 없는지 확인하는 활동을 하고 싶습니다. 이를 통해 학생들은 체험적으로 법의 중요성을 학습할 수 있습니다. 또한 법률 안내서를 제작하게 하고 싶습니다. 학생들이 팀을 이루어, 노동법과 부동산 관련 법에 대한 간단한 안내서를 제작하는 프로젝트입니다. 이 과정을 통해 학생들은 자신이 배운 내용을 정리하고, 실생활에서 활용할 수 있는 지식을 체계적으로 습득할 수 있을 것입니다.

이와 같은 교육 방안을 통해, 학생들은 자신에게 꼭 필요한 법적 지식을 습득하고, 성인으로서의 첫 발을 보다 안전하고 확실하게 내디딜 수 있을 것입니다. 이상입니다.

즉답형 1

키워드 #민주시민교육 #학생과 함께하는 방안

해설 참여 위주의 민주시민교육, 민주시민교육의 핵심 가치인 민주주의 이해, 갈등 조정, 합리적 의사결정, 다양성 존중을 포함해 대답해야 한다. 교과 융합 시민교육, 시민 단체와 연계한 동아리 활동, 민주시민 교과서를 활용한 토의·토론 학습 등의 내용이 포함되면 좋다.

예시 답변 즉답형 1번 답변드리겠습니다.

민주시민교육은 학생들이 민주주의의 가치를 이해하고, 사회 구성원의 역할과 책임을 자각하며, 적극적인 참여와 협력을 통해 공동체에 기여할 수 있는 능력을 기르는 데 중요합니다. 학생들과 함께하는 민주시민교육 방안을 학급 운영 측면과 교과교육의 측면에서 각각 1가지씩 말씀드리겠습니다.

먼저 학급 운영 방안입니다. 저는 학급 자치회를 활성화하겠습니다. 학급 자치회를 형식적으로 만들고 담임교사나 임원 위주로 의사결정을 하는 것이 아닌, 학생들이 학급이나 학교생활의 다양한 측면에 대한 의견을 제시하고 실제 의사결정 과정에 참여할 수 있도록 학급 자치회를 활성화하겠습니다. 정기적으로 학급회의를 개최해 학생들이 학급 운영에 관한 의견을 나누고, 문제 해결 방안을 모색하는 기회를 제공하는 것입니다. 이 과정을 통해 학생들은 자신의 의견을 표현하는 법과 타인의 의견을 존중하며 협력하는 방법을 배울 수 있고 민주적인 절차와 의사결정 과정을 체험적으로 학습할 수 있을 것입니다.

다음으로 교과 운영 방안입니다. 저는 토론 수업을 통해 민주적 가치를 깨달을 수 있는 수업을 구안하고 싶습니다. 인권, 표현의 자유, 사회적 불평등 등 성취기준 중심의 다양한 주제를 가지고 학생들이 찬반 토론을 할 수 있게 하겠습니다. 토론 과정에서 학생들은 논리적으로 생각하는 능력을 기르고, 다양한 관점을 이해하며, 타협과 협력의 중요성을 배울 수 있을 것입니다. 이 활동 후에는 학생들이 자신의 경험을 성찰하고, 피드백을 주고받는 시간을 부여하겠습니다. 이를 통해 학생들은 자신이 무엇을 배웠고, 어떻게 더 발전할 수 있을지를 구체적으로 생각해 보며 민주시민으로서의 덕목을 쌓을 수 있을 것입니다.

민주시민교육이 단순히 교실에서의 학습에 그치지 않고 일상에서 학생들이 사회에 적극적으로 참여할 수 있는 역량을 기를 수 있도록 학급 운영과 교과 지도 방안에서 노력하는 교사가 되겠습니다. 이상입니다.

즉답형 2

키워드 #독서교육 필요성 #교과 연계 방안

해설 독서교육의 필요성과 자신의 교과 특색에 맞는 독서교육 방안을 언급해야 한다.

예시 답변 즉답형 2번 답변드리겠습니다.

체육 교과는 학생들의 신체 발달뿐만 아니라, 정신적 성장과 인성교육에도 중요한 역할을 합니다. 체육 교과에서 독서교육을 병행하는 것은 학생들이 신체 활동과 관련된 이론적 지식, 건강한 삶의 중요성, 스포츠 정신 등을 더 깊이 이해할 수 있는 중요한 방법이므로 독서교육이 필요합니다.

구체적인 독서교육 방안을 말씀드리겠습니다. 저는 독서 마라톤을 시행하고 싶습니다. 마라톤 전에, 운동 과학, 스포츠 심리학, 운동 역사, 건강 및 영양, 스포츠 윤리 등 체육과 관련된 주제를 다룬 책을 선별해 독서 목록을 제공한 후 각 책의 핵심 내용과 체육과의 연관성을 설명하는 안내서를 제작하겠습니다.

학생들은 자신의 독서 체력에 맞게 목표를 설정한 후 안내서에 있는 책 중 원하는 책을 읽습니다. 독서를 좋아하는 학생과 독서에 처음 입문하는 학생은 독서에 대한 시각이나 속도가 다를 수 있으므로 개별 목표를 설정하겠습니다. 독서 마라톤 진행 중에 정기적으로 학생들에게 피드백을 해 학생들이 경험한 어려움을 돕고 성취를 장려하도록 하겠습니다.

독서 마라톤 활동을 통해 학생들에게 신체적 발달과 정신적 발달을 함께 도모하는 균형 잡힌 성장 기회를 제공하며, 체육교육의 관점을 넓히겠습니다. 이상입니다.

자기 평가	
체감 난도	상 중 하 → 원인 파악:
답변을 잘한 문제	
부족한 문제	
보완 계획	
스터디원의 핵심 피드백 내용	

2018학년도

| 구상형 |

1. 고교학점제를 도입할 경우 학교, 학생 측면에서의 효과를 말하시오.
2. 담임교사로서 사이버폭력 대처 방안 및 존중과 배려가 있는 학급을 위한 운영 전략을 말하시오.

| 즉답형 |

1. 교육과정-수업-평가 일체화를 위한 노력 방안을 말하시오.
2. 담임교사로서 학업중단위기의 학생을 지도하기 위한 방안을 말하시오.

구상하기

✦ 해설 및 예시 답변

구상형 1

키워드 #고교학점제 #학교 효과 #학생 효과

해설 고교학점제의 명확한 정의를 알고 있어야만 대답이 가능한 문제였다. 정의를 먼저 말한 후 학교, 학생 측면에서의 '효과'를 말해야 한다. 중요한 것은! 긍정적 효과뿐 아니라 제기되고 있는 문제점(부정적 효과)과 자신만의 대책을 언급해 정책을 다각도로 고민해 보았음을 드러내야 한다는 것이다.

예시 답변 구상형 1번 답변드리겠습니다.
고교학점제는 2025년부터 전국의 고등학교에서 시행하는 제도로, 학생의 진로와 적성에 따라 과목을 선택하고 이수 기준을 충족할 때 학점을 취득할 수 있는 제도입니다. 고교학점제 도입의 효과를 학교 측면과 학생 측면에서 각각 1가지씩 말씀드리도록 하겠습니다.

학교 측면에서는 고교학점제가 시행되면서 교육과정 편성에 관한 학교의 자율성이 높아지는 효과가 있을 것입니다. 학생과 교사의 의견을 반영한 수업을 편성함으로써 학교가 주체가 되는 교육과정을 만들어 우리 학교만의 문화를 만들어 갈 수 있을 것입니다.

학생 측면에서 고교학점제의 효과는 학생의 과목 선택권이 확대돼 자신의 진로, 적성에 맞는 수업을 들을 수 있다는 점입니다. 저는 학창 시절 세계사 과목을 희망했으나, 학교 교육과정상 편성되지 않아 개인적으로 공부했던 경험이 있습니다. 하지만 고교학점제 시행으로 학생들이 희망하는 수업을 편성할 수 있게 되면서 학생이 자신의 꿈에 한 발 더 다가갈 수 있을 것입니다.

물론 고교학점제 전면 도입과 관련해 교사의 전문성 신장, 다양한 수업 편성을 위한 교육과정 클러스터 구축 등의 노력이 필요할 것입니다. 현장에 나아가 학생이 중심이 되는 고교학점제가 시행될 수 있도록 노력하는 교사가 되겠습니다. 이상입니다.

구상형 2

키워드 #사이버폭력 대처 방안 #존중의 학급 운영 전략

해설 서론에서 사이버폭력의 정의를 간단하게 언급하고 자신만의 학급 운영 전략을 밝히자. 이때, 학급 운영 전략에는 자신의 교직관이 담겨 있어야 한다.

예시 답변 구상형 2번 답변드리겠습니다.
사이버폭력은 현재 큰 사회 문제로, 쉽고 간단하게 감정을 표출할 수 있으며 비공개적으로 장소에 구애받지 않고 일어날 수 있다는 점에서 특히 철저한 예방 교육이 필요하다고 생각합니다. 최근 뉴스에서 왕따, 폭력 문제가 더 큰 사회 문제로 이어지는 것을 심심치 않게 볼 수 있습니다.

저는 이를 예방하고 존중과 배려가 있는 학급을 만들기 위해 다음과 같이 노력하겠습니다.
첫째, 사이버폭력 예방을 위해 '사이버폭력 체험 애플리케이션'을 학기 초에 함께 사용해 보겠습니다. 이 앱은 자신이 직접 사이버폭력 피해자가 돼볼 수 있도록 만들어진 예방 프로그램입니다. 응보적 관점으로 사건 발생 후 사용하는 것이 아닌, 학기 초에 학생들과 함께 있는 자리에서 사용해 보며, 어떤 생각이 들었는지 무슨 느낌이 들었는지 서로 의견을 나누어 보고 사이버폭력의 심각성에 대해 토의하겠습니다.
둘째, 존중과 배려가 있는 학급을 위해 한 달에 한 번씩 사과day, 고맙day를 운영하겠습니다. 학교생활을 하다 보면 의도치 않게 존중과 배려를 하지 못하는 순간이 있을 수 있습니다. 공식적인 시간을 통해 자신의 학

급 생활을 돌아보고 친구들에게 고마운 마음, 미안한 마음을 전달하는 시간을 가져 존중과 배려의 분위기를 만들겠습니다.

이렇게 한다면, 보다 상대를 이해하고 폭력 없는 학급이 될 수 있을 것입니다. 이상입니다.

즉답형 1

키워드 #교-수-평-기 일체화

해설 교육과정-수업-평가-기록의 일체화 방안을 물었으므로 교육과정 재구성, 수업, 평가 방안, 기록 후 피드백 내용까지 두루 포함해야 했다.

예시 답변 즉답형 1번 답변드리겠습니다.
교육과정, 수업, 평가 일체화는 교사가 교육과정을 재구성하고 이에 맞는 수업을 하며, 수업한 내용을 평가하는 것입니다. 하지만 실제 현장에서는 수업한 내용과 평가 내용이 일치하지 않는 문제가 빈번했습니다. 예를 들어 농구 경기를 하며 팀워크의 중요성에 대해 배웠는데 평가는 자유투 횟수로 등급을 매겨 수업과 평가가 분리된 것입니다. 이런 문제를 바꿔보고자 교육과정, 수업, 평가 일체화의 개념이 도입됐습니다.

저는 교육과정, 수업, 평가 일체화를 위해 다음과 같은 노력을 하겠습니다.
첫째, 연수, 전문적 학습공동체, 서적 등 전문성 함양을 위한 다양한 방법을 통해 교육적 문해력을 키우고 창의적으로 교육과정을 재구성하겠습니다.
둘째, 동 교과 교사와의 협업으로 학생의 배움을 유발할 수 있는 배움중심수업을 구성하겠습니다. 학생의 활동 중심의 수업을 구성할 것입니다. 마지막으로 그 과정을 성장 중심으로 평가해 내실 있는 기록으로 성장 발달에 기여하겠습니다. 이후 학생의 성장 지점과 추후 발전을 위한 방안을 피드백하겠습니다.

이렇게 한다면 아이들의 성장에 기여하며 공교육의 신뢰에 일조할 수 있을 것입니다. 이상입니다.

즉답형 2

키워드 #학업중단 학생 지도

해설 학업중단숙려제라는 제도에 대해 언급을 해야 경기도 교육 정책을 잘 이해했음을 드러낼 수 있다. 하지만 그것만으론 부족하다! 학업을 중단할 뻔했던 경험, 학창 시절 어려움이 있었을 때 담임교사의 도움으로 극복한 경험을 첨부해, 교사의 관심과 사랑의 중요성을 덧붙인다면 진솔하고 가슴을 울리는 답변이 될 것이다.

예시 답변 즉답형 2번 답변드리겠습니다.
담임교사로서 학업중단에 빠진 학생을 지도하기 위한 방안을 말씀드리겠습니다.
경기도에서는 학업중단 숙려기간을 두고 있습니다. 학업중단숙려제는 학업중단 의사를 밝힌 학생에게 2~3주간의 숙려 기회를 부여하는 제도입니다. 학생에게 제도적으로는 이러한 방안을 추천해, 시간적 여유를 주는 것이 필요합니다. 하지만 무엇보다 중요한 것은 교사의 관심과 사랑이라고 생각합니다.

저는 학창 시절에 학업중단위기에 빠졌던 경험이 있습니다. 가정형편을 탓하며 등교를 거부한 채 방 안에서 나오지 않았습니다. 그렇게 며칠간 등교를 거부하자 담임 선생님이 가정 방문하셔서 저의 환경을 둘러보시고 닫힌 제 방문 앞에서 우시면서 저를 위로하는 이야기를 하고 가셨습니다. 이상하게 그날부터 마음이 흔들렸고, 선생님의 정성 때문에 저는 다시 학교로 돌아가야겠다는 용기가 생겼습니다. 저 역시 학업중단위기에 빠진 학생이 있다면, 담임 선생님이 저에게 해주셨던 것과 같이 가정 방문이나 메시지를 통해 관심과 사랑을 먼저 표현하도록 하겠습니다. 이렇게 한다면, 저처럼 도움이 필요한 학생들이 다시 학교로 돌아올 수 있고 저마다의 아픔을 이겨내고 건강한 사회인으로 성장할 수 있을 것입니다. 이상입니다.

사이다 면접

자기 평가	
체감 난도	상 중 하 → 원인 파악:
답변을 잘한 문제	
부족한 문제	
보완 계획	
스터디원의 핵심 피드백 내용	

2017학년도

| 구상형 |

1. 제시문의 A 교사 학급 학생들에게 필요한 미래 핵심 역량을 언급하고, 담임교사로서 역량 육성 방안을 말하시오.

   > 체육대회 기간에 특정 학생만 남아서 늦게까지 고생하며 준비하였고, 나머지 학생들은 일찍 집에 갔다.

2. 안전교육 7대 요소 중에 하나를 택하여 교과 연계 방안을 제시하시오.

   > 생활안전교육, 교통안전교육, 폭력예방 및 신변보호 교육, 약물 및 사이버중독 예방 교육, 재난안전교육, 직업안전교육, 응급처치교육

| 즉답형 |

1. 교사가 되고 싶은 제자를 어떻게 교육할 것인지 자신의 경험과 연계하여 말하시오.
2. 경기도교육청에서는 자유학기제를 넘어 자유학년제를 실시한다. 자녀의 학력 저하에 대해 걱정하는 학부모가 앞에 있다고 생각하고 교사로서 설득하시오.

구상하기

✦ 해설 및 예시 답변

구상형 1

키워드 #미래 핵심 역량 #육성 방안

해설 제시문에서 소통 없이 일부만 남아서 체육대회 준비를 했다는 점에서 의사소통 역량과 공동체 역량이 부족함을 알 수 있다. 모둠 일기, 학급회의, 소모둠 수업 활동, 의견 게시판 개설 등의 방안을 활용하면 좋다.

예시 답변 구상형 1번 답변드리겠습니다.
제시문의 상황은 모두가 함께 만들어 가는 체육대회에 특정 학생들만 노력하는 모습을 보여주고 있습니다. A교사 반의 상황에서 필요한 미래 핵심 역량은 공동체 역량입니다. 즉, 같은 반 학생들이 공동체라고 인식하며 함께 참여하는 자세가 필요합니다.

공동체 역량을 육성하기 위한 실천 방안을 2가지 말씀드리겠습니다.
첫째, 학급 내 1인 1부서 활동을 통해 학생들이 책임감을 경험할 수 있게 하겠습니다. 학습부, 이벤트부 등 학급에서 필요한 부서와 역할을 학생들이 토론을 통해 스스로 정하고 각자의 역할을 부여함으로써 학생 개개인에게 책임감을 주도록 하겠습니다. 학생들 각자가 자신의 역할을 맡게 됐을 때 학생들은 교실공동체의 일원이라는 의식을 가지게 될 것입니다.
둘째, 마니또 등의 다양한 학급 단합 행사를 통해 학생들의 소속감을 높이도록 하겠습니다. 학생들의 참여가 저조한 상황은 학급에 대한 애정도가 떨어지기 때문으로도 볼 수 있습니다. 따라서 담임교사로서 학생들과 함께 다양한 학급 단합 행사를 기획함으로써 '함께'의 즐거움을 느끼고 교실에 대한 애정도를 높여 공동체로서 적극적으로 학급 일에 참여할 수 있게 하겠습니다.

협력을 바탕으로 학생들이 공동체 역량을 함양할 수 있는 교실을 만들어 가도록 하겠습니다. 이상입니다.

구상형 2

키워드 #안전교육 #교과 연계 방안

해설 현직 교사가 돼 교과 운영 계획을 작성할 때에 반드시 안전교육 요소를 포함해서 계획을 세워야 한다. 실천 능력을 엿보려는 문제였다. 안전교육 문제는 현장에서도 중요시하는 부분이므로, 교과서 목차를 펴놓고 어느 부분에 어떤 요소를 넣으면 좋을지 고민해 놓자. 경기도교육청안전교육관 홈페이지(https://www.goese.kr/)에 방문하면 교과별 수업 참고 자료가 있으니 참고하면 도움이 될 것이다.

예시 답변 구상형 2번 답변드리겠습니다.
안전은 학생의 실생활과 밀접하게 관련된 부분으로 주기적인 교육이 필요한 영역이라 생각합니다. 교과와 연계해 안전교육을 실시함으로써 학생들이 '안전'에 대해 안일하게 생각하는 것이 아니라 우리 주위에서 끊임없이 일어날 수 있는 일이라는 경각심을 갖게 될 것입니다.

저는 안전교육 7대 요소 중에 교통안전교육을 저의 교과인 역사와 연계한 방안을 말씀드리도록 하겠습니다. 교통안전교육은 학생들의 등하교 상황 등 실생활과 깊이 관련된 부분이라 생각합니다. 이를 한국사 교과의 '근대 국민 국가 수립 운동'과 연관해 안전교육 방안을 제시해 보겠습니다. 해당 단원 중 근대적 문물의 도입과 관련해 교통안전교육을 실시해 볼 수 있다고 생각합니다. 우리나라에 전차가 처음 설치되고 많은 사람이 이용하게 되면서 어린아이가 전차에 치이는 사고가 발생하기도 했습니다. 전차나 철도와 같은 교통수단의 도입으로 발생한 사고의 사례들을 나눔으로써 학생들에게 교통안전을 위해 우리가 가져야 하는 자세에 대해 토의해 보는 수업을 진행해 볼 수 있을 것입니다. 이를 통해 학생들은 전차의 도입과 관련해 교통수단의 발전에 대해 흥미를 느낄 수 있고, 실제 사고 사례를 살펴봄으로써 과거부터 이어져 온 안전의 의미를 돌이켜볼 수 있을 것입니다.

교과 수업 속 안전교육을 실시함으로써 학생들이 안전에 대해 경각심을 느낄 수 있도록 노력하겠습니다. 이상입니다.

즉답형 1

키워드 #경험 #교육 방안

해설 자신이 교사가 되려고 결심한 순간, 인상 깊은 교육 장면 등을 곁들여 답변해야 했다. 교사가 되려는 이유를 듣고 격려해 주며 학급에서 일정한 역할을 부여해 교사로서 소양을 쌓을 수 있는 기회를 주면 좋다. 그뿐만 아니라 교사가 되기 위해 진학해야 하는 학교, 과정 등 현실적인 조언을 곁들여 보자. 그 기저에는 학생을 공감하고 이해하려는 교사의 따뜻한 마음이 드러나야 한다.

예시 답변 즉답형 1번 답변드리겠습니다.

훗날 교사가 되고 싶은 제자를 만난다면 기쁜 마음으로 제자에게 저의 경험을 들려주도록 하겠습니다. 저 역시 고등학교 때 역사 선생님을 만나면서 교사라는 꿈을 꾸게 됐습니다. 역사 선생님께서는 일제강점기와 관련된 수업을 하시면서 윤동주 시인의 시 〈자화상〉을 읽어주셨습니다. 선생님께서는 결의에 찬 눈빛으로 〈자화상〉을 읽으시면서 당시 독립을 위해 노력한 사람들의 이야기를 들려주셨습니다. 또 선생님께서는 일제강점기와 관련된 문학 작품, 유적지 등을 소개하시고 역사를 과거의 지나간 일로만 인식하지 않도록 하셨습니다. 이전까지 역사를 과거의 이야기로만 인식했던 저에게 '역사' 과목에 대한 흥미를 느낄 수 있는 시간을 제공해 주셨습니다. 저의 경험처럼 교사가 되고 싶은 제자에게 가르치는 과목에서 얻을 수 있는 가치, 과목의 중요성을 포함해 제가 교사를 꿈꾸게 된 계기와 교사로서 보람을 느끼는 순간들을 들려주면서 학생의 꿈을 응원해 주고 싶습니다.

나아가, 대학생 때 멘토링 봉사를 진행하면서 학생들을 만나며 즐거웠던 순간들을 이야기해 주면서 교사가 되고 싶은 제자에게도 가르침의 기쁨을 느껴볼 수 있는 경험을 해볼 것을 권유하도록 하겠습니다. 또한, 학생의 꿈을 응원하면서도 현실적인 조언을 덧붙여 주고 싶습니다. 저는 고등학교 때 사범대학에 진학하기에는 성적이 부족했었습니다. 담임 선생님께서는 사범대학 이외에도 교직 이수나 교육대학원 등의 방법을 통해 교사가 될 수 있는 길을 알려주셨고 스스로 찾아볼 수 있게 조언해 주셨습니다. 저도 교사가 되고 싶은 제자를 만난다면 교사가 될 수 있는 다양한 방안을 알려주고 격려하면서 현실적인 이야기도 들려주겠습니다. 이상입니다.

즉답형 2

키워드 #자유학년제 #학력 저하 #학부모 설득

해설 학력 저하를 고민하시면? 학력 저하가 아니라는 것으로 고민을 해결해드린다! 학부모의 고민에 공감하면서도 사실은 전혀 그렇지 않다는 것을 완만하게 말씀드려 보자. 통계 자료를 곁들인다면 설득력이 훨씬 높아질 것이다.

예시 답변 즉답형 2번 답변드리겠습니다.

학부모님 안녕하세요? 자유학년제 때문에 고민이 많으시죠? 시험이 없으니 공부에서 손을 놓는 것은 아닐까, 학업 수준이 낮아지진 않을까, 저도 멀리서 보았다면 충분히 그렇게 생각했을 거예요. 학부모님도 잘 아시겠지만 과거에는 대학 간판만 보고 전공은 성적에 맞추어 가자는 풍조가 강했고 그러다 보니 성인이 돼 시행착오를 겪는 친구들을 많이 보았어요. 이 전공이 맞나 수도 없이 고민해 보고, 자신이 지향하는 것을 늦게 깨닫고 전과나 편입을 준비하기도 하고 혹은 계속 방황하는 친구도 있었고요. 대학교에 가서야 처음 경험해 보는 것들도 있었어요. 이런 과정을 거쳐보니, '아, 풍부한 경험으로 내가 좋아하고 잘하는 것은 이거구나'라고 깨닫는 시간이 꼭 필요하다고 느꼈고, 그것이 '자유학년제'라고 생각합니다. 자유학년제를 통해 아이들이 다양한 진로를 체험해 보고 자신의 꿈을 찾아가더라고요. 꿈과 목표를 설정한 아이들은 목표를 이루기 위해 자발적으로 공부를 이어가고요. 학급에서 만족도를 조사해 보았는데 자유학년제가 오히려 도움이 된다는 답변이 더 많았답니다. 내적 동기는 결코 단시간에 만들어지는 것도, 돈을 주고 구매할 수 있는 것도 아니라고 생각해요.

내적 동기가 있다면 자연스레 학업 능력은 올라갑니다! 그러니 학부모님, '자유학년제로 우리 아이가 공부를 안 하게 되면 어떡하지' 고민하시 마시고 우리 아이들이 자기 적성에 맞는 꿈을 찾을 수 있도록 많은 격려 부탁드립니다!

이렇게 학부모님의 고민에 대해 공감하면서 학부모님들께서 경기교육 정책의 필요성을 이해할 수 있도록 하는 교사가 되도록 노력하겠습니다. 이상입니다.

자기 평가	
체감 난도	상 중 하 ➡ 원인 파악:
답변을 잘한 문제	
부족한 문제	
보완 계획	
스터디원의 핵심 피드백 내용	

2016학년도

| 구상형 |
1. 전문적 학습공동체의 의의와 참여하고 싶은 전문적 학습공동체를 제시하고, 이를 통해 얻고 싶은 것과 이를 실천하기 위한 구체적 방안을 말하시오.
2. 경기도 정책인 행복한 학교는 '학생이 자신의 삶의 의미와 가치를 스스로 발견하고 핵심 역량을 체득하는 배움의 학교'를 의미한다. 학급 내 실현 방안을 말하시오.

| 즉답형 |
1. 인생에서 슬펐거나 실패한 경험을 말하고, 이를 통해 얻은 경험이 앞으로의 교직생활에 어떤 도움이 될지 말하시오.
2. 학교에 관심 없는 학부모들이 있는 학교에서 학부모를 학교공동체에 참여시킬 수 있는 방안을 말하시오.

구상하기

✦ 해설 및 예시 답변

구상형 1

키워드 #전문적 학습공동체 의의 #참여 #효과 #실현 방안

해설 정책을 제시했을 때, 앞머리(서론) 부분에 정의를 한 줄 정도로 짧게 언급하면 전문성을 드러낼 수 있다.

예시 답변 구상형 1번 답변드리겠습니다.
전문적 학습공동체는 교사 스스로 공동체를 구성해 전문성을 키우는 모임입니다. 전문적 학습공동체의 의의를 2가지 말씀드리겠습니다. 첫째, 교사들이 함께 공동 연구에 참여하면서 해당 분야에 대한 전문성이 향상될 수 있습니다. 둘째, 동료 교사와의 협력 관계를 바탕으로 민주적인 학교 문화가 정착될 수 있습니다.

제가 참여하고 싶은 전문적 학습공동체는 '학생의 성장을 돕는 심리상담'을 주제로 한 전문적 학습공동체입니다. 하나의 교실에는 내향적인 아이, 외향적인 아이, 배움이 빠른 아이, 배움이 느린 아이 등 각기 특성이 다른 아이들이 있습니다. 아이마다 특성이 다른 만큼 아이들을 마주하는 방식도 달라져야 할 것입니다. 따라서 이와 관련된 전문적 학습공동체를 통해 선배 선생님들의 경험을 공유하고 전문지식을 함께 쌓음으로써 학생의 특성을 이해하고 효과적으로 상담하는 방식을 공유하고 싶습니다.

이를 위한 2가지 방안을 말씀드리겠습니다.
첫째, 전문 서적을 읽고 동료 교사와 실제 사례를 나눔으로써 이론과 현장성을 연결 짓는 것입니다. 상담은 이론을 익히는 것과 동시에 실천하는 것이 중요하다고 생각합니다. 따라서 함께 전문 이론을 공부하고 선생님들께서 경험했던 사례, 사회적으로 이슈화되는 사례에 관해 이야기를 나눔으로써 이론과 현장을 연결 짓는 시간을 갖도록 하겠습니다.
둘째, 모의 상담을 통해 실천 역량을 키우고 싶습니다. 실제 학생들에게 다양한 상담 방식을 실천하는 것이 중요하기 때문에 선생님들과 함께 모의 상담을 진행해 봄으로써 실천 역량을 키워나가고 싶습니다.

동료 교사와 원활한 의사소통과 협력을 바탕으로 학교의 어려움을 함께 해결하고 전문성을 키워나가는 교사가 되도록 하겠습니다. 이상입니다.

구상형 2

키워드 #행복한 학교 #실현 방안

해설 2016학년도 기준, 행복한 학교의 키워드인 ① 학생 스스로 자신의 삶의 의미와 가치 발견, ② 핵심 역량 체득에 초점을 맞춰야 한다. ①을 위해 욕구와 느낌 카드 등으로 자아 탐색하기 프로그램, 한 달에 한 번 상담으로 나를 돌아보는 상담 프로그램, 성찰 일기 쓰기 등의 방안을 제시해야 한다. ②에서는 핵심 역량 중 어떤 역량을 위해 어떻게 할 것인지 구체적으로 제시해야 한다. '의사소통 능력을 함양하기 위해 학급회의를 한 달에 한 번 시행할 것이다.' 등으로 말이다.

예시 답변 구상형 2번 답변드리겠습니다.
행복한 학교는 학생이 자기 삶의 의미와 가치를 스스로 발견하고 핵심 역량을 체득하는 배움의 학교를 의미합니다. 즉, 학생의 주체성이 발휘되는 학교 교육을 통해 학생과 교사가 함께 성장하는 것이 곧 행복한 학교라고 할 수 있습니다.

행복한 학교를 만들기 위한 학급 내 실현 방안을 2가지 말씀드리겠습니다.

첫째, 1인 1목표 프로젝트를 진행하겠습니다. 학생 스스로가 자신을 찾아가기 위해서는 자신이 좋아하는 것을 바탕으로 목표를 달성해 가는 것이 중요합니다. 따라서 개별 상담을 통해 자신이 좋아하는 것을 찾아보고 스스로 달성할 수 있는 목표를 설정할 수 있게 하겠습니다. 나아가, 매일 매일의 목표 실천 정도를 성찰 노트에 기록함으로써 개인 피드백을 제공해 학생의 참여를 독려하도록 하겠습니다. 학생에게 목표를 달성하는 성공 경험이 누적된다면 스스로 자기 삶의 가치를 느낄 수 있을 것입니다.

둘째, 학생들과 함께 특색 있는 교실을 만들어 보겠습니다. 학생이 주체가 돼 의견을 내고 함께 특색 있는 교실을 만들어 감으로써 학생들은 의사소통 역량과 공동체 역량을 키울 수 있을 것입니다. 미래 사회를 살아감에 있어서 공동체와 효과적으로 소통하고 더불어 가는 역량은 필수적입니다. 이를 '특색 있는 교실 사업'을 통해 즐겁게 키워나갈 수 있다고 생각합니다. 실제로 저는 고등학생 때 학급 친구들과 함께 학급 달력을 만들어 게시하고, 창문을 꾸미는 등 우리 반만의 교실을 만들어 나간 적이 있습니다. 함께 의견을 발표하고 주체적으로 교실 꾸미기에 참여함으로써 '우리 반'이라는 공동체 의식과 뿌듯함을 느낄 수 있었습니다. 이처럼 학급 학생들과 함께 우리 반에 필요한 것을 이야기하고 우리 반만의 공간을 꾸며나감으로써 주인의식을 가지고 협력하는 공동체 역량을 자연스럽게 배워갈 수 있게 하겠습니다.

학생이 주체적으로 학교의 주인이 되고 공동체와 함께 나아가는 교실을 만들기 위해 노력하는 교사가 되겠습니다. 이상입니다.

즉답형 1

키워드 #경험 #교직 생활

해설 '경험-깨달음(교직관)-실천계획'이 한 세트인 문제이다. 교직관 문제는 패턴이 똑같으니 이 3가지를 잘 준비해 두어야 한다.

예시 답변 즉답형 1번 답변드리겠습니다.

제가 인생에서 실패했던 경험은 대학교 입시에서 실패의 쓴맛을 본 것입니다. 저는 같은 학과를 희망하는 친한 친구와 함께 공부하고, 학교생활을 하면서 함께 목표를 향해 달려갔습니다. 하지만 친한 친구는 원하던 학과에 합격했고 저는 떨어지고 말았습니다. 그 당시에 너무 힘들어 학교를 가지 못했습니다. 그러던 중 평소에 존경하던 수학 선생님께서 연락을 주셨고 지금의 실패 경험이 앞으로의 발전에 자양분이 될 것이라고 이야기해 주셨습니다. 선생님의 격려를 바탕으로 저는 실패 요인을 점검할 수 있었고 다시 대학교 입시를 준비했습니다. 이후에도 선생님께서는 종종 저에게 응원의 메시지를 주셨습니다.

이때의 실패 경험은 앞으로의 교직 생활에서 2가지 도움이 될 것입니다.
첫째, 실패를 경험한 학생에게 성찰의 과정을 알려줄 수 있습니다. 실패가 끝이 아니라 시작의 과정임을 알려주고 그동안의 과정을 함께 돌아봄으로써 다시금 목표를 향해 달려갈 수 있도록 계획 정비에 도움을 줄 수 있을 것입니다.
둘째, 당시 수학 선생님처럼 학생 한 명, 한 명에게 끊임없이 관심을 주겠습니다. 오늘의 기분은 어떤지, 급식은 맛있게 먹었는지부터 시작해서 요즘 고민은 없는지 먼저 물어보고 다가가는 교사가 되도록 하겠습니다.

앞으로 학생들과 함께 소통하고 진심으로 다가갈 수 있는 따뜻한 교사가 되고 싶습니다. 이상입니다.

즉답형 2

키워드 #학부모를 공동체에 참여시킬 수 있는 방안

해설 직장 문제 때문인지, 관심이 없어서인지 파악하는 것이 중요하다. 생계를 위해 학교에 신경을 쓸 수 없는 학부모님들을 위한 온라인 참여 방안을 언급하면 좋다. 또한 학부모님을 대할 때 가장 중요한 것! 학생에 대한 관심과 이해, 학부모님의 관심에 대한 감사함을 먼저 표현하는 것이다. 학부모님과 충분한 신뢰 관계가 쌓인 후 참여를 요청해야 한다.

예시 답변 즉답형 2번 답변드리겠습니다.

학교는 학생과 교사만이 아니라 학부모가 함께하는 공간입니다. 학부모님들께서 학교에 관심을 가질 때 교육 주체들이 상호작용하는 진정한 교육이 이루어질 수 있습니다.

학부모를 학교공동체에 참여시킬 수 있는 방안을 2가지 말씀드리겠습니다.

첫째, 학부모님과 함께하는 학급 행사를 통해 학부모님들의 참여를 유도하겠습니다. 첫 시험 첫날, 어버이날, 어린이날, 아이들 생일 등 특정 기념일이 있을 때 학부모님과 함께하는 행사를 기획하겠습니다. 학부모님도 학급 행사 참여를 통해 자녀와 함께하는 추억을 만들 수 있을 것입니다. 교실에서의 참여 경험은 학교에 관한 관심으로 이어질 수 있다고 생각합니다.

둘째, 온라인 소통 창구를 마련함으로써 학부모님의 참여를 독려하겠습니다. 맞벌이 가정의 경우 현실적으로 학교에 참여하는 것이 어려울 수 있습니다. 따라서 온라인 소통 공간을 마련해 공지 사항이나 학생들의 활동 사진을 공유함으로써 맞벌이 가정의 학부모님들의 여건을 고려한 참여 방식을 도입하겠습니다.

학생, 학부모와 함께 소통하는 교사가 되겠습니다. 이상입니다.

자기 평가	
체감 난도	상 중 하 ➔ 원인 파악:
답변을 잘한 문제	
부족한 문제	
보완 계획	
스터디원의 핵심 피드백 내용	

(3) 비교수 교과

2021학년도

| 구상형 |

1. 역량중심 교육과정이 중요해지고 있다. 다음 제시문에서 하나의 학년을 선택하여 학습주제를 설정하고 그에 맞는 구체적인 교육 활동을 제시하시오.

> - 1학년 꿈과 끼를 찾아라. 자유학년제의 내실화
> - 2학년 실천형 인성교육, 인성교육과 체험중심교육
> - 3학년 진로 맞춤형 진로탐색교육

2. 학생들이 사회참여 동아리의 지도 교사를 부탁하였다. 제시문을 참고하여 교사로서 어떻게 동아리를 지원할 것인지 구체적인 방안을 말하시오.

> - 민주시민교육 기반 조성을 위해 '인간 존엄'에 기초한 자율, 존중, 연대의 학교민주시민공동체 문화를 공고히 한다.
> - 학교 교육 현장에서 민주시민교육 역량을 강화할 수 있도록 노력한다.
> - 체험 중심 민주시민교육이 활성화될 수 있도록 노력한다.

3. 교내 복지 지원팀에 참여하여 일을 하게 되었다. 다음 A 학생을 지도하기 위해서 어떠한 지원을 할 것인지 자신의 전공과 연계하여 구체적 방안을 세우고 그 이유를 말하시오.

> **A 학생**
> - 학습 적성: 기초학력 진단 검사 결과, 국·영·수 교과에서 낮은 점수를 받았다.
>
> | 국어 10점, 수학 5점, 영어 10점 　　　　　　　　　 * 각 30점 만점 |
>
> - 학생 특성
>   - 학업에 흥미가 없다.
>   - 무기력하고 친구들과 어울리지 못한다.
>   - 불규칙한 생활로 바른 생활습관이 제대로 형성되어 있지 않다.
>   - 가정 내 돌봄이 제대로 이루어지지 않고 있으며, 가족들의 지지가 부족하다.

4. 다음 학부모의 요구 사항을 보고, 원만하게 갈등을 해결하기 위한 대처 방안을 말하시오.

> (전공별로 요구 사항이 다름)
> - 보건: 우리 아이가 복통을 자주 겪으니, 시간제한 없이 보건실에 있게 해주세요.
> - 상담: 우리 아이가 분노 조절이 안 되긴 해도 조금 짜증을 내는 것뿐이니까 정신과 치료를 제안하진 마세요.
> - 영양: 알레르기가 있는 우리 아이를 위해 따로 밥을 해주세요.
> - 사서: 교육과정에는 없지만 문예 대회를 개최해 주세요.

| 즉답형 |

1. 미래 교사의 역할인 '학습 촉진자, 프로젝트 관리자, 상담자' 가운데 하나를 선택하고, 이를 실현하기 위해 학생들에게 시행할 전공 연계 교육 방안을 제시하시오.
2. 전공과 연계한 다문화 감수성 교육 방안을 제시하시오.
3. 청소년 수련관, 미술관, 행정복지센터 중 하나를 선택하여 자신의 전공과 관련해 하고 싶은 교육 활동 프로젝트를 제시하시오.
4. 수험생이 진로 특강 시간에 강사로 학생들에게 강의를 하게 되었다고 가정할 때, 교사로서 필요한 소양은 무엇인지 교직을 선택하게 된 동기를 포함하여 말하시오.

구상하기

✦ 해설 및 예시 답변

구상형 1
키워드 #역량중심 교육과정

해설 역량중심 교육과정과 같은 경기 정책이 출제된다면, 묻지 않았어도 한 줄 내외로 그 정의를 말해야 전문성을 드러낼 수 있다. 또한 선택형 문제이므로 이유를 제시해야 한다. 역량 중심이기에 '학생의 개별성', '학생의 주체성', '배움의 자발성', '교사의 재구성 노력'이 담겨야 한다. 단순 강사 초청, 영상 시청 등의 방안이 아닌 학생이 스스로 직접 해보며 고민할 수 있는 방안이 고득점 포인트이다.

예시 답변 구상형 1번 답변드리겠습니다.
역량중심 교육과정이란, 학생 개개인의 교육적 요구를 정교하게 반영해 현재와 미래의 삶을 살아가는 데 필요한 삶의 역량을 길러주는 교육과정입니다.

저는 2학년 실천형 인성교육을 선택하겠습니다. 인성이라는 것은 삶의 여러 방면에 적용될 수 있는 기초적인 역량이기 때문입니다. 삶의 역량 중에서도 협력적 문제해결 역량과 민주시민 역량, 자주적 행동 역량을 길러주는 데 중점을 두어 국어 교사와 함께 '문학 속 등장인물 상담하기'라는 교육 활동을 진행하겠습니다.

작품 속에는 여러 갈등과 고민을 겪는 주인공이 등장합니다. 학생들의 관점에서 그 친구의 문제를 어떻게 해결할 수 있고 어떠한 또래 상담을 하면 좋을지 프로젝트 학습을 구성하는 것입니다. 여러 의견이 나올 수 있도록 온라인 수업 시 패들렛 등의 플랫폼을 활용한다면 도움이 될 것입니다.

교사인 저는 주요 상담 기법에 대해 소개하고, 상담 시 필요한 주의 사항을 안내하며 원활한 상담이 될 수 있도록 조력할 것입니다. 이렇게 한다면 서로의 마음을 이해하고 공감하며 갈등을 원만히 해결하는 데 기여하는 실천 중심, 체험 중심 인성교육이 될 수 있고 국어교과와 협업을 통해 학생들의 삶의 역량을 길러주는 교육과정 재구성도 가능할 것입니다.

현장에 나아가 경기 정책에 공감하며, 이를 현장에 적용하는 실천적인 교사가 되겠습니다. 이상입니다.

구상형 2
키워드 #민주시민교육

해설 단순히 사회참여 동아리에 대한 답변을 하는 것이 아닌, 제시문에 입각한 방안을 이야기해야 한다. 교사는 해결사나 연설가가 아닌 촉진자이자 안내자의 역할이어야 한다.

예시 답변 구상형 2번 답변드리겠습니다.
저는 제시문의 상황을 참고해, 사회참여 동아리 지원 방안을 말씀드리겠습니다.

먼저 첫 번째 제시문을 참고해, 학생들의 사회참여 동아리가 인간 존엄에 기초해 자율, 존중, 연대의 공동체가 될 수 있도록 지도교사로서 모범을 보이겠습니다. 우선 학생들이 스스로 사회참여 동아리를 운영할 수 있도록 자율성을 부여할 것이며, 저는 조력자와 촉진자로서 학생들의 성장을 돕겠습니다. 또한 서로 존중하고 함께 연대할 수 있도록, 교사인 저부터 솔선수범해 동아리의 분위기를 만들어 가겠습니다.

두 번째 제시문을 참고해, 학생 체험 중심 동아리가 되도록 토론, 캠페인 활동 등을 안내하겠습니다. 강의나 동영상 시청 위주의 동아리 활동이 아닌, 실제 삶과 관련된 활동을 할 수 있도록 다양한 방안을 안내하겠습니다.

예를 들어 세대 갈등, 남녀 갈등, 기후 위기 등 현재 우리 사회의 쟁점에 관한 토론 활동을 장려하고 나아가 정리한 내용을 기반으로 홍보물 제작 등의 활동을 통해 실천하는 시민으로서의 소양을 갖춰나갈 수 있도록 학생의 체험을 적극 지원하겠습니다.

마지막 제시문을 참고해, 학교 현장에서 역량을 강화할 수 있도록 공간의 민주성 프로젝트를 고민해 보았습니다. 학교에는 미래 사회를 대비해 공간 혁신이 필요한 곳이 많습니다. 학생들이 함께 소통할 수 있는 홈베이스, 토론이 원활한 책걸상 배치 등 학교 공간 혁신을 위한 아이디어를 학생들이 직접 제시해 보게 해, 학교 현장에서 살아있는 시민교육이 이뤄질 수 있도록 지원하겠습니다.

자율성을 부과한다고 그냥 지켜보고만 있는 것이 아닌 학생들과 함께 활동 평가를 하고 피드백을 제공해 지속적인 개선과 발전을 도모하겠습니다.

학생들의 성장과 발전을 지켜보며 필요한 지도와 지원을 제공해 민주시민교육의 성과를 극대화하기 위해 노력하는 교사가 되겠습니다. 이상입니다.

구상형 3

키워드 #기초학력 보장

해설 제시문 문제는 주어진 키워드를 모두 활용해야 한다는 사실을 잊지 말자. A 학생의 적성과 특성 내용을 포괄하는 전공 연계 방안을 제시해야 한다. 또한 이유를 언급하라고 했으므로 이 점을 말해야만 감점을 피할 수 있다.

예시 답변 구상형 3번 답변드리겠습니다.

A 학생은 기초학력이 부족하고, 무기력하며 친구들과 어울리지 못하고, 생활습관이 불규칙하고, 가정의 지지도 부족한 복합적인 어려움을 겪고 있습니다. 보건교사로서 이를 해결하기 위한 방안을 말씀드리겠습니다.

첫째, 생활습관 교정이 필요합니다. 저는 학생과 개별 상담을 통해 기상·식사·수면 시간을 점검하고, 건강검진 결과를 토대로 생활습관과 건강 상태를 확인하겠습니다. 이를 기반으로 아침 식사하기, 정해진 시간에 잠자기 같은 작은 실천 목표를 세우고, 보건실 일지로 매일 체크하도록 지도하겠습니다. 기본적인 생활습관을 바로 세우는 것이 학업과 사회성 회복의 기초가 되기 때문입니다.

둘째, 가정 및 지역사회와의 연계가 필요합니다. 가정의 돌봄 공백에 대해 학부모 상담을 통해 원인을 파악하고, 상황에 따라 지역 아동센터나 복지관과 연결해 보완하도록 하겠습니다. 이를 통해 학생이 최소한의 정서적·생활적 지지를 받을 수 있도록 돕겠습니다.

셋째, 학업과 사회성 회복을 위한 학교 내 협력을 추진하겠습니다. 담임교사와 협력해 소규모 멘토링을 운영하여 또래와 자연스럽게 어울릴 기회를 제공하고, 학업에도 흥미를 느낄 수 있도록 지원하겠습니다. 아울러 보건교사로서 보건실 도우미 역할을 부여해 간단한 보건실 업무를 맡기겠습니다. 이는 또래와의 상호작용 기회를 늘리고, 자신이 학교에 기여하고 있다는 긍정적 경험을 통해 자존감을 회복하는 데 도움이 될 것입니다.

이처럼 저는 생활습관 교정, 가정·지역사회 연계, 학교 내 협력 지원을 통해 A 학생이 신체적·정서적 안정을 회복하고 학업과 사회성에서도 점차 성장할 수 있도록 돕겠습니다. 이상입니다.

구상형 4

키워드 #학부모 상담

해설 학부모와 마찰이 있으면 먼저 이야기를 경청하고 입장을 공감하는 것부터 시작해야 한다. 학부모는 자녀가 존중이나 배려를 받지 못한다고 여길 때 먼저 학생들의 관점에서 상황을 바라보기 때문이다. 왜 이러한 요구를 하는지 학부모 관점에서 충분히 이야기를 경청하고 공감한 후 전문가로서 객관적인 입장, 학교의 교칙 등을 깔끔하게 전달하면 학부모도 폭넓게 상황을 인지하고 수용하는 경우가 대부분이다. 또한, 내가 할 수 있는 부분과 협력으로 해결할 방안을 모두 제시한다면 수험생의 공동체성을 강조할 수 있다.

예시 답변 구상형 4번 답변드리겠습니다.

먼저, 알레르기가 있는 학생이 급식을 먹는 것에 대해 학부모님이 걱정하는 마음을 충분히 공감한 후 대화를 시작하겠습니다. 학기 초 가정으로 건강조사서를 보내는 이유도 이런 학생들의 건강 상태를 미리 확인하고 학교 측에서 조심하기 위함이라는 것을 말씀드리고 많은 아이들이 알레르기 때문에 급식을 못 먹는 일 없이, 맛있고 행복하게 밥을 먹었으면 하는 것이 영양교사의 마음이라는 점도 설명드리겠습니다. 혹시 그 건강조사서에 알레르기 음식을 적었는지, 이번 달에 알레르기 때문에 결식한 적이 있는지 물어보고, 있다면 공감하고 안타까움을 표현하겠습니다.

학교 인원이 많다 보니 개인 급식은 어렵지만 조리 실무사님께 말씀드려 다른 반찬을 더 많이 배식할 수 있도록 조치하겠고, 학기 초 건강조사서를 기반으로 최대한 모두가 즐거운 급식을 할 수 있도록 더 주의할 것이며 건강조사서에 없는 내용 중에서 저에게 따로 부탁하고 싶은 말이 있다면 해주길 바란다고 말씀드리겠습니다.

현장에 나아가 학부모와 원만하게 갈등을 해결하기 위해 경청하고 공감하며 때론 저의 입장도 똑 부러지게 말할 수 있는 현명한 교사가 되도록 노력하겠습니다. 이상입니다.

즉답형 1

키워드 #미래교사 역할

해설 교사의 역할 변화를 이해했는지 파악하고, 미래 교사 역량을 갖추었는지 확인하려는 문제이다. 단순히 지식을 전달하거나 문제 상황을 해결하려는 교사의 모습이 아닌, 학생들이 주체적으로 활동할 수 있도록 배움을 설계하고 촉진하며, 전인적 성장을 위해 학습 및 생활 전반을 상담할 수 있는 모습이 드러나도록 교육 활동을 설계해야 한다.

예시 답변 즉답형 1번 답변드리겠습니다.

저는 학습 촉진자로서의 교사를 선택하겠습니다. 왜냐하면 미래 사회의 도래로 학생들이 다양한 배움의 장소에서 스스로 학습할 거리를 찾아 학습하는 것이 중요해졌고, 이런 능력을 기르기 위해 교사는 주입식 교육을 하는 것보다 촉진자로서 활동하는 것이 효과적이기 때문입니다.

저는 저의 전공인 사서 교육과 연계해 문해력 향상을 위한 도서관 프로젝트 학습을 시행하겠습니다. 왜냐하면 학령기에 문해력 교육이 매우 중요하기 때문입니다. 문해력은 모든 학습의 기초가 되며, 문해력을 갖추지 못한다면 낮은 자존감으로 생활 전반에 무기력이 올 수도 있습니다. 따라서 문해력 교육을 위해 프로젝트 학습을 구성하겠습니다.

미래교육을 위해 도서관에는 태블릿과 제반 기기, 무선 인터넷 등이 마련됩니다. 학생의 특성을 고려해 이를 활용한다면 더욱 흥미가 있을 것입니다. 국어 교과와 연계해 학생들이 도서관 독서 수업을 통해 어려워하는 지문, 소설 등을 발췌해 스스로 단어를 검색하고 쉬운 말로 풀어보는 연습을 해보겠습니다. 나만의 국어사전 만들기 활동을 병행해 학생들이 배움을 자신만의 용어로 구조화하고 정리하는 습관을 들이게 할 것입니다.

이렇게 한다면, 학생들의 독서 습관이나 문해력 향상에도 도움이 될 것이며, 스스로 성취하는 과정을 통해 자기 주도 역량도 향상될 수 있을 것입니다. 학습 촉진자로서 저는 학생들의 프로젝트 학습 결과물을 꼼꼼히 분석해 피드백하고, 잘한 점을 찾아 칭찬해 주어 프로젝트 결과물을 더 풍성하게 완성할 수 있도록 조력할 것입니다.

현장에 나아가 미래 사회를 대비하는 촉진자로서의 역할을 위해 열정을 갖는 교사가 되겠습니다. 이상입니다.

즉답형 2

키워드 #다문화 감수성 교육

해설 다문화 감수성 교육의 의미와 목적, 내용을 정확히 파악하고 있어야 한다. 역시 자신의 전공이라는 조건이 제시됐으므로 이에 입각해 해결하자. 협동의 가치가 포함되면 좋다.

예시 답변 즉답형 2번 답변드리겠습니다.

다문화 감수성 교육이란 공동체의 구성원이 모두 다양한 문화적 배경을 가지고 있음을 수용하고 서로 다른 문화를 상호존중하고 이해하는 태도를 기르는 교육을 말합니다. 그동안은 주류 문화에 초점을 맞추었지만, 점차 다양한 문화적 특성을 이해하고 존중하는 방향으로 나아가고 있습니다. 이에 발맞추어 저는 다음과 같이 상담교육을 하겠습니다.

첫째, 다문화가정 학생, 탈북학생 등으로 세분화하고 지역 특성에 맞는 가정 상담 지원을 하겠습니다. 다문화 가정은 국내 출신 학생, 중도 입국 학생, 탈북학생 등 다양한 유형이 존재합니다. 그리고 지역별 가정의 특성도 다릅니다. 저는 이러한 것들을 고려해 가정에서 학생의 모습은 어떠한지 먼저 가정 상담을 할 것입니다. 담임교사, 주변 교사들과 전문적 학습공동체 등을 구성해 지도 방안을 공유한다면, 학생의 성장에 더 도움이 될 수 있다고 생각합니다.

둘째, 학생에게 심리적 지원을 하겠습니다. 환경의 변화에서 오는 심리적·정서적 불안 해소를 위해 라포르를 형성한 후 주기적으로 학생과 상담하겠습니다. 담임교사와 연계해, 학생의 생활습관을 들어보고 교우관계, 학습 적응 등 여러모로 관심을 두겠습니다. 상담이 특별한 행위로 인식되지 않도록 심리적 거리감을 좁히기 위해 Wee 클래스를 점심시간에 놀이 공간 등으로 활용하는 방안도 고민해 보았습니다.

마지막으로 같은 학급, 학교 친구들에게 다문화 감수성 역량을 길러줄 수 있는 활동을 기획하겠습니다. 또래 상담 도우미를 선발해 다문화가정 학생들의 정착에 도움을 주는 프로그램을 기획하거나 'Wee 클래스 다문화 이해의 달'을 만들어, 전교생이 다문화 3행시 짓기, 어울림 문화에 대한 시와 소설 짓기 등의 행사를 주최한다면, 학생 스스로 참여하는 교육이 될 수 있을 것입니다.

이렇게 한다면 다문화교육의 주체를 다문화가정 학생뿐 아니라 모든 학생으로 확장할 수 있을 것이며 시민 역량을 함양할 수 있을 것입니다. 현장에 나아가 다문화 감수성 교육을 위해 노력하는 교사가 되겠습니다. 이상입니다.

즉답형 3

키워드 #지역 자원 연계

해설 배움의 공간이 학교 밖으로 확장되고 있다. 이와 발맞추어 마을 자원을 교육에 활용할 수 있는지 확인하려는 문제이다. 프로젝트를 제시할 때 교사가 주도하는 것이 아닌 '학생 주도'라는 것을 잊지 말고 교사는 '조력과 촉진'의 역할임을 명심하자. 이때 지역적 특색을 살리는 방향이 중요하다.

예시 답변 즉답형 3번 답변드리겠습니다.

저는 지역 행정복지센터를 선택해 프로젝트 활동을 하고 싶습니다. 행정복지센터는 지역 주민 누구에게나 열려 있는 곳이며, 다양한 지역 자원과 연계돼 있습니다. 이 장소를 활용한다면 학생들에게 지역 맞춤 영양교육을 하기에 적합하기에 행정복지센터를 선택해 '우리 마을 특산물을 소개합니다' 프로그램을 운영하고 싶습니다.

경기 지역에는 지역 특산물이 많습니다. 지역 특산물은 지역의 문화적, 자연적 환경에 기인한 것입니다. 학생 중심으로 이러한 지역 특산물을 소개하는 프로젝트는 우리 지역의 다양한 배경을 이해하는 데 큰 도움이 됩니다. 학생들은 우리 지역을 소개하고, 특산물이 유명해진 이유는 무엇인지 탐색해 보며, 우리 지역 특산물을 알릴 수 있는 캐릭터 개발과 온·오프라인 홍보 방안을 고민해 봅니다. 저는 교사로서 학생들의 탐구 결과물을 피드백하겠습니다. 그리고 행정복지센터와 연계해 학생들의 작품을 소개하고, 실제 특산물 판매까지 연계해 보도록 하겠습니다. 또한 학생이 직접 우리 지역 특산물로 식단을 구성해 보는 활동까지 하고 싶습니다. 저는 영양교사로서 영양소를 고려해, 학생들이 식단 구성을 조력하겠습니다.

이렇게 한다면 우리 고장을 알고 자긍심을 기를 수 있으며, 자기주도적 역량과 사회 참여로 인한 시민의식이 성장할 수 있을 것입니다. 지역사회 측면에서는 지역사회의 인적·물적 인프라를 적극 활용할 수 있고, 구성원들의 공동체 역량을 확대하는 데 도움이 될 것입니다.

현장에 나아가 교육공동체와의 협력으로 학생중심교육에 앞장서는 교사가 되겠습니다. 이상입니다.

즉답형 4

키워드 #교직 선택 동기

해설 교직관을 물어보는 문제로, 수험생이 교사의 소양 중 어떤 것을 제일 중요하게 여기는지 확인하려는 것이다. 교직을 선택한 동기에는 '자신만의 성장 스토리'를 드러내야 하며 이를 통해 얻은 깨달음, 그리고 어떻게 이것을 교직에서 실현할지 보여줘야 한다. 경험-의미-실천의 3박자를 잊지 말자.

예시 답변 즉답형 4번 답변드리겠습니다.

제가 교직을 선택하게 된 이유는 학창 시절 선생님께 큰 사랑을 받았기 때문입니다. 고등학교 2학년 때 방황하고 학업에 집중하지 못했던 저에게 담임 선생님께서는 따뜻한 관심을 보여주시고 때론 따끔하게 혼내시며 저를 바른길로 갈 수 있도록 지도해 주셨습니다. 선생님의 영향으로 교사를 꿈꾸게 됐고, 힘든 순간도 많았지만, 선생님처럼 좋은 교사가 되고 싶다는 생각으로 노력한 끝에 이 자리까지 올 수 있게 됐습니다.

이런 경험을 바탕으로 보았을 때, 교사에게 필요한 소양은 '학생에 관한 관심과 이해 능력'이라고 생각합니다. 학생의 성장은 수치로 표현되는 것도 아니고 발전 정도가 눈에 보이지 않아 때론 답답하기도 하고 무기력한 학생들을 지켜보는 것이 힘들 수도 있겠지만 학생을 믿어주고 이해하고, 관심을 가지며 지켜볼 줄 아는 것이 필요하다고 생각합니다. 제가 그랬듯, 이러한 선생님의 사랑은 분명 학생에게 큰 영향과 도움이 될 것입니다.

진로 특강 시간에 이런 이야기들을 통해 저의 교직관을 전달하고 학생들과 진정으로 소통하는 교사가 되겠습니다. 이상입니다.

자기 평가	
체감 난도	상 중 하 ➜ 원인 파악:
답변을 잘한 문제	
부족한 문제	
보완 계획	
스터디원의 핵심 피드백 내용	

2020학년도

| 구상형 |
1. 학교의 유휴 공간을 활용하여 공간 재구성을 하고자 한다. 학생중심교육을 실현하기 위해 전공과 관련한 특별실을 어떻게 운영할 것인지 말하시오.
2. 학교 축제에 마을과 함께하는 전공 관련 행사를 주최하려고 한다. 프로그램명, 내용, 목적 등을 포함하여 행사 기획 방안을 제시하시오.

| 즉답형 |
1. 신체적 폭력보다 정신적 폭력이 증가하고 있다. 정신적 폭력을 줄일 방안을 3가지 제시하시오.
2. 교과와 관련하여 신입생 안내 책자에 수록할 내용 3가지를 말하시오.

구상하기

✦ 해설 및 예시 답변

구상형 1

키워드 #교과 특별실 #학생중심교육 방안

해설 학생이 중심이 되도록 교과 특별실을 꾸미는 방안을 고민해 보는 노력이 필요하다. 학생들이 많이 찾아올 수 있는 교과 특별실을 어떻게 만들 수 있을지 자신만의 아이디어를 담아보자.

예시 답변 구상형 1번 답변드리겠습니다.
학생중심교육을 실현하기 위해서는 학생들의 건강과 안전을 최우선으로 고려하면서, 보건실이 단순한 치료 공간을 넘어 학생들이 건강한 생활습관을 배우고 실천할 수 있는 교육적 공간으로 발전할 수 있도록 운영하는 것이 중요합니다. 보건교사로서 학생 중심의 보건실을 운영하는 방안을 말씀드리겠습니다.

첫째, 다양한 건강교육 프로그램을 운영하고 싶습니다. 응급처치, 정신건강 관리, 스트레스 관리 등 학생들의 건강에 필요한 주제를 직접 체험할 수 있는 공간을 마련해 실생활 속에서 자연스럽게 건강 지식을 습득하고, 생활 속에서 이를 실천할 수 있도록 하고 싶습니다. 또한 CPR, 자동제세동기(AED), 기본 응급처치 기술을 교육해 응급 상황에 신속하게 대처할 수 있도록 하겠습니다.

둘째, 보건실을 학생들의 건강 상담 공간으로 활성화하고 싶습니다. 학생들의 건강 상태나 건강 관련 고민을 듣고, 필요에 맞춘 건강 관리 프로그램을 제공하고 싶습니다. 영양 교과, 체육 교과와 연계해 맞춤형 식단이나 운동 프로그램을 추천하고, 상담 교과와 연계해 스트레스 관리와 정신 건강을 위한 마음 챙김 프로그램을 운영할 수도 있을 것입니다.

이와 같은 방안을 통해, 보건실이 단순한 치료와 응급처치의 공간을 넘어, 학생들의 전반적인 건강을 지원하고, 건강한 생활습관을 교육하는 중심지로 자리매김할 수 있을 것입니다. 또한, 학생들이 보건실을 친근하게 느끼고, 필요시 언제든지 도움을 받을 수 있는 공간으로 인식하게 함으로써, 건강 중심의 학생 생활이 가능할 것입니다. 이상입니다.

구상형 2

키워드 #교과 관련 행사 기획

해설 교과 관련 행사를 기획함으로써 교과 전문성을 확인할 수 있는 문제이다. 경기교육을 녹여낸 답변을 준비한다면 눈에 띄는 답변이 될 수 있다.

예시 답변 구상형 2번 답변드리겠습니다.
저는 지역 특산물을 알리는 행사인 '마, 특, 소, 즉 마을의 특산물을 소개하는 프로그램을 만들겠습니다. 이는 혁신교육 3.0의 가치인 지역화와도 맥을 같이하며, 우리 지역에 대한 학생들의 자긍심과 이해도를 높여 지역에 대한 애정을 갖게 할 수 있을 것입니다. 구체적 방법을 2가지 말씀드리겠습니다.

첫째, 학생이 직접 우리 지역을 소개하고 그 특산물이 왜 유명해졌는지 자연환경 등을 조사하게 하며, 이를 쉽게 알릴 수 있도록 온·오프라인 홍보 방안을 짜보는 것입니다. 이를 통해 학생들은 지역에 대한 이해도를 높일 수 있고 스스로 홍보 방안을 기획해 봄으로써 주체적인 자세를 기를 수 있을 것입니다.

둘째, 실제 특산물을 판매할 수 있도록 마을 주민들을 초대해 마을과의 연계성을 높이는 것입니다. 마을 주민들과의 연계를 통해 수업의 생동감을 살릴 수 있을 것입니다.

지역과 연계한 교과 축제를 통해 학생들은 내 고장을 알고 자긍심을 기르며, 자기주도적 역량도 기를 수 있으며, 지역사회 측면에서는 지역사회의 인적, 물적 인프라를 적극 활용할 수 있다는 장점이 있을 것입니다. 이상입니다.

👍 혁신교육 3.0은 이재정 전 교육감 시절 핵심 가치이다. 《사이다 면접》에서는 이를 소급하지 않고, 내용을 유지하는 것을 원칙으로 한다.

즉답형 1

키워드 #정신적 폭력 해결 방안

해설 서론에서 정신적 폭력에 대한 정의나 사회적으로 정신적 폭력이 증가하고 있는 상황에 대해 간단히 언급하면서 매끄럽게 답변하자.

예시 답변 즉답형 1번 답변드리겠습니다.

사회가 점차 발전함에 따라 학생들 사이에서 신체적 폭력보다 언어나 SNS 등을 활용한 정신적 폭력이 증가하고 있습니다. 정신적 폭력으로 인한 상처는 눈에 직접적으로 보이지 않으나, 학생에게 평생의 상처가 될 수 있기 때문에 정신적 폭력을 진단하고 이를 예방하는 것이 중요합니다.

정신적 폭력을 줄이기 위한 방안을 3가지 말씀드리겠습니다.
첫째, 언어 순화 주간을 설정하겠습니다. 언어 순화 주간을 설정해 이 기간에는 비속어나 은어를 고운 말로 바꿔서 말하는 연습을 하는 것입니다. 언어 순화 주간에 썼던 언어 습관이 그 이후에도 유지될 수 있도록 학급에서 언어 순화를 가장 잘 지킨 학생을 선정해, 학생들이 바른 말을 쓸 수 있도록 독려하겠습니다.
둘째, 나 전달법으로 나의 감정을 진솔하게 전달하고 상대의 감정을 존중하는 방법을 안내하겠습니다. 감정 표현하는 방법을 모르거나 잘못 배워 친구들에게 상처를 주는 경우도 있다고 생각합니다. 따라서 학생들에게 타인에게 상처를 주지 않으면서도 자신의 감정을 정확히 전달할 수 있는 방법을 알려주겠습니다.
셋째, 사이버 공간에서 발생하는 정신적 폭력을 예방하기 위해 디지털 시민성 교육을 강화하겠습니다. 학생들이 온라인상에서 올바르게 소통하고, 책임감 있는 디지털 행동을 취할 수 있도록 사이버 괴롭힘의 심각성, 개인정보 보호의 중요성, 올바른 SNS 사용법 등을 가르친 후 실천 규약을 함께 정해보겠습니다.

현장에 나아가 학교폭력 문제에 관심을 두고, 예방 교육에 힘쓰는 교사가 되겠습니다. 이상입니다.

즉답형 2

키워드 #교과 안내 사항 3가지

해설 신입생은 새로운 환경에 대한 설렘과 의욕, 걱정을 동시에 느끼고 있을 것이다. 신입생들의 걱정을 해소하기 위한 내용과 설렘과 의욕을 충족시켜주기 위한 내용을 함께 말한다면 '신입생' 시기를 잘 이해하고 있다는 인상을 줄 것이다.

예시 답변 즉답형 2번 답변드리겠습니다.

✩ 사서 교과

신입생들은 학교생활에 대한 설렘과 호기심으로 가득 차 있을 것입니다. 신입생들에게 저의 교과인 사서 교과와 관련해 도서관 이용에 대한 안내가 필요할 것입니다. 저는 도서관 이용 안내를 크게 3가지로 나누어 수록하겠습니다. 첫째, 도서관 이용 시간 및 대여 절차입니다. 신입생들이 입학하면서 도서관 이용 수칙을 익히는 것이 가장 중요할 것입니다. 따라서 도서관 이용 시간 및 대여 절차를 먼저 안내함으로써 신입생들의 학교생활을 돕겠습니다. 둘째, 교과 연계 목록입니다. 신입생들은 학업 의욕이 넘쳐나는 시기로, 교과와 연계한 도서 목록은 무엇이 있는지 관심이 많을 것입니다. 따라서 교과 연계 목록을 제공함으로써 학생의 수업 참여를 도우면서도 학생의 학업 의욕을 뒷받침하겠습니다. 셋째, 도서관 행사 및 프로그램 설명입니다. 사서교사로서 앞으로 진행하게 될 다양한 행사를 설명함으로써 학생들이 프로그램에 참여할 수 있도록 독려하겠습니다. 이상입니다.

📌 상담 교과

첫째, 상담의 중요성을 수록하겠습니다. 제가 학창 시절 때 상담실은 학교생활에 문제가 있는 학생들만 가는 것이라고 오해를 하는 친구들이 많았습니다. 따라서 신입생들에게 상담은 누구에게나 열려 있다는 점과 상담의 중요성을 설명하는 내용을 가장 먼저 알려주고 싶습니다. 둘째, 위(Wee) 클래스 프로그램을 소개하겠습니다. 전문상담교사로서 위 클래스가 하는 일과 앞으로 위 클래스에서 진행할 행사, 프로그램을 소개함으로써 위 클래스에 대한 장벽을 허물고 싶습니다. 셋째, 또래 도우미 모집 내용을 수록하겠습니다. 또래 도우미는 직접 상담 과정에 참여함으로써 문제 해결에 도움을 주는 같은 또래 학생입니다. 또래 도우미 활용은 또래 상담자의 긍정적 자아개념 형성, 자존감 향상뿐만 아니라 상담을 받은 또래에게도 긍정적 영향을 끼칠 수 있습니다. 따라서 또래 도우미 모집 내용을 수록함으로써 신입생들의 상담실에 관한 관심을 유도하겠습니다. 이상입니다.

자기 평가	
체감 난도	상 중 하 ➜ 원인 파악:
답변을 잘한 문제	
부족한 문제	
보완 계획	
스터디원의 핵심 피드백 내용	

2019학년도

| 구상형 |

1. 경기도교육청은 안전한 학교 문화를 조성하기 위해 다음과 같은 세부 과제를 운영하고 있다. 구체적인 실현 방안을 제시하시오.

   > **세부 과제**
   > ① 학습 안전망 강화
   >   - 개별 학생의 학습권 보장
   >   - 교육 격차 해소
   >
   > ② 건강한 교육환경 조성
   >   - 학생의 건강한 삶 보장
   >   - 학교 안전 내실화

2. 전문적 학습공동체 활동을 한다고 할 때, 전공과 관련한 연구 주제를 정하고 구체적인 활동 계획을 세워 보시오.

| 즉답형 |

1. 교육공동체 대토론회에서 학부모 참여율이 낮다면 이를 높이기 위해서 어떻게 할 것인지 구체적인 해결 방안을 말하시오.

2. A 학생은 속이 좋지 않다며 점심시간마다 밥을 먹지 않고 교실에 혼자 남아 있다. 이러한 상황에서 A 학생을 어떻게 지도할 것인지 구체적인 방안을 말하시오.

구상하기

✦ 해설 및 예시 답변

구상형 1

키워드 #안전한 학교 #교육 활동 방안

해설 제시문의 내용을 모두 언급해야 한다.

예시 답변 구상형 1번 답변드리겠습니다.
경기도교육청이 안전한 학교 문화를 조성하기 위해 제시한 세부 과제를 실현하기 위한 구체적인 방안을 말씀드리겠습니다.

첫째, 학습 안전망 강화를 위한 방안입니다.
저는 개별 학생의 학습권 보장을 위해 1:1 학습 코칭 시스템을 구축하겠습니다. 담임교사와 협력하여 학생의 학습 상황을 모니터링하고, 학습 상담을 제공하거나 온라인 교육 플랫폼을 추천해 자기주도학습 능력을 높이겠습니다. 또한 교육 격차 해소를 위해 지역사회와의 연계가 필요합니다. 도서관, 청소년 센터 같은 지역 자원을 활용하고, 사범대·교대 학생들의 학습 멘토링을 연결해 학습 지원망을 확대하겠습니다.

둘째, 건강한 교육환경을 조성하는 방안입니다.
먼저 학생의 건강한 삶 보장을 위해 위 클래스의 문턱을 낮추겠습니다. 신체적 어려움은 쉽게 도움을 구하지만, 심리적 어려움은 드러내기 어렵습니다. 그래서 상담실을 보다 친근한 공간으로 만들기 위해 퀴즈쇼, 음악 감상 시간 등을 마련하여 학생들이 편안하게 찾을 수 있도록 하겠습니다. 또한 학교 안전 내실화를 위해 학교폭력 예방 교육을 강화하겠습니다. 상담실 주관 캠페인, 학생 주도의 언어 순화 주간 운영 등을 통해 사후 대응이 아닌 예방 중심의 안전 문화를 조성하겠습니다.

이와 같은 방안을 통해 학습 안전망을 강화하고 건강한 교육환경을 마련하여, 학생들이 안전하고 행복하게 학교생활을 할 수 있도록 돕겠습니다. 이상입니다.

구상형 2

키워드 #전문적 학습공동체 #교과 관련 주제 #계획

해설 2016학년도에 동일한 문제가 출제됐다. 다시 한번 강조하지만 경기 정책을 아는 것을 넘어 '교사로서 나는 어떻게 적용할 것인지' 꼭 고민해야 한다. 전문적 학습공동체에 단순히 참여하는 것이 아니라, 전문적 학습공동체에서 어떻게 활동할 것인지까지 밝혀야 한다.

예시 답변 구상형 2번 답변드리겠습니다.
저의 교과인 전문상담과 관련하여 전문적 학습공동체를 운영한다면, 저는 '학교폭력 이후의 상담'을 주제로 삼고 싶습니다. 학교폭력은 단순히 사건으로 끝나는 것이 아니라, 피해자·가해자·목격자 모두에게 장기적인 상처를 남길 수 있기 때문에, 이후의 회복 상담이 무엇보다 중요하다고 생각합니다.

구체적인 활동으로는 3가지를 말씀드리겠습니다.
첫째, 피해 학생 상담 방법 연구입니다. 학생이 다시 학교생활에 적응하고 자기 회복력을 기를 수 있도록, 회복탄력성을 키우는 상담 기법을 탐구하겠습니다.
둘째, 가해 학생 상담 방법 연구입니다. 가해 학생이 자신의 행동을 성찰하고, 또 다른 사건으로 이어지지 않도록 돕는 상담 방안을 모색하겠습니다.
셋째, 방관 및 목격 학생 상담 연구입니다. '나만 아니면 된다'는 태도에서 벗어나 공감과 책임을 기를 수 있도록 집단 상담 기법을 적용하고자 합니다.

이를 위해 전문 서적과 최신 연구 자료를 함께 읽고, 실제 학교 사례를 공유하며, 모의 상담 활동을 통해 실천 역량을 기르겠습니다.

이처럼 저는 동료 교사들과의 협력을 바탕으로, 학교폭력 이후의 상담 체계를 함께 연구하고 실천함으로써 학생들의 온전한 회복을 돕는 전문적 학습공동체를 만들어 가겠습니다. 이상입니다.

즉답형 1

키워드 #교육공동체 대토론회 학부모 참여 활성화 방안

해설 교육공동체 대토론회에 대한 학부모 참여율이 낮은 이유는 다양하다. 생계유지로 인해 시간이 없는 경우, 시간은 있으나 관심이 없는 경우, 관심은 있으나 토론회에 참여하는 것이 부담스러운 경우. 이렇게 다양한 원인을 분석하고 상황에 맞게 접근해야 한다.

예시 답변 즉답형 1번 답변드리겠습니다.
현재 문제 상황은 교육공동체 대토론회에서 학부모 참여율이 낮다는 것입니다. 학부모 참여율을 높이기 위한 구체적인 해결 방안을 2가지 말씀드리겠습니다.

첫째, 온라인 설문조사를 활용해 학부모님들께서 교육공동체 대토론회에 참여하지 않는 이유에 대해 알아보겠습니다. 시간이 없어서 참여하지 못하는 것이라면 온라인 창구를 통해 학부모님께 토론회 안건에 대한 의견을 물음으로써 학부모님들이 교육공동체의 일원으로서 학교 교육 활동에 참여할 수 있게 하겠습니다.

둘째, 교육공동체 대토론회의 중요성을 인식할 수 있도록 해 참여를 독려하겠습니다. 학부모님들께 교육공동체 대토론회를 통해 학교의 문제를 해결한 사례, 앞으로의 학교 교육 계획 등을 공지함으로써 교육 활동에 있어서 교육공동체 모두의 노력이 필요함을 인식할 수 있게 하겠습니다. 이상입니다.

즉답형 2

키워드 #미급식 학생 지도 방안

해설 일방적으로 학생에게 급식할 것을 지도하는 것이 아니라, 먼저 학생의 문제 상황을 이해하고 공감하는 자세를 가지는 것이 필요하다. 자신의 교직관을 드러내면서 학생 친화적인 모습을 보일 수 있는 지도 방안을 고민해 보자.

예시 답변 즉답형 2번 답변드리겠습니다.
교실에 혼자 남아 점심식사를 하지 않는 학생을 지도하기 위한 방안을 2가지 말씀드리겠습니다.

첫째, 학생 개별 상담을 통해 밥을 먹지 않는 이유를 파악하도록 하겠습니다. 학생이 밥을 먹지 않는 이유는 실제로 속이 안 좋을 수도 있지만, 다이어트나 학급 내 갈등 상황, 가정의 문제 등 다양한 원인이 있을 수 있습니다. 따라서 해당 학생과 이야기를 통해 어떠한 상황인지를 정확히 파악해 보도록 하겠습니다. 또한, 가정에 전화 연락을 해 학생의 평상시 식습관이나 학부모님에게만 말한 문제 상황이 있는지 확인함으로써 학생의 상황을 면밀히 파악하겠습니다.

둘째, '다 같이 먹는 날'을 운영함으로써 학급 친구들끼리 함께 밥을 먹는 날을 만들겠습니다. 만약 학생이 밥을 먹지 않는 이유가 혼자 밥을 먹어서 그런 것이라면 학급 프로그램을 만들어 문제 상황을 해결하겠습니다. 학급 친화적인 분위기가 형성된다면 해당 학생도 어울리는 친구들이 생겨서 급식을 먹을 수 있게 될 것입니다. 이상입니다.

자기 평가	
체감 난도	상 중 하 ➔ 원인 파악:
답변을 잘한 문제	
부족한 문제	
보완 계획	
스터디원의 핵심 피드백 내용	

2018학년도

| 구상형 |

1. 농어촌 지역에서 꿈의학교를 시행함으로써 학생들의 배움에 있어 기대되는 효과와 (해당 비교수 교과) 교사로서 꿈의학교에서 할 수 있는 역할을 말하시오.
2. A 교사의 수업 시간에 B 학생이 복도에 나와 있는 것을 지나가다 우연히 목격하였다. B 학생에게 왜 수업에 참여하지 않는지 물어보니, 같은 반 학생과 갈등이 발생하여서 수업에 들어가기 싫다고 한다. 이 상황에서 B 학생을 지도할 방안과 A 교사와 함께 생활교육 전문성을 신장할 방안을 말하시오.

| 즉답형 |

1. 학생 자치 동아리의 학생들이 동아리 담당교사가 되어 달라고 부탁했다. 하지만 본인의 전공 분야도 아니고 흥미 있는 주제도 아니다. 이때 교사로서 어떻게 할 것인지 말하시오.
2. 본인이 '1일 진로 체험'을 운영한다면 어떻게 운영할 것인지 교육 방안을 말하시오.

구상하기

✦ 해설 및 예시 답변

구상형 1

키워드 #농어촌 지역 꿈의학교 효과 #교사로서의 역할

해설 농어촌 학생들로 특정한 이유는 지역 특성상 그동안 어려웠던 '다양한 경험'이 가능하다는 것이고, 이것이 큰 장점으로 부각되기 때문이다. 교사로서 학생들의 흥미, 특기를 파악해 적합한 꿈의학교를 추천한다거나 활동 과정에서 느낀 점을 서로 이야기해 보며 학생의 진로를 선택하고 방향을 설정하는 데도 도움을 줄 수 있다.

예시 답변 구상형 1번 답변드리겠습니다.
경기 꿈의학교는 경기도 학생들이 자신의 진로를 탐색하고 꿈을 실현하기 위해 마련된 교육 프로그램입니다.

농어촌 지역에서 꿈의학교를 시행함으로써 기대되는 효과를 말씀드리겠습니다. 농어촌 학생들의 배움의 기회가 확대될 수 있습니다. 농어촌 지역은 도시에 거주하는 학생들에 비해 교육적 인프라가 부족하다고 할 수 있습니다. 농어촌 지역의 학생들이 꿈의학교에서 마련한 다양한 교육 프로그램에 참여함으로써 지역적 한계를 극복할 수 있을 것입니다. 나아가, 학생이 주체가 되는 경험을 통해 학생의 리더십도 향상될 수 있을 것입니다.

전문상담교사로서 꿈의학교에서 할 수 있는 역할을 2가지 말씀드리겠습니다.
첫째, 개별 상담을 통해 학생에게 적합한 꿈의학교를 찾을 수 있도록 도움을 주겠습니다. 학생이 무엇을 좋아하는지, 어떤 활동을 좋아하는지 상담을 통해서 학생의 진로와 적성을 반영한 꿈의학교를 찾고 신청할 수 있도록 도움을 주겠습니다.
둘째, 꿈의학교에서의 경험을 바탕으로 학생 상담을 진행해 학생의 진로 선택에 도움을 주겠습니다. 꿈의학교에서의 활동 내용, 느낀 점 등을 함께 이야기함으로써 학생의 진로 선택에 도움이 되도록 하겠습니다. 이상입니다.

👍 꿈의학교는 이재정 전 교육감 시절 추진했던 정책이지만, 《사이다 면접》에서는 이를 소급하지 않고 기출문제를 그대로 수록하는 것을 원칙으로 한다.

구상형 2

키워드 #학생 지도 방안 #동료와 생활교육 전문성 신장 방안

해설 교사의 전문성 신장 방안과 관련해 단순히 전문적 학습공동체에 참여한다고 말하기보다는 전문적 학습공동체에서 어떻게 활동할 것인지 고민해 봐야 한다.

예시 답변 구상형 2번 답변드리겠습니다.
현재 문제 상황은 A 교사의 수업 시간에 B 학생이 같은 반 학생과 갈등으로 인해 수업에 참여하지 않고 복도에 나와 있다는 것입니다.

저는 먼저 B 학생과 개별 상담을 통해 같은 반 학생과의 갈등 발생 원인을 파악하겠습니다. 폭력 등 신체적 압력 때문에 두려워서 피한 것인지, 단순히 감정을 조절하지 못한 것인지 이야기를 들어보겠습니다. 만약 신체적 압력이 있었다면 학생을 진정시키고 안전한 장소로 옮긴 후 담임교사에게 인솔하겠고, 단지 들어가기 싫다는 이유라면 진정시키고 B 학생과 함께 교실로 가서 자리에 앉을 수 있도록 하겠습니다.

다음으로, A 교사와 함께 생활교육 전문성을 신장할 방안을 2가지 말씀드리겠습니다.

첫째, 동 학년 협의회로 생활지도에 대한 어려움과 노하우를 나누겠습니다. B 학생처럼 학교생활에 어려움을 느끼는 학생의 현황과 상황을 공유하고 선생님들이 함께 해결할 수 있도록 협의회를 갖겠습니다. 문제 학생은 해당 교사만의 책임이 아닌 공동의 책임이라고 인식한다면 학생의 문제행동을 더욱 현명하게 해결해 나갈 수 있을 것입니다.

둘째, 생활교육을 주제로 한 전문적 학습공동체를 자발적으로 조직해 생활교육 전문성을 신장해 나가겠습니다. 전문 서적을 함께 읽어나가고, 최근 유행하는 상담 이론 등을 함께 이야기하고 모의 실습함으로써 선생님들과 함께 생활교육 전문성을 함양해 나갈 수 있게 하겠습니다. 이상입니다.

즉답형 1

키워드 #학생 지도 방안

해설 자신의 교직관에 근거해 자신만의 학생 지도 방안을 이야기해 보자.

예시 답변 즉답형 1번 답변드리겠습니다.

저는 학생이 자치 동아리 담당교사가 돼 달라고 부탁한다면 흔쾌히 수락하도록 하겠습니다. 실제로 제가 기간제 교사를 할 때, 학생들이 축구 동아리 지도교사를 해달라는 부탁을 했었습니다. 사실 축구를 잘 모르는데 해도 되나 싶었지만, 별 관련이 없는 저에게 올 정도면 다른 교사들에게 거절당한 건 아닐까 하는 마음에 수락하게 됐습니다. 아이들과 호흡하기 위해 다양한 룰을 공부했고 축구를 모르는 만큼 안전 측면에서 학생들을 챙겨주었습니다.

혹시나 저에게 또다시 이러한 제안이 들어오면 첫째, 동아리를 이해하기 위해 공부를 하겠습니다. 다양한 공부를 하며 학생을 이해하고 관점을 넓히는 기회가 될 것이라 생각합니다. 둘째, 저만의 시각에서 조언을 하겠습니다. 오히려 새로운 관점이 동아리에 윤활유가 될 수도 있을 것입니다. 동아리를 통해 학생들과 좋은 관계를 유지할 수 있을 것이고, 모르는 분야를 학습하며 교사로서 성장의 기회가 될 수 있을 것입니다. 이상입니다.

즉답형 2

키워드 #진로교육 방안

해설 경기도에서 지향하는 학생의 체험 중심, 활동 중심이 되게끔 방안을 마련하면 좋다. 1일 진로 체험을 제시하되 교과 특색이 드러나는 직업군을 설정하는 것이 좋다.

예시 답변 즉답형 2번 답변드리겠습니다.

전문상담교사로서 '1일 진로 체험'을 운영한다면 진로 심리 검사가 가능한 진로 체험 부스를 마련하겠습니다. 제가 고등학생 때 주위에 자신이 무엇을 해야 할지 모르겠다는 학생들이 많았습니다. 여전히 어떤 직업이 있는지, 자신이 무엇을 좋아하는지 모르는 학생들이 많을 것입니다. 따라서 저는 홀랜드 직업 성격 검사 등 다양한 진로 심리 검사를 할 수 있는 부스를 마련해 학생들이 성격 유형 검사에 참여할 수 있도록 하고, 결과를 바탕으로 학생 개별 상담을 진행하도록 하겠습니다. 이를 통해 학생들이 자신을 이해하고 진로 적성을 고민해 보는 계기가 될 수 있게 하겠습니다. 이상입니다.

자기 평가	
체감 난도	ⓢ ⓜ ⓗ ➜ 원인 파악:
답변을 잘한 문제	
부족한 문제	
보완 계획	
스터디원의 핵심 피드백 내용	

2017학년도

| 구상형 |

1. 다음 A 교사의 일지를 읽고 A 교사에게 부족한 자질 2가지와 이를 보완할 수 있는 계획을 말하시오.

   > **교사 일지**
   >
   > 오늘은 힘들었다. 내일 있을 학교 행사를 준비하는데 다른 교사의 도움 없이 일했기 때문이다. 교장 선생님께서 며칠 뒤에 교과 수업 연구대회에 참여하라고 하셨다. 나는 비교수 교과 교사인데, 참여해도 될까? 하는 생각이 든다.

2. 교사 대토론회에서 "앞으로 교복 이외의 옷을 입고 등교하는 학생은 규정에 따라 지도해야 합니다."라고 정해졌다. 그 후 교문 지도 시 체육복을 입고 등교하는 학생을 보았다. 이 학생을 어떻게 지도할지 평가위원을 학생이라고 가정하고 말하시오.

| 즉답형 |

1. 왜 간호사(or 영양사, 상담사)가 아니라 보건교사(or 영양교사, 전문상담교사)가 되려고 하는가? 보건교사(or 영양교사, 전문상담교사)로서 어떤 역할을 할 것인가? 또한 학교에서는 혼자서 해결할 수 없는 많은 문제 상황을 접하게 된다. 어떤 노력을 할 것인가?

2. 교사는 전문성을 신장해야 하고 교사의 전문성 여부는 학교 문화에 영향을 미친다. 교사가 전문성을 신장하기 위해 어떻게 해야 하는지 말하시오.

구상하기

✦ 해설 및 예시 답변

구상형 1

키워드 #교사로서 부족한 자질 분석 #보완 계획

해설 자신의 교직관을 바탕으로 답을 찾아야 한다. 교직관을 바탕으로 해당 교사에게 부족한 자질은 무엇인지, 그에 맞는 보완 계획을 고민해 보자.

예시 답변 구상형 1번 답변드리겠습니다.
제시된 교사의 문제 상황은 다른 교사의 도움을 구하지 않았다는 점에서 협동심과 의사소통 능력이, '내가 참여해도 될까?'라고 하는 점에서 소속감이 부족하다고 볼 수 있습니다.

A 교사의 상황을 해결하기 위해 다음과 같은 계획을 세워보았습니다. 첫째, 자신의 교과에만 한정하지 않고 다른 교과와 융합해 프로젝트 학습을 구성하면서 협동심과 의사소통 능력을 키우는 것과 동시에 학생들의 전인적 성장에도 기여하는 교사가 되겠습니다. 둘째, 소속감을 키우기 위해 학교 체육대회나 축제 등 교사의 손길이 필요한 곳은 어디든 적극적으로 나서서 공동체의 일원으로서 조력하겠습니다. 셋째, 전문적 학습공동체에서 다양한 교과교사들과 함께하며 생활지도, 학생 이해 중심의 주제로 공동 연구에 힘쓰겠습니다.

이렇게 한다면, A 교사의 부족한 자질을 보완하고 협동심과 소통 능력, 소속감을 갖춘 교사로 성장할 수 있을 것입니다. 이상입니다.

구상형 2

키워드 #교사 대토론회 #학생 지도 방안 #학생이라고 가정

해설 교사 대토론회에서 규정에 따라 지도하기로 약속했다면, 일관적인 지도를 위해 규정을 지키고자 노력해야 한다. 하지만 그보다 중요한 것이 있다. 학생이 학교에서 제일 먼저 만나게 될 교사가 엄격한 잣대로 규정을 적용하려고 한다면 학생은 하루 종일 안 좋은 기분에서 헤어 나오기 어려울 것이다. 따라서 지도에 앞서 아침은 먹었는지? 얼굴이 피곤해 보이는데 어제 늦게 잔 건 아닌지? 간단한 질문으로 서로 긴장을 푸는 것부터 시작해야 한다. 그 후 체육복을 입고 등교한 이유를 물어보며 따뜻하게 접근하는 것이 중요하다. '학생이라고 가정하고 말하는 것'이므로 실제 학생을 대하듯 온화한 표정과 포근한 말투로 이야기해야 한다.

예시 답변 구상형 2번 답변드리겠습니다.
문제 상황은 체육복을 입고 등교하는 학생을 지도하는 것입니다. 평가위원님들을 학생이라고 가정하고 학생 지도 방안을 말씀드리겠습니다.

A야 안녕? ○○○ 선생님이야. 이렇게 보는 건 오랜만이지? 아침밥은 먹었어? A가 오늘 체육복을 입고 등교한 특별한 이유가 있을까? 우리 학교 규정상 등교할 때는 교복을 입고 와야 하는 거 알고 있지? 그런데 오늘 규정을 지키기 어려운 특별한 상황이 있었니? A가 체육복을 입고 등교한 이유가 있는지 궁금했어. 우리가 오늘은 어쩔 수 없이 체육복을 입고 등교했지만, 다음부터는 교복을 입고 등교하자! 교복이 체육복보다 불편하긴 하지만 교칙은 다 같이 지켜야 하는 거잖아. A도 이해해 줄 수 있지? 오늘 좋은 하루 보내고 다음부터는 꼭 교복 입고 등교하자!

학생의 상황에 대해 공감적 자세를 취하면서 교복을 입지 않은 이유를 물어보고 규정을 알려줌으로써 학생이 다음부터는 교복을 입고 등교할 수 있도록 지도하겠습니다. 이상입니다.

즉답형 1

키워드 #교사로서의 역할 #문제 해결 노력 방안

해설 교직관을 묻는 문제이다. 실무자가 아닌 교사로서 여러분의 자질을 확인하고자 했다. 또한 비교수 교과 교사가 소외될 수 있는 현장 문제를 어떻게 해결할 것인지 물었다. 구상형 1번과 같은 맥락이다. 일관적인 답변을 해야만 진솔한 나를 보여줄 수 있다.

예시 답변 즉답형 1번 답변드리겠습니다.
저는 교사와 학생 사이 상호작용을 통해 함께 성장하는 학교를 꿈꾸고 있습니다. 제가 간호사가 아니라 보건교사가 되려고 하는 이유를 말씀드리겠습니다.

저는 학생들의 이야기를 들어주고 저의 지식이나 경험을 나누는 과정에서 보람을 느끼기 때문입니다. 간호사는 환자를 치료하는 행위가 주를 이룬다면, 보건교사는 치료뿐만 아니라 학생들과 교사 사이의 공감과 소통이 동반된다고 생각합니다. 그래서 저는 보건교사로서 학생들과 소통하면서 함께 성장해 나가고 싶습니다.
중학생 때 보건 선생님께서 저에게 약 처방뿐만 아니라 진심을 담아 조언을 해주셨던 경험이 있습니다. 머리가 너무 아파 보건실에 방문했는데, 선생님께서는 무작정 약을 주시는 것이 아니라 무슨 일이 있었는지 먼저 물어주셨습니다. 그리고 저에게 약이 아니라 비타민캔디를 챙겨주시며 부모님께 꼭 저의 마음을 들려드리라고 말씀해 주셨습니다. 저는 중학교 때 보건 선생님처럼 학생들 사이에서 소통 창구의 역할을 하고 싶습니다. 학생들이 힘들 때 부담 없이 저를 찾아올 수 있게 하고, 무작정 약을 주는 게 아니라 이야기를 통해 마음까지 치료해 주는 역할을 하고 싶습니다.

또한 학교에서 혼자서 해결할 수 없는 문제를 접하게 됐을 때 동료 선생님, 선배 선생님들께 도움을 청해 해결하도록 하겠습니다. 학교의 일원으로서 현재의 어려움을 솔직하게 표현하고 함께 해결 방안을 모색함으로써 문제 상황을 해결하겠습니다. 나아가, 저 역시 다른 동료 선생님, 선배 선생님들에게 어려움이 생겼을 때 도와줄 수 있는 부분이 있는지 확인하고 함께 문제 해결에 동참하겠습니다.

학생들과도, 선생님들과도 소통하는 교사가 되고 싶습니다. 이상입니다.

즉답형 2

키워드 #교사의 전문성 신장 방안

해설 교사의 전문성 향상 노력을 개인 측면, 교육 주체와의 협력 측면에서 모두 언급해야 한다. 전문적 학습공동체를 언급할 때는 단순히 전문적 학습공동체에 참여하겠다는 답변에서 멈추지 말고, 전문적 학습공동체에서 어떻게 활동할 것인지까지 이야기한다면 고민을 많이 했다는 인상을 줄 것이다.

예시 답변 즉답형 2번 답변드리겠습니다.
교사는 끊임없이 전문성 신장을 위해 노력해야 합니다. 교사의 전문성 신장을 위한 노력 방안을 2가지 말씀드리겠습니다.
첫째, 대학원 진학을 통해 전문성을 신장해 나갈 수 있습니다. 시간이 흐름에 따라 새로운 이론이 등장하고 학계의 추세가 달라지기 때문에 끊임없는 공부는 교사에게 필수적일 것입니다. 따라서 저는 개인적으로 대학원에 진학해 시대 흐름에 따른 새로운 이론을 학습하고 이를 학교에서 적극적으로 실천하겠습니다.
둘째, 다른 선생님들과 전문적 학습공동체를 조직해 협력을 통해 교사 전문성을 신장할 수 있습니다. 학교에 있는 선생님들과 자발적으로 전문적 학습공동체를 조직해 관심 있는 주제를 선정하고 함께 토의하는 시간을 마련해 공동체의 전문성을 높이기 위해 노력하겠습니다. 이상입니다.

자기 평가	
체감 난도	상 중 하 ➔ 원인 파악:
답변을 잘한 문제	
부족한 문제	
보완 계획	
스터디원의 핵심 피드백 내용	

2016학년도

| 구상형 |

1. 자신의 교직관, 교과 전문성을 바탕으로 한 진로교육 방안을 말하시오.
2. 자신의 직무와 관련해 학교 부적응 위기 청소년을 어떻게 발견하고 도울 것인지 말하시오.

| 즉답형 |

1. 삶에서 겪은 공동체 경험과 이를 통해 배운 것을 말하고 교직에서 어떻게 실현할 것인지 말하시오.
2. 전문적 학습공동체의 필요성과 어떤 전문적 학습공동체에 참여하고 싶은지 말하시오.

구상하기

✦ 해설 및 예시 답변

구상형 1

키워드 #교직관 #교과 전문성 #진로교육 방안

해설 ① 교직관과 ② 교과 전문성을 포함한 진로교육 방안에 대해 이야기해야 한다.

예시 답변 구상형 1번 답변드리겠습니다.

저의 교직관은 학생과 소통을 통해 함께 성장하는 것입니다. 저의 교직관과 교과 전문성을 바탕으로 한 진로교육 방안을 2가지 말씀드리겠습니다.

첫째, 식단 운영 챌린지를 기획하겠습니다. 영양교사를 희망하는 학생들을 위해 직접 식단을 짜볼 수 있는 기회를 부여하겠습니다. 특히 세계의 날, 채식의 날, 학생 기획의 날, 선생님 추천 메뉴 등 특색 메뉴 아이디어를 선정하여 메뉴를 선발하게 하는 등 학생이 직접 균형 잡힌 식단을 저와 함께 짜보면서 영양교사가 하는 일에는 어떤 일이 있는지 체험하게 하겠습니다. 이렇게 한다면, 저의 전문성과 교직관인 소통을 통한 성장이 가능할 것입니다.

둘째, 영양 소식지를 함께 발간하겠습니다. 영양교사는 식단을 짜고 배식을 담당하는 일 외에도 학교 전체의 영양교육을 담당하고 있습니다. 영양교사를 희망하는 학생들이 기자가 되어 영양교육에 관해 학교 친구들에게 알리고 싶은 소식, 영양소, 지역 로컬푸드 이야기, 먹거리, 세계 기후 소식 등을 선정하고 저와 함께 매달 영양 소식지를 꾸미는 활동을 한다면 소통하며 성장하는 교직관과 전문성을 함께 살릴 수 있을 것입니다. 이상입니다.

구상형 2

키워드 #직무 #위기 청소년 도움 방안

해설 자신의 교직관을 바탕으로 경험을 녹이면 좋다.

예시 답변 구상형 2번 답변드리겠습니다.

저는 전문상담교사로서 학교 부적응 학생을 발견하고 돕기 위해 지속적으로 관찰하고, 담임교사, 교과교사와 자주 대화를 나누며 위기 학생을 조기에 발견해 상담으로 도움을 주겠습니다. 마음의 변화는 얼굴로 또는 행동으로 드러난다고 생각합니다. 저는 피곤하거나 우울할 때 주변 사람들이 알아차리고 관심을 주면 그것만으로도 큰 용기가 됐습니다.

구체적으로는 다음과 같이 노력하겠습니다.

첫째, 상담실에 한정적으로 있는 것이 아니라 많이 움직이며 학교 여러 곳에서 학생들과 부딪히고 표정이 어둡거나 힘들어 보이는 친구들에게는 도움의 손길을 내밀겠습니다. 온라인 상담방을 개설해 제가 미처 보지 못한 친구들을 위한 소통의 창구를 만들어 놓겠습니다.

둘째, 담임교사나 교과교사와 많은 이야기를 나누고 그러한 친구들을 파악한 후 상담하겠습니다. 이후 가정과 연대해 학생들의 전인적 변화를 위해 함께 노력할 것입니다. 이렇게 한다면, 상담을 요청해 온 학생뿐 아니라 더 많은 학생을 조기에 발견해 위기에서 도울 수 있을 것입니다. 이상입니다.

즉답형 1

키워드 #공동체 경험 #배운 점 #실현 방안

해설 일상적인 경험에서 교훈을 만들고 이를 교직관과 연결시켜야 했다. 평소 다양한 주제에 관한 자신의 경험을 작성해 보고, 이러한 경험이 교사로서 나에게 어떤 영향을 주었고, 나를 거쳐 갈 학생들에게 어떤 도움을 줄 수 있는지 고민하는 시간을 가져야 한다.

예시 답변 즉답형 1번 답변드리겠습니다.

저는 남에게 피해를 주기 싫어하는 성격 탓에 도움을 잘 구하지 않고 혼자 해결하려는 경우가 많았습니다. 그런데 기간제 교사로 근무하며 위기 학생을 상담할 때, 출결 관리가 되지 않고 학부모 연락도 닿지 않아 혼자의 힘만으로는 감당하기 어려운 상황을 경험했습니다. 그때 학생의 담임 선생님께 말씀드리자 학생안전부장님, 교감 선생님까지 함께 지원 체계를 마련해 주셨고, 저 역시 많은 격려를 받았습니다. 이 경험을 통해 공동체 협력은 부담이 아니라 성장의 힘이라는 것을 깨닫게 되었습니다.

상담교사로서 교직에 나아가서는, 위기 학생을 발견했을 때 학교 내 다양한 교사들과 긴밀히 소통하여 안전망을 구축하겠습니다. 또한 담임교사와 교과교사가 학생 이해에 어려움을 겪을 때 먼저 다가가 조언과 응원을 건네며 동료와 함께 성장하는 교사가 되겠습니다.

이처럼 저는 공동체적 협력의 가치를 실천하여 학생과 동료 모두가 신뢰할 수 있는 상담교사가 되고자 합니다. 이상입니다.

즉답형 2

키워드 #전문적 학습공동체 필요성 #관심사

해설 전문적 학습공동체의 강점인 '집단 성장'에 대해 이야기하고 1교 1주제, 주제 중심, 학년 중심, 교과 중심 공동체 중 하나를 골라 구체적으로 어떤 주제로 공동체를 이어 나가고 싶은지 이야기하면 된다.

예시 답변 즉답형 2번 답변드리겠습니다.

전문적 학습공동체는 교사들이 자율적으로 모여 연구와 성찰을 통해 전문성을 키우는 모임입니다. 학교에는 학생들의 학업 문제, 생활 문제, 건강 문제 등 다양한 과제가 존재하는데, 교사가 혼자 해결하기 어려운 문제를 집단지성으로 함께 풀어나갈 수 있다는 점에서 전문적 학습공동체는 반드시 필요하다고 생각합니다.

저는 영양교사로서 생활지도 전문적 학습공동체에 참여하고 싶습니다. 영양교사는 급식 관리와 영양교육을 주로 담당하는데, 학생들의 생활습관이나 정서적 특성을 가까이에서 파악해야 제대로 된 영양교육이 가능합니다. 그러나 별실에 머무는 시간이 많아 학생들의 실제 생활 모습을 놓치기 쉽습니다. 따라서 생활지도 공동체에 참여해 담임교사나 교과교사들과 학생들의 특성에 대해 공유하고, 생활지도의 실제 경험과 노하우를 공유하고 싶습니다. 이를 통해 학생 개개인의 생활습관이나 정서적 어려움을 더 깊이 이해하고 맞춤형 영양교육과 상담으로 연결할 수 있을 것입니다. 나아가 학교 전체가 협력하는 생활지도 문화를 만드는 데에도 기여할 수 있다고 생각합니다.

이처럼 저는 전문적 학습공동체 활동을 통해 제 전공 역량을 학생 생활과 연결시키며, 생활지도와 영양교육을 아우르는 전문성을 쌓아가겠습니다. 이상입니다.

자기 평가

체감 난도	상 중 하 ➔ 원인 파악:
답변을 잘한 문제	
부족한 문제	
보완 계획	
스터디원의 핵심 피드백 내용	

② 자기성장소개서

자기성장소개서는 그 명칭에서도 알 수 있듯이 '자신의 성장스토리'를 기재하는 것이므로 개인마다 강조해야 할 부분이 다르다. 따라서 자기성장소개서 기출문제 해설은 대략적인 답변의 포인트와 구상 방향에 대해서 언급하도록 하겠다. 다만, 최근 기출인 2024~2025학년도 문제의 답안은 실제 작성 형식에 따라 작성했다. 이를 통해 작성 방안에 대한 감을 익혀 보자.

우선순위를 고려해 최신 기출문제부터 접근하며, 2020학년도 이전 문제는 교육감이 다르므로 경기교육 정책 문제는 가볍게 읽어만 보고 교직관 관련 문제를 중심으로 고민해 보자.

(1) 2025학년도

> **유치원·초등**
>
> 경기도는 도시와 농·산·어촌, 인구 밀집과 소멸 지역이 공존합니다. 지역별 문화, 역사, 경제, 생태 환경의 차이는 곧 학습 격차로 이어집니다. 교사로서 학교 및 지역의 물리적 한계를 뛰어넘어 공평한 교육 기회를 제공할 수 있는 방안 2가지를 제시해 보세요.
>
> **중등 교과·비교수 교과**
>
> 경기교육은 학교 밖 교육 자원을 활용하여 다양한 교육 기회를 제공하고, 학생이 저마다의 꿈을 펼치고 삶을 가꿀 수 있도록 지원하고 있습니다. 교사로서 학교 밖 교육 자원을 활용한 교육을 하기 위해 필요한 전문성을 제시하고, 제시한 전문성을 개발하기 위해 어떠한 노력을 할 것인지 기술하여 주시기 바랍니다.

구상하기

✦ **답변 포인트**

> **유치원·초등**
>
> **키워드** #지역 차이, #학습 격차, #공평한 교육 기회
>
> 2025 교육 이슈인 경기교육 3가지 섹터를 염두에 두고 출제한 문제이다. 단, 경기공유학교나 온라인 수업 그 자체를 언급하는 것이 아닌, 이를 교사로서 어떻게 현장에서 학생들에게 제공할지 교사의 역할이 드러나야 한다.
>
> **예시 답변** 경기교육은 지역 내 교육 격차 해소와 교육 사각지대에 있는 학생들에 대한 지원을 강화해 학습에서 소외되는 학생이 없이 균등한 학습 기회를 누리도록 지원하고 있습니다. 저는 이 취지에 발맞추어 학교 및 지역의 물리적 한계를 뛰어넘어 학생들에게 공평한 교육 기회를 제공할 수 있는 방안을 2가지 제시하겠습니다.

첫째, 공유학교를 적극 활용하겠습니다. 경기도교육청은 균등한 학습 기회 보장을 위해 공유학교를 교육의 제2섹터로 정하며 활발하게 운영하고 있습니다. 저는 교사로서 학급 학생들의 성향, 개별 학습 수준 등을 고려해 꼭 필요하지만 학교에 개설되지 않은 교육 프로그램을 추천해 학생과 연계하겠습니다. 이때, 단순 추천에 그치지 않도록 학생의 활동에 대해 관심을 갖고 지속적으로 피드백하겠습니다. 또한, 학교와 지역사회에 필요할 법한 공유학교를 추천해 학생과 공유학교를 잇는 가교 역할을 하겠습니다.

둘째, 스마트 기기를 활용한 에듀테크 수업을 활성화하겠습니다. 경기도교육청은 언제, 어디서나, 누구에게나 공평한 교육의 기회를 제공하기 위해 온라인학교를 교육의 제 3섹터로 규정했습니다. 온라인을 활용한다면 학교 및 지역의 한계를 극복해 다양한 자원을 활용할 수 있습니다. 저는 이 취지에 맞게 스마트 기기를 활용한 에듀테크 수업을 활성화하겠습니다. 인공지능 활용 수업, 하이러닝 활용, 다양한 누리집 자료 등을 활용한다면 지역에 학습 자원이 부족하더라도 충분히 보완할 수 있어 지역 차이로 인한 학습 격차를 해소하는 데 도움이 될 것입니다.

경기도교육청의 각 지역별 문화, 역사, 경제, 생태 기반을 활용한 수업을 진행해 앎과 삶을 연결하면서도, 지역의 자원 차이로 인한 학습 격차가 생기지 않도록 공평한 배움을 보장하는 교사가 되겠습니다.

중등 교과·비교수 교과

키워드 #학교 밖 자원 #전문성 #전문성 개발 노력

중등 교과 및 비교수 교과 문제 역시 경기교육 3가지 섹터를 염두에 두고 출제한 문제이다. 이 문항을 통해 미래 경기교육의 방향성을 이해했는지와 중등교사가 갖춰야 할 '현장성'과 '전문성'이 있는지 확인하고자 하므로 3가지 섹터를 제대로 숙지한 후 실천 가능한 내용을 작성해야 한다.

예시 답변 경기교육은 학교의 정형화된 교육이나 여건만으로는 충족할 수 없는 부분을 보완하기 위해 학교 밖 교육 자원을 활용하고 있습니다. 이를 실현하는 경기 교사는 다음과 같은 전문성을 갖춰야 합니다.

첫째, 교육 자원에 대한 이해 능력입니다. 학교의 현안을 파악하고, 경기공유학교와 같은 학교 밖 자원의 종류, 운영 방법, 기간, 기대효과 등을 숙지한 후 적재적소에 활용할 수 있어야 합니다.

둘째, 디지털 교육 전문성입니다. AI 기반 학습 플랫폼과 경기온라인학교 같은 디지털 자원을 활용해, 학생들이 시공간의 제약 없이 학습할 수 있도록 지원해야 합니다. 이를 위해 교사는 디지털 학습 도구 및 플랫폼의 특성과 활용법에 대한 전문성을 갖춰야 합니다.

셋째, 개별화 교육 역량입니다. 학생의 꿈을 지원하기 위해 교사는 학생 맞춤형 교육을 설계할 수 있어야 하며, 학생의 흥미, 학습 스타일, 진로를 파악할 수 있는 전문성을 갖춰야 합니다.

이러한 전문성을 기르기 위해 다음과 같은 노력을 기울이겠습니다.

첫째, 공유학교 프로그램을 개발하겠습니다. 경기도의 한 교육지원청 교사들이 네트워크를 운영하며 프로그램을 개발했다는 기사를 보며, 교사가 되어 교육과정 외의 프로그램을 개발해 보고 싶다는 생각이 들었습니다. 교사 연구회에 가입해서 발령 지역의 특성과 학교 및 지역 자원의 한계를 고려해 학생에게 필요한 프로그램을 개발하고 싶습니다.

둘째, 디지털 관련 연수를 듣고 실습 활동을 하겠습니다. 학부 시절 동기들과 함께 온라인 플랫폼을 활용한 협력 수업을 기획했던 경험을 살려, 전문적 학습공동체 활동에 참여해 동료 교사들과 디지털 콘텐츠를 개발하고 싶습니다. 하이러닝에 이를 공유하고 누구든, 어디에서든 교육 자료에 접근할 수 있도록 해 다양한 교육 기회를 제공하겠습니다.

셋째, 정기적으로 학생 상담을 하겠습니다. 학생들에게 다양한 교육 기회를 보장하기 위해서는, 학생들의 진로 고민이나 흥미를 파악하는 시간이 필요합니다. 개별 상담을 통해 학생 특성을 이해하고, 교육과정과 연계한 학교 밖 자원을 모색하고 추천하겠습니다. 워크숍 등에 참여해 학생들의 활동 결과에 대한 피드백을 듣고 의견을 제안해 질 좋은 프로그램 개발에 기여하겠습니다.

저는 단순히 지식을 전달하는 교사가 아닌, 학생들과 함께 꿈을 만들어 가는 교사가 되겠습니다.

(2) 2024학년도

유치원·초등

경기교육은 모든 학생이 인성과 역량을 키워가며 꿈을 실현할 수 있도록 자율, 균형, 미래와 함께합니다. 교사로서 학생의 인성과 역량을 신장할 수 있는 방안을 각각 하나씩 제시해 보세요.

중등 교과·비교수 교과

경기교육은 역량 중심 맞춤형 교육을 통해 학생의 역량을 키워가는 정책을 추진하고 있습니다. 이를 위해 필요한 교사의 역량은 무엇이고, 역량 강화를 위해 어떤 준비를 하고 있는지 제시하시오.

구상하기

✦ 답변 포인트

유치원·초등

키워드 #인성 #역량 #자율 #균형 #미래

문제의 키워드인 '자율, 균형, 미래'를 자기성장소개서 어딘가에는 꼭 언급해야 한다. 신장 방안을 작성할 때 본인의 경험(성장) + 경기교육 방향성을 포함해야 한다.

예시 답변 경기교육은 자율, 균형, 미래의 가치 아래 기본 인성과 기초 역량을 갖춘 인재를 양성하고자 합니다. 경기교육의 지향점과 저의 교직관인 '모두 함께 성장하기'를 고려했을 때 학생들에게 공동체적 인성과 협력적 문제해결 역량을 심어주고 싶습니다. 공동체적 인성을 갖추어야 자율과 균형의 가치를, 협력적 문제해결 역량을 갖추어야만 미래의 가치를 함양할 수 있기 때문입니다. 교사로서 학생의 인성과 역량을 신장할 방안은 다음과 같습니다.

첫째, 공동체적 인성 함양을 위해 학급 단합 활동을 기획하고 싶습니다. 학창 시절 학급에서 함께 음식을 만들어 먹고, 장기 자랑을 준비하면서 학급 친구들에 대해 더 깊게 이해하며 소속감이 증대했던 경험을 했습니다. 학생들이 직접 체육행사, 장기 자랑, 요리 등 하고 싶은 단합행사 프로그램을 기획하고 공동의 목표를 위해 함께 행사를 준비하는 과정에서 공동체 의식이 함양될 것입니다. 또한 준비 과정에서 사람마다 각자 강점이 있고, 이를 존중하고 협력해야만 모두 함께 성장할 수 있다는 것을 깨달을 수 있을 것입니다.

둘째, 협력적 문제해결 역량 함양을 위해 지역사회 문제 해결 프로젝트 학습을 시행하고 싶습니다. 학부 시절 학생회 활동을 하며 지역사회 봉사 활동에 참여한 적이 있습니다. 지역사회 환경 문제를 직접 인지하고 문제 해결을 위해 환경 정화 활동 및 생활 속 실천 규약을 제정하며 시민의식을 함양할 수 있었습니다. 교과 연계수업을 통해 학생들이 지역사회 문제를 직접 조사해 보고 해결할 방안을 구상할 수 있는 기회를 제공하겠습니다. 이렇게 한다면, 미래 사회에 놓인 다양한 환경 문제, 외교 문제 등을 주도적으로 해결할 수 있는 자세를 갖출 수 있을 것입니다.

이와 같은 방안을 통해 학생의 인성과 역량을 길러 미래 인재로 성장하는 데 도움을 줄 수 있는 교사가 되겠습니다.

중등 교과·비교수 교과

키워드 #미래 사회 교사 역량 #역량 강화 계획

교사에게 필요한 역량을 언급하되, 그 이유를 구체적으로 설명해야 한다. 이유는 '학생의 역량을 키워가는 정책'과 관련이 있어야 하며 역량 강화 방안을 서술하되, 공동체 경험, 성찰(깨달음)이 포함돼야 한다.

예시 답변 미래에는 환경 문제, 외교 문제 등 다양한 문제가 발생할 것이며 세계화가 가속화될 것입니다. 따라서 학생들은 단순히 지식을 암기하는 것에서 벗어나 지식의 전이를 습득할 수 있어야 하며, 배운 것을 삶에 적용할 수 있어야 합니다. 따라서 교육 현장에서는 역량 중심 맞춤형 교육의 중요성이 높아졌습니다. 이를 위해 교사에게는 다음과 같은 역량이 필요하다고 생각합니다.

첫째, 비판적 사고와 문제해결 능력이 필요합니다. 교사는 학생들이 복잡한 사회 문제를 올바르게 바라보고, 해결하는 능력을 키울 수 있도록 조력하는 역할을 해야 합니다. 이를 위해서는 교사부터 비판적 사고를 통해 문제를 인식하고 해결 방안을 모색하는 능력을 갖추어야 합니다. 저는 이를 위해 최신 학술 논문 및 신문, 잡지 등을 정기적으로 구독하고 있습니다. 교육계의 동향뿐 아니라 정치, 사회, 문화 등 다양한 사회 현상을 이해하고, 이를 교육 현장에 적용할 수 있는 방안을 모색하고 있습니다. 혼자의 힘으로는 한계가 있기에 학부 동기들과 2주에 한 번씩 만나, 서로 스크랩한 자료를 공유하며 토의를 통해 비판적 사고력과 문제해결력을 강화하고 있습니다.

둘째, 개별화 학습 능력이 필요합니다. 학생들은 저마다의 학습 속도, 능력이 다르므로 교사는 학생 개개인의 학습 요구를 이해하고 이에 맞춘 지원을 제공할 수 있어야만 학생들의 지식 전이 능력을 강화할 수 있을 것입니다. 저는 이를 강화하기 위해 학생 포트폴리오를 만들었습니다. 교육실습생 시절, 학급 친구들에게 도움을 주고 싶어, 제가 관찰한 학생들의 발달 사항을 기록했는데, 이 포트폴리오 내용이 상담할 때 좋은 자료가 돼 학생을 맞춤 지도하는 데 큰 도움이 됐습니다.

현장에 나가서 학생들의 비판적 사고력과 개인의 역량을 살릴 수 있도록 연수·자기장학 등을 통해 꾸준히 공부하고, 동료 교사 및 지역사회와 함께 고민하고 노력하는 주도적인 교사가 되겠습니다.

(3) 2023학년도

유치원·초등
미래 사회 변화에 따른 인재 육성에 적합한 교사의 역량은 무엇이며, 그러한 역량을 기르기 위해 어떤 준비를 하고 있는지 제시해 보세요.

중등 교과·비교수 교과
미래 사회 변화에 따른 적합한 교사의 핵심 역량을 제시하고, 그러한 역량을 기르기 위한 구체적인 계획을 서술하시오.

구상하기

답변 포인트

유치원·초등
키워드 #미래 사회 인재 #인재 육성에 필요한 교사 역량 #역량 관련 준비

조건, 제시문 없이 자신의 생각을 서술해야 하기 때문에 이 문항을 어떻게 풀어내느냐에 따라 수험생의 역량이 한눈에 보일 것이다. 출제 의도는 미래 사회 변화의 방향성을 경기교육의 관점으로 바라보느냐이다. 즉, 미래 사회 인재를 경기형으로 작성하고 이에 따른 교사 역량을 서술해야 했다. 이것은 '자기의 성장을 소개'하는 글이므로 자기 이야기, 관점, 성찰, 교직관 등이 반드시 포함돼야 한다. 포부를 넣으라는 말은 없지만 끝에 한두 줄 정도는 현직에서 어떻게 전문성을 발휘할 것인지 밝히자. 그러면 교원 전문성 강화를 강조하고 있는 경기교육에 걸맞은 자기성장소개서가 될 것이다.

중등 교과·비교수 교과
키워드 #미래 사회 교사 역량 #역량 강화 계획

중등 역시 조건, 제시문 없이 한 문항이 출제됐다. 자기 생각대로 서술해야 하므로 이 문항을 어떻게 풀어내느냐에 따라 수험생의 역량이 한눈에 보일 것이다. 출제 의도는 미래 사회 변화의 방향성을 경기교육의 관점으로 바라보느냐이다. 즉, 미래 사회 속 교사 역량을 경기형으로 작성해야 했다.

예시
- 미래 사회는 디지털화되며, 학교 교육에서도 디지털 활용 교육 및 디지털 윤리 교육이 매우 중시될 것임. 교사는 디지털 기술을 이해하고, 어떤 것을 주의해야 할지 고려해 교육에 적용할 수 있는 디지털 리터러시 역량이 필요함
- 미래 사회는 AI가 많은 부분에서 인간을 대체할 것임. 학교 교육에서 인공지능을 활용한 교육뿐 아니라 윤리교육을 할 수 있어야 함. 따라서 교사는 인공지능 활용 역량이 필요함. 또한, 인공지능이 대체할 수 없는 교사만의 전인적 능력이 중요함
- 미래 사회는 배움의 장소가 매우 다양해짐. 학생들은 자기주도 역량을 가지고 자기주도학습을 할 수 있어야 함. 따라서 교사는 학생의 자기주도 능력을 길러줄 수 있는 코칭 역량이 필요함
- 미래 사회에는 무엇보다 기초학력이 중요해짐. 신기술이 등장한다고 하더라도, 기초학습 없인 아무것도 할 수 없음. 교사에겐 학생의 기초학력을 파악하고 부진한 학생이 있다면 원인을 가정과 연대해 파악하고 적절히 조치할 수 있는 감식안이 필요함

이것은 '자기의 성장을 소개'하는 글이므로 자기 이야기, 관점, 성찰, 교직관 등이 반드시 포함돼야 한다. 포부를 넣으라는 말은 없지만 끝에 한두 줄 정도는 현직에서 어떻게 전문성을 발휘할 것인지 밝히자. 교원 전문성 강화를 강조하고 있는 경기교육에 걸맞은 자기성장소개서가 될 것이다.

(4) 2020학년도

유치원·초등

1. **[경기혁신교육]** 혁신교육은 배움의 중심에 학생을 주체로 세워 교육공동체가 함께 학생의 성장을 지원하는 교육입니다. 현장의 교사가 된 이후 학교 및 학급 내에서 어떤 방식으로 혁신교육을 구현할 수 있을지, 경기도교육청의 '혁신교육 3.0' 정책에 기초하여 의견을 제시해 보세요.

2. **[학교민주주의]** 최근 학교 자치가 이슈가 됨에 따라 학교민주주의 문화의 중요성이 날로 강조되고 있습니다. 학교민주주의를 실천할 수 있는 신규 교사의 역할이나 실천 방안을 구체적인 비전과 함께 제시해 보세요.

3. **[인간존엄교육]** 교실 안에는 흥미, 적성, 소질, 능력, 수준이 제각기인 다양한 학생들이 모여 살고 있습니다. 인간존엄교육을 추구하기 위해 다양한 학생들이 평화롭게 학교생활을 할 수 있는 학급 운영 방안을 제시해 보세요.

4. **[역량 강화]** 교사의 전문성은 어떻게 발휘되는 것일까요? 현장에서 사용해야 하는 '교육과정'을 중심으로 교사의 전문적 역량이 무엇인지를 고려하여, 교사로서 역량 강화를 위해 어떤 준비를 하고 있는지 제시해 보세요.

중등 교과·비교수 교과

1. **[교직관]** 혁신교육에서 지역사회와 연계하는 교육생태계 구축(혁신교육지구, 마을교육공동체, 꿈의학교·꿈의대학)이 활성화되고 있습니다. 본인의 소속 학교와 인근 학교와의 공동교육과정을 운영한다고 할 때, 자신의 교육철학이 드러날 수 있는 교육 거버넌스 구축 계획을 설계해 보시오.

2. **[경기혁신교육]** 최근 우리 사회에 공교육(학교)과 교사 불신 현상이 심화되고 있습니다. 본인이 교직과정을 준비하면서 겪은 유사한 사례를 예를 들어 설명하고, 경기혁신교육이 추구하는 정책을 참고하여 이를 해결할 수 있는 실천 및 학습 방안을 마련해 보시오.

3. **[실천 경험]** 만약, 신규 교사가 열악한 농어촌 지역에 발령받는다면 어떻게 받아들여야 한다고 보는지, 자신이 자라온 환경과 비교하여 이에 대한 적응 계획을 제시해 보시오.

4. **[교직 적성]** 경기도교육청은 2022년까지 고교학점제를 도입하려 준비 중입니다. 고교학점제 도입과 관련하여 현재 본인이 준비한 어떠한 역량이 이 학점제의 방향과 맥을 같이하는지 설명하고, 이를 동료 교사와 어떤 전략으로 현장에 안착시킬 수 있을지 제시해 보시오.

구상하기

✦ 답변 포인트

유치원·초등

1. `키워드` #혁신교육 3.0 #혁신교육 구현 방안

   경기혁신교육에 관한 문제이다. 혁신교육 3.0의 방향을 명확히 이해한 후 서술해야 한다. 이 문제는 이미 답을 정해놓고 있는데, 문제의 2가지 조건 ① 학생 주체, ② 공동체 협력을 실현할 수 있는 학급 운영 방침을 적어야 한다. 경기혁신교육 3.0의 핵심 가치인 '마을과 함께하는 교육', '지역 특색'을 서두에 언급한 후, 학생이 주체가 돼 마을과 함께하며 교육공동체가 협력할 수 있는 방안을 적었다면 논점을 정확히 짚었다고 볼 수 있다.

2. `키워드` #학교민주주의 #역할 #실천 방안 #비전

   학교민주주의에 대한 문제이다. 경기도에서 추구하는 학교민주주의의 방향을 명확히 이해한 후 방향성에 맞추어 나만의 방안을 모색해야 한다. 민주주의 카테고리 안에는 생각보다 많은 내용이 포함된다. 민주주의를 자의적으로 해석하는 것이 아닌, 경기도교육청의 지향 방향에 맞추어야 함을 명심하자.

3. `키워드` #존엄교육 #평화로운 학교생활 방안

   ① 존엄의 가치를 기술한 후 ② 이 방향에 맞게 제각기 다른 학생들이 평화롭게 학교생활을 할 수 있는 방안을 고민해 보아야 한다.

4. `키워드` #교육과정 역량 #강화 준비

   교육과정이라는 키워드를 놓치면 안 된다. 먼저 교육과정 재구성이 대두되며 교사에게 교육과정 문해력이 강조된다. 또한 창의성, 융합 능력 등도 필요하다. 이러한 역량을 기르기 위한 방안으로 공동의 노력을 활용하면 좋다. 전문적 학습공동체, 교사 연수, 동 학년 협의회 등을 통해 역량을 기르겠다고 서술한다면 경기도교육청에서 추구하는 교사상에 부합한다.

중등 교과·비교수 교과

1. **키워드** #공동교육과정 #교육관 #거버넌스 구축 계획

   교직관에 대한 문제이다. 따라서 교육 거버넌스 구축 계획을 설계하기 전에 교직 철학을 먼저 두괄식으로 제시한 후, 이에 맞게 그 방안을 서술해야 한다. 또한 이 문제는 교육생태계, 교육 거버넌스 등 현장에서 쓰이는 용어의 개념을 명확히 알고 작성해야 했다. 교육생태계란 학교 교육을 둘러싼 모든 것, 즉 학생, 학교, 학부모 나아가 지역사회까지 포함하고 있다. 교육 거버넌스는 교육 공동목표 달성을 위해 이해당사자들의 투명한 의사결정을 돕는 모든 장치를 말한다. 어렵게 서술했지만, 다양한 주체들과 연대할 수 있는 교육 방안을 자신의 교육철학이 드러나도록 서술하라는 문제였다.

2. **키워드** #교사 불신 현상 #교직과정 준비 중 사례 #경기혁신교육 #실천 및 학습 방안

   경기혁신교육에 대한 이해를 묻고 있다. 교직과정을 준비하며, 즉 교생실습 및 교육봉사 등을 준비하며 겪은 사례를 설명하고 이를 해결할 수 있는 방안을 '경기혁신교육' 속에서 제시해야 했다. 현장에서 자주 사용되거나 중요하게 거론되는 정책을 활용할 수 있는 방안을 세워야 했다. 또한, 이 문제는 전략적으로 써야 한다. 공교육 불신 현상을 쓰라고 해서 사석에서 나올 법한 이야기, 즉 '사교육 강사보다 공교육 교사 수업의 질이 낮다, 수능 문제 분석을 잘하지 못한다, 자유학기제 무용론이 나오고 있다' 등 공교육이나 현장 제도를 부정하거나 비난하는 방향으로 써서는 결코 좋은 인상을 줄 수 없다. 지필평가 직후 영화를 보는 것, 시간표에 따라 움직여 학생들이 질문할 수 있는 기회가 줄어든다는 점 등 개선 가능한 '상황'에 초점을 맞추어 작성해야 한다.

3. **키워드** #농어촌 적응 계획 #환경 비교

   실천 경험을 묻고 있다. 여기에서는 나의 경험을 들어 어떻게 적응할 것인지 적어야 한다. 만약, 농촌에서 자란 경험이 있다면 '그러한 경험이 있었기에 잘 적응할 수 있다.'의 관점에서 구체적인 계획을 서술하면 좋다. 도시에서 자라 농촌 경험이 없다면 '농촌 봉사활동'을 간 일화, '할머니 댁에서 방학 동안 생활했던 이야기' 등을 곁들여 적응력을 보여주면 좋다. 아예 농촌 경험이 없다면 '도시에 살았기 때문에 농어촌을 경험해 볼 기회가 부족했지만, 이를 성장의 기회로 삼아 제가 근무하는 농어촌에 대해 알아보고 지역 특색을 고려한 교육을 만들기 위해 다음과 같은 노력을 하겠습니다.'라고 이야기하는 것이 좋다.

4. **키워드** #고교학점제 방향 #역량 #협업 방안

   교직 적성에 대해 묻고 있다. 즉, 이 문항을 통해 교사로서의 자질을 갖추고 있는지 여부를 확인하겠다는 것이다. 우선 고교학점제의 명확한 정의를 알고 있어야 한다. 이는 학생들이 진로에 따라 다양한 과목을 선택하고 수강해 누적 학점이 기준에 도달하면 졸업하는 제도이다. 학생 맞춤형 교육을 지향해 학생에게 진로 개척 역량과 자기주도성을 길러주는 데 의의가 있다. 이 방향성을 고려해 나의 역량을 제시해야 한다. '동료 교사'와의 협업이 조건으로 명시돼 있기 때문에 이 조건도 놓쳐서는 안 된다.

(5) 2019학년도

유치원·초등

1. **[교직관]** 자신의 경험에 비추어 볼 때 학생에게 공정성을 가르치려고 한다면, 어떤 기준이 우선되어야 한다고 생각하시나요?
2. **[경기혁신교육]** 혁신교육의 핵심 가치가 무엇이라고 생각합니까? 그러한 가치를 실현하기 위해 본인이 교사양성과정 시절(대학, 대학원 등) 기울였던 노력에 대해 설명해 주세요.
3. **[학교 자치]** 교육 자치를 넘어 학교 자치가 최근 교육계의 화두입니다. 현장의 교사가 된 이후 어떤 방식으로 학교·학급 내에서 자치를 풀어갈지 자신의 의견을 제시해 보세요.
4. **[실천 방안]** 경기도교육청이 추구하는 4·16 교육체제의 가치와 방향에 비추어 볼 때, 그 정신을 구현할 수 있는 교사로서의 실천 방안을 2가지 이상 제시해 주세요.

중등 교과 4번 문항 당해 연도 유치원·초등과 동일

1. **[교직관]** 지원자의 삶의 경험을 토대로 진로를 고민하는 고등학교 1학년 학생에게 필요한 상담 메시지 또는 학급 훈화를 작성해 보시오.
2. **[경기혁신교육]** 교육 자치를 넘어 학교 자치가 최근 교육계의 화두입니다. 자신이 경험한 학교 교육에 비추어 볼 때, 학교 자치의 실현에서 교사로서 자신의 역할을 계획해 보시오.
3. **[실천 경험]** 자신의 학창 시절 또는 교사양성과정 시절(대학, 대학원 교육과정이나 실습 등)에 느꼈던 학교의 바람직하지 못한 관행을 2가지 이상 제시하고, 교사가 된다면 관행을 바로잡기 위해서 어떻게 실천하고 싶습니까?

중등 비교수 교과 2~4번 문항 당해 연도 유치원·초등과 동일

1. **[교직관]** 고등학교 1학년 학생이 진로에 관한 상담을 요청했다면, 지원자의 삶의 경험을 바탕으로 어떤 메시지를 줄 것인지 작성해 보시오.

구상하기

✦ 답변 포인트

유치원·초등

1. 키워드 **#공정성의 기준**

   교육의 공정성을 알고 있는지 확인하는 것을 넘어 수험생이 제시한 '기준'을 통해 가치관을 파악하고자 하는 어려운 문제이다. 공정성과 관련된 경험을 통해 얻은 교육 가치관과 이를 어떻게 학생에게 가르칠지 경험-교직관-계획을 한 세트로 서술해야 한다. 흔히 교육 현장에서 공정성, 즉 '공평함'을 논하는 경우는 '기회의 균등' 문제가 가장 크다. 환경에 따른 교육의 불평등 관점에서 기회를 보장할 수 있는 다양한 사례, 즉 교육 약자(다문화가정, 취약가정) 등의 사례를 통해 이를 잘 녹여내야 한다.

2. 키워드 **#혁신학교 핵심 가치 #가치 실현 노력**

   2018학년도 문제와 거의 똑같다. 혁신교육의 가치에 대한 명확한 이해를 바탕으로 관련 경험을 서술해야 한다. 또한 과거 경험-가치관(혁신교육에 대한 나만의 가치)-실천 계획까지 한 세트로 묶어서 서술한다면 논점을 정확히 짚었다고 할 수 있다.

3. 키워드 **#학교 자치 실현 방안**

   학교 자치에 대한 명확한 이해가 선행돼야 한다. 학생 자치의 방향은 학생 주도, 교사 조력임을 명심하자. 그 후 이것의 적용 방안을 서술해야 한다. 관련 경험을 곁들인다면 평가위원의 눈에 띄는 글이 될 수 있을 것이다.

4. 키워드 **#4·16 교육체제 정신 #실천 방안**

   4·16 교육체제에 대해 소홀히 한 수험생이라면 안전의 관점에서만 서술할 것이다. 하지만 창의, 협력, 공공, 생태, 자율의 가치 모두를 고려하고 이것을 실현할 수 있는 방안을 서술해야 한다. 정책 내용이 포함되는 문제는 그 이해 정도에 따라 글의 수준이 천차만별이니 《사이다 면접》을 통해 경기교육의 윤곽을 잘 잡고 작성해야 한다.

중등 교과

1. **키워드** #경험 #고1 진로 상담 메시지·학급 훈화

    교직관에 대한 문제이다. 과거의 경험을 통해 만들어진 교직관을 서술한 후 상담 메시지나 훈화를 한 세트로 묶어 서술해야 했다. 메시지나 학급 훈화라는 조건에 초점을 맞추어 말하듯이 부드럽게 서술했다면 문제의 논점을 정확하게 짚었다고 할 수 있다.

2. **키워드** #학교 자치에서 교사의 역할

    경기혁신교육에 대한 이해가 선행돼야 한다. 학교 자치에 대한 정확한 이해를 바탕으로 관련 경험을 서술한 후 이를 실현할 수 있는 방안을 작성해야 했다. 따라서 현재 학교 자치가 어떻게 이루어지고 있는지, 그 방향에 대해서 꼼꼼히 살펴본 후 그것과 맥을 같이해야 한다. 또한 경험을 서술할 때는 학교 자치를 실현하지 못해 안타까웠다거나 부정적인 사례를 언급하는 것이 아닌, '담임 선생님이 학급회의를 월 2회 이상 실시해 소통이 자유로운 반이어서 자치의 중요성을 어렸을 때부터 실감했다.' 혹은 '스스로 학급의 규칙을 정하게 하셨던 담임 선생님 덕분에 스스로의 일을 직접 고민하고 계획하며 실천하는 학생이었다.' 등 긍정적이고 밝은 사례를 서술하는 것이 보다 전략적인 선택이라고 할 수 있다.

3. **키워드** #교사양성과정 #바람직하지 못한 관행 #바로 잡을 실천 방안

    바람직하지 못한 관행을 제시하라고 했지만 사석에서나 이야기할 법한 적나라하고 개인적인 일화를 일반화해 평가위원분들을 간접적으로 무시해서는 안 된다. 공교육에 대한 신뢰를 바탕으로, 누구나 공감할 수 있는 사례, 즉 수행평가를 할 때 이름을 가리지 않고 명단을 돌린다거나 학기 말 남는 시간에 단순히 영화를 관람하며 시간을 보낸다거나 하는 환경의 문제를 사례로 적어야 똑똑한 수험생이라고 할 수 있다. 개인 교사에 관한 부정적 시선이 아닌, 어쩔 수 없는 상황 탓에 만들어진 문제를 기술해야 글을 읽는 평가위원이 불편하지 않을 것이다.

중등 비교수 교과

1. **키워드** #삶의 경험 #고1 진로 상담 메시지

    교직관에 대해 묻고 있다. '경험-교직관(깨달음)-이를 통해 내가 제시할 수 있는 방향'이 한 세트로 움직여야 한다. 또한 '메시지'라는 조건에 맞추어 학생에게 상담을 하듯 부드러운 투로 서술하면 좋다.

(6) 2018학년도

유치원·초등·중등 교과·비교수 교과

1. **[교직관]** 자신의 성장이 언제 많이 일어났다고 생각하나요? 교육적 성장이 있었던 경험에 대해 말하고, 그 경험이 앞으로 교직 생활에 어떤 영향을 미칠 것인지 말해 보시오.
2. **[경기혁신교육]** 혁신학교에서 가장 중요한 가치가 무엇이라고 생각하는지 자신이 이해한 혁신학교를 바탕으로 그 가치에 대한 고민을 말해 보시오.
3. **[실천 경험]** 학창 시절 자신을 가장 힘들게 했던 것이 무엇인지 말하고, 교사가 되었을 때 똑같이 고민하고 있을 학생에게 해 줄 수 있는 교사의 실천 방안을 말해 보시오.
4. **[교직 적성]** 4차 산업혁명 시대에서 현직 교원들에게 가장 필요하다고 생각되는 역량은 무엇인가요? 그렇게 생각한 이유를 말하고, 학급 운영을 하는 담임교사 입장에서 그 역량을 구현하는 방법 1가지를 말해 보시오.

구상하기

✦ 답변 포인트

유치원·초등·중등 교과·비교수 교과

1. **키워드** #교육적 성장 경험 #교직 계획

   교직관에 대한 문제이다. 과거 경험에서 얻는 교직관, 그리고 그것이 미칠 영향(실천 계획)을 한 세트로 서술하면 된다.

2. **키워드** #혁신학교 가치 #고민

   혁신학교의 가치인 민주성, 협력성, 창의성, 공공성 중 본인이 생각하는 중요한 가치를 선택해야 한다. 이후 '가치에 대한 고민'으로는 이것이 왜 중요하며, 어떠한 문제의식에서 출발했는지 학생의 변화, 교육의 변화의 관점에서 필요성을 제기해야 한다. 이 문항에서 수험생의 경기교육의 이해 정도가 적나라하게 드러났을 것이다.

3. **키워드** #학창 시절 고민 #실천 방안

   실천 경험을 묻고 있다. 자신을 가장 힘들게 만들었던 모든 경험이 아니라 교육적으로 가치 있는 경험을 선별해야 하는 전략적인 문제였다. 과거의 경험이 현재의 교직관을 만들고 앞으로 계획과도 연관되는 전형적인 교직관 문제이다. 성장 과정이 드러나는 문항에서 평가위원은 수험생에게 인간적인 매력을 느끼고, 가슴 깊이 공감할 수 있기 때문에 진솔하게 답변해야 한다. 개인적인 일화 중 교육적 가치가 있는 순간은 언제든 나올 수 있으므로 미리 정리해 두자.

4. **키워드** #4차 산업혁명 시대 교원 역량 #이유 #역량 구현 방안

   교직 적성, 즉 교직에 적합한 사람인지 그 자질을 확인하는 문항이다. 표면적으로는 4차 산업혁명 시대 교원의 역량을 묻고 있지만 이면에는 '현 상황에서 가장 중요한 교사의 가치가 무엇인지' 당신의 생각을 묻고 있다. 더불어 ① 4차 산업혁명 시대 교원의 역량, ② 그 원인, ③ 담임교사로서 구현하는 방법까지 3가지 요건을 충족시켜야 한다.

   한편으로 이 문제는 답이 정해져 있다. 4차 산업혁명 시대에는 무엇보다 인간의 협동, 창의성 등이 중요한데, 기계가 대체할 수 없는 영역이 인간만의 능력, 즉 의사소통 능력, 협업 능력, 창의성이기 때문이다. 이렇게 정해진 답을 내가 생각한 것처럼 잘 녹여내야 하는 전략적 면모가 필요한 조금 까다로운 문제였다.

(7) 2017학년도

유치원·초등

1. **[교직관]** 본인의 교사상은 무엇이며, 이것을 정립하는 데 영향을 미쳤던 책 한 구절을 출처와 함께 간단히 인용하고 그 이유를 설명하시오.
2. **[경기혁신교육]** 경기도교육청은 '학생중심교육'과 '현장중심교육'을 지향하고 있습니다. 학생중심교육으로 행복한 배움을 실현하기 위한 구체적인 방법을 수업과 학급 운영 영역에서 각각 1가지 이상 제시해 보시오.
3. **[실천 경험]** 소통과 협업 등 집단지성의 힘을 발휘하여 무엇인가를 성취했던 경험과 그 의미에 대해 설명하시오.
4. **[교직 적성]** 3월 입학 첫날, 학급 담임을 맡았습니다. 어떻게 학급을 운영할 계획인지 인사말과 포부를 담아 가정통신문으로 작성해 보시오.

중등 교과 1, 3, 4번 문항 당해 연도 유치원·초등과 동일

2. **[경기혁신교육]** 경기혁신교육이 지향하는 핵심 철학과 가치를 제시하고, 이를 직무 영역에서 어떻게 구현할 것인지 실현 방안을 2가지 이상 제시하시오. (직무 영역: 교육과정-수업-평가, 학급 운영, 생활지도 영역 중 택1)

중등 비교수 교과 1~3번 문항 당해 연도 중등 교과와 동일

4. **[교직 적성]** "요즘 젊은 교사들은 모범생이고, 공부만 잘하다 보니 현장의 아이들을 이해하는 데 한계가 있어. 소명감은 없고, 직업 안정성 하나 바라보고, 방학 때 해외여행 다니는 것만 기다리는 교사들이 많아!"라며 면전에서 교사를 비판하는 시골 어르신에게 어떤 대답을 하시겠습니까?

구상하기

✦ 답변 포인트

유치원·초등

1. 키워드 #교사상 #책 구절 #이유

교직관을 묻는 문제이다. 과거의 경험(독서)으로 인해 얻은 교직관을 서술해야 한다. 더불어 교직에 나아가 이를 어떻게 실천할지 짧게라도 서술한다면, 경험-깨달음(교직관)-실현 계획을 살피려는 출제 의도에 부합한다.

2. 키워드 #학생 중심 #현장 중심 #방안

학생중심교육과 현장중심교육 방안을 온전히 이해한 후 그 방향에 맞게 수업과 학급 운영 방안 1~2가지를 서술해야 한다. 학생이 주체가 돼 스스로 할 수 있는 방안을 모색하면 된다.

3. 키워드 #협동 경험 #의미

실천 경험을 묻는 문제이다. 반복 언급하지만 단순히 경험만 나열해서는 안 된다. 소통, 협업 등의 경험 ➡ 그것으로 깨달은 의미(교직관) ➡ 현장에서의 실천 계획을 순서대로 서술하자. 문제 유형이 '실천 경험'에 초점을 맞추었기 때문에 경험을 보다 자세히 기술하면 문제의 논점을 잘 짚었다고 할 수 있다.

4. 키워드 #학급 운영 계획(인사, 포부) #가정통신문 형식

문제의 조건으로 ① 운영 계획 내포 ② 인사말 ③ 포부, 총 3가지가 제시돼 있는데 이는 교직관을 파악하고자 한 것이다. 자신의 교직관을 드러내는 문장으로 인사말을 열고(②), 과거의 어떤 경험으로 어떤 가치관을 갖는 교사가 돼 앞으로 학급을 이렇게 운영하겠다(①)라는 것을 서술한 뒤 그것에 구체적인 실천 계획 및 포부(③)를 서술하면 논점을 정확히 짚었다고 할 수 있다.

중등 교과

2. 키워드 #혁신교육철학과 가치 #실현 방안 2가지 #직무 영역 선택

2016학년도 문제와 마찬가지로 당해 연도 교육감의 행보, 반복적으로 강조하는 말 등을 통해 교육청이 실질적으로 가고자 하는 길을 파악해 서술해야 한다. 그리고 이것과 방향이 같은 나만의 방안을 작성해야 한다. 문장의 순서는 핵심 철학과 가치를 서술하고 ➡ 직무 영역 중 1가지를 고른 후 ➡ 상세한 방안 2가지를 서술하면 된다.

중등 비교수 교과

4. 키워드 #모범생 #학생 이해의 한계 #소명감 없음 #직업 안정성 #해외여행

공교육에 대한 긍정적 관점을 드러내면서도 아주 전략적으로 영리하게 써야 하는 문제이다. 어르신 말에 동의해 이분법적 시각으로 나쁜 교사, 좋은 교사라는 인식으로 접근한다면, 절대 현장에서 함께 일하고 싶은 동료 교사로 선택받지 못할 것이다. 가장 무난한 방안은 "저는 학창 시절에 방황을 많이 하던 학생이었는데, 선생님의 도움으로 학교에 정을 붙이고 저 같은 친구들을 돕는 교사가 되기 위해 교직의 길을 걷게 됐습니다."라는 등의 개인적 일화로 설득하는 것이다.

(8) 2016학년도

유치원·초등

1. **[교직관 및 교직수행 계획]** 예비 교사로서 교직관과 교육철학을 정립하는 데 영향을 받은 교육 분야의 책 이름과 선정 이유를 설명해 주세요. 아울러, 임용 이후 20년차 교사가 될 때까지 5년 단위로 본인의 생애 주기별 성장 목표 목록(버킷리스트)을 작성해 보십시오.
2. **[경기혁신교육의 이해]** 경기교육이 풀어야 할 핵심 과제를 2가지 이상 밝히고, 이러한 과제를 해결하기 위한 본인의 실천 계획을 밝혀주십시오.
3. **[교직을 위한 성장 노력]** 대학교(원) 재학 중에 학생과 학교 현장을 이해하기 위한 교육봉사·실천 경험을 소개하고, 깨달은 점을 제시하여 주십시오.
4. **[자질 및 태도]** 열심히 노력을 하지만 성적이 좋지 못한 우리 반 학생 ○○이가 상담을 하러 왔습니다. 삶의 경험을 토대로 ○○이에게 용기를 북돋을 수 있도록 편지를 써주십시오.

중등 교과·비교수 교과 1~3번 문항 당해 연도 유치원·초등과 동일

4. **[자질 및 태도]** 교사 직무를 수행하는 데 예상되는 본인의 최대 강점과 약점을 1가지씩 써주세요. 자신의 강점을 극대화한 실천 약속(교실과 학교) 1가지와 약점을 극복하기 위한 실천 계획(방안)을 써주십시오.

구상하기

✦ 답변 포인트

유치원·초등

1. 키워드 #교직관 #책 이름과 선정 이유 #5년 단위 20년 버킷리스트

교직관 및 교직 수행 계획 문제는 '과거 경험-교직관-교직 수행 계획'을 한 세트로 묶어 서술해야 한다. 따라서 교육 분야의 책을 읽은 과거의 경험이 어떠한 교직관을 만들어 냈으며, 이를 달성하기 위한 계획은 어떠한지 순서대로 작성해야 한다. 또한 문제에서 생애주기별 성장 목표를 5년 단위로 끊어 제시하라고 했다. 이 부분을 놓치지 말고, 단위를 잘 나누어 서술해야 한다.

2. 키워드 #경기교육의 과제 2가지 #실천 계획

정책 문제는 크게 시책 이해, 운영 방안, 고민 해결로 나뉜다고 했는데 이 중 두 번째 케이스인 경기교육이 나아가야 할 방안에 관해 묻는 문항이다. 여기에서는 실천 계획도 중요하지만, 경기교육의 고민을 명확히 파악하는 것이 중요하다. 경기도교육청 공식 블로그나 교육감의 인터뷰를 통해 당해 가장 중요하게 여기는 혁신교육의 가치가 무엇인지를 파악해야 한다. 그 후 이 방향과 맥을 같이하는 내용을 적어야 한다.

3. 키워드 #교육 봉사 경험 #깨달은 점

교직을 위한 노력 문제이다. 경험을 소개하고 이를 통해 깨달은 점, 즉 교육관 및 교직관을 적어야 한다. 이 경우는 다시 이야기하지만, 마지막에 실천 계획을 짧게라도 서술해 흐름의 일관성을 확보해야 교사로서의 소양을 잘 드러낼 수 있다.

4. 키워드 #성적이 좋지 못한 ○○이에게 편지 #나의 경험

자질 및 태도에 관한 문제이다. 과거 경험이 만든 나의 가치관을 담은 메시지를 보내는 것이 핵심이다. 이때 문제의 조건인 '편지'에 초점을 맞추어 보다 따뜻하게 메시지를 작성해야 한다.

중등 교과·비교수 교과

4. 키워드 #강점과 이를 극대화한 실천 방안 #약점과 극복 방안

자질 및 태도를 묻는 문항이다. 그런데 이 문제는 전략적으로 영리하게 써야 하는 문제이다. 강점과 약점을 묻는 문항에서는 특히 약점을 서술할 때 주의하자고 했다. 약점인 듯 보이는 강점을 쓰거나, 약점의 보완 계획을 서술해 나의 강점을 강화하는 방향으로 서술해야 한다. 또한 강점을 드러낼 때 지적 능력이나 스펙을 나열하는 것이 아닌 경기도 교사에게 요구하는 협업 능력, 공동체성을 드러내면 좋다.

③ 집단토의

집단토의는 최대 6명이 현장에서 합을 맞춰야 하는 시험이므로 자신의 생각이나 구상한 대로 흘러가지 않는다. 따라서 기출 해설은 구상 및 토의 포인트와 키워드 위주로 말씀드리고자 한다. 앞뒤로 살을 잘 붙여 협력적인 토의를 완성하시길 바란다.

(1) 초등

2020학년도

다음과 같은 상황에서 존엄, 정의, 평등의 가치를 실현할 수 있는 방안에 대해 논하시오.

> 쉬는 시간 담임교사가 화장실에 간 사이 A가 B를 쫓다가 급하게 닫은 문에 손을 찧는 사고가 발생했다. 돌아온 담임교사는 다투고 있는 A와 B를 말리고 우선 A를 양호실에 보낸 다음 B에게 사과를 시키고 상황을 종결시켰다. 그 후 각 관계자들의 생각은 다음과 같다.
>
> - 담임교사: 평소 장난이 심하던 A가 그 정도로 끝나서 다행이었어. 내가 할 수 있는 일은 다 한 것 같아. 수업만으로도 벅찬 하루였어.
> - A 학생: 다친 건 나인데 왜 B는 별로 혼내지 않은 거지? 선생님은 나만 미워하셔.
> - B 학생: 평소에 A한테 피해를 많이 받는데 억울해.
> - 반 학생들: 평소와 다르게 A가 다치다니 별일이네?
> - A의 학부모: A가 다친 게 이번이 처음이 아닌 것 같아. B 학부모는 왜 사과를 하지 않는 거지? 학교폭력대책자치위원회를 열어야겠어.
> - B의 학부모: 애들끼리 장난치다가 있을 수도 있는 일인데 A 학부모는 왜 저러지? B가 사과도 했다는데 학교로 가봐야겠어.

구상하기

✦ 구상 및 토의 포인트

문제에 2020학년도 경기도교육감이 신년사에서 언급한 존엄, 정의, 평등이라는 키워드가 등장했다. 토의의 진행 방향은 크게 2가지이다. 먼저 주체별로 범주를 나눠 진행하는 것이다. 6가지 문제 상황을 보고, 문제의 키워드를 실현할 수 있는 방안을 찾는 식으로 진행하면 된다. 혹은 키워드에 제시한 대로 존엄, 평화, 평등의 가치를 실현할 수 있는 방안, 즉 3가지의 범주로 진행해도 좋다. 먼저 발언권을 잡은 사람이 토의의 흐름을 가져가게 되므로 이 점을 유념해 먼저 선점하는 것도 전략 중 하나이다. 제시문을 분석해 보자.

문제 상황
- 담임: ① 장난이 심한 A가 약하게 다친 것을 다행이라고 여김
  ② 상황 파악 등을 하지 않고 할 도리를 다했다고 생각함
- A: 교사에 대한 신뢰가 낮음. B를 탓함
- B: 교사에 대한 신뢰가 낮음. A를 탓함
- 반 학생들: A가 다친 것에 대해 신기해하는 반응임. 갈등이 아닌 A에게 집중함
- A 학부모: A의 문제를 차근차근 해결하려는 것이 아닌 정황을 알아보지 않고 학교폭력대책위원회에 회부하려고 함
- B 학부모: 같은 학부모의 마음을 헤아리지 못하고 학교부터 가려고 함

해결 방안
단순히 해결 방안을 제시하면 토의의 논점에서 어긋난다. 문제 속 키워드인 존엄, 정의, 평등이라는 가치를 반드시 언급해야 한다.
- 담임 선생님은 A와 B를 표면상으로 화해시키고 상황을 종결하고 있다. 또한 수업에 지친 나머지 생활지도를 하고 싶지 않아 한다. 이런 담임에게 동 학년 협의회, 전문적 학습공동체로 좋은 지도 방안을 공유한다면 담임교사의 존엄을 보장할 수 있을 것이다. 또한 담임 역시 A에 대해 상담이나 긍정 훈육으로 더 깊이 바라보려고 한다면 A의 존엄 역시 실현할 수 있을 것이다.
- 학생 A와 B는 교사에 대한 신뢰도가 낮다. 사제동행 프로그램으로 A와 B의 마음을 들여다볼 수 있다면, 인간 존엄의 가치를 실현할 수 있다. A와 B의 억울함을 해결해 평등의 가치도 실현할 수 있다.
- 반 학생들은 방관하고 있다. 학급회의나 회복적 생활교육으로 방관자가 아닌 함께 문제를 해결해 나가는 공동체로 의식하는 교육이 필요하다. 또한 학급에서 월 1회 이상 인성교육을 실시하면 좋겠다. 역할 놀이 등을 통해 문제 학생의 입장이 되어 보는 교육을 시행한다면 서로를 이해하고 배려하며 정의의 가치를 실현할 수 있다.
- 학부모는 서로 대화하려 하지 않고, 학교 기관에 의존하려 하고 있다. 소통하기 위해 담임이 중재의 자리를 마련한다면 존엄과 정의의 가치를 실현할 수 있을 것이다.

자기 평가	
체감 난도	상 중 하 ➡ 원인 파악:
예상대로 된 부분	
변수로 발생한 부분	
위 상황에 대한 계획	
토의 총평	

2019학년도

다음은 2학년 담임 A의 교단 일지이다. A 교사가 겪고 있는 문제를 공동의 문제로 인식하고 함께 해결하고자 한다. 교사를 지원할 수 있는 다양한 협력 체제와 그 역할에 대해 논하시오.

A 교사의 교단 일지

- ○월 ○일: 우리 반에는 하늘이라는 ADHD 학생이 있다. 하늘이는 의자에 올라가거나 밖으로 뛰쳐나가는 등 돌발행동을 보인다.
- ○월 ○일: 다른 반은 이러지 않는데 우리 반만 이러는 것 같다.
- ○월 ○일: 하늘이의 학부모님은 상담할 때 1학년 때 선생님과 비교하시며 나의 전문성을 의심하였다. 내가 교사 생활을 계속할 수 있을지 걱정이 된다.
- ○월 ○일: 우리 반 도영이가 책상에 침을 뱉는 등 하늘이의 행동을 따라 한다.

구상하기

✦ 구상 및 토의 포인트

문제에는 A 교사가 겪고 있는 문제를 '공동의 문제'로 인식할 것이라는 문장이 주어졌다. 학생, 학부모, 교사, 학교 지원 체제, 지역사회 등 교육공동체와 함께 해결할 수 있는 방안을 모색해 보아야 한다. 범주를 나눠보면 날짜에 따라 총 4개로 나눌 수 있다. 범주마다 키워드를 잡고 해결 방안을 골고루 구상하자.

A 교사가 겪고 있는 문제

- ADHD 학생인 하늘이의 돌발행동
- 다른 반은 이러지 않는다는 것이 A 교사의 생각일 수도 있고, 진짜 그럴 수도 있음. A 교사의 생각이라면 인식의 문제, 실제로 그런 것이라면 명확한 원인을 찾아야 함
- A 교사에 대한 학부모의 불신
- 도영이의 모방행동

협력 체제와 역할

단순히 해결 방안을 제시하는 것이 아닌 협력 체제를 언급하고, 그것이 할 수 있는 역할을 구체적으로 명시해야 한다. 그래야만 논점을 제대로 파악했다고 볼 수 있다. 예시 답안은 다음과 같다.

- ADHD 학생의 돌발행동 때문에 힘들어하는 교사를 위한 협력 체제 중 하나로 Wee 클래스나 Wee 센터가 있다. 하늘이에게 맞춤 상담을 하거나, 교원 심리치료가 병행될 수 있다. 또한 지역사회 속 지역 인프라를 활용하는 방안이 있다. ADHD 학생에게 적합한 교육을 시행하는 지역 자원을 적극 활용하면 하늘이와 교사를 도울 수 있다.
- 2학년 교사협의회, 전문적 학습공동체로 A 교사를 지원할 수 있다. 문제행동 학생은 그 반 담임의 몫이 아니다. 공동의 규칙을 세우고 일관적 지도를 해야 하며, 힘든 A 교사를 위해 좋은 아이디어를 공유할 수 있다. 또한 전문적 학습공동체에서 회복적 생활공동체 방안이나 문제행동 학생 지도 방안을 교류한다면 A 교사에게 도움이 될 것이다.
- 가정에서도 A 교사와 협력해야 한다. 교사가 교단 일기를 쓰듯이 학부모님께도 가정에서 일어난 일에 대해 가정 일지 작성을 부탁드릴 수 있다. 이를 통해 하늘이를 이해하는 데 도움을 받을 수 있다. 또한 1학년 담임 선생님도 A 교사와 협력할 수 있는 대상이다. 하늘이를 미리 경험해 본 선생님이기에 좋은 지도 방안을 공유해 주시면 참고할 수 있다.
- 도영이의 또래 모방은 흔히 일어날 수 있는 일이다. 교육청도 하나의 대안이 될 수 있는데, 우수 생활지도 사례집 등을 발간해 같은 상항에서 어떻게 지도했는지 다양한 선생님들의 지도 방안을 나눈다면 이런 경우를 효과적으로 해결할 수 있다. 또한 도영이와 반 친구들에게 교사의 고민을 진솔하게 털어놓고 공동의 협조를 구하는 것도 한 방법이다.

자기 평가

체감 난도	상 중 하 ➔ 원인 파악:
예상대로 된 부분	
변수로 발생한 부분	
위 상황에 대한 계획	
토의 총평	

2018학년도

인턴교사제를 실시하게 된 배경을 고려하여, 이를 도입할 경우 예상되는 변화에 관하여 논의하시오.

구상하기

✦ 구상 및 토의 포인트

한 문장으로 제시돼 구상부터 토의 진행까지 많은 수험생들이 난항을 겪었던 이 문제는, 범주를 나누어 진행하는 것이 무엇보다 중요하다. 문제를 잘 분석해 범주를 나누어 진행했다면 어렵지 않게 토의의 방향성을 잡을 수 있다.

'인턴교사'라는 교육 정책에 관한 내용이다. 인턴교사는 한동안 온라인을 뜨겁게 달군 중요한 교육 이슈이다. 평소 교육 이슈까지 잘 챙겨두는 것이 중요하다는 것을 확인할 수 있는 문제였다.

실시하게 된 '배경'을 고려하라는 문장이 들어갔으므로, 토의의 첫 출발은 반드시 배경에 대해 언급해야 한다. 인턴교사제가 필요한 이유, 도입된 배경 등을 먼저 토의한 후 예상되는 변화를 세부적으로 나누어 '긍정적' 측면의 변화, '부정적' 측면의 변화에 대해 이야기해야 한다. 중요한 점은! 부정적 측면을 이야기했다면 반드시 이를 해결할 수 있는 대안을 언급해야 한다는 것이다. 그래야만 수정해 더 좋은 길로 갈 수 있다. 대안까지 챙긴다면 교직에 대해 충분히 고민한 사람으로 비칠 수 있을 것이다. 이렇게 범주를 쪼개 접근한다면 한 줄짜리 문제이지만 알차게 40분을 채울 수 있다.

자기 평가

체감 난도	상 중 하 ➡ 원인 파악:
예상대로 된 부분	
변수로 발생한 부분	
위 상황에 대한 계획	
토의 총평	

2017학년도

경기도교육청에서는 성장교육, 융합교육, 혁신교육을 지향한다. 다음 제시문을 보고 미래 학교 교육에 대해 토의하시오.

1. 알파고의 등장으로 '제4차 산업혁명' 시대에 접어들었다. 4차 산업혁명을 이끌어 나가기 위한 미래의 학교 교육이 어떻게 변화해야 할지 논하시오.

2. 최근 경기도교육청은 중간고사, 기말고사 등 일제 고사를 폐지하고 교사별 평가 권한을 강화하기로 하였다. 평가의 방안과 교사의 전문성 신장 방안을 논하시오.

구상하기

✦ 구상 및 토의 포인트

이 문제는 미래 학교 교육에 대해 토의하되 '성장', '융합', '혁신'이라는 키워드에 맞추어 방향성을 제시해야 했다. 3가지 키워드를 놓쳐서는 안 된다. 다음으로 범주를 나눠보자. ① 4차 산업혁명에 대비한 미래 학교 변화, ② 평가. 두 범주에 대한 키워드를 골고루 작성해야 한다.

① 4차 산업혁명이나 기술의 발전에 따른 교육 방안에 대해 묻는 경우 '소프트웨어', '기술 교육', '컴퓨터 교육' 쪽에만 초점을 맞출 수 있다. 물론 이런 것도 중요하지만 4차 산업혁명으로 인해 인간 소외 문제, 사람들 간의 의사소통 저하 문제 등이 예견되고 있음을 고려해야 한다. 이러한 것들을 보완하고 기계가 대체하지 못할 인간만의 영역, 능력을 강화하는 교육을 언급한다면 미래 교육에 대해 다각도로 생각해 보았음을 드러낼 수 있다. 타인과의 의사소통 역량을 강화할 수 있는 협동학습, 창의성 및 감수성 함양을 위한 인문 교육 및 창의·융합 학습, 성장중심평가 방안 등을 구체적으로 이야기한다면 다른 수험생과 분명 차별화될 것이다. 토의 문제에 '성장, 융합, 혁신'이라는 키워드를 넣었으므로 이러한 가치를 직접 넣거나 녹여서 제시해야 한다.

② 마찬가지로 성장, 융합, 혁신이라는 키워드를 포함해 교사의 평가 방안과 전문성 함양 방안을 이야기해야 한다.
- 평가 방안: 크게 성장중심평가, 과정중심평가를 말한 후 이를 실현할 수 있는 세부적인 교육 방안을 말하면 좋다. 예 프로젝트 학습, 멘토-멘티, 누가기록 작성, 포트폴리오 등
- 전문성 신장 방안: 교원이 내재적으로 '성장'할 수 있는 자기장학 활용, 교사 간 수업 나눔과 수업 친구 형성을 통해 함께 '협동'해 전문성을 올릴 수 있는 방안, 학생들의 피드백을 통해 새로운 교육을 실현해 보며, 다시 피드백으로 수정해 함께 만들어 가는 수업 등 키워드를 직접 언급하거나 자연스레 녹여서 언급하면 좋다.

두 범주에 대한 토의 시간 배분을 고르게 해야 한다.

자기 평가

체감 난도	상 중 하 ➜ 원인 파악:
예상대로 된 부분	
변수로 발생한 부분	
위 상황에 대한 계획	
토의 총평	

2016학년도

학생, 학급 친구들, 학부모, 옆 반 선생님의 이야기를 보고 초임교사인 김 교사 학급의 문제를 해결할 수 있는 방안을 토의하시오.

- 영우: 친구들은 내 말을 안 들어주고, 선생님은 잘못이 없는 나를 혼내기만 해.
- 학급 친구들: 영우는 소리를 질러. 내 옆자리에 앉지 않았으면 좋겠어. 선생님은 맨날 화를 내.
- 영우 학부모: 색안경을 끼고 영우를 보는 것 같아.
- 다른 학부모: 선생님은 영우에 대해 다른 조치를 취하지 않아.
- 옆 반 선생님: 저 반은 시끄러워. 선생님 문제일까? 학생 문제일까?

구상하기

✦ 구상 및 토의 포인트

학교 현장에서 충분히 발생할 수 있는 '문제행동 학생'에 대한 해결책을 묻는 문제이다. 먼저 제시문에서 '문제점을 분석'하는 일부터 철저히 해야 한다. 그래야만 대안의 방향성을 찾기 쉽고 40여 분의 토의 시간을 알차게 메울 수 있다. 그다음으로 범주를 쪼갠다. 영우, 학급 친구들, 영우 학부모, 다른 학부모, 동료 교사 총 5가지 범주로 나눌 수 있다. 범주당 키워드를 골고루 적어야 한다. 문장을 쪼개어 키워드를 잡아보면 다음과 같다.

문제점
- 영우: ① 친구들과의 소통 부재 ② 교사와 영우의 신뢰 관계가 형성되지 않음
- 학급 친구들: ① 영우의 문제점만 지적 ② 문제 학생을 피하기만 함 ③ 학급 문제를 공동의 문제로 생각하지 않음
- 영우 학부모: 영우에게 문제가 없다고 생각함
- 다른 학부모: 선생님의 지도를 존중하지 못함
- 다른 선생님: 영우 반의 문제를 자신과는 무관한 일로 생각함

해결 방안 문제점에 맞는 방안 강구
- 영우: 영우를 따뜻하게 대해 주고 먼저 힘든 부분을 들어줌. 문제행동을 일으키는 원인을 상담을 통해 찾아봄(가정 문제인지 혹은 병적 원인이 있는지 등). 충분히 신뢰가 쌓인 후 학급 친구들의 힘든 점을 이야기하고 차차 개선하기로 약속함
- 학급 친구들: 학생들이 영우에게 갖는 불만을 파악함. 솔직하게 학급 운영을 하며 힘든 점을 털어놓고 공동의 협조를 구함. 공동체 생활의 중요성을 함께 의논해 봄. 영우를 학급에 잘 정착시킬 수 있는 방안을 함께 고민해 보며 영우의 장점도 이야기해 줌
- 영우 학부모: 학부모의 상황과 마음을 먼저 공감해드림. 학교에서 어떤 일이 있었고, 어떤 상담활동을 했는지 누가기록을 보여드리거나 학급 친구들의 진술을 토대로 객관적으로 문제를 전달함. 영우의 문제를 함께 해결해 나갈 수 있도록 부탁드림
- 다른 학부모: 학급 상황을 공유해, 교사나 학급 상황을 탓하는 것이 아닌, 협력의 자세를 취할 수 있도록 부탁드림
- 다른 선생님: 선배 교사분들께 학급 운영에 관해 조언을 구함

실제 토의는 영우 ➡ 학급 친구들 ➡ 영우 학부모 ➡ 다른 학부모 ➡ 다른 선생님 순으로 진행하는 것이 좋다. 또한 범주당 시간 배분을 고르게 하는 것이 중요하다.

자기 평가	
체감 난도	상 중 하 ➡ 원인 파악:
예상대로 된 부분	
변수로 발생한 부분	
위 상황에 대한 계획	
토의 총평	

(2) 중등

2020학년도

다음 자료를 참고하여 민주시민교육의 올바른 방향에 대해서 논하시오.

자료
1. 민주시민교육이란 민주시민으로서 사회 참여에 필요한 지식, 가치, 태도를 배우고 실천하게 하는 교육을 말한다.
2. 민주시민교육은 단순히 이론을 학습하는 것이 아니라 참여하고 실천하는 것을 배우는 것이다.
3. 민주시민교육에 대한 학생들의 시민 지식은 세계 2위이다. 청소년, 환경운동, 인권운동, 기부, 자선, 외국인 문화단체 등 6개 영역에서 시민 지수는 평균보다 6%~31% 낮게 나온다.

조건
1. 학교민주주의 방향에 대한 자신의 생각을 포함할 것
2. 자신의 교과와 연계한 민주시민교육 방안을 제시할 것
3. 학생 주도 민주시민교육 활동 방안을 제시할 것

구상하기

✦ 구상 및 토의 포인트

민주시민교육이라는 주제로 토의를 진행하고 있다. 범주를 조건 1~3번 순으로 나누어 구상하고 토의하는 것이 흐름상 좋다. 다만 반드시 자료 속 키워드를 언급해 가며 토의를 진행해야 한다. 자료와 조건을 분석해 키워드를 찾아보면 각각 다음과 같다.

자료
1. 사회 참여에 필요한 지식, 가치, 태도를 배우고 실천
2. 이론을 배우는 것이 아닌 참여하고 실천하는 것을 배움
3. 지식은 높지만, 시민 지수는 평균보다 낮음

즉, 자료의 공통적인 내용은 이론이나 지식이 아닌 실천성을 배우고 실행해야 한다는 것이다. 이것을 서두에 먼저 말한 후 시작하면 토의 논점을 제대로 짚었음을 보여줄 수 있다.

조건을 토대로 한 발언 예시
1. 학교민주주의 방향은 실천성을 강조하는 방향으로 가야 한다. 민주시민이란 결국 사회에 대한 문제의식을 가지고 이를 직접 현실에서 실천하는 사람이기 때문이다. 자료 3번을 보면 더욱 그러한 필요성이 강조된다. 이론적 지식은 높지만, 지수가 낮은 걸로 보아서 이론을 암기하고 시험을 보는 교육이 아닌 살아 있는 교육을 해야 한다.
2. 역사 교과와 연계한 민주시민교육 방안은 다음과 같다. 앞서 말한 것처럼 실천성을 위한 교육이 돼야 하며, 역사 교과는 그러기에 매우 적합한 과목이다. 역사 교과에서는 현대사 시간에 민주화 운동에 대해 학습하고 있다. 이를 시민교육과 연계해 특히 선거에 초점을 맞추고 싶다. 더불어 사는 민주시민 교과서를 역사 교과에 적극 활용해, 선거의 중요성을 깨닫게 해줄 것이다.
3. 특히 학생 주도로 이를 실현하기 위해서 먼저 선거의 개념, 유권자의 태도에 대해 고민할 거리를 던져준 후 역대 선거에서의 문제점을 분석하는 시간을 갖겠다. 이를 자유롭게 토론하면서 생각을 확장하며 학생 스스로 민주주의에 대해서 깨닫게 하는 시간을 줄 것이다. 또한 모의정당 만들기, 공약 만들기, 선거운동하기, 투표하기 등 일련의 실천적 활동을 통해 투표의 중요성을 알도록 하겠다. 이렇게 한다면 제시문에서 이야기한 것처럼 사회 참여에 필요한 지식, 가치, 태도를 배우고 실천하게 하는 교육을 달성할 수 있을 것이다.

자기 평가	
체감 난도	상 중 하 ➔ 원인 파악:
예상대로 된 부분	
변수로 발생한 부분	
위 상황에 대한 계획	
토의 총평	

2019학년도

경기혁신교육 3.0시대를 맞이하여 경기미래교육의 방향에 대한 방안을 논의하시오.

> 미래교육은 학생 주도적인 학습을 위해 미래 핵심 역량을 길러내야 한다. 이를 위해 스스로 탐구하고, 상상하고 도전하는…… (생략) …… 미래 인재 육성을 위한 환경을 조성해야 한다.
> 경기미래교육 2030의 비전은 행복하게 배우고 함께 성장하는 학습공동체이며, 인간상은 배움을 즐기는 학습인, 실천하는 민주시민, 소통하고 공감하는 감성인, 함께하는 세계인이다.

발언 시 다음 조건을 포함할 것
조건 1. 미래 사회에 필요한 학생들의 역량
조건 2. 경기미래교육의 방향에 대한 자신의 생각
조건 3. 경기미래교육을 실천할 학교에서 구체적인 교육 활동

구상하기

✦ 구상 및 토의 포인트

문제를 먼저 분석해 보자. 문제 속에 혁신교육 3.0을 언급했기에 이것의 핵심 가치인 '마을과 함께하는 교육', 혁신교육의 '지역화'를 서두에 언급한 후 진행하면 좋다.

제시문이 나올 경우 그냥 주어지는 것이 아니므로 꼼꼼하게 분석해야 한다.
자기주도적 학습, 탐구, 상상, 도전, 행복한 배움, 함께 성장, 학습인, 민주시민, 감성인, 세계인이라는 키워드에 동그라미를 치고 시작해야 한다. 이러한 제시문에서 파악할 수 있는 역량을 제시한 후 이런 역량을 심어줄 수 있는 경기교육 방향을 제시해야 한다. 그리고 이를 실천하기 위해 학교에서 할 수 있는 구체적 방안을 말해야 한다. 즉, 조건들이 따로 노는 것이 아니라 조건 1을 위한 조건 2, 조건 2를 위한 조건 3이 돼야 한다는 말이다.

- 조건 1의 역량을 이야기할 때에는 역량만 말하는 것이 아니라 '~한 점에서 ~역량이 필요하다.'라고 이야기하면 좋다. 예 스스로 탐구하고 상상하고 도전한다는 측면에서 자주적 행동 역량이 필요합니다. (이후 다른 역량도 제시)
- 조건 2 역시 '~한 역량을 고려했을 때 ~방향으로 나아가야 한다.'라고 발언해야 한다.
  예 이러한 역량들과 혁신교육 3.0의 지향점을 고려해 경기미래교육은 개성과 다양성의 공존이라는 방향으로 나아가야 합니다. (이후 부연 설명)
- 조건 3 또한 '~한다면 앞서 말한 ~역량을 달성해 ~방향으로 나아갈 수 있을 것이다.'라고 앞의 발언과 맞물려 이야기해야 한다.
  예 첫째, 학급회의를 정기화해 다양한 의견을 수렴하고 의사소통을 하는 연습을 하겠습니다. 이를 통해 앞서 말한 자주적 행동 역량과 협력적 문제 해결력, 민주시민 역량을 고취할 수 있을 것입니다.

발언은 조건 1에 대해 충분히 논의한 후 조건 2, 3의 순서대로 이야기해도 되고 조건 1-2-3을 한 사람이 한 번씩 몇 회에 걸쳐 이야기해도 무방하다. 다만 본인이 제시한 발언과 발언이 맞물리는 이야기를 한 토의자가 논점을 정확하게 짚었다고 할 수 있다.

자기 평가	
체감 난도	상 중 하 ➔ 원인 파악:
예상대로 된 부분	
변수로 발생한 부분	
위 상황에 대한 계획	
토의 총평	

2018학년도

꿈이 성장하는 교육을 위해 다음 주체들의 고민을 해결하기 위한 교사의 역할에 대해 논의하시오.

- 학생: 4차 산업혁명에 대해 관심이 많아. 미래에 유망한 직업이 뭐가 있을까? 알고 싶어.
- 교사: 학생 스스로 성장할 수 있는 방안이 뭐가 있을까? 다양한 학습경험을 제공해 주고 싶어.
- 학부모: 지역 인프라를 적극 활용하고 싶어. 사교육비가 절감된다면 더 좋을 거 같아.

구상하기

✦ 구상 및 토의 포인트

문제를 분석해 보면, ① 학생들의 꿈이 성장하는 교육이어야 하고 ② 주체들의 고민을 해결하기 위한 '교사의 역할'을 논해야 한다. 범주는 크게 3가지이다. 학생, 교사, 학부모가 말하는 고민을 잘 분석하고 해결책을 교사의 입장에서 제시하자. 또한 이 방향이 학생들의 꿈이 성장하는 교육이어야 한다.

제시문을 분석하면 다음과 같다. 문장을 끊어 읽으며 키워드를 찾아보자.

문제점
1. 학생: 4차 산업혁명에 관심이 많음. 미래 유망 직업이 궁금하고 알고 싶음
2. 교사: 학생 스스로 성장 방안을 고민함. 다양한 학습 경험을 제공하고자 함
3. 학부모: 지역 인프라를 적극 활용하고자 함. 사교육비 절감을 원함

키워드를 해결하기 위한 방안은 다음과 같다. 다시 한번 강조하지만, 교사의 역할에 초점을 맞추자. 이후 이 방향이 꿈이 성장하는 교육임을 언급하자.

해결책
- 학생의 고민을 해결할 수 있는 교사의 역할: 4차 산업혁명에 관심이 많은 학생을 위해 진로 활동이나 창의적 체험활동 시간에 4차 산업혁명을 주제로 학생 체험중심 수업을 진행함. 분당구 한국 잡월드로 체험학습을 가서 학생이 직접 미래 유망 직업을 찾아볼 수 있도록 프로젝트 학습을 기획함. 스스로 탐구하는 과정에서 더 큰 동기가 유발되며 꿈이 성장할 수 있음
- 교사의 고민을 해결할 수 있는 방안: 동 교과 선생님들과 협업해 성장중심평가 개발에 힘을 씀. 단순한 평가가 아니라 학생의 성장이 가능하도록 포트폴리오 등을 활용한 수행평가를 진행한다면 학생의 성장을 도울 수 있음. 과제물을 제출할 때 피드백을 통해 성장을 조력함. 다양한 학습 경험을 위해 학생의 강점을 평소에 잘 파악해, 그림이나 음악 등으로 학습을 경험할 수 있도록 타 교과 선생님들과 협업을 함. 그렇다면 학생들의 꿈이 성장할 수 있음
- 학부모의 고민을 해결할 수 있는 교사의 역할: 지역 인프라를 활용하고픈 학부모를 위해 인적 자원인 사람책을 적극 활용함. 경기도에는 다양한 문화시설 및 교육기관이 있으므로 이를 활용함. 파주에는 출판단지가 있는데, 이를 활용해 팝업북을 만들고 재미있게 독서를 하며 내적 동기를 기르면 자연스레 학습에 대한 흥미가 생기고 장기적으로 사교육비 절감에 효과가 있을 수 있음. 학생의 진로를 잘 파악해 꿈의대학, 꿈의학교, 몽실학교 등을 학생에게 추천함

자기 평가	
체감 난도	상 중 하 ➔ 원인 파악:
예상대로 된 부분	
변수로 발생한 부분	
위 상황에 대한 계획	
토의 총평	

2017학년도

제시문에 나오는 학교의 문제점과 민주적 학교 운영 체제를 활성화하기 위한 방안을 논하시오.

제시문
- A 학생: 학교 축제를 학생인 우리 손으로 직접 준비하고 싶어. 그러면 더 재미있을 텐데.
- B 학생: 불합리한 학교 교칙을 고치고 싶은데 어떻게 고쳐야 할지 모르겠어.
- C 교사: 학생이 학교의 주인이고, 교육의 주체라는 생각이 부족한 것 같아.
- D 교사: 이웃 학교의 교장은 학생회 대표를 교장실로 불러서 정기적으로 학생회의 건의 사항을 수렴하고 있어.

구상하기

✦ 구상 및 토의 포인트

제시문 속 학교의 문제점을 언급하고, 운영 체제를 활성화하기 위한 2가지 방안을 찾아야 했다. 범주는 총 4가지로 A, B, C, D의 고민과 해결 방안을 골고루 구상해야 한다.

제시문 속 키워드를 찾아보면 다음과 같다.

문제점

- 전반적인 문제점: 학교가 민주적이지 않으며, 학생이 학교의 주인이라는 인식이 자·타의적으로 부족함
- A: 학교 축제를 학생이 직접 준비하지 않고 있음
- B: 학생이 느끼기에 불합리하다고 생각하는 교칙이 있음. 교칙 개정을 어떻게 해야 할지 모른다고 말하는 것으로 미루어보아 평소 학생의 생각을 진솔하게 들어볼 수 있는 학교 대토론회 등의 소통 창구가 부족함
- C: 학생의 주체 의식이 부족함. 학생을 긍정적으로 바라보고 있지 않음
- D: 이웃 학교에서는 정기적으로 학생 의견을 수렴하는데 우리 학교는 그러지 못함. 이웃 학교에서 학생을 별도의 공간이 아닌 교장실로 불러서 의견을 수렴함. 학생들에겐 불편함이 느껴지는 공간일 수 있음

해결책

문제를 해결하기 위한 방법은 다음과 같다.

- A: 학생이 스스로 축제를 준비해야 함. 학년별, 학급별로 각자의 색깔이 드러날 수 있도록 학년 콘셉트, 학급 콘셉트에 맞춰 축제 부스 등을 운영함. 축제 프로그램 구성을 스스로 할 수 있도록 공식적인 회의 시간을 부여함 등
- B: 교칙 개정을 위한 교육공동체 대토론회 등을 마련함. 교칙이 필요한 이유와 개정해야 하는 이유를 학생, 교사, 학부모 등이 모여 토론하고 이를 반영하도록 함. 그뿐만 아니라 이후에 어떤 내용을 개정할 때에도 학생들의 의견을 수렴할 수 있도록 정기적 회의 기구, 소통 우체통을 구성함 등
- C: 주체 의식을 함양할 수 있는 프로그램을 개설함. 과목별 융합 수업을 통해서 시민의식, 자치의 중요성에 대한 주제로 블록타임제를 구성함. 자유학년제에서 주제학습으로 '민주시민' 등을 교육함. 교사는 학생을 가능성 있는 존재로 보려고 노력해야 함 등
- D: 유휴 교실 등을 활용해 학생자치회 자체 공간을 만듦. 교원-학생 회의를 정기적으로 추진함 등

자기 평가	
체감 난도	상 중 하 ➔ 원인 파악:
예상대로 된 부분	
변수로 발생한 부분	
위 상황에 대한 계획	
토의 총평	

2016학년도

다음 교사협의회 내용을 보고 문제 해결 방안을 논의하시오.

교사협의회 내용
- A 교사: 수업 시간에 학생들이 자꾸 잠을 자서 고민입니다.
- B 교사: 나는 열심히 하지만 학생들의 만족도가 낮아서 고민입니다.
- C 교사: 수업 종이 치고 시작하기까지 10분이 걸립니다.
- D 교사: 교원평가, 학부모의 요구 등에 맞추어야 하므로 수업을 바꾸고 싶은데 혼자서는 어렵습니다.

구상하기

✦ 구상 및 토의 포인트

이 문제는 교사가 수업을 진행하며 겪는 다양한 문제 상황을 주고 이를 해결하는 방법을 토의하는 것이다. 현장 문제인 만큼 피상적인 정책들을 나열하는 것이 아닌, 당장 학교에 가서 써먹을 수 있을 만큼 구체적이고 현실적인 답안을 제시해야 한다. 범주는 총 4개로 A~D 교사 문제의 해결 방안을 고루 말해야 한다. 역시 해결 방안을 찾기 전에 문제점부터 찾아보자. 제시문을 분석하면 다음과 같은 문제점이 보일 것이다.

문제점
- A 교사: 학생들이 수업 시간에 잠을 자는 문제
- B 교사: 학생의 낮은 만족도 문제
- C 교사: 수업 시작까지 시간이 오래 걸리는 문제
- D 교사: 수업을 바꾸기 위해 도움 필요

해결책
제시문 속 키워드를 해결하기 위한 방안은 다음과 같다.

- A 교사: 학생이 자는 원인을 확인하고 친밀감을 형성하기 위해 개인 상담 병행. 교과 도우미 같은 역할을 부여해 책임감 부여. 작은 성취에도 칭찬하며 내재적 동기 향상. 학생의 흥미를 고취시키기 위해 동기 유발 프로그램을 교사 간 공유. 교사의 설명식 수업이 중심이 되는 것은 아닌지 확인 후 프로젝트 학습, 협동 학습 등 학생중심수업 방안 도입 등
- B 교사: 수업 영상을 촬영해 자기장학 시행. 수업 친구를 만들고 수업 나눔을 해 수업 발전. '수업 기술 향상'이라는 전문적 학습공동체를 만들고 참여. 학생들에게 익명의 피드백을 부탁해 반영 등
- C 교사: 학급의 특성을 고려해 '3반의 역사 시간 규칙 만들기' 등 맞춤 수업 약속을 만드는 시간을 마련하고 아이들이 직접 규칙을 정하게 한 후 책임감 부여 등
- D 교사: 교원 평가 직후 동 교과 교사들이 모여 원인을 분석하고 좋은 방안을 교류하며 개선 계획 수립. 수업 나눔, 전문적 학습공동체 활용 등

토의의 원활한 진행을 위해 A 교사부터 D 교사 순으로 이야기를 나누거나, 각 교사의 문제점을 먼저 토의한 후 해결 방안을 들어보는 순서도 괜찮다.

자기 평가

체감 난도	상 중 하 ➔ 원인 파악:
예상대로 된 부분	
변수로 발생한 부분	
위 상황에 대한 계획	
토의 총평	

(3) 비교수 교과

2020학년도
학교 진로교육 방향에 대해서 제시문을 참고하여 조건에 맞게 토의하시오.

제시문
1. 진로교육은 교육과정 중심과 창의적 체험활동으로 나뉜다. 창의적 체험활동에는 자율활동, 동아리활동, 봉사활동, 진로활동이 있다.
2. 진로교육을 지역사회와 연계해야 한다.
3. '진로보다는 진학이 우선이다.', '진로교육은 진로담당 교사만 하는 것이다.' 같은 진로교육에 대한 오해가 있다.

조건
1. 학교 진로교육 방향에 대한 본인의 생각
2. 교과와 연계하여 진로교육의 실천 방안
3. 진로교육을 통한 역량을 강화하기 위한 학생 중심 진로교육 방법

구상하기

✦ 구상 및 토의 포인트

문제를 먼저 분석해 보면 학교의 진로교육 방향을 고민하고 있음을 알 수 있다. 범주는 조건에 따라 3가지로 나눌 수 있다. 조건에 따라 이야기를 진행하지만 그 안에는 반드시 제시문 속 키워드를 언급해야 한다. 먼저, 제시문의 키워드를 분석하고 이를 토의에 어떻게 녹여낼지 살펴보자.

제시문 속 키워드
1. 진로교육의 방향: 진로 교과 시간, 창체 시간에 할 수 있는 것으로 나누어 제시하자.
2. 지역사회와 연계할 수 있는 방안을 이야기하자.
3. 진로교사뿐 아니라 타 교사와 협력으로 달성하는 것이 진로교육이라는 인식을 만들자.

조건(범주)에 따른 구상 키워드
반드시 제시문 속 키워드를 언급하며 진행해야 한다.

1. 학교 진로교육은 학생의 실천 중심으로 이루어져야 함. 결국 진로라는 것은 학생들이 선택하고 나아가야 할 길이므로 지식을 전달하거나 단순히 소개하는 것을 넘어 직접 생각하고 체험하며 고민할 수 있도록 해야 함. 제시문 1을 살펴보면 진로교육을 할 수 있는 다양한 시간이 마련돼 있음. 정규 진로 교과 시간 외 창의적 체험활동 시간에 학생의 적성을 먼저 파악한 후 영상, 인터넷 프로그램 등을 통해 다양한 직업을 소개하고 간접 경험할 수 있도록 할 것임. 이후 학생 스스로 유망 직업, 나에게 맞는 직업을 태블릿으로 검색해 보게 하는 활동을 통해 주체성을 길러줄 것임
2. 상담 교과와 연계할 때 진로교육은 아주 좋은 시간이 될 수 있음. 나의 강점인 상담을 통해 학생들의 흥미와 동기 등을 먼저 파악할 것임. 제시문 3처럼 학생의 진로는 진로교사만 담당한다는 고정관념에서 탈피하여, 상담교사로서 학생의 고민이나 방향성을 제시해 줄 것이고 이를 담임교사에게 전달한다면 공동의 노력으로 학생이 꿈을 이루는 데 도움이 될 수 있을 것임
3. 학생 중심의 진로교육 방안을 위해 제시문 2처럼 지역사회와 연계할 것임. 우리 마을에는 다양한 직업군이 있음. 마을 속에서 원하는 직업을 조사하도록 자율활동 시간에 프로그램을 구성할 것임. 마을 주민의 협조가 필요한 만큼 주변을 다니며 미리 협조를 구해 학생들이 원활하게 진로교육을 할 수 있도록 조력할 것임

자기 평가	
체감 난도	상 중 하 ➔ 원인 파악:
예상대로 된 부분	
변수로 발생한 부분	
위 상황에 대한 계획	
토의 총평	

2019학년도

경기교육에서는 교육생태계의 확장을 위해 노력하고 있다. 다음의 조건을 포함하여 교육생태계 확장 방안에 대해 논의하시오.

1. 학생에게 필요한 역량
2. 교사로서 교육생태계 확장에 대한 생각
3. 교육생태계 확장을 위한 교육 활동

구상하기

✦ 구상 및 토의 포인트

경기교육은 교육에 영향을 미치는 범위를 교사, 학생, 가정에서 몇 발짝 더 나아가 마을, 교육청, 지역사회로까지 확장하고 있다.

발언 방향은 2019학년도 중등 문제와 동일하다. 학생에게 필요한 역량을 제시하고 이러한 역량을 달성하기 위해서 교육생태계는 어떻게 나아가야 하는지 방향을 제시해야 한다. 그리고 이를 위해 학교에서 할 수 있는 방안을 말해야 한다. 조건들이 따로 노는 것이 아니라 조건 1을 위한 조건 2, 조건 2를 위한 조건 3이 돼야 한다. 발언은 조건 1에 대해 충분히 논의한 후 조건 2, 3의 순서대로 이야기해도 되고 조건 1-2-3을 한 사람이 한 번씩 몇 회에 걸쳐 이야기해도 무관하다. 다만 본인이 제시한 발언과 발언 사이가 맞물리는 이야기를 한 토의자가 논점을 정확하게 짚었다고 볼 수 있다.

> **발언 예시**
>
> 1. 첫 번째 발언: 교육생태계 확장을 위해 학생에게 필요한 역량은 민주시민 의식입니다(조건 1). 교육생태계란 학생의 교육 공간에서 교육에 영향을 미치는 다양한 요인들이 유기적으로 연결된 것을 일컫습니다. 이 범위를 더 확장하기 위해서 학생은 민주시민의식을 갖추고, 자신을 둘러싼 주변의 일에 관심을 가지며 직접 고민해 보며 참여하고 실천할 수 있어야 합니다. 예를 들어 단순히 마을을 내 동네라고 보는 관점을 넘어 우리 동네에는 어떠한 것들이 있고 어떠한 문제가 있으며 내가 할 수 있는 일은 무엇일까? 하는 생각을 할 때 마을은 진정한 교육생태계로서 학생에게 의미 있는 공간으로 와닿을 수 있을 겁니다.
> 2. 두 번째 발언: 저는 교사로서 생태계의 확장이 교육적으로 효과적이라고 생각합니다(조건 2). 우리 마을, 나라를 넘어 전 세계적 이슈에 관심을 가지고 고민을 해볼 때 진정한 민주시민 역량을 달성할 수 있고 앎과 삶의 연계가 가능하다고 봅니다.
> 3. 세 번째 발언: 생태계 확장을 위해 저는 현재 세계적으로 논쟁거리가 가득한 주제들에 대해 이야기하며 실천 방안을 모색할 수 있는 토의식 수업을 구성해 보고 싶습니다. 이 과정에서 세계 문제는 뉴스 속, 신문 속 이야기가 아닌 나와 우리의 이야기라는 것을 이해할 수 있고 참여하고 실천하는 민주시민으로 성장할 수 있기 때문입니다. 그렇게 한다면 교육 생태계의 범위가 유의미하게 확장될 수 있을 것입니다(조건 3).

자기 평가

체감 난도	상 중 하 ➡ 원인 파악:
예상대로 된 부분	
변수로 발생한 부분	
위 상황에 대한 계획	
토의 총평	

2018학년도

'학생중심교육'을 만들기 위해 다음 담화문을 통해 교육공동체가 협력할 수 있는 방안에 대해 본인의 전공과 관련하여 논의하시오.

담화문
- 교사 1: 학생중심교육을 위해 다양한 방식으로 교육을 하고 싶어.
- 교사 2: 교육공동체의 의견을 듣기 위한 다양한 방법으로 소통하기를 원해.
- 교사 3: 학생중심교육을 실현하기 위해 교사, 지역사회, 학생 등 모든 교육공동체가 협력할 수 있는 방법이 필요한 것 같아.

구상하기

✦ 구상 및 토의 포인트

문제를 먼저 분석해 보자. 키워드는 다음과 같다. ① 학생중심교육, ② 교육공동체 협력 방안, ③ 전공 연계. 범주는 총 3가지이다. ① 다양한 방식으로 교육하기, ② 다양한 방식으로 공동체와 소통하기, ③ 모든 교육공동체와 협력하기

비교수 교과 교사는 실무 담당자가 아닌 '교사'이다. 교사로서의 역량을 보여줘야 한다. 또한 혼자 별실을 쓰게 되는 경우가 많기에 학교 현장에서 '어울림과 소통'의 덕목이 요구된다. 문제의 조건에서는 이러한 점을 반영했다고 볼 수 있다.

키워드를 해결할 수 있는 발언 예시

- 교사 1: 저는 영양교육을 하며 역사과와 협업을 하고 싶습니다. 영양소나 건강에 대한 교과서 중심의 학습은 학생들에게 큰 관심을 일으키지 못할 것입니다. 저는 역사과와 함께 주제학습, 프로젝트 학습으로 학생들이 좋아하는 음식을 직접 골라 그 음식의 역사와 문화, 현대의 입맛에 맞게 변천된 과정 등을 탐구하게 하겠습니다. (이후 부연 설명)
- 교사 2: 저는 온라인 플랫폼에 '금쪽이 상담소'를 개설해 자녀 상담 및 말하기 기법, 상담 피드백, 원하는 상담 내용 요청 등을 주제로 학생, 학부모님, 동료 교사들과 소통하고 싶습니다. 시공간을 초월한 온라인이기에 활성화가 쉬울 것입니다. 상담은 학생들의 정서적 안정과 건강을 위해 매우 중요한 교육 활동입니다. 문제 아이만 상담을 받는다는 인식에서 탈피해 학생중심교육을 위해 상담 활동이 꼭 병행돼야 한다는 것을 구성원들 모두 인식할 수 있도록 하겠습니다. (이후 부연 설명)
- 교사 3: 저는 보건교사로서 교사–지역사회–학생이 연대하며 학생중심교육을 실현하기 위해 주제학습을 적극적으로 해보고 싶습니다. 예를 들어 '금연교육'이라는 주제로 도덕교사와 미술교사와 연계해 주제학습을 하는 것입니다. 학생들이 스스로 왜 담배를 피우면 안 되는지 생각해 보게 하고, 미술 시간에 포스터를 제작해 마을 곳곳에 부착시켜 놓는 것입니다. 마을 어르신들은 학교와 연대해 혹시 학교 주변에서 흡연을 하는 친구들이 있는지 '마을 폴리스' 역할을 해주시고 학생들은 마을에 있는 담배꽁초를 줍는 봉사활동을 하는 것입니다. "담배 피우지 마."라고 일방적으로 주입하는 것이 아닌 보건교육 시간, 도덕 시간에 이런 것들을 직접 생각해 보고 마을로 들어가 활동하는 프로그램은 공동의 노력으로 학생중심교육을 달성하는 효과적인 방안이 되리라고 생각합니다.

자기 평가	
체감 난도	상 중 하 ➡ 원인 파악:
예상대로 된 부분	
변수로 발생한 부분	
위 상황에 대한 계획	
토의 총평	

2017학년도

다음 상황에 처해 있는 학교가 있다. 이 학교의 교육비전을 공동 토의하여 도출하시오.

- 학교: 신도시 외곽에 있는 개교한 지 2년 된 고등학교
- 학생: 학업 성취 수준이 낮고 무기력하고, 학교폭력이 빈번히 발생함
- 교사: 변화를 시도하고자 하는 노력이 강한 교사가 많음
- 학부모: 대부분 맞벌이 가정이며, 학교 운영과 프로그램에 학부모가 대부분 참여하지 못함

구상하기

✦ 구상 및 토의 포인트

이 문제에서는 문제 상황의 해결 방안을 찾는 것이 아닌 '교육 비전'을 도출해야 하는 것이 포인트이다. 비전이란 쉽게 말해 장기적 목표를 뜻한다. 목표란 것은 현실을 분석하고 현실보다 더 나은 지향점을 말한다. 따라서 이 학교가 처해 있는 현실 상황을 제대로 분석하는 일부터 시작했다면 옳게 방향을 잡았다고 볼 수 있다. 범주는 총 4가지 영역이다. 학교, 학생, 교사, 학부모의 입을 통해서 본 이 학교의 현실을 명확히 분석한 후 교육 비전을 도출해야 한다.

> **현실 분석**
> - 학교: 신설 학교 ➡ 개교 당시 목표는 있을 것이나 현실 상황이 고려되지 않음. 신설교이기 때문에 아직은 어수선하지만 그만큼 성장 가능성이 크다는 것이 어찌 보면 기회일 수도 있음
> - 학생: 성취도 낮음, 무기력, 폭력 ➡ 성취도와 내적 동기를 올리고 폭력을 줄여야 함. 이를 위해서 교사들의 관심, 수준에 맞는 학습, 협동으로 해결할 수 있는 다양한 수업 및 학급 운영 방안이 필요함
> - 교사: 변화 지향적 ➡ 긍정적임. 다 같이 머리를 모아 좋은 대안을 모색할 수 있는 가능성이 높음. 동 교과, 동 학년 협의회나 전문적 학습공동체, 교사 자율연수 등을 함께한다면 학교의 발전이 가속화될 수 있음
> - 학부모: 생계형으로 바쁨 ➡ 이러한 상황 속에서도 가정과의 연대 방안을 짜야 함. 연대할 수 있는 시공간을 확대해 온라인 메신저, 대화방 등을 적극 활용해야 함

이렇게 전반적으로 현실 상황에 대해 논의를 하고 해결 방안을 고민해 보았다면, 이제 학교가 걸어가야 할 길에 대한 비전을 짜야 한다. 이때 중요한 점! 비전을 한 토의자당 하나씩만 이야기해도 6개나 나온다. 비전이란 것은 궁극적으로 추구하는 장기적 목표이므로, 발언들을 공통의 범주로 묶고 묶어 하나로 정리해 나가는 과정, 즉 생각을 잘 간추리는 과정이 반드시 포함돼야 한다. 반드시 발언들을 정리하고 정리해 하나의 문장, 하나의 사고로 정리하는 연습을 하자!

자기 평가

체감 난도	상 중 하 ➡ 원인 파악:
예상대로 된 부분	
변수로 발생한 부분	
위 상황에 대한 계획	
토의 총평	

2016학년도

경기 핵심 과제인 '안전한 학교'를 만들기 위해 구성원 전체가 참여하여 공동으로 실천 가능한 방안에 대해 토의하시오.

- 과제 1. 건강하고 안전하고 쾌적한 학교 환경 조성
- 과제 2. 배움에서 소외되는 학생이 없도록 하기
- 과제 3. 재난 위기 상황 발생 시 구축 방안과 대응 능력 증진

구상하기

✦ 구상 및 토의 포인트

문제를 먼저 분석해 보자. 경기기본계획 중 '안전한 학교'를 큰 키워드로 잡고 토의를 진행하도록 했다. 밑줄을 쳐야 할 곳은 '구성원 전체'의 참여와 '공동'의 실천이다. 교사 혼자 할 수 있는 방안이 아니라 협력의 측면에서 대안을 물었다는 점이 중요한 포인트이다.

다음으로 범주를 나눠보면 총 3가지 영역에서 이야기를 나누어야 한다. 과제 1~3영역에서 대안을 골고루 제시하자. 제시문별 키워드를 분석하면 다음과 같다.
1. 건강, 안전, 쾌적한 학교 환경 조성
2. 배움에서 소외되는 학생 없애기
3. 재난 위기 구축 방안, 대응 능력

이것에 대한 해결 방안을 구성원 전체가 할 수 있는, 공동의 방안으로 풀어내야 한다. 답안은 교육 전반적인 내용을 제시하되 자신의 전공 특성이 포함되면 좋다. 간호사, 영양사, 전문상담사가 아닌 보건교사, 영양교사, 전문상담교사로서의 내 생각을 담아낸다면 교직관을 드러내고 교사로서의 역할에 대해 충분히 고민했음을 어필할 수 있다. 제시문 속 키워드를 해결할 수 있는 공동의 실천 방안은 다음과 같다.

> **발언 예시**

1. 과제 1: ① 교사와 학생이 클린day를 만들어 사제지간에 정도 쌓고 쾌적한 환경을 만들기 위해 '함께' 청소한다. ② 전문상담교사로서 아이들과 수업에서 라포르를 쌓기 어렵다는 점을 고려해 위 클래스에서 쉬는 시간, 점심시간을 활용해 다양한 상담 놀이 및 교육 프로그램을 구성하고 싶다. 이때 위 클래스에서 지켜야 할 규칙과 질서를 학생들과 '함께' 만들며 안전하고 건강한 상담 환경을 만들고 싶다. 등등
2. 과제 2: 문제를 대충 읽었다면 '교사가 학생을 도와준다.'라는 개인적 관점으로 풀어낼 여지가 있다. 꼭 협업과 공동의 참여라는 포인트를 넣자. ① 학생 간 멘토-멘티를 연결해 '협동'하게 한다. ② 학부모와의 상담을 통해 배움으로부터 멀어지려는 근본적인 원인을 파악하고 가정과 '연대'해 해결 방안을 마련한다. 등등
3. 과제 3: ① 교직원 간 '회의'와 '협업'을 통해 대응 매뉴얼을 알기 쉽게 만들어 학생들에게 배포하고 곳곳에 붙여 놓는다. ② 보건교사로서 위급 상황 시 반드시 지켜야 할 안전교육을 시행하되, 학생들이 이를 알기 쉽도록 학생들과 '협업'해 플래시 몹을 만들고 싶다. 5분 내외의 UCC를 만들어 담임교사에게 '협조'를 부탁해 조회 시간에 방송으로 나침반 5분 안전교육을 시행한다면 아이들이 재난 위기 상황 발생 시 대응력을 키우는 데 도움이 될 수 있을 것이다. 등등

자기 평가	
체감 난도	상 중 하 ➔ 원인 파악:
예상대로 된 부분	
변수로 발생한 부분	
위 상황에 대한 계획	
토의 총평	

사이다 면접

PART 3 면접 예상문제는 주제별 예상문제 45문항, 실전 모의고사 5회 35문항으로 구성하였다.

Chapter 01 주제별 예상문제(45문항)

《사이다 면접 Input》의 THEME와 연계하여 내용을 충실히 이행했는지 확인하기 위한 목적으로 제작하였다. THEME 순서대로 문제를 구성하였으니, 해당 주제를 공부한 후 복습용으로 풀어보면 좋다. 답변이 부족한 경우, 해당 THEME로 돌아가서 다시 내용을 숙지하자.

Chapter 02 실전 모의고사 5회(35문항)

기출문제와 동일한 유형, 구성으로 모의고사를 제작하였다. 초등, 중등은 5문항, 비교수 교과는 7문항이 출제되는 것을 고려하여, 1회당 5문제를 기본으로 하되 각 회차마다 비교수 교과용 2문제를 추가로 수록하였다. 비교수 교과 수험생뿐 아니라 다른 급에서도 풀어 보면 도움이 될 것이다.

PART 3

2026 면접 예상문제

Chapter 01
주제별 예상문제(45문항)

Chapter 02
실전 모의고사 5회(35문항)

주제별 예상문제(45문항)

해설 p.356

1 경기형 교직관 및 교사 전문성(THEME 1~2)

01 교육에 지역사회 자원을 활용했던 경험을 말하고, 이를 교직 현장에서 적용할 방안을 학급 운영과 교과 지도 측면에서 각각 답변하시오.

관련주제: THEME 1

구상하기

02 다음은 경기도교육과정의 특성 중 하나이다. 제시문을 분석하여, 학생에게 필요한 교과 교육 방안을 제시하시오.

관련주제: THEME 1

> **기초소양의 토대 위에 역량을 함양하는 교육과정**
> 기초소양은 학습자가 자기주도적으로 학습하기 위해 모든 교과 학습의 기반이 되는 능력으로 역량을 키우기 위한 깊이 있는 학습의 토대가 된다. 기초소양을 바탕으로 학교에서는 지식 중심 교육이 아닌 실생활을 살아 가는 데 필요한 역량을 중심으로 교육과정을 운영한다.

구상하기

---

03 미래 사회에서 교사의 역할 중 가장 중요한 것과 그렇게 생각한 이유를 말하고, 역량 강화를 위해 노력해 온 방안을 말하시오.

관련주제: THEME 2

구상하기

② 2026 교육 이슈(THEME 3~16)

04 제시문의 교육을 바라보는 관점에 대한 경기교육과 유네스코의 공통점을 찾고, 교사로서 이를 실천하기 위한 방안을 3가지 답변하시오.

관련주제: THEME 3

교육을 바라보는 관점	
경기교육	유네스코
공동재로서의 교육, 인성·시민교육, 학부모 교육	협업, 연대, 공감 기반 교육

구상하기

---

05 다음 제시문을 참고하여 공교육의 3가지 섹터를 활성화하기 위한 교사의 실천 방안을 3가지 제시하시오.

관련주제: THEME 4

> 공교육 1섹터는 교사와 함께 미래를 준비하는 '학교'입니다. 교사는 교육과정 속에서 학생의 미래 준비에 필요한 기본 인성과 기초 역량을 기르는 데 주력합니다. 교사의 교육 활동은 하이러닝 고도화를 통해 충실히 지원합니다.
> 공교육 2섹터는 지역사회와 함께 미래를 준비하는 '경기공유학교'입니다. 지역사회가 갖춘 다양한 교육 역량을 학교와 연계해 학생 개개인에게 맞춤형 교육을 제공합니다.
> 공교육 3섹터는 AI 교사와 함께 미래를 준비하는 '경기온라인학교'입니다. 인공지능(AI) 기술을 활용해 시간·공간의 제약 없이 언제나 누구나 양질의 교육을 받을 수 있도록 돕습니다.
> 이를 위해서는 교사의 역할이 중요합니다. 최고의 교육콘텐츠 프로슈머이자 경기교육의 미래인 교사가 연구와 협력을 통해 성장할 수 있도록 지원하겠습니다.

구상하기

06 제시문을 참고하여 기초학력 보장을 위한 교사의 역할 3가지를 말하시오.   관련주제: THEME 5

> 학생의 학습 안전망을 고도화하는 것은 중요하다. 모든 학생이 기초학력을 보장받을 수 있도록 맞춤형 지원이 체계적으로 이루어져야 한다. 이를 위해 단위학교의 특성과 여건을 반영한 자율적 운영이 필요하며, 다양한 교육 자원과 프로그램을 활용한 협력적 노력이 뒷받침되어야 한다.

구상하기

---

07 다음 제시문 속 A 학교의 현안과 자원을 분석하여 A 학교에서 추진해야 할 교육 방안을 3가지 제시하시오.   관련주제: THEME 5, 33

> **A 학교의 현안**
> - 농촌 지역 구도심 소재 학교로 기초학력 검사에서 부진 학생 비율이 증가하고 있다.
> - 자기주도학습이 가능한 학생과 그렇지 않은 학생들 사이의 학습 격차가 심하다.
> - 다문화가정 학생 재학 비율이 3년 연속 증가하고 있다. 이중언어 학습뿐 아니라 학생의 사회성, 심리적 지원이 필요하다.
>
> **A 학교의 자원**
> 1. 학교 교육에 대한 학생들의 높은 참여율
> 2. 디지털 인프라 및 1인 1스마트 기기 구축
> 3. 지역사회 인적 자원 풍부
> 4. 교사들의 높은 열정

구상하기

08 학생들은 학습 내용을 자신의 삶의 맥락에서 적용하고 활용할 수 있을 때, 의미 있는 학습으로 인식하고 몰입을 경험한다. 아래 8가지 삶의 맥락 중, 하나를 선택하여 구체적인 교과 지도 방안을 말하시오.

관련주제: THEME 6

8가지 삶의 맥락

1. 개인과 사회의 공동 행복
2. 정체성과 자기주도성
3. 보편적 사회복지
4. 포용력과 이해력
5. 공감과 상호 협력
6. 생태 전환과 기후 변화
7. 디지털 전환과 AI
8. 책임 있는 민주시민

구상하기

09 논술형 평가의 필요성과 교사에게 필요한 역량을 각각 2가지씩 제시하시오.

관련주제: THEME 7

구상하기

10. 다음은 교사 협의회 내용 중 일부이다. 각 교사들의 고민을 해결하기 위한 구체적인 방안을 제시하시오.

관련주제: THEME 8

- A 교사: 교과와 연계한 인공지능 활용 교육 방안을 고민 중입니다.
- B 교사: 인공지능 활용 교육뿐 아니라 윤리교육 방안 역시 고민해야 할 것 같네요.
- C 교사: 인공지능이 만능이 될 순 없을 것 같네요. 인공지능이 대체할 수 없는 우리 교사들의 역할이 무엇일지 생각 중입니다.

구상하기

---

11. 다음 상황을 해결하기 위한 방안을 말하시오.

관련주제: THEME 8

이 교사는 생성형 AI를 활용한 수업에 관한 연수를 여러 개 듣고, 자기장학을 하며 야심 차게 수업에 활용할 계획을 세웠다. 생성형 AI에게 질문을 던져, 글쓰기 초안을 작성하라고 학생들에게 이야기하자 모두 즐겁게 참여했지만 나원이의 표정은 좋지 않았다. 나원이는 이 교사에게 말했다.
"선생님, 저는 글쓰기 수업에 생성형 AI를 활용하고 싶지 않아요. 그러면 제가 스스로 생각하지 못해서 저의 창의력이 발전되지 못하는 거 아닌가요?"

구상하기

12 자료 1을 참고하여 자료 2의 실현 방안을 담임교사와 교과교사의 측면에서 각각 2가지씩 제시하시오.

관련주제: THEME 8, 9

자료 1 A 학교 상황 분석
- 제거(E): 학생들의 자기주도학습 부족, 디지털 기기 과의존
- 감소(R): 학생 간 디지털 기기 활용 격차, 교사 간 디지털 역량 차이
- 증가(R): 디지털 기반 협력 학습, 다양한 멀티미디어 콘텐츠 활용
- 창조(C): 디지털 플랫폼을 활용한 맞춤형 학습 지원, 교사의 디지털 리터러시 교육 역량 강화

자료 2
교육의 디지털 대전환 시대에 교육은 다른 분야보다 디지털 접합이 늦다. 따라서 교사의 디지털 리터러시를 높여야 하며, 교사 간 격차를 해소하는 노력이 필요하다. 또한 디지털 플랫폼을 단순한 수업 도구로 한정하지 않고, 수업·평가·피드백·진로지도 등 교육 전 영역과 접목하는 것이 중요하다.

구상하기

13 다음 토론의 원칙을 참고하여 공감과 포용, 균형의 가치를 실현할 수 있는 교과 지도 방안을 제시하시오.

관련주제: THEME 10

토론의 3가지 원칙
1. 강압적 주입식 교육 금지
2. 학생 자율적 판단 중시
3. 논쟁적 주제는 다양한 입장과 논쟁 상황을 다룸

구상하기

14 다음 A 학교의 상황을 고려하여 교사의 역할을 3가지 이상 말하시오.　　관련주제: THEME 11

> **A 학교의 상황**
> - 학급에 아직 진로를 결정하지 못한 학생이 있음
> - 마케팅에 관심이 있는 학생은 많으나 학교 과목에 개설되지 않음
> - 담당 교과에 최소 성취수준 미도달 학생이 있음

구상하기

15 다음 제시문을 읽고, IB 교육과정을 위한 교사의 역할은 무엇인지 말하고, 역량 강화 계획을 밝히시오.　　관련주제: THEME 12

> IB 교육은 학생이 스스로 질문하고 탐구하며 사고의 폭과 깊이를 넓혀 가는 것을 목표로 한다. 이는 단순한 지식의 습득을 넘어, 다양한 관점과 문화를 이해하고 다른 사람의 생각을 존중하는 태도를 기르는 데 중점을 둔다. 급변하는 시대에는 정해진 답을 따라가는 것이 아니라, 타인의 생각을 인정하며 스스로 답을 찾아가는 힘을 기르는 교육으로 변화해야 한다.

구상하기

16 제시문의 상황을 해결하기 위해 교사가 취해야 할 지도 방안을 말하고, 학교폭력 예방 방안을 3가지 제시하시오.

관련주제: THEME 13

> 학교폭력 설문조사 기간에 A 학생이 단체 채팅방에서 지속적으로 따돌림과 욕설을 당했다는 사실이 보고되었다. 가해 관련 학생들은 '장난으로 한 행동일 뿐 실제 폭력은 아니다'라고 주장하고 있다.

구상하기

17 교사의 입장에서 학교 구성원 간 상호존중 문화를 형성하기 위한 방안 3가지를 제시하시오.

관련주제: THEME 14

구상하기

18 조건 중 하나를 골라 제시문의 시사점과 관련한 교육 활동을 하고자 한다. 구체적인 교육 방안을 3가지 제시하시오.

관련주제: THEME 15

> **제시문**
> 우리나라 교육과정은 코로나19와 기후 변화 등으로 사회의 불확실성이 증가하면서 변화를 요구받고 있다. 또한 사회 구성원이 다양해지고 다양한 사회적 문제가 발생하며 이를 해결하기 위한 역량과 협력의 필요성이 제기되고 있다. 경기도교육청은 기후 위기, 생태환경 변화에 대응하고 학생들이 자기주도 능력을 함양하도록, '자율·균형·미래'라는 도교육청 가치와 접목한 학교급별 탄소중립 생태환경 교육과정을 운영하고 있다.
>
> **조건**
> 1. 학교자율과제
> 2. 교과 융합 수업
> 3. 학급 특색 사업

구상하기

---

19 다음 학생 실태조사를 바탕으로 지역사회와 함께하는 진로교육 프로그램을 실시하고자 한다. 구체적인 지도 방안을 제시하시오.

관련주제: THEME 16

> **실태조사 결과**
> 1. 좋아하는 분야는 있지만, 관련 역량을 함양할 방안에 대한 지식이 부족하다.
> 2. 주입식 교육보다 스스로 선택하고 경험할 수 있는 기회를 찾고 있다.
> 3. 성장단계에 맞는 맞춤 진로교육을 원한다.

구상하기

③ 교육 정책 이해 및 적용(THEME 17~20)

20 자신의 교직관과 다음 제시된 학기의 도입 취지를 고려하여 이 시기에 하고 싶은 교육 내용을 말하시오.

관련주제: THEME 17

- 초: 성장이음과정
- 중: 학교자율과정

구상하기

21 성공적인 자유학기제 운영을 위해 교사가 수행해야 할 역할 3가지를 말하시오. 관련주제: THEME 18

구상하기

22 건강하고 안전한 학습 환경을 만드는 것은 무엇보다 중요하다. 제시문을 고려하여 담임교사와 교과교사로서의 교육 방안을 각각 2가지씩 제시하시오.

관련주제: THEME 19

제시문
- 제거(E): 학생의 심리적 불안, 과도한 학업 스트레스
- 감소(R): 학생 간 학습 성취도 격차, 교사의 수업 준비 시간 부담
- 증가(R): 심리적 안정과 자존감 향상을 위한 활동, 학교 내 상담 프로그램
- 창조(C): 안전한 공간 마련, 교사와 학생 간 협력 활성화

구상하기

④ 교과 지도(전공 연계) 방안(THEME 21~26)

23 다음 세계시민교육을 위한 활동 방향 3가지 중 하나를 선택하여 그 이유를 제시하고, 선택한 활동에 대한 구체적인 전공 연계 방안, 학급 운영 방안을 1가지씩 제시하시오. 관련주제: THEME 21

> **세계시민교육을 위한 활동 방향**
> 1. 교육과정 연계 시민교육 및 세계시민교육
> 2. 학생 참여 중심 시민교육 및 세계시민교육
> 3. 지역사회 협력 기반 시민교육 및 세계시민교육

구상하기

24 다음 A 학교의 상황에 적합한 독서교육 방안을 구체적으로 제시하시오. 관련주제: THEME 22

> **A 학교의 독서교육에 대한 교육공동체별 상황**
> - 학교: 도서관 디지털 환경 구축, 독서 수업 관련 예산 확보
> - 교사: 교과 융합 수업을 위한 전문성 확보, 독서 관련 전문적 학습공동체 참여
> - 학생: 학교 교육에 관한 높은 신뢰, 주도성과 능동성 함양

구상하기

사이다 면접

25 다음 교사들의 회의 내용을 읽고, 문제를 해결하기 위한 구체적인 방안을 제시문을 참고하여 제시하시오.

관련주제: THEME 24

교사 회의 내용 중 일부
- A 교사: 학생들이 SNS 게시물을 읽느라 책을 읽지 않아요.
- B 교사: 학생들은 자신의 감정을 표현하거나 글 쓰는 것을 어려워해요.
- C 교사: 학생들이 줄임말을 쓰고 쇼츠를 보니 질 높은 대화가 되지 않아요.

제시문
프로젝트 학습은 학생들이 실제 문제를 해결하거나 특정 과제를 수행하면서 능동적으로 참여하는 학습법이다. 이 접근 방식은 자기주도학습 능력을 향상시키는 데 도움을 주며 비판적 사고와 문제 해결 능력을 개발하는 데 기여한다. 이 학습 방법은 팀워크를 요구하기 때문에 학생들은 서로 협력하고 의견을 나누며 효과적으로 소통하는 방법을 배우게 된다.

구상하기

26 탈북학생을 지도할 때 교사의 유의 사항을 3가지 말하시오.

관련주제: THEME 25

구상하기

27 독도 문제를 균형 있게 지도하기 위해 교사가 갖추어야 할 자질과, 이를 학생 지도에 적용할 수 있는 구체적 방안을 말하시오.

관련주제: THEME 26

구상**하기**

⑤ 학급 운영 방안(THEME 27~35)

28 학급에서 친구 관계에 어려움을 보이는 학생을 지도하기 위한 방안을 제시하시오.

관련주제: THEME 27

구상하기

---

29 다음 상황에서 효과적인 자기주도학습 운영 방안을 말하시오.

관련주제: THEME 28

- A 학생: 선생님은 스스로 학습을 중요하게 여기시지만, 할 수 있는 게 아무것도 없는데 스스로 해 보는 것이 중요하다고 말씀하시니 더욱 자신감이 없어져.
- B 학생: 열심히 했는데 결과가 안 나오니까 별로 하고 싶은 마음이 없어져.
- C 학생: 수업 활동 속에서 스스로 무언가를 해볼 때 정말 즐거워.

구상하기

30 성장배려학년제를 담당하는 교사의 역할을 3가지 이상 제시하시오.   관련주제: THEME 29

구상하기

---

31 제시문을 참고하여 학교 교육에서 대중문화와 유튜브를 활용한 교육이나 비평 교육이 필요한 이유를 설명하고, 구체적인 교육 방안을 제시하시오.   관련주제: THEME 30

> 최근 K-팝 열풍이 전 세계적으로 확산되며 청소년 문화의 중요한 부분이 되었다. 또한 청소년 유튜버와 크리에이터들이 빠르게 성장하면서 또래 학생들에게 강한 영향력을 미치고 있다. 그러나 이러한 대중문화와 미디어 콘텐츠가 학생들에게 긍정적인 학습 동기를 줄 수 있는 동시에, 왜곡된 가치관이나 소비 중심 문화를 강화할 위험도 있다는 지적이 제기된다.

구상하기

32 학교에서 인성 메시지를 담은 종소리를 제작한다고 할 때, 포함하고 싶은 가사 내용을 한 구절 이야기하고 이를 실현하기 위한 교육 방안을 3가지 제시하시오.

관련주제: THEME 31

구상하기

33 다음을 참고하여 청소년 마약 예방 교육 방안을 3가지 제시하시오.

관련주제: THEME 32

> 최근 3년간 청소년 마약 적발 건수는 꾸준히 증가하였다. 특히 인터넷과 사회관계망서비스(SNS)를 통한 접근이 쉬워지면서 청소년들이 마약에 노출되는 연령이 낮아지고 있으며, 단순 호기심에서 시작된 경험이 중독으로 이어지는 사례도 보고되었다. 직접 병원을 방문해 허위로 처방받은 사례도 발생하여 큰 충격을 주고 있다.

구상하기

34 다음을 참고하여 A 학생을 지도하기 위한 방안을 3가지 제시하시오.   관련주제: THEME 33

> A 학생은 다문화가정 출신으로, 한국어 사용이 미숙하며, 원래 살던 나라와 친구를 사귀는 방식이 달라 친구 관계에 어려움을 겪고 있다. 또한 자기표현이 서툴고, 먼저 말을 거는 데 부담을 느끼는 성격이다.

구상하기

35 통합교육 시 교사의 유의 사항을 3가지 말하시오.   관련주제: THEME 34

구상하기

사이다 면접

36 학교 교육에서 문화예술교육이 필요한 이유를 1가지 밝히고, 구체적인 교과 융합 교육 방안을 제시하시오.

관련주제: THEME 35

구상하기

6 현장 문제 해결 방안(THEME 36~47)

37 김 교사를 도와 협력적으로 문제를 해결할 수 있는 방안 3가지를 제시하시오. <small>관련주제: THEME 36</small>

> 신규 교사인 김 교사의 학급 학생 민수는 매일 친구와 다투고, 수업 시간에는 소리를 지르거나 돌아다니는 등 문제행동을 보이고 있다. 급식 시간에도 식사를 거부하거나 편식을 심하게 하고, 다른 친구들의 식사까지 방해한다. 김 교사는 민수의 친구들과 상담하며 해결 방안을 찾아보았지만 뚜렷한 도움이 되지 않았다.

구상하기

---

38 다음 A 학생의 상황을 고려하여, 박 교사가 A 학생을 적절히 지도하기 위한 대처 방안 3가지를 제시하시오. <small>관련주제: THEME 37</small>

> A 학생은 학업 성적이 낮고 친구 관계도 원만하지 않다. 평소 말이 적은 편이지만, 담임인 박 교사에게는 쉬는 시간마다 찾아와 어려움을 털어놓았다. 처음에는 박 교사가 경청하며 위로했으나, 이후 A 학생은 휴일에도 장문의 메시지를 보내는 등 박 교사에게 과도하게 의존하는 모습을 보였다. A 학생은 "선생님만이 제 이야기를 들어준다"고 말하며 박 교사 외에는 의지할 사람이 없는 상황이다.

구상하기

39 A~D 학생에 대한 구체적인 지도 및 상담 방안을 각각 제시하시오. 관련주제: THEME 36, 37, 38

> - A 학생: ADHD 증상이 있다. 충동적인 행동을 많이 하며, 친구들에게 화를 잘 낸다.
> - B 학생: 자존감이 낮아 누군가가 자기를 지적하는 것을 견디지 못한다. 문제행동에 대해 지도를 할 경우, "왜 나한테만 그래요."라고 하며 억울해하고 지도에 불응한다.
> - C 학생: 수업 시간에 잡담을 하여 교과교사들에게 지속적으로 지적을 받는다.
> - D 학생: 학교에 등교하지 않고, 학업중단 의사를 밝혔다.

구상하기

40 경기교육 방향을 고려하여 A 학생을 조력할 방안을 2가지 제시하시오. 관련주제: THEME 40

> **A 학생 상황**
> A 학생은 가정의 돌봄이 부족하여 규칙적인 생활을 하기 어려워한다. 하지만 컴퓨터를 능숙하게 다룰 줄 알며, 관련 분야에서 진로를 키우고 싶다는 의지를 보이고 있다.
>
> **경기교육 방향**
> 에듀테크 활용과 지역교육협력으로 학생 맞춤형 교육을 실현하여 학생 스스로 꿈을 펼치는 새로운 미래를 열어가겠습니다.

구상하기

41 A 학생의 문제행동 원인을 2가지 설명하고, 각 원인에 대한 담임교사로서의 해결 방안을 1가지씩 말하시오.
　　　　　　　　　　　　　　　　　　　　　　　　　　　　　　　　　　관련주제: THEME 41

> A 학생은 일반고등학교에 재학 중이며 지각이 잦고, 수업 시간에는 졸거나 집중하지 않는 모습을 보인다. "대학은 왜 가야 하죠?", "수업은 왜 들어야 하죠?"와 같은 질문을 자주 한다. 또한 "선생님은 저에게 관심을 주시니 괜찮지만, 다른 수업은 재미없어요."라고 말하는 등 교사의 관심 여부에 따라 수업 태도에 큰 차이를 보인다.

구상하기

42 다음 상황에서 박 교사가 취할 수 있는 적절한 대처 방안 2가지를 말하시오.　　관련주제: THEME 42

> 박 교사는 올해 초임 교사이다. 수업 중 옆 반 교사인 김 교사가 창문으로 수업을 지켜본 뒤, "내가 도와주려는 거다"라며 수업 방법과 학생 지도 방식에 대해 여러 조언을 했다. 박 교사는 고마운 마음도 있지만, 동시에 과도한 간섭처럼 느껴져 어떻게 대처해야 할지 고민하고 있다.

구상하기

43 다음 상황에서 교사가 학부모와의 원만한 대화를 이끌기 위해 갖춰야 할 소통 태도와 방법을 제시하시오.

관련주제: THEME 44

> 한 학부모가 담임교사에게 전화를 걸어 "왜 우리 아이만 생활지도를 엄격하게 하느냐"며 항의하였다. 하지만 실제로는 학생이 수업 시간에 반복적으로 산만한 행동을 보여 학급 운영에 어려움이 있었다.

구상하기

44 청렴한 교직 문화 조성을 위해 신규 교사로서 노력할 수 있는 방안 3가지를 제시하시오.

관련주제: THEME 45

구상하기

45 다음 A~C 교사의 발언 속 문제점을 지적하고 이를 해결하기 위한 학교 문화 개선 방안을 제시하시오.

관련주제: THEME 47

- A 교사: 여학생들끼리 조를 하면 수다를 떨어서 안 되고, 남학생끼리 조를 하면 장난만 쳐서 성비를 2:2로 맞춰서 조를 짜야겠어요.
- B 교사: A 교사 학급의 영우는 참 남자답더라고요. 운동 잘하고 리더십 있고.
- C 교사: 이번에 급훈을 "10분 더 공부하면 아내 얼굴이 바뀐다."로 정할까 봐요.

구상하기

실전 모의고사 5회(35문항)

해설 p.401

2026학년도 경기도 공립교사 임용후보자 선정경쟁시험 2차

개별면접 1회

| 관리번호 | | 수험번호 | |

【구상형】

1. 다음 자료를 읽고 시사점을 도출한 후, 문제 해결을 위한 교육 방안을 교과교사와 담임교사의 측면에서 각각 제시하시오.

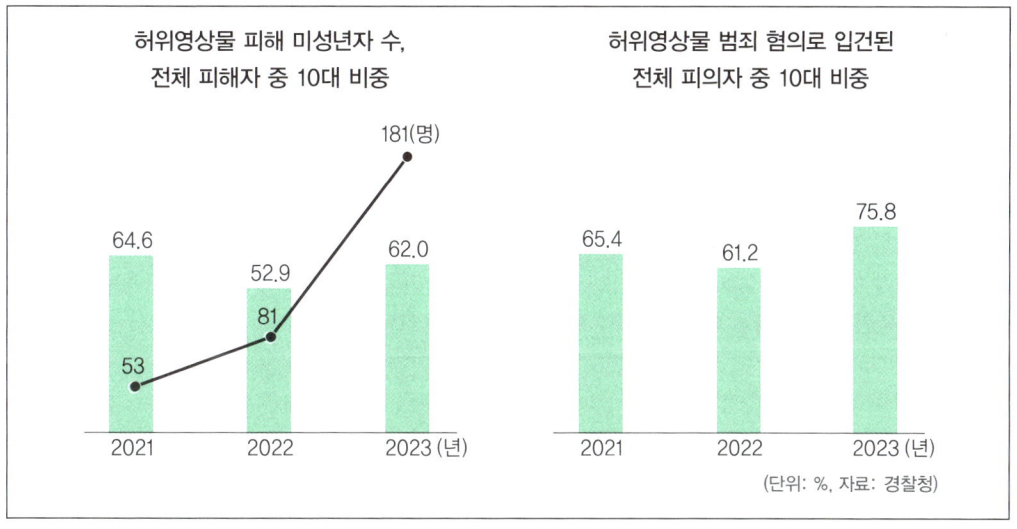

(단위: %, 자료: 경찰청)

2. 제시문을 참고하여, 고교학점제 최소 성취수준 보장 지도의 목적을 말하고, 구체적인 지도 방안 3가지를 제시하시오.

> - 공교육 1섹터는 교사와 함께 미래를 준비하는 '학교'이다.
> - 교사는 교육과정 속에서 학생의 미래 준비에 필요한 기본 인성과 기초 역량을 기르는 데 주력합니다.

3. 제시문을 읽고, 민수의 문제점과 학급의 문제점을 각각 1가지씩 말하시오. 또한 각 문제에 대한 담임교사로서의 지도 방안을 1가지씩 제시하시오.

> 민수는 학교에 오기 싫은 날이면 일부러 늦게 등교하곤 한다. 특히 1교시에 오든 5교시에 오든 모두 동일하게 지각 처리된다는 점을 알고 난 뒤부터는 늦은 등교가 더욱 잦아졌다. 이러한 민수의 행동은 학급 분위기에 영향을 미쳐, 다른 학생들의 지각 횟수도 점차 늘어나고 있다.

【즉답형】

1. 토론교육을 수립할 때의 원칙과 토론 진행 시 교사의 역할 3가지를 각각 제시하시오.

2. 제시문을 읽고, 각 학생이 겪고 있는 어려움과 이에 대한 지도 방안을 각각 1가지씩 말하시오.

   - A 학생: 저는 뭐가 되고 싶은지 고민해 본 적이 없어요. 그냥 미래를 생각하면 답답하고 막막해요.
   - B 학생: 저는 진로가 딱히 없어요. 그래서 부모님이 하라고 하는 진로로 나가려고요.
   - C 학생: 저는 누군가를 도와주는 데 적성이 있는 것 같아요. 그런데 관련 직업을 찾아보는 게 귀찮아요.

【추가 즉답형(비교수 교과)】

3. 교육실습생 기간 중 동료 교원들과 생활하며 어려웠던 점을 말하고, 교사가 되어 비슷한 상황에 직면했을 때, 이를 어떻게 해결할 계획인지 답변하시오.

4. 다음 상황을 읽고, A 학생이 화가 난 이유를 학생의 입장에서 말하시오. 또한, 김 교사라면 A 학생을 어떻게 지도할 것인지 방안 2가지를 제시하시오.

   A 학생은 김 교사에게 와서 이렇게 말했다.
   "담임 선생님이 제 휴대폰을 강제로 뺏어서 정말 화가 나요. 그리고 사사건건 간섭하는 것도 싫어요. 가뜩이나 요즘 학교에 오기도 싫은데, 선생님이 일일이 간섭하니까 더 힘들어요."
   이후 A 학생은 급기야 담임교사에 대한 험담과 욕설을 하기 시작했다.

2026학년도 경기도 공립교사 임용후보자 선정경쟁시험 2차

개별면접 2회

관리번호		수험번호	

【구상형】

1. 제시문을 참고하여 깊이 있는 수업을 실현하기 위한 교사의 역할 3가지와 구체적인 교과 지도 방안을 제시하시오.

> 사유하는 학생은 개인의 경험, 지식, 문화, 사회적 맥락에 따라 구성된 가치와 신념을 탐색하고, 이에 대해 비판적으로 성찰하는 학생이다. 깊이 있는 수업은 이러한 사유를 촉진하기 위해 개념 이해를 바탕으로 삶과 연결된 문제 해결을 강조한다. 학생의 질문과 교사의 주도성이 조화를 이루며, 비판적 사고와 문제해결 역량 등 미래 역량을 기르는 데 중점을 둔다.

2. 제시문의 상황을 해결하기 위해 A 교사의 관점에서 방안을 제시하고, 이때 유의해야 할 사항을 말하시오.

> A 교사는 학교폭력 책임교사이다. 최근 단짝이던 두 여학생이 갈등을 빚으며 서로를 이간질하다가 다툼으로 이어졌다. 조사 결과 두 학생 모두 욕설을 주고받은 사실이 확인되었으나, 그중 한 학생은 상대방을 학교폭력으로 신고하겠다며 강하게 요구하고 있다. 이 경우 학교폭력으로 접수하면 맞고소 가능성이 있어 상황 판단과 조치가 필요한 상황이다.

3. 다음 수행평가에 대한 학생들의 피드백을 바탕으로 수행평가의 문제점을 제시하고, 각각에 대한 해결 방안을 1가지씩 말하시오.

> - A 학생: 수업 시간에 수행평가를 하긴 하지만, 평가 과제가 너무 많아요.
> - B 학생: 오늘만 수행평가가 4개나 있어요. 이건 좀 과해요.
> - C 학생: 이게 뭐 하는 건지 모르겠어요. 그냥 선택형 시험이 좋아요.

【즉답형】

1. 생성형 AI를 수업에서 활용 시 주의할 사항을 3가지 답하시오.

2. 다음 교사 중 자신의 교사상과 가장 가까운 입장을 선택하고, 그 이유를 제시하시오. 또한 이를 위해 현장에 나아가 어떠한 교육 활동을 할 것인지 제시하시오.

> - A 교사 : 학생의 기초학력을 잘 함양하는 것이 가장 중요합니다.
> - B 교사 : 학생의 자신감을 키워주는 것이 가장 중요합니다.
> - C 교사 : 학생들이 원만한 교우 관계를 맺도록 돕는 것이 가장 중요합니다.

【추가 즉답형(비교수 교과)】

3. 미래교육을 위해 계속할 것, 중단할 것, 새롭게 만들어 갈 것과 그 이유를 각각 제시하시오.

4. 지역사회와 협력하여 제시문의 A 학생을 도울 수 있는 교육 방안을 제시하시오.

> **A 학생 상황**
> A 학생은 늘 무기력하다. 생계를 유지하기 위해 보호자는 모두 일터에 나가 가정에 혼자 있는 시간이 많으며, 문화 체험, 진로 탐색 기회 등의 경험이 부족한 상태이다. 여가 시간을 컴퓨터나 휴대폰을 하며 보내다 보니 인터넷·스마트폰 고위험군으로 나오기도 했다.

2026학년도 경기도 공립교사 임용후보자 선정경쟁시험 2차

개별면접 3회

관리번호		수험번호	

【구상형】

1. 다음 자료의 교육적 시사점을 말하고, 이를 위한 구체적인 교육 방안을 학급 운영 측면, 교과 지도 측면에서 각각 2가지 제시하시오.

> **우리나라 학생들의 정보통신기술 관련 통계 자료**
> - 컴퓨터·정보 소양 점수: 참여국 중 2위
> - 컴퓨팅 사고력 점수: 참여국 중 1위
> - 학습 목적으로 하루에 한 번 이상 ICT를 사용하는 비율: 학교에서 5%, 학교 밖에서 10%로 평균보다 유의하게 낮음
> - 일반 응용프로그램, 전문 응용프로그램 사용에 대한 자아효능감: 평균보다 유의하게 낮음
>
> 출처: 디지털 교육 트렌드 리포트 2024

2. A 교사의 수업 성찰 노트를 읽고, 문제 상황을 해결하기 위한 방안 3가지를 말하시오.

> **수업 성찰 노트**
> - 3월 ○일: 학생 중심 수업을 시도했으나, 서준이는 "꼭 해야 돼요? 귀찮아요. 그냥 답만 알려 주세요."라며 참여를 거부했다. 순간 어떻게 반응해야 할지 막막했다.
> - 4월 ○일: 발표 후 피드백을 하자, 영우가 "선생님, 지적하는 게 기분 나빠요."라고 말해 분위기가 싸해졌다.
> - 6월 ○일: 이찬이 모둠은 역할을 잘하지 못하면 서로 탓하며 갈등했다. 특히 배움이 느린 이찬이는 늘 구박을 받았다. 이런 수업을 시도한 것이 미안하게 느껴졌다.

3. 본인의 교직관과 다음 설문조사를 참고하여 학급 운영 방안을 제시하시오.

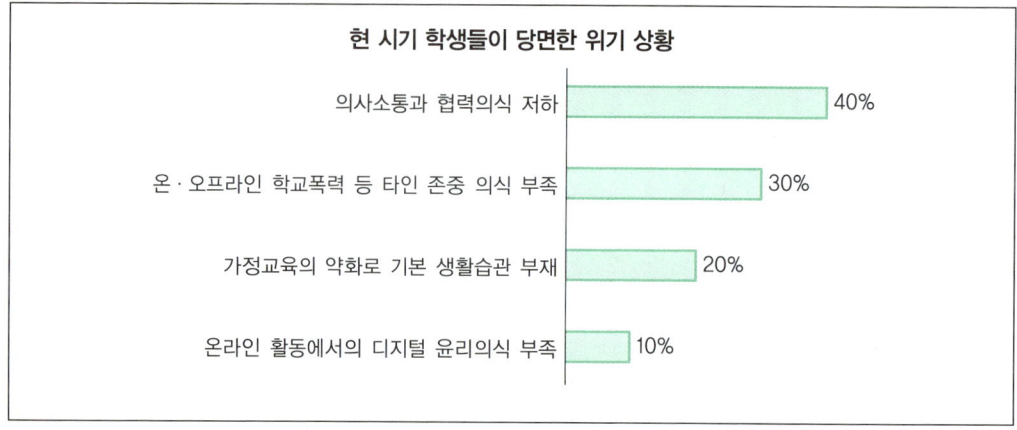

【즉답형】

1. 제시문의 시사점을 도출하고, 학급 운영과 교과 지도 측면에서 탄소중립교육 방안을 각각 1가지 제시하시오.

> 도내 44개교 중 33개교의 초·중·고교 전기 사용량을 조사한 결과, 2023년 대비 2024년 사용량은 평균 3.84% 증가하였다. 그러나 학교별 차이가 커 일부 학교는 21%를 절감한 반면, 다른 학교는 21% 늘기도 하였다. 특히 인당 전기 사용량은 가장 많은 학교가 가장 적은 학교의 33.8배에 달해, 학교 간 격차가 매우 큰 것으로 나타났다.

2. **자신의 교직관에 비추어 다음 의견 중 하나를 선택하고, 그 이유와 이를 실현하기 위해 교직에서의 노력 방안을 말하시오.**

> • A: 학생은 스스로 탐구하며 배울 때 크게 성장한다.
> • B: 학생은 교사와 소통하며 배울 때 크게 성장한다.

【추가 즉답형(비교수 교과)】

3. 제시문을 읽고 A 학생의 담임교사와 협력하여 A 학생의 학교생활을 조력할 수 있는 방안을 3가지 제시하시오.

> A 학생은 수업 태도는 성실하나 기초학력이 부족해 자신감이 없고, 과제 수행에도 소극적인 태도를 보이고 있다.

4. 미래 역량 중 학생에게 가장 중요하다고 생각하는 것 하나를 골라 그 이유를 밝히고, 구체적인 전공 연계 방안을 제시하시오.

> 자기주도 역량, 세계시민 역량, 생태감수성 역량

2026학년도 경기도 공립교사 임용후보자 선정경쟁시험 2차

개별면접 4회

관리번호		수험번호	

【구상형】

1. 학교자율과제를 도출하기 위해 교사 회의를 진행하는 상황에서 제시문의 C 교사가 제시할 의견과 구체적인 교육 방안을 말하시오. 또한 이 교육을 위해 교사가 갖춰야 할 역량은 무엇인지 3가지 밝히시오.

> A 교사: 학교자율과제 프로젝트 학습 주제를 결정하기 위해 학생들의 실태 파악이 중요할 것 같아요. 저는 우리 학교에 다문화가정 학생이 많다는 점을 특징으로 삼고, 세계의 문화를 소개하는 주제 학습을 하고 싶어요.
> B 교사: 동의합니다. 교과 융합 수업을 한다면, 우리 교사들의 전문성을 잘 활용할 수 있을 거예요. 더불어 학교에서 에듀테크를 꼭 활용하라고 강조했는데, 이번에 이것을 시도해 보는 것이 좋을 것 같네요.
> C 교사: 두 분 선생님 말씀을 종합하면 우리 학교에서는 [답변할 부분] 교육이 적합할 것 같군요.

2. 새로운 경기교육을 실현하기 위해 본인의 교직관과 사회 변화를 고려하여, 경기도교육과정 중점 역량 중 가장 중요하다고 생각하는 것을 하나 고르고 구체적인 교육 방안을 수업 측면과 생활지도 측면에서 각각 하나씩 제시하시오.

> **경기도교육과정 중점 역량**
> 자기관리 역량, 지식정보처리 역량, 창의적 사고 역량, 심미적 감성 역량, 협력적 소통 역량, 공동체 역량, 문제해결 역량

3. 다음 실태조사를 참고하여, 학교폭력 예방 교육 방안을 제시하시오.

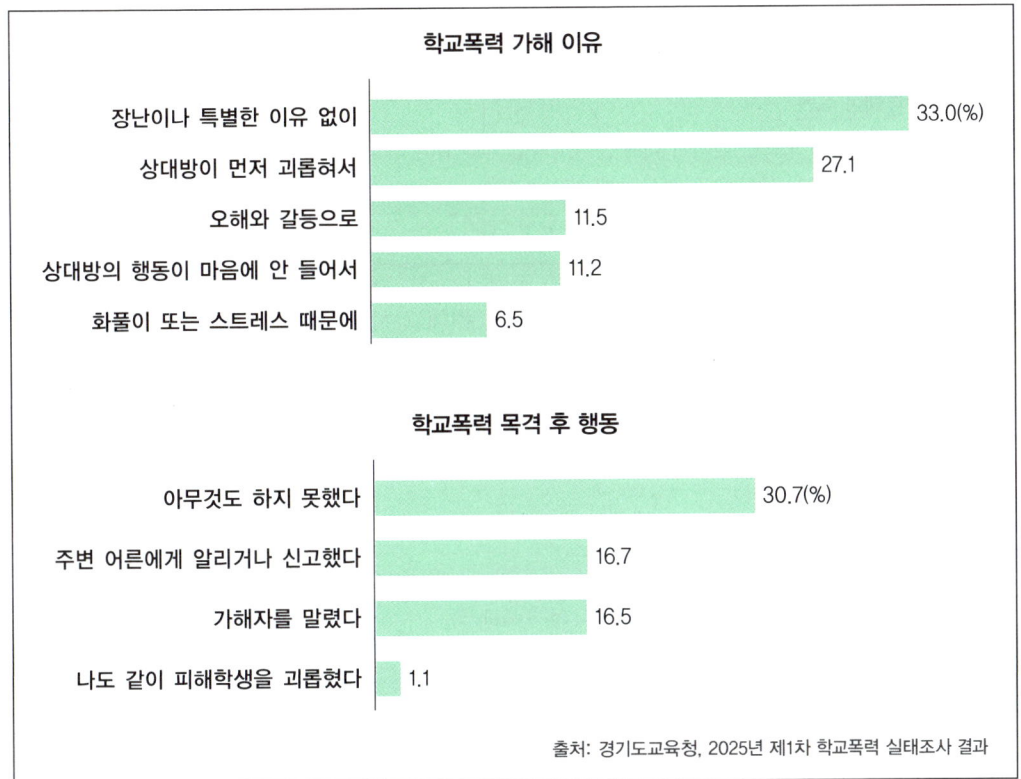

【즉답형】

1. 다음 교육공동체의 의견을 고려하여 구체적인 교육 방안을 제시하시오.

   > **교육공동체의 의견**
   > - 학생: 교과서에 모르는 단어가 너무 많아서 수업이 힘들어.
   > - 학부모: 아이들이 직접 글을 작성해 봤으면 좋겠어.
   > - 교사: 에듀테크를 활용했으면 좋겠어.

2. 제시문 속 상황에서 교사의 문제점을 1가지 말하고, 담임교사로서 학생을 올바르게 지도할 수 있는 방안을 2가지 제시하시오.

   > 우리 반 현우는 지각과 결석이 잦은 학생이다. 어제도 지각을 했다. 걱정되는 마음에 "현우야 지각하지 마. 너 때문에 선생님이 너무 힘들어. 계속 지각하고 학교에 결석하면 출석 일수가 부족해서 유급될 수도 있어."라고 말해주었다. 하지만 현우는 오늘도 지각했다.

【추가 즉답형(비교수 교과)】

3. 안전한 학교를 만들기 위한 전공 연계 교육 방안 2가지를 제시하시오.

4. 학생의 인성 함양을 위해, 자신의 전공과 연계하여 협력할 수 있는 지역사회 기관이나 프로그램을 제시하고, 이를 활용한 구체적인 교육 방안 2가지를 말하시오.

2026학년도 경기도 공립교사 임용후보자 선정경쟁시험 2차

개별면접 5회

관리번호		수험번호	

【구상형】

1. 다음 실태조사를 참고하여, 독서교육 방안을 제시하시오.

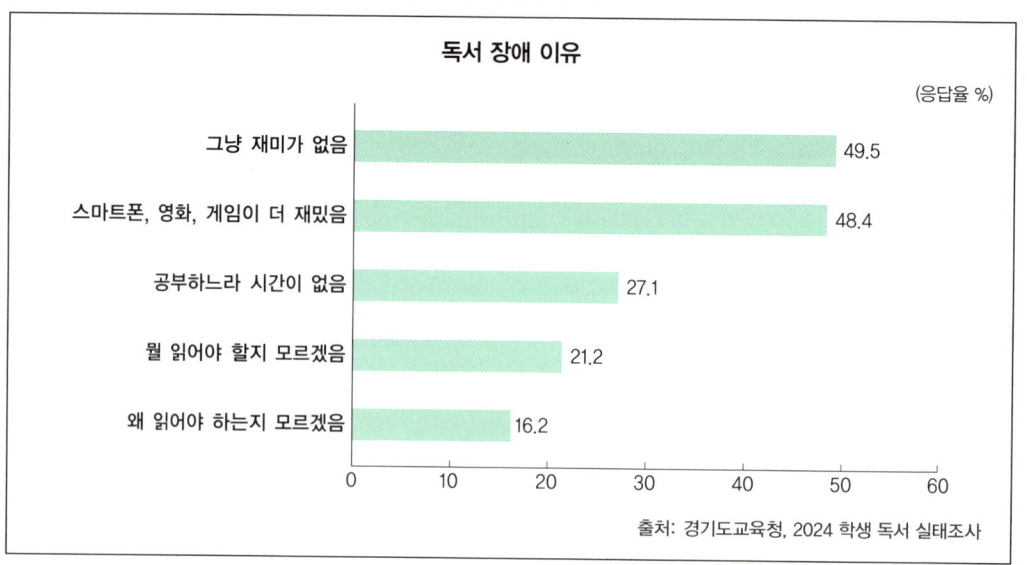

2. 다음 수업 상황을 읽고 각 문제에 대해 교사가 할 수 있는 해결 방안을 제시하시오.

> 평소 수업 태도가 좋지 않은 두 학생이 수업을 듣지 않고 소란을 피우고 있다. 김 교사는 말로 제지를 하였으나 얼마 지나지 않아 두 학생이 또 잡담을 하여 수업을 방해하였다. 김 교사가 두 학생에게 다가가 타이르고 있는 사이, 평소 수업 태도가 좋았던 민수가 "선생님, 다른 반보다 진도도 느린데 그냥 수업이나 해요!"라며 짜증을 내고 불만을 토로하였다.

3. 제시문을 참고하여, IB 교육과정에서 교사의 역할을 3가지 말하시오.

> **IB 교육과정**
> 탐구–실행–성찰 학습을 통한 학습자의 자기주도적 성장을 추구하는 교육 체제

【즉답형】

1. 다음 자료의 시사점을 밝히고, 신규 교사로서의 실천 방안을 3가지 제시하시오.

> 유네스코는 교육을 위한 새로운 사회계약에서 교수활동이 협력의 행위로 더욱 전문화되어야 하며, 교사는 스스로 지식 생산자이자 교육과 사회의 변혁을 위한 핵심 주체로 인식해야 한다는 것을 제안했다.

2. 제시문의 상황에서 교사가 학부모와 소통할 때 유의해야 할 점과 갈등을 완화하기 위한 대화 방안을 말하시오.

> 학부모가 '우리 아이가 친구에게 따돌림을 당하고 있는데 학교가 아무런 조치를 하지 않는다'며 격앙된 어조로 항의하였다. 그러나 조사 결과 아직 사실관계가 명확히 확인되지 않은 상황이다.

【추가 즉답형(비교수 교과)】

3. 자신의 문제 해결 능력을 드러낼 수 있는 경험을 말하고, 이를 활용하여 동료 교사와 협력할 수 있는 방안을 제시하시오.

4. 김 교사를 도와 호영이를 지도할 전공 연계 방안을 말하시오.

> 김 교사의 학급 학생 호영이는 아침마다 지각과 결석을 반복하고, 점심시간에는 식사를 거부한 채 혼자 교실에 머무른다. 수업 중에는 잠을 자거나 친구들에게 말을 거는 등 참여 태도가 좋지 않아 교과교사와 갈등이 잦아 김 교사는 학급 운영에 어려움을 겪고 있다.

예상문제 80문항
꼼꼼 해설

01

주제별 예상문제(45문항) 해설

📖 문제 p.314

① 경기형 교직관 및 교사 전문성(THEME 1~2)

01

평가영역	THEME 1. 경기형 교직관 수립
해설	지역사회 자원을 단순하게 활용한 사례를 말하는 것이 아닌, 경험을 제시한 후 교육적 성찰을 언급하고, 그것을 어떻게 교육 방안으로 연계할지 말해야 한다.

예시 답변 저는 학창 시절 방학 과제로 지역 박물관을 탐방하며 교과서에서 배운 내용을 직접 확인한 경험이 있습니다. 전시물을 관찰하고 기록하는 과정에서 단순 암기를 넘어선 깊은 이해를 얻었고, 자연스럽게 지역 역사에 대한 애정도 생겼습니다. 이 경험은 교사가 된 이후 지역사회 자원을 어떻게 활용할지에 대한 확고한 기준이 되었습니다. 이에 따라 다음과 같은 교육 방안을 고민해 보았습니다.

첫째, 학급 운영 측면에서는 경기공유학교 프로그램을 적극적으로 연계하고자 합니다. 학생마다 흥미와 진로가 다르므로 학교 안에서만은 그 다양성을 모두 충족하기 어렵습니다. 이때 공유학교는 학생들이 지역사회의 다양한 기관과 연결되어 탐구 활동을 할 수 있기에 깊은 이해와 동시에 지역에 대한 애정을 줄 수 있을 것입니다. 학생들의 흥미, 진로에 맞는 공유학교를 조사하여, 맞춤형 연계를 하고 활동이 끝난 이후 교실에서 '성과 공유회'를 열어 포스터·슬라이드·사진 자료를 활용한 발표를 진행하겠습니다. 공유학교에서의 경험이 삶에 어떤 깨달음과 변화를 불러왔는지 발표하여 학급 전체의 배움으로 확산시키겠습니다.

둘째, 교과 지도 측면에서는 지역 기관 탐방을 통한 프로젝트 학습을 진행하고 싶습니다. 예를 들어, 역사 수업에서 지역 박물관, 유적지를 찾아가 전시물, 유적을 바탕으로 모둠별 역사 신문 만들기 프로젝트를 진행하는 것입니다. 교과 학습을 통해 지식을 습득한 후, 지역의 유적지, 박물관을 찾아가 동시대의 유물을 직접 관찰하며 시대상을 바라보고 가상 신문을 작성한다면 학생들은 교과 지식을 단순히 암기하는 것이 아닌 삶과 연결된 지식으로 이해하게 되며, 비판적 사고력을 기를 수 있을 것입니다.

학생들이 학교 안팎에서 배움을 확장할 수 있도록 지역사회와 긴밀히 협력하는 교사가 되겠습니다. 이상입니다.

자기 평가		
체감 난도	상 중 하 ➔ 원인 파악:	
스터디원의 피드백	잘한 부분	
	부족한 부분	
해당 주제에 대한 시험 전까지 계획		

02

평가영역 THEME 1. 경기형 교직관 수립

해설 제시문의 교육과정 특징과 성취기준을 반영한 내용을 제시해야 한다. 이때 학생이 자기주도적으로 활동할 수 있는 방안을 포함해야 취지에 적합하다.

예시 답변 제시문에서 언급한 경기도교육과정의 특징은 학생이 자기주도적으로 학습하며, 삶 속에서 활용 가능한 능력을 키우도록 하는 교육을 강조하고 있습니다. 저는 이러한 관점을 체육 교과에 적용해 다음과 같은 교육 방안을 구상했습니다.

체육 교과의 성취기준에는 '자신의 신체 조건이나 체력에 맞게 운동 처방 계획을 수립하고 안전하게 실천한다.'라는 내용이 있습니다. 저는 이를 달성하기 위해 먼저 학생들이 주도적으로 자신의 운동 계획을 수립하도록 지도하겠습니다. 이를 위해 학생들이 자신의 신체 조건과 체력을 객관적으로 평가할 수 있는 다양한 체력 측정 활동을 진행합니다. 이를 바탕으로 학생 스스로 자신의 운동 목표와 계획을 설정하도록 지도합니다. 이를 통해 자기주도적 학습 능력을 키우고, 학생들의 책임감을 높이는 기회를 제공할 수 있을 것입니다. 이때 저는 교사로서 학생들과 일대일 상담을 병행해 맞춤형 운동 프로그램을 추천하겠습니다. 체력 유형에 따라 고강도, 중간 강도, 저강도 운동 프로그램을 나눠 제시하고, 각 학생이 자신의 능력에 맞는 프로그램을 선택할 수 있도록 하는 것입니다. 이를 통해 체육 수업에서 개별화된 학습 경험을 할 수 있으며, 개인의 특성에 맞는 목표를 정하고 달성할 때 성취감을 느낄 수 있을 것입니다.

마지막으로 안전 계획을 수립하도록 하겠습니다. 운동 계획을 실천하는 과정에서 안전이 중요하기 때문에, 운동 전후 스트레칭의 중요성, 운동 기구 사용법 등을 체계적으로 교육한 후 실시간 피드백을 통해 안전한 운동 수행을 장려하고, 스스로 운동 중에 일어날 수 있는 위험 상황을 예방할 수 있게 하겠습니다.

이러한 방안을 통해 학생들은 체육 역량을 키우고, 자기주도학습과 실생활에 필요한 체력 증진, 안전한 실천을 모두 충족할 수 있을 것입니다. 이상입니다.

자기 평가

체감 난도		상 중 하 ➔ 원인 파악:
스터디원의 피드백	잘한 부분	
	부족한 부분	
해당 주제에 대한 시험 전까지 계획		

03

평가영역	THEME 2. 교사 전문성 및 미래교육 역량 강화
해설	미래 교사의 역할, 이유, 역량 강화를 위한 노력 방안 3가지를 모두 언급해야 한다. 또한 교직관 문제는 '경험-교육적 성찰-포부'가 한 세트임을 잊지 말자!

예시 답변 미래 사회에서 교사의 가장 중요한 역할은 학생이 자기주도적으로 성장하도록 돕는 촉진자라고 생각합니다. 인공지능과 기술이 빠르게 발전하는 사회에서는 단순한 지식의 암기보다, 지식을 활용하고 새롭게 연결하는 능력이 더 필요하기 때문입니다. 학생이 스스로 질문하고 탐구하며 문제를 해결할 수 있도록 수업 설계를 하는 것이야말로 교사의 가장 큰 역할이라고 봅니다.

이를 위해 저는 교직 준비 과정에서 자기주도성과 협업 능력을 키워주는 프로젝트형 수업 설계에 집중했습니다. 교직 과목을 수강하며, 지역사회의 문제를 탐구하는 프로젝트형 수업을 직접 설계한 경험이 있습니다. 학생들이 스스로 주제를 정하고 모둠별로 협력하여 탐구 결과를 발표하는 과정을 계획했는데, 이때 교사는 지식을 전달하는 존재가 아니라 질문을 던지고 피드백을 주며 성장을 돕는 역할임을 체감했습니다.

또한, 동기들과 소모둠을 꾸려 '교사는 어떤 순간에 개입하고, 어떤 순간에 물러나야 하는가'라는 주제로 토론을 했습니다. 이를 통해 학생의 자기주도적 성장을 지원하기 위한 교사의 역할과 태도를 더 깊이 고민할 수 있었습니다.

앞으로 교사가 된다면, 학생 개개인의 성장 과정을 기록하고, 맞춤형 피드백과 상담을 통해 스스로 배우고 도전할 수 있는 힘을 길러주겠습니다. 이렇게 함으로써 학생들이 미래 사회의 주체로 설 수 있도록 꾸준히 성찰하고 성장하는 교사가 되겠습니다. 이상입니다.

자기 평가		
체감 난도		상 중 하 ➔ 원인 파악:
스터디원의 피드백	잘한 부분	
	부족한 부분	
해당 주제에 대한 시험 전까지 계획		

② 2026 교육 이슈(THEME 3~16)

04

평가영역	THEME 3. 경기미래교육
해설	제시문 속 공통점을 잘 분석하고 이에 도달할 수 있는 실천 방안을 제시해야 한다.

예시 답변 경기교육과 유네스코가 교육을 바라보는 관점에서 공통으로 강조하는 요소는 협력과 공동체의 중요성입니다. 경기교육은 교육을 공동재로 보고, 지역사회, 학부모 등 교육공동체와의 협력을 중시합니다. 유네스코 역시 협력, 협업, 연대를 기반으로 하는 교육을 강조합니다. 이와 같은 관점을 갖고 교사로서 협력과 공동체 연대를 통한 교육 방안을 제시하겠습니다.

첫째, 지역사회와의 협력을 강화하겠습니다. 경기교육과 유네스코 모두 교육을 공동체적 책임으로 보고 있습니다. 교사는 지역사회와의 긴밀한 협력을 통해 교육의 효과를 높일 수 있을 것입니다. 이를 실천하기 위해, 지역사회 전문가를 초청하거나 현장 체험학습을 통해 지역 내 다양한 기관에 방문하겠습니다. 예를 들어, 지역의 복지기관, 문화예술 단체와 연계해 실제 생활과 밀접한 수업을 구성하고, 이를 통해 학생들이 공동체의 일원으로서 사회에 기여할 수 있는 기회를 제공하겠습니다.

둘째, 교육 활동으로 인성교육과 시민교육에 힘쓰겠습니다. 경기교육은 인성·시민교육을 중시하고 있으며 유네스코에서 강조하는 협력, 연대는 인성교육과 시민교육을 위한 필수조건이기도 합니다. 저는 학생들이 협력적 태도를 기르고 세계시민의 역할을 배울 수 있도록 다문화교육, 인권교육, 환경교육 등을 통해 학생들이 다양한 문화적 배경과 사회적 문제를 이해하고, 공동의 문제 해결을 위한 연대와 협력을 실천할 수 있도록 지도하겠습니다.

마지막입니다. 저는 교육의 공동재적 성격을 강화하기 위해 학부모와 협력하겠습니다. 최근 몇 년간, 언론은 학부모와 교사가 마치 대립각을 세운 것처럼 보도해 왔습니다. 하지만 교육은 학교와 가정의 연대가 있어야만 효과적일 수 있다고 생각합니다. 교사의 전문성을 통해 학부모가 신뢰할 수 있도록 '학부모의 날'을 개최해 교육의 방향성과 목표를 공유하고, 학교와 가정이 협력해 학생들이 더 나은 시민으로 성장할 수 있는 환경을 조성할 것이며, 온·오프라인 소통 창구를 마련해 학생의 성장을 함께 도모하겠습니다.

현장에 나아가 협력과 공동체의 가치로 학생의 성장을 위해 노력하는 교사가 되겠습니다. 이상입니다.

자기 평가

체감 난도		상 중 하 ➡ 원인 파악:
스터디원의 피드백	잘한 부분	
	부족한 부분	
해당 주제에 대한 시험 전까지 계획		

05

평가영역	THEME 4. 경기교육의 3가지 섹터(학교·공유학교·온라인학교)
해설	각 섹터별 키워드 즉, 1섹터는 하이러닝, 2섹터는 경기공유학교, 3섹터는 온라인학교 등을 제시하되 교사의 역할이 잘 드러나는 방향으로 답변해야 한다.

예시 답변 제시문은 공교육의 3가지 섹터, 즉 학교·공유학교·온라인학교가 유기적으로 연계되어 미래교육을 이끌어가야 함을 강조하고 있습니다. 저는 교사로서 다음과 같은 실천 방안을 고민했습니다.

첫째, 공교육 1섹터 학교의 하이러닝을 적극 활용하겠습니다. 하이러닝은 학생 개개인의 학습 진단 결과를 토대로 맞춤형 학습 자료를 제공하는 플랫폼입니다. 이를 활용하여 학생 개개인에게 맞춤 학습을 제공하겠습니다. 예를 들어 학습 결손이 있는 학생에게는 보충 자료를, 배움이 빠른 학생에게는 심화 과제를 제시하여 기초소양을 다지고 역량을 확장할 수 있도록 돕겠습니다. 이를 통해 배움에서 소외되는 학생이 없도록 하겠습니다.

둘째, 공교육 2섹터 공유학교를 학생과 연계하여 학교에서 접하기 어려운 흥미, 진로와 관련한 교육을 통해 학생의 배움을 확장하도록 하겠습니다. 학생들과 상담을 통해 흥미와 진로를 탐색하게 한 후, 지역사회의 공유학교와 연계하겠습니다. 이후 교실로 돌아와 발표회를 진행해, 지역사회 체험을 개인의 경험을 넘어 학급 전체의 배움으로 확산시키겠습니다.

셋째, 공교육 3섹터 온라인학교는 지역 자원만으로 충족하기 어려운 학습 수요를 보완하는 데 활용하겠습니다. 예를 들어, 희망 진로와 관련된 심화 과목이나 희소 교과는 온라인학교 강좌를 연계해 학생이 시공간의 제약 없이 학습할 수 있도록 지도하겠습니다. 나아가 제 전공이나 부전공 과목 콘텐츠를 직접 제작하고, 온라인학교에 공유하여 콘텐츠 프로슈머로서의 역량을 드러내고 싶습니다.

이처럼 저는 교실 안에서는 하이러닝을 활용한 맞춤형 교육, 교실 밖에서는 공유학교와 지역 자원 체험, 나아가 온라인학교를 통해 학생들이 학교–지역사회–온라인을 넘나드는 살아 있는 배움을 경험할 수 있도록 실천하는 교사가 되겠습니다. 이상입니다.

자기 평가		
체감 난도	상 중 하 ➡ 원인 파악:	
스터디원의 피드백	잘한 부분	
	부족한 부분	
해당 주제에 대한 시험 전까지 계획		

06

평가영역	THEME 5. 기본·기초학력 보장 교육
해설	제시문을 참고하라는 문장이 있으므로, 제시문 속 공통점을 잘 분석하여 언급한 후 이에 도달할 수 있는 실천 방안을 제시해야 한다.

예시 답변 제시문은 모든 학생이 기초학력을 보장받기 위해 학습 안전망을 고도화하고, 학교 여건을 반영한 자율적 운영과 협력이 필요하다고 강조하고 있습니다. 이를 위해 교사가 실천해야 할 역할은 다음과 같습니다.

첫째, 자율성을 바탕으로 한 학습 진단과 맞춤형 지도입니다. 저는 수업 중 학생의 수업 특성을 잘 관찰하고 정기적인 학습진단평가와 수업 중 형성평가를 통해 학생의 이해 정도를 면밀히 파악하겠습니다. 그 결과를 바탕으로 학습 상담을 하거나 보충·심화 자료를 차별화하여 제공하겠습니다. 이를 통해 학생 개개인이 자신의 수준에서 학습을 이어갈 수 있도록 돕겠습니다.

둘째, 학교 특성에 맞는 협력적 지원을 하겠습니다. 학습 도우미, 방과 후 프로그램, 두드림학교 등 교내 프로그램을 적극 활용하여 기초학력이 부족한 학생들이 가까운 곳에서 기본 개념을 보강하고, 학습 과정에서 성취감을 느낄 수 있도록 연계하는 교사가 되겠습니다. 이를 통해 학생들이 학습 격차를 줄이고 자신감을 회복할 수 있도록 돕겠습니다.

셋째, 지역사회와 협력하여 안전망을 완성하겠습니다. 학교 안에서는 학년부, 전문교사와 협력해 맞춤형 지원 체계를 운영하고, 학교 밖으로는 공유학교, 멘토링 프로그램, 가정과 연계하여 지속적인 지원이 가능하도록 돕겠습니다. 단순 연계만 하는 것이 아닌 학생의 학습 상황 및 심리 상태를 지속적으로 점검하고 발전 상황을 공유하며 학교 울타리를 넘어선 학습 안전망을 촘촘히 구축하겠습니다.

이처럼 모든 학생이 기본 역량을 갖추고 미래 사회의 주체로 성장할 수 있도록 힘쓰는 교사가 되겠습니다. 이상입니다.

자기 평가

체감 난도		상 중 하 ➡ 원인 파악:
스터디원의 피드백	잘한 부분	
	부족한 부분	
해당 주제에 대한 시험 전까지 계획		

07

평가영역	THEME 5. 기본·기초학력 보장 교육, THEME 33. 다문화교육
해설	A 학교 현안과 자원을 모두 활용한 교육 방안을 제시해야 한다.

예시 답변 A 학교의 현안과 자원을 고려할 때, 학교는 기초학력 보장, 학습 격차 완화, 다문화가정 학생 지원에 중점을 두어야 합니다. 이를 위해 다음과 같은 교육 방안을 제시하겠습니다.

첫째, 기초학력 보장입니다. 학교에 구축된 1인 1스마트 기기와 디지털 인프라를 활용해 에듀테크 기반 기초학력 진단을 실시하고, 맞춤형 학습 콘텐츠를 제공하겠습니다. 더 나아가 지역사회 인적 자원을 활용한 멘토링 프로그램과 교사의 대면 보충 지도를 병행하여 학생 개개인의 학습 결손을 줄이겠습니다.

둘째, 학습 격차 완화입니다. 학생들의 높은 참여율을 바탕으로 자기주도학습 역량이 우수한 학생들을 또래 멘토로 조직해 학습 공동체를 운영하겠습니다. 교사는 멘토·멘티 활동이 원활히 이루어지도록 동기를 부여하고 정서적 지원을 제공하여, 서로 협력하며 성장하는 학습 문화를 조성하겠습니다.

셋째, 다문화가정 학생 지원입니다. 지역사회 전문가와 연계하여 심리 상담 및 사회성 교육을 지원하고, 교내에서는 다문화 관련 캠페인이나 포스터 그리기 같은 다문화 감수성 교육을 정기적으로 실시하겠습니다. 또한 이중언어 학습을 돕는 애플리케이션과 온라인 자료를 안내하여 언어 학습을 지원하겠습니다. 학생의 특성과 필요를 지속적으로 관찰하며 맞춤형 상담과 지원을 제공하겠습니다.

현장에 나아가 학교의 현안에 맞추어 모든 학생이 존중받는 배움 공동체를 실현할 수 있도록 노력하는 교사가 되겠습니다. 이상입니다.

자기 평가

체감 난도		상 중 하 → 원인 파악:
스터디원의 피드백	잘한 부분	
	부족한 부분	
해당 주제에 대한 시험 전까지 계획		

08	평가영역	THEME 6. '깊이 있는 수업' 전문성 강화
	해설	교과의 성취기준을 근거로 학생 참여형 수업을 설계해야 한다. 성취기준을 모두 암기하지 못했다면, 단원명을 언급하여 신뢰를 부여하자.

예시 답변 학생들은 학습 내용을 자신의 삶과 연결할 때 더 의미 있게 느낍니다. 저는 기술·가정 교과의 성취기준인 '청소년기 소비 성향과 소비 환경을 이해하고, 구매 의사 결정 과정을 통해 합리적인 소비생활을 실천한다.'를 7번 '디지털 전환과 AI' 맥락에서 연계하고자 합니다. 그 이유는, 오늘날 청소년의 소비생활 대부분이 온라인 쇼핑·SNS 광고·AI 추천 알고리즘과 밀접하게 연결되어 있기 때문입니다. 사회의 디지털 전환은 학생들의 실제 소비 환경을 변화시키고 있으며, 이에 대응하는 소비 역량을 기르는 것이 중요하다고 판단했습니다. 구체적인 교과 지도 방안은 다음과 같습니다.

첫째, 디지털 소비 환경 분석 활동을 진행하겠습니다. 학생들이 실제 사용하는 온라인 쇼핑몰이나 SNS 광고 사례를 조사하고, 자신들의 소비 성향에 어떤 영향을 미치는지 성찰하도록 합니다. 이를 통해 청소년기 소비 성향이 단순한 개인적 선택이 아니라 디지털 환경과 밀접하게 연관되어 있음을 이해하게 하겠습니다.

둘째, AI 소비 코칭 체험 활동을 설계하겠습니다. 예를 들어, AI 가격 비교 서비스나 소비 패턴 분석 앱을 활용해 동일 상품의 가격, 리뷰 등을 비교해 보고, 합리적인 의사 결정을 연습하도록 합니다. 활동 후에는 실제로 본인의 소비 습관을 돌아보고, 불필요한 충동구매를 줄일 수 있는 실천 방안을 작성하게 하겠습니다.

셋째, 생활 적용 프로젝트를 운영하겠습니다. 모둠별로 '청소년을 위한 스마트 소비 가이드북'을 제작하게 하여, 광고에 현혹되지 않고 자신의 가치와 필요에 맞는 소비를 하는 방법을 정리하도록 합니다. 결과물은 교실 게시판이나 온라인 학급방에 공유해 학급 전체가 함께 활용할 수 있도록 하겠습니다.

이러한 수업을 통해 학생들은 디지털 전환 시대의 소비 환경을 이해하고, AI 도구를 활용한 합리적 구매 과정을 체험하며, 결국 자기 삶 속에서 실천 가능한 소비 습관을 기르게 될 것입니다.

현장에 나아가 학생들의 삶과 연결된 배움을 이끌어, 모두가 성장할 수 있는 교육을 실천하는 교사가 되겠습니다. 이상입니다.

자기 평가		
체감 난도	상 중 하 → 원인 파악:	
스터디원의 피드백	잘한 부분	
	부족한 부분	
해당 주제에 대한 시험 전까지 계획		

09	평가영역	THEME 7. 평가의 변화
	해설	학생에게 논술형 평가가 필요한 이유 2가지와, 이를 달성하기 위한 교사의 역량 2가지를 답하면 된다.

예시 답변 논술형 평가는 학생들에게 다음과 같은 필요성이 있습니다.

첫째, 비판적 사고와 탐구 능력을 기를 수 있습니다. 논술형 평가는 주어진 주제에 대해 분석하고 자신의 의견을 논리적으로 전개하도록 요구하기 때문에, 학생들이 단순 정답 찾기를 넘어 사고의 깊이를 확장할 수 있습니다.

둘째, 창의적 문제 해결력을 키울 수 있습니다. 학생들은 문제를 다양한 시각에서 바라보고 창의적인 해결 방안을 제시하는 과정을 통해, 미래 사회에 필요한 창의적 사고와 문제 해결 능력을 함양할 수 있습니다.

다음으로, 논술형 평가를 운영할 때 교사에게 필요한 역량 2가지입니다.

첫째, 문항 개발 역량입니다. 교사는 교육과정의 핵심 내용을 반영하면서도 고차원적 사고를 이끌어낼 수 있는 문항을 설계할 수 있어야 하며, 학생들이 명확한 조건 속에서 사고를 확장하도록 안내해야 합니다.

둘째, 글쓰기 지도와 피드백 역량입니다. 학생들이 사고한 내용을 글로 표현할 수 있도록 글쓰기 형식을 가르치고, 작성한 답변에 대해 개별적이고 구체적인 피드백을 제공해야 합니다. 이를 통해 학생들의 글쓰기 능력과 비판적 사고를 동시에 발전시킬 수 있습니다.

이처럼 논술형 평가는 학생들에게는 사고력과 문제 해결력을 기르는 도구가 되고, 교사에게는 문항 개발과 글쓰기 지도 역량을 요구합니다. 저 역시 이러한 역량을 꾸준히 함양하여 현장에서 학생들의 성장을 돕는 교사가 되겠습니다. 이상입니다.

자기 평가		
체감 난도		상 중 하 ➔ 원인 파악:
스터디원의 피드백	잘한 부분	
	부족한 부분	
해당 주제에 대한 시험 전까지 계획		

10

평가영역	THEME 8. AI·에듀테크 활용 교육
해설	제시문 속 A, B, C 교사의 발언을 짚으며, 구체적인 답변을 제시하면 된다. 교과 연계 방안의 경우에는, 교육과정 성취기준 몇 가지를 대략적으로 암기해 두고 필요한 부분에 근거를 들어 답변하면 전문성을 드러내는 데 도움이 된다.

예시 답변 제시문의 교사 협의회에서 나온 교사들의 고민을 보고 해결 방안을 말씀드리겠습니다.

먼저 A 교사는 교과와 연계한 인공지능 활용 방안을 고민 중입니다. 저의 교과인 음악 교과에서의 인공지능 활용 방안은 다음과 같습니다. 음악과 성취기준에 '음악적 의도나 아이디어를 여러 매체나 방법에 적용해 자기주도적으로 창작한다.'라는 내용이 있습니다. 이 성취기준을 달성하기 위해 인공지능 작곡 애플리케이션을 활용하고 싶습니다. 학생들에게 '나의 미래'를 주제로 자기 취향에 맞게끔 인공지능 애플리케이션의 도움을 받아 작곡하고, 그 음에 가사를 붙이는 활동을 하는 것입니다. 이 과정에서 학생들은 성취감을 느낄 수 있고, 자기 생각을 가사로 표현하는 과정에서 자기주도성, 창의성, 감성 능력을 발현할 수 있습니다. 학급 친구들과 발표회 시간을 갖고, 작곡한 노래를 공유하는 과정을 통해 공동체 역량을 함께 키우고 싶습니다.

다음으로 B 교사는 인공지능 윤리 교육 방안을 고민 중입니다. 이를 해결하기 위해 딥페이크 기술을 활용한 교육을 생각해 보았습니다. 딥페이크는 딥러닝과 가짜를 의미하는 페이크의 합성어로, 쉽게 말해 합성 프로그램을 말합니다. 이것은 고인을 살아있는 인물인 것처럼 복원해 생동감을 주기도 하지만 초상권 문제나 비윤리적인 상황에 노출될 우려가 있습니다. 유명 작곡가가 살아서 연주하는 것처럼 딥페이크 기술을 직접 활용해 보며 기술의 장점을 이해하되, 부적절하게 사용할 때 초래되는 문제점, 올바른 사용 태도에 대한 소모둠 토의 활동을 진행하고 싶습니다. 전체 토의를 통해 모둠에서 나온 내용을 공유하며, 인공지능을 무분별하게 사용하는 것이 아닌, 윤리적 목적과 태도를 준수하며 사용할 것을 다짐할 수 있도록 하고 싶습니다.

마지막으로 C 교사는 인공지능이 대체할 수 없는 교사의 역할을 생각 중입니다. 인공지능이 효율적인 학습, 생동감 있는 학습을 제공할 수 있을지라도 학생이 그것에 대한 동기나 흥미가 없다면 무용지물이라고 생각합니다. 따라서 교사는 인공지능이 할 수 없는 동기 부여, 회복탄력성 등 정서적 안정과 내면의 힘을 길러주는 역할을 해야 합니다.

현장에 나아가 인공지능 활용의 장점과 유의 사항을 모두 고려해 교육에 도입할 수 있는 교사가 되겠습니다. 이상입니다.

자기 평가

체감 난도		상 중 하 ➔ 원인 파악:
스터디원의 피드백	잘한 부분	
	부족한 부분	
해당 주제에 대한 시험 전까지 계획		

11

평가영역	THEME 8. AI·에듀테크 활용 교육
해설	상황을 한 문장으로 정리한 후 해결 방안을 전개한다면, 문제 분석력을 보여줄 수 있을 것이다.

예시 답변 제시문의 상황은 교사가 생성형 AI를 활용한 수업을 계획했으나, 학생 나원이가 창의성이 저하될 수 있다는 우려를 제기한 경우입니다. 이를 해결하기 위해서는 먼저 활동의 취지를 충분히 설명하는 것이 필요합니다.

생성형 AI는 글을 대신 써주는 도구가 아니라, 아이디어를 발산하고 초안을 마련하는 출발점으로 활용될 수 있습니다. 교사는 수업 전에 이를 분명히 안내해야 하며, 학생들이 AI의 결과물을 그대로 수용하는 것이 아니라 비판적으로 검토·수정·보완하는 과정을 통해 오히려 창의적 사고를 확장할 수 있음을 알려주어야 합니다.

구체적으로는, AI가 제시한 초안을 바탕으로 학생이 새로운 관점이나 근거를 추가하도록 과제를 설계하거나, AI가 만들어낸 글의 한계점을 찾아 개선하는 활동을 포함시킬 수 있습니다. 이렇게 하면 나원이가 우려한 '창의성 저하'가 아니라, 오히려 자기주도적이고 창의적인 글쓰기 경험으로 이어질 수 있습니다.

또한, 학생 개개인의 선택권도 존중할 필요가 있습니다. 나원이와 같은 학생에게는 AI 활용 비중을 줄이고, 직접 글을 작성하는 방식을 병행하도록 안내하면 학생의 자율성과 창의성을 보장할 수 있습니다.

결국 교사는 생성형 AI를 수업의 대체 도구가 아닌 보조 도구임을 명확히 해야 하며, 학생들이 기술을 활용하면서도 스스로 사고하고 창의성을 발전시킬 수 있도록 이끌어야 합니다.

현장에 나아가서 학생의 목소리를 존중하며, AI를 교육적으로 적절히 활용해 창의적 성장을 돕는 교사가 되겠습니다. 이상입니다.

자기 평가		
체감 난도		상 중 하 ➡ 원인 파악:
스터디원의 피드백	잘한 부분	
	부족한 부분	
해당 주제에 대한 시험 전까지 계획		

12 | 평가영역 | THEME 8. AI·에듀테크 활용 교육, THEME 9. 디지털 시민교육·개인정보 보호 |
| 해설 | ERRC 모형과 자료 2의 내용을 모두 반영한 실현 방안이어야 한다. |

예시 답변 자료 1의 ERRC 분석 모델을 참고해, 자료 2에서 제시한 디지털 교육의 실현 방안을 담임교사와 교과교사로서 각각 2가지씩 제시하겠습니다.

먼저 담임교사로서의 실현 방안입니다.
첫째, 학생들의 디지털 기기 과의존을 줄이기 위해 균형 잡힌 학습 환경을 제공하겠습니다. 학생들이 디지털 기기를 활용해 학습하는 시간과 일반적인 학습 방식을 적절히 조합해, 스스로 시간 관리를 할 수 있도록 함께 계획을 수립하는 시간을 갖고 적절한 피드백을 하겠습니다.
둘째, 학생의 수준과 필요에 맞는 디지털 플랫폼, 온라인 콘텐츠를 적극 추천하겠습니다. 학생 개개인의 학습 데이터를 바탕으로 학생들의 성취수준에 적합한 사이트, 콘텐츠를 안내해 주도적으로 학습에 참여할 수 있도록 하겠습니다. 학생에게 친숙한 디지털 도구를 활용해 학습한다면, 흥미를 고취해 자기주도학습 능력을 올릴 수 있고, 디지털 기기 활용 격차도 좁힐 수 있을 것입니다.

다음으로 교과교사로서의 디지털 리터러시 교육 강화 방안입니다.
첫째, 디지털 리터러시 교육을 시행하겠습니다. 역사 이야기는 유튜브 콘텐츠로 자주 소개되는 주제 중 하나입니다. 하지만 콘텐츠에서 소개하고 있는 내용이 창작자의 견해임에도 실제 있었던 사실인 것처럼 보이는 경우도 있습니다. 저는 학생들을 소모둠으로 나눠 하나의 콘텐츠를 선정하게 한 후 그 안의 내용을 비판적으로 분석하는 수업을 구상하고 싶습니다. 교사별 디지털 리터러시 격차가 있다는 점을 고려해 동 교과 협력 학습으로 프로그램을 구상하겠습니다. 이 과정에서 콘텐츠 감식안과 디지털 역량을 키울 수 있으며, 협동해 프로그램을 구상하는 과정에서 리터러시 격차도 좁힐 수 있을 것입니다.
둘째, 플랫폼을 통한 협력 학습을 하겠습니다. 역사 과목은 연표나 이야기로 구성하면 더 이해하기가 쉬운 과목입니다. 구글 공유 문서 등을 활용해 모둠별로 학생들이 내용 재구조화를 함께할 수 있게 하겠습니다. 이를 통해 디지털 역량을 강화하고 디지털 기기 활용 격차를 좁힐 수 있을 것입니다. 이상입니다.

자기 평가		
체감 난도		상 중 하 ➡ 원인 파악:
스터디원의 피드백	잘한 부분	
	부족한 부분	
해당 주제에 대한 시험 전까지 계획		

13	평가영역	THEME 10. 경기형 토론교육
해설	문제의 공감, 포용, 균형의 키워드와 제시문의 3원칙이 반영된 방안이어야 한다.

예시 답변 토론교육은 학생들의 비판적 사고와 민주적 역량을 기르는 중요한 방법입니다. 경기교육은 독일의 보이텔스바흐 토론 모형을 기반으로 제시문과 같은 3원칙하에 자율·균형·미래를 실현하기 위한 토론교육을 지향하고 있습니다. 이에 따른 구체적인 교과 지도 방안을 말씀드리겠습니다.

저는 역사과 성취기준인 '오늘날 인류가 해결해야 할 문제를 구체적 사례를 중심으로 탐구하고 해결 방안에 대해 토론한다.'를 실현하기 위해 먼저 소모둠별 주제 탐색과 선정을 하겠습니다. 예를 들어 '난민 수용 문제'나 'AI 기술의 윤리적 사용' 등 오늘날 인류가 직면한 논쟁적 주제 목록을 제시하고, 소모둠별로 관심 있는 주제를 정리하게 합니다. 이후 학급 전체가 모여 투표를 통해 가장 많이 지지받은 주제를 선정합니다. 이 과정에서 학생들은 스스로 주제를 선택했다는 주인의식을 가지게 됩니다.

둘째, 다양한 관점 탐구와 균형적 이해 단계입니다. 선정된 주제에 대해 찬성과 반대, 혹은 이해관계자별 입장을 모둠별로 나누어 조사하게 합니다. 태블릿 PC를 활용해 관련 기사·자료를 찾아 근거를 정리하고, 역할에 따라 입장을 발표할 준비를 합니다. 교사로서 저는 한쪽 의견을 주입하지 않고, 각 입장이 균형 있게 다뤄지도록 토론 규칙을 안내하며 지원합니다.

셋째, 학급 토론과 성찰 활동입니다. 학급 전체가 원탁 토론 형태로 모여 각 모둠이 정리한 입장을 발표하고, 자유 발언을 통해 서로 질문을 주고받습니다. 이후 학생들은 '토론 성찰 일지'를 작성하여, 토론을 통해 자신의 생각이 어떻게 변화했는지, 어떤 점에서 타인의 의견을 수용했는지 기록합니다. 이는 학생들이 단순히 의견을 내는 데서 그치지 않고, 타인의 관점을 존중하며 공감과 포용의 태도를 내면화하는 과정이 됩니다. 이처럼 저는 토론 수업에서 주제 선정의 자율성, 다양한 관점의 균형 있는 탐구, 성찰을 통한 공감과 포용의 학습이 살아 있도록 지도하겠습니다.

현장에 나아가 학생들이 토론을 통해 민주적 역량을 기르고 미래 사회의 주체로 성장하도록 돕는 교사가 되겠습니다. 이상입니다.

자기 평가		
체감 난도		상 중 하 → 원인 파악:
스터디원의 피드백	잘한 부분	
	부족한 부분	
해당 주제에 대한 시험 전까지 계획		

14

평가영역 THEME 11. 고교학점제

해설 A 학교의 상황 3가지를 보고 진로, 과목 개설, 성취기준 미도달 등의 키워드를 통해 고교학점제에 관련한 내용임을 분석할 수 있어야 하며, 이에 적합한 교사의 역할을 언급해야 한다.

예시 답변 A 학교의 상황을 보면, 진로를 결정하지 못한 학생이 있고, 학생들의 희망 과목이 교내에 개설되지 않았으며, 성취수준 미도달 학생이 있다는 점을 확인할 수 있습니다. 이를 해결하기 위한 교사의 역할은 다음과 같습니다.

첫째, 학생들의 진로 탐색을 지원해야 합니다. 교사는 일상 관찰, 다중지능검사, 개별 상담 등을 통해 학생의 강점을 파악하고, 이를 바탕으로 진로 방향을 안내해야 합니다. 또한 학급 내 1인 1역이나 학생 주도 학습 활동을 통해 학생들의 특성을 발견하고, 스스로 진로를 탐색하도록 도와야 합니다.

둘째, 학생들의 과목 선택을 적극적으로 조력해야 합니다. 교내에 개설되지 않은 마케팅 과목을 희망하는 학생들에게는 공동교육과정 거점학교나 온라인 공동교육과정을 안내하여 원하는 과목을 이수할 수 있도록 해야 합니다. 더 나아가 수강 신청 과정과 학습 진행 상황까지 지속적으로 점검하며 학생들의 성장을 도와야 합니다.

셋째, 최소 성취수준을 보장해야 합니다. 성취수준 미도달 학생을 조기에 파악하여 개별 맞춤형 보충 지도를 실시하고, 수업 중간에 이해가 부족한 학생을 미리 지원해 학습 격차가 심화되지 않도록 예방해야 합니다.

이처럼 교사는 학생들의 진로를 안내하고, 학습 기회를 넓히며, 최소 성취수준을 보장하여 학생 한 명 한 명의 성장을 지원해야 합니다. 이상입니다.

자기 평가

체감 난도		상 중 하 ➡ 원인 파악:
스터디원의 피드백	잘한 부분	
	부족한 부분	
해당 주제에 대한 시험 전까지 계획		

15 | 평가영역 | THEME 12. IB 교육과정 |
| 해설 | 제시문의 내용에 맞는 교사의 역할과 그에 따른 계획을 제시해야 한다. |

예시 답변 제시문은 급변하는 시대에 학생들이 단순한 지식 습득을 넘어 스스로 질문하고 탐구하며, 다양한 관점을 존중하는 힘을 길러야 함을 강조하고 있습니다. 이에 따라 IB 교육과정을 위한 교사의 역할은 다음과 같다고 생각합니다.

첫째, 학생이 스스로 질문하고 탐구할 수 있도록 수업을 설계하는 안내자가 되어야 합니다. 교사는 정답을 주입하기보다, 학생이 주제를 스스로 설정하고 탐구 과정을 통해 답을 찾아가도록 지원해야 합니다.

둘째, 다양한 관점과 문화에 대한 존중을 길러주는 촉진자가 되어야 합니다. 국제적 이슈나 다양한 문화 사례를 수업 속에 포함시켜 학생들이 다른 생각을 이해하고 균형 있는 시각을 기를 수 있도록 해야 합니다.

IB 교육과정을 위해 수업 설계자와 다양한 관점과 문화의 촉진자라는 2가지 측면에서 역량 강화 계획을 세우면 다음과 같습니다.

첫째, 수업 설계자로서의 역량 강화입니다. 저는 교직에 나아가 매 학기 최소 한 번 이상 탐구형 수업안을 설계하고 운영하겠습니다. 이를 단순히 개인적 시도로 끝내지 않고, 지역 수업 연구회나 동 교과 교사와 협업하여 공동 수업안을 개발하고, 수업 공개·피드백을 통해 완성도를 높이겠습니다. 또한 학생들이 단순히 교사의 설명을 듣는 것이 아니라, 스스로 질문을 만들고 탐구 과정을 통해 답을 찾아가는 활동을 수업 속에 정착시키겠습니다. 이 과정에서 디지털 협업 도구나 AI 기반 학습 자료를 활용하여, 학생 맞춤형 탐구 학습을 지원할 수 있는 수업 설계 역량을 기르겠습니다.

둘째, 다양한 관점과 문화를 촉진하는 역량 강화입니다. 다문화·국제교육 관련 교원 연수와 IB 관련 세미나에 꾸준히 참여하여 실제 현장의 사례를 배우고, 이를 제 수업 설계에 반영하겠습니다. 수업에서는 기후 위기, 인권 문제와 같은 국제적 이슈를 주제로 다루어, 학생들이 여러 문화와 관점을 이해하도록 돕겠습니다. 또한 토론교육 학회에 참여해 찬반 토론이나 가치 논쟁 활동을 직접 설계·운영하면서, 학생들이 상반된 의견을 존중하고 균형 있는 시각을 기를 수 있도록 이끄는 방법을 몸에 익히겠습니다. 이상입니다.

자기 평가		
체감 난도	상 중 하 ➡ 원인 파악:	
스터디원의 피드백	잘한 부분	
	부족한 부분	
해당 주제에 대한 시험 전까지 계획		

16	평가영역	THEME 13. 학교폭력 예방 교육
	해설	제시문 상황은 가해 관련 학생들이 '장난'으로 치부하며 폭력성을 부정하는 경우로, 교사가 사안의 심각성을 인식시키고 피해 관련 학생을 보호해야 한다. 또한 장기적으로 학교폭력 예방 교육과 문화 조성이 병행되어야 한다.

예시 답변 제시문의 상황은 A 학생이 단체 채팅방에서 지속적으로 따돌림과 욕설을 당했으나, 가해 관련 학생들은 이를 '장난'이라 주장하는 상황입니다. 이 문제를 해결하기 위한 교사의 지도 방안은 다음과 같습니다.

우선, 피해 관련 학생을 개별 면담하여 사실 관계를 확인하고 정서적 어려움을 위로하며 필요한 지원을 파악하겠습니다. 동시에 학교폭력 처리 절차와 보호 조치 등을 안내해 보복에 대한 불안을 줄이고 안정감을 가질 수 있도록 돕겠습니다.

다음으로, 가해 관련 학생들에게 언어 폭력 또한 명백한 학교폭력이라는 것을 지도하겠습니다. 장난이라는 인식이 피해 관련 학생에게는 심각한 상처가 될 수 있음을 상담을 통해 명확히 인식시키고, 피해 관련 학생의 입장을 공감할 수 있도록 이끌겠습니다. 또한 관련 학생들의 학부모와 긴밀히 소통하여 가정과 학교가 함께 회복적 접근을 실천할 수 있도록 하겠습니다.

학교폭력 예방 방안은 다음과 같습니다.

첫째, 정기적인 디지털 시민교육을 통해 온라인 언어폭력과 따돌림의 심각성을 사례 중심으로 교육하겠습니다. 단순히 강의식으로 끝내지 않고, 학생들이 직접 '온라인 상황극'을 제작해 보고, 댓글을 쓰는 입장과 받는 입장을 바꿔보며 체험하게 하겠습니다. 이를 통해 학생들은 장난처럼 보이는 언행이 상대에게 큰 상처가 될 수 있음을 실감할 수 있을 것입니다.

둘째, 공동체 책임 규약을 제정하겠습니다. 공동체 생활을 하며 지켜야 할 규약을 직접 제정하게 해보겠습니다. 제정한 학급 협약을 포스터·영상으로 직접 제작해 교실에 게시하고, 갈등이 생겼을 때는 '관계 회복 대화 모임'을 열어 학생들이 스스로 문제 해결 과정을 경험하도록 하겠습니다.

셋째, 학생 주도 예방 캠페인을 운영하여 학생 중심의 '존중 언어 주간', '온라인 에티켓 실천 다짐' 등 학생들이 직접 기획·참여하는 활동으로 자율성과 책임감을 기르겠습니다.

이처럼 저는 학교폭력 사안을 엄정하게 지도하고, 동시에 예방 교육과 공동체 회복 활동을 통해 안전하고 존중이 살아있는 학급 문화를 만들어 가겠습니다. 이상입니다.

자기 평가		
체감 난도		상 중 하 → 원인 파악:
스터디원의 피드백	잘한 부분	
	부족한 부분	
해당 주제에 대한 시험 전까지 계획		

17

평가영역	THEME 14. 학교 구성원의 권리와 책임
해설	존중 문화를 위한 노력 방안을 구체적으로 제시해야 한다.

예시 답변 상호존중이란 서로의 존재와 의견을 인정하고 배려하는 것이라고 생각합니다. 이는 구성원 간의 일상적 관계에서뿐 아니라 수업, 상담 등의 모든 학교 활동에서 필요한 가치입니다. 상호존중 문화를 형성하기 위한 방안 3가지를 말씀드리겠습니다.

첫째, 존중 기반 수업을 운영하겠습니다. 학생들이 수업에 참여할 수 있는 기회를 균등히 보장하고, 토의·토론 활동, 프로젝트 활동 등 서로의 의견을 경청하고 의견을 모으는 활동을 통해 타인의 생각을 존중하는 태도를 기르도록 수업을 설계하겠습니다. 또한 저 스스로 학생의 발언을 끊지 않고 경청하는 모습을 보여주겠습니다.

둘째, 학급 공동체 협약 활동을 강화하겠습니다. 학기 초 학생들과 함께 '존중 언어·행동 약속'을 만들어 실천하고, 주기적으로 되돌아보는 시간을 가지겠습니다. 이를 통해 존중이 학급 규범으로 자리 잡도록 하겠습니다.

셋째, 학부모·교사 간 열린 소통 구조를 마련하겠습니다. 가정통신문, 온라인 소통 창구, 학부모 상담 주간 등을 통해 가정과 학교가 서로 존중하며 협력할 수 있도록 하고, 교사 간에도 전문적 학습공동체를 통해 서로의 의견을 존중하고 배울 수 있는 문화를 형성하겠습니다.

이처럼 저는 상호존중의 가치를 바탕으로 수업, 학급, 공동체 전반에서 존중 문화를 실천하는 교사가 되겠습니다. 이상입니다.

자기 평가		
체감 난도		상 중 하 ➔ 원인 파악:
스터디원의 피드백	잘한 부분	
	부족한 부분	
해당 주제에 대한 시험 전까지 계획		

18	평가영역	THEME 15. 환경교육·탄소중립교육
해설	3가지 조건 중 하나를 선택하는 것이므로, 선택한 이유를 제시하라는 말이 없더라도 이유를 들어 신뢰를 주면 좋다.

예시 답변 저는 2번 교과 융합을 통해 탄소중립 생태환경 교육과정을 운영하고 싶습니다. 교과 지식을 실제 삶의 맥락과 연결하면, 학생들은 환경 문제를 교실 밖 사회의 이야기가 아니라 교과와 연결된 나의 과제로 인식하며, 문제 해결을 위한 책임감과 사회 참여 의식을 기를 수 있기 때문입니다. 구체적인 교육 방안은 다음과 같습니다.

첫째, 환경 뉴스 청취 및 핵심 정리입니다. 학생들에게 BBC나 CNN에서 다룬 환경 관련 뉴스 영상을 보여주고, 소모둠별로 핵심 내용을 요약하게 하겠습니다. 환경과 관련한 핵심 표현을 학습하며, 글로벌 차원에서 기후 문제가 어떻게 논의되는지를 파악하도록 하겠습니다. 이를 통해 영어 학습과 국제 환경 이슈를 동시에 경험할 수 있을 것입니다.

둘째, 도덕 교과와 연계하여 원인 탐구 및 가치 토론 활동을 진행하겠습니다. 소모둠별로 뉴스에서 제시된 환경 문제의 원인을 조사하게 하고, '인간의 편리한 삶 vs 자연과의 공존'이라는 주제로 가치 논쟁 토론을 하겠습니다. 예를 들어, '플라스틱 사용을 줄이는 것이 개인의 자유를 침해하는가, 모두의 생존을 위한 최소한의 규범인가'와 같은 주제를 논의하면서 인간과 자연의 조화를 다각도로 이해하도록 하겠습니다.

셋째, 영어 작문으로 캠페인 문구·브랜드 만들기 활동을 하겠습니다. 토론 활동을 통해 내린 결론과 모둠별 가치를 반영한 "I will ~" 형식의 실천 다짐 문장을 작성하게 하고, 학교 환경 브랜드를 제작하도록 하겠습니다. 그 후 브랜드를 포스터·SNS 카드뉴스 형식으로 제작해 교내에 전시하는 것입니다. 이를 통해 영어 작문 능력은 물론, 실제 학교 문화 변화를 주도하는 실천 경험을 쌓을 수 있을 것입니다.

이처럼 영어와 도덕을 융합한 탄소중립 수업을 통해 학생들이 국제 이슈를 영어로 이해하고, 도덕적 성찰을 통해 균형 잡힌 시각을 기르며, 실천적 캠페인으로 연결할 수 있도록 지도하겠습니다. 이상입니다.

자기 평가		
체감 난도		상 중 하 ➡ 원인 파악:
스터디원의 피드백	잘한 부분	
	부족한 부분	
해당 주제에 대한 시험 전까지 계획		

19

평가영역	THEME 16. 진로·진학교육
해설	실태조사 결과 3가지를 모두 고려한 방안을 말하되, 교사의 역할이 드러나야 한다.

예시 답변 제시문의 실태조사 결과를 바탕으로 지역사회와 함께하는 진로교육 방안을 말씀드리겠습니다. 첫째, 학생들이 좋아하는 분야는 있지만 관련 역량 함양 방법을 잘 모른다는 점을 고려해, 지역사회와 연계한 프로그램을 안내하겠습니다. 예를 들어, 경기공유학교나 공동교육과정에서 개설된 과목을 학생의 관심 분야와 연결해 소개하겠습니다. 이를 통해 학생들은 스스로 역량을 키울 수 있는 구체적인 방안을 알게 되고, 진로 설계에 실질적인 도움을 받을 수 있을 것입니다.

둘째, 학생들이 주입식 교육보다 스스로 선택하고 경험하는 기회를 원한다는 점을 반영해, '휴먼 라이브러리' 프로젝트를 운영하겠습니다. 지역사회에서 해당 분야에 종사하는 명인을 연결해 인터뷰 과제를 부여하고, 학생들이 직접 질문지를 작성해 대화하도록 하겠습니다. 저는 안전교육과 사전 피드백을 통해 학생들이 의미 있고 안전한 경험을 할 수 있도록 지원하겠습니다.

셋째, 학생들이 성장 단계에 맞는 맞춤 진로교육을 원한다는 점을 고려해, 학교 간 연계를 추진하겠습니다. '중·고 연계 지역 고등학교 설명회', '미리 보는 고등학교 교육과정', '선배와의 대화', '학교 방문 및 학과 체험' 등을 운영해 단계별로 필요한 정보를 제공하겠습니다. 이를 위해 저는 교사로서 다른 급 교사들과 긴밀한 협력망을 구축해 원활하게 프로그램을 운영하겠습니다.

이처럼 저는 지역사회와 학교, 학생을 연결하는 가교 역할을 하여, 학생들이 주도적으로 진로를 탐색하고 성장할 수 있는 기회를 제공하겠습니다. 이상입니다.

자기 평가		
체감 난도		상 중 하 ➡ 원인 파악:
스터디원의 피드백	잘한 부분	
	부족한 부분	
해당 주제에 대한 시험 전까지 계획		

3 교육 정책 이해 및 적용(THEME 17~20)

20

평가영역	THEME 17. 학교자율과제·학교자율시간·성장이음과정
해설	성장이음과정, 학교자율과정의 취지에 맞는 답변을 해야 한다.

예시 답변 저는 '아이들의 잠재력을 꽃피우는 햇살 같은 교사'를 꿈꾸고 있습니다. 성장이음과정은 초등 저학년 시기에 기초학력과 기본 생활습관을 안정적으로 형성하기 위해 마련된 연계 교육과정입니다. 저의 교직관과 성장이음과정의 도입 취지를 고려할 때, 저는 학생들의 잠재력을 키우기 위해 기본에 충실한 교육을 하고자 합니다. 구체적인 방법은 다음과 같습니다.

첫째, 기초소양 교육입니다. 1·2학년은 한글 해득과 기초수학을 습득하는 결정적 시기입니다. 저는 학생들이 놀이 속에서 자연스럽게 학습할 수 있도록 활동을 설계하겠습니다. 예를 들어, 받아쓰기 대신 그림 카드로 문장을 만들고 친구와 짝 활동을 통해 읽고 쓰기를 연습하게 하겠습니다. 수학 시간에는 교구나 블록을 활용해 수 개념을 체득하고, 생활 속 계산 문제를 해결하며 수학의 필요성을 경험하게 하겠습니다. 이렇게 학생들이 흥미를 유지하면서도 기초학력을 안정적으로 다질 수 있도록 지도하겠습니다.

둘째, 인성교육을 강화하겠습니다. 특히 공동체 의식을 키우는 활동을 진행하겠습니다. 예를 들어, 아침 인사 캠페인이나 '칭찬 한마디 카드 나누기'를 통해 긍정적인 언어습관을 기르도록 하고, 모둠 놀이 활동을 통해 친구와 협력하며 서로를 배려하는 경험을 제공하겠습니다. 이를 통해 학생들이 사회적 관계를 맺는 첫걸음을 건강하게 내디딜 수 있도록 돕겠습니다.

셋째, 신체 활동을 생활화하겠습니다. 체육 수업뿐 아니라 창의적 체험활동과 쉬는 시간에도 다양한 신체 놀이를 제공하여 학생들이 몸을 움직이는 즐거움을 느끼게 하겠습니다. 예를 들어, 줄넘기 챌린지, 교실 속 스트레칭 타임을 정례화하여 바른 생활습관을 기르게 하고, 동아리 활동에서는 다양한 신체 활동을 경험하도록 하겠습니다. 이를 통해 '건강한 신체에 건강한 정신이 깃든다'는 말처럼 몸과 마음이 함께 성장할 수 있도록 하겠습니다.

이처럼 저는 성장이음과정의 취지를 살려 기초소양, 인성, 신체 발달을 균형 있게 지도하며, 학생들의 잠재력을 꽃피우는 교사가 되겠습니다. 이상입니다.

자기 평가

체감 난도	상 중 하 ➔ 원인 파악:
스터디원의 피드백	잘한 부분
	부족한 부분
해당 주제에 대한 시험 전까지 계획	

21

평가영역	THEME 18. 자유학기제
해설	자유학기에 대한 이해도가 드러나는 문제이므로, 정확한 정책 이해를 바탕으로 역할을 제시해야 한다.

예시 답변 성공적인 자유학기제 운영을 위해 교사가 수행해야 할 역할은 다음과 같습니다.

첫째, 학생 참여 중심 수업 설계를 해야 합니다. 교사는 일방적인 지식 전달식 수업이 아닌 학생 참여형·탐구형 수업을 설계하여 학생들이 스스로 생각하고 활동할 수 있도록 지도해야 합니다. 예를 들어 프로젝트 학습, 토론 수업, 실험·체험 활동을 적극 반영해야 합니다.

둘째, 진로 탐색 기회 제공을 해야 합니다. 지역사회 자원과 연계하여 다양한 직업 체험, 현장 탐방, 전문가 초청 강연 등을 운영하여 학생들이 자신의 흥미와 적성을 구체적으로 탐색할 수 있도록 해야 합니다.

셋째, 학생 성장 지원과 상담 강화를 해야 합니다. 자유학기제의 핵심은 '성적 부담 완화 후 자기성장'이므로, 학생 개개인의 관심사와 장점을 파악하고 학습·정서 상담을 통해 학생이 자기주도적으로 성장할 수 있도록 지원할 수 있어야 합니다.

현장에 나아가 학생들이 배움의 즐거움을 경험하고, 스스로 미래를 탐색하며, 자율적 성장을 이어갈 수 있도록 배움을 설계하는 교사가 되겠습니다. 이상입니다.

자기 평가			
체감 난도		상 중 하 ➔ 원인 파악:	
스터디원의 피드백	잘한 부분		
	부족한 부분		
해당 주제에 대한 시험 전까지 계획			

22

평가영역 THEME 19. 건강하고 안전한 학교

해설 ERRC의 하위 요소 8가지를 모두 반영하는 교육 방안이어야 한다.

예시 답변 제시문의 ERRC 분석 결과를 바탕으로, 건강하고 안전한 학습 환경을 조성하기 위한 방안을 말씀드리겠습니다.

담임교사로서는 학생들의 심리적 불안과 과도한 학업 스트레스를 줄이기 위해 정기적인 감정 나누기 활동을 운영하겠습니다. 학생들이 조회 시간에 자신의 감정을 신호등 색깔로 표현하고 간단한 이유를 적게 하여 스스로 감정을 인식하게 하고, 저는 기록에 짧은 응원 메시지를 남기며 필요한 경우 학교 상담 프로그램과 연계하겠습니다. 이를 통해 학생들의 심리적 안정과 자존감을 높일 수 있을 것입니다. 또한 학습 성취도 격차를 완화하기 위해 에듀테크 기반 학습 진단을 실시하고, 그 결과를 활용해 맞춤형 학습 자료를 제공하겠습니다. 여기에 더해 학급 내 멘토·멘티 학습 문화를 조성하여 학생들이 서로 돕고 배우는 협력적 분위기를 만들겠습니다. 이는 교사의 수업 준비 부담을 덜어 주면서 학생들의 주도적 성장을 촉진할 수 있습니다.

교과교사로서는 심리적 안정과 자존감을 높일 수 있는 수업 활동을 설계하겠습니다. 예를 들어 '나를 표현하는 북아트 프로젝트'를 진행하는 것입니다. 학생들이 글과 그림으로 자신을 드러낸다면 성취감과 자존감을 기를 수 있습니다. 또한 교과 활동 속에서 안전한 공간을 창출하기 위해 미술실 활동 시 학생들이 스스로 실습 규칙을 만들고, 활동 후 실습 성찰 일지를 작성하도록 지도하겠습니다. 이를 통해 교사 주도의 지시가 아닌 학생 주도의 안전 문화가 형성되도록 하겠습니다.

이처럼 저는 담임교사로서 정서적 지원과 학습 격차 해소를 실천하고, 교과교사로서 자존감 향상 활동과 안전한 수업 문화를 창출하여 학생들이 건강하고 안전한 학습 환경 속에서 성장할 수 있도록 이끌겠습니다. 이상입니다.

자기 평가		
체감 난도		상 중 하 ➔ 원인 파악:
스터디원의 피드백	잘한 부분	
	부족한 부분	
해당 주제에 대한 시험 전까지 계획		

④ 교과 지도(전공 연계) 방안(THEME 21~26)

23

평가영역	THEME 21. 세계시민(학교민주시민)교육
해설	선택 이유를 경기도교육청의 지향점 및 본인의 교직관이 드러나도록 제시하면 좋다.

예시 답변 저는 2번 '학생 참여 중심 시민교육 및 세계시민교육'을 선택하겠습니다. 세계시민교육은 단순히 지식을 배우는 것을 넘어, 학생들이 직접 문제를 탐구하고 해결 방안을 모색할 때 교과서 속 이야기가 아니라 삶과 연결된 실제 경험으로 자리 잡을 수 있기 때문입니다. 구체적인 교육 방안은 다음과 같습니다.

먼저 전공 연계 방안입니다. 저는 기술가정 교사로서 '변화하는 가족' 단원을 활용하여 세계시민교육을 실천하고자 합니다. 수업에서 다양한 가족 형태를 다룰 때, 한국의 상황뿐 아니라 해외의 입양, 다문화가정 사례 등을 보여주고, 소모둠별로 전통적 가족과 현대 가족의 공통점과 차이점을 비교·분석하게 하겠습니다. 학생들은 가족의 형태가 변화하였음을 이해하고, 이를 통해 가족의 다양성을 존중하고 서로 다른 문화와 가치관을 포용하는 세계시민적 태도를 기를 수 있을 것입니다. 나아가 '편견 없는 사회를 만들기 위한 실천 과제'를 모둠별로 작성하게 하여 학급에 공유하겠습니다.

다음으로 학급 운영 방안입니다. 학급회의를 통해 학급생활협약을 제정하겠습니다. 학교에 학칙이 있지만, 학급 구성원들만의 규칙이 필요하다고 생각합니다. 이때 교사가 일방적으로 정하는 것이 아니라 학생들이 생활 속에서 필요하다고 느낀 규칙을 스스로 제정하게 하여 책임감과 실천성을 기를 수 있도록 하겠습니다. 이렇게 일상에서 민주적으로 규칙을 만들고 지켜나가는 경험이 쌓이면, 학생들에게는 곧 작은 공동체에서의 참여와 책임을 배우는 과정이 되고, 이는 더 큰 사회와 세계 속에서 살아갈 시민의식의 기초가 될 수 있을 것입니다.

이처럼 학생들이 다양성과 상호존중, 책임 있는 참여를 실천하는 균형 잡힌 세계시민으로 성장할 수 있도록 조력하는 교사가 되겠습니다. 이상입니다.

자기 평가		
체감 난도		상 중 하 ➡ 원인 파악:
스터디원의 피드백	잘한 부분	
	부족한 부분	
해당 주제에 대한 시험 전까지 계획		

24

평가영역 THEME 22. 독서인문교육

해설 학교, 교사, 학생의 6가지 상황이 모두 반영된 교육 방안이어야 한다.

예시 답변 A 학교 상황에 적합한 독서교육 방안을 말씀드리겠습니다.

A 학교는 도서관에 디지털 환경이 잘 구축되어 있고 독서 수업 관련 예산도 확보되어 있습니다. 저는 이 점을 고려하여 사서교사와 협력해 교과 융합 독서 수업을 기획하겠습니다. 교과 융합 수업 전문성과 독서 관련 전문적 학습공동체 참여 경험을 바탕으로 효과적으로 추진할 수 있을 것입니다.

저는 '리딩 앤 라이팅 프로그램'을 운영하고자 합니다. 독서는 단순히 읽기에 그치는 것이 아니라, 독후 활동을 통해 사고를 확장하고 표현해야 학습 효과가 극대화되기 때문입니다. 우선, 맞춤형 독서 단계에서는 AI 진단을 통해 학생 개개인의 영어 독해 수준을 파악한 뒤, 사서교사의 도움을 받아 수준별 독서 목록을 구성하겠습니다. 그 후 독서 목록에서 읽고 싶은 책을 학생이 직접 선택할 수 있도록 하여 주도성과 능동성을 살리겠습니다.

다음으로, 창의적 재표현 단계에서는 읽은 책의 내용을 시, 소설, 포스터, 웹툰, 드라마 대본 등 다양한 형식으로 학생이 스스로 재구성하게 하겠습니다. 예를 들어, 책 속 인물의 입장에서 시를 쓰거나, 내용을 만화로 각색하는 식입니다. 이를 통해 학생들은 책을 깊이 이해하고, 자신의 생각을 자유롭게 표현하며 창의적 역량을 기를 수 있습니다.

마지막으로, 공유와 피드백 단계에서는 학생들의 작품을 디지털 도서관 플랫폼에 업로드하고 서로 감상하며 피드백하도록 하겠습니다. 저는 교사로서 AI 튜터의 분석과 함께 구체적인 피드백을 제공하여 학생이 자신의 영어 표현을 보완할 수 있도록 돕겠습니다. 이를 통해 학생들은 단순한 독후 활동을 넘어, 학습의 성취감과 자신감을 얻고 학교 교육에 대한 신뢰도 더욱 높일 수 있을 것입니다. 또한 사서교사와 협력해 우수작을 도서관에 배치하여 하나의 전시회로 만들어 도서관을 문화예술 공간으로 만들겠습니다.

이처럼 A 학교의 디지털 자원과 예산, 교사의 전문성, 학생의 주도성을 적극 활용한 독서교육을 통해 학생들이 독서를 자기 삶과 연결하며 배움의 즐거움을 경험할 수 있도록 하겠습니다. 이상입니다.

자기 평가

체감 난도		상 중 하 → 원인 파악:
스터디원의 피드백	잘한 부분	
	부족한 부분	
해당 주제에 대한 시험 전까지 계획		

25

평가영역	THEME 24. 문해력 향상 교육
해설	제시문 속 프로젝트 학습의 특징을 바탕으로, 교사 회의에서 제기된 학생들의 문제 상황(A·B·C)을 해결할 수 있어야 한다.

예시 답변 교사 회의에서 제기된 문제를 해결하기 위해 저는 제시문의 프로젝트 학습을 활용한 문해력 교육 방안을 제시하겠습니다. 구체적으로는 독서 기반 프로젝트 학습을 운영하겠습니다.

먼저 학생들이 SNS에서 자주 접하는 주제를 조사하고, 공통된 관심사를 바탕으로 소그룹을 구성해 관련 도서를 스스로 선정하도록 하겠습니다. 이는 A 교사가 지적한 'SNS에 치우쳐 책을 읽지 않는 문제'를 해결하는 데 효과적일 것입니다.

둘째, 같은 책을 읽은 뒤 책의 주제와 SNS 게시물의 관점 차이를 개인별로 정리해 글로 표현하게 하겠습니다. 이를 통해 학생들이 자신의 생각을 글로 조직화하는 훈련을 하며, B 교사가 언급한 '글쓰기 부족 문제'를 보완할 수 있습니다.

셋째, 소그룹별로 발표와 토론을 진행해 책과 SNS가 보여주는 세계관의 차이에 대해 의견을 나누게 하겠습니다. 이를 통해 학생들은 줄임말이나 단편적 대화에서 벗어나 근거 있는 주장과 경청을 바탕으로 질 높은 소통을 경험할 수 있을 것이며, C 교사가 지적한 문제를 해결할 수 있습니다. 이처럼 프로젝트 학습을 통해 학생들이 책 읽기, 글쓰기, 토론하기를 유기적으로 연결하며 문해력을 기를 수 있도록 지도하겠습니다.

현장에 나아가 학생 중심 독서교육을 실천하는 교사가 되겠습니다. 이상입니다.

자기 평가		
체감 난도		상 중 하 → 원인 파악:
스터디원의 피드백	잘한 부분	
	부족한 부분	
해당 주제에 대한 시험 전까지 계획		

26 | 평가영역 | THEME 25. 통일교육·탈북학생교육
| 해설 | 유의 사항에 대해 설명하되, 답변에 편향이나 차별 요소가 포함됐는지 확인해 보자.

예시 답변 탈북학생을 지도할 때 교사가 유의해야 할 사항을 3가지 말씀드리겠습니다.

첫째, 탈북학생들의 문화 및 심리적 특성과 배경을 이해해야 합니다. 탈북학생들은 북한에서의 경험으로 인해 다양한 문화적, 심리적 특성과 배경을 가질 수 있습니다. 교사는 이들이 겪은 경험과 그로 인해 발생할 수 있는 심리적 어려움을 이해하고, 이를 존중하며 접근해야 합니다. 필요한 경우 심리적 지원을 제공할 수 있는 전문가와 협력하는 것이 필요합니다.

둘째, 언어 및 학습 격차를 고려해야 합니다. 탈북학생들은 한국어 능력이나 학습 내용에 있어서 다른 학생들과 격차가 있을 수 있습니다. 교사는 이들의 언어적, 학습적 필요를 이해하고 적절한 지원을 제공해야 합니다. 맞춤형 학습 자료를 제공하고, 한국어 보충 교육이나 학습 멘토링을 지원해 학생들이 학습에 적응할 수 있도록 돕는 것이 중요합니다.

셋째, 탈북학생들은 이전의 경험으로 인해 타인에 대한 신뢰를 쉽게 형성하지 못할 수 있습니다. 따라서 교사가 신뢰를 구축하는 것이 중요합니다. 학생에게 지속적으로 관심과 배려를 보이고, 신뢰를 쌓기 위해 정기적인 소통과 긍정적인 피드백을 제공해야 합니다. 안정감을 주는 환경을 조성하는 것도 필요합니다. 이상입니다.

자기 평가		
체감 난도		상 중 하 ➔ 원인 파악:
스터디원의 피드백	잘한 부분	
	부족한 부분	
해당 주제에 대한 시험 전까지 계획		

27

평가영역	THEME 26. 독도교육
해설	'교사의 자질 ➡ 구체적 지도 방안' 두 축으로 답변하면 된다. 특히 '균형 있게'라는 키워드를 살려, 국제적 시각과 객관성, 그리고 비판적 사고 촉진이 강조되도록 답변하자.

예시 답변 독도 문제를 균형 있게 지도하기 위해 교사가 갖추어야 할 자질은 객관적이고 비판적인 시각을 유지하는 태도입니다. 교사는 감정적으로 접근하기보다 역사적 사실과 국제법적 근거를 바탕으로 학생들이 합리적으로 판단할 수 있도록 도와야 합니다. 일본이나 국제 사회에서 제기하는 주장도 단순히 배척하기보다는 하나의 자료로 제시해 학생들이 비판적으로 분석하도록 이끌어야 합니다.

이러한 자질을 바탕으로 창의적 체험활동 등을 활용해 구체적으로 독도교육을 진행할 방안은 다음과 같습니다.

첫째, 사료와 다양한 자료 분석 활동을 통해 학생 스스로 사고하도록 유도하겠습니다. 예를 들어, 독도 관련 고지도, 정부 문서, 국제기구의 자료 등을 제시해 학생들이 사료를 비교·분석하며 사실에 근거한 판단을 내리도록 지도하겠습니다.

둘째, 역할 토론이나 모의 국제회의 활동을 진행하겠습니다. 학생들이 한국, 일본, 국제기구 등의 입장을 맡아 토론하도록 하여, 다양한 시각을 이해하면서도 우리 입장을 객관적 근거로 뒷받침할 수 있는 능력을 기르도록 돕겠습니다.

셋째, 비판적 성찰 활동을 포함하겠습니다. 토론 이후 학생들에게 성찰 저널을 작성하게 하여, 독도 문제에 대한 자신의 생각이 어떻게 변화했는지, 앞으로 국제 분쟁을 대하는 태도는 어떠해야 하는지 돌아보도록 하게 한 후 발표 활동을 통해 생각을 공유하도록 하겠습니다.

현장에 나아가서도 민족적 자긍심과 함께 국제적 균형 감각을 기르는 수업을 실천하겠습니다. 이상입니다.

자기 평가		
체감 난도		상 중 하 ➡ 원인 파악:
스터디원의 피드백	잘한 부분	
	부족한 부분	
해당 주제에 대한 시험 전까지 계획		

⑤ 학급 운영 방안(THEME 27~35)

28

평가영역	THEME 27. 학급 운영
해설	실제 교사의 역량을 확인하는 문제이므로 거창한 프로그램을 제시하기 전에 현실성 있는 답변을 해야 한다.

예시 답변 학급에서 친구 관계에 어려움을 보이는 학생을 지도하기 위한 방안을 말씀드리겠습니다. 먼저 친구를 사귀지 못하는 원인과 유형을 정확히 파악한 후 접근하겠습니다. 관찰법, 개별 면담, 또래 지명, 학부모 상담을 통해 종합적으로 파악하고, 이를 토대로 위축형, 미숙형, 문제행동형, 상호무관심형 등 유형을 구분해 개별화된 접근을 하겠습니다. 예를 들어, 위축된 학생 같은 경우에는 친구 관계 기술을 하나씩 알려주고, 소그룹 활동 속에서 연습할 기회를 많이 주겠습니다. 또 작은 행동이라도 바로바로 칭찬해서 자신감을 심어주려고 합니다. 미숙한 학생은 친구의 감정 표현에 어떻게 반응해야 하는지, 예를 들면 공감하거나 위로하기 같은 방법을 구체적으로 알려주면서 긍정적인 경험을 쌓을 수 있도록 돕겠습니다. 문제행동을 보이는 학생은 사실 친구들과 어울리고 싶어 하는 마음이 크다고 생각합니다. 그래서 그 욕구는 인정해 주면서도, 지금의 행동이 오히려 관계를 어렵게 한다는 점을 스스로 깨닫게 하고 싶습니다. 동시에 바람직한 행동을 제가 직접 시범 보이면서 알려주겠습니다. 마지막으로, 친구들과 별로 어울리려 하지 않는 학생은 억지로 친구를 만들라고 하기보다는, 본인이 좋아하는 분야에 몰입할 기회를 주고 싶습니다. 학급 안에서 자신의 강점을 발휘할 수 있는 무대를 마련해 주면 자연스럽게 사회적 연결이 확장될 수 있다고 봅니다.

이 과정에서 무엇보다 관계 형성은 시간이 걸리는 과정임을 존중해야 합니다. 교사가 억지로 친구를 붙여주면 오히려 관계가 깨지며 학생의 자신감이 더 낮아질 수 있습니다. 따라서 단순히 친구를 만들어주는 것이 목적이 아니라, 학생이 스스로 관계 맺는 힘을 기르고 작은 성공 경험을 통해 자신감을 쌓을 수 있도록 지속적인 칭찬과 격려로 지지하겠습니다.

이처럼 저는 학생의 유형을 세밀하게 파악하고, 개별화된 지도와 지속적인 지지를 통해 학급 안에서 학생들이 건강한 또래 관계를 형성하도록 돕는 교사가 되겠습니다. 이상입니다

자기 평가		
체감 난도		상 중 하 ➡ 원인 파악:
스터디원의 피드백	잘한 부분	
	부족한 부분	
해당 주제에 대한 시험 전까지 계획		

29

평가영역	THEME 28. 자기주도학습
해설	자기주도학습은 학생의 특성과 상황에 맞게 차별화된 접근이 필요하다.

예시 답변 자기주도학습은 일관적인 방식이 아니라 학생의 특성과 상황에 맞게 운영해야 효과적입니다. 제시된 A, B, C 학생의 상황에 따른 방안을 말씀드리겠습니다.

먼저 A 학생은 자신감이 부족해 자기주도학습을 힘들어합니다. 이 경우 달성 가능한 작은 목표를 세워 성취를 경험하도록 돕겠습니다. 예를 들어 하루 10분 학습, 짧은 과제 완수 같은 활동을 통해 성취 경험을 쌓고, 교사는 노력 과정을 구체적으로 칭찬하며 긍정적 피드백을 제공하겠습니다. 이를 통해 자기효능감을 높일 수 있습니다.

다음으로 B 학생은 노력에 비해 결과가 미흡해 의욕을 잃은 상황입니다. 이 학생에게는 결과보다 과정을 중시하도록 지도하고, 학습이 잘되지 않았던 원인을 함께 분석하며 새로운 학습 전략을 탐색하게 하겠습니다. 이를 통해 단순한 결과 중심 사고에서 벗어나 자기주도학습의 지속성을 유지할 수 있도록 하겠습니다.

마지막으로 C 학생은 활동 속 자기주도적 경험에서 즐거움을 느끼는 유형입니다. 이 학생에게는 프로젝트 학습이나 소모둠 탐구 활동처럼 스스로 기획·실행할 수 있는 기회를 제공하여 학습의 주체성을 강화하겠습니다. 흥미 있는 주제를 탐구하게 한다면 자율성과 즐거움을 동시에 경험할 수 있을 것입니다.

이처럼 학생의 특성과 상황에 맞춘 자기주도학습 운영을 통해 학생들이 자신감을 회복하고, 과정을 즐기며, 주도적으로 학습에 참여할 수 있도록 돕는 교사가 되겠습니다. 이상입니다.

자기 평가		
체감 난도		상 중 하 ➡ 원인 파악:
스터디원의 피드백	잘한 부분	
	부족한 부분	
해당 주제에 대한 시험 전까지 계획		

30

평가영역	THEME 29. 초등 저학년 학교생활 적응 방안(유·초 이음학기, 성장배려학년제)
해설	서론을 넣으면 유리한 문제이다. 교사의 역할을 말하기 전에 성장배려학년제의 정의를 말하면서, 경기 정책을 잘 알고 있다는 것을 드러내면 좋다.

예시 답변 성장배려학년제는 초등학교 1·2학년 학생들이 안정적으로 학교생활에 적응할 수 있도록 관계 형성, 놀이 중심 활동, 기초 학습을 집중 지원하는 교육과정입니다. 이에 따라 교사가 수행해야 할 역할을 말씀드리겠습니다.

첫째, 저학년 발달 단계를 고려한 놀이 환경을 구성해야 합니다. 초등학교 저학년 학생들은 학교생활이 낯설 것입니다. 따라서 유치원 교육과정과 연계한 놀이 중심 교육과정을 운영하고 학급에 퍼즐, 블록 등 학습용 놀이 도구를 갖춰 학생들이 학습 내용을 자연스럽고 재미있게 익히도록 해야 합니다.

둘째, 학생의 관심, 심리, 행동, 성장 배경 등을 고려한 개별 맞춤 지도가 필요합니다. 학생들을 잘 관찰해 개인별로 필요한 개별화 교육을 도입해야 하며, 서로 협력해 학교생활을 원활하게 할 수 있도록 공동체 규칙을 익히는 시간을 부여해야 합니다.

셋째, 이를 위해 학부모와 소통이 필요합니다. 온·오프라인 상담 창구를 개설해 학생의 학습과 정서적 상태에 대한 정보를 공유하고, 가정에서 지원을 독려해야 합니다. 학부모와의 정기적인 상담이나 회의를 통해 학생의 발달 상황을 공유하고, 학부모가 학생의 학습과 성장을 어떻게 지원할 수 있는지 안내해야 합니다. 가정과 학교가 협력할 때 학생의 전인적인 성장을 기대할 수 있을 것입니다.

이처럼 저는 성장배려학년제의 취지를 충실히 이해하고, 저학년 학생들의 안정적 적응과 건강한 성장을 돕는 교사가 되겠습니다. 이상입니다.

자기 평가

체감 난도	상 중 하 ➜ 원인 파악:
스터디원의 피드백 - 잘한 부분	
스터디원의 피드백 - 부족한 부분	
해당 주제에 대한 시험 전까지 계획	

31

평가영역	THEME 30. 학생 문화 이해
해설	문제의 요건에 따라 제시문을 참고하여 학교 교육에서 대중문화와 유튜브를 활용한 교육이나 비평 교육이 필요한 이유를 말하고 구체적인 교육 방안을 제시하면 된다. 이때 교사의 일방적인 강의식 방식이 아닌, 학생 주도의 학습이 될 수 있도록 설계해야 한다.

예시 답변 제시문에서 알 수 있듯, 청소년들은 K-팝과 유튜브 같은 대중문화를 단순한 여가가 아니라 삶의 중요한 부분으로 받아들이고 있습니다. 이는 학습 동기와 창의성에 긍정적으로 작용할 수 있지만, 동시에 비판 없이 소비할 경우 왜곡된 가치관이나 소비 지향적 태도로 이어질 위험이 있습니다. 따라서 학교는 학생들이 대중문화를 성찰적 관점에서 이해하고 건강하게 활용할 수 있도록 교육할 필요가 있습니다. 구체적인 교육 방안을 말씀드리겠습니다.

먼저, 대중문화·유튜브 콘텐츠 분석 수업을 운영하겠습니다. 학생들에게 인기 있는 유튜브 방송이나 K-팝 콘텐츠를 시청하게 한 후, 그 안에 담긴 메시지와 문화적 배경 등을 모둠별로 분석하도록 하겠습니다. 이때 AI를 학습 보조 자료로 활용하게 한다면, 학생들이 흥미를 느낄 수 있을 것입니다. 이어 이러한 현상이 사회와 또래 문화에 미치는 영향을 토의하며, 비판적 시각과 성찰적 태도를 기를 수 있도록 하겠습니다.

다음으로, 학생 주도 콘텐츠 제작 프로젝트를 진행하겠습니다. 콘텐츠를 분석한 것을 토대로, 유의점을 숙지하며 학생들이 직접 주제를 정해 브이로그, 지역사회 문제 다큐멘터리, 교육 콘텐츠 등을 제작하도록 하고, 이후 서로의 영상을 리뷰하고 피드백하는 시간을 마련하겠습니다. 이를 통해 학생들은 창의적 사고와 협업 능력을 기르고, 자기표현과 소통 역량을 강화할 수 있을 것입니다.

마지막으로, 미디어 리터러시 교육을 실시하겠습니다. 같은 주제를 다룬 뉴스 기사, 유튜브 영상, SNS 게시물을 비교 분석하며 정보의 신뢰성을 판단하는 연습을 하겠습니다. 학생들이 다양한 매체의 관점을 비교하고 출처와 신뢰도를 평가하는 과정을 통해, 정보 선별 능력과 미디어 활용 역량을 키울 수 있을 것입니다.

이처럼 저는 제시문에서 강조된 대중문화와 유튜브의 양면성을 교육적으로 활용해, 학생들이 올바른 가치관과 비판적 사고를 갖춘 세계시민으로 성장할 수 있도록 돕는 교사가 되겠습니다. 이상입니다.

자기 평가

체감 난도		상 중 하 → 원인 파악:
스터디원의 피드백	잘한 부분	
	부족한 부분	
해당 주제에 대한 시험 전까지 계획		

32	평가영역	THEME 31. 인성교육
	해설	인성교육 방안과 그에 적합한 종소리 메시지를 제시해야 한다.

예시 답변 제가 종소리에 담고 싶은 구절은 '나는 소중하다. 너도 소중하다. 우리 모두는 소중하다.'입니다. 학생들이 자신을 소중히 여기고, 친구 또한 존중할 때 자아존중감을 기를 수 있으며, 학교 안에 배려와 존중의 문화가 자리 잡을 수 있다고 생각합니다. 이 구절을 실천하기 위한 교육 방안을 말씀드리겠습니다.

먼저, 자기 성찰 활동을 학급에서 정기적으로 운영하겠습니다. 학생들에게 하루 중 자신이 잘한 점을 기록하게 하여 자기 긍정 경험을 쌓도록 하고, 교사는 그 과정을 꾸준히 피드백하며 학생 스스로가 소중한 존재임을 확인할 수 있게 하겠습니다.

둘째, 또래 존중 프로그램을 진행하겠습니다. 모둠별로 '칭찬 릴레이' 활동을 하여 친구의 장점을 찾고 표현하도록 하고, 학급 게시판에 서로가 적어준 칭찬 카드를 전시하겠습니다. 이를 통해 학생들은 타인의 가치를 인정하고 존중하는 태도를 배우게 될 것입니다.

셋째, 학교 공동체 확산 활동을 하겠습니다. 학생자치회와 협력해 존중과 배려를 주제로 한 캠페인을 기획하게 하고, 등굣길 방송이나 게시판을 통해 학생 스스로 존중의 메시지를 전하도록 하겠습니다. 학생이 직접 참여해 주체가 될 때 존중 문화는 더 깊이 자리 잡을 수 있습니다.

이처럼 저는 학생들이 스스로와 서로를 소중히 여기는 경험을 학교생활 속에서 반복하며, 존중과 배려가 살아 있는 건강한 학급·학교 문화를 만들어 가겠습니다. 이상입니다.

자기 평가

체감 난도		상 중 하 → 원인 파악:
스터디원의 피드백	잘한 부분	
	부족한 부분	
해당 주제에 대한 시험 전까지 계획		

33

평가영역	THEME 32. 마약·도박·디지털 성범죄 예방 교육
해설	제시문 속 문제를 해결할 수 있는 교육 방안을 제시해야 한다.

예시 답변 청소년 마약 적발 건수가 증가하는 이유 중 하나는 인터넷과 SNS를 통한 접근이 쉽기 때문입니다. 또 단순한 호기심에서 시작된 경험이 중독으로 이어질 수 있고, 심지어 병원을 직접 찾아가 허위로 처방받는 사례까지 발생하고 있습니다. 이런 점에 비춰, 청소년 마약 예방 교육 방안을 말씀드리겠습니다.

먼저, 디지털 리터러시와 시민성 교육을 강화하겠습니다. 인터넷과 SNS로 마약에 접근할 수 있는 만큼, 온라인 속 유해 정보와 불법 광고를 구별하고 스스로 차단할 수 있는 능력을 길러주는 것이 필요합니다. 창의적 체험활동 시간에 실제 뉴스 사례 영상을 보고 청소년 마약 문제에 대해 토론 활동을 하며 학생들 스스로 위험성을 분별하고, 심각성을 인지할 수 있도록 지도하겠습니다.

둘째, 체험 중심 예방 교육을 하겠습니다. 청소년들은 호기심으로 시작하는 경우가 많기 때문에, 단순한 강의보다는 학생 주도적인 활동이 효과적이라고 생각합니다. 예를 들어 소모둠별로 '청소년 마약 예방 숏츠'를 제작하게 하여, 중독의 위험성과 예방 메시지를 학생 스스로 표현하도록 하겠습니다. 완성된 영상을 전교생 앞에서 상영하고 투표·피드백을 할 수 있도록 공유하면, 학생들이 능동적으로 문제를 학습하면서 동시에 또래 교육 효과도 얻을 수 있을 것입니다.

셋째, 의약품 바로 알기 교육을 실시하겠습니다. 허위로 병원을 방문해 처방을 시도하는 사례가 있다는 점에서, 약의 올바른 사용 습관을 기르는 것이 중요하다고 생각합니다. 보건교사와 협력하여 '약 바로 알기 캠페인'을 열고, 실제 처방전 사례를 제시한 뒤 어떤 것이 정상 처방이고 어떤 것이 위험 시도인지 판별하도록 하겠습니다. 또한 학생들이 올바른 복용 습관을 직접 체크리스트로 작성해 보게 하여, 약물 남용을 예방할 수 있는 생활습관을 기르도록 하겠습니다.

이처럼 저는 인터넷 시대에 맞는 디지털 교육, 호기심을 막는 학생 주도 활동, 허위 처방을 예방하는 의약품 안전 교육을 통해 마약 예방에 앞장서는 교사가 되겠습니다. 이상입니다.

자기 평가

체감 난도		상 중 하 ➡ 원인 파악:
스터디원의 피드백	잘한 부분	
	부족한 부분	
해당 주제에 대한 시험 전까지 계획		

34	평가영역	THEME 33. 다문화교육
	해설	제시문 속 학생의 상황을 모두 해결할 수 있는 지도 방안이어야 한다.

예시 답변 제시문에 따르면 A 학생은 다문화가정 출신으로 한국어 사용이 서툴고, 친구를 사귀는 방식의 차이와 소극적인 성격 때문에 관계에 어려움을 겪고 있습니다. 이를 해결하기 위한 방안을 말씀드리겠습니다.

첫째, 학생의 문화를 존중하고 이해하겠습니다. 친구를 사귀는 방식과 문화의 차이를 인정하고 존중하는 것만으로도 학생은 심리적 지지를 받을 수 있습니다. 이러한 신뢰를 바탕으로 학생에게 다가가 적응을 돕고 필요한 지원을 함께 찾아가겠습니다.

둘째, 한국어 사용을 지원하겠습니다. 한국에서 생활하는 데 언어는 기본적인 적응의 열쇠이므로, 방과 후 수업이나 온라인 학습 자원을 활용해 한국어 능력을 키울 수 있도록 조력하겠습니다. 이를 통해 학교생활 전반에서 자신감을 가질 수 있도록 하겠습니다.

셋째, 친화적인 학급 분위기를 조성하겠습니다. 소그룹 활동에서 자연스럽게 친구들과 어울릴 수 있도록 역할을 부여하고, 또래 도우미를 배치해 관계 형성이 쉽게 이루어지도록 하겠습니다. 아울러 학급 차원에서 존중 교육을 실시해 차별적 언행을 예방하고 서로의 문화를 이해하는 분위기를 만들겠습니다.

이처럼 저는 A 학생이 언어와 문화적 차이를 극복하고, 학급 속에서 안정감을 느끼며 또래 관계를 확장해 나갈 수 있도록 꾸준히 지원하는 교사가 되겠습니다. 이상입니다.

자기 평가		
체감 난도	상 중 하 ➡ 원인 파악:	
스터디원의 피드백	잘한 부분	
	부족한 부분	
해당 주제에 대한 시험 전까지 계획		

35 | 평가영역 | THEME 34. 특수교육·장애이해교육·통합교육
| 해설 | 장애학생과 비장애학생 모두를 고려한 유의 사항을 말해야 한다.

예시 답변 통합교육에서 교사는 장애학생과 비장애학생 모두가 존중받고 배려받는 환경을 조성하는 것이 무엇보다 중요하다고 생각합니다. 이에 따라 교사가 유의해야 할 사항을 말씀드리겠습니다.

첫째, 물리적·심리적 환경 조성입니다. 교사는 장애학생이 교실에서 편안하고 안전하게 학습할 수 있도록 좌석 배치나 이동 동선, 보조 도구 등을 세심히 고려해야 합니다. 예를 들어 이동이 불편한 학생은 교실 앞자리에 배치하고, 청각장애 학생을 위해 자막이 제공되는 시청각 자료를 활용하며, 시각장애 학생에게는 촉각적 학습 자료를 제공해야 합니다. 동시에, 따뜻한 격려와 지지를 통해 학생이 심리적으로 안정감을 느낄 수 있도록 돕는 것이 필요합니다.

둘째, 비장애학생의 이해와 배려 교육입니다. 교사는 학생들에게 장애에 대한 올바른 인식을 심어주는 교육을 지속적으로 해야 합니다. 장애이해교육을 통해 편견을 줄이고, 협동 학습을 통해 장애학생과 자연스럽게 협력하며 긍정적인 경험을 쌓도록 해야 합니다. 문제나 갈등이 생길 때는 문제 자체를 바라보고 공정하고 명확한 지침을 통해 해결할 수 있도록 해야 합니다.

셋째, 포용적 학급 문화 형성입니다. 교사는 장애학생을 필요 이상으로 특별 대우하거나 무조건 수용하는 태도가 아니라, 학급의 동등한 구성원으로 존중하는 분위기를 조성해야 합니다. 다양성을 존중하는 문화가 자리 잡을 수 있도록 학급 협약을 만들고, 모두가 서로의 다름을 자연스럽게 인정하는 환경을 이끌어야 합니다.

저는 현장에 나아가 장애학생과 비장애학생이 함께 배우며 성장할 수 있도록, 물리적·심리적 안전망을 갖춘 포용적인 학급 문화를 만드는 교사가 되겠습니다. 이상입니다.

자기 평가

체감 난도	상 중 하 → 원인 파악:
스터디원의 피드백 - 잘한 부분	
스터디원의 피드백 - 부족한 부분	
해당 주제에 대한 시험 전까지 계획	

36

평가영역	THEME 35. 문화예술교육
해설	교육 방안은 성취기준에 근거해야 한다.

예시 답변 학교 교육에서 문화예술교육이 필요한 이유는 학생들의 감성과 창의력을 기를 수 있기 때문입니다. 지식 중심의 수업만으로는 정서 표현, 공감 능력, 창의적 사고 같은 영역이 충분히 발달하기 어렵습니다. 문화예술 활동은 이러한 부족한 부분을 보완하여 자기 생각을 표현하고 타인의 감정을 공감하며 창의적인 성장을 경험할 수 있습니다.

저는 미술과 체육을 융합한 뮤지컬 프로젝트 수업을 기획하고 싶습니다. 체육의 성취기준인 '스포츠 표현의 동작과 원리를 이해하고 심미적으로 표현한다.'를 바탕으로, 학생들이 우정·사랑·미래 같은 긍정적 주제를 정해 신체 표현을 합니다. 이어서 미술 수업과 연계하여 무대 배경, 의상, 포스터 등을 직접 기획·제작하게 함으로써 학생들이 하나의 공연을 완성하는 전 과정을 경험할 수 있도록 하겠습니다.

이 과정에서 학생들은 단순히 노래나 춤을 익히는 것을 넘어 주제를 해석하고 자신만의 방식으로 표현하며, 협업을 통해 공연을 만들어가는 성취감과 소속감을 느낄 수 있습니다. 나아가 완성된 무대를 학급이나 학교 차원에서 공유하고, 공연 사진과 학생 소감을 전시하여 학교를 문화예술 공간으로 확장한다면, 학생들은 학습을 넘어 감성과 창의성을 조화롭게 발휘하는 경험을 할 수 있을 것입니다. 이상입니다.

자기 평가

	체감 난도	상 중 하 ➔ 원인 파악:
스터디원의 피드백	잘한 부분	
	부족한 부분	
해당 주제에 대한 시험 전까지 계획		

⑥ 현장 문제 해결 방안(THEME 36~47)

37

평가영역	THEME 36. 문제행동 학생
해설	학생의 문제행동은 담임 혼자 해결하기보다 전문상담·학교 협력·가정 연계를 통한 다각적 지원이 필요하다.

예시 답변 민수의 문제행동은 단순히 담임 김 교사의 지도만으로는 해결하기 어렵기 때문에, 협력적인 접근이 필요합니다. 구체적인 방안 3가지를 말씀드리겠습니다.

첫째, 전문상담교사와의 협력입니다. 민수는 수업, 생활, 식사 시간 등 다양한 상황에서 문제행동을 보이고 있으므로 원인을 종합적으로 파악해야 합니다. Wee 클래스 전문상담교사와 협력하여 정서적 어려움과 문제행동의 원인을 분석하고, 필요하다면 지역 상담센터나 병원 등 외부 전문기관과 연계해 체계적으로 지원해야 합니다.

둘째, 학교 내 협력적 지도 체계 구축입니다. 민수의 행동은 학습뿐 아니라 급식과 생활 전반에 걸쳐 나타나므로 교과교사, 보건교사, 영양교사, 학생안전부 등 다양한 교사가 협력해야 합니다. 수업 태도는 교과교사와, 급식 문제는 영양교사·보건교사와, 학급 질서는 학년부 및 학생안전부와 연계하여 지도해야 합니다. 학교 차원의 협력망을 구축해야 김 교사가 혼자 감당하는 부담을 줄일 수 있으며 민수에게 적합한 지도가 가능할 것입니다.

셋째, 가정과의 소통 강화입니다. 학생의 생활습관과 정서적 배경을 잘 알고 있는 학부모와 정기적으로 상담하여, 학교와 가정이 일관성 있게 지도를 이어가야 합니다. 가정에서도 규칙적인 생활습관과 식습관 개선을 도와야 학생의 문제행동을 보다 효과적으로 완화할 수 있습니다.

이처럼 전문적 지원 체계, 학교 내 협력, 가정과의 연계를 통해 민수의 문제행동을 다각도로 지도하며, 김 교사가 안정적으로 학급을 운영할 수 있도록 지원해야 합니다. 이상입니다.

자기 평가		
체감 난도		상 중 하 ➔ 원인 파악:
스터디원의 피드백	잘한 부분	
	부족한 부분	
해당 주제에 대한 시험 전까지 계획		

38

평가영역	THEME 37. 위기 학생
해설	제시문 분석 내용을 언급하여 문제 분석력을 드러내면 좋다. A 학생의 과도한 교사 의존은 정서적 지지 욕구에서 비롯되므로, 경계 설정·전문 연계·가정 협력을 통해 균형 있게 지도해야 한다.

예시 답변 제시문에 따르면 A 학생은 학업 부진과 대인 관계의 어려움 속에서 담임 교사에게 지나치게 의존하는 모습을 보이고 있습니다. 박 교사가 적절히 지도하기 위한 방안을 말씀드리겠습니다.

첫째, 학생의 심리적 어려움을 존중하되 교사에 대한 과도한 의존을 줄여야 합니다. 상담은 학교 일과 중으로 제한하고, 그 외 시간에는 감정 일기 쓰기·자기 성찰 활동 등 혼자 감정을 정리할 방법을 안내해야 합니다. 이후 교사와 다시 이야기를 나누도록 하여 상담과 자기 성찰이 균형 있게 이루어지도록 지도해야 합니다.

둘째, 학교 내 전문적 지원 체계와 연계해야 합니다. A 학생이 교사에게만 의존하는 것은 다른 도움 자원을 활용하지 못하고 있다는 의미입니다. 따라서 전문상담교사와 연계해 학생이 다양한 전문적 지지를 경험하도록 해야 합니다. 필요하다면 또래 멘토링을 통해 친구 관계 형성의 기회를 제공하겠습니다.

셋째, 학부모와의 협력을 강화해야 합니다. 학생의 정서적 어려움과 교사에게 과도하게 의존하는 상황을 학부모와 공유하고, 가정에서도 정서적 안정과 지지를 제공할 수 있도록 지도해야 합니다. 학부모가 학생과의 소통 시간을 늘리고, 학생이 집에서도 안정적으로 의지할 수 있도록 역할을 분담한다면 학교와 가정이 일관성 있게 지원할 수 있을 것입니다.

이처럼 교사 개인에게 집중된 의존을 줄이고, 학생이 학교·가정·전문기관 등 다양한 자원을 활용할 수 있도록 도와주는 것이 중요합니다. 이상입니다.

자기 평가		
체감 난도		상 중 하 ➡ 원인 파악:
스터디원의 피드백	잘한 부분	
	부족한 부분	
해당 주제에 대한 시험 전까지 계획		

39	평가영역	THEME 36. 문제행동 학생, THEME 37. 위기 학생, THEME 38. ADHD 학생
	해설	A 학생부터 D 학생의 문제를 모두 해결할 수 있는 답변이어야 한다.

예시 답변 A 학생부터 D 학생을 대하는 지도 및 상담 방안에 대해 순서대로 말씀드리겠습니다.

먼저 A 학생입니다. A 학생은 ADHD 특성으로 충동적 행동과 화를 내는 모습을 보입니다. 저는 이러한 행동이 고의가 아닌 특성임을 먼저 인식하고, 작은 성취에도 긍정적 피드백을 주어 자존감을 높이겠습니다. 또한 소집단 활동을 통해 대인관계 기회를 제공하고, 상담 시에는 모호하지 않게 짧고 구체적인 지침을 주겠습니다. 학부모와 협력하여 가정과 학교가 일관성 있게 지원할 수 있도록 하겠습니다.

B 학생은 자존감이 낮아 지적에 예민하게 반응합니다. 따라서 문제행동만 지적하기보다 긍정적인 행동을 즉시 칭찬하고 강점을 강조하며 지도하겠습니다. 상담에서는 자신을 긍정적으로 바라볼 수 있도록 돕고, 지적이 자신을 향한 비난이 아닌 행동에 대한 지도임을 이해시키겠습니다.

C 학생은 수업 중 잡담으로 지적을 받고 있습니다. 개별 상담을 통해 잡담의 이유를 경청하고, 그로 인해 수업이 방해받는 점을 솔직히 전달한 뒤, 함께 좋은 수업을 만들자는 약속을 이끌어내겠습니다. 이후 학급 회의를 통해 수업 규칙을 학생들과 함께 정하고 시각화하여 공유하겠습니다.

마지막으로 D 학생은 학업중단 의사를 보이고 있습니다. 학생과 학부모와의 상담을 통해 원인을 파악하고, 학업 유지와 중단의 장단점을 정리해 신중히 판단하도록 돕겠습니다. 또한 학업중단숙려제를 안내하여 충동적 결정이 되지 않도록 하며, 숙려 기간 동안 가정과 연대해 학생의 안전과 건강을 우선적으로 살피겠습니다.

이처럼 학생의 특성과 상황을 이해하고 맞춤형 지원을 제공하여 모두가 성장할 수 있도록 지도하겠습니다. 이상입니다.

자기 평가		
체감 난도		상 중 하 ➔ 원인 파악:
스터디원의 피드백	잘한 부분	
	부족한 부분	
해당 주제에 대한 시험 전까지 계획		

40

평가영역	THEME 40. 교육 약자
해설	경기교육 방향인 에듀테크와 지역교육협력 방안이 드러나야 한다.

예시 답변 A 학생은 가정의 돌봄이 부족해 규칙적인 생활이 어렵지만, 컴퓨터 활용 능력이 뛰어나고 관련 진로 의지가 뚜렷합니다. 저는 경기교육 방향인 에듀테크 활용과 지역교육협력을 바탕으로 A 학생을 조력할 2가지 방안을 말씀드리겠습니다.

첫째, 에듀테크를 활용한 자기주도 학습 지원입니다. A 학생은 컴퓨터에 강점이 있으므로, 이를 학습 도구로 연결하면 학습에 흥미와 자신감을 가질 수 있을 것입니다. 교사로서 저는 AI 기반 학습 플랫폼을 통해 학생의 학습 수준을 면밀히 진단하고, 그 결과를 바탕으로 맞춤형 과제를 제시하겠습니다. 또 코딩, 영상 제작 같은 프로젝트를 지도하며 학생이 진로와 연결된 성취감을 경험할 수 있도록 연계한 후 적극적으로 피드백 하겠습니다.

둘째, 지역교육협력을 통한 돌봄 지원입니다. 가정의 돌봄 공백은 학생에게 가장 큰 어려움이 될 수 있습니다. 저는 교사로서 학생에게 상담 등을 통해 정서적 지원을 할 뿐 아니라 지역 청소년센터, 상담센터 등과 소통하며 학생이 안정적으로 생활 기반을 마련할 수 있도록 자원을 연계하겠습니다. 아울러 경기공유학교, 지역 대학, 기업의 멘토링 프로그램을 탐색해 학생에게 직접 안내하고 참여를 독려함으로써, 돌봄뿐 아니라 진로 탐색까지 이어질 수 있도록 하겠습니다.

현장에 나아가 학생의 강점과 지역 자원을 연결하고, 학습과 생활의 균형을 잡을 수 있게 조력하는 교사가 되겠습니다. 이상입니다.

자기 평가

체감 난도		상 중 하 ➔ 원인 파악:
스터디원의 피드백	잘한 부분	
	부족한 부분	
해당 주제에 대한 시험 전까지 계획		

41

평가영역	THEME 41. 수업 문제 상황
해설	제시문의 상황에서 적절한 원인을 찾을 수 있어야 한다.

예시 답변 A 학생의 문제행동 원인과 해결 방안을 말씀드리겠습니다.

첫째, A 학생은 학습 동기가 부족합니다. "대학은 왜 가야 하죠?", "수업은 왜 들어야 하죠?"라는 발언에서 볼 수 있듯이 학습의 의미를 찾지 못하고 있습니다. 담임교사로서 저는 학생이 학습의 가치를 다시 발견할 수 있도록 동기 부여를 해야 합니다. 상담을 통해 학생의 흥미와 관심 분야를 탐색한 뒤, 이를 진로와 연결해 학습의 필요성을 느낄 수 있도록 하겠습니다. 또 학생의 강점을 찾아 지속적으로 독려하며, 작은 성취 경험도 의미 있게 느낄 수 있도록 지원하겠습니다. 이를 통해 대학 진학이나 수업 참여가 단순히 해야만 하는 과정이 아니라, 자신이 원하는 삶을 찾아가는 여정임을 깨닫게 돕겠습니다.

둘째, A 학생은 관계 의존성이 높습니다. "선생님은 저에게 관심을 주시니 괜찮지만 다른 수업은 재미없어요."라는 말에서 볼 수 있듯, 교사의 관심 여부에 따라 수업 태도가 달라지고 있습니다. 담임교사로서 저는 학생이 관계에만 의존하지 않고 스스로 주체적으로 학습할 수 있도록 지도해야 합니다. 이를 위해 학생에게 자기 성찰 활동이나 학습 목표 설정 활동을 제공하여, 스스로 학습의 의미와 가치를 찾을 기회를 주겠습니다. 또한 교사와의 긍정적 관계를 기반으로 점차 또래와의 협력 학습, 다양한 수업 참여 경험을 확장시켜 자기 주도적 태도를 기를 수 있도록 돕겠습니다.

이처럼 저는 A 학생이 학습의 의미를 재발견하고, 타인 의존에서 벗어나 자기주도적인 학습 태도를 기를 수 있도록 꾸준히 조력하겠습니다. 이상입니다.

자기 평가		
체감 난도		상 중 하 ➡ 원인 파악:
스터디원의 피드백	잘한 부분	
	부족한 부분	
해당 주제에 대한 시험 전까지 계획		

42

평가영역 THEME 42. 갈등 문제

해설 박 교사는 조언을 무조건 거부하거나 그대로 따르기보다, 감사의 태도와 자기 전문성의 균형을 유지하며, 공식적 협력 구조로 전환해 문제를 해결해야 한다.

예시 답변 제시문 속 박 교사의 상황을 말씀드리겠습니다. 박 교사는 초임 교사로서 옆 반 김 선생님께서 수업을 보고 여러 조언을 주실 때, 감사한 마음이 드는 것과 함께 때로는 간섭처럼 느껴질 수 있다고 생각합니다. 이런 경우에는 관계를 해치지 않으면서도 수업의 주체성을 지킬 수 있도록 대처해야 한다고 봅니다.

제가 박 교사라면 먼저, 김 선생님의 조언을 열린 마음으로 경청하겠습니다. 초임 교사에게 경험 많은 선배 교사의 조언은 분명히 도움이 되기 때문입니다. "말씀해 주신 부분을 참고해서 제 수업에 맞게 적용해 보겠습니다."라고 말씀드리고, 실제로 도움이 되는 부분은 수업에 반영해 보겠습니다. 이렇게 하면 감사의 마음도 표현할 수 있고, 동시에 제 수업 철학을 잃지 않고 주체적으로 수업을 이어갈 수 있다고 생각합니다.

둘째, 학교에 이미 마련된 협력 구조를 적극적으로 활용하겠습니다. 예를 들어 교과협의회나 학년협의회는 누구나 자유롭게 수업 경험을 공유하는 자리이기 때문에, 초임 교사인 저도 이런 활동을 시도해 봤는데 학생 반응이 어떠했다고 먼저 사례를 공유하면 선배 교사의 조언이 개인적인 간섭이 아니라 공식적인 피드백으로 흡수될 수 있을 것입니다. 이 과정에서 저는 선배 교사들의 노하우를 배우는 동시에 제 수업 방향을 점차 확립해 갈 수 있다고 생각합니다.

결국 저는 조언을 무조건 거부하거나 그대로 수용하기보다는, 감사한 태도를 보이면서도 제 전문성을 세우고, 협력 구조 안에서 함께 성장하는 방향으로 풀어나가고 싶습니다. 이렇게 한다면 초임 교사로서 자율성과 동료성, 2가지를 모두 지켜갈 수 있다고 생각합니다. 이상입니다.

자기 평가

체감 난도		상 중 하 ➡ 원인 파악:
스터디원의 피드백	잘한 부분	
	부족한 부분	
해당 주제에 대한 시험 전까지 계획		

43	평가영역	THEME 44. 학부모와의 소통 및 연대
	해설	제시문의 상황을 짧게 언급한다면, 문제 분석력을 드러낼 수 있다.

예시 답변 제시문의 상황은 학부모가 자신의 자녀만 엄격하게 생활지도를 받는다고 항의하지만, 실제로는 학생의 반복적 문제행동이 원인이 된 경우입니다. 이러한 상황에서 학부모와의 원만한 대화를 위해 교사가 가져야 할 태도와 방법에 대해 말씀드리겠습니다.

먼저, 방어적 태도가 아니라 경청과 공감의 태도를 보이겠습니다. 학부모 입장에서는 자녀가 불이익을 받는다고 생각하기 때문에 감정이 앞설 수 있습니다. 따라서 "아이 교육을 걱정하셔서 연락 주셨군요."라며 학부모의 마음을 이해하고 존중하는 태도를 보이겠습니다.

둘째, 사실을 전달할 때는 구체적 사례 중심으로 차분히 설명하겠습니다. 예를 들어, "○○ 학생이 수업 시간에 여러 차례 자리에서 일어나거나 큰 소리로 이야기를 해 수업이 어려웠습니다. 그래서 다른 학생들의 학습권을 보장하기 위해 지도하게 되었습니다."와 같이 감정을 배제하고 객관적인 사실을 근거로 설명하겠습니다. 이렇게 하면 학부모도 지도 상황을 이해할 수 있을 것입니다.

셋째, 해결 방안을 함께 모색하는 협력적 태도를 갖추겠습니다. 단순히 문제만 지적하는 대화 방식이 아닌, "가정에서도 생활습관을 바로잡는 데 도움을 주시면, 학교에서는 긍정적인 행동을 강화하는 방식으로 함께 지도하겠습니다."라고 제안하여 학부모와 공동의 목표를 세우겠습니다.

마지막으로, 대화 이후에도 학부모와의 신뢰를 쌓을 수 있도록 긍정적인 변화가 보이면 바로 학부모께 알리고, 작은 성취도 함께 기뻐하는 태도를 보이겠습니다.

이처럼 저는 학부모의 감정을 존중하면서도 사실을 명확히 전달하고, 협력적 해결 방안을 제시하여 신뢰와 소통을 바탕으로 원만하게 문제를 해결하는 교사가 되겠습니다. 이상입니다.

자기 평가			
체감 난도		상 중 하 ➔ 원인 파악:	
스터디원의 피드백	잘한 부분		
	부족한 부분		
해당 주제에 대한 시험 전까지 계획			

44	평가영역	THEME 45. 청렴 문화
	해설	청렴을 위한 다짐을 진솔하게 답변하면 된다.

예시 답변 청렴한 교직 문화 조성을 위해 신규 교사로서 다음과 같은 노력을 하고자 합니다.

첫째, 책임과 정직의 자세로 업무를 수행하겠습니다. 학교 현장에서는 학급 운영이나 행정 업무 등 맡은 역할이 다양합니다. 저는 작은 업무라도 책임감을 가지고 성실히 수행하며, 과정과 결과를 솔직하게 보고해 동료 교사와 신뢰를 쌓겠습니다.

둘째, 절제와 공정의 태도를 실천하겠습니다. 교사로서 학생·학부모와의 관계에서 사적 이해관계가 개입되지 않도록 경계를 지키고, 학생 지도와 평가에서 특정 집단이나 개인에게 치우치지 않도록 공정성을 지키겠습니다. 이는 학생들에게도 공평한 배움의 기회를 보장하는 출발점이 될 것입니다.

셋째, 배려와 신뢰를 바탕으로 한 협력 문화를 만들겠습니다. 선배 교사와 동료 교사를 존중하며 협력하고, 학생과 학부모에게는 따뜻한 배려로 다가가겠습니다. 나아가 법과 규정을 준수하고 투명하게 소통하여, 교육공동체가 서로 신뢰할 수 있는 청렴한 문화를 조성하는 데 기여하겠습니다.

이처럼 저는 책임, 정직, 절제, 공정, 배려, 신뢰의 가치를 바탕으로 작은 실천부터 시작하여 청렴한 교직 문화를 만드는 교사가 되겠습니다. 이상입니다.

자기 평가		
체감 난도		상 중 하 ➡ 원인 파악:
스터디원의 피드백	잘한 부분	
	부족한 부분	
해당 주제에 대한 시험 전까지 계획		

45	평가영역	THEME 47. 양성평등 및 성인지 감수성
	해설	교사의 성인지 감수성 부족 문제를 정확히 지적하고, 이를 해결하기 위한 방안을 구체적으로 제시해야 한다.

예시 답변 제시된 교사 발언의 문제점은 모두 성인지 감수성 부족에서 비롯됩니다. A 교사는 여학생은 수다, 남학생은 장난이라는 성별 고정관념을 드러냈고, B 교사는 '남자답다'라는 표현을 통해 특정 성별에 고정된 특성을 부여했습니다. C 교사의 발언은 여성을 외모로 평가하는 성차별적 언행으로, 교육 현장에서 학생들에게 부적절한 메시지를 줄 수 있습니다.

이러한 문제를 해결하기 위해서는 학교 문화 차원에서 개선이 필요합니다. 구체적인 방법은 다음과 같습니다. 첫째, 교사 연수와 성인지 감수성 교육을 정례화해야 합니다. 교사가 무의식적으로 사용하는 언어 속 성차별 요소를 성찰하고, 학생을 성별이 아니라 개인의 다양성과 역량 중심으로 바라보는 태도를 기를 수 있어야 합니다.

둘째, 학교 환경과 교육 자료 점검을 실시해야 합니다. 교실 급훈, 홍보 포스터, 교과서 자료 등에서 특정 성 역할을 고정하거나 외모를 강조하는 요소가 없는지 확인하고 수정해야 합니다.

셋째, 학교 운영 전반의 평등 문화 확산이 필요합니다. 업무 분담을 성별이 아닌 전문성과 희망을 기준으로 하고, 학생 활동에서도 남녀의 구분이 아닌 협력과 다양성 존중을 강조하여 성평등한 학급·학교 문화를 정착시켜야 합니다.

저는 교사로서 학생 한 명 한 명의 개성과 역량을 존중하며, 성평등한 언어와 태도를 실천하여 건강한 학교 문화를 만들어 가겠습니다. 이상입니다.

자기 평가		
체감 난도		상 중 하 ➔ 원인 파악:
스터디원의 피드백	잘한 부분	
	부족한 부분	
해당 주제에 대한 시험 전까지 계획		

02

실전 모의고사 5회(35문항) 해설

개별면접 1회   📄 문제 p.339

✦ 구상형

01

평가영역	THEME 9. 디지털 시민교육·개인정보 보호
해설	제시된 자료가 2개인 이유가 있다. 양쪽 모두 고려하여 시사점을 도출해야 한다. 성취수준을 모두 암기하기 어렵다면 단원명을 언급하여 전문성을 드러내야 한다.

예시 답변 구상형 1번 답변드리겠습니다.

왼쪽 그래프에서는 허위 영상물의 피해자가 되는 미성년자의 수가 꾸준히 늘어나고 있음을 확인할 수 있습니다. 이는 청소년들이 허위 영상물 피해에 점점 더 취약해지고 있다는 사실을 보여줍니다. 또한 오른쪽 그래프를 보면, 허위 영상물 범죄로 입건된 피의자 가운데 10대가 차지하는 비율 역시 상승하고 있습니다. 즉, 청소년들이 단순한 피해자일 뿐 아니라 가해자가 될 위험에도 동시에 노출되어 있다는 점을 알 수 있습니다. 이는 학교 교육에서 단순히 피해 예방을 넘어, 학생들이 디지털 사회에서 책임 있는 시민으로 성장하도록 돕는 교육이 필요하다는 것을 시사합니다. 구체적인 교육 방안을 말씀드리겠습니다.

먼저, 정보 교과 교육 방안입니다. 디지털 문화 단원을 학습하며 구체적인 실제 사례를 통해 디지털 사회의 위험 요소에 대한 의견을 나누겠습니다. 실제 사례를 각색한 청소년용 웹드라마를 시청한 후, 청소년이 피해자가 될 수도 있지만 동시에 생산자이자 참여자가 될 수도 있음을 인지하게 하고, 디지털 사회에서 지켜야 할 윤리적 실천 방안에 관해 토론하도록 하겠습니다. 이후 학생들과 함께 '디지털 윤리 수칙'을 작성하며, 온라인 공간에서의 책임 있는 선택과 자기 규제가 왜 중요한지 내면화하도록 하겠습니다.

다음으로, 담임교사 측면입니다. 피해자가 될 경우 학생들은 당황한 나머지 어른들에게 사실을 알리지 못하고 고민하다가 더 큰 피해를 입는 경우가 있습니다. 따라서 조회 시간에는 허위 영상물이 유포되었을 때 증거를 보존하는 방법, 신고 절차, 피해자 지원 기관을 찾는 방법 등을 실습 과제로 다뤄, 실제 상황에서 자신을 보호할 수 있는 역량을 기를 수 있게 하겠습니다. 더 나아가 이 내용을 학생 참여 프로젝트로 기획하여, 쇼츠 영상을 학생들이 직접 제작하도록 하면 절차에 대한 이해를 자연스럽게 익히면서 또래 친구들에게도 예방 효과를 확산시킬 수 있을 것입니다.

현장에 나아가서 학생들의 디지털 시민 역량을 강화하는 데 앞장서는 교사가 되겠습니다. 이상입니다.

02

평가영역	THEME 11. 고교학점제
해설	희망자에 한해 예방 지도를 하고, 실제 성취수준 미도달자에게 보충 지도를 하는 내용을 포함해야 한다.

예시답변 구상형 2번 답변드리겠습니다.

제시문에 따르면, 고교학점제에서 최소 성취수준 보장 지도의 목적은 모든 학생이 미래 준비에 필요한 기본 인성과 기초 역량을 안정적으로 갖추도록 지원하는 데 있습니다. 다시 말해, 최소한의 학업 성취를 갖추지 못한 학생을 조기에 발견하고, 끝까지 책임 있게 지도함으로써 책임교육을 실현하는 것이 그 목적이라고 생각합니다. 이를 위한 구체적인 지도 방안을 3가지 말씀드리겠습니다.

첫째, 진단 기반 예방 지도를 하겠습니다. 학기 초 진단평가와 수업 참여 관찰을 통해 학업 미도달이 예상되는 학생들을 조기에 파악하고, 이 학생 중 희망자를 대상으로 교과 수업 시간 내 개별 피드백과 방과 후 맞춤형 지도를 제공하겠습니다. 또한 학습 멘토링 제도를 활용하여 학습 결손이 누적되지 않도록 예방하겠습니다. 이를 통해 학생들은 스스로 학습 방향을 조정하고 자신감을 회복할 수 있을 것입니다.

둘째, 맞춤형 보충 지도를 강화하겠습니다. 실제로 성취수준에 미달한 학생에게는 방과 후 보충수업이나 온라인 학습 자료를 제공하고, 필요하다면 방학 중 집중 프로그램을 운영하겠습니다. 단순히 지식을 주입하는 방식이 아니라, 또래 튜터링이나 관심사 기반 과제를 부여하여 학습 동기를 높이고, 학생 스스로 결손을 메울 수 있도록 돕겠습니다.

셋째, 수업과 평가 방식을 개선하겠습니다. 단순히 지필시험 결과에 의존하지 않고 과정중심평가를 적극적으로 활용하여, 학생의 참여도와 학습 과정을 세밀히 살피겠습니다. 또한 토론이나 프로젝트형 수업을 통해 학생이 수업에 몰입하도록 하고, 교사 협의회를 통해 학업 미달 학생의 사례를 공유하며 협력적으로 지원하겠습니다.

이처럼 예방과 보충, 수업·평가 혁신을 유기적으로 운영할 때, 모든 학생이 최소 성취수준을 보장받고 미래 사회를 살아가는 데 필요한 기본 역량을 키울 수 있다고 생각합니다. 앞으로 현장에 나아가 책임교육을 충실히 실현하는 교사가 되겠습니다. 이상입니다.

---

03 | **평가영역** | THEME 27. 학급 운영, THEME 36. 문제행동 학생
| **해설** | 민수의 행동을 지적하는 방식이 아닌 원인을 들여다보는 시도가 포함되어야 한다.

예시 답변 구상형 3번 답변드리겠습니다.

먼저, 민수의 문제점과 해결책부터 말씀드리겠습니다. 제시문을 통해 볼 때, 민수의 문제점은 단순히 어쩔 수 없는 사정으로 지각하는 것이 아니라, 지각 규정을 악용해 의도적으로 늦게 등교하고 있다는 점입니다.

저는 담임교사로서 이 문제를 해결하기 위해 먼저 민수와 상담을 진행하겠습니다. 왜 등교를 늦추는지 행동의 배경을 깊이 이해하겠습니다. 그 이후, 지각이 본인 학업과 생활습관에 어떤 부정적 영향을 주는지, 더 나아가 친구들에게도 좋지 않은 영향을 미친다는 점을 인식시킬 것입니다. 아울러 긍정적 대안을 마련하겠습니다. 아침 자율학습 활동이나 학급 내 아침 담당 역할을 맡겨 민수가 스스로 책임감을 가지고 제시간에 등교할 수 있도록 지도하겠습니다. 학생이 일찍 오는 게 억지로 지켜야 할 규칙이 아니라 자기 삶에 책임을 지는 행동이며, 내가 맡은 역할을 위해 필요하다는 동기를 가질 수 있도록 돕는 것이 중요하다고 생각합니다.

다음으로, 학급의 문제점은 민수의 행동이 또래 학생들에게 전염되어 지각이 학급 전체로 확산하고 있다는 점입니다. 저는 담임교사로서 이 문제를 해결하기 위해 학급 회의를 개최하여 학생들이 스스로 지각 문제를 논의하고, 해결 규칙을 만들어 가도록 하겠습니다. 예를 들어 지각 줄이기 캠페인을 학급 차원에서 운영한다거나, '무지각 주간'이나 '한 달 무지각 달성 시 보상 활동'을 학생들과 함께 정하도록 하는 것입니다. 학생 스스로 합의한 규칙과 보상 체계는 강제적인 교사 지도가 아니라, 학생 주도적인 자치 활동이 되기 때문에 더 큰 효과를 기대할 수 있을 것입니다. 이처럼 민수에게는 개별 상담과 동기 부여를 통해 책임감을 기르고, 학급 차원에서는 자치 규칙과 공동 실천을 통해 긍정적 문화를 형성하는 2가지 접근을 병행한다면 문제를 효과적으로 해결할 수 있을 것으로 생각합니다. 이상입니다.

✦ 즉답형

01 | 평가영역 | THEME 10. 경기형 토론교육
| 해설 | 정답이 있는 문제이므로 주요 원칙과 교사의 역할을 정확하게 알고 있어야 한다.

예시 답변 즉답형 1번 답변드리겠습니다.

토론교육을 수립할 때의 3가지 원칙을 말씀드리겠습니다.

첫째, 학생의 자율적 판단을 존중해야 합니다. 교사가 특정 입장이나 가치를 주입하지 않고, 학생들이 스스로 사고하고 자기 입장을 형성할 수 있도록 해야 합니다.

둘째, 논쟁적 주제는 수업 중에 다양한 입장과 논쟁이 그대로 드러나야 합니다. 사회적으로 찬반이 나뉘는 사안일수록 교실에서 다양한 관점이 균형 있게 드러나야 하며, 교사는 찬성과 반대 입장을 공정하게 제시하여 학생들이 비판적으로 논의할 수 있도록 도와야 합니다.

셋째, 사회 현안에 대해 자신의 삶과 연계하여 실천할 수 있도록 해야 합니다. 단순히 쟁점이 지식 전달로만 끝나는 것이 아니라, 학생들이 이를 자신의 삶과 연계해 성찰하고, 민주 시민으로서의 실천으로 이어갈 수 있도록 해야 합니다.

다음으로, 토론이 실제로 진행될 때 교사의 역할 3가지를 말씀드리겠습니다.

첫째, 안전한 토론 환경을 조성해야 합니다. 자유롭고 편안한 분위기를 마련하고, 비난이나 배제를 막아 학생들이 안심하고 발언할 수 있게 해야 합니다.

둘째, 중립적 자세를 유지해야 합니다. 교사의 주관을 강요하지 않고 균형 있게 수업을 운영해야 합니다.

셋째, 촉진자의 역할을 수행해야 합니다. 쟁점에서 벗어났을 때 다시 본 주제로 이끌고, 참여가 소극적인 학생을 독려하여 토론을 활성화해야 합니다.

이처럼 토론교육에서는 원칙을 지켜 학생들의 자율성과 균형 감각을 살리고, 교사는 환경 조성자이자 촉진자로서 역할을 충실히 할 때, 학생들의 비판적 사고와 민주 시민성을 기를 수 있다고 생각합니다. 이상입니다.

02 | 평가영역 | THEME 16. 진로·진학 교육
| 해설 | 세 학생의 상황을 분석하고, 이에 맞는 지도 방안을 제시해야 한다.

예시 답변 즉답형 2번 답변드리겠습니다.

각 학생의 어려움과 이에 대한 지도 방안을 말씀드리겠습니다.

먼저 A 학생입니다. A 학생은 미래에 대한 구체적 목표가 없어 막막함을 느끼고 있습니다. 따라서 A 학생에게 자기 이해 활동과 진로 탐색 경험을 제공한다면 진로 고민의 기회를 가질 수 있을 것입니다. 예를 들어 흥미·적성 검사를 통해 자신의 강점을 발견하고, 태블릿을 활용해 관련 직업군을 탐색하거나 직업 브이로그를 시청하게 함으로써 막연한 불안을 구체적 탐색 과정으로 전환하도록 돕겠습니다.

다음으로 B 학생은 자기 주도성이 부족해 부모님의 기대에 의존하는 모습을 보입니다. 따라서 저는 B 학생에게 진로 포트폴리오 작성 활동을 제안하겠습니다. 본인의 경험과 관심을 돌아보고 이를 바탕으로 직업 세계를 조사하게 하는 것입니다. 부모님의 의견을 참고하되 최종적으로는 스스로 선택할 수 있도록 지원하겠습니다.

마지막으로 C 학생은 자신의 적성은 알고 있지만, 구체적 직업 탐색으로 이어지지 않는 상황입니다. 따라서 C 학생에게는 실천 기회를 제공하겠습니다. 예를 들어 봉사활동 체험을 연계하거나 관련 직업군을 탐색하는 과제를 부여하여, 본인의 적성과 연결되는 직업 세계를 직접 경험하도록 하겠습니다. 이를 통해 적성을 진로로 구체화할 수 있도록 안내하겠습니다.

이처럼 저는 학생별 특성에 맞는 맞춤형 진로 교육을 통해 학생들이 자기주도적으로 미래를 설계할 수 있도록 지원하는 교사가 되겠습니다. 이상입니다.

✦ 추가 즉답형(비교수 교과)

03

평가영역	THEME 1. 경기형 교직관 수립
해설	학교에서의 어려움, 문제 상황 등을 이야기할 땐 누구나 공감할 만한 수준의 것을 선택해 이야기해야 한다.

예시 답변 즉답형 3번 답변드리겠습니다.

교육실습생 기간 중 동료 교원들과의 협력에서 가장 어려웠던 점은 한 사건을 해결하기 위해 생각보다 많은 교사들이 협력해야 한다는 점이었습니다. 제가 담당한 학급에 학업중단위기를 겪은 학생이 있었습니다. 이 학생은 흡연, 절도와 같은 문제행동을 동반했습니다. 이 친구를 지도하기 위해 담임교사뿐 아니라 학년 부장 교사, 보건교사, 상담교사, 학생안전부 소속 교사 등 많은 인력이 투입된다는 것을 알게 됐고, 담임교사는 그 중심에서 다양한 교원들뿐 아니라 가정과도 소통해야 한다는 것을 새삼 깨달았습니다. 학생을 지도하는 과정에서 서로 교직관과 방식이 달라 마찰이 생기기도 하는 모습을 봤습니다. 이 경우, 학생을 지도하는 것보단 의견을 조율하는 것에 더 많은 시간이 투입되기도 한다는 것을 알았습니다. 학교에서 일어나는 문제와 이를 둘러싼 구성원 간의 갈등을 보며, 교사에게 협업 능력과 의사소통 능력을 강조하는 이유에 대해서 다시 한번 깨닫게 된 계기가 되기도 했습니다.

교사가 돼 비슷한 상황에 직면했을 때 이를 해결하기 위한 방안을 말씀드리겠습니다. 저는 공감적 경청의 자세로 여러 구성원과의 대화를 시도하겠습니다. 구성원들이 의견을 모으는 최종 목표는 학생의 안전하고 건강한 생활을 위한 것입니다. 이것을 잊지 않고, 저의 주장만 내세우는 것이 아닌 서로의 입장을 들어보고 의견을 조율할 줄 아는 열린 자세를 갖출 것입니다. 또한 많은 구성원과 의견을 조율하는 일이 처음에는 어려울 수 있을 것입니다. 저는 선배 선생님들께 어려움을 공유하고, 해결 방안에 대해 자문을 구하며 빠르게 전문성을 갖춰가기 위해 노력하겠습니다. 이상입니다.

04

평가영역	THEME 42. 갈등 문제
해설	학생의 감정에 공감하면서도 교사의 의도를 오해 없이 전달하는 균형 잡힌 태도를 묻는 문제이다. 핵심은 자율성 존중 공감 + 교칙의 의미를 진심으로 설명하는 두 축을 제시하는 것이다.

예시 답변 즉답형 4번 답변드리겠습니다.

먼저, A 학생이 화가 난 이유를 학생의 입장에서 말씀드리겠습니다. A 학생은 휴대폰을 강제로 빼앗겼다는 점에서 자율성이 존중받지 못했다고 느꼈을 것입니다. 또한 담임교사가 일일이 간섭한다고 생각하면서, 자신이 통제받고 있다는 불편함 때문에 화가 난 것이라 볼 수 있습니다. 나아가 이미 학교생활에 대한 의욕이 떨어져 있던 상황에서, 교사의 행동까지 더해져 감정이 폭발한 것으로 이해할 수 있습니다.

다음으로, 제가 김 교사라면 A 학생을 지도할 방안을 2가지 말씀드리겠습니다.

첫째, 학생의 감정을 공감하고 수용하겠습니다. 저에게 와서 솔직하게 자신의 감정을 털어놓은 것에 대해 '어려운 이야기를 털어놔줘서 고맙다'고 전하며, '휴대폰을 뺏겨서 많이 속상했구나, 네 입장에서는 억울할 수도 있겠다'라고 말하며 학생의 감정을 먼저 인정하겠습니다. 이러한 공감의 표현을 통해 학생이 존중과 신뢰를 느낀다면, 이후 대화가 훨씬 안정적으로 이어질 수 있을 것입니다.

둘째, 담임 선생님의 마음을 진심으로 전달하겠습니다. 현재 A 학생은 담임 선생님의 의도를 왜곡하고 험담과 욕설까지 하고 있습니다. 제가 단순히 A 학생을 공감하는 수준에만 머문다면, 오히려 관계가 멀어지고 더 큰 오해를 불러일으킬 수 있습니다. 따라서 담임 선생님이 A 학생의 휴대폰을 뺏은 것은 특정 학생을 겨냥한 것이 아니라, 학교에서 일관되게 적용되는 교칙에 따른 조치였다는 점을 분명히 알려주겠습니다. 또한 간섭처럼 느껴질 수 있지만, 사실은 A 학생에 대한 관심과 배려로 바라볼 수도 있다는 점을 설명하며, 잠시 감정을 가라앉히고 선생님의 의도를 다시 생각해 볼 것을 제안하겠습니다.

이처럼 학생의 감정을 충분히 공감하면서도 교사의 마음을 솔직하게 전달한다면, 신뢰를 회복하고 지도 효과를 높일 수 있을 것이라 생각합니다. 이상입니다.

실전 모의고사 1회 자기 평가

체감 난도		상 중 하 ➜ 원인 파악:
스터디원의 피드백	잘한 부분	
	부족한 부분	
내용 이해도가 부족한 THEME	THEME 번호	
	보완 계획	

개별면접 2회

📄 문제 p.342

✦ 구상형

01

평가영역	THEME 6. '깊이 있는 수업' 전문성 강화
해설	성취기준을 모두 암기하지 못한 경우에는 단원명을 제시하여 전문성을 드러낸다.

예시 답변 구상형 1번 답변드리겠습니다.

제시문을 참고하여 깊이 있는 수업을 실현하기 위한 교사의 역할 3가지를 먼저 말씀드리겠습니다.

첫째, 교사는 학생이 스스로 질문할 수 있도록 분위기를 조성하고 질문 방법을 안내해야 합니다. 의미 있는 질문이 탐구의 첫 출발이 되기 때문입니다. 둘째, 학생이 자율적으로 탐구할 수 있는 활동을 마련해야 합니다. 이를 통해 자기주도 학습을 강화하고 비판적 사고력과 문제해결 역량을 기를 수 있습니다. 셋째, 성찰의 기회를 제공해야 합니다. 학생이 자신의 학습 전략을 점검하고 개선할 기회를 통해 사유를 촉진하고 삶과 연결된 문제 해결 능력을 키울 수 있습니다.

다음으로 구체적인 교과 지도 방안을 말씀드리겠습니다. 저는 과학과 인류의 지속 가능한 삶 단원을 학습하며 과학의 발전이 인류 문명에 미친 영향에 대해 자유로운 토론으로 수업을 시작하겠습니다. 이후 학생들에게 첨단 과학기술이 가져올 미래 사회와 관련된 질문을 직접 만들어 보게 하겠습니다. 예를 들어, '첨단 과학기술이 우리의 삶을 어떻게 바꾸고 있는가?', 'AI와 같은 기술이 사회에 주는 긍정적·부정적 영향은 무엇인가?'와 같은 질문이 나올 수 있을 것입니다.

그다음에는 학생들이 스스로 만든 질문을 중심으로 소모둠별 탐구 활동을 운영하겠습니다. 탐구 과정에서 수집한 자료를 정리하여 보고서를 작성하고, 발표를 통해 결과물을 공유하게 하겠습니다. 이를 통해 학생들은 단순한 정보 습득을 넘어 비판적 사고와 문제해결 능력을 실제로 기를 수 있을 것입니다.

마지막으로 발표 이후에는 성찰 활동을 진행하겠습니다. 학생들이 '이번 탐구에서 새롭게 알게 된 점', '탐구 과정에서 놓쳤던 부분', '다시 탐구 활동을 한다면 추가하고 싶은 부분'을 기록하고 공유하도록 하겠습니다. 이 과정을 통해 학생들은 서로의 학습 전략을 배우고 개선하며, 자기 성찰을 통해 더 깊이 있는 배움을 경험할 수 있습니다.

이처럼 질문-탐구-성찰의 과정을 충실히 거친다면, 학생들은 지식 습득에 머무르지 않고 삶과 연결된 문제 해결자로 성장할 수 있을 것입니다. 이상입니다.

02

평가영역	THEME 13. 학교폭력 예방 교육, THEME 43. 회복적 생활교육
해설	또래 갈등 상황을 학교폭력과 구분해 회복적 생활교육으로 지도하는 교사의 전문성을 묻고 있다. 핵심은 갈등 조정 ➡ 관계 회복 지원 ➡ 화해 종용·사건 은폐로 비치지 않도록 유의하는 것이다.

예시 답변 구상형 2번 답변드리겠습니다.

이번 상황은 두 학생이 서로 욕설을 주고받은 사안으로, 일방적 가해와 피해로 보기보다는 또래 간 다툼으로 판단하는 것이 적절합니다. 만약 이 경우를 곧바로 학교폭력으로 접수한다면 서로 맞고소로 이어져 사안이 감정싸움으로 비화될 수 있습니다. 따라서 저는 징계나 처벌 중심보다는, 회복적 생활교육을 통해 두 학생의 관계를 조정하는 것에 중점을 두겠습니다.

첫째, 갈등 조정 중심의 접근을 하겠습니다. 두 학생 모두 욕설을 한 상황에서 피해자와 가해자를 단정하기 어렵습니다. 그래서 학교폭력 접수보다는 갈등 조정을 우선 적용하는 것이 바람직합니다. 저는 우선 양측 학생을 분리하여 면담하면서 상황을 객관적으로 확인하고, 학생들의 감정을 충분히 안정시키겠습니다. 그 후 회복적 대화를 통해 '나는 어떤 말에 상처를 받았는지', '상대방이 왜 그런 반응을 했는지'를 서로 공유하도록 하여, 단순한 사과를 넘어서 상대방의 입장을 진심으로 공감할 수 있도록 돕겠습니다.

둘째, 전문적인 화해·중재 모임의 도움을 활용하겠습니다. 교사 혼자의 중재보다는 전문상담교사나 화해중재 대화 모임을 연계한다면, 학생들이 보다 안전하고 전문적인 분위기 속에서 감정을 표현하고 문제를 해결할 수 있습니다. 특히 외부적 시선에서 객관적으로 대화 과정을 안내해 줄 수 있기 때문에 학생들이 더 편안하게 자기 입장을 털어놓을 수 있을 것이라 생각합니다.

셋째, 예방적 교육과 후속 지도를 병행하겠습니다. 단짝 친구였던 학생들이 작은 오해나 언어폭력으로 관계가 틀어지는 경우가 많습니다. 저는 이번 사례를 계기로 학급 차원에서 언어폭력 예방 교육을 실시하고, 담임교사와 협력하여 두 학생이 다시 관계를 회복하거나 최소한 적대적 관계로 남지 않도록 꾸준히 관찰하고, 필요 시 학부모와 소통하여 지도 과정을 투명하게 공유하겠습니다.

마지막으로, 유의해야 할 점을 말씀드리겠습니다. 첫째, 교사가 단순히 화해하라고 종용하는 태도로 비치지 않도록 주의해야 합니다. 학생 스스로 공감과 이해를 통해 관계를 회복하도록 안내해야 합니다. 둘째, 사건을 은폐하거나 축소하려는 것처럼 보이지 않도록, 학부모에게 과정을 투명하게 안내하고 재발 방지를 위한 후속 지도를 반드시 이어가야 합니다. 이상입니다.

03

평가영역	THEME 7. 평가의 변화
해설	각 학생들이 지적한 수행평가의 문제점을 분석하고 이를 해결할 수 있는 방안을 제안해야 한다.

예시 답변 구상형 3번 답변드리겠습니다.

제시문을 보면 학생들의 수행평가에 대한 피드백에서 3가지 문제점을 확인할 수 있습니다. 이를 각각의 해결 방안과 함께 말씀드리겠습니다.

첫째, A 학생의 피드백에서 드러난 문제는 평가 과제가 지나치게 많다는 점입니다. 이는 학생들에게 과중한 부담을 주어 수행평가 본래의 의미를 퇴색시킬 수 있습니다. 따라서 교사로서 저는 성취기준에 꼭 필요한 핵심 과제만 선별하여 양을 줄이고, 중복되는 과제는 통합해 평가의 효율성을 높이겠습니다.

둘째, B 학생의 피드백에서 드러난 문제는 수행평가 일정이 한 날에 집중되어 있다는 점입니다. 학생들이 하루에 여러 과제를 수행하다 보면 학습 의욕이 저하되고 결과의 질도 낮아질 수 있습니다. 이를 해결하기 위해 학년부, 교과협의회를 통해 사전 협의 절차를 강화하고, 수행평가 일정을 분산 조정하여 학생들이 충분한 준비 시간을 가질 수 있도록 하겠습니다.

셋째, C 학생의 피드백에서 드러난 문제는 수행평가의 목적과 의의에 대한 이해 부족입니다. 학생이 단순히 선택형 시험이 편하다고 느끼는 것은 수행평가가 왜 필요한지 경험적으로 이해하지 못했기 때문입니다. 따라서 교사로서 저는 평가 전에 과제의 목적과 학습 효과를 충분히 설명하고, 활동 후에도 피드백을 통해 학생이 자신의 성장을 직접 확인할 수 있도록 지도하겠습니다.

이처럼 수행평가는 양을 줄이고, 일정을 분산하며, 학생 이해를 돕는 과정을 통해 본래 취지대로 학생의 성장을 지원하는 방향으로 개선해야 합니다. 이상입니다.

✦ 즉답형

01

평가영역	THEME 8. AI·에듀테크 활용 교육
해설	생성형 AI 활용 시 교육적 유의점을 교사의 역할과 연결해 설명하는 능력을 묻는 문제이다. 핵심은 '비판적 검토, 질문력 신장, 발달 단계 고려' 3가지를 구체적으로 제시하는 것이다.

예시 답변 즉답형 1번 답변드리겠습니다.

생성형 AI는 수업에서 학습 효율을 높이고 학생들의 탐구 활동을 확장할 수 있는 좋은 도구입니다. 그러나 교육 현장에 적용할 때는 몇 가지 유의할 점이 있다고 생각합니다.

첫째, AI 답변을 무조건 수용하지 않도록 지도해야 합니다. 학생들이 AI가 제공한 답을 그대로 받아들이는 데 그치지 않고, 스스로 근거를 검토하고 비판적으로 성찰하는 능력을 함께 기르도록 해야 합니다. 예를 들어 역사 수업에서 AI가 제시한 사실을 검증할 때, 추가 자료를 찾아 비교 분석하게 한다면 학생들의 비판적 사고력이 길러질 것입니다.

둘째, 질문력 교육이 병행되어야 합니다. 원하는 답이 나오지 않을 때 재질문하거나, 구체적이고 유도적인 질문을 던지는 훈련을 통해 학생들이 단순 사용자에서 벗어나 능동적인 학습자로 성장할 수 있습니다.

셋째, 연령별 발달 특성을 고려해야 합니다. 어린 학생의 경우 자아정체성과 자존감이 형성되는 중요한 시기에 AI 의존성이 지나치게 높아질 수 있습니다. 따라서 충분한 사전 교육을 통해 자기주도적 사고와 자존감을 먼저 기른 뒤, AI를 보조 도구로 활용하도록 하는 것이 바람직합니다. 이상입니다.

02

평가영역	THEME 1. 경기형 교직관 수립
해설	A, B, C 교사 중 어느 교사를 선택해도 상관없지만 본인의 교직관이 잘 드러나도록 이유를 제시해야 한다.

예시 답변 즉답형 2번 답변드리겠습니다.

저는 세 교사 중 B 교사, 학생의 자신감을 키워주는 것이 가장 중요하다는 입장과 가장 가깝습니다. 그 이유는, 자신감은 단순한 성격적 특성이 아니라 모든 배움과 성장을 가능하게 하는 밑바탕이 되기 때문입니다. 학생이 자신감을 가질 때 도전할 용기가 생기고, 비록 성적이 낮더라도 다시 시도하며 기초학력을 쌓을 수 있습니다. 또한 자신감은 타인과의 관계에서도 중요한 힘이 되어, 자기 생각을 표현하고 타인을 존중하며 건강한 교우관계를 맺는 원동력이 됩니다.

이를 위해 현장에서는 학생들의 작은 성취도 긍정적으로 피드백하며 성취 경험을 축적하도록 하겠습니다. 예를 들어 수업 중 발표, 모둠 활동, 프로젝트 수행 과정에서 학생이 보인 장점을 구체적으로 칭찬하여 자신감을 심어주겠습니다. 또한 학생 스스로 학습 목표를 세우고 성취 여부를 점검하도록 지도해 자기효능감을 키우도록 하겠습니다.

이처럼 저는 자신감을 모든 성장의 토대로 보고, 수업과 생활지도를 통해 학생들이 자신감 있는 배움의 주체로 성장할 수 있도록 돕는 교사가 되겠습니다. 이상입니다.

✦ 추가 즉답형(비교수 교과)

03

평가영역	THEME 2. 교사 전문성 및 미래교육 역량 강화, THEME 3. 경기미래교육
해설	열려있는 답 같지만 어느 정도 정답이 있는 문제이다. 경기교육의 지향점을 잘 파악해야 한다. 전공 연계 방안을 묻진 않았지만, 전공 특색이 담긴 답변을 하면 전문성을 드러낼 수 있다.

예시 답변 즉답형 3번 답변드리겠습니다.

미래교육을 위해 계속할 것, 중단할 것, 새롭게 만들어 갈 것에 대해 말씀드리겠습니다.

먼저, 계속할 것은 학생들의 기본인성과 기초역량을 키우는 교육입니다. 존중과 배려, 협력과 책임의 가치를 기반으로 학생들이 공동체 속에서 성장할 수 있도록 돕는 것이 학교 교육의 본질이라고 생각합니다. 사서교사로서 저는 독서를 통해 자율성과 자기주도성을 기를 수 있도록 돕겠습니다. 예를 들어, 학생들과 함께 독서 토론회를 운영하거나, 주제별 독서 프로젝트를 통해 스스로 책을 선택하고 의견을 나누는 경험을 꾸준히 이어가겠습니다.

둘째, 중단할 것은 학습을 단순히 문제풀이 기술 습득에만 한정하는 관행적 교육입니다. 학생들의 배움은 시험 점수를 위한 기술 습득이 아니라 삶과 연결될 때 의미가 있습니다. 따라서 저는 독서 수업에서도 특정 정답을 찾기 위한 활동보다는, 다양한 책을 매개로 서로의 생각을 존중하고 공유하는 과정을 강조하겠습니다. 이를 통해 학생들이 편향된 시각을 넘어 개방적이고 포용적인 태도를 기를 수 있도록 지도하겠습니다.

마지막으로, 새롭게 만들어 갈 것은 연대와 협력의 교육입니다. 급변하는 사회에서는 혼자만의 역량보다 함께 협력하며 문제를 해결하는 능력이 더욱 필요합니다. 이를 위해 저는 도서관을 협력적 학습의 공간으로 활용하겠습니다. 예를 들어, 모둠별로 책을 읽고 주제 신문이나 영상 자료를 제작하는 프로젝트형 독서 수업을 기획하겠습니다. 또한 디지털 도구를 적극 활용하여 독서 활동 결과를 온라인으로 공유하고 소통하게 함으로써 학생들의 협력적 소통 역량을 길러 주겠습니다.

이처럼 사서교사로서 독서를 매개로 기본은 지키되, 낡은 관행은 과감히 버리고, 새로운 협력 문화를 창조하는 교사가 되어 미래 경기교육이 지향하는 모습을 실현하겠습니다. 이상입니다.

04

평가영역	THEME 9. 디지털 시민교육·개인정보 보호, THEME 37. 위기 학생
해설	제시문이 나올 경우, 반드시 제시문 분석 결과를 말해야 한다. 그래야만 제시문 분석력, 문제해결력을 보여줄 수 있다. 최근에 수험생의 답변 수준이 높아지며, 변별력을 높일 목적으로 제시문 분석 문제가 자주 출제되고 있다. 이때, 제시문을 제대로 분석하고 분석 결과를 보여줘야 고득점이 가능하다는 것을 잊지 말자.

예시 답변 즉답형 4번 답변드리겠습니다.

제시문 속 A 학생은 무기력하고, 문화 체험과 진로 탐색 기회가 부족하며, 인터넷·스마트폰 고위험군으로 나타나는 어려움을 보이고 있습니다. 상담교사로서 저는 이 문제들을 지역사회와 협력해 해결해 나가고자 합니다.

먼저, 무기력 문제를 해결하기 위해 지역 상담기관과 협력하겠습니다. 학생과의 개별 상담을 통해 정서적 어려움을 세밀하게 파악하고, 필요하다면 청소년 상담센터와 연계하여 집단 상담이나 심리 치료 프로그램을 함께 진행하겠습니다. 이를 통해 학생의 정서적 안정을 돕고, 담임교사와 학부모와도 정보를 공유해 일관된 지원이 이루어지도록 하겠습니다.

둘째, 문화 체험과 진로 탐색 기회 부족 문제는 지역 문화기관과 협력하겠습니다. 상담을 통해 학생의 흥미와 강점을 먼저 탐색한 뒤, 박물관, 미술관, 직업체험관과 같은 지역 기관을 연계하여 새로운 경험을 제공하겠습니다. 또한 경기공유학교와 같은 체험형 교육 프로그램을 추천해 학생이 진로를 스스로 탐색하고 성취감을 경험할 수 있도록 지원하겠습니다.

셋째, 인터넷·스마트폰 고위험 문제는 전문기관과 협력하겠습니다. 교내에서는 디지털 리터러시 교육에 적극적으로 참여하도록 지지하고, 상황이 심각하다면 청소년 상담복지센터나 인터넷드림마을 같은 전문기관과 연결하여 보다 체계적인 상담과 치료를 받을 수 있도록 돕겠습니다. 이 과정에서 상담교사로서 저는 학생이 자발적으로 참여할 수 있도록 지속적으로 정서적 지지를 제공하겠습니다.

이처럼 상담교사로서 저는 지역사회와 적극 협력하여 학생이 무기력에서 벗어나고, 다양한 체험을 통해 진로를 탐색하며, 건강한 디지털 생활습관을 가질 수 있도록 돕겠습니다. 이상입니다.

실전 모의고사 2회 자기 평가

체감 난도		상 중 하 ➡ 원인 파악:
스터디원의 피드백	잘한 부분	
	부족한 부분	
내용 이해도가 부족한 THEME	THEME 번호	
	보완 계획	

개별면접 3회

📄 문제 p.345

✦ 구상형

01 | 평가영역 | THEME 8. AI·에듀테크 활용 교육, THEME 9. 디지털 시민교육·개인정보 보호
| 해설 | ICT 관련 통계를 먼저 분석한 후 이를 통해 알 수 있는 시사점을 말하면 문제 분석력을 보여줄 수 있다.

예시 답변 구상형 1번 답변드리겠습니다.

제시된 자료를 보면, 학생들의 컴퓨터 정보 소양 점수와 사고력 점수는 높지만 학습 목적으로 ICT를 활용하는 비율은 낮고, 자아효능감 또한 부족한 것을 알 수 있습니다. 이는 기술적 역량은 갖추었지만 실제 학습 적용에 어려움을 겪고 있음을 시사합니다. 따라서 학교 교육에서 ICT 활용을 지원하고, 학생들이 자신감을 가지고 학습에 적용할 수 있도록 돕는 교육이 필요합니다. 이를 토대로 한 구체적인 교육 방안을 말씀드리겠습니다.

먼저 학급 운영 측면입니다. 첫째, 학급에 ICT 학습 환경을 조성하겠습니다. 교실에 비치된 태블릿, 컴퓨터 등을 통해 학생들이 ICT 기기를 활용할 수 있는 환경을 조성하겠습니다. 예를 들어, 학급회의 안건을 제안한다거나 안건을 투표하는 방식을 스마트 기기를 활용해 진행하겠습니다. 사전에 스마트 기기 활용 수칙을 학생들과 함께 정해 스마트 기기에 중독되거나 잘못 사용하지 않도록 할 것입니다.
둘째, ICT 관련 자아효능감 증진 프로그램을 기획하겠습니다. 전자 기기를 능숙하게 다루는 친구들과의 멘토링 프로그램을 통해 학생들이 자신감을 가질 수 있도록 지원한다거나 ICT를 효과적으로 활용한 학생들의 성공 사례를 학급 내에서 공유하고, 긍정적인 피드백을 제공해 자아효능감을 높이겠습니다.

다음으로 교과 지도 측면에서의 교육 방안을 말씀드리겠습니다.
첫째, 디지털 학습 자료 및 도구를 적극 사용하겠습니다. 디지털 교과서나 교육 플랫폼을 학습에 도입해 학생들의 디지털 역량을 학습 분야에서도 강화하겠습니다. 예를 들어, 역사적 전투 장면을 3D 애니메이션으로 보여주거나, 딥페이크를 활용해 유명 인물의 연설을 재연해 학생들에게 생동감을 줄 수 있습니다. 또한 디지털 교과서에 포함된 퀴즈와 자기 평가 도구를 통해 학생들이 학습한 내용을 확인할 수 있게 하고, 교사로서 저는 실시간으로 학생들의 학습 상태를 점검하고 개별 피드백을 하겠습니다.
둘째, 학생들에게 ICT 도구를 활용한 과제나 평가를 부여해 실질적인 사용 경험을 제공하겠습니다. 예를 들어, 역사 속 인물의 가상 일기 쓰기, 역사 신문 만들기 활동 등을 온라인 협업 도구를 통해 제출하게 하고 다른 모둠의 자료에 댓글로 소통하게 하는 등의 방식을 사용하겠습니다. 이러한 방안들은 학생들의 ICT 활용 능력을 향상하고 ICT를 교육에 효과적으로 활용하는 데 도움이 될 것입니다.

현장에 나아가 학생들의 현안을 잘 파악하고 역량을 향상하기 위한 교육 방안을 고안하는 능동적인 교사가 되겠습니다. 이상입니다.

02 | 평가영역 | THEME 6. '깊이 있는 수업' 전문성 강화, THEME 7. 평가의 변화, THEME 41. 수업 문제 상황
| 해설 | 성찰 노트 속 문제 상황을 짚고, 이를 해결하기 위한 방안을 제시해야 한다.

예시 답변 구상형 2번 답변드리겠습니다.
먼저 3월 성찰 노트 속 고민 해결 방안을 제시하겠습니다. 성찰 노트에는 정답에 집중한 수업, 즉 결과 중심 수업을 지향하는 서준이의 모습이 담겨있습니다. 이를 위해 교사는 학생 중심 수업, 과정 중심 수업의 취지를

먼저 학생들에게 설명해야 합니다. 취지를 모르고 교육 활동에 참여할 때 학생이 정립해 놓은 가치관에 의존해 교육 활동 내용을 판단하는 문제가 생길 수 있습니다. 따라서 정답이 아닌 과제를 해결해 나가는 과정의 중요성과 학생에게 발달할 수 있는 사고력, 문제해결력 측면에서의 장점에 대해 충분히 이야기한 후 활동으로 이어가야 합니다.

다음으로 성찰 노트 4월에는 교사의 피드백을 불편해하는 영우의 모습이 담겨있습니다. 피드백 제공은 서로 신뢰 관계가 형성된 후에 시도해야 하며, 피드백의 목적, 취지에 대한 공감대를 먼저 형성한 후 시행해야 합니다. 또한 피드백하는 과정이 학생의 약점을 드러내는 것이 아닌, 성장을 위한 과정임을 안내한 후 시작해야 학생이 수용할 수 있습니다. 피드백할 때는 학생을 존중하는 어조를 사용해야 하며, '영우의 발표문은 몇 가지 문제점이 있구나.'와 같은 이인칭 형식이 아닌 '선생님은 영우의 작품에서 ~을 발견할 수 없었어.', '이 발표문에는 ~가 없구나!'와 같이 일인칭이나 삼인칭을 사용해야 합니다. 이렇게 한다면 영우가 불편해하는 문제를 해소할 수 있을 것입니다.

마지막으로 6월 성찰 노트에는 배움이 느린 이찬이와 이찬이를 이해하지 못하고 비난하는 친구들의 상황이 담겨있습니다. 모둠 활동에 앞서 배움의 속도에 차이가 있는 것은 자연스러운 일이며, 서로 협력했을 때 동반 성장할 수 있음을 안내하고, 협력이 이찬이뿐 아니라 조원 전체에게 도움이 될 수 있음을 안내해야 합니다. 그렇게 한다면 원활한 모둠활동이 될 수 있을 것입니다. 이상입니다.

03

평가영역	THEME 27. 학급 운영
해설	교직관과 설문조사 내용이 크게 달라서는 안 된다. 기본적인 교직관을 갖추고 있되, 상황에 따라 유연하게 적용할 수 있어야 한다.

예시 답변 구상형 3번 답변드리겠습니다.

저의 교직관은 '협력해 함께 성장하자'입니다. 저는 성장 과정에서 공동체와의 협력을 통해 어려움을 해결한 경험이 많았고, 혼자서 오해하거나 마음이 상했을 때 진정성이 담긴 소통으로 상대와 원만하게 갈등을 해결한 경우가 많았기 때문에 공동체적 가치를 매우 중요하게 여기게 됐습니다. 따라서 학급에서도 협력해 함께 성장하는 기쁨을 학생들과 공유하고 싶기에 이러한 교직관을 설계하게 됐습니다.

제시문을 보면 현 시기에 학생들이 당면한 위기로는 상대방을 배려하는 의사소통과 협력 의식이 저하되고, 타인 존중이 부족하다는 것을 알 수 있습니다. 이는 저의 교직관으로 해결할 수 있는 부분이기도 합니다. 따라서 다음과 같은 학급 운영 방안을 고민해 보았습니다. 저는 학급 학생들과 함께 휴대전화 애플리케이션 메시지 함을 열어, 스스로 친구 혹은 가족과 소통하는 방식을 분석해 보도록 하겠습니다. 대화를 일방적으로 주도하진 않았는지, 습관적으로 비꼬거나 놀리는 말을 주로 사용하진 않았는지, 상대방의 감정을 무시하는 발언을 하진 않았는지, 친하다는 이유로 비속어를 무분별하게 사용하진 않았는지, 직접 분석하는 시간을 가져보겠습니다. 그 후 상대의 감정을 상하게 했던 표현을 어떻게 바꾸면 좋을지, 같이 바꿔보는 시간을 가진 후에 서로 배려하고 존중하며 말하기 위한 규약을 제정하고 공표하는 시간을 갖도록 하고 싶습니다. 교사의 일방적인 훈화가 아닌 스스로 탐구하며 성찰하는 자세를 통해 학생들은 상대를 배려하는 언어와 자세의 중요성을 내면화할 수 있을 것입니다.

다음으로 담임교사로서 저의 자세를 말씀드리겠습니다. 학생들은 교사를 통해 많은 것을 보고 배운다고 생각합니다. 교사로서 솔선수범해 학생을 존중하는 말하기를 사용할 것이며, 학급의 중요한 사항을 혼자 통보하는 것이 아닌 회의를 통해 결정하고 실천해 학생들에게 '같이'의 가치를 맛보게 하는 교사가 될 것입니다. 이상입니다.

사이다 면접

✦ 즉답형

01 | 평가영역 | THEME 15. 환경교육·탄소중립교육
| 해설 | 제시문의 시사점을 잘 도출하는 것이 이 문제의 관건이다.

예시 답변 즉답형 1번 답변드리겠습니다.

제시문을 보면, 학교별 전기 사용량의 격차가 매우 크다는 것을 알 수 있습니다. 이는 학교의 노력에 따라 탄소중립 실천의 결과가 달라질 수 있음을 보여주며, 따라서 탄소중립을 위해 보다 체계적인 교육이 필요함을 시사합니다. 이러한 시사점을 바탕으로, 모든 학생이 일상에서 기후 위기 대응에 참여할 수 있는 학급 운영 방안과 교과 지도 방안을 말씀드리겠습니다.

먼저, 학급 운영 방안입니다. 저는 탄소 발자국 줄이기 프로젝트를 실시하겠습니다. 학급을 모둠으로 나누어 학생들이 매일 발생하는 탄소 발자국을 측정하고, 이를 줄일 수 있는 방법을 함께 고민하도록 하겠습니다. 구체적으로는 온라인 도구나 앱을 활용해 에너지 소비, 교통수단 이용, 식습관 등을 측정하게 하고, 이후 탄소 발자국을 줄이기 위한 개인 목표를 세운 후 잘 지켜지는지를 점검하게 하겠습니다. 이를 통해 학생들은 개인의 행동이 탄소 배출에 미치는 영향을 이해하고, 실질적인 노력으로 탄소중립에 기여할 수 있습니다. 교사로서 저는 학생들의 진행 상황을 점검하며 방향을 제시하고 격려하겠습니다. 또한 한 달에 한 번씩 모둠별로 경험을 공유하게 한다면, 학생들 간 동기 부여가 이루어져 학급 차원에서 프로젝트가 더욱 활성화될 것입니다.

다음으로, 교과 지도 방안입니다. 저는 초등학교 사회과 환경 단원을 활용하여 교과 내용을 탄소중립 주제와 연계한 탐구 활동을 설계하겠습니다. 예를 들어 '환경과 조화를 이루는 국토' 단원의 기초가 되는 '환경' 개념을 학습한 뒤, 초등학생이 학교에서 실천할 수 있는 친환경적인 태도에 대해 토론 활동을 진행하겠습니다. 이후 교실 내 친환경적 태도 체크리스트를 만들어 조별 점수를 부여하고, 주간 점수를 합산하여 우수 모둠을 선정하겠습니다. 이렇게 한다면 학생들은 즐겁고 실천적인 방식으로 환경교육을 이어나갈 수 있을 것입니다.

이처럼 학급 운영과 교과 수업을 연계하여 학생 중심의 탄소중립 생태환경교육을 실현해 나가겠습니다. 이상입니다.

02 | 평가영역 | THEME 1. 경기형 교직관 수립
| 해설 | A와 B는 조화가 가능한 답변이다. 하나를 기준으로 하되, 양쪽을 모두 언급할 수 있어야 한다. 다만, 경기도교육청은 학생의 탐구와 주체성을 강조하고 있으므로 A를 기준으로 두고 B를 보충하는 방식을 추천한다.

예시 답변 즉답형 2번 답변드리겠습니다.

두 의견 중 A, 학생은 스스로 탐구하며 배울 때 크게 성장한다는 입장이 제 교직관과 더 가깝습니다. 학생은 교사의 설명을 단순히 수용하는 데 머무르지 않고, 스스로 탐구하는 과정에서 배운 내용을 자기 삶과 연결하며 주체적으로 성장할 수 있는 잠재력을 지니고 있다고 생각하기 때문입니다. 이러한 교직관을 실현하기 위해 2가지 노력을 말씀드리겠습니다.

첫째, 수업에서 탐구 중심 활동을 설계하겠습니다. 교사가 모든 답을 제공하기보다는 실제 사회 문제나 생활 속 쟁점을 제시하고, 학생들이 자료를 탐색하며 해결책을 모색하도록 하겠습니다. 예를 들어 사회 수업에서 환경·지역사회 문제를 주제로 학생들이 직접 자료를 분석하고 토론하며 대안을 제시하는 프로젝트형 수업을 운영하겠습니다. 이를 통해 학생은 자기주도적 배움과 비판적 사고를 기를 수 있을 것입니다.

둘째, 학급 운영에서도 자기주도적 경험을 지원하겠습니다. 학급 규칙을 학생 스스로 정하고 실천 방안을 고민하게 하여, 생활 속에서 책임감과 공동체 의식을 함께 배우도록 하겠습니다. 학생들이 만든 규칙을 지켜가는 과정 자체가 탐구와 실천을 연결하는 중요한 인성교육이 될 것이라 생각합니다.

물론 탐구 중심 수업이 교사의 역할을 배제하는 것은 아닙니다. 오히려 교사의 전문적 설계와 섬세한 관찰, 적절한 피드백이 뒷받침될 때 학생의 탐구가 성공적으로 이루어질 수 있습니다. 저는 학생과 호흡을 맞추며, 함께 배움을 만들어가는 동반자로서 학생의 성장을 책임지겠습니다. 이상입니다.

✦ 추가 즉답형(비교수 교과)

03 | 평가영역 | THEME 5. 기본·기초학력 보장 교육
| 해설 | 전공 특색이 드러나는 교육 방안을 제시해야 한다.

예시 답변 즉답형 3번 답변드리겠습니다.
제시문 속 A 학생은 수업 태도는 성실하지만 기초학력이 부족해 자신감이 낮고, 과제 수행에도 소극적인 태도를 보이고 있습니다. 보건교사로서 담임교사와 협력하여 조력할 수 있는 방안을 3가지 말씀드리겠습니다.

첫째, 학생의 기초학력 저하와 소극적 태도 뒤에 건강 문제가 없는지 확인하겠습니다. 보건교사로서 기본 건강 검진 자료와 상담을 통해 만성 피로, 정서적 스트레스와 같은 신체·정신 건강 요인을 확인하겠습니다. 이후 담임교사에게 정보를 공유하여 학습 부진이 단순한 학업 문제인지, 건강 요인과도 연결된 것인지 함께 파악하고 지원하겠습니다.

둘째, 정서적 안정과 자신감 향상을 위한 건강교육을 실시하겠습니다. A 학생이 작은 성취에도 스스로 긍정적인 인식을 가질 수 있도록 스트레스 관리 교육이나 자아존중감 향상 프로그램에 참여하도록 돕겠습니다. 담임교사와 협력하여 긍정적 피드백을 주고, 보건실에서 심리적 안정과 휴식을 제공해 학생이 학교생활에 안정적으로 적응할 수 있도록 지원하겠습니다.

셋째, 생활습관 개선을 통한 학습 기반 마련을 돕겠습니다. 규칙적인 수면, 올바른 식습관, 운동습관은 집중력과 학습 태도에 직접적으로 영향을 줍니다. 보건교사로서 생활습관 관리 지도를 실시하고, 학생이 올바른 생활습관을 꾸준히 실천하도록 안내하겠습니다. 이상입니다.

04 | 평가영역 | THEME 15. 환경교육·탄소중립교육, THEME 21. 세계시민(학교민주시민)교육, THEME 28. 자기주도학습
| 해설 | 자신의 전공과 자연스럽게 연계될 수 있는 역량을 선택하는 것이 효과적인 전략이다.

예시 답변 즉답형 4번 답변드리겠습니다.
저는 미래 역량 중 자기주도 역량이 가장 중요하다고 생각합니다. 앞으로의 사회는 기후 위기와 같은 환경 변화, 감염병 확산, 디지털 과의존, 정신건강 문제 등 다양한 위험 요인이 존재하기 때문에 교사의 지시나 보호만으로는 학생 스스로를 지키기 어렵습니다. 따라서 자기주도적으로 목표를 세우고, 계획하며, 스스로 점검하고 조정하는 힘은 평생학습자로서뿐 아니라 건강한 삶을 살아가는 데도 필수적이라고 생각합니다.

보건교사로서 저는 자기주도 역량을 건강관리 역량과 연계하여 지도하겠습니다.

첫째, 학생 스스로 생활습관을 진단할 수 있는 자기 건강 체크리스트를 운영하겠습니다. 수면, 식습관, 운동, 스마트폰 사용 시간을 기록하게 하여, 학생이 자신의 생활을 객관적으로 점검하고 건강 목표를 세울 수 있도록 하겠습니다.

둘째, 프로젝트형 자기주도 학습을 실시하겠습니다. 예를 들어 '나만의 스트레스 관리법 찾기' 프로젝트를 진행해 학생이 관련 자료를 탐구하고, 여러 방법을 실천해 본 후 효과를 기록하여 자신에게 맞는 전략을 찾아가도록 하겠습니다. 이를 통해 건강 관리 방법을 단순히 배우는 데 그치지 않고 자기 삶 속에서 적용할 수 있을 것입니다.

셋째, 보건실과 연계한 성찰 활동을 마련하겠습니다. 학생이 기록한 건강 일지를 토대로 교사와 피드백을 나누고, 다시 목표를 조정하거나 새로운 계획을 세우는 과정을 반복하게 함으로써 자기조절 능력을 기를 수 있습니다.

이처럼 자기주도 역량을 학생의 건강관리 역량과 결합한다면, 학생들은 스스로의 몸과 마음을 돌보며 평생 건강을 지켜나갈 힘을 키울 수 있습니다. 이것이야말로 미래 사회를 살아가는 데 필요한 핵심 역량이라고 생각합니다. 이상입니다.

실전 모의고사 3회 자기 평가

체감 난도		상 중 하 ➡ 원인 파악:
스터디원의 피드백	잘한 부분	
	부족한 부분	
내용 이해도가 부족한 THEME	THEME 번호	
	보완 계획	

개별면접 4회

문제 p.348

✦ 구상형

01

평가영역	THEME 8. AI·에듀테크 활용 교육, THEME 33. 다문화교육
해설	C 교사의 답변은 A 교사와 B 교사의 의견을 종합한 내용이어야 한다.

예시 답변 구상형 1번 답변드리겠습니다.
C 교사는 A 교사와 B 교사의 의견을 종합해, 에듀테크를 활용한 교과 융합 다문화 이해 수업을 제시할 것입니다. 이 주제는 A 교사가 말한 것처럼 학교의 다문화적 배경을 반영하고, B 교사가 말한 것처럼 교과 융합과 에듀테크를 활용해 학생들의 관심을 끌며 교육적 효과를 높일 수 있을 것입니다.

구체적인 교육 방안은 다음과 같습니다. 사회, 미술 교과와 융합해 '세계의 문화 큐레이팅' 활동을 하는 것입니다. 소모둠으로 나누어 스마트 기기를 활용해 각국의 문화, 역사, 전통 등을 조사합니다. 이후 모둠별로 에듀테크 애플리케이션을 활용해 온라인 박물관 전시실을 구현합니다. 이후 각 팀은 자신이 전시한 문화의 내용을 전자칠판 등을 통해 소개합니다. 이후 학급 친구들이 모여 서로가 준비한 다른 문화와의 비교를 통해 공통점과 차이점을 논의합니다. 이렇게 한다면, 다문화 이해 능력을 고취하면서 학습의 흥미를 높이고, 협업과 창의적 표현 능력도 향상할 수 있을 것입니다.

에듀테크를 활용한 교과 융합 다문화 이해 수업을 할 때 교사가 갖춰야 할 역량은 다음과 같습니다.
첫째, 교사는 성취기준을 고려해 교과목을 융합하고 프로젝트 학습을 효과적으로 설계하며 학습 목표를 달성할 수 있는 과제를 개발하는 능력을 갖추어야 합니다. 둘째, 에듀테크 도구와 플랫폼에 대해 이해하고 학생들이 이를 적극적으로 활용할 수 있도록 도와야 합니다. 셋째, 다문화교육의 중요성을 이해하고, 다양한 문화적 배경을 가진 학생들이 상호존중과 이해를 바탕으로 학습할 수 있는 환경을 조성해야 합니다.

현장에 나아가 학교 현안에 맞는 자율과제를 도출하고 이를 효과적으로 운영할 수 있도록 적극적으로 참여하는 교사가 되겠습니다. 이상입니다.

02

평가영역	THEME 3. 경기미래교육
해설	교직관, 사회 변화 모습, 관련 역량, 수업 측면, 학급 운영 측면 등 조건이 많은 문제이므로 누락되지 않게 꼼꼼히 체크한 후 답변해야 한다.

예시 답변 구상형 2번 답변드리겠습니다.
경기도교육과정 중점 역량 중에서 제가 가장 중요하다고 생각하는 것은 자기관리 역량입니다. 지금처럼 사회가 빠르게 변화하는 시대에는 지식보다 스스로 조율하고 균형 있게 성장하는 힘이 필요합니다. 저는 교사를 단순히 지식을 전달하는 존재가 아니라, 학생이 자기 삶을 주도할 수 있도록 돕는 조력자라고 생각하기 때문에 자기관리 역량을 가장 중요하게 보았습니다.

자기주도 역량을 길러주기 위한 방안은 다음과 같습니다.
먼저 수업 측면의 방안입니다. 저는 수업 전후 성찰일지를 쓰도록 지도하겠습니다. 학생들이 스스로 학습 계획을 세우는 것뿐 아니라, 학습한 후 성찰하는 과정을 반드시 포함하겠습니다. 학습을 마친 후 오늘 학습에서 잘한 점과 보완할 점을 기록하게 하고, 이를 기반으로 다음 활동 목표를 설정하도록 하겠습니다. 교사로서 저는 개별 피드백을 제공하며, 학생들이 학습 과정을 자기주도적으로 조율할 수 있도록 돕겠습니다.

다음으로, 생활지도 측면의 방안입니다. 저는 학급 1인 1역 제도를 활성화하겠습니다. 단순히 역할을 나누는 데 그치지 않고, 학생 스스로 자신의 강점과 관심사를 고려해 역할을 선택하게 하겠습니다. 예를 들어 학급 청소, 분리수거 같은 생활 관리뿐 아니라, 출석부 기록 담당, 친구 상담 도우미, 디지털 기기 담당 등 다양한 역할을 마련하겠습니다. 그리고 한 달에 한 번씩 역할 수행 결과를 함께 돌아보며, 잘한 점과 개선점을 공유하게 하겠습니다. 이를 통해 학생들은 맡은 책임을 끝까지 수행하며 자기관리를 생활 속에서 실천할 수 있을 것입니다.

이처럼 저는 수업과 생활지도 전반에서 학생들이 자기 삶을 책임지는 힘을 기르고, 미래 사회의 성숙한 시민으로 성장할 수 있도록 돕는 교사가 되겠습니다. 이상입니다.

03

평가영역 THEME 13. 학교폭력 예방 교육

해설 2가지 실태조사를 모두 반영하는 교육 방안을 제시해야 한다.

예시 답변 구상형 3번 답변드리겠습니다.

학교폭력 실태조사를 보면, 가해 이유에서 '장난이나 특별한 이유 없이'와 '상대방이 먼저 괴롭혀서'라는 응답이 높았고, 목격 후 행동에서는 '아무것도 하지 못했다'는 응답이 가장 많았습니다. 이를 통해 학교 교육은 가해 예방 교육과 목격자 대응 교육 두 축으로 나누어 추진해야 한다는 시사점을 얻을 수 있습니다. 구체적인 교육 방안은 다음과 같습니다.

첫째, 관계 중심의 인성교육, 회복적 생활교육입니다. 가해 이유가 단순하거나 충동적이라는 것은 학생들이 갈등을 건강하게 해결하는 방법을 배우지 못했다는 의미입니다. 따라서 저는 학급에서 '감정 일기 쓰기', '칭찬 릴레이', '회복적 대화 모임'을 운영해 또래 간 존중과 공감 능력을 키우겠습니다. 예를 들어 사소한 다툼이 발생했을 때 교사가 일방적으로 징계하는 것이 아니라, 가해 학생과 피해 학생, 그리고 학급 친구들이 함께 모여 서로의 감정을 이야기하고 대안을 찾는 회복적 생활교육을 적용한다면, 학생들은 타인을 존중하는 태도와 관계 회복의 방법을 실제로 체득할 수 있을 것입니다.

둘째, 역할극과 시뮬레이션을 통한 목격자 대응 훈련을 실시하겠습니다. 많은 학생들이 학교폭력 상황을 목격하고도 두려움 때문에 아무런 행동을 하지 못합니다. 따라서 수업 시간에 실제 사례를 각색해 역할극을 진행하겠습니다. 한 모둠은 가해자, 또 다른 모둠은 피해자, 그리고 나머지는 목격자 역할을 맡아 학교폭력 상황을 재현해 보는 것입니다. 그 과정에서 목격자 역할을 맡은 학생들은 '선생님께 알리기', '피해학생 옆에 서 주기', '신고 앱 사용하기' 등 구체적인 행동을 직접 연습합니다. 수업이 끝난 뒤에는 어떤 행동이 피해자를 가장 안전하게 도울 수 있었는지 함께 토의하면서, '목격자의 책임'을 자연스럽게 내면화하도록 하겠습니다.

이처럼 학교에서는 한쪽으로 치우치지 않고, 가해 예방 교육과 목격자 대응 교육을 균형 있게 운영해야 합니다. 그렇게 할 때 학생들은 폭력의 심각성을 올바르게 인식할 뿐 아니라, 실제 상황에서 '내가 무엇을 해야 하는지' 행동으로 옮길 수 있는 힘을 기르게 될 것입니다. 앞으로 저는 이러한 교육을 통해 안전하고 서로 존중하는 학급 문화를 만들어 가겠습니다. 이상입니다.

✦ 즉답형

01

평가영역	THEME 8. AI·에듀테크 활용 교육, THEME 24. 문해력 향상 교육
해설	교육공동체의 요구가 모두 반영된 교육 방안이어야 한다.

예시 답변 즉답형 1번 답변드리겠습니다.

교육공동체의 의견을 모두 반영할 수 있는 방안으로 '에듀테크 기반 학습도구어 문장 만들기 활동'을 제시하겠습니다. 구체적인 방안은 다음과 같습니다. 초등학교 고학년 교과서에는 학생들이 모르는 학습 용어가 나옵니다. 교과서에 모르는 단어가 나오면 즉시 태블릿이나 스마트 기기를 통해 단어의 의미와 맥락을 확인하게 하겠습니다. 이 과정을 통해 학생은 어려운 단어를 쉽게 이해할 수 있고, 학습 부담은 줄어들 것입니다.

이어서 학생들은 학습도구어로 짧은 문장을 만들어 봅니다. 이를 하이러닝으로 공유하며 피드백을 주고받도록 하겠습니다. 이 과정에서 학생은 단순히 단어의 뜻을 아는 데 그치지 않고, 실제 문장 속에서 활용하며 자기 생각을 글로 표현하는 경험을 쌓을 수 있습니다. 교사는 학생들이 작성한 문장과 학습 과정을 실시간으로 확인하며 학생 개개인의 어휘 이해 수준과 글쓰기 과정에서의 강점과 약점을 정확히 파악하고, 과정 중심 피드백을 줄 수도 있을 것입니다. 이상입니다.

02

평가영역	THEME 1. 경기형 교직관 수립
해설	구체적인 사례를 통해, 교사의 교직관을 파악하려는 문제이다. 이러한 문제에서 교사로서의 소양이 드러나므로 평소에 학생관을 잘 정비해 두어야 한다.

예시 답변 즉답형 2번 답변드리겠습니다.

제시문의 상황에서 교사의 문제점은 현우가 지각하는 원인을 파악하지 않고 교사의 어려움이나 유급 등 행동으로 인한 결과 중심으로 이야기했다는 점입니다. 교사의 어려움이나 유급 같은 이야기는 현우의 행동 변화로 이어지기보다는 반발심이나 무력감을 키울 수 있습니다. 담임교사로서 학생을 올바르게 지도하기 위한 방안을 말씀드리겠습니다.

첫째, 반복적으로 현우가 지각하는 원인을 파악하는 상담을 하겠습니다. 단순히 지각이라는 결과만 지적하기보다, 지각과 결석의 원인이 무엇인지 확인해야 합니다. 예를 들어, 수면습관 문제인지, 가정 환경의 어려움인지, 혹은 학교생활에서의 심리적 요인 때문인지 상담을 통해 원인을 찾고, 필요하다면 학부모와 협력하여 생활습관 개선 방안을 모색하겠습니다.

둘째, 구체적이고 긍정적인 행동 계획을 함께 세우겠습니다. 학생에게 '지각하지 마'라는 지시 대신, 아침에 일찍 잠자리에 들기, 등교 준비 루틴 만들기, 도착 시 교사와 체크하기 같은 구체적인 행동 목표를 세워주고, 지각하지 않고 등교했을 때는 작은 칭찬과 격려를 통해 성취감을 느끼게 하겠습니다.

이처럼 담임교사는 문제행동을 중심으로 지적하기보다 행동이 일어난 원인을 분석하며, 학생이 주도적으로 변화를 만들어갈 수 있도록 구체적인 실행 방안을 제시해야 한다고 생각합니다. 이상입니다.

✦ 추가 즉답형(비교수 교과)

03 | 평가영역 | THEME 19. 건강하고 안전한 학교
| 해설 | 물리적, 심리적 안전의 측면에서 포괄적으로 생각해야 한다.

예시 답변 즉답형 3번 답변드리겠습니다.

저는 도서관의 공간 측면에서의 안전과 학생들의 심리적 안전, 2가지 측면에 중점을 두고 싶습니다.

먼저 도서관 공간 안전입니다. 도서관은 많은 학생들이 이용하는 공간인 만큼 작은 부주의가 사고로 이어질 수 있습니다. 그래서 저는 학생들과 함께 도서관 안전 규칙을 만들고 실천하도록 지도하겠습니다. 예를 들어, 책장을 오르지 않기, 디지털 기기 안전하게 사용하기와 같은 규칙을 학생들 스스로 정하게 한다면 책임감을 갖고 안전하게 생활할 수 있으리라 생각합니다. 또한 도서관 도우미 학생을 선발하여 학생들과 함께 주기적으로 안전 점검 활동을 하여, 책장 및 책상 고정 여부를 확인하고, 재난 상황을 가정하여 도서관 대피 훈련도 실시하겠습니다. 이렇게 한다면 학생들에게 도서관이 단순히 독서 공간이 아니라 안전을 배우고 실천하는 생활 공간으로 자리할 수 있을 것입니다.

둘째, 도서관을 통해 학생들의 심리적 안전을 지원하겠습니다. 요즘 학생들은 성적과 비교, 경쟁 관계에서 오는 정서적 어려움을 자주 겪습니다. 도서관은 단순히 책을 빌리는 곳이 아니라, 학생들이 편안히 머물며 스스로 돌볼 수 있는 '쉼의 공간'이 되어야 한다고 생각합니다. 도서관 한쪽에 '마음이 쉬어가는 공간'이라는 테마로 힐링 코너를 조성하겠습니다. 편안한 소파와 작은 쿠션을 비치하고, 마음을 위로하는 시집이나 에세이, 그림책을 함께 둘 것입니다. 또, 따뜻한 조명과 식물을 배치해 아늑한 분위기를 만들겠습니다. 학생들은 이곳에서 책을 읽으며 잠시 긴장을 풀거나, 일상의 고민을 내려놓고 정서적 안정을 얻을 수 있을 것입니다. 이렇게 도서관이 학업 경쟁에서 벗어나 숨을 고를 수 있는 안식처가 된다면, 학생들의 심리적 안전에 크게 기여할 수 있다고 생각합니다.

이처럼 저는 사서교사로서 도서관을 중심으로 공간의 안전과 심리적 안전을 동시에 보장하여, 학생들이 도서관뿐 아니라 학교 전체를 더 안전하고 신뢰할 수 있는 공간으로 느낄 수 있도록 하겠습니다. 이상입니다.

04 | 평가영역 | THEME 31. 인성교육
| 해설 | 전공 특색이 드러나는 교육 방안을 제시해야 한다.

예시 답변 즉답형 4번 답변드리겠습니다.

영양교육은 단순히 건강한 식습관을 기르는 것을 넘어 인성교육과도 연결됩니다. 음식에 대한 태도는 자기 존중과 타인 배려로 이어지고, 더 나아가 공동체와의 관계를 배우는 중요한 경험이 되기 때문입니다. 영양교사로서 저는 지역 농가와 협력하여 인성교육 프로그램을 운영하고자 합니다. 지역 농가와 함께하는 활동은 학생들에게 공동체 의식을 기르고, 지역사회를 존중하는 태도를 배우는 좋은 기회가 될 것입니다. 구체적인 방안 2가지를 말씀드리겠습니다.

첫째, 농산물 수확 체험 프로그램을 기획하겠습니다. 학생들이 직접 지역 농가에서 제철 농산물을 수확하고, 그 과정에서 농부의 수고와 먹거리의 소중함을 체험하게 합니다. 이를 통해 학생들은 생산자에 대한 감사와 존중의 마음을 배우고, 자신이 먹는 음식에 대한 책임 의식을 기를 수 있습니다.

둘째, 우리 지역 상품 브랜딩 프로젝트를 운영하겠습니다. 학생들이 수확한 농산물을 활용해 가공품 아이디어를 내고, 포장 디자인과 마케팅 방안을 고민하여 실제 굿즈 형태로 제작·판매까지 이어가도록 하는 것입니다. 이 과정에서 학생들은 협력하며 창의성을 발휘하고, 판매 수익을 지역사회에 환원하거나 기부하는 경험을 통해 공동체에 기여하는 보람을 느낄 수 있습니다.

이처럼 영양교사로서 저는 지역사회의 자원과 협력하여 학생들이 식생활 속에서 자기 존중, 타인 배려, 공동체 의식을 배우도록 돕겠습니다. 이를 통해 단순히 건강한 먹거리 교육을 넘어, 인성과 가치교육으로 확장하는 영양교육을 실현하겠습니다. 이상입니다.

실전 모의고사 4회 자기 평가

체감 난도	상 중 하 ➡ 원인 파악:	
스터디원의 피드백	잘한 부분	
	부족한 부분	
내용 이해도가 부족한 THEME	THEME 번호	
	보완 계획	

개별면접 5회

✦ 구상형

01
평가영역	THEME 22. 독서인문교육
해설	실태조사의 주요 장애 요인에 맞춰 각각 대응하는 방안을 제시하는 것이 핵심이다.

예시 답변 구상형 1번 답변드리겠습니다.

주어진 실태조사 결과를 보면, 학생들의 독서 장애 요인은 재미 부족, 스마트폰·영화·게임 선호, 시간 부족 등이 주된 원인으로 나타났습니다. 이를 고려한 독서교육 방안을 말씀드리겠습니다.

첫째, 학생들이 흥미를 느낄 수 있도록 선택형 독서 프로그램을 운영하겠습니다. 단순히 권장 도서를 일괄적으로 읽히는 것이 아니라, 학생이 관심 있는 분야의 책을 스스로 선택할 수 있도록 독서 메뉴판을 제시하는 것입니다. 학생들이 스마트폰, 영화, 게임을 좋아한다는 것을 고려하여 영화원작 소설 등을 포함하겠습니다. 이렇게 하면 '그냥 재미가 없음'이라는 이유를 줄일 수 있을 것입니다.

둘째, 미디어와 접목한 독서 활동을 운영하겠습니다. 예를 들어, 스마트폰·영상에 익숙한 학생들을 위해 독서 후 짧은 영상 리뷰 만들기, AI를 활용한 책 캐릭터 만들기 활동 등을 도입하겠습니다. 이를 통해 독서가 영상, 게임과 연계될 수 있고 재미있고 창의적인 활동으로 이어질 수 있다는 것을 경험하게 하겠습니다.

셋째, '시간이 없음'이라는 응답에 대응하기 위해 짧고 꾸준한 독서 습관 형성에 집중하겠습니다. 아침 독서 10분, 수업 전 5분 독서 같은 짧은 시간을 활용하겠습니다. 또한, 경기도교육청에서는 1인 1스마트 기기를 제공하고 있습니다. 스마트 기기로 전자책·오디오북 등을 통해 학생들이 생활 속에서 자연스럽게 독서를 접할 수 있게 하겠습니다.

이처럼 선택권을 부여하고, 미디어와 연계하며, 생활 속 작은 시간을 활용하는 방식으로 학생들의 독서 동기를 높이고 지속적인 독서 문화를 형성해 나가겠습니다. 이상입니다.

02
평가영역	THEME 41. 수업 문제 상황
해설	문제점을 먼저 분석한 후 해결 방안을 제시해야 한다. 또한 문제에서 '각 문제'라고 명시했으므로, 반드시 2가지 이상의 문제를 찾아 각각에 대한 해결책을 제시해야 한다.

예시 답변 구상형 2번 답변드리겠습니다.

제시문 상황의 문제점을 먼저 말씀드리겠습니다. 첫째, 수업 태도가 좋지 않은 학생들이 반복적으로 수업을 방해하는 문제입니다. 둘째, 이를 지도하자 민수가 불만을 표출하는 문제입니다. 이를 해결하기 위해 교사가 취할 방안을 각각 말씀드리겠습니다.

먼저, 수업을 방해한 두 학생은 개별적으로 상담을 진행하겠습니다. 단순히 떠들지 말라고 말하는 데 그치지 않고, 학생들이 왜 반복적으로 소란을 피우는지 그 이유를 먼저 들어보겠습니다. 이후 감정을 배제한 채 단호하게, 교실은 모두의 학습권이 보장되는 공간임을 알려주고, 교사의 교육 활동을 존중해야 한다는 점을 분명히 하겠습니다. 더 나아가 담임교사, 학부모와 협력하여 지도 내용을 공유함으로써, 학생들이 교사의 요청을 단순한 간섭이 아닌 공동체 구성원의 책임으로 받아들이도록 할 것입니다.

다음으로, 불만을 표현한 민수와는 개별적으로 대화하겠습니다. 민수의 감정을 공감하며, 반복되는 소란으로 답답한 마음을 달래주겠습니다. 다만, 그저 진도를 위해 문제를 방치하는 것이 아니라, 모두가 함께 참여하는 수업 분위기를 만들어가는 것이 중요하다는 점을 설명하겠습니다. 이렇게 민수가 학급 운영의 동반자로서 역할을 할 수 있도록 격려한다면, 불만이 긍정적인 학급 문화 개선으로 이어질 수 있다고 생각합니다.

마지막으로, 장기적 학급 차원의 수업 규칙과 공동체적 약속을 재정비하겠습니다. 학급회의를 통해 학생들이 스스로 지켜야 할 학습 규칙을 정하고, 이를 시각화하여 교실에 게시하도록 하겠습니다. 이상입니다.

03

| 평가영역 | THEME 12. IB 교육과정 |
| 해설 | 교사의 역할을 말하되, 자신의 전공 사례를 들어 설명하면 전문성을 드러낼 수 있다. |

예시 답변 구상형 3번 답변드리겠습니다.

제시문에 따르면 IB 교육과정 속 교사의 역할은 지식을 일방적으로 전달하는 것을 넘어서, 학생들이 스스로 탐구하고 실행하며 성찰할 수 있도록 학습을 설계하는 것입니다. 구체적인 역할은 다음과 같습니다.

첫째, 탐구를 촉진하는 역할입니다. 학생들이 단순히 교과서적 지식에 머무르지 않고 스스로 문제를 발견할 수 있도록 질문을 던져야 합니다. 예를 들어 불평등을 주제로 수업한다면, 단순히 현황을 설명하는 데 그치지 않고 '불평등은 왜 발생하는가?', '사회 구성원들에게 어떤 영향을 미치는가?'와 같은 탐구 질문을 제시하는 것입니다. 학생들은 다양한 통계 자료나 국제 사례를 조사하면서 문제의식을 기를 수 있습니다.

둘째, 실행을 지원하는 역할입니다. 탐구로 얻은 내용을 실제 경험으로 확장할 수 있도록 안내해야 합니다. 단순히 발표하거나 보고서 작성으로 끝나지 않고, 모의 UN 총회 활동을 열어 각국 대표가 되어 해결책을 토론하게 하거나, 캠페인 활동을 기획하게 하는 방식으로 사회 참여 활동과 연결할 수 있습니다. 교사는 학생들이 실천 경험을 통해 더 깊은 배움을 얻을 수 있도록 지원해야 합니다.

셋째, 성찰을 이끄는 역할입니다. 활동이 끝난 뒤 학생들이 단순히 결과를 공유하는 것을 넘어서, 탐구와 실행 과정에서 깨달은 점은 무엇인지, 불평등 문제 해결을 위해 할 수 있는 작은 실천은 무엇인지를 성찰 일지로 정리하도록 독려해야 합니다. 이를 학급 차원의 토론으로 확장하면 학생들은 지식을 넘어 세계시민의 책임 의식을 자각할 수 있을 것입니다.

이처럼 IB 교육과정에서 교사는 탐구를 촉진하고, 실행을 지원하며, 성찰을 이끄는 조력자로서 학생들이 자기주도적으로 학습하며 세계시민으로 성장할 수 있도록 이끌어야 한다고 생각합니다. 이상입니다.

✦ 즉답형

01

| 평가영역 | THEME 3. 경기미래교육 |
| 해설 | 제시문의 핵심 키워드인 '협력, 지식 생산자, 사회 변혁'이 담겨야 한다. |

예시 답변 즉답형 1번 답변드리겠습니다.

제시문에 따르면 유네스코는 교사를 협력을 바탕으로 지식을 함께 만들어 가는 핵심 주체이자, 교육과 사회 변혁을 이끄는 존재로 보고 있습니다. 여기서 얻을 수 있는 시사점은, 교사가 단순한 지식 전달자가 아니라

동료와 함께 배우고, 새로운 지식을 창출하며, 사회적 가치를 실현하는 전문적 주체로 거듭나야 한다는 것입니다. 이 시사점을 바탕으로 신규 교사로서의 실천 방안을 말씀드리겠습니다.

먼저, 협력적 교사로 성장하겠습니다. 교사 전문적 학습공동체나 수업 연구회에 적극적으로 참여하여 수업 자료를 공유하고 탐구 프로젝트를 개발하겠습니다. 특히 AI 관련 수업에 관심이 많은데, 관련 연구회에 참여하여 동료 교사들과 함께 전문성을 개발하고 싶습니다. 이처럼 혼자가 아닌 협력 속에서 수업의 질을 높이는 경험을 쌓아 나가겠습니다.

둘째, 지식 생산자로서 역할을 다하겠습니다. 단순히 기존에 있는 교수법에 의존하여 교과 지식을 가르치는 데 그치지 않고, 에듀테크 활용 수업, AI 수업, 토론 수업 등 다양한 수업 모형을 활용한 후 성찰일지를 기록하고 학생들의 학습 결과물을 분석하여 저만의 교수학습 방법을 정리하겠습니다. 이후 동료 교사와 공유하며 학교 현장에서 새로운 지식을 함께 생산해 나가겠습니다.

셋째, 사회 변혁의 주체로서 학생들과 함께 사회적 가치를 탐구하는 수업을 운영하겠습니다. 예를 들어, 환경 보호나 디지털 시민성 같은 주제를 프로젝트로 다루어, 학생들이 문제 해결력을 기르고 더 나은 사회를 만들어가는 데 기여하도록 돕는 교사가 되겠습니다.

저는 이렇듯 신규 교사로서 동료와의 협력, 교수학습법 개발, 사회 참여를 통해 교사가 곧 지식 생산자이자 변혁의 주체라는 점을 실천해 나가겠습니다. 이상입니다.

02

평가영역	THEME 44. 학부모와의 소통 및 연대
해설	학부모와의 갈등 상황에서 교사의 소통 역량을 확인하고자 하는 문제이다. 따라서 실제로 학부모와 마주 앉아 있다고 생각하며 대화의 실마리를 풀어나가는 방식으로 답변해야 한다.

예시 답변 즉답형 2번 답변드리겠습니다.

제시문 상황에서 학부모는 자녀가 따돌림을 당한다며 학교의 미온한 조치에 격앙해 항의하고 있지만, 사실관계는 아직 명확히 확인되지 않은 상태입니다. 이러한 상황에서 교사가 학부모와 소통할 때 유의할 점을 먼저 말씀드리겠습니다.

우선 격앙된 감정을 즉시 반박하거나 방어하지 않고, 공감적으로 경청하는 태도를 유지하는 것입니다. 왜냐하면 학부모는 자녀의 안전과 정서 문제로 불안한 상태이므로, 같이 감정적으로 대응한다면 대화가 아닌 싸움이 되기 때문입니다. 따라서 먼저 학부모님의 걱정이 충분히 이해된다는 메시지를 전달하여 신뢰를 확보한 후 대화를 시작해야 합니다.

다음으로 이와 같은 상황에서 갈등을 완화하기 위한 대화 방안을 3가지로 말씀드리겠습니다. 첫째, 사실 확인 절차를 분명히 안내해야 합니다. 아직 따돌림 여부가 명확하지 않다면, 학교가 구체적인 절차를 통해 조사하고 있다는 점을 설명하고, 그 결과를 학부모와 투명하게 공유하겠다고 약속함으로써 불안감을 줄이겠습니다.

둘째, 협력적 태도를 강조해야 합니다. 학부모님만큼 학교도 학생의 안전에 신경을 쓰고 있다는 사실을 안내하고, 학생을 지켜보며 지원하겠다는 의사를 밝혀야 갈등이 완화됩니다. 따돌림이 사실이 아니라고 해도, 왜 그런 이야기가 나왔는지 학부모의 이야기를 충분히 듣고 공감할 수 있어야 합니다.

셋째, 학생의 안전과 정서를 보호할 구체적 방안을 안내해야 합니다. 조사 중이라도 필요한 즉각적 보호 조치, 예를 들어 상담 지원, 관찰 강화를 하고 있음을 설명하면 학부모가 안도할 수 있습니다.

이처럼 교사는 경청과 공감을 바탕으로 사실 확인 절차를 명확히 하고, 학부모와 협력적 신뢰 관계를 형성하여 갈등을 최소화해야 합니다. 이상입니다.

✦ 추가 즉답형(비교수 교과)

03

평가영역	THEME 1. 경기형 교직관 수립
해설	자신의 역량이 드러나는 경험을 구체적으로 제시해야 한다.

예시 답변 즉답형 3번 답변드리겠습니다.

저는 교생실습 시절, 학생들이 급식실에 손거울을 들고 와 자주 깨뜨리는 문제가 있다는 사실을 알게 되었습니다. '거울을 들고 오지 말라'고 지도하니 학생들은 반발하며 몰래 들고 왔고, 그 과정에서 교사와 학생 사이의 갈등이 반복되었습니다.

저는 이때 접근 방식을 달리해 보았습니다. 거울을 외모 점검 도구가 아닌, 깨졌을 때 급식실 안전을 위협하는 위험한 물건으로 인식시키는 방향이었습니다. 그래서 '유리가 깨지면 파편이 입으로 들어가 다칠 수 있어요. 안전하게 식사합시다.'라는 문구를 제안했고, 학생들도 이 부분에 공감하며 안전 캠페인에 참여했습니다. 이 경험을 통해 저는 문제 상황에서 상대방의 관점에서 이해할 수 있는 근거를 제시하는 것이 효과적이라는 점을 깨달았습니다.

앞으로 동료 교사와 협력할 때도 같은 태도를 적용하겠습니다. 먼저 상대의 입장과 상황을 충분히 이해하고, 함께 공감할 수 있는 대안을 제시하겠습니다. 또한 갈등 상황에서는 문제 자체에 집중해, 서로의 의견을 존중하며 해결책을 찾아가는 방식으로 소통하겠습니다. 저는 이렇게 문제를 분석하고, 상대방이 수용할 수 있는 대안을 마련해 협력을 끌어내는 능력을 갖추고 있습니다. 앞으로도 학교 현장에서 동료 교사와 신뢰를 쌓고, 교육공동체 안에서 긍정적인 변화를 만들어 내는 교사가 되겠습니다. 이상입니다.

04

평가영역	THEME 36. 문제행동 학생, THEME 37. 위기 학생
해설	호영이의 상황을 파악하여 학교 내 협력체제를 구축하는 방향을 모색해야 한다.

예시 답변 즉답형 4번 답변드리겠습니다.

제시문의 상황을 보면, 호영이는 생활습관의 불규칙성, 낮은 학습 동기, 정서적 위축과 관계의 어려움을 함께 겪고 있는 것으로 보입니다. 이러한 상황에서는 학교 내외의 다양한 협력 체계를 구축하는 것이 효과적이라고 생각합니다. 이러한 방향으로 김 교사와 함께 호영이를 도울 방법을 말씀드리겠습니다.

저는 상담교사로서 먼저 호영이의 심리적 어려움을 이해하고 지지하는 데 집중하겠습니다. 개별 상담을 통해 왜 등교와 수업 참여에 어려움을 느끼는지 원인을 탐색하고, 자신의 감정을 안전하게 표현할 수 있는 환경을 제공하겠습니다.

둘째, 학교 내 교사들과 협력해 다각도로 지원하겠습니다. 김 교사와 협력하여 호영이에게 생활 일지를 작성하게 하여 생활 리듬을 회복하도록 지도하고, 보건교사와 협력해 수면습관이나 건강 문제 여부를 확인하겠습니다. 또한 영양교사와 협력하여 점심을 거르는 습관이 단순 편식인지, 심리적 요인인지 파악하고 맞춤형 지도를 하겠습니다. 교과교사와는 학습 동기를 높일 방법을 논의하며, 호영이가 수업에서 작은 성취 경험을 맛볼 수 있도록 과제를 조정하거나 차별화된 피드백을 제공할 수 있도록 돕겠습니다.

셋째, 학부모, 지역사회와의 소통을 강화하겠습니다. 가정에서 학생의 생활습관과 정서적 배경을 확인하고, 학교와 가정이 일관성 있는 지도를 할 수 있도록 협력체제를 구축하겠습니다. 필요하다면 지역 상담 기관이나 전문가와 연계하여 학생의 정서적 회복을 지원하겠습니다.

이처럼 저는 상담교사로서 학생의 내적 어려움을 경청하고, 김 교사뿐 아니라 보건, 영양, 교과 교사와 협력하며, 가정과도 긴밀히 연계하여 호영이가 생활습관을 회복하고 학습과 관계 속에서 안정적으로 성장할 수 있도록 돕겠습니다. 이상입니다.

실전 모의고사 5회 자기 평가

체감 난도	상 중 하 → 원인 파악:	
스터디원의 피드백	잘한 부분	
	부족한 부분	
내용 이해도가 부족한 THEME	THEME 번호	
	보완 계획	

참고문헌

1. 사이트

- 성인지감수성 자가진단 https://on-maum.or.kr/page/e00.html
- 경기도교육청 블로그 http://blog.naver.com/go_edu
- 경기도교육청 사이트 http://www.goe.go.kr/
- 교육부 https://www.moe.go.kr/
- 대한안전교육협회 http://safetykorea.or.kr/
- 스마트쉼센터 https://www.iapc.or.kr/
- 아동권리보장원 http://www.korea1391.go.kr/new/
- 에듀넷·티-클리어 https://www.edunet.net/
- 에듀프레스(edupress) http://www.edupress.kr
- 학교폭력예방홈페이지 https://doran.edunet.net/main/mainForm.do
- 행복한 교육 1월~10월호 https://happyedu.moe.go.kr/

2. 문서

- 경기도교육청, 「생명감수성 증진 프로그램」, 2015.
- 경기도교육청 보도자료, 「경기도교육청, 신규교사 임용시험 개선」, 2015. 5. 19.
- 경기도교육연구원, 「교육과정, 수업, 평가 운영 실태 및 일체화 방안 연구」, 2015.
- 경기도교육청, 「2016학년도 경기도교육청 교육정책 및 신규 교원 임용제도 설명회 자료」, 2015. 8. 28.
- 한국교육과정평가원, 「21세기 역량 기반 교육과정 개발 방향 연구-OECE Education 2030-」, 2016.
- 김성천 외, 「초등교사 임용후보자 선정 경쟁시험의 문제점과 개선방향 탐색」, 교육문화연구 vo.23, 2017.
- 경기도교육청, 「2018학년도 경기도교육청 교육정책 및 신규 교원 임용제도 설명회 자료」, 2017. 6. 21.
- 한국교육개발원, 「2019 탈북학생 지도교사용 매뉴얼 '함께 만들어요! 하나된 세상'」, 2018. 4.
- 경기도교육청, 「경기도 성장중심평가 기본 문서 -학생의 전면적 발달을 돕는 성장중심평가-」, 2018.
- 경기도교육청, 「2030 경기미래교육 이해자료」, 2019.
- 경기도교육청 민주시민교육과, 「경기 다문화교육 추진 계획」, 2019. 2.
- 경기도교육청, 「2020 교육복지우선지원사업 운영 지원 계획」, 2020.
- 교육부·한국교육학술정보원, 「함께 실천하는 사이버폭력 예방 리플릿-교사용」, 2020.
- 교육부·한국교육학술정보원, 「함께 실천하는 사이버폭력 예방 리플릿-학부모용」, 2020.
- 교육부·한국교육학술정보원, 「함께 실천하는 사이버폭력 예방 리플릿-학생용」, 2020.
- 경기도교육청, 「2021~2022 학교로부터 시작하는 경기교육 기본계획 수립 계획」, 2020.
- 아동권리보장원, 「아동학대 신고의무자가 꼭 알아야하는 아동학대 예방요령」, 2020.
- 경기도교육청, 「반부패청렴교육표준안」, 2020.
- 중앙교육연수원, 「스마트폰 과의존 예방교육 연수자료」, 2020.
- 경기도 용인교육지원청, 「기초기본학력보장 추진 계획」, 2020.
- 경기도교육청, 「유·초·중등 및 특수학교 코로나19 감염예방 관리 안내 자료」, 2020.
- 경기도교육청, 「경기 블렌디드 러닝의 이해(초등)」, 2020.

- 경기도교육청 학교교육과정과, 「2020 원격교육 선도학교 '함께학교·먼저학교' 운영 사례」, 2020.
- 경기도교육청, 「학교 정책을 잇다 1권~2권」, 2021.
- 경기도교육청, 「초등 성장배려학년제의 이해」, 2021.
- 경기도교육청, 「2022 경기교육 주요업무계획」, 2021.
- 경기도교육청, 「혁신학교 2021, 우리가 만들어 갑니다」, 2021.
- 경기도교육연구원, 「통계로 보는 오늘의 교육-통권 20호」, 2021.
- 경기도교육연구원, 「통계로 보는 오늘의 교육-통권 21호」, 2021.
- 경기도교육청, 「1급 정교사 자격연수-다문화사회속 교사의 역할(김연권)」, 2021.
- 경기도교육청, 「2021 2학기 중등 원격수업 및 등교수업 출결 평가 기록 가이드라인」, 2021.
- 경기도교육청, 「즐겨찾기 통권 3호, 4호」, 2022.
- 경기도교육연구원, 「교육시선 오늘 1~7호」, 2022.
- 경기도교육청, 「2022 중등 교사교육과정 도움자료」, 2022.
- 경기도교육청, 「2022 혁신교육 정책추진 기본계획」, 2022.
- 경기도교육청, 「임태희 교육감 취임 기자회견 문서」, 2022.
- 경기도교육청, 「2022 과정중심 피드백 실천 사례집」, 2022.
- 경기도교육청, 「2022 학생생활인권 정책추진 기본계획」, 2022.
- 경기도교육청, 「2022 민주시민교육 정책추진 기본계획」, 2022.
- 경기도교육청, 「2022 교원역량강화 정책추진 기본계획」, 2022.
- 경기도교육청, 「2022 융합교육정책과 정책추진 기본계획」, 2022.
- 경기도교육청, 「2022 미래학교기획과 정책추진 기본계획」, 2022.
- 경기도교육청, 「2022 진로직업정책과 정책추진 기본계획」, 2022.
- 경기도교육청, 「2022 학교교육과정과 정책추진 기본계획」, 2022.
- 경기도교육청, 「2022 경기형그린스마트미래학교 추진 기본계획」, 2022.
- 경기도교육청, 「2022~2024년 학생 도박 예방 교육에 관한 기본계획」, 2022.
- 경기도교육감직인수위원회, 「제18대 경기도교육감직인수위원회 백서」, 2022.
- 경기도교육청, 「2023 경기 기초학력 보장 시행 계획」, 2023.
- 경기도교육청, 「2023 경기교육 기본계획」, 2023.
- 경기도교육청, 「2023 디지털 미디어 문해교육 협력체 사례집」, 2023.
- 경기도교육청, 「2023 디지털 시민교육 이해자료」, 2023.
- 경기도교육청, 「2023 디지털 시민역량교육 실천학교 수업사례집」, 2023.
- 경기도교육청, 「2023 배움과 성장을 지원하는 과정중심피드백 실천 사례집」, 2023.
- 경기도교육청, 「2023 세계시민(학교민주시민) 교육 기본 계획」, 2023.
- 경기도교육청, 「2023 창의융합체험 추진 계획」, 2023.
- 경기도교육청, 「2023 초등 성장중심평가 이렇게 실천해요」, 2023.
- 경기도교육청, 「2023 초등학생 맞춤형 수업 기본 계획」, 2023.
- 경기도교육청, 「2023 학교 독서교육 및 도서관 운영 기본 계획」, 2023.

참고문헌

- 경기도교육청, 「2023 학생 주도성 프로젝트 활성화 계획」, 2023.
- 경기도교육청, 「2023 함께 만들어가는 고교학점제」, 2023.
- 경기도교육청, 「2023 함께 만들어가는 학생중심 학교교육과정(고등학교편)」, 2023.
- 경기도교육청, 「2023년 교원역량강화 정책추진 기본계획」, 2023.
- 경기도교육청, 「2023년 보도 자료」
- 경기도교육청, 「2023년 보편적·일상적 학교예술교육 기본계획」, 2023.
- 경기도교육청, 「2023년 융합교육정책과 기본계획」, 2023.
- 경기도교육청, 「2023년 정보통신윤리교육 추진 계획」, 2023.
- 경기도교육청, 「2023년 학교 내 대안교실 운영 매뉴얼」, 2023.
- 경기도교육청, 「2023년 학교급식 기본방향」, 2023.
- 경기도교육청, 「2023년 학교정책과 정책추진 기본계획」, 2023.
- 경기도교육청, 「2023년 학생건강과 정책 세부추진계획」, 2023.
- 경기도교육청, 「2023년 학생생활교육 정책추진 기본계획」, 2023.
- 경기도교육청, 「2023학년도 2학기 경기이룸대학 운영 안내서」, 2023.
- 경기도교육청, 「2023학년도 경기 고교학점제 추진 계획」, 2023.
- 경기도교육청, 「2023학년도 경기교육 정기여론조사 1회차 결과보고서」, 2023.
- 경기도교육청, 「2023학년도 자유학기제 추진 계획」, 2023.
- 임태희, 「취임1주년을 맞아 경기교육가족에게 드리는 글」, 2023.
- 경기도교육청, 「23년 학교폭력 사안처리 가이드북」, 2023.
- 경기도교육청, 「갑질 업무 처리 가이드북」, 2023.
- 경기도교육청, 「경기도 초등 학적 길라잡이」, 2023.
- 경기도교육청, 「경기인성교육 시작하기 리플릿」, 2023.
- 경기도교육청, 「교원, 교육전문직원 대상 IB 프로그램 설명회 자료」, 2023.
- 경기도교육청, 「교육공동체가 함께하는 즐거운 여정, 우리들의 행복한 학교자율과정 이야기」, 2023.
- 경기도교육청, 「글로컬 융합인재 육성을 위한 IB 프로그램 Q&A」, 2023.
- 경기도교육청, 「글로컬 융합인재 육성을 위한 미래교육 IB 포럼 자료집」, 2023.
- 경기도교육청, 「미래교육협력지구 추진계획」, 2023.
- 경기도교육청, 「아동학대 예방 및 대처 요령 교육 부문 가이드북」, 2023.
- 경기도교육청, 「에듀테크 활용 교육 기본계획」, 2023.
- 경기도교육청, 「유·초 연계 교육과정 실천사례」, 2023.
- 경기도교육청, 「청렴교육 표준 교재」, 2023.
- 경기도교육청, 「초·중 연계 교육과정 실천사례」, 2023.
- 경기도교육청, 「초등 무학년제 교육과정 실천사례」, 2023.
- 경기도교육청, 「초등 저학년 인성교육프로그램 자료」, 2023.
- 경기도교육청, 「초등 학년군 연계 교육과정 실천사례」, 2023.
- 경기도교육청, 교직원이 꼭 알아야 할 청렴 법령, 2023.
- 경기도교육청, 「2024 1학기 1~6학년 수업-평가 연계 도움자료 개발」, 2024.
- 경기도교육연구원, 「경기도교육연구원_인사이트_1권 2호」, 2024.
- 경기도교육연구원, 「경기도교육연구원_인사이트_1권 3호」, 2024.

- 경기도교육연구원, 「경기도교육연구원_인사이트_1권 4호」, 2024.
- 경기도교육연구원, 「경기도교육연구원_인사이트_1권 5호」, 2024.
- 경기도교육연구원, 「경기도교육연구원_인사이트_2권 1호」, 2024.
- 경기도교육연구원, 「교육데이터 인사이트 1호」, 2024.
- 경기도교육청, 「'생각의 힘을 키우는 학기' 논술형 평가 운영 도움자료」, 2024.
- 경기도교육청, 「2022 개정 교육과정에 따른 2024학년도 초등학교 교육과정 편성 안내」, 2024.
- 경기도교육청, 「2022 개정 중학교 교육과정과 학교자율시간」, 2024.
- 경기도교육청, 「2022 개정교육과정 연계 디지털 소양 교육 가이드(중등)」, 2024.
- 경기도교육청, 「2022 개정교육과정 연계 디지털 창의역량 교육 사례집(초등)」, 2024.
- 경기도교육청, 「2022 개정교육과정 연계 디지털 창의역량교육 사례집」, 2024.
- 경기도교육청, 「2024 경기 기초학력 보장 시행 계획」, 2024.
- 경기도교육청, 「2024 경기공유학교 운영계획」, 2024.
- 경기도교육청, 「2024 경기교육 주요업무계획」, 2024.
- 경기도교육청, 「2024 경기도교육청 놀이 활동 활성화 운영 계획」, 2024.
- 경기도교육청, 「2024 경기도교육청 인성교육 시행계획」, 2024.
- 경기도교육청, 「2024 경기이룸학교 시행 계획」, 2024.
- 경기도교육청, 「2024 교육과정과 연계한 정책구매제 활용 수업사례 공모 계획」, 2024.
- 경기도교육청, 「2024 교육역량정책과 기본계획」, 2024.
- 경기도교육청, 「2024 교육활동 보호 강화 종합 대책」, 2024.
- 경기도교육청, 「2024 디지털 시민교육 이해자료(리플릿)」, 2024.
- 경기도교육청, 「2024 세계시민 교육 기본 계획」, 2024.
- 경기도교육청, 「2024 에듀테크 활용 교육 기본계획」, 2024.
- 경기도교육청, 「2024 역사교육 기본계획」, 2024.
- 경기도교육청, 「2024 용인 탄소중립 생태환경교육 추진 계획」, 2024.
- 경기도교육청, 「2024 초등 '학습으로의 평가' 이해하기」, 2024.
- 경기도교육청, 「2024 초등 교육과정-수업-평가, 기초학력 추진계획」, 2024.
- 경기도교육청, 「2024 학교자율과제 정책 연계 지원 방안」, 2024.
- 경기도교육청, 「2024 학생의 사고력과 문제해결력을 키우는 중등 논술형 평가 길라잡이」, 2024.
- 경기도교육청, 「2024 함께 만들어가는 학생중심 학교교육과정 도움자료집(고등학교편)」, 2024.
- 경기도교육청, 「2024 함께 만들어가는 학생중심 학교교육과정 도움자료집(중학교편)」, 2024.
- 경기도교육청, 「2024년 달라지는 경기교육」, 2024.
- 경기도교육청, 「2024년 독도교육 활성화 계획」, 2024.
- 경기도교육청, 「2024년 정보통신윤리교육 추진 계획」, 2024.
- 경기도교육청, 「2024년 통일교육 탈북학생교육 기본 계획」, 2024.
- 경기도교육청, 「2024년 학생상담 지원계획」, 2024.
- 경기도교육청, 「2024학년도 IB 프로그램 운영 계획」, 2024.
- 경기도교육청, 「2024학년도 경기 교수학습 기본 계획」, 2024.
- 경기도교육청, 「2024학년도 경기도 공동교육과정 운영 길라잡이」, 2024.
- 경기도교육청, 「2024학년도 자유학기제 안내 리플렛」, 2024.

참고문헌

- 경기도교육청, 「2024학년도 자유학년제 추진 계획」, 2024.
- 경기도교육청, 「2024학년도 자율장학 운영계획」, 2024.
- 경기도교육청, 「2024학년도 학교폭력 사안처리 가이드북 개정판」, 2024.
- 경기도교육청, 「초등학교 2022 개정 교육과정 학교자율시간과목 및 활동 개설 예시자료」, 2024.
- 경기도교육청, 「장애이해교육 연수 자료」, 2024.
- 경기도교육청, 「프로젝트 수업, 에듀테크를 만나다」, 2024.
- 경기도교육청, 「하이터치 하이테크 교육의 이해와 활용」, 2024.
- 경기도교육청, 「학교에서 알아야 하는 청탁금지법 Q_A 및 주요 지적 사례」, 2024.
- 경기도교육청, 「학교자율시간 이것이 궁금해요」, 2024.
- 경기도교육청, 「학력향상 교육과정 실현을 위한 학교자율시간 설계의 실제」, 2024.
- 교육부, 「2022개정교육과정총론」, 2024.
- 경기도교육청, 「경기공유학교 리플릿」, 2024.
- 경기도교육청, 「e정책장터이해자료」, 2024.
- 경기도교육청, 「경기도 초중등학교 교육과정 총론」, 2024.
- 경기도교육청, 「경기도교육청 어린이 놀 권리 보장을 위한 조례」, 2024.
- 경기도교육청, 「경기도교육청(북주청사)_초등 깊이있는 수업 프레임워크 월간 자료집」, 2024.
- 경기도교육청, 「경기도교육청_중학교 2022 개정 교육과정과 학교자율시간」, 2024.
- 경기도교육청, 「고차원적 사고력을 키우는 논술형평가」, 2024.
- 경기도교육청, 「공감과 소통을 위한 교실 속 다문화교육」, 2024.
- 경기도교육청, 「교육활동 보호 강화 대책 홍보자료」, 2024.
- 경기도교육청, 「교육활동 예방 교육」, 2024.
- 경기도교육청, 「기초소양을 토대로 역량을 키우는 초등 1~2학년 성장이음과정 안내」, 2024.
- 경기도교육청, 「깊이있는 수업 이해자료 및 정보공시용 교수학습 예시」, 2024.
- 경기도교육청, 「깊이있는수업설계도움자료」, 2024.
- 경기도교육청, 「논술평 평가 학생 교육용 도움자료」, 2024.
- 경기도교육청, 「달라지는 학교 폭력 제도」, 2024.
- 경기도교육청, 「담임교사를 위한 학생 상담 길잡이」, 2024.
- 경기도교육청, 「디지털성범죄 유형 카드뉴스」, 2024.
- 경기도교육청, 「디지털성범죄 이해 카드뉴스」, 2024.
- 경기도교육청, 「신학기 에듀테크 세우기」, 2024.
- 경기도교육청, 2025년 갑질예방 근절교육, 2025
- 경기도교육청, 2025 경기도교육청 양성평등교육 도움자료(중등), 2025.
- 경기도교육청, 2025 경기도교육청 양성평등교육 도움자료(초등), 2025.
- 경기도교육청, 2025 경기 기초학력 보장 시행 계획, 2025.
- 경기도교육청, 경기형 탄소중립교육 종합계획(2025-2029), 2025.
- 경기도교육청, 2025학년도 중등 교수 학습 및 평가계획[정보공시] 작성 도움 자료 -깊이있는 수업-, 2025.
- 경기도교육청, 학습 여정을 탐색하는 의미있는 경기 논술형 평가, 2025.
- 경기도교육청, 2025 다름과 공존하는 경기토론교육 자료집, 2025.
- 경기도교육청, 탐구-실행-성찰과정 프레임워크 2.0, 2025.

- 경기도교육청, 2025학년도 자유학기제 추진 계획, 2025.
- 경기도교육청, 2025년 독도교육 활성화 계획(안), 2025.
- 경기도교육청, 2025년 통일교육·탈북학생교육 추진 계획, 2025.
- 경기도교육청, 2025년 세계시민(학교민주시민)교육 기본 계획 안내, 2025.
- 경기도교육청, 2025 경기 독서인문교육 정책 추진계획, 2025.
- 경기도교육청, 선생님을 위한 유·초 이음교육 길라잡이, 2025.
- 경기도교육청, 2025 경기도교육청 인성교육 시행계획, 2025.

3. 도서

- 정문성, 『토의·토론 수업 방법 84』, 교육과학사, 2008.
- 사토마나부, 『수업이 바뀌면 학교가 바뀐다』, 에듀니티, 2011.
- 손우정, 『배움의 공동체』, 해냄, 2012.
- 롤프 도벨리, 『스마트한 생각들』, 걷는나무, 2012.
- 박숙영, 『회복적 생활교육을 만나다』, 좋은교사, 2014.
- 김현섭, 『질문이 살아있는 수업』, 한국협동학습센터, 2015.
- 노구치 데츠노리, 『숫자의 법칙: 생각의 틀을 바꾸는 수의 힘』, 어바웃어북, 2015.
- 김고연주, 『나의 첫 젠더 수업』, 창비, 2017.
- 김현섭, 『철학이 살아있는 수업기술』, 수업디자인연구소, 2017.
- 이명섭 외, 『교육과정-수업-평가-기록의 일체화 실천편』, 에듀니티, 2017.
- 좋은교사, 『좋은교사』, 2019.
- 송형호·왕건환, 『교사 119 이럴 땐 이렇게』, 에듀니티, 2019.
- 김윤정, 『공부머리 만드는 초등 문해력 수업』, 믹스커피, 2019.
- 이케가야 유지, 『세상에서 가장 재미있는 61가지 심리실험: 인간관계편』, 사람과나무사이, 2019.
- 안데르스 한센, 『인스타 브레인』, 동양북스, 2020.
- 토드 휘태커·애넷 브로, 『교실에서 바로 쓸 수 있는 낯선 행동 솔루션 50』, 우리학교, 2020.
- 구본권, 『유튜브에 빠진 너에게』, 북트리거, 2020.
- 게일 에반스, 『남자처럼 일하고 여자처럼 승리하라』, 해냄, 2000.
- 교육과정디자인연구소, 『교사 교육과정을 디자인하다』, 테크빌교육, 2020.
- 김태훈, 『서울대 수석은 이렇게 공부합니다』, 다산에듀, 2021.
- EBS 당신의 문해력 제작팀, 김윤정, 『당신의 문해력』, EBSBOOKS, 2021.
- 고영규 외, 『지혜로운 교사는 교실 속 문제를 어떻게 해결하는가』, 테크빌 교육, 2021.
- 신고은, 『인간의 마음을 이해하는 수업』, 포레스트북스, 2021.
- 송형호, 『학부모 상담 119』, 지식의날개, 2021.
- 송형호·송지선, 『온·오프를 아우르는 학급경영 B to Z』, 우리학교, 2021.
- 김용섭 외, 『청소년을 위한 미래 교과서』, 김영사, 2022.
- 교육트렌드2023 집필팀, 『대한민국 교육 트렌드』, 에듀니티, 2022.
- 김원아, 『예의 없는 친구들을 대하는 슬기로운 말하기 사전』, 사계절, 2022.
- 박기현 외, 『디지털교육 트렌드 리포트 2024』, 테크빌 교육 2023.

사이다 면접 Output

초판인쇄 | 2025. 11. 3. **초판발행** | 2025. 11. 7. **공저자** | 이지수, 구영모
발행인 | 박 용   **발행처** | (주)박문각출판
등록 | 2015년 4월 29일 제2019-000137호
주소 | 06654 서울특별시 서초구 효령로 283 서경빌딩
교재문의 | (02)6466-7202

이 책의 무단 전재 또는 복제 행위는 저작권법 제136조에 의거, 5년 이하의 징역 또는 5,000만 원 이하의 벌금에 처하거나 이를 병과할 수 있습니다.

ISBN 979-11-7519-303-1
      979-11-7519-301-7(세트)

정가 47,000원(분권, 별책 포함)

저자와의
협의하에
인지생략